ISBN 978-0-428-64194-8
PIBN 11301620

1 MONTH OF
FREE
READING

at

www.ForgottenBooks.com

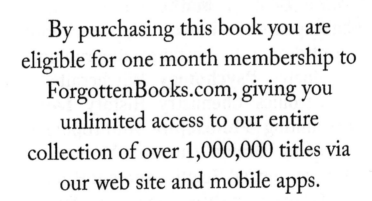

By purchasing this book you are eligible for one month membership to ForgottenBooks.com, giving you unlimited access to our entire collection of over 1,000,000 titles via our web site and mobile apps.

To claim your free month visit:

www.forgottenbooks.com/free1301620

Ludwig Ganghofers

Gesammelte Schriften

Erste Serie

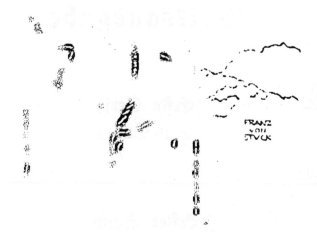

1906

Nach einer Temperazeichnung von
Franz von Stuck

Ludwig _{Albert} Ganghofers
Gesammelte Schriften

Volksausgabe

Erste Serie
in 10 Bänden

Erster Band

Mit dem Bildnis des Dichters von
Franz von Stuck

Stuttgart, Adolf Bonz & Comp.

1015

Druck von A. Bonz' Erben in Stuttgart.

Ich widme mein Lebenswerk
meinem treuen Gefährten:
meiner lieben Frau Katinka.

Inhalt der ersten Serie.

—

1. Band. Vorwort.
 Schloß Hubertus, Roman, Band I.

2. Band. Schloß Hubertus, Band II.

3. Band. Der Herrgottschnitzer von Ammergau,
 Hochlandsgeschichte.
 Hochwürden Herr Pfarrer, Hochlands-
 geschichte.
 Der Jäger von Fall, Hochlandsgeschichte.

4. Band. Edelweißkönig, Hochlandsgeschichte.

5. Band. Der Unfried, Dorfroman.

6. Band. Der laufende Berg, Dorfroman.

7. Band. Die Martinsklause, Roman aus dem Anfang des zwölften Jahrhunderts, Band I.

8. Band. Die Martinsklause, Band II.

9. Band. Das Gotteslehen, Roman aus dem dreizehnten Jahrhundert.

10. Band. Der Klosterjäger, Roman aus dem vierzehnten Jahrhundert.

Vorwort.

Mit diesem Buche beginnt die Veröffentlichung einer Volksausgabe meiner Schriften. Ich bin meinem Verleger für die Veranstaltung dieser billigen Ausgabe zu Dank verpflichtet. Sie wird meine Lebensarbeit dem Volke zugänglich machen, aus dem ich hervorgewachsen bin, mit dem ich mein Leben teilte und für das ich geschrieben und geschaffen habe.

Da ihr nun so vieles von mir lesen sollt — eine stattliche Reihe von Bänden, in denen ich von Dorf und Stadt erzähle, von Höhen und Tiefen, von Tag und Nacht, von Vergangenheit und Gegenwart, von Leben und Sterben, von Qual und Freude, von Hoffen und Gewinnen — da möchte ich nun auch ein paar Worte über mich selbst zu euch sprechen. Ich tue das, damit ihr beim Lesen wißt, wer zu euch redet, und welche Absicht mich leitete, wenn ich zur Feder griff.

Vor fünfzig Jahren geboren, bin ich im Dorfe aufgewachsen, in einem Forsthaus. Der nahe Wald war die Heimat meiner ersten Träume, das grüne Ziel meiner ersten Schritte, der kräftige Nährboden meiner erwachenden Gedanken. Die Geheimnisse und Offenheiten seines Lebens, das immer zerfällt

und sich immer neu erhebt, gaben mir, von Kindheit an, die
Maßstäbe für die Schätzung unserer menschlichen Lebenswerte.
Im Rauschen und Schweigen des Waldes formte ich meine
Glaubenssätze. Sie sind gewiß nicht neu. Andere, die vor
und mit mir lebten, mögen ähnliches gedacht und empfunden
haben. Aber was ich glaube, hab ich von keinem andern
übernommen. Und was der Wald mich lehrte, ist Fleisch und
Blut in mir geworden.

Alles Leben ist Kampf, ein ewiges Aufblühen und Erlöschen. Und in allem Kampf wechselt die Freude des Sieges
mit den Bitternissen der Niederlage. Weil das so ist seit
Ewigkeiten, kann es nicht anders sein, darum ist es das Na-
türliche, das Selbstverständliche, und jede Klage darüber ist
unvernünftig, unnatürlich.

Und nichts ist häßlich. Kleinliche Selbstsucht und ge-
dankenlose Torheit haben dieses üble, in Verruf gekommene
Wort erfunden. Wohl gibt es viele Dinge, die uns Menschen
nicht behagen. Doch im Gefüge der Natur und des Lebens
sind sie so wichtig und unerläßlich wie alles, was uns gefällt
— und wenn ihr sie mit Ruhe und um ihrer selbst willen
betrachtet, werdet ihr Schönheit an ihnen finden. Schön ist die
Kraft; aber schön ist auch das Schwache, weil es Güte und
Erbarmen weckt, die Hoffnung blühen macht und die Hilfe
beseelt. Schön ist das Gesunde; aber schön ist auch das Leiden,
das unser Wesen vertieft und läutert, den Willen und die
Kräfte stählt — oder auslöscht, was kein natürliches Anrecht
mehr auf ein Dauern hat. Schön ist das heiße, schreitende
Leben, und schön das kühle Versinken in die Ruhe. Schön
ist der Sturm, und schön der Friede, zu dem alles Toben sich
lösen muß. Ein Sandkorn ist so schön wie der ragende Berg,
ein Regentropfen so herrlich wie das Meer, ein Strohhalm
so bedeutungsvoll wie die rauschende Palme — und der form-
lose Kiesel auf dem Acker so schön, so reich an Zauber und

Rätseln wie ein vollendetes Kunstwerk, dessen Reiz und Geheimnis alle Tiefen einer empfänglichen Seele durchschauert. Schön ist das Schaffen und Geben, schön das Empfangen und sein Genuß. Schön ist das ruhelose Forschen, und schön die wunschlose Einfalt. Schön ist das Wissen und schön der Glaube! Denn alles ist ein Gleiches, alles ein Wille oder eine Farbe der Natur, alles ein Unentbehrliches.

Und nichts, was in Natur und Leben sich vollzieht, ist störend oder widersächlich. Feindliche Mächte — mögt ihr sie Zufall, Unglück, Tod, Verderben, Haß, menschliche Torheit, Teufel oder Gespenster nennen — feindliche Mächte haben nicht Raum im heiligen Zauberkreise der Natur und des Lebens. Denn das alles ist ein anderes, als ihr es nennt. Alles, was geschieht, ist Ursache für neues und schönes Werden, jede Nacht ein Sprung in den Morgen, jede Regung in Leben und Natur ist schöpferische Kraft.

Und herrlich, weise, schön und liebevoll ist Er, von dem diese schöpferische Kraft und dieser stäte Frühlingswille seit Ewigkeiten ausgeht! Er, den kein Name nennt und kein irdisches Gehirn erfaßt! Er, der alles Werden und Vergehen auf ruhigen Händen trägt und niemals Unterschiede macht! Der nicht Augen hat und dennoch alles sieht, nicht Ohren hat und dennoch alles hört, nicht Blut und Herz besitzt und dennoch alles empfindet! Er, der Ganze, Ewige, Unendliche, der das Leben und die Ruhe gibt, das Jauchzen und die Pein, das Verständliche und das Unerklärbare — mag es sich äußern im Flug und im Erstarren einer Mücke, im Jubel und Zucken eines menschlichen Herzens, im Glanz und im Erlöschen der Sonnen und Sterne! Er lebt, und alles lebt in ihm. Und jeder seiner ruhigen Atemzüge dauert siebenmal sieben Millionen Jahre.

Nun rechnet aus, ihr Mathematiker, wie oft er atmete, wie lange er schon war und wie lang er noch leben wird —

was er schuf und was er noch schaffen mag? Rechnet nur!
Ich hab es aufgegeben, schon lange! Hab's im Walde verlernt. Und begnüge mich, still hineinzuträumen in die grünen
Einsamkeiten unseres fliegenden Weltenstäubchens, und stumm
hinaufzustaunen in die blauen, mit Glanz durchwirkten Höhen
seines grenzenlosen Reiches.

Das ist die Religion, die mir gepredigt wurde in der
Kirche der Natur. Wald und freie Bergluft haben mich zur
Furchtlosigkeit erzogen, zu gläubiger Lebensfreude, zu dank-
barem Staunen vor aller Schönheit, zur Wissenschaft von der
ewigen Wiederkehr des Frühlings, zum Glauben, daß alle
Torheit ein Umweg zur Klugheit ist, aller Schmerz ein Weg
zur Freude.

Dieser Waldgewinn — wenn auch erst halb verstanden —
war schon in mir, als ich das Dorf verließ und hinaustrat
ins große Leben. Hier hab ich mich umgesehen, überall, auf
den Gassen und unter allen Dächern, kleinen und großen, in
den Stuben der Gelehrten und in den Hallen der Kunst.
Allen Ernst und alle Tollheit hab ich mitgemacht, ließ mich
berauschen, ernüchtern und wieder entzücken. Ich habe geirrt,
wie andere, und bin, wie andere, zu einem Ziel gekommen,
zu dem der Weg an Enttäuschung und Freude vorüberging.

Doch aus allem Lauf und Wandel meines Lebens hat
mich eine treue Sehnsucht immer wieder zurückgezogen in den
Wald und in die klare Höhenluft der Berge. Und was ich
in Kopf und Herz von den großen Kampfplätzen des Lebens
mit heraus brachte, das begann sich in dieser grünen Ewigkeits-
stille zu beruhigen und zu klären; es trat aus mir heraus und
stand mir vor Augen, so daß ich es betrachten konnte wie eine
Sache, die mir fremd war und einem anderen gehörte. Manchmal mußte ich lächeln über diese Bilder, manchmal zittern in
Scham und Zorn. Und seht, mit Lachen und Zorn wurde

ich Herr über mein Leben! Und was mir einst der Wald mit leisem Samenflug in die ahnende, staunende Knabenseele geweht hatte, das formte sich im Verstand und Gefühl des Mannes zu einem sicheren Wissen, zu einem festen Glauben.

Dieser Glaube an den Gleichwert aller Dinge und an die Unsterblichkeit des Frühlings und der Freude — dieser ruhige, furchtlose Glaube hat mein Leben klar und frei und schön gemacht. Und gab meinem Leben ein treues und starkes Glück. Das will nicht sagen, daß mein Leben ohne Schatten war, ohne Qual, ohne Bitterkeit und Trauer. Das alles hat nach mir gegriffen, wie es nach jedem atmenden Geschöpfe greift. Aber weil ich das mit anderen Augen ansah, als es die Menschen für gemeinhin zu betrachten pflegen, bekam alle Härte für mich ein milderes Gesicht. Und es blieb meinem Leben immer ein Licht, das mich wärmte, eine Farbe, die meinem Auge wohltat, ein schöner Klang, der mich träumen ließ, ein gutes Buch, das mich begeisterte und erhob, eine Schönheit, die mich in Andacht staunen machte. Und wie der Glaube an die Herrlichkeit alles Ewigen, so fest wurde in mir der Glaube an den Wert des Vergänglichen, das Vertrauen zu den Menschen. Täuschte mich eine Erwartung, so maß ich die Schuld nur mir allein zu und suchte zu begreifen, was ich mißverstanden hatte. Das verwandelte mir jeden Verlust in einen Gewinn.

Und wer besitzt, muß geben. Das ist von den Gesetzen eines, die vor Ewigkeiten geschaffen wurden. Mancher Freund meiner Jugend, auch ich selbst, begriff nicht, warum ich den technischen Beruf, in dem ich fertig ausgebildet war, über Nacht beiseite schob und zu schreiben, zu fabulieren, zu erzählen begann. Ich tat, was ich mußte — ohne mir viel Rechenschaft darüber zu geben. Und habe für den Anfang mit Lachen und Leichtsinn aus mir herausgeschüttet, was mir durch Herz und Sinne zitterte. Aber von Arbeit zu Arbeit

wurde mir klarer, was ich wollte, wollen mußte. Und dann
hab ich kein Buch mehr geschrieben, in dem ich nicht bewußt
und mit Absicht die Faust erhob gegen ein Qualgespenst unseres
schönen Lebens — kein Buch, mit dem ich nicht befreien wollte,
aufrichten und frohe Wege weisen. Vieles hab ich da, gläu-
big und leicht, herausgesprochen aus der grünen Freude meines
eigenen Lebens. Aber das wärmste meiner Bücher — den
„Klosterjäger" — schuf ich im tiefsten Schatten, der über mein
Leben fiel; und im herbsten Schmerz, den ich zu leiden hatte,
fand mein Trostverlangen das Wort: „Wir können nicht leben,
wenn wir die Sonne nicht suchen, und zum Leben so nötig,
wie Luft und Brot, ist noch ein drittes für uns: das helle
Sehen!"

Manche sagen: wahre Kunst wäre nur um ihrer selbst
willen da und dürfe keinem Zwecke dienen, auch nicht, wenn
dieser Zweck ein guter wäre. Ist das richtig, dann hab ich
nie ein Kunstwerk geschaffen, und ich nehme diesen Vorwurf
mit Ruhe hin. Denn was ich schuf, war nie ohne Zweck
und Absicht. Aber ich glaube nicht an den Lehrsatz von der
zweckfreien Selbstherrlichkeit der Kunst. In Natur und Leben
gibt es keinen Raum für Dinge, die ohne Zweck sind. Sie
können entweder nicht entstehen, oder wenn sie als Irrtum
entstanden, werden sie von der schöpferischen Kraft verworfen,
zerstört, beseitigt. Aber alles künstlerische Schaffen ist so alt
wie die Menschheit, so alt und ewig jung wie die Sehnsucht,
wie das Trostverlangen und die Freude. Ich glaube, daß
alle Kunst als Notwendigkeit hervorwuchs aus der Liebe zum
Leben — ich glaube, daß Kunst auf Menschen wirken soll
wie ein Gewitter nach schwüler Nacht, wie Sonne am klaren
Morgen, wie eine Seelenbeichte, wie ein erquickendes Bad,
wie ein reines, weißes Gewand, wie ein Weg zu freier Höhe.

So hab ich meine Arbeit seit zwanzig Jahren aufgefaßt,
habe das Leben um mich her durch die Fenster meines eigenen

Lebens betrachtet, und was es mich da zu sagen trieb, das hab ich bald in heiter spielende Worte gefaßt, bald zu ernsten mahnenden Bildern geformt. Und von den tausend Menschen, die ich schilderte, hab ich die einen so geschildert, wie sie sind, die anderen aber so, wie sie sein könnten, wenn sie nur wollten. Warum sollte man diesen Willen nicht wecken und durch die Mittel und Farben der Kunst erziehen dürfen? Der freudige Lebensglaube, der mich selbst erfüllt, ist doch auch nicht ohne Gärtner großgewachsen. Und warum sollten andere mit froher Gläubigkeit und furchtlosem Vertrauen für ihr Leben nicht auch gewinnen können, was einer für sich gewann? Diese Hoffnung führte jeden Federstrich, den ich tat, diese Hoffnung gab meiner Arbeit Zweck und Absicht. Und wenn es mir in zwanzig Jahren gelungen ist, auch nur einem einzigen Menschen eine Straße zu weisen, auf der ihm das Leben freier, leichter und heller wurde — dann will ich meiner Arbeit froh sein!

Ludwig Ganghofer.

1906, zu München, als an einem
Wintertag die Sonne schien.

Schloß Hubertus

Roman in 2 Bänden von

Ludwig Ganghofer

Volksausgabe

Erster Band

Stuttgart, Adolf Bonz & Comp.

1.

Schwül und dunstig lag der heiße Nachmittag über dem Bergwald. An den Buchen und Ahornbäumen rührte sich kein Blatt, an den dunklen Fichten, die vereinsamt zwischen dem hellen Laube standen, regte sich kein Zweig und schwankte kein Wipfel.

Aus der Tiefe des Tales klang zuweilen ein verschwommener Laut herauf — die schwere Luft erstickte jeden Ton zu einem unbestimmten Geräusch. Sonst keine Stimme des Lebens, kein Vogelruf im weiten Bergwald. Nur manchmal ein leises Rascheln, wenn ein dürrer Zweig durch die Blätter fiel.

In dieser Stille das Geräusch eines leichten Schrittes. Auf dem tiefer liegenden Pfad, zwischen sonnigem Laubwerk, schimmerte ein weißes Gewand.

„Gundi?"

Dieser fragende Ruf klang durch den stillen Bergwald wie der helle Ton einer silbernen Glocke. Nun kurzes Schweigen, als lauschte die Rufende auf Antwort, dann ein perlendes Lachen, und an einer Wendung des Pfades erschien eine schlanke Mädchengestalt, die zarten Formen umschlossen von einem duftigen Sommerkleid, das freilich besser in einen wohlgepflegten Park als in den verwilderten Bergwald passen mochte.

Unschlüssig blickte sie gegen den höheren Wald empor, dann zurück in die Tiefe, nickte entschlossen vor sich hin und lachte: „Hier bleib ich!" Hut und Fächer flogen ins Moos, und zu Füßen einer riesigen Buche, die mit weitgespannten Aesten den Platz überschattete, ließ sie sich niedersinken und lehnte sich an den Baum. Leuchtend hob sich die weiße Gestalt mit ihren feinen Linien aus dem grünen Grund; unter dem Saum des Kleides lugten die schmalen Füßchen hervor, deren zierliche Schuhe von den scharfen Steinen des Bergpfades übel gelitten hatten; zwischen dem kurzen, sein gefälteten Aermel und dem hohen blaßgelben Lederhandschuh zeigte sich ein schmaler Streif des rosigen Armes; unter raschen Atemzügen, von denen sie jeden wie eine süße Erquickung zu genießen schien, hob und senkte sich die junge Brust. Gleich einer Blume, die in der Sonne dürstet, hing das Köpfchen auf die Schulter; ein schmales, edles Gesicht, nun freilich glühend wie Purpur, umrahmt von aschblondem Haar, dessen losgesprungene Löckchen sich schimmernd um die Stirne kräuselten; die kindlichen Lippen geöffnet und zitternd bei jedem Atemzug; zwei große blaue Augen, lichter als das Blau der Veilchen, dunkler als die Bläue des Himmels, und so neugierig, so staunend, so strahlend in heiterer Lebensfreude!

Als sie den Schatten gesucht, war es diesen lachenden Augen entgangen, daß an dem Stamm der Buche ein Täfelchen befestigt hing, ein ‚Marterl‘, das in halb verwittertem Bilde und mit halb erloschener Schrift erzählte, daß an dieser Stelle vor Jahr und Tag der Tod ein Leben gebrochen hatte. Da ruhte sie, lächelnd und träumend, in ihrer sonnigen Jugend, in ihrer süßen Schönheit — und die Erde, auf der sie ruhte, hatte Blut getrunken.

Gewannen die dunklen Schatten, die den Ort umschwebten, schon Macht über diese junge Seele? Das Lächeln schwand von den Lippen des Mädchens, und der helle Frohsinn ihres Gesichtes verwandelte sich in sinnenden Ernst. Ihre Augen blickten ziellos durch eine Bresche des Waldes hinunter in die Tiefe, in der zwischen steilen Ufern der schöne Bergsee gebettet lag, ganz umwoben von Dunst und Sonnenglast. Die jenseitigen Berge schienen, so nahe sie waren, in meilenweiter Ferne zu liegen, all ihre Farben waren verschwommen in ein trübes Blau, der glatte Spiegel des Wassers war anzusehen wie straff gespannte Seide, und langen Rissen glichen die Furchen, welche die den See durchsteuernden Kähne gezogen hatten.

Da flog ein dunkler Schatten über den See. Ein schwerer Wolkenball hatte sich vor die Sonne geschoben, die schon nahe dem Grat der westlichen Berge stand. Das ganze Bild der Landschaft war mit einem Schlag verwandelt. Es schien, als hätte der See sich emporgehoben aus bodenloser Tiefe, all sein Glanz und Schimmer war erloschen; wie ein riesiger Smaragd, tief grün und düster, dehnte sich die wellenlose Flut zwischen den steilen Felsenufern, die plötzlich näher gerückt erschienen, mit dunklen, schwermütigen Farben. Trüber Schatten durchdämmerte den Bergwald, ein sachtes Flüstern erhob sich in allen Blättern, die Wipfel und Zweige der Fichten begannen leise zu schwanken, und jählings, wie eine Unglückskunde den sorglosen Schläfer weckt, flog ein rauschender Windstoß durch den weiten Wald. Doch gleich war wieder tiefe Stille. Nur fern aus den Lüften klang noch ein murrender Laut.

Die Einsame fuhr aus ihren sinnenden Gedanken auf und blickte mit scheuen Augen rings umher, hinunter auf den See, den schon ein feines Netz von Linien überkräuselte, und empor zum Himmel, der sich mit rasch ziehendem Gewölk zu überspinnen begann. Ihre Stimme hatte sorgenden Klang, als sie, halb sich aufrichtend, gegen den Pfad hinunterrief:

„Tante Gundi!"

Ein ächzender Laut war die Antwort. Und aus der Senkung des Pfades tauchte eine rundliche Gestalt hervor. Ein schillerndes Seidenkleid von altmodischem Schnitt umzwängte die ausgiebigen Formen der ältlichen, mehr als wohlgenährten Dame. Den Strohhut hatte sie am Gürtel befestigt, und während sie mit beiden Händen das bauschige Kleid gerafft hielt, trug sie den Sonnenschirm unter den Arm geklemmt. Die zu einem Reste geschlungenen Zöpfe hatten sich gegen das linke Ohr verschoben, und ihr tiefes Schwarz stach gegen die ergrauende Farbe der glatt über die Schläfe gescheitelten Haare sehr bedenklich ab. Das hochgeborene Fräulein Adelgunde von Kleesberg schien auch sonst mit Toilettenkünsten sehr vertraut; das verrieten die feinen, schwarzen Striche über den kleinen, hurtigen Aeuglein, und mehr noch verriet es der weiße, flaumige Teint der rund ge-polsterten Wangen, die bei jedem Tritt erzitterten; das war nun freilich eine Kunst, die sich wenig schickte für eine Wanderung durch den steilen Bergwald; denn die reichlichen Perlen, welche der bis zur Auflösung Erschöpften von der Stirne sickerten, hatten Furche um Furche durch diesen weißen Teint gezogen, und überall, wo dieser Perlen Weg gegangen war, glühte eine dunkelrote Linie der erhitzten Haut durch den Puder.

Der drollige Anblick, den die alternde Dame bot, rechtfertigte das helle Lachen, mit dem sie von ihrem harrenden Schützling empfangen wurde. „Tante Gundi, wie siehst du aus!"

Fräulein von Kleesberg schien eine wütende Entgegnung auf der Zunge zu haben, aber Erschöpfung und Atemnot benahmen ihr die Sprache. Sie ließ den Sonnenschirm fallen und sank mit einem ächzenden Seufzer in das Moos. Da verwandelte sich die lachende Laune des Mädchens in sorgendes Erbarmen.

„Armes Tantchen! Nun mach ich mir wahrhaftig Gewissensbisse!"

„Kitty . . . du bist . . . ein Ungeheuer!"

„Sei nicht böse, Tantchen!" Zärtlich schlang das Mädchen den Arm um Tante Gundis umfangreiche Taille.

Fräulein von Kleesberg keuchte etwas von ‚Narretei', von ‚Hitze' und ‚schattigem Park', von ‚Schaukelstuhl' und ‚verwünschten Bergen', von ‚Eigensinn' und ‚kindischer Ungeduld'. Dabei zerrte sie das Taschentuch hervor und fuhr damit in endlosem Kreislauf um Stirn und Wangen; als sie das Tüchlein endlich sinken ließ, glich ihr brennendes Vollmondgesicht einer Palette, auf welcher Weiß und Rot und Schwarz in konfusen Mischungen durcheinander gerieben waren.

Mühsam unterdrückte Kitty das Lachen. „Aber Tantchen, wie kannst du mir böse sein, daß ich Papa eine Stunde früher sehen wollte. Seit vier langen Mönaten, seit Beginn der Hahnenjagd, hab ich ihn nicht mehr gesehen. Und denke nur: die Freude, die es ihm machen wird, wenn ich ihn plötzlich überrasche, mitten im Bergwald . . ." Ihre Worte erloschen unter einem dumpfen Rauschen, das in langen Stößen den Wald durchzog. Sie warf einen raschen Blick zum Himmel; dort oben sah es schon recht bedrohlich aus; spähend blickte sie zur Höhe des Waldes, und als sie alle Wipfel schwanken sah im rauschenden Winde, sagte sie kleinlaut: „Papa kann ja nicht lange mehr ausbleiben, und hier müssen wir mit ihm zusammentreffen, er hat doch keinen anderen Weg, um vom Jagdhaus herunter an den See zu kommen."

Auch Fräulein von Kleesberg schien das dumpfe Rauschen, das über den Wald gefallen, nicht geheuer zu finden. Sie schickte ihre kleinen, flinken Aeuglein auf Kundschaft, und was sie dabei entdeckte, ließ sie jählings alle Müdigkeit vergessen. „Herr du mein Gott im Himmel," stotterte sie, „da kommt ja ein Gewitter! Fort! Fort! Nach Hause!"

„Tantchen, ich bitte dich . . ."

„Nein, nein, ich bleibe keine Sekunde mehr!" Mühselig

raffte sich Fräulein von Kleesberg auf und jammerte: „Da sieh nur, der halbe Himmel schwarz von Wolken. Ich hab es mir aber gleich gedacht, daß bei dieser Narrheit so etwas herauskommt! Wär ich nur zu Hause geblieben!" Stöhnend hob sie ihren Sonnenschirm von der Erde und trippelte hastig davon, jeden unsicheren Tritt mit leisem Aufschrei begleitend.

Traurig blickte Kitty ihr nach, noch immer unschlüssig, ob sie folgen oder bleiben sollte. Ein dumpf rollender Donner entschied ihren Zweifel. Sie warf noch einen sehnsüchtigen Blick empor durch den wogenden Bergwald und rief mit glockenheller Stimme: „Papa! Papa!" Doch nur das Rauschen des Windes gab ihr Antwort. In schmollender Laune wollte sie sich zum Gehen wenden; da fielen ihre Augen auf das Martertäfelchen an der Buche. Neugierig trat sie näher und bog einen überhängenden Zweig beiseite. Mit ländlicher Kunst war auf dem Täfelchen, schon halb verwittert, eine walbige Berggegend abgebildet; ein grün gekleideter Mann, die Büchse im Arm, lag ausgestreckt auf der Erde, und über seiner Stirne schwebte ein rotes, von einem Schein umzogenes Kreuzlein. Unter dem Bilde stand in verwaschener Schrift zu lesen:

„Hier an dieser Stelle wurde Anton Hornegger, gräflich Egge-Sennefeldischer Förster, am heiligen Johannistag erschossen aufgefunden.

Böse Tat ist hier geschehen,
Und der Mörder ist entflohn,
Gottes Aug hat ihn gesehen,
Gottes Zorn erreicht ihn schon!
R. I. P.
Wanderer, ein Vaterunser!"

Unwillkürlich bekreuzte sich Kitty. Ein leises Grauen schlich ihr in die Seele, und mit unheimlicher Macht befiel sie der Gedanke, daß sie hier geruht hatte, auf dieser Erde, die getränkt war mit dem Blut eines Ermordeten. „Tante Gundi!" stammelte sie und floh davon.

Hinter ihr rauschte der Bergwald, dumpf und schwermutsvoll, und über das finstere Gewölk leuchtete der fahle Schein des ersten Blitzes, der sich in der Ferne entlud.

Eine Minute in raschem Gang, und Kitty hatte Tante Gundi eingeholt, die dieser erste Blitz um das letzte Restchen ihrer Fassung gebracht hatte. Sie gebärdete sich wie eine Verzweifelte und beteuerte jammernd, daß ihr das Leben eine grausame Qual, daß sie nur zum Unglück geboren wäre. Eine Lungenentzündung mit zweifelhaftem Ausgang, das war das Gelindeste, was sie für sich als Ende dieses ‚neuen Unglücks‘ prophezeite, in das sie ‚wieder einmal aus blinder Liebe‘ hineingerannt wäre.

Diesem flutenden Jammer setzte Kitty ein gedulbiges Schweigen entgegen; und was ihre junge Kraft nur erlaubte, das tat sie, um diesem ausgewachsenen Häuflein Unglück den Niederstieg auf dem unbequemen Wege zu erleichtern. Nur einmal, als Tante Gundis Jammer sich in scheltende Gereiztheit gegen die ‚Anstifterin des Unglücks‘ verwandelte, brach Kitty ihr Schweigen:

„Ich bitte dich, mache nur mich nicht verantwortlich. Ich habe dir doch gesagt: bleib du zu Hause und laß mich allein gehen!“

Aber auch im Stadium dieser hochgradigen Verzweiflung vergaß Fräulein von Kleesberg nicht, was sie ihrer Stellung schuldig war. Zürnend hob sie das brennende, von zahlreichen Perlen überträufelte Gesicht und erklärte: „Eine Gräfin Egge-Senneseld in deinem Alter geht nicht allein.“

Schmollend verzog Kitty das Mündchen. „Ach was, hier im Gebirge, in Papas eigenem Walde!“ Und nach kurzem Schweigen fügte sie bei: „In meinem Alter? Siebzehn Jahre! Wie alt muß man denn werden, um allein gehen zu dürfen?“

„So alt wie deine Mutter war, als sie ihre eigenen Wege ging.“

Nein, Tante Gundi sagte das nicht; aber es lag ihr auf der Zunge; in Wirklichkeit sagte sie nur: „Ich hoffe, daß du dieses Alter niemals erreichen wirst!“

Kitty fand nicht Zeit, über den Sinn dieser ihr völlig unverständlichen Wendung nachzudenken. Die ersten schweren Tropfen fielen klatschend auf die Blätter. Ohne ein ausgiebiges Bad schien das Abenteuer nun doch nicht ablaufen zu wollen. Kitty nahm all ihren Mut zusammen und faßte Fräulein von Kleesberg, die jetzt dem Weinen näher war als dem Schelten, so energisch als möglich unter den Arm, um sie in rascheren Gang zu bringen. An einer Biegung des Pfades jubelte sie: „Tantchen! Wir sind gerettet!“

Zwischen den grünen Büschen schimmerten die grauen Bretter einer Scheune, die im Winter zur Fütterung des Hochwildes diente. Hundert Schritte seitwärts durch den Wald, und das schützende Dach war erreicht, just im rechten Augenblick, ehe das Unwetter in seiner ganzen wilden Macht begann. Die Scheune war von drei Seiten geschlossen, und so hatten die beiden Flüchtlinge auch den Sturmwind nicht zu fürchten, der den schwer fallenden Regen in schiefen Strähnen über den Berghang peitschte. Erschöpft sank Fräulein von Kleesberg auf ein Restchen Heu, das vom Wildfutter des letzten Winters noch verblieben war; das Gesicht kehrte sie gegen den finsteren Winkel, um die Blitze nicht zu sehen. Kitty hatte rasch ihre gute Laune wieder gefunden. „Das ist doch lieb von Papa, daß er so zärtlich für seine Hirsche sorgt ... und für seine Kitty, wenn sie zufällig in den Regen kommt!" Sie lauschte.

Was war das? Eine Stimme? Richtig, eine Stimme und dazu noch eine singende! Und eine jener Weisen, wie sie in den Bergen heimisch sind. Nun erblickte Kitty den Sänger. Geraden Weges kam er den steilen Bergwald herunter gestürmt, den Schutz der Hütte suchend. Es war ein Jäger in landesüblicher Tracht, mit grauer Lodenjoppe und kurzer Lederhose, die Büchse hinter dem Rücken, in beiden Händen den langen Bergstock, den er klirrend zwischen die Steine stieß, um sich auf dem abschüssigen Hang in weiten Sätzen hinwegzuschwingen über Felsbrocken und gestürzte Bäume. Mit großen, fast erschrockenen Augen blickte das Mädchen ihm entgegen und wußte nicht, worüber es mehr zu staunen hätte, über die eiserne Kraft dieses Burschen oder über den sorglosen Mut, mit dem er bei jedem Sprung um Hals und Glieder spielte.

Jetzt hatte er die Hütte erreicht, und ohne die beiden Damen zu gewahren, trat er unter das weit vorspringende Dach. Gewehr und Bergstock lehnte er an die Bretterwand, schüttelte sich, daß die dicken Tropfen von der Joppe flogen, und während er den grünen Filzhut abnahm, um das Wasser fortzuschleudern, das sich in der hohlen Krempe angesammelt hatte, lachte er: „Sakra noch einmal, jetzt hätt mich aber 's Wetter bald erwischt!"

Bald erwischt? Und er troff doch vor Nässe am ganzen Leib! Dabei trug er den aus grobem Lodentuch geschnittenen Wettermantel sorgfältig gerollt zwischen den Riemen des Rucksackes. Für sich selbst hatte er nicht gesorgt; aber das blaue Taschentuch

hatte er um das Schloß der Büchse gewunden, damit die Waffe
von der Nässe nicht leiden möchte. Lachend blickte er hinaus in
das Strömen und Gießen. Die lichtbraunen Haare, die sich sonst
wohl in widerspenstigen Ringeln durcheinander kräuselten, klebten
ihm feucht und glatt an Stirn und Schläsen, ein hübsches, männ-
liches Gesicht umrahmend. Keck aufgezwirbelt saß ein kleines,
braunes Bärtchen über dem weichen, lachenden Munde. Hell und
offen blitzten die Sterne seiner dunklen Augen in die Welt, und
ihr froher, lebensfreudiger Blick milderte den Ernst der Stirne.

Ein greller Blitz fuhr über den Bergwald hin, der Donner
schmetterte, und aus dem Schuppen klang Tante Gundis wim-
mernder Aufschrei.

Der Jäger spitzte die Ohren. „Mir scheint, da hör ich wen?"
Rasch griff er nach Bergstock und Büchse und trat in die Hütte.

Und Kitty erkannte ihn. „Aber das ist ja unser Franzl!"

Der Jäger machte verblüffte Augen. „Mar' und Josef!
Gnädigs Fräulein! Ja wie kommen denn Sie daher?"

„Ich wollte Papa erwarten. Aber das Gewitter überraschte
uns."

„Da hätten S' lang warten dürfen! Der Herr Graf
kommt heut gar nimmer runter."

„Er kommt nicht?" Ein trüber Schatten flog über Kittys
Züge. „Aber er weiß doch, daß ich gestern in Hubertus einge-
troffen bin. Ich habe doch heute früh den alten Moser mit der
Nachricht zur Jagdhütte hinaufgeschickt . . ."

„Ja, der Herr Graf hat 's Briefl kriegt."

„Und er kommt nicht?" Kittys Lippen zitterten; dann
fragte sie erschrocken: „Papa ist krank?"

Franzl lachte. „Aber Fräulein Konteß! Unser Herr Graf?
Und krank? Der reißt heut noch Bäum aus, mit seine sechzig
Jahr. Ah na! Dem fehlt kein Haarl net!"

„Aber weshalb dann kommt er nicht? Es muß ihm doch
Freude machen, mich wiederzusehen!"

Betroffen schaute Franzl in Kittys Augen; der ängstlich stammelnde Klang dieser Worte brachte ihn aus seiner fröhlichen Ruhe.
„Aber freilich," stotterte er, „gwiß freut er sich! Aber gwiß!"

Kitty stand schweigend, und ihre zitternden Finger knitterten
an den Blättern des Fächers.

„Aber schauen S', Fräulein, deswegen müssen S' doch
Ihren Hamur net verlieren," tröstete Franzl mit zutraulicher

Gutmütigkeit. „Schauen S', der Herr Graf hat halt ein safrisch guten Gamsbock im Wind. Und Sie wissen ja, wie er is. Da laßt er net aus, bis der Bock sein Kügerl net droben hat!"

„Ein Gemsbock!" Und Kittys Augen füllten sich mit Tränen.

„Aber Fräulein Konteß!" stotterte Franzl. Doch als er keine Antwort erhielt, nahm er den Hut ab, kraute sich hinter dem Ohr und murmelte: „Mein Gott, ich kann ja nix dafür!" Nun hörte er aus der Tiefe des Schuppens ein leises Gewimmer. „Ja was is denn?" Er trat näher. „Jegerl, 's alte Fräulein!" Tante Gundi hielt das Gesicht tief eingedrückt in das Heu. Erschrocken suchte Franzl die Wimmernde aufzurichten. „Fräulein! Um Herrgotts willen! Was haben S' denn? Is Ihnen leicht was gschehen?"

Fräulein von Kleesberg schüttelte den Kopf und stöhnte: „O Gott, o Gott, dieses entsetzliche Gewitter!"

Nun mußte der Jäger lachen. „Aber sind S' doch gscheit! Das macht ja nix! Das hört schon wieder auf! In die Berg kommt halt so was gschwind, aber lang dauern tut's net. Da, schauen S', es wird schon ein bißl lichter im Gwölk!"

Zögernd richtete Tante Gundi sich auf. Aber just in diesem Augenblicke fuhr nahe bei der Hütte ein Blitz herunter; aller Grund schien wie in Feuer zu schwimmen, der strömende Regen schien verwandelt in fallende Flammen, und Luft und Erde erzitterten unter einem rasselnden Donnerschlag, wie unter dem Hall einer stürzenden Steinlawine. Aechzend warf sich Tante Gundi wieder über das Heu, und auch Kitty erblaßte und wich mit einem leisen Aufschrei in die Tiefe der Hütte zurück.

„Macht nix!" lachte Franzl. „Is schon gschehen!"

Der Jäger sollte recht behalten. Mit diesem letzten Schlag hatte das Unwetter sich ausgetobt. Es folgten nur noch schwache Blitze, die matt hinleuchteten über das wogende Gewölk und einen sanft verrollenden Donner weckten.

Während Franzl unter geduldigem Trösten neben Fräulein von Kleesberg stehen blieb, trat Kitty unter das freie Dach der Hütte hinaus, sah dem dünner rieselnden Regen zu und trank in tiefen Zügen die würzige Luft, die den Wald durchhauchte. Die Wolken klüfteten sich, ein helleres Licht floß über Berg und See, und der Regen versiegte vollends. In sachten Stößen strich der Wind durch die Bäume und schüttelte die Tropfen von allem Gezweig.

Rings um die Hütte hatte sich eine breite Pfütze gebildet, und überall auf dem Berghang sprudelten die kleinen Regenbäche.

„Da wird sich der Heimweg hart machen," meinte Franzl. „Zeigen S' einmal her, gnädigs Fräulein, was haben S' denn für Schucherln an?"

Kitty hob das Kleid ein wenig und streckte das winzige Füßchen hervor.

„O mein, da schaut's schlecht aus!" jammerte Franzl. „Hundert Schritt in so einer Nässen, und das Schucherl fallt Ihnen wie Zunder vom Füßl."

Mit sorgenvollem Blick betrachtete Kitty den überschwemmten Grund. „Aber wie kommen wir nach Hause?"

„Gar net so schlecht!" meinte Franzl. „Passen S' nur auf!" Er zog den Wettermantel aus den Riemen des Bergsackes und warf die Büchse hinter den Rücken. Dann rollte er den Mantel auseinander und schlang das weiche Tuch mit scheuer Achtsamkeit um Kitty. Gleich einer grauen Mumie stand sie von den Schultern bis zu den Füßen eingehüllt, und wie sie das Köpfchen reckte, um Kinn und Wangen aus den Falten des Mantels frei zu bekommen, war sie einem Schmetterling zu vergleichen, der aus der Puppe schlüpfen will. Noch ehe sie recht begriff, was mit ihr geschehen sollte, hatte Franzl sie auf seine Arme gehoben, so leicht wie ein Kind, dessen Last er kaum zu spüren schien. Lächelnd ließ sie ihn gewähren; dann plötzlich stammelte sie: „Aber was geschieht mit Tante Gundi?"

„Alles schön der Reih nach!" erwiderte Franzl.

Jetzt wurde Fräulein von Kleesberg lebendig. Händeringend kam sie herbei und schwor die heiligsten Eide, daß sie um alles in der Welt nicht allein bliebe in diesem ‚gräßlichen' Wald.

„Fürchten S' Ihnen net!" tröstete Franzl. „Wölf und Bären gibt's ja net bei uns, und die Mäus haben noch nie ein Menschen anpackt! Bleiben S' nur schön da, bis ich wieder komm! Ich trag 's gnädig Fräulein nunter ins Kapuzinerhäusl, da kann's nachher warten unter Dach, bis ein Schiffl kommt. In zehn Minuten bin ich wieder da!"

Während Fräulein von Kleesberg jammerte und seufzte, trat er hinaus in den Wald und wanderte mit sicheren Schritten davon. Als eine steilere Stelle kam, blickte er lachend zu Kitty auf und sagte: „Es geht schon! Meine Füß haben Augen im

Wald und eiserne Zähn zum Beißen! Tun S' Ihnen net fürchten, gnädigs Fräulein!"

Lächelnd schüttelte Kitty das Köpfchen; sie ruhte sicher auf diesem starken, stählernen Arm; die eine Hand schob sie aus den Falten des Mantels hervor und nahm den Strohhut ab; der sachte Wind, der ihre Wangen umwehte, tat ihr wohl; träumend blickte sie hinein in den stiller werdenden Wald, und ihre Züge nahmen einen sinnenden Ausdruck an.

"Sag mir, Franz ... der Förster Anton Hornegger, das war dein Vater?"

"Ja, gnädigs Fräulein! Wie kommen S' jetzt da drauf?"

"Ich war dort oben bei der Buche," sagte sie leise. "Das war ein schweres Unglück für dich und deine Mutter!"

Franzl antwortete nicht gleich. "Mein Mutterl hat's freilich schwer verwunden. Sie hat halt den Batern so viel gern ghabt, und das Unglück hat aus ihr ein alts und ein stilles Weiberl gmacht. Und ich, mein Gott, ich war halt selbigsmal noch ein kleiner Bub, der gar net recht verstanden hat, was er verliert. Jetzt aber weiß ich's, was das heißt, kein Batern nimmer haben! No ja, manchmal kommen halt so Sachen über ein', wo man sich kein Rat nimmer weiß und wo jeder andere Bursch zu seinem Bater geht und fragt. Wen frag denn ich? Mein Mutterl will ich auch net veralterieren mit meine Sorgen, und sonst hab ich kein Menschen net." Ruhig waren diese Worte gesprochen, und dennoch klang aus ihnen etwas heraus, wie empor aus dem tiefen Schacht eines Brunnens.

Mit herzlichem Mitleid hingen Kittys Augen an dem Gesicht des Jägers. "Und man weiß noch immer nicht, wer es getan hat?"

"Nix, gar nix is aufkommen! Net einmal der gringste Verdacht! Aber wenn's auch schon lang her is ... leben tut er schon noch, derselbig! Und einer hat ihn gsehen, und dem kommt er net aus! Und wann mich unser Herrgott lieb hat, nachher führt er mich noch einmal zamm mit demselbigen, und nachher geht's an ein Raiten * zwischen mir und ihm!" Kitty fühlte den Arm erzittern, der sie umschlungen hielt. "Und wenn auch der Strich, der beim Raiten gmacht wird, weg geht über mein eigens Leben ... auf so was muß unsereiner gfaßt sein alle Tag!

* Abrechnen.

So is halt 's Jagerleben in die Berg. Da gehst im Wald um-
einand und denkst an nix . . . und hinter die Bäum steht einer
drin und du siehst ihn net . . . und auf einmal kracht's, und
's Kügerl sitzt dir im Herzen und aus is 's! 's Jagerleben bei uns,
das hat seine Mucken. Das hat auch schon manchen abgschreckt,
dem die Jagerei net im Blut sitzt. Aber dem richtigen Jager
is Berg und Wald 'sein Leben, und ums Leben wehrt sich ein
jeder, weil's halt gar so viel schön is! Aber wenn's halt doch
einmal sein muß, und es wirft ein' nieder . . . in Gottsnamen,
nachher tust halt dein letzten Schnauser, schaust noch einmal nauf
zu die höchsten Wänd und denkst dir: da droben hat mein Bleaml
blüht . . . und nachher machst deine Lichter zu, und bhüt dich
Gott, du schöne Welt! So hat's wohl mein Vater gmacht . . .
und wer weiß, leicht mach ich ihm's einmal nach!"

Die Sonne war über die Seeberge schon hinweggesunken;
nun aber lugte sie aus einem tief einschneidenden Talspalt wieder
hervor, und der goldige Schein, den sie warf, durchleuchtete das
von Tropfen glitzernde Laub und wob einen wundersamen
Schimmer um die feuchten Stämme. Alle die kleinen Vögel
des Waldes waren lebendig geworden und huschten geschäftig
durcheinander; doch ihr Gezwitscher erlosch unter einem dumpfen,
mächtigen Rauschen, das vom nahen Seeufer einhertönte.

Kitty schien kein Auge zu haben für die leuchtende Schönheit,
mit welcher der Bergwald sie umgab. Nachdenklich blickte sie
vor sich nieder. Was sie gehört hatte, gab ihr zu denken. Sie
hatte bis jetzt nur die Jägerlust gekannt, die im Schloß ihres,
dem Weidwerk mit brennender Leidenschaft ergebenen Vaters
ein fröhliches Heim hatte, aber nicht den Ernst des Jägerlebens,
diesen blutigen Ernst. Und wieder suchten ihre Augen das Gesicht des Jägers.

„Sag mir, Franz . . . du hast von Sorgen gesprochen . . .
was für Sorgen sind das, die du hast?"

Ein heftiges Wort schien sich über die Lippen des Jägers
drängen zu wollen. Doch er schüttelte den Kopf und sagte: „Nix,
gar nix! So Jagergschichten halt!"

„Kann ich dir helfen?"

Wieder schüttelte er den Kopf; aber er sah mit einem dank-
baren Blick zu ihr auf.

Nun lächelte sie, und der Schelm erwachte in ihren Augen.
„Ich hab's! Du bist verliebt!"

Franzl lachte. „Ich? Und verliebt? Das ging mir grad noch ab! Ich muß mich eh schon giften guug!"

Sie schlug ihn leicht mit dem Fächer auf den Mund und lachte mit ihm.

Nun war der ebene Grund erreicht, aber schon nach wenigen Schritten stand Franzl ratlos stille. Der Wetterbach, der hier in den See mündete und nicht umsonst seinen Namen führte — in trockener Zeit ein winziges Bächlein, das mit einem Schritte leicht zu übersetzen war — hatte sich in einen tobenden Gießbach verwandelt, der in einem nahen Felsenwinkel aus steiler Höhe niederstürzte und mit schäumenden Wellen über das grobe Steingeröll hinwegrauschte. Von dem Stege, der sonst über das Bett des Baches führte, war keine Spur mehr zu sehen; seine Balken mochten weit draußen schwimmen im weiten See. Und hinüber mußten die beiden; der Zugang zum See war ihnen abgeschnitten, da der Gießbach zur Linken hart an eine steil in den See abfallende Felswand lenkte. Jenseits des Baches lag eine sanft ansteigende, mit alten Ahornbäumen bestandene Grasfläche, die sich vom Seeufer zwischen dem Bach und einer verwitterten Felswand bis zur Schlucht des Wasserfalles emporhob. Ueber die Wipfel der Bäume herüber lugte das Türmlein einer Eremitage, die an die Felswand angebaut war.

Mit sehnsüchtigen Augen schaute Kitty dort hinüber, dann wieder streifte sie mit besorgten Blicken die schäumenden Wellen. Aber Franzl hatte den Ausweg schon gefunden: eine gestürzte Fichte, die vom Berghang hinweg den Bach an einer etwas schmäleren Stelle überbrückte — und rasch entschlossen schritt er auf den Baumstamm zu. Kitty sträubte sich, als sie seine Absicht erkannte. Doch Franzl lachte. „Tun S' Ihnen net fürchten, gnädigs Fräulein, über so ein Bäuml geh ich ja weg in der stockfinstern Nacht. Haben S' kein Sorg und lassen S' mir nur den Hals schön frei." Kitty verstand ihn kaum, das Rauschen des Wassers übertönte seine Worte. Und ehe sie zu antworten vermochte, hatte er die lustige Brücke schon betreten. Sicheren Trittes, wie auf ebener Erde, schritt er über den schwankenden Stamm. In Kitty erwachte die Angst; der Anblick des rauschenden Wassers, das unter ihr hinwegschoß, machte sie schwindeln, und stammelnd schlang sie die Arme um den Hals des Jägers. Unter diesem jähen Ruck drohte Franzl das Gleichgewicht zu verlieren. „Lassen S' mein Hals aus!" mahnte er; aber nur noch

angstvoller umklammerte ihn das Mädchen; und da begann er
auf dem schwankenden Stamm zu laufen, rascher und rascher.
Schon war er bis auf wenige Schritte dem Ufer nahe, da glitt
ihm auf dem nassen Stamm der Fuß aus, von Kittys Lippen
flog ein Schrei, aber noch im Wanken wagte Franzl den Sprung
ans Ufer. Glücklich erreichte er den festen Grund, doch die Bürde,
die er trug, raubte ihm beim Aufsprung das Gleichgewicht und
riß ihn seitwärts, seine Knie brachen, und er drohte sich rück-
lings zu überschlagen. In diesem Augenblick aber griffen zwei
fremde Arme helfend zu und rissen den Stürzenden auf sicheren
Grund. Kitty war einer Ohnmacht nahe, sie fühlte nur, daß sie
aus Franzls Armen glitt, und als sie die Augen öffnete, lag sie
an der Brust eines jungen Mannes, und neben ihr stand Franzl,
lachend, aber mit bleichem Gesicht.

In Schreck und Verwirrung richtete sie sich auf. Aber schwer
wie Blei lag ihr die überstandene Angst in allen Gliedern. Sie
mußte den Arm ergreifen, den der junge Fremde ihr bot. Was
er sagte, konnte sie bei dem Rauschen des Wassers nicht verstehen.
Den besten Weg über trockene Plätzchen suchend, führte er sie zur
Eremitage und ließ sie auf die Steinbank niedersinken, die neben
der Tür in die Mauer des kapellenartigen Häuschens eingelassen war.

Halb aus Bruchsteinen, halb aus dicken Baumklötzen gefügt,
mit niederer Tür, zwei kleinen Fenstern und einem zierlichen
Glockentürmchen über dem Rindenbach, lehnte sich die Klause an
die graue Felswand. Unter dem vorspringenden Dach war an
den Balken des Firstes eine rote Marmortafel befestigt, die in
verblaßter Goldschrift die Worte trug: „Hier wohnt das Glück!"

Wer hatte die Klause erbaut? Wer diese Inschrift angebracht? Und wie reich mußte jenes Glück, das hier erblüht war,
wohl gewesen sein, da jene, die es genossen, den Drang empfunden hatten, ihren Dank in Stein zu meißeln. Das Flecklein
Erde, das diese Hütte trug, schien auch wie geschaffen, um ein
verschwiegenes Glück vor dem Blick der Menschen zu bergen.
Vom rauschenden Wildbach, vom weiten See, den das Gezweig der
Bäume verschleierte, und von ragenden Felswänden umgrenzt,
schob sich das kleine, sammetgrüne Tal in das Herz des Berges,
wie ein trauliches Kämmerchen inmitten eines riesigen Palastes,
versteckt und abgeschieden, geschmückt mit allen Reizen der Natur.

Frischer und würziger hauchte nach dem vertobten Gewitter

die reine Bergluft, saftiger leuchtete alles Grün an Busch und
Bäumen, hell glitzerten die über alle Felsen niederrinnenden
Wasserfäden, und in buntem Feuer leuchteten die vom Dächlein
der Klause fallenden Tropfen.

Nun erlosch der rote Sonnenschein, und alle Farben der Umgebung dämpften sich, wie von einem zarten Schleier überzogen.

2.

Lange Minuten vergingen, und Kitty vermochte noch
immer kein Wort zu sprechen; die Hände im Schoß und ohne
Bewegung saß sie auf der Steinbank und blickte, als könnte sie
das Geschehene kaum begreifen, dem Jäger nach, der den Wetterbach schon wieder überschritten hatte.

Auch der junge Fremde schwieg. Mit einer Hand an den
Türpfosten der Klause sich stützend, stand er neben der Bank und
hing mit forschendem Auge an dem gesenkten Mädchenkopf, als
möchte er diese feingeschwungenen Linien, die schimmernden Töne
des gewellten Haares und die zarte Farbe der Wange in sein
Gedächtnis prägen. Hätte nicht der Feldstuhl, die zusammenge-
klappte Staffelei und der Malkasten, der an der Mauer im
Trockenen lag, den Beruf des jungen Mannes bezeichnet — schon
dieser prüfend gleitende Blick und die schlanken, fein gegliederten
Hände hätten den Künstler verraten. Er mochte einige Jahre
über zwanzig zählen; doch seiner Jugend widersprach die stille
Schwermut der dunklen Augen und der gereifte Ernst des
schmalen, herb geschnittenen Gesichtes; glatt legte sich das kurze
Braunhaar über die Stirne und mischte sich an den Schläfen mit
dem schattigen Flaum des jungen Bartes, der sich um Wangen
und Lippen kräuselte. Sie hatten einen seltsamen Reiz, diese
Lippen; bei all ihrem strengen Zug, welcher Kraft und Entschlossenheit verriet, waren sie doch sanft geschwellt und hatten
ein mildes, verträumtes Lächeln. Das Gesicht war nicht schön
zu nennen, aber dieser Mund und diese Augen mußten die Blicke
fesseln. Der hager aufgeschossene Körper hatte etwas Unaus-
geglichenes, jugendlich Eckiges, dazu jene leicht vorgeneigte Haltung, wie sie nachdenklichen Naturen eigen ist; dennoch war
die Gestalt nicht übel anzusehen; der leichte graue Sommeranzug

war, so bequem er saß, von modischem Schnitt, die Wäsche wie
Schnee, die weiße Seidenkrawatte tadellos geknüpft. Man merkte
an ihm keine Spur von jener, bei jungen Künstlern so häufigen
Vorliebe für das Nachlässige, aber auch keinen Zug vom Stutzer;
er schien für seine äußere Erscheinung zu sorgen, weil es eben
die Art eines wohlerzogenen Menschen ist, sich adrett zu
kleiden.

Je länger er niederblickte auf das liebliche Bild des
Mädchens, desto wärmer wurde der Glanz seiner Augen; er schien
eine rechte Freude zu genießen — die Freude des Künstlers an
jener Schönheit, die noch unberührt ist von der rauhen Hand des
Lebens und einer Blütenknospe am sonnigen Morgen gleicht.

Als hätte Kitty diesen Blick empfunden, so hob sie plötzlich
die Augen. Das fremde Gesicht verwirrte sie, und dennoch hielt
die stumme Sprache dieser Züge ihren Blick gefangen — das
war eines von jenen Gesichtern, die auch ohne Worte von trüber
Zeit erzählten.

Ihre Verwirrung schien ansteckend zu wirken. Verlegen suchte
der junge Künstler nach Worten, und endlich brachte er die
stotternde Frage heraus, ob sie den Schreck des kleinen Abenteuers auch völlig überstanden hätte.

Da fand sie ihre heitere Laune wieder; lachend nickte sie und
reichte ihm die schmale Hand. „Ich danke Ihnen! Sie haben
mich vor einem sehr unangenehmen Bad behütet.“ Sie beugte
das Köpfchen vor und spähte durch die Bäume nach dem rauschenden Wildbach; nur einige Felsklötze des Ufers konnte sie gewahren und zuweilen eine weiße Schaumflocke, die über das Gestein emporsprühte. „Der Wetterbach hat heute seinen bösen
Tag. Das hätte übel für mich ausfallen können!“ Sie rührte
die Schultern, als empfände sie ein leises Grauen; doch gleich
wieder lachte sie und erzählte von dem jähen Einbruch des Ge-
witters, von der Zuflucht, die sie mit Tante Gundi in der Wildscheune gefunden, und von dem glücklichen Zufall, der ‚unseren
guten Franzl‘ als Retter in der Not geschickt. Mit drolliger
Laune schilderte sie den ‚kopflosen Schreck‘, der sie befallen, als
der Jäger den schwankenden Baum betrat. „Und ich hätte mir
doch sagen müssen, daß ich sicher bin! Ich kenne doch unseren
Franzl! Aber da muß ich ihm in meiner närrischen Angst ...“
Sie unterbrach sich und blickte auf. „Wie waren Sie denn eigentlich so flink bei der Hand?“

„Das habe ich meinem Fleiß zu danken. Ich bin schon seit dem Morgen hier und habe gearbeitet . . .“

„Gearbeitet?“ Sie schien den Sinn dieses Wortes nicht zu verstehen. Da gewahrte sie die Geräte des Künstlers. „Ach, Sie malen!“ Dem respektvollen Staunen, mit dem sie ihren jungen Retter betrachtete, war es anzumerken, daß vor ihren Augen ein leibhaftiger und lebendiger Künstler nicht viel geringer wog, als einst in vergangenen Zeiten vor dem Blick des Burgfräuleins der tapfere Ritter, der den Lindwurm überwunden. Neugierig spähte sie nach dem Leinwandrahmen, der gegen die Mauer gelehnt stand.

Der junge Maler schien nicht eitel zu sein; sonst hätte er diesen Blick zu deuten gewußt. „Auch mich hat das Gewitter überrascht, mitten in der besten Arbeit,“ erzählte er, „und ich mußte eine lange Stunde hier unter der Türe sitzen. Aber es war herrlich, so mitten hineinzuschauen in den Born der Natur . . . sie ist immer schön, ob sie lächelt oder ob sie grollt . . . fast schöner noch in ihrem Zorn, als in ihrem Frieden. Wenn ich sie so toben sehe, fühl ich auch, daß ich ihr in solchen Augenblicken näher komme, als in sonniger Stunde. In der Sonne steht sie vor mir wie ein Geheimnis in bunten Kleidern. Im Sturm aber seh ich die Riesin, wie sie vor meinem Blick die Hülle zerreißt. Ich spähe ihr in das wildpochende Herz, und mir ist, als flöße in mich etwas über von ihrer Kraft.“ Er sagte das ruhig, wie man selbstverständliche Dinge behandelt.

Aber Kitty blickte zu ihm auf mit großen Augen.

Er begegnete diesem Blick, und leichte Röte schlich über seine schmächtigen Wangen. „Als es vorüber war, hörte ich den Wildbach kommen. Und da lief ich hinunter. Es war prächtig anzusehen, wie dieses harmlose Schlänglein Wasser in wenigen Minuten sich zum brüllenden Drachen auswuchs. Und wie ich so stehe, seh ich Sie plötzlich drüben aus dem Wald hervorkommen, auf dem Arm des Jägers. Das war ein so köstliches Bild, daß ich es mit ein paar Strichen zu fassen suchte.“ Er griff an seine Taschen. „Wo hab ich denn nur . . .?“ Nun erschrak er. „Ach du lieber Himmel!“ Und mit langen Beinen eilte er zum Wildbach hinunter.

Verblüfft sah ihm Kitty nach; kaum aber war er zwischen den Bäumen verschwunden, so huschte sie auf den Leinwandrahmen zu und hob ihn von der Erde; doch sie machte gar sonderbare Augen, als sie die begonnene Studie sah. Etwas ganz

Außerordentliches hatte sie zu entdecken erwartet. Statt dessen
sah sie nur ein Wirrsal noch nasser Farbenflecke, die sich in
flimmerndem Wechsel durcheinander schlangen und den Vorwurf
des Bildes kaum erkennen ließen: die Felswand in greller
Sonne und zu ihren Füßen die Klause, übergossen von den
spiegelnden Lichtern, die durch das Gezweig der Bäume fielen.
Ein Kennerauge hätte gestaunt über die Kraft und Kühnheit,
die sich in diesem raschen Erfassen einer malerischen Stimmung
verriet. Kitty aber stellte sehr enttäuscht die Leinwand wieder
gegen die Wand und verzog das Mäulchen. Und zu ihrem
weiteren Aerger gewahrte sie noch, daß sie mit den behand-
schuhten Fingern in die nasse Farbe geraten war. „Pfui!"
murrte sie, und strich mit den Fingern über die Balkenwand.

  Kaum saß sie wieder auf der Steinbank, als er vom Ufer
heraufgestiegen kam, in der Hand ein graues Buch, das er mit
dem Taschentuche sorgfältig säuberte. „Es ist glücklicherweise sehr
günstig gefallen, als ich es fortwarf, um die Hände frei zu
bekommen," sagte er lächelnd. Dann schlug er das Buch auf und
reichte es ihr.

  Ein Laut freudiger Ueberraschung glitt beim Anblick des
Blattes von Kittys Lippen. Wohl waren die beiden Figuren
nur mit flüchtigen Strichen gezeichnet, aber jede Linie saß auf
ihrem Fleck, und das kleine Bildchen hatte warmes Leben und
den bestrickenden Reiz seiner schönen Wahrheit.

  Glücklich und mit schelmischen Augen blickte Kitty zu dem
Künstler auf. „Ist das wirklich so hübsch gewesen ... wie hier?"

  Er sah sie an. „Das da, das ist ja gar nichts. Das ist
Asche. Was ich gesehen habe, war Licht, Farbe, etwas ganz
unbeschreiblich Schönes." Die Augen schließend, rührte er mit
den Fingern an die durchsichtigen Lider. „Aber hier sitzt es,
fest! Und ich weiß, ich bring es heraus."

  Rauschend kam der Abendwind über die Felsen nieder-
gezogen; die Aeste der Bäume schwankten und schüttelten die
Regentropfen nach allen Seiten.

  Erschrocken deckte Kitty den Arm über das Skizzenbuch, denn
ein paar große Tropfen, wie Tränen, waren auf das Blatt
gefallen. Und als der Wind die Bäume wieder zauste, sprang
Kitty auf und flüchtete mit dem Buch in die Klause.

  Der junge Mann folgte ihr, und da saß sie schon an dem
roh gezimmerten Tisch und tupfte achtsam mit dem Handschuh die

auf das Papier gefallenen Tropfen fort. „Es hat gar nichts ge-
schadet!" versicherte sie mit lachender Freude. „Sehen Sie
nur . . ." und sie hielt das Buch schief gegen das Licht des
Fensters, „man sieht nur noch ein ganz klein wenig die feuchten
Flecke." Wieder vertiefte sie sich in die Betrachtung des Bildchens;
dann begann sie im Skizzenbuch zurückzublättern; ein paar
Studien hatte sie bestaunt, als sie plötzlich aufblickte und verlegen fragte: „Darf ich denn?"

Er nickte lächelnd und trat an ihre Seite. Das Licht, das
durch Tür und Fenster fiel, hatte in dem geschlossenen Raum
schon einen Schleier der beginnenden Dämmerung.

Eine seltsame Stimmung webte zwischen den Mauern; was
sie erzählten — es war eine Fülle erlöschender Erinnerungen.
Neben dem Tische standen nur zwei plumpe Holzbänke in dem
kahlen Raum; doch es war ihm anzumerken, daß er in vergangener Zeit einen freundlicheren Anblick geboten hatte. Die
Decke war noch von einer zart geblumten Tapete bedeckt; aber das
Regenwasser, das durch die Lücken des Daches gedrungen, hatte
lange, häßlich braune Flecke gebildet und die Farbe der Blumen
zerstört. Auch an den Wänden hingen noch Streifen und Fetzen
der Tapete, und sie waren mit Hunderten von Namen bedeckt.
Wer hier im Lauf der Jahre vor der brennenden Sonne oder
dem strömenden Regen für eine Weile Schutz gesucht, Sommergäste, Touristen, Jäger, Sennerinnen, Almbauern und Schiffer,
sie alle hatten den Drang empfunden, ihre Namen an diesen
geduldigen Wänden zu verewigen. Und viele dieser Namen standen paarweise, von einem primitiv gezeichneten Ringlein oder
einer kunstlosen Herzlinie umschlungen. Hatten die Träume, die
aus diesen Zeichen redeten, sich erfüllt? Oder war das Leben
über sie hinweggerollt, wie die große, alles glättende Eisenwalze
über den Kies der Straße? Da war wohl so manch ein Ringlein zersprungen, so manch ein Herz gebrochen. Und von so
manchem, der vor Jahr und Tag seinen Namen an diese Wand
geschrieben, mochte wohl in dieser Stunde nichts anderes mehr
übrig sein, als nur dieser Name.

Und inmitten dieser toten Vergangenheiten, inmitten dieser
erlöschenden Erinnerungen klang das helle Stimmlein dieser
holden Mädchenblüte, ihr perlendes Lachen und die glückliche
Freude, mit der sie jede Skizze begrüßte, deren Vorwurf sie
erkannte. Bald fand sie eines ihrer Lieblingsplätzchen am See,

eine Straße oder ein Häuschen des Dorfes, bald wieder Köpfe und Gestalten, die einen fremd, die anderen ihr wohlbekannt. Mehrere der Skizzen waren mit dem Namen des Künstlers gezeichnet: Hans Forbeck. Kitty blätterte weiter. Flüchtige Wolkenstudien, Baumschläge, Felspartien und weite Gebirgsveduten wechselten mit Skizzen, deren wirre Linien sie nicht verstand: Bilderideen, mit ein paar hastigen Strichen festgehalten.

Wieder wandte Kitty eines der Blätter. Und erschrocken stammelte sie: „Ach, wie traurig!"

„Die Stubenarbeit eines Regentages," sagte er leise, fast wie entschuldigend.

Die Zeichnung des Blattes war sorgfältiger, als die der anderen Skizzen, und die graue Arbeit des Stiftes mit zarten, belebenden Farbtönen überhaucht. Eine öde, fast unabsehbare Heide, dürr und kahl; der Himmel mit schwerem Gewölk bedeckt, durch dessen spärliche Klüfte kaum eine matte Helle quoll, wie eine Ahnung des verschleierten Lichtes. Ueber die Heide führte ein rauher Steinpfad, von niederem Dorngestrüpp umwachsen. Und auf diesem Pfade lag, halb zur Erde gesunken, mit aufgestütztem Arm und das entkräftete Haupt gegen die Schulter geneigt, die Gestalt einer Genie, todmüde und schmerzverloren, in Lumpen gehüllt, mit zerzausten Schwingen.

Als Kitty die Augen hob, hingen zwei schimmernde Tränen in ihren Wimpern. „Wie traurig!" Die Stimme versagte ihr fast. „Herr . . . Forbeck?" Schüchtern sprach sie seinen Namen aus. „Was soll das vorstellen? Das Unglück?"

„Nein." Er zögerte. „Meine Kindheit."

Sein Blick begegnete dem ihren — und nun verstand sie, was aus diesem Gesichte beim ersten Anblick zu ihr gesprochen hatte. Ein leises Zucken ging über ihre Lippen. Sie mußte der eigenen Kindheit denken — auch i h r e r Kindheit hatte die rechte Liebe gefehlt, die Liebe der Mutter. Vor dreizehn Jahren war ihre Mutter in der Fremde gestorben — auf einer Reise, hatte man ihr gesagt —

Tief atmend senkte sie die Augen auf das Blatt. „Wie traurig das ist!" Die beiden Tränen lösten sich von ihren Wimpern und rannen ihr langsam über die Wangen.

Bewegt, mit unbehilflichem Lächeln, wandte Forbeck sich ab, strich mit der Hand über seine Stirn und trat unter die offene Türe.

Leise schwankten die Zweige der Bäume, doch der Fall der Tropfen, der vor ihnen niederging, begann schon zu versiegen. Auch das Rauschen des Wetterbaches schien sich bereits zu dämpfen; aber der Lärm seiner Wellen war noch immer laut genug, um die beiden Stimmen zu übertäuben, die am jenseitigen Ufer klangen.

Franzl hatte das Fräulein von Kleesberg glücklich durch den Wald herunter und bis zum Bache gebracht. Das war ein hartes Stücklein Arbeit gewesen, um so härter, da Franzl zur Stütze für seinen jammernden Schützling nur den einen Arm frei hatte; unter dem andern Arme schleifte er ein schweres Brett, das er von der Wildscheune losgerissen hatte, um über den von Felsblöcken durchsetzten Wildbach einen Steg zu bauen. Während Fräulein von Kleesberg in heller Verzweiflung die Hände rang, ließ er das Brett vom Ufer gegen den nächsten Felsblock fallen. Er trat auf den improvisierten Steg hinaus und schaukelte sich, um die Festigkeit des Brettes zu prüfen und Tante Gundis Mut zu erwecken. „So Fräulein, kommen S' nur!" lachte er. „Da schauen S' her ..." er schaukelte sich, daß das schwingende Brett die schießenden Wellen fast berührte, „das Brettl tragt Ihnen leicht, da dürften S' noch ein paar gute Pfündln mehr haben!"

„Nein, nein, nicht um die Welt!" kreischte Fräulein von Kleesberg und streckte wehrend die Arme, als sollte sie mit Gewalt in den sicheren Tod geschleift werden. „Lieber bleib ich die ganze Nacht und warte ..." Während ihr die Tränen der Angst über die schlotternden Wangen kollerten, schrillte ihre Stimme: „Kitty! Kitty! Du Ungeheuer!" Zu all dem alten Jammer erwachte in ihr noch ein neuer. „Aber wo ist sie denn? Ich sehe sie nicht!"

„Sie wird halt mit dem jungen Herrn Maler im Kapuziner-häusl sein," meinte Franzl und streckte die Hände. „Also weiter, Fräulein, kommen S'!"

Er hatte mit dieser Meinung Tante Gundi beruhigen wollen. Aber der Schreck, den ihr seine Worte einjagten, sprach aus ihren weit aufgerissenen Augen. Keuchend rang sie nach Luft und stotterte: „In der Klause! Mit einem ..." Da ging ihr schon wieder der Atem aus. Aber ihre Angst hatte plötzlich alle Komik verloren. „In der Klause! Das ist gerade der richtige Platz! Als hätten wir nicht schon genug an jenem ersten ..." Ver-sagte ihr die Stimme oder verschluckte sie ein Wort, das nicht über ihre Lippen kommen durfte? — „Nein! Nein! Und wenn es mein Leben kostet! Das will ich verhindern!"

Tante Gundi richtete sich auf wie eine Löwin, die ihr Junges verteidigt. Und als wäre die stille, friedliche Klause ein Abgrund der Gefahr, aus dem sie das ihrer Obhut anvertraute junge Mädchen erlösen mußte, so stürzte sie auf das Ufer zu und klammerte sich an die Hände des Jägers. Kaum aber hatte sie das Brett betreten, kaum fühlte sie dieses bedenkliche Schaukeln, kaum sah sie unter ihren Füßen das schießende Wasser, da war es wieder vorbei mit all ihrem Löwenmut. Aber Franzl hielt fest — da gab es kein Zurück mehr. Ihre Seele mit einem Stoßgebetlein dem Herrn empfehlend, stieß Tante Gundi einen klagenden Schrei aus und schloß in Schwindel die Augen.

Trotz des rauschenden Lärmes, den der tobende Bach erhob, klang dieser Schrei bis zur Klause.

Forbeck lauschte. Aber da hörte er hinter sich einen Ausruf fröhlicher Ueberraschung von Kittys Lippen. „Köstlich! Jeder Zug! Dieser Mund! Dieses Zwinkern im Auge! Als stünde er vor mir, wirklich und wahrhaftig!" So sprudelten die Worte des Mädchens. „Herr Forbeck! Wie kommen Sie zu diesem Bild?"

Was Kittys Jubel erweckt hatte, war das Brustbild eines alten Jägers mit geflickter Joppe und mürbem Filzhut, auf dem eine geknickte Spielhahnfeder saß.

„Nicht wahr, ein famoser Kopf, dieser alte Waldbär!" sagte Forbeck, der Kittys Freude nicht völlig zu begreifen schien. „Ein Typus von Jäger und Bauer! Echter Volksschlag. Sehen Sie nur diese knochige Stirn an! Diesen Falkenblick im Auge! Diese Adlernase und diesen gewalttätigen Mund! Was da in jeder Linie liegt an Kraft und rücksichtsloser Derbheit! Und dieser zausige weiße Bart! Das ist unglaublich charakteristisch! Der Alte muß einen Zorn haben wie der Sturmwind, und dann fährt er wohl mit seinen schwieligen, sonnverbrannten Fingern in diesen Bart und zerrt . . ." Forbeck verstummte. Die Sache mochte ihm nun doch etwas sonderbar erscheinen, denn Kitty lachte, daß ihr die Tränen kamen.

„Köstlich! Köstlich! Aber wie sind Sie denn nur zu diesem Bild gekommen?"

„Ich machte vor einigen Tagen eine Bergpartie, und da ist mir der Alte in der Nähe einer Sennhütte in den Weg gelaufen. Er stach mir gleich in die Augen, und so bat ich ihn, mir eine Stunde zu sitzen."

„Und das hat er getan?"

„Natürlich! Er schien riesig geschmeichelt, als ich ihn ‚Herr Förster‘ titulierte. Und er wußte wohl auch, daß ich es nicht umsonst verlangte."

Kitty schien von einer wahren Ekstase heiterer Laune befallen. „Und Sie wissen nicht, wer das ist? Wirklich nicht?" Vor Lachen vermochte sie kaum weiterzusprechen. „Das ist ja mein Papa!"

Forbeck trat verblüfft zurück und betrachtete das lachende Mädchen. Er begriff nicht. Wie kam dieser alte ‚Waldbär‘ — vielleicht war er doch kein gewöhnlicher Waldaufseher, wie sein Aeußeres vermuten ließ, sondern wirklich ein wohlbestallter Förster — aber wie kam ein schlichter Förster zu einer solchen Tochter mit diesem zierlichen Wuchs und diesem holden Gesichtchen — und mehr noch: zu einer Tochter in so vornehm gewählter Kleidung, mit schwedischen Handschuhen und mit der eleganten Chaussure? Dieses Kleid und was dazu gehörte — das wog ja den halben Jahresverdienst eines Försters auf! Da schoß ihm der Gedanke durch den Kopf: eine junge Künstlerin, eine Theaterprinzessin? Er wußte nicht, warum er diesen Gedanken so unangenehm empfand, fast wie einen Schmerz. Aber nein! Er durfte nur in diese strahlenden Augen blicken, auf diesen reinen kindlichen Mund — um den sinnlosen Einfall wieder zu verwerfen. Dadurch wurde aber die Sache für ihn noch unbegreiflicher. Der alte ‚Waldbär‘, den er dort oben gefunden — der war echt! An dem war nicht zu zweifeln! Das Rätsel war dieses Mädchen.

Schon wollte Forbeck eine Frage stellen, da ließen sich vor der Klause hastige Schritte vernehmen. Es wurde finster in der Türe, und Fräulein von Kleesberg stolperte über die Schwelle. „Kitty . . . Kitty . . ." Nun sah sie den jungen Maler — das Licht des Fensters fiel hell auf sein Gesicht — und Fräulein von Kleesberg taumelte an die Wand, erschrocken wie vor dem Anblick eines Gespenstes.

Verwundert blickte Forbeck auf die ihm fremde Dame, und Kitty stellte ihr Lachen ein. „Tantchen? Was ist dir?"

Fräulein von Kleesberg schien sich zu erholen.

„Aber so sprich doch! Was ist dir?"

„Nichts, nichts! Wer ist . . . dieser Herr?"

„Herr Maler Forbeck!" stammelte Kitty, während der junge Mann sich höflich verbeugte. Um über den unbehaglichen Augenblick hinwegzukommen, faßte Kitty das Skizzenbuch. „Tante Gundi, ich muß dir etwas zeigen . . . was Herr Forbeck gezeichnet hat . . . du wirst Augen machen . . ."

Fräulein von Kleesberg hatte beim Klang dieses Namens, den sie noch nie in ihrem Leben gehört, erleichtert aufgeatmet. Scheu ließ sie die Augen an dem jungen Mann emporgleiten und schüttelte den Kopf.

„Tantchen, sieh einmal . . ."

Beim Klang dieser Stimme war Tante Gundi plötzlich wieder all ihrer Sinne mächtig. Mit dem Zorn einer Furie schoß sie auf Kitty zu, umklammerte ihre Hand und schüttelte sie, daß das Skizzenbuch zu Boden fiel. „Laß das! Und komm! Das ist kein Ort für dich!"

Ueber Forbecks Gesicht flog eine brennende Röte. Dann hob er schweigend das Buch von der Erde.

„Aber Tante!" stammelte Kitty verlegen.

„Komm!" Und in ungestümer Hast zog Fräulein von Kleesberg das junge Mädchen zur Türe hinaus.

Kittys Lippen zuckten. „Aber Tante Gundi! Herr Forbeck . . ."

„Komm!" Fräulein von Kleesberg hielt fest und suchte so schnell als möglich aus der Nähe der Klause zu kommen.

„Aber Tante, ich bitte dich! Herr Forbeck hat mich ja doch gerettet! Was muß er denken von mir!"

„Komm nur!" Tante Gundi schlug einen wahren Sturmschritt an. Das Staunen über diese Eile machte Kitty verstummen. Seit jenem Tag, an welchem Fräulein von Kleesberg aus dem Stift gekommen war, um sich in eine sehr weitschichtige ‚Tante‘ zu verwandeln und die Obhut über das junge mutterlose Mädchen zu übernehmen — seit jenem Tage bis zu dieser Stunde hätte Kitty niemals ahnen mögen, daß in diesem ‚fleischgewordenen Schaukelstuhl‘ — wie Graf Egge das alte Fräulein getauft hatte — eine so erstaunliche Beweglichkeit verborgen läge — Kitty meinte ein Wunder zu sehen, und halb schmollend, halb lachend, ließ sie sich von Tante Gundi weiterziehen. Einmal blickte sie freilich über die Schulter zurück, aber die Klause war schon hinter der Felswand verschwunden.

Da kam auch Franzl vom Seeufer heraufgelaufen und rief: „Ich hab ein Schiffl!"

„Gott sei Dank!" stöhnte Fräulein von Kleesberg und verhielt den stürmischen Schritt. Ihre Kräfte waren zu Ende.

3.

Langsam glitt der Nachen über den stillen See, der unter den sinkenden Schatten des Abends in tiefgrünen Farben spielte. Dem Schifflein im Rücken lagen die den halben See umziehenden Berge mit ihren schwarz ansteigenden Fichtenwäldern, mit den grauen Wänden und den grünen Almen in der Höhe, auf denen noch helle Sonne lag. Am Ufer, dem der Nachen entgegensteuerte, sah man einen belebten Gasthof und eine Reihe weißer Villen, aus deren einer die Solfeggien einer herrlichen Altstimme und die Töne eines Flügels erklangen. Hinter den roten Dächern der Villen erhob sich ein welliges Gelände mit den zerstreuten Häuschen und Gehöften des Dorfes. An ihre Gärten schloß sich, von einer roten Mauer umzogen, ein weitgedehnter Park, über dessen kugelige Ulmenwipfel sich das Dach und die Türmchen von Schloß Hubertus erhoben.

Von den Insassen des Nachens achtete niemand der Schönheit dieses Bildes, das nach dem reinigenden Gewitterregen in seinen Farben so frisch und neu erschien, als wäre es just im Augenblick aus der Hand seines Schöpfers hervorgegangen. Der alte Schiffer führte, im Spiegel des Bootes stehend, in gleichmäßigem Takt das Ruder; Franzl, der auf dem Schnabel des Schiffes ein nicht sehr bequemes Plätzchen gefunden, wischte mit dem Aermel die Rostflecken von dem Lauf seiner Büchse; und Kitty saß, dem Stiftsfräulein den Rücken kehrend, in schmollendes Brüten versunken. Plötzlich erwachte sie. Franzl hatte sie leise auf das Knie getippt und flüsterte: „Schauen S' das alte Fräulein an!" Kitty blickte über die Schulter zurück und erschrak vor dem kummervollen Anblick, den Tante Gundi bot. Breit lag ihr das rote Doppelkinn auf dem schwer atmenden Busen, tiefe Furchen kreuzten die Mundwinkel, und über die welken Wangen, von denen auch die letzte Spur von Schminke geschwunden war, kollerten dicke Perlen. Waren es Schweißtropfen oder Tränen? Wohl beides zugleich. Aus dem zerfallenen Gesichte redete die Sprache eines tiefen, bedrückenden Schmerzes.

Das fühlte Kitty, und im Augenblick hatte sie all ihren Groll vergessen. Hurtig schwang sie die Füßchen über das Brett und faßte die Hände des Fräuleins. „Tante Gundi! Was hast du?"

Fräulein von Kleesberg blickte mit verstörten Augen auf, als hätte man sie auf einer bösen Tat ertappt. „Laß mich, du ..." Sie wandte mit einem übelgelungenen Versuch von Würde das Gesicht ab und blickte krampfhaft·ins Wasser nieder, um ihre Tränen zu verbergen.

Kitty schwieg. Aber mit scheuer Sorge hingen ihre Augen an Tante Gundi, und im stillen begann sie sich Vorwürfe zu machen. Sie wußte sich allerdings keiner anderen Sünde zu zeihen, als der einzigen, daß sie in der begreiflichen Ungeduld, nach viermonatlicher Trennung den Vater um ein Stündchen früher zu sehen, die erste Ursache zu dem für Fräulein von Kleesberg so übel verlaufenen Abenteuer gegeben hatte. An allem anderen war sie doch schuldlos. Alles andere war ja doch gekommen ... sie wußte selbst nicht wie!

Ihre Blicke glitten über den See zurück und suchten die Mündung des Wetterbaches. Und bei aller Sorge und Zerknirschung, die sie um Tante Gundis willen empfand, spielte doch ein träumendes Lächeln um ihre Lippen.

Ein paar stille Minuten, dann fuhr der Nachen knirschend an das Ufer. Kaum hatte Fräulein von Kleesberg festen Fuß unter sich, und kaum gewahrte sie die umherstehenden Gruppen der Schiffer und Sommergäste, da hatte auch sie ihre verlorene Fassung wiedergefunden. Der Seewirt, der die zum Schloß Hubertus gehörige Fischerei in Pacht hatte, kam herbeigerannt, um den ‚gnädigen Damen‘ seine Aufwartung zu machen. Kitty reichte ihm freundlich die Hand, aber Fräulein von Kleesberg rauschte an ihm vorüber und der Straße zu, mit dem Aplomb einer Königin — freilich einer Königin, deren Würde mehr in die Breite ging, als in die Höhe.

Franzl schwang die Büchse auf den Rücken und wanderte langen Schrittes davon. Bald verstummte hinter ihm der Lärm des belebten Ufers, und zwischen dichten Haselnußstauden ging sein Weg über stille Wiesen. Ein paar hundert Schritte trennten ihn noch von seinem Häuschen. Nun führte der Fußweg gegen einen hohen Zaun, bei dem ein paar rohgezimmerte Stufen den Ueberstieg erleichterten — und drüben kam ein schmaler, von zwei tischhohen Bretterplanken eingefaßter Pfad.

Schon wollte Franzl die Stufe betreten, als er über den Zaun her eine Männerstimme hörte — sie redete jene zweifelhafte Bauernsprache, die der Jäger manchmal in den Sennhütten von jungen Touristen zu hören bekam — und ihr erwiderte eine zornige Mädchenstimme: „Aus'm Weg, sag ich!"

Neugierig drückte Franzl die Haselnußzweige auseinander und sah auf zwanzig Schritte einen kniemageren Touristen stehen, dessen Rucksack, Joppe und Lederhose an diesem Tage wohl zum erstenmal die Berge erblickt hatten; quer in den Händen hielt er einen wahren Baum von Bergstock, mit dem er einer jungen, schmucken Bauerndirne den schmalen Pfad verlegte.

„'s Zollheben is 'n alter Brauch," erklärte der kühne Wegelagerer in seinem zweifelhaften Dialekt, „und drum sag i dir, du saubers Diandl, du kommst mir nit ummi, eh du nit dein Zoll zahlt hast."

„Aus'm Weg, sag ich!"

„Ich geh nit aus'm Weg, nit um die Welt! Da müßt ich woltern erscht von dein süßen Göscherl mein Bussarl haben! Und wann du's net gern giebst . . ." Der Ritter schwenkte den Bergstock und streckte eine Hand.

Aber da griff auch schon das Mädchen mit zwei gesunden Fäusten zu. „Wart, dir gib ich ein Bußl, du Zibebenkramer!" Zuerst machte der Bergstock einen Purzelbaum, dann sein Besitzer; die morsche Bretterplanke krachte, und hinter ihr verschwand der besiegte Ritter, daß für eine kurze Weile nur noch seine frisch genagelten Schuhe zu sehen waren.

Das Mädchen wischte die Hände über die Hüften und näherte sich gemütlichen Schrittes dem Ueberstieg; da hörte sie das Gelächter des Jägers und gewahrte über dem Zaunrand sein braunes Gesicht mit den lustigen Augen, die in unverkennbarem Wohlgefallen an ihr hingen.

Franzl erkannte sie nicht — sie mußte wohl eine Auswärtige sein: das gestrickte, braune Leibchen, das die volle Büste und die runden Arme knapp umschloß, und die gefältete weiße Halskrause — das war fremde Tracht. Aber woher sie auch immer sein möchte — sie war in einer Luft gewachsen, die gesund und sauber macht. Und wie gut der halbverrauchte Zorn zu

ihrem frischen, sonnverbrannten Gesichte stand, zu diesen blau-
grauen Augen und der kecken Stirn, über der die blonde Haar-
krone sich so bedenklich verschoben hatte, daß die schweren Zöpfe
fast zu fallen drohten.

Der erste Blick, den sie auf den Jäger geworfen, war kein
sonderlich freundlicher gewesen — als hätte sie eine neue Weg-
sperre befürchtet. Doch als sie ihm näher in die Augen sah,
schien ihre Sorge zu schwinden. Sein Lachen wirkte ansteckend,
und sie lachte mit.

„Mahl! Den hast aber bös auszahlt.“

„Wie's ihm ghört hat! So ein Grashupfer! Aber im Anfang . . . natürlich, ich hab an gar nix denkt . . . da bin ich
völlig erschrocken.“

„Na, na, da hättst kein Kummer net haben brauchen.
Wann's gfehlt hätt, wär schon ich bei der Hand gwesen.“

Sie nickte ihm freundlich zu. „Vergeltsgott! Aber es hat's
net braucht! Wie ich gmerkt hab, hat er net einmal 's Schneider-
gwicht. Den muß seine Mutter in der Stadt drin auch mit
Schmalz einreiben, daß er fett wird! Wo is er denn?“ Sie
blickte über die Schulter; doch als sie den Pfad noch immer leer
sah, meinte sie besorgt: „Er wird doch am End net ungut
gfallen sein?“

„Gott bewahr!“ lachte Franzl. „Schau nur, grad rappelt
er sich in b' Höh!“ Hinter der geknickten Bretterplanke erschien
der grasgrüne Spitzhut mit der trauernden Hahnenfeder.

„No also! Weil's ihm nur nix gmacht hat!“ Mit diesen
Worten schien die Sache für sie erledigt. An dem Gezweig eine
Stütze suchend, stieg sie auf die Kante des Zaunes, faßte die
Hand, die ihr der Jäger reichte, und sprang zu Boden.

„Bhüt dich Gott, Jager!“ grüßte sie lächelnd.

„Bhüt dich Gott auch!“

Sie schritt davon, und Franzl sah ihr betroffen nach. Nun
plötzlich, an ihrem Lächeln war ihm etwas aufgefallen; er mußte
sie schon einmal gesehen haben.

Nach wenigen Schritten blieb sie stehen und blickte sich zögernd um. Die Augen der beiden trafen sich, und eines schien dem
andern sagen zu wollen: „Mir scheint, ich müßt dich kennen!“

Aber sie schwiegen, und das Mädchen ging; hinter den
Haselnußstauden verschwand es; nur ein paarmal leuchtete
zwischen dem Grün noch die weiße Schürze.

Franzl schob von hinten den Hut in die Stirne; das tat er immer, wenn er zu denken hatte. Eine Weile noch stand er; dann stieg er über den Zaun und folgte dem eingeplankten Pfad. Hinter den Brettern sah er den traurigen Ritter stehen, nun doppelt traurig, denn mit ratlosen Blicken musterte er einen handbreiten Riß in seiner neuen Lederhose. Lachend streckte Franzl die Hand über die Planke und klopfte ihm auf die Schulter. „Ja, Mannderl, bei uns da heraußen kosten die Busserln Hosenfleck! In der Stadt drin sind s' billiger."

Nach kurzer Strecke erreichte der Jäger sein Heimwesen, ein freundliches, zweistöckiges Häuschen, mit frischgeweißter Mauer und grünen Fensterläden, Hofraum und Garten mit Sorgfalt gepflegt, der ganze Besitz von einem hohen Staketenzaun umschlossen. Als Franzl das Pförtchen öffnete, erhob sich von einem der Gartenbeete eine alte Frau mit stillen Augen und weißem Faltengesicht, das die grauen, tief in die Schläfe gekämmten Haare gleich einer verblaßten Haube umrahmten.

„Grüß dich Gott, Bub!"

„Grüß dich Gott auch, Mutterl! Wie geht's dir denn allweil?"

„Es tut's! Und dir? Is dir alles gut gangen am Berg?"

„Am Berg? . . . Warum soll's denn mir schlecht gehen!" lachte Franzl.

Aber seine Mutter schien ein feines Ohr zu haben. Dieses Lachen klang nicht wie sonst. Und die Liebe jener Menschen, die großes Unglück erfuhren, ist immer furchtsam. Mit forschender Sorge hingen die Augen der Försterin an ihrem Sohn. „Franzl, dir is was! Hat der Herr Graf wieder gscholten? Oder fangt der Schipper seine scheinheiligen Gschichten wieder an?"

„Aber Gott bewahr! Nix is, gar nix! Mußt dir denn allweil Sorgen machen, wo keine sind!" Er faßte die Hand der Mutter und tätschelte die welken Finger. „Geh, du Sorgenhaserl, du alts!"

Aber die Horneggerin, wenn einmal eine Sorge in ihr wach geworden, war so leicht nicht wieder zu beruhigen. „Warum kommst denn auf einmal heim? Mitten unter der Wochen?"

„Treiber muß ich bstellen, der Herr Graf will riegeln. Und was ich fragen will, Mutterl . . . is bei uns net grad ein Mahl vorbeigangen?"

Die Mutter wandte langsam das Gesicht. „Ja. Warum

fragst? Haft es nimmer kennt? Aber bist ja doch mit ihr in
b' Schul gangen! Die Bruckner-Mali!"

„Die Maaali . . .?" Der Name hing ihm an der Zuuge
wie ein zehnsilbiges Wort. Er wußte sich vor Ueberraschung
kaum zu fassen und klatschte statt aller weiteren Worte die
Hände auf die Schenkel. Daß er aber auch die Mali nicht
gleich erkannt hatte! Die Mali! Seine liebste Schulkameradin!
Sie waren als Kinder unzertrennlich gewesen, bis im Förster-
hause das blutige Unglück Einkehr gehalten — vor vierzehn
Jahren. Da war der Bub durch Tage und Wochen nicht von
der Seite seiner Mutter gewichen — und als er dann eines
Abends die kleine Freundin gesucht hatte, war sie aus dem
Dorfe verschwunden. Eine ältere Schwester, die in eine weit
entfernte Ortschaft geheiratet, hatte das Mädchen zu sich genommen. Und jetzt nach so langen Jahren war Mali wieder
heimgekehrt! Sie hatte sich sauber ausgewachsen! Und weshalb
sie jetzt gekommen war, das meinte Franzl zu erraten. Dem
Bruckner, ihrem Bruder, war das Weib gestorben, er hatte drei
Kinder, Not und Krankheit in der Stube — da waren ihm zwei
gesunde Arme zur Hilfe mehr als nötig. Und daß die Mali
zwei feste, tüchtige Arme besaß, davon hatte sich Franzl vor
einem Viertelstündchen zur Genüge überzeugt — er und noch
ein anderer!

„Die Mali! Da hört sich aber doch alles auf! Jetzt is das
gar die Mali gwesen! Die Mali!" Mit vergnügtem Schmunzeln
schüttelte Franzl den Kopf und folgte seiner Mutter ins Haus.

Der Abend sank, und aus den Wiesen begann ein dünner
Nebel zu dampfen, der sich gleich einem weißen Schleier über
die Haselnußstauden aller Pfade legte . .

Noch vor Einbruch der tieferen Dämmerung hatten auch
Kitty und Tante Gundi das Parktor von Schloß Hubertus erreicht. Auf dem ganzen Wege hatten sie kein Wort miteinander gewechselt. Als aber Fräulein von Kleesberg die Hand
nach der Torklinke streckte, stellte sich Kitty in den Weg.

„Tante Gundi? Bist du mir böse?"

„Ach, Kind!" Fräulein von Kleesberg umschlang mit beiden
Armen das Mädchen und küßte ihm Augen und Wangen, so
heiß und zärtlich, wie nur eine bekümmerte Mutter ihr Kind zu
küssen vermag. „Wie kann ich dir böse sein! Ich hab dich ja
lieb! Und habe nur dich! Keine Seele auf der Welt! Nur dich!

Wenn ich dich nicht lieben sollte . . . wozu hätt ich dann noch ein Herz! Wir beide brauchen uns! Ich bin deine Mutter, und du bist mein Kind!"

Sie betraten den Park, und klirrend fiel hinter ihnen das hohe, schmiedeiserne Tor ins Schloß. Es hallte unter den Bäumen, und ein ungestümes Flattern und Gerüttel ließ sich vernehmen.

Eine breite Allee, vom Gezweig der alten Ulmen halb überdacht, führte in gerader Linie zum Schlosse. Schwerer Blumenduft und Heugeruch erfüllte die Luft. Inmitten der Allee weitete sich ein großes Kiesrondell, auf dem sich ein mächtiger, aus Eisenstangen und grobem Drahtgeflecht gebildeter Käfig erhob. Er barg die sieben Steinadler, die Graf Egge im Laufe mehrerer Jahre als halbflügge Vögel aus ihren Nestern gehoben Als Kitty und Tante Gundi vorüberschritten, begann im Käfig ein grauenhafter Spektakel. Gleich schwarzen Schatten huschten in der Dämmerung die aus ihrer Ruhe aufgescheuchten Adler durcheinander, fauchend und mit gellenden Schreien warfen sie sich gegen das Drahtgeflecht und rüttelten an ihrem Kerker; unter dem Klatschen der Flügelschläge hörte man das Knirschen des Drahtes, wenn die scharfen Fänge in das Flechtwerk griffen.

Tante Gundi beeilte sich, an dem Käfig vorüberzukommen. „Eine merkwürdige Liebhaberei, das!" grollte sie. „Dieser Aasgeruch . . . mitten zwischen den Rosenbeeten! Pfui!"

Kitty schwieg; diese Vögel waren eine Freude ihres Vaters, eine lebendige Trophäe seines tollkühnen Jägermutes.

Aus dem Schlosse fiel schon der Lichtschein durch einzelne Fenster in die Allee. Nun zeigte sich ein weiter, feinbesandeter Platz, von Blumenbeeten durchsetzt, mit exotischen Gewächsen und einer plätschernden Fontäne, von deren hohem, gleich mattem Silber leuchtendem Strahl ein feiner Staubregen gegen die finsteren Bäume dampfte. In der Tiefe des Platzes erhob sich Schloß Hubertus, eine Mischung von gotischem Kastell und moderner Villa. Aber man sah es auf den ersten Blick: hier wohnte ein großer Jäger vor dem Herrn. Ueber jedem Fenster war ein mächtiges Hirschgeweih an der Mauer befestigt — eine Sammlung, die anzusehen war wie eine riesige, die Geweihbildung aller Hirschgattungen demonstrierende Wandtafel; hier hing der konfuse Hauptschmuck des lappländischen Renntiers, die wuchtige Schaufel des schwedischen Elchs, der stämmige Schlag der böhmischen Wälber, das Zentnergeweih des amerikanischen Wapiti, der Urhirsch aus der Bukowina, das massige Kronengeweih des Bakonyerwalbes, die gefingerte Schaufel des Damboces, der weichlich gezeichnete Hauptschmuck des gefütterten Parkwildes und das schlanke, schön veräftelte Geweih des stolzen Ebelhirsches der deutschen Berge. Jede dieser Trophäen hatte Graf Egge auf seinen weiten Jagbreisen mit der eigenen Kugel gewonnen — unter jedem der Geweihe war ein weißes Täfelchen angebracht, auf dem die Heimat des Hirsches und der Tag verzeichnet stand, an dem das Wilb gefallen.

Jetzt freilich verschleierte die tiefe Dämmerung diese stolze Jägerchronik, und wie ein schweres Gewirr von dürren Aesten starrten die hundert Enden aus der dunklen Mauer.

Heller Lichtschein fiel aus der offenen Türe über die steinerne, von wildem Wein und Jerichorosen umrankte Veranda, zu der drei breite Stufen emporführten.

Als Kitty und Tante Gunbi die Veranda betraten, kam ihnen ein junger Diener entgegengeeilt, der sich besorgt erkundigte, ob die Damen nicht in das Gewitter geraten wären.

„Nein, Fritz, wir kommen trocken nach Hause," erklärte Kitty. „Wo ist mein Bruder?"

„Der Herr Graf arbeiten in seinem Zimmer."

Durch einen breiten Flur, dessen Wände von den Steinfliesen bis zur Decke mit Jagbtrophäen aus aller Welt bedeckt waren, eilte Kitty zur Treppe. Auch hier im Treppenhaus, wie in den Korriboren des oberen Stockes, hing Geweih neben Geweih an allen Wänden.

Kitty öffnete eine Türe und schob das Köpfchen durch den Spalt. „Stört man nicht?"

„Komm nur!" erwiderte eine ruhige Männerstimme.

Und Kitty trat ein.

Das matte Licht einer mit chinesischem Schirm bebeckten Stubierlampe füllte den nicht allzugroßen, einfach möblierten Raum. Eine Menge Bücher, Zeitungen und Broschüren lagen, da es an Schränken fehlte, überall umher, auf dem Tisch, auf allen Stühlen. Der große Schreibtisch war von einem ganzen Ringwall dicker Bände umzogen, so daß für Lampe, Tintenzeug und Aktenmappe nur ein kleiner Raum verblieb. Man glaubte sich in dem Zimmerchen eines fleißigen Studenten zu befinden, der vor dem Examen steht. Aber Graf Tassilo,

Kittys ältester Bruder, hatte die Schuljahre längst hinter sich.

Er nahm den Schirm von der Lampe und erhob sich: eine schlanke, vornehme Gestalt mit einem energischen Kopf und einem scharfgeschnittenen, ausdrucksvollen Gesicht. Die Härte der Züge, die Tassilo vom Vater hatte, wurde gemildert durch den warmen, ruhigen Glanz der Augen, die den Augen der Schwester glichen. Man konnte lesen in diesem Gesicht und Blick: da steht ein Mensch vor dir, der mit sich im klaren ist und weiß, was er will; eine starke, zähe, an Arbeit und Selbstbeherrschung gewöhnte Natur mit warm fühlendem Herzen und tiefem Gemüt. Aber es mochten schwere Kämpfe gewesen sein, in denen er das sichere Gleichgewicht seines Lebens gewonnen — das verriet die tiefeingeschnittene Furche zwischen den Brauen. Graf Tassilo stand im dreißigsten Jahr, doch hätte man ihn wohl um einige Jahre älter geschätzt.

Herzliches Wohlgefallen leuchtete beim Anblick der Schwester aus seinen Augen. Wie das lichte Figürchen auf ihn zugeflattert kam, das war auch, als wehte ein frischer Frühlingshauch in die ernste, schwüle Stube. Kitty umschlang den Bruder und küßte ihn auf den Schnurrbart. „Guten Abend, Tas!"

Lächelnd hielt er sie fest und streichelte ihr Haar. „Nun? Ist Papa gekommen?"

Sie schüttelte das Köpfchen und hob wie in unbehaglicher Empfindung die Schultern.

Ein Schatten ging über das Gesicht des Bruders. Er gab die Schwester frei, schob den Sessel zurück und ließ sich nieder. „Ich hätt es dir voraussagen können. Aber ich wollte deine Freude nicht stören ... möglich wär es ja doch gewesen ..."

„Nein, ganz unmöglich!" fiel Kitty hastig ein, als hätte sie das Bedürfnis, ihren Vater zu verteidigen. „Er konnte nicht kommen, absolut nicht! Franzl hat es mir gesagt. Weißt du, Tas, da droben steht irgendwo ein ganz fabelhafter Gemsbock. Und Papa muß ihn haben!"

„Natürlich! Ein Gemsbock! Das wiegt ja schwerer ..." Er sprach den Gedanken nicht aus; und als wollte er über das Thema hinwegkommen, sagte er mit veränderter Stimme: „Ich habe mich gesorgt um dich. Wo wart ihr, als das Wetter kam?"

„Droben im Wald. Aber trocken und sicher, in der Wildscheune." Sie begann zu erzählen und fand dabei ihre Laune wieder. Drollig schilderte sie Tante Gundis Verzweiflung, das

Erscheinen des Jägers und ihren Niederstieg zum Wetterbach — ‚ganz à la Paul et Virginie!' Dann kicherte sie und verstummte, als wäre das Abenteuer zu Ende. Mit rotem Gesichtchen und ganz merkwürdigem Lächeln beugte sie sich über den Schreibtisch und begann in den aufgeschlagenen Akten zu blättern. „Und du, Tas? Du hast natürlich wieder mit den Ellbogen zwei Löcher in deinen Schreibtisch gebohrt und den herrlichen Abend versäumt. Ueber was grübelst du da schon wieder?"

„Ich sammle das Material zu einer Verteidigung."

„Wohl ein sehr interessanter Fall?"

„Für mich, gewiß."

„Erzähle mir, bitte, um was handelt es sich? Um einen Unschuldigen, den man des Mordes beschuldigt?"

„Nein, Kind, um einen Gewohnheitsdieb."

„Aber Tas!" Erschrocken hingen Kittys Augen an dem ernsten Gesicht des Bruders. „Wie kannst du dich mit einem solchen Menschen befassen! Du! Mit einem gemeinen Verbrecher!"

„Ein Verbrecher? Ja. Aber noch mehr ein Kranker. Und ich hoffe, daß er noch zu heilen ist."

„Ich weiß nicht, wie du das meinst. Aber ich bitte dich, Tas, laß nur Papa davon nichts merken."

„Da kannst du ruhig sein! Papa sorgt dafür, daß mir hierzu die Gelegenheit fehlt."

„Wenn er es aber doch erfährt, was wirst du ihm sagen?"

Tassilo erhob sich, streifte die Hand über Kittys Scheitel und sagte lächelnd: „Nichts."

Sie verstand den tieferen Sinn dieses Wortes nicht. „Ja, Tas, das wird wohl das beste sein. Widerspruch verträgt er nicht. Und weißt du ... ich habe zwar Papa seit vier Monaten nicht gesehen ... aber ich bin überzeugt, daß er dir diese letzte Geschichte vom Frühjahr noch immer nicht vergessen hat. Es war aber auch ein netter Streich!"

„Meinst du?"

„Ein Graf Egge-Sennefeld ... und verteidigt einen auf frischer Tat ertappten Wildschützen! Na, erlaube mir, Tas ..."

Er klopfte sie mit beiden Händen auf die Wangen und sagte, wie man zu einem Kinde spricht: „Dir erlaube ich alles!"

Ein Diener erschien in der Türe: der Tee stünde bereit.

Tassilo nahm einige Zeitungen vom Schreibtisch und reichte seiner Schwester den Arm.

Das Speisezimmer lag zu ebener Erde; ein großer, wenig behaglicher Raum, dem es anzumerken war, daß er die längste Zeit des Jahres unbenützt und leer stand. In der Mitte der lange Tisch, mit grünem Tuch überspannt und nur zur Hälfte weiß gedeckt. Auf jeder Seite der Flurtüre stand eine altertümliche Kredenz, und geschnitzte Holzbänke mit verblaßten Kissen zogen sich rings um die Mauern. Wände und Decke waren mit gebräuntem Lärchenholz getäfelt. Die Luft des Zimmers hatte einen leisen Geruch, der an die Apotheke erinnerte; er ging wohl von den hundert präparierten Vögeln aus, die in bunten Gruppen den Schmuck der Wände bildeten; dazwischen abnorme Rehgehörne und in silberne Zwingen gefaßte Eberzähne; an der Decke hingen, mit ausgebreiteten Schwingen, gegen zwanzig Adler, die sich sacht bewegten: von den zwei großen Moderateurlampen, die auf der Tafel standen, stieg die erhitzte Luft in die Höhe und staute sich unter den hohlen Flügeln. Eine offene Seitentür ließ in ein finsteres Zimmer blicken, darin die polierte Brüstung eines Billards in matten Streifen funkelte.

Als Kitty auf der Tafel nur zwei Gedecke sah, fragte sie: „Fritz, wo ist Tante Gundi?"

„Das gnädige Fräulein haben sich zurückgezogen und haben Syphon und Eispillen verlangt."

„Ach, du Barmherziger! Jetzt hat sie ihre Migräne!" stotterte Kitty und lief davon.

Als sie nach ein paar Minuten zurückkehrte, berichtete sie kleinlaut: „Sie hat sich eingesperrt. Die Arme!"

Tassilo schien nicht zu hören; er hatte sich bereits bedient, und während er mit der Linken in langsamen Pausen den Teelöffel oder die Gabel führte, hielt er mit der Rechten die aufgeschlagene Zeitung unter die näher gerückte Lampe. Erst als Kittys Teller klapperte, schien er die Rückkehr der Schwester zu bemerken und wollte die Zeitung aus der Hand legen.

„Lies nur, Tas!"

„Wenn du erlaubst . . . ich finde untertags keine Zeit dafür!" Eifrig vertiefte er sich wieder in den unterbrochenen Artikel.

Eine stille Viertelstunde verrann, und Kitty gähnte in immer kürzeren Zwischenräumen. Schließlich erhob sie sich und schob den Stuhl unter den Tisch. „Na also! Du arbeitest wohl nach Tisch?"

Tassilo zögerte mit der Antwort, und eine feine Röte erschien auf seiner Stirn. „Später, ja! . . . Und du?"

„Was soll ich machen?" Sie zog melancholisch die Schultern in die Höhe. „Du hast Arbeit, und Tante Gundi Migräne
. . . was bleibt für mich! Ich krieche eben ins Nest. Gute
Nacht, Tas!" Sie küßte ihn, blieb vor ihm stehen und sagte
seufzend: „Tas, du bist alt geworden."

„Meinst du?" Er lächelte — so seltsam verträumt. „Und
ich bin der Meinung, daß meine Jugend erst begonnen hätte."

Kitty lachte gezwungen. „Das ist riesig komisch! Zeig mir
doch einmal deine Ellbogen . . . ob sie nicht durchgescheuert
sind? Jugend! Die Jugend hat Rosengeruch. Aber du, Tas, du
riechst nach Alten! Armer Tas! Na, gute Nacht!"

Sie wollte gehen, doch der Bruder faßte ihre Hände und
hielt sie fest; seine Augen hatten hellen Glanz, und ein be-
kennendes Wort schien auf seiner Zunge zu liegen; doch er
lächelte nur wieder. „Gute Nacht . . . du Kind!"

Kitty schlich davon. Gähnend bummelte sie durch den Flur,
an dessen Wänden die wirren Schatten der zahllosen Geweihe
leise zuckten, und zog sich über die Treppe hinauf, mit dem
halben Körper am Geländer hängend. Tief seufzend stieß sie die
Türe ihres Zimmerchens vor sich auf, tappte in die Finsternis
und machte Licht. Das kleine Gemach hatte ein freundliches
Ansehen; doch verriet es in nichts, daß hier die einzige Tochter
eines Edelmannes wohnte, dessen Besitz nach Millionen zu
zählen war. Graf Egge, der auf seinen Jagdreisen und Pirsch-
gängen, wenn es eine seltene Beute zu machen galt, das Nachtlager auf blanker Erde nicht scheute, hatte auch seine Kinder nie
verwöhnt; doch nur zur Hälfte aus Ueberzeugung; zur
andern Hälfte aus einer Eigenschaft, für welche Spar-
samkeit das mildeste Wort ist. Er knauserte in allen Dingen,
die nicht die Jagd betrafen; seine drei Söhne hatten knapp
bemessene Apanagen, aber seine Hirsche Winterfutter in Hülle
und Fülle: aus dem Allgäu ließ er das saftigste Bergheu
kommen, aus Ungarn den besten Mais, aus der Maingegend
die fettesten Kastanien.

Die billigen Stoffe für Kittys Stübchen, das man im
vergangenen Sommer für den flügge gewordenen Klostervogel
eingerichtet, waren wohl aus der nächsten Stadt verschrieben;
aber die Möbelgestelle hatte der Boottischler des Seewirtes
angefertigt, und der Zauner-Wastl, der Dorfsattler — der
übrigens den Ruf eines Universalgenies genoß und im Schloß

Hubertus als eine Art Faktotum verkehrte — hatte die Polsterung übernommen. Und die Sache war gar nicht so übel ausgefallen. Der weiße Leinenplüsch mit den mattblauen Streifen machte sich gut zu dem farblos polierten Lindenholz — dazu die lichte Tapete; das Stübchen sah aus wie frisch aus der Wäsche gekommen. Die Dielen waren blank — ohne Teppich — nur vor dem Bett lag eine graue Hirschdecke. Der Tisch, die Kommode, zwei Etagèren und alle sonstigen verfügbaren Plätzchen waren dicht angeräumt mit zierlich buntem Kram, mit ganzen Kolonnen von Photographien in blinkenden Rähmchen, über die das größere, mit französischer Widmung beschriebene Bild der Soeur superieure hinausragte, wie die Hirtin über die kleine Herde.

Kitty wollte das offene Fenster schließen. Draußen plätscherte die Fontäne, und einzelne Streifen des steigenden Mondlichtes fielen schon über die dicht geschlossenen Baumwipfel. Sinnend blickte Kitty hinaus in dieses Gewirr von finsteren Schatten und dämmerigem Licht; statt das Fenster zu schließen, ließ sie sich auf einen Sessel sinken und lehnte sich mit beiden Armen über das Gesimse. Vor ihren träumenden Blicken spann sich der graue Schein immer weiter, die Konturen des Laubwerkes mit einem schleierhaften Dunst überziehend. Die Nähe verschmolz mit der nebeligen Ferne in einen einzigen blaßgrauen Ton, so daß die weitgedehnte Fläche der Wipfel mit den an den Park sich schließenden Wiesen und Wäldern fast anzusehen war, wie eine von mattem Zwielicht überwobene unabsehbare Heide . . .

Vor Kittys sinnenden Augen belebte sich das Bild: verschwommen hob sich aus der Dämmerung ein verschlungener Pfad, rauh von Steinen, umwachsen von niederem Dorngestrüpp — und zwischen den Dornen lag, entkräftet und gebrochen, die Gestalt einer Genie, mit schmerzvollen Zügen, in Lumpen gehüllt und mit zerzausten Schwingen . . .

„Ach, wie traurig!" zitterte es leise von Kittys Lippen. Sie war so tief in diese Erinnerung versunken, daß sie die knirschenden Tritte nicht hörte, die unter ihrem Fenster langsam über den Kiesgrund hinwegschritten und in der Ulmenallee verklangen.

4.

Graf Tassilo verließ den Park. Die eine Hand in der Tasche, die andere mit dem baumelnden Spazierstock auf dem Rücken, wanderte er auf der mondhellen Straße dem Dorf entgegen. Er schien in Gedanken verloren. Einmal atmete er tief und blieb eine Weile stehen; dann schüttelte er lächelnd den Kopf und begann rascher auszuschreiten.

Nach einer Viertelstunde erreichte er den See. In weitem Kreise leuchteten die Fenster aller Villen, auf der von Windlichtern erhellten Terrasse des Wirtshauses waren einige Tische mit Sommergästen besetzt, und am Ufer standen ein paar junge Burschen und Mädchen unter halblautem Geplauder in einer Gruppe beisammen. Sie verstummten bei Tassilos Ankunft; einer der Burschen rannte davon, verschwand in der Schiffhütte, und man hörte das Klirren einer Kette und das Gepolter eines Bootes, das nach kurzer Weile aus der schwarzen Hütte tauchte und am mondhellen Ufer anlegte; es war ein zierlicher Nachen, die Bänke mit Polstern belegt, der Steuersitz von einem geschnitzten Geländer umgeben. Der Knecht stieg aus, und Graf Tassilo übernahm die Ruder.

Die weite Seebucht quer durchschneidend, glitt der Nachen einer Villa entgegen, aus deren Garten sich eine weiße Steintreppe zum Wasser senkte. Als der Kahn sich näherte, klang eine leise Stimme: „Tassilo? Du?"

„Ja, mein Kind!"

Der Nachen legte an, und Graf Tassilo erhob sich, um mit beiden Armen die schlanke Gestalt des Mädchens zu umfangen, das ihn auf der Treppe erwartet hatte.

„Anna?" fragte eine andere Frauenstimme von der Villa her. „Willst du nicht den Mantel nehmen?"

„Nein, ich danke! Die Luft ist so lind und warm wie in der Sonne!" Leichten Fußes, von Tassilo mit zärtlicher Sorge gestützt, bestieg das Mädchen den schwankenden Nachen, ließ sich im Spiegel nieder, schob das Boot von der Mauer ab und faßte die Schnüre des Steuers.

Von kräftigen Ruderschlägen getrieben, rauschte der Kahn dem tieferen See entgegen; im Mondlicht funkelten die Tropfen, die von den Rudern fielen, und hinter dem Steuer verblieb im dunklen Wasser eine leuchtende Furche.

Eine Weile schwiegen die beiden; dann sagte Tassilo mit gedämpften Worten: „Verzeih mir, daß ich dich warten ließ! Bist du nicht ungeduldig geworden?"

„Ach, und wie! Ich habe schon gefürchtet, daß ich dich heute nicht mehr sehen würde! Aber nun bist du ja gekommen!" Die warme melodische Stimme klang in der Nachtstille wie leiser Gesang.

„Ich war nicht Herr meiner Zeit. Seit gestern ist meine Schwester in Hubertus."

Die Antwort zögerte und klang wie ein Seufzer. „Ich weiß . . ."

„Das macht dir Sorge? Nein, Anna, sei ruhig! Wie alles andere kommt, ich weiß es nicht. Aber meine Schwester wirst du im Sturm gewinnen. Sie schwärmt für dich! Und sie soll auch die erste sein, die es erfährt. Endlich muß ja doch gesprochen werden, die Entscheidung ist nicht länger aufzuschieben, denn ich will nicht, daß man im Dorfe anfängt, über dich zu murmeln."

Eine Hand legte sich mit zitterndem Druck auf die seine. „Ich danke dir."

„Aber Kind!" Er küßte die weißen Finger und faßte die Ruder wieder. „Ich liebe dich und will, daß auch die andern dich ehren, wie du es verdienst. Deshalb muß diese schiefe Stellung ein Ende nehmen. Ich habe einen Entschluß gefaßt. Dieser Tage kommen meine Brüder für eine Woche nach Hubertus, und ich vermute, daß uns Papa, um sich das Wiedersehen zu erleichtern, in die Jagdhütte bestellen wird. Diese Gelegenheit will ich benützen. Wie sich Robert und Willy dazu stellen werden, weiß ich nicht. Aber mit ihnen werde ich rasch ins klare kommen. Mein Vater, freilich . . ." Tassilo zögerte.

„Du fürchtest . . ."

„Furcht?" Er beugte sich über die Ruder und blickte mit glücklichem Lächeln in das schöne Mädchenantlitz. „Furcht? Nein, Anna! Aber bange ist mir. Nicht vor den Kämpfen, die meiner warten, denn ich weiß, daß ich sie überstehen werde. Mir ist nur bange vor all dem unverdienten Glück, das über mich herfallen wird . . ." Eine Hand schloß ihm die Lippen.

Es wurde still im Boot, die Ruder schleiften, und mit

sachtem Plätschern glitt der Nachen an einer steil aus dem Wasser ragenden Felswand vorüber. Der Kessel der Berge öffnete sich, einer riesenhaften Grotte vergleichbar und überflutet von allem Zauber der sommerlichen Mondnacht. Und nun der schwebende Anschlag einer wunderbaren Altstimme. Wie der klingende Traum einer Glocke, so zitterte die Fülle dieser herrlichen Töne hinaus in das Schweigen der Nacht — Schumanns ‚Lied der Braut'. Und wie dieses Lied gesungen wurde, das war mehr, als nur die Gabe einer vollendeten Künstlerin — es war Gesang, in dem sich alles Denken und Fühlen, die ganze Seele eines liebenden Weibes erschöpfte.

> ‚Laß mich ihm am Busen hangen,
> Mutter, Mutter, laß das Bangen,
> Frage nicht: wie soll sich's wenden?
> Frage nicht: wie soll das enden?
> Enden? enden soll sich's nie!
> Wenden? noch nicht weiß ich, wie!
> Laß mich ihm am Busen hangen . . .
> Laß mich . . .'

Wie ein verlorener Klang aus weiter Ferne hallte das Echo der letzten Worte von den steinernen Wänden der Berge — dann tiefes Schweigen — und nun, über den See einher, ein schriller, langgezogener Ruf, ein zweiter und wieder einer.

Tassilo richtete sich lauschend auf. „Das ist bei der Klause. Wahrscheinlich ein Tourist, der sich auf dem Heimweg verspätet hat. Wir müssen ihn holen, wenn der Arme nicht bis zum Morgen da drüben in dem Steinwinkel sitzen soll!" Er faßte die Ruder und begann mit aller Kraft zu ziehen. Noch ehe sich das Boot der Mündung des Wetterbaches näherte, konnte Tassilo im Mondlicht schon die wartende Gestalt unterscheiden. Unter dem Nachen knirschte der Sand, und vom Ufer ließ sich mit verlegener Heiterkeit eine Stimme vernehmen: „Ich danke Ihnen, daß Sie sich meiner erbarmen. Sonst hätte ich mit einem nicht sehr behaglichen Nachtlager vorlieb nehmen müssen." Der Fremde trat an das Boot heran, und im klaren Mondschein erkannte Tassilo den jungen Künstler, dem er im vergangenen Winter bei den gemütlichen Abenden der Münchener Allotria häufig und immer gern begegnet war.

„Forbeck? Sie?"

„Graf Egge!"

Lachend reichten sie sich die Hände.

„Wahrhaftig, eine liebe Ueberraschung! Sagen Sie mir
nur, Forbeck, wie kommen Sie plötzlich hierher? Oder wohnen
Sie schon länger am See?"

„Seit vierzehn Tagen!"

„Und das erfahr ich erst heute! Wie schade! Aber wir
wollen das Versäumte nachholen, nicht wahr? Und nun sagen
Sie mir, welcher Zufall hat Sie denn hier festgenagelt, wie
den seligen Robinson auf seiner Insel?"

„Ich habe den ganzen Tag bei der Klause gearbeitet und
hatte mir für sieben Uhr abends ein Schiff bestellt. Aber der
Seewirt scheint vergessen zu haben, oder . . ."

„Und da hat mich die Vorsehung zu Ihrer Erlösung aus-
erwählt? Also vorwärts, reichen Sie mir Ihre Siebensachen!
So! Und nun kommen Sie!" Als Forbeck den Nachen bestiegen
hatte, hielt Graf Egge den Arm um die Schulter des jungen
Mannes gelegt und wandte sich an seine Begleiterin. „Erlaube
mir, Anna, hier stelle ich dir, bei allerdings etwas mangelhafter
Beleuchtung, meinen jungen Freund Hans Forbeck vor . . ."
Tassilo zögerte, bevor er den Namen der jungen Dame nannte,
die sich schweigend verneigte: „Fräulein Herwegh."

Ein leiser Laut der Ueberraschung war die einzige Antwort, welche Forbeck zu finden wußte; auch die stumme Verbeugung mißglückte in dem schwankenden Boot, das sich aus dem
Sande zu lösen begann. Tassilo faßte die Ruder. In gerader
Fahrt ging es den Villen entgegen. Kein Wort wurde gesprochen.
Forbeck hing mit den Blicken bald an den mondhellen Bergen,
bald am flimmernden Himmel, als hielte der malerische Reiz
der schönen Nacht sein Auge gefangen — oder als hätte er Ursache, seine Blicke geflissentlich vom Boote abzulenken, um nicht
neugierig zu erscheinen; Graf Egge ruderte mit ungestümer Hast,
und Fräulein Herwegh saß über das Geländer geneigt und ließ
zuweilen die Fingerspitzen über das dunkle Wasser streifen.
Sie schien es wie eine Erlösung zu begrüßen, als der Nachen
endlich vor der Steintreppe der Villa hielt. Hastig erhob sie sich,
und von Forbeck mit leisem Gruß sich verabschiedend, verließ sie
das Boot. Tassilo folgte und reichte ihr den Arm. Im schwarzen
Schatten der Bäume verschwanden sie, und Forbeck hörte ihre leisen
Stimmen. An der Villa ging eine Türe, und Graf Egge erschien

wieder bei der Landungstreppe. „Wo wohnen Sie, lieber Forbeck?"

„Dort drüben hinter den Villen, in einem Bauernhäuschen, in dem ich eine Stube mit gutem Licht gefunden habe. Aber, wenn Sie gestatten, steige ich beim Seewirt ab!"

Tassilo stieß das Boot von der Mauer. „Hoffentlich finden wir beim Seewirt noch offen, und wenn es Ihnen recht ist, leiste ich Ihnen noch ein Stündchen Gesellschaft."

„Aber ich bitte, Herr Graf . . ."

„Lassen Sie doch diese Förmlichkeiten! Und wenn es schon ein Titel sein muß . . . sagen Sie: Doktor!"

Forbeck lächelte. „Wenn Sie es so wünschen. Das geht mir auch leichter von der Zunge."

Nun belebte sich das Gespräch, und ehe sie es merkten, war das Ufer erreicht. Auf der Terrasse des Wirtshauses brannten noch einige Lichter, aber die Tische standen leer; ein letzter Gast schäkerte zum Abschied mit der brallen Kellnerin.

Tassilo und Forbeck schritten über den mondhellen Ländeplatz der Treppe zu. Plötzlich verhielt Graf Egge den Fuß. „Herr Forbeck . . ." es klang wie Erregung aus seiner gedämpften Stimme, „diese unerwartete Begegnung mit Fräulein Herwegh scheint Sie überrascht zu haben. Ich möchte jeder Mißdeutung vorbeugen . . ."

„Sie kränken mich!" erwiderte Forbeck ernst. „Ich kenne S i e, Herr Doktor, und weiß, daß Fräulein Herwegh nicht nur eine gefeierte Künstlerin ist, sondern auch eine Dame, die keine Mißdeutung zu befürchten hat."

„Ich danke Ihnen für dieses Wort. Und nun hab ich doppelte Ursache zu sprechen, obwohl ich Sie aus zwingenden Gründen auch um ihr Schweigen bitten muß. Sie sind der erste, der es erfährt . . . Fräulein Herwegh ist meine Braut."

In herzlicher Bewegung streckte Forbeck die Hand. „So darf ich auch der erste sein, der Sie beglückwünscht."

„Glück! Ja, Forbeck! Was sich ein Menschenherz an Glück nur träumen kann, das hab ich gefunden! Und ich danke für Ihren Wunsch, denn ich weiß, er kommt aus ehrlichem Herzen. Nach dieser Begegnung im Schiffe m u ß t e ich sprechen, und nun fühl ich, daß es für mich eine Wohltat ist, einen Vertrauten zu haben! Und gerade Sie! Es hat mich immer zu Ihnen hingezogen, Sie sind ein ernster, tüchtiger Mensch, und ich möchte den glücklichen Zufall festhalten, der uns heute zu-

sammenführte . . . wir wollen von dieser Stunde an gute,
redliche Freunde sein!"

Mit festem Druck umspannten sich ihre Hände; dann betraten sie die Terrasse.

· Margaret, die Kellnerin, begrüßte wohl den ‚gnä Herrn
Grafen' mit aller Dienstbeflissenheit, aber ihrem müden Gesicht
war es anzumerken, daß ihr die beiden verspäteten Gäste keine
sonderliche Freude bereiteten. Und die Auskunft, die sie zu
geben mußte, war wenig tröstlich: die Küche geschlossen, das
Faß auf der letzten Neige. Forbeck mußte sich mit kaltem
Braten begnügen, aber dazu fand sich eine gute Flasche Rhein-
wein. Das Gähnen überwindend, stäubte Margaret die Brot-
krumen vom Tischtuch und zog sich in einen dunklen Winkel
der Terrasse zurück, wo sie nach wenigen Minuten schon in
möglichst unbequemer Stellung die bleischweren Lider schloß.

Ueber See und Ufer flimmerte der Mondschein, sacht
rauschten die Bäume im lauen Wind, und mit dem Gewisper
des Laubes mischte sich das leise Glucksen und Geplätscher des
Wassers, das gegen die Pfähle der Schiffhütten schwankte und
die angeketteten Boote leicht bewegte. Tassilo und Forbeck
sprachen mit halblauter Stimme; doch ihr Gespräch war lebhaft
bewegt, von heiterer Wärme; Forbeck erzählte von dem reichen
Ergebnis seiner vierzehntägigen Studien. „Dieser Bergwinkel
mit seiner Natur und seinen Menschen, das ist ja für unsereinen
die reine Goldgrube! Und jetzt liegen noch zwei volle Wochen
vor mir! Was sich da noch alles findet! Professor Werner
soll Augen machen, wenn er meine Mappe sieht!"

„Ich wundere mich nur, daß er Ihnen so lange Urlaub
gab!" sagte Tassilo lächelnd. „Es hat sich wohl zwischen Lehrer
und Schüler noch selten ein so inniges Zusammenleben ausgewachsen, wie zwischen Werner und Ihnen. Ich weiß, er
hängt an Ihnen, wie der Baum an seinem besten Ast."

Forbecks Augen leuchteten. „Und ich an ihm! Sehen Sie,
Doktor, ich weiß es Ihnen gar nicht zu sagen, wie! Ich habe
ja noch hundert andere Gründe, an ihm festzuhalten! Er hat
nur diesen einen! Er liebt mich mit dem Herzen des Künstlers,
weil er an meine Begabung glaubt, weil er hofft, daß ein Teil
seines Könnens in mir weiterleben wird. Das ist für mich wie
ein glühender Sporn. Aber es bedrückt mich auch manchmal
mit namenloser Angst. Wenn er sich täuschte in mir!"

„Aber Forbeck! Wie kommen Sie auf solche Gedanken? Ich meine doch, gerade das Vertrauen, das Werner auf Sie gesetzt hat, sollte Ihnen Mut und Selbstbewußtsein geben. Er hat scharfe Augen für alles, was Talent heißt. Und bei Ihnen ist er seiner Sache sicher."

„Das halte ich mir auch manchmal vor, wie einen Trost, und habe dann wieder Mut und doppelte Kraft. Aber sehen Sie, jeder von uns, der es ernst meint mit seiner Kunst, kämpft den ewigen Kampf mit dem Drachen, mit dem quälenden Zweifel. Und wenn meine Zweifel recht behielten, das wäre für mich ein doppeltes Unglück! Um meiner selbst und noch mehr um Werners willen! Das wäre ein Riß in seinem Leben, ich beginge damit ein Verbrechen an ihm, noch schlimmer, als Verrat und Undank eines Kindes. Und er ist mir doch wahrhaftig wie ein Vater. Nicht nur, was ich kann, auch was ich bin . . . und daß ich überhaupt werden konnte, was ich wurde . . . alles dank ich ihm, nur ihm! Als ich noch Vater und Mutter hatte, war ich ein verlorenes Geschöpf. Ich wurde ja unter seinen Händen eigentlich neugeboren! Er darf und soll sich in mir nicht täuschen!"

„Nein, lieber Forbeck! Da glaub ich eher, daß Sie noch mehr erfüllen werden, als sich Werner von Ihnen verspricht!" Mit offenem Wohlgefallen ruhte Tassilos Blick auf den erregten Zügen des jungen Mannes. „Aber er hätte Sie jetzt nicht von seiner Seite lassen sollen! In Ihnen sprudelt die Gärung. Ich kenne das! Ich hab es jahrelang durchgemacht, bis ich die Ruhe fand, den sicheren Blick für meinen Weg. Aber ich war immer gewöhnt, allein mit allem fertig zu werden. Das ist bei Ihnen nicht der Fall. Sie hatten immer den erfahrenen, treubesorgten Freund bei der Hand! Und da mag nun wohl in der Einsamkeit etwas in Ihnen erwacht sein, etwas Neues, halb noch Unbewußtes . . ."

„Etwas Neues?" Nachdenklich schüttelte Forbeck den Kopf.

„Und es ist doch so! Und das rumort und wühlt jetzt in Ihrem Innern, und unwillkürlich fühlen Sie, daß Ihnen Werner fehlt mit seinem Rat und seinem beruhigenden Lächeln."

„Sie kennen dieses Lächeln? Nicht wahr, das ist merkwürdig! Wenn er so lächelt, das redet wie ein ganzes Buch."

„Eine Kunst, lieber Freund, die sich bitter lernt! Es war gewiß keine heitere Geschichte, bei deren Ende ihm nichts andres verblieb, als dieses Lächeln. Und Werner ist Junggeselle geblieben. Das hat wohl seine Gründe. Er muß eine schwere Enttäuschung erlebt haben.“

Forbeck drehte das Glas zwischen den Fingern und blickte in den schwankenden Wein. Dann lehnte er sich tief atmend zurück. „Nein, das kann ich nicht glauben! Er ist ganz und völlig aufgegangen in seiner Kunst. Hätte er geliebt . . . ein Mann, wie er, wäre nicht getäuscht worden! Er ist einer von jenen Seltenen, die man lieben muß, heiß und treu!“

Eine Pause entstand. Margaret, deren Schlummer die sprechenden Stimmen nicht gestört hatten, wurde von diesem Schweigen geweckt; gähnend warf sie einen müden Blick nach dem Tisch, sah den Wein in den Gläsern und nickte weiter.

„Wo ist Werner jetzt?“ fragte Tassilo.

„In München. Er macht die letzten Striche an seinem Bild für die Berliner Ausstellung. Herrgott! Wird das wieder eine Arbeit! Ich glaube auch, er hat mich nur fortgeschickt, weil ich ganz verzagt wurde, so oft ich vor dieser Leinwand stand! Gestern schrieb er mir. Er hofft in vierzehn Tagen fertig zu sein. Dann kommt er, und wir reisen.“

„Wohin?“

„Italien!“ Es war aus Forbecks Augen zu lesen, was er mit diesem einen Worte sagen wollte.

Tassilo lächelte. „Sie kennen Italien noch nicht?“

„Nein! Und wenn ich mir denke, daß ich in vier Wochen dort unten sitze . . . weit dort unten . . . sehen Sie mich nur an: ich muß die Fäuste auf die Rippen drücken, denn ich glaube, mir geht bei diesem Gedanken die ganze Bude da drinnen aus dem Leim. Und ich weiß nicht . . .“ Forbeck atmete tief, „aber mir kommt es vor, als hätt ich diese Freude und brennende Erwartung noch nie so gewalttätig empfunden, als heute, als gerade jetzt!“ Noch immer die Fäuste auf der Brust, blickte er mit träumenden Augen hinaus in das Geflimmer der stillen Mondnacht. „Es ist doch möglich, daß Sie recht haben . . . mit dem Neuen! Wenn ich Ihnen sage, was ich meine . . . vielleicht verstehen Sie mich nicht. Aber für unsereinen ist das immer wie ein großes Ereignis, wie eine Offenbarung: ich habe heute ein Bild gefunden! Keine Studie, kein Motiv, nein . . . ein Bild!“ Er griff mit den Händen in die Luft und schloß die Finger, als wollte er gewaltsam fassen, und halten, was ihm vor der Seele stand.

„Ich glaube doch, daß ich Sie verstehe. Und nun hab ich auch
den Beweis, daß mich mein Auge nicht täuschte. Ich habe Sie
anders gefunden, als sonst. Ein andres Gesicht, ein anderer Blick,
nicht so still und ernst . . . es war mir gleich, als müßte etwas
in Ihnen lebendig geworden sein! Ein Bild also . . .“

„Ein Bild! Und ich sage Ihnen, Doktor, unglaublich schön!
Wenn ich das fertig bringe, so wie ich es sehe, dann wird mich
Werner küssen! Das hat er noch nie getan! Ueber ein ,Brav,
mein Junge!‘ oder über einen ermunternden Klaps auf die
Schulter ist er in seiner Anerkennung noch nicht hinausgekommen.
Aber wenn ich das fertig bringe, das! Dann, ja!“

„Sie haben mich neugierig gemacht. Wo haben Sie den
Vorwurf gefunden?“

„Heute, da drüben, wo Sie mich in Ihr Boot genommen,
bei der Klause. Ich sage Ihnen . . . schon diese Felswand mit der
Klause, mit dieser stein- und holzgewordenen Romanze . . . das
allein ist schon eine ganze Hochzeit von Farbe und Stimmung.“
Forbeck gewahrte in seinem sprudelnden Eifer den leisen Schatten
nicht, der über Tassilos Züge ging. „Und dazu nun dieser ganze
Rahmen, diese Luft, diese hinreißende Poesie der Natur in einem
Augenblick, in dem sie sich mit ihren stärksten Mitteln in Szene
setzt . . . aber nein, ich kann Ihnen nicht schildern, was ich
meine! Dazu reichen Worte nicht aus. Aber wie ich das gefunden
habe . . . es war wie ein Wunder! Schon als das Gewitter begann . . . wie ich das so gesehen habe, dieses nervöse Gezitter
von Licht und Schatten, halb noch blendender Glanz und halb
schon ein stumpfes Erlöschen aller Farben, und nun mitten hinein
in dieses ängstliche Gefunkel aller Töne der erste Windstoß und
der erste Regenguß, zerrissen und aufgelöst in graue flatternde
Schleier und Bänder . . . ich sage Ihnen, Doktor, ich hab an
meinen Kopf gegriffen und nur immer gestottert: ein Bild, ein
Bild! Und dazu fällt mir noch die einzig mögliche Staffage wie
vom Himmel herunter . . . das heißt, was ich wirklich gesehen
habe, reicht für sich allein nicht aus, so schön es auch war! Es
wäre für sich allein nicht verständlich! Aber ich weiß bereits, was
ich dazuwerfe . . .“

Mit beiden Händen machte Forbeck freien Platz vor sich und
begann in heißem Eifer mit dem Finger unsichtbare Linien auf
das Tischtuch zu zeichnen. „Hier, zwischen der Klause und dem
Wetterbach, den ich natürlich näher gegen die Klause drücke, da-

mit der Baum, der sich über den Bach geworfen, fast die Mitte des
Bildes nimmt . . . hier also, hier auf dem Rasen . . . wissen
Sie, Doktor, so ein saftiges Grün, aus dem jede andere Farbe
herausspringt wie ein Licht . . . hier auf dem Rasen also denk'
ich mir so ein konfuses Häuflein Menschen, Sommergäste und
Schiffer, mitten im lustigen Picknick . . . und da kommt nun das
Gewitter, plötzlich! Nun denken Sie, wie das alles aufspringt,
rennt und stolpert, um die Klause zu gewinnen, halb in kreischender Lustigkeit und halb in wirklicher Angst . . . wie da die Farben
und Linien durcheinanderwirbeln . . . und drüben über dem
Wetterbach kommt eine kleine Touristengesellschaft über den steilen
Weg heruntergehastet, Männer und Frauen . . . einige von ihnen
stehen noch in halber Höhe und schreien und winken nach rückwärts, um die Nachzügler zur Eile zu mahnen . . ."

„Ich sehe das Bild!" fiel Tassilo ein, von der Schilderung
gepackt. „Wie das lebt und redet!"

„Und ein paar andere stehen schon hier am Ufer des Wildbaches, ratlos . . . nirgends eine Brücke, nur dieser einzige
Baum . . . und drüben das schützende Dach! Es fängt ja schon
zu gießen an! Nur hinüber, hinüber! Aber wie? Und sehen Sie,
Doktor . . . hier, hier ist der Baum . . . und da hab ich nun
einen Jäger . . . ich sage Ihnen, das ist eine Figur, wie von
Gott am Sonntag erschaffen. Das ist der einzige, der Hilfe weiß
. . . freilich auch nur Hilfe für eine einzige: für ein junges
Mädchen! Und dieses Mädchen, Doktor, dieses Mädchen! Das
träumen Sie ja nicht! Diese süße Jugend, dieser Frühling! Und
das ist nun der Kern in meinem Bild . . . hier, mitten auf dem
schwankenden Baum mein Jäger, bei jedem Schritt mit dem
Stürzen kämpfend, und auf seinem Arm das Mädchen, das in
rührender Angst den Hals des Jägers umklammert . . . ein
Bild, Doktor, ein Bild! Aber das sehen Sie nicht aus meinen
Worten, das muß ich Ihnen zeigen . . ."

Während Tassilo verwundert aufblickte, eilte Forbeck vom
Tisch hinweg und zerrte die Lederriemen auf, mit denen seine
Malgeräte in einen Pack zusammengeschnürt waren. Mit dem
Skizzenbuche kam er wieder und legte es aufgeschlagen vor Tassilo
auf den Tisch.

„Hier! Sehen Sie! Nur ein paar Linien, nur ein Merk für
mein Gedächtnis . . . aber man fühlt doch schon, was da an ma-
lerischem Reiz herauszuholen ist. Und das setz ich mitten in mein

Bild! ... Sehen Sie nur, dieses Köpfchen und dieser zarte
Schwung in der Halslinie ... und wie dieses Kleidchen fließt
... ganz weiß! Das wird in meinem Bild das stärkste Licht!
Die Hauptsache!"

Lächelnd hob Tassilo die Augen zu dem glühenden Gesicht
des jungen Künstlers. „Und das haben Sie heute gesehen? Das
da?" Er tippte mit dem Finger auf das Blatt.

„Wirklich und wahrhaftig!" Mit wenigen Worten ergänzte
Forbeck den Verlauf des Abenteuers, das er beim Wetterbach
erlebt hatte. „Nicht wahr, und da begreifen Sie doch, daß sich
das entzückende Bild dieser beiden Menschen an meine Seele
hängen mußte, wie mit Klammern! Ich seh es noch immer! Ich
hab es! Freilich, ich fürchte, wenn erst die richtige Arbeit beginnt, wird es mit meinem Gedächtnis nicht mehr klappen! Ich
muß die beiden wieder haben, wenn auch nur für einige Stunden!
Der Jäger ist mir sicher. Aber ... dieses Mädchen ..." Forbeck
zögerte. „Es muß mit diesem Mädchen eine ganz merkwürdige
Bewandtnis haben ... ich verstehe Verschiedenes nicht ..."
Nachdenklich strich er die Hand über die Stirne und sprach dann
hastig weiter. „Aber vielleicht können Sie mir sagen ... Sie
müssen ja doch das Dorf und seine Leute kennen, also auch dieses
Mädchen?"

„Ich glaube fast."

„Ihr Vater ist hier ansässig, ein Förster oder Waldaufseher ..."

Lachend schüttelte Tassilo den Kopf. „Waldaufseher?"

„Ja, ich hab ihn irgendwo da droben kennen gelernt. Ein
Typus! Ich sage Ihnen, ein ganz origineller Kauz ..." Forbeck
begann im Skizzenbuch zu blättern. „Sehen Sie nur, das ist er!"

Tassilo betrachtete das Blatt. „Ja, das ist er, aufs Haar
getroffen!" Dann hob er die Augen. „Mein Vater!"

„Ihr Vater auch!" stotterte Forbeck und zeigte ein Gesicht,
als hätte man ihm zugemutet, das unmöglichste Märchen zu
glauben. „Aber das ist ja nicht möglich! Der Mann in dieser
abgeschabten, geflickten Joppe hat ja doch ausgesehen, wie ..."

Tassilo hob die Schultern. „Mein Vater findet ein Vergnügen darin, auf der Jagd so ‚echt' auszusehen, wie der ärmste
seiner schlecht bezahlten Jäger."

Forbeck griff sich an den Kopf. „Aber nein, nein! Das muß
ein Irrtum sein! Sehen Sie ihn doch nur an! Ich hab ihn ja

doch auch sprechen hören . . . diesen da! . . . und er hat
doch den Taler genommen, den ich ihm für die Sitzung geboten
habe!"

Tassilo lachte trocken, und es zuckte um seine Lippen. „Ich
gebe zu, daß Ihnen das mehr als originell erscheinen muß.
Aber das sieht meinem Vater ähnlich! . . . Ja, Forbeck! Daran
ist nichts zu ändern. Das da, das ist mein Vater. Ihr Jäger,
das ist unser braver Hornegger-Franzl. Und das ‚starke Licht‘,
‚die Hauptsache‘ . . . nicht wahr, so sagten Sie doch? . . .
das ist meine Schwester Kitty."

Forbeck griff nach der Stuhllehne und ließ sich niedersinken,
helle Bestürzung in Blick und Zügen.

„Weshalb erschrecken Sie über diese Entdeckung?" fragte
Tassilo verwundert. „Ach so, ich verstehe!" Er lächelte und
schien die gute Laune wieder zu finden, welche ihm die Ge-
schichte mit dem Taler verdorben hatte. „Sie denken an Ihr
Bild und fürchten wohl, daß Ihnen meine Schwester einen
Strich durch Ihre schönen Pläne machen könnte?"

Forbeck nickte und preßte die Hand an seine Stirne.

„Vorerst keine unnütze Sorge, lieber Freund! Ich kann
Ihnen zwar keine Zusage geben, aber ich will mit meiner
Schwester sprechen . . . und ich hoffe, wir werden sie zu einer
Sitzung bereden können. Ihr Bild muß gemalt werden, lieber
Forbeck! Professor Werner soll seine Freude haben!" Tassilo
erhob sich. „Margaret!" Er wandte sich wieder an Forbeck.
„Erlauben Sie, daß ich bezahle . . . als Revanche für den
Taler. Mein Vater hat sich einen Scherz auf Ihre Kosten ge-
macht . . . ich vermute, daß er mit Ihrem Taler seinen Büchsen-
spanner beglückte."

Forbeck nickte zerstreut, als wüßte er kaum, um was es
sich handelte. Und während Tassilo bezahlte, schnürte er mit
zitternden Händen seine Geräte wieder zusammen.

Schweigend verließen sie die Terrasse und schritten in
den Mondschein hinaus.

„Warum sind Sie plötzlich so still geworden?" fragte Tassilo.

„Ich? Still? Allerdings . . . aber ich begreife selbst nicht
. . . es kann mir doch wahrhaftig nur angenehm sein, daß sich
dieses . . . dieses originelle Mißverständnis auf so einfache
Weise gelöst hat. Denn ich glaube, die Sache hätte mir zu
denken gegeben. Aber jetzt . . . und ich bitte Sie nur, mich

bei Ihrer Schwester zu entschuldigen, wenn ich vor ihr vielleicht in etwas unpassender Weise über . . . über diesen Kopf
da in meinem Skizzenbuch gesprochen haben sollte."

Tassilo lachte. „Sie brauchen sich keine Vorwürfe zu machen.
Mein Vater h a t nun einmal einen Kopf, der sich mit seinen
Strichen nicht schildern läßt. Auch scheint meine Schwester die
Sache nicht gar ernst genommen zu haben, sonst hätte sie mir
gegenüber nicht geschwiegen. Und ich meine, so etwas gleicht
man persönlich am allerleichtesten aus. Wollen Sie morgen
in Hubertus mit uns speisen? Ohne jede Förmlichkeit. Um
ein Uhr. Und nun gute Nacht für heute . . . wir haben verschiedene Wege."

Während Tassilo sich gemächlichen Schrittes entfernte, stand
Forbeck noch immer wie angewurzelt auf der gleichen Stelle.
„Was hab ich denn nur?" murmelte er, schob den Hut zurück
und drückte den Arm an seine Stirne. Kopfschüttelnd suchte er
seinen Weg. Erst wanderte er langsam in der stillen, einsamen
Nacht dahin, doch immer hastiger wurden seine Schritte, fast
wie Flucht, so daß ihm schließlich der Schweiß an Stirn und
Schläfen stand, als er das Bauernhaus erreichte, in dem er
wohnte. Eine Stimme weckte ihn aus seinem Brüten.

„Guten Abend, Herr!"

Von der Hausbank erhob sich die magere Gestalt eines
Bauern, hembärmelig, in kurzer Lederhose und mit nackten
Füßen. Er mochte ein paar Jahre über vierzig zählen. Der
helle Mondschein fiel über das harte, schon von tiefen Furchen
durchrissene Gesicht, ließ im schwarzen Bart die ergrauten Haare
wie Silber schimmern und gab den Augen einen scharfen unsteten
Glanz.

Die offene Haustür gähnte schwarz, und nur ein matter,
rötlicher Lichtschein drang aus den kleinen, vom vorspringenden
Dach überschatteten Fenstern. In der Stube hörte man das
Weinen eines Kindes und den Gesang einer linden Mädchenstimme:

> ,Schlaf, Kindele, schlaf,
> Da draußen gehn die Schaf,
> Die schwarzen und die weißen,
> Die tun mein Kindele beißen,
> Schlaf, Kindele, schlaf,
> Da draußen gehn die Schaf . . .'

Das Liedchen fing immer wieder von vorne an und nahm kein Ende.

„Guten Abend, Herr!" wiederholte der Bauer und tat einen Schritt, als Forbeck mit stillem Gruß an ihm vorüber wollte. „Sie sind noch auf, Bruckner? So spät?"

„Ja, Herr, und ich hab auf Ihnen gwart'."

„Auf mich? Weshalb?"

Der Bauer strich das Haar in die Stirn. Was er sagen wollte, schien ihm schwer von der Zunge zu gehen. „Ich tät halt gern um was bitten, Herr. Müssen S' es net verübeln . . . ich weiß freilich . . . beim Einzug is in der Richtigkeit ausgmacht worden, daß die ander Hälft vom Zins am End vom Monat zahlt wird. Aber no, wie's halt geht . . . es schaut ein bißl knapp aus bei mir . . . so was Kranks im Haus, das reißt halt am Geldsack grad so, wie am Herzen . . . und schauen S', Herr, wenn Sie's net verübeln täten, möcht ich halt bitten . . ." Der Bauer würgte an den Worten.

„Sie wünschen, daß ich auch die zweite Hälfte vorausbezahle? Aber gerne, lieber Bruckner. Kommen Sie nur mit hinauf, dann machen wir die Sache gleich ab."

„Vergeltsgott, Herr! Tausend Vergeltsgott!"

Der Bauer schien wie verwandelt; mit ein paar schnellen Sprüngen verschwand er in der Haustür, und als Forbeck die Schwelle betrat, hatte Bruckner schon die Talgkerze entzündet, die allabendlich für den Heimkehrenden auf der Treppe stand. Er nahm dem Maler den Studienkasten ab, und während er mit erhobener Kerze leuchtete, hatte er eine Sorge um die andere: daß Forbeck auf der steilen Holztreppe nicht stolpern möchte, daß er sich den Kopf nicht an die schiefe Decke stoßen und sich nicht zu fest auf das wackelige Geländer stützen sollte.

Sie betraten eine geräumige, frisch geweißte Stube, die mit schlichten Möbeln aus rötlichem Zirbenholz bestellt war, und deren halbe Decke schräg gegen die Mauer fiel. Was Forbeck zur Wahl dieser Wohnung bewogen hatte, war wohl nur das große Fenster gewesen, das fast die ganze Firstwand einnahm — hier hatte durch Jahre ein junger Holzschnitzer gewohnt, der nun verheiratet war und sein eigenes Häuschen hatte. Vor diesem Fenster stand eine Staffelei, welche Forbeck vom Dorftischler hatte fertigen lassen. Sein Bedürfnis nach Wohnlichkeit war den kahlen Wänden zugute gekommen: ein paar Ölskizzen hingen an der Mauer, unter ihnen auch der charakteristische Kopf des Hausherrn mit tiefroten Gewandtönen um die Schultern, so daß man eine Apostelstube zu sehen glaubte; und zwischen den Skizzen stachlige Distelzweige und lange Schilfkolben, deren dolchförmige Blätter sich in der durch die Tür eingedrungenen Zugluft leise bewegten.

„Nur einen Augenblick, lieber Bruckner!" sagte Forbeck, nahm dem Bauer das Licht ab und trat in eine anstoßende Kammer. Als er zurückkehrte, drückte er zwei Banknoten in Bruckners Hand.

„Aber Herr," stotterte der Bauer und stierte die Scheine an, „da haben S' Ihnen verschaut um zwanzig Markln."

„Nehmen Sie nur! Das ist gleich für den nächsten Monat. Jawohl . . . ich bleibe so lange! Ganz bestimmt!"

Dem Gesicht des Bauern war es anzumerken, daß er das Geld am liebsten zurückgegeben hätte. Dann plötzlich schloß er die Faust über den knisternden Zetteln. „No ja . . . meinetwegen, wenn Ihnen ein Gfallen damit gschieht! Das Stüberl taugt Ihnen halt, was?"

„Ja, Bruckner!"

„Und gelt, seit meine Schwester daheim is, haben S' auch Ihr Sach schön in der Ordnung? Ja, die Mali, so muß ich selber sagen, das is ein richtigs Leut!"

„Und wie geht es Ihrem Kind?"

Bruckners Stirn bekam dicke Runzeln, und die Worte gingen ihm schwer von der Zunge. „Ich glaub schier, es schaut wieder besser aus!" Mit der Faust, welche die Noten umklammert hielt, strich er über die Haare. „Es möcht einer doch glauben, es müßt einmal wieder lichter werden . . . es können doch net allweil die Dreschflegel über einen herfallen. Ja, Herr, meine Suppen hat saure Brocken ghabt im heurigen Sommer. Z'erst meine gute Alte, Gott hab s' selig! Und natürlich, nachher hab ich auch keine Sommergäst mehr kriegt. Wenn d'Stadtleut angfragt haben . . . der Jammer is mir allweil auf der Zung glegen wie der Knödel, der net nunter will . . . no ja, und da hat's die Leut halt graust! Ich glaub, sie haben gforchten, mein Weib kommt in der Nacht. D' Leut sind oft gspaßig, ja! Ich selber, freilich, ich hätt ja gar nix lieber, als wenn meine Resi wieder kommen möcht . . . aber da drüben, wo der Peterl bei der Haustür steht, da haben s' die Returbulletten noch net eingführt! Es muß einer schon zfrieden sein, wenn er nur grad den Hinweg net überschaut ... jeder findt ihn net!" Verschwommenen Blickes stierte er zu Boden, während er mit den Zehen einen Holzsplitter niederdrückte, der sich aus der Diele sträubte.

Forbeck wußte kein Wort zu finden; aber aus seinen Augen redete das Mitgefühl.

Mit stockendem Atemzuge hob Bruckner das Gesicht. „Nix für ungut, Herr! Und Vergeltsgott für alles!" Leise klappten seine nackten Sohlen, als er zur Türe ging.

Forbeck nahm die Kerze und leuchtete in den Flur hinaus. „Aber Herr, plagen S' Ihnen doch net wegen meiner!" wehrte der Bauer. Doch Forbeck blieb unter der Türe stehen. Die hölzerne Treppe knarrte, und aus der Stube herauf klang das leise Weinen des Kindes und Malis singende Stimme:

> ‚Schlaf, Kindele, schlaf,
> Dein Vater is ein Graf,
> Dein Mutterl is im Himmelreich,
> Schaut ein lieben Engerl gleich,
> Schlaf, Kindele, schlaf,
> Dein Vater is ein Graf ...'

Forbeck schloß die Türe, stieß das Licht auf einen Sessel und riß das Fenster auf. Ein erquickend kühler Hauch floß in den schwülen Raum und machte die Kerze flackern.

5.

Ein Morgen in Duft und Sonne. Der flimmernde Himmel ohne ein Wölklein, über den Bergen noch blaue Schatten, doch alle Häuser des Dorfes schon im goldenen Frühglanz. Die letzten Nebel kräuselten sich über die Wälder empor und zerrannen allmählich in der Luft. Ringsumher in allen Gehösten gackerten die Hühner, und auf dem Telegraphendraht, der am Haus der Horneggerin vorbeiführte, saßen in langer Reihe die alten und jungen Schwalben mit leisem Gezwitscher.

Franzl, zur Bergfahrt gerüstet, stand bei den Blumenbeeten und pflückte von den brennroten Nelken. Dann drückte er sich schmunzelnd zum Gatter hinaus und wanderte mit langen Schritten davon.

Er hatte, bevor es wieder zu Berge ging, noch ein Geschäft im Dorf. Sechs von den sieben Treibern, die Graf Egge verlangte, hatte er noch am vergangenen Abend bestellt — nur den letzten mußte er noch ausfindig machen. Franzl überlegte, und er wußte selbst nicht, wie es kam, daß er an den Bruckner dachte. Der hatte freilich noch nie als Treiber gedient. Aber man kannte ihn als einen verwegenen Steiger — und das war die erste Eigenschaft, die Graf Egge von seinen Treibern verlangte. Der alte Moser, Graf Egges abgedankter Büchsenspanner, munkelte freilich, daß der Bruckner in früheren Jahren ‚gegangen' wäre — das sollte heißen: als Wildschütz. Aber es war wohl nur ein leeres Gerede — der alte Moser schwatzte gern, und was Bauer hieß, war ihm verdächtig. Franzl hatte die Sache niemals recht geglaubt, und nun plötzlich war er völlig überzeugt, daß man dem Bruckner unrecht getan. Er meinte einen besseren Treiber gar nicht finden zu können, als den Bruckner, dem es in seiner jetzigen Lage wohl auch willkommen sein mußte, ein paar harte Marktstücke zu verdienen.

Und dennoch zögerte Franzl, als er das Bruckneranwesen erreichte. Der Hof war leer, die Haustür geschlossen, doch hinter der Scheune ließ sich klingender Dengelschlag vernehmen. Franzl spähte nach den Fenstern, und als er hinter einer Scheibe etwas Weißes flimmern sah, stieß er flink das Zauntürchen auf und ging dem Hause zu. Er klopfte an das Fenster und drückte das lachende Gesicht an die Scheibe. „Guten Morgen, Mali!"

„Jeh, mir scheint ja gar, der Franzl!" klang es in der Stube.

„Freilich! Kennst mich jetzt? Ja, ich selber bin gestern auch völlig blind gwesen. Erst d' Mutter hat mir's gsagt. Und da hab ich mir gleich denkt, ich muß doch meiner Schulkameradin ein guten Einstand in der Heimat wünschen. Geh, trau dich ein bißl raus zu mir!"

„Warum denn trauen? Soll ich dich am End gar fürchten?"

Die Haustür öffnete sich, und Mali trat in die Sonne heraus; mit den Armen hielt sie ein geblumtes Kissen umschlungen, aus dem das wackelige Köpfchen eines Kindes hervorlugte: ein welkes Gesichtlein mit stillen, müden Augen und einem farblosen Mündchen, um dessen Winkel schon die Bitternis des Lebens gezeichnet war.

Franzl aber sah nur das Gesicht des Mädchens, dessen frische Züge mit keiner Spur die durchwachte Nacht verrieten. Langsam, mit verlegen freudigem Lächeln reichten sie sich die Hände und sahen sich schweigend in die Augen, als spräche zu jedem aus dem Blick des anderen die ganze, sonnige Erinnerung der längst verflossenen Kindheit und der guten, treuen Freundschaft, die einst ihre jungen Herzen verbunden hätte.

Franzl fand zuerst die Sprache: „Mali! Nobel hast dich ausgwachsen!"

„Geh! Du!" schmollte das Mädchen. „Aus dir, scheint mir, is der richtige Schwester worden."

„Na na, ich sag, was wahr is! Es wird mir völlig heiß vor lauter Freud, wann ich dich anschau und sag mir: das is mein Mali!"

Das Mädchen machte große Augen. „D e i n Mali? Du rebst dich leicht!"

„No ja! Das is doch wahr, daß wir zwei allweil zammghalten haben wie der Vogel und d' Federn! Bis wir grupft worden sind alle zwei." Aus dem Gesicht des Jägers schwand der lachende Frohsinn. „Ja, Mali, wie ich selbigsmal als Büberl um mein Vatern gweint hab, da is im großen Bacherl gar manches Tröpfl mit nunter gronnen, das der Kamerabin golten hat."

„Is wahr, Franzl?" fragte das Mädchen leis.

„Aber jetzt bist ja wieder da!" In Franzls Augen ging die Sonne wieder auf. „Und ich sag dir's, wenn ich dich so anschau, kann ich mir's gar net denken, wie's nur möglich war, daß ich dich net gleich wieder kennt hab. Schaut dir ja noch 's ganze liebe Kindergsichtl aus die Augen raus."

„Und die beinigen sind auch net änders worden, sind noch allweil die richtigen Haselnußkern!" versicherte Mali mit zutraulichem Lächeln. „Ja, ich hab sein oft an dich denken müssen. Is schon wahr!"

„No also, nachher stimmt ja alles! Da fangen wir gleich die alte Kameradschaft wieder an. Hat ja eh nie aufghört! Und schau," Franzl nahm den Hut ab und löste die Nelken aus der Schnur, „da hab ich dir zum Einstand gleich was mitbracht."

Malis Wangen brannten, als ihr der Jäger das Sträußchen reichte. Um ihr Wohlgefallen an der Gabe zu zeigen, wollte sie, wie es die Blumensprache des Dorfes verlangt, ihre Nase in

die Nelken vergraben — aber da streckte das Kind mit verlangen-
dem Aechzen die Aermlein aus dem Kissen und griff mit seinen
bleichen Fingerchen in die roten Blüten. Es zuckte in Malis
Hand, aber sie hatte nicht das Herz, dem kranken Kind die
kleine Freude zu stören. „Gelt, Nettele, gelt, das sind schöne
Blümerln?" plauderte sie zärtlich. „Ah, ah, ah, so was Schöns!
Und alle ghören dem Netterl, alle alle!" Die Händchen des
Kindes zupften und rissen an den Blüten, daß die roten Flocken
zu Boden sielen. Mali wurde unruhig und blickte zu dem Jäger
auf. „Gelt, Franzl, bist net harb?"

„Aber geh, was redst denn!" Mit herzlichem Erbarmen
hingen Franzls Augen an dem welken Gesichtchen des Kindes.
„Das arme Hascherl! Was muß ihm denn fehlen, sag?"

„Der Dokter meint, 's Herzl wär schwach. So ein liebs
Kindl, so ein guts! Wenn nur ich ihm was geben könnt vom
meinigen . . . ich hab eh so ein Brocken in mir drin, der allweil schlögelt wie net gscheit!" Um dem Kinde das Spiel mit
den Blumen zu erleichtern, setzte sich Mali auf die Hausbank;
und während das Netterl in den Blüten wühlte, plauderte sie mit
dem Kind und glättete ihm die dünnen, wirr durcheinander
gesträubten Härchen.

Lächelnd betrachtete sie der Jäger. „Ich sag dir, Mali, das
schaut sich sein gar net übel an: du als jungs Mutterl!"

Sie blickte so drollig erschrocken zu ihm auf, daß er lachen
mußte.

Da wehrte sie mit der Hand und schalt: „Aber geh, tu doch
net so laut! Unser Stadtherr droben schlaft noch . . . und ich
glaub, er könnt's heut brauchen! Was der ghabt haben muß!
Die ganze Nacht is er auf- und abmarschiert über der Decken."

Franzl blickte zu dem großen Fenster hinaus und wollte
eine Frage stellen. Da hörte er hinter sich ein leises Klirren,
und als er sich umwandte, sah er den Bruckner stehen, in der
einen Hand die frisch gedengelte Sense, in der anderen den
Hammer. Die Gestalt des Bauern war gebeugt, fest lagen die
Lippen übereinander, und mit mißtrauischen Blicken musterte
er den Jäger.

„Jeh, der Bruckner! Jetzt hätt ich aber bald vergessen,
warum ich eigentlich kommen bin!" stotterte Franzl. „Grüß dich
Gott, Bruckner! Ein Treiber tät ich brauchen für acht Tag. Hast
net Lust? Der Graf zahlt net schlecht, drei Markln für'n Tag."

Der Bauer zögerte mit der Antwort. „Ich? Und treiben? Wie fallt dir denn auf einmal so was ein? Oder ...?" Seine Züge verschärften sich. „Oder hat dich am End der Schipper gschickt?"

„Der Schipper?" Franzl schien diese Frage nicht zu begreifen. „Gott bewahr! Bist mir schon selber eingfallen! Also? Magst oder net?"

„Na, ich mag net! Ich weiß mir bessere Arbeit!" Bruckner prüfte die Schneide der Sense und trat zur Türe.

„No, no, no! Ich hab mir halt denkt, es könnt dir net zwider sein, wenn sich ein bißl was verdienen laßt."

„Aber ja, Lenzi," fiel Mali ein. „Sei gscheit und geh! Vierundzwanzig Markln, die sind ja net von Holz!"

„In Ruh laß mich!" Der Bauer trat in die Türe, blickte über die Schulter auf den Jäger zurück und sagte grob: „Oder willst am End noch was?"

Franzl bekam einen roten Kopf; doch er sagte ruhig: „Red, wie b' magst, ich nimm dir nix übel!" Er wandte sich ab, streifte mit der Hand über das Köpfchen des Kindes und nickte dem Mädchen zu: „Bhüt dich Gott, Mali!" Dann rückte er mit dem Ellbogen die Büchse und ging.

Mali sah den Bruder an: „Aber Lenzi? Was hast denn?"

Langsam trat der Bauer auf die Schwester zu. „Was willst denn du auf einmal mit dem Jagerischen da?"

„Warum denn? Was is denn?"

„Ich sag dir's, Mali, fang mir nur da nix an! Es könnt dir net taugen ... und mir noch weniger! Der da ..." Bruckners Augen glitten mit finsterem Blick zur Straße, auf welcher Franzl davon wanderte, „das is keiner, dem meine Schwester freund sein kann! So was leid ich meiner Lebtag net!"

Mali erhob sich und schlang den Polster um das Kind, aus dessen kraftlosen Händchen die Nelken zur Erde fielen. „Ich will dir was sagen, Lenzi!" Ihre Brauen furchten sich. „Ich hab's bei der Schwester net schlecht ghabt. Aber aufs erste Wörtl hin, daß mich der Bruder braucht, hab ich mein Kufer packt. Und deine drei Kinder sollen in meiner Lieb net merken, daß ihnen b' Mutter fehlt. Und wirst auch sonst in der Arbeit über b' Mali net klagen können. Im übrigen aber laß ich mir nix einreden. Ich hab meine ausgwachsenen Jahr und bin freund, mit

wem ich mag! Was gegen den Franzl hast, das weiß ich net,
und ich frag net drum. Aber m i r is der Franzl mein Kamerad'
gwesen und . . ." Als hätten die eigenen Worte noch Feuer
unter ihren Trotz gelegt, so murrte sie dem Bruder ins Gesicht:
„Und jetzt sag ich dir's grad mit Fleiß: gfallen tut er mir
auch!" Sie drückte das Kind an sich und schritt an dem Bruder
vorüber ins Haus.

Wie in ratloser Bestürzung starrte ihr der Bauer nach.
Und als wäre ihm plötzlich eine Schwäche in die Knie gefahren, wankte er zur Hausbank und ließ sich niedersinken.

Vom nachbarlichen Gehöft herüber klang die Stimme
Franzls, der einen jungen Burschen anrief. In ihm saud der
Jäger den Treiber, der noch zu bestellen war. Und nun ging es
den Bergen zu, hinauf zur Jagdhütte, in der Graf Egge am
liebsten hauste, da sie inmitten der besten Gemsreviere gelegen
war. Franzl schritt energisch aus, denn auch bei rüstiger Wanderung hatte er einen fünfstündigen Marsch vor sich, zuerst
durch sonnige Buchen- und Ahornwälder, in deren Laub schon
einzelne gelbe Blätter leuchteten, dann durch dunklen, kühlen
Fichtenwald und über weite Almfelder. In einer Sennhütte
rastete Franzl und leerte zum bescheidenen Mittagsmahl eine
Schüssel Milch. Dabei fand er Gesellschaft. Während er aß und
das letzte Restlein auslöffelte, betrat ein junges Mädchen die
Hütte, das hübsche, runde Grübchengesicht von der Hitze gerötet.
Ihr schmuckes, zur Ueppigkeit neigendes Figürchen in der halb
städtischen Kleidung ließ auf den ersten Blick erkennen, daß sie
gute Freundschaft mit dem Spiegel hielt. Das glänzend schwarze
Haar war nicht in die landüblichen Bauernzöpfe geflochten, sondern zeigte eine ‚Frisur', die am Morgen wohl eine halbe Stunde
gekostet hatte, jetzt aber schon übel zerzaust war. Das grüne
Lodenhütchen, das sie in der Hand trug, war mit dicken Büscheln
schmachtender Bergblumen besteckt, und ein Sträußlein Alpen-
rosen war mit einem Halm an die Spitze des Bergstockes gebunden. Sie schien den Jäger nicht ungern zu gewahren, und
während sie Hut und Stock auf die Holzbank legte, grüßte sie
ihn mit einem zutraulichen Wink ihrer schwarzen Augen.

„Grüß dich Gott, Lieserl!" nickte Franz und löffelte ruhig
weiter.

Die alte Sennerin, die beim Herdfeuer stand, drehte das
Gesicht über die Schulter; der neue Gast schien ihr nicht son-

berlich zu gefallen. „Grüß dich Gott! Wo kommſt denn her?"
brummte ſie.

„Von daheim! Man kann doch net allweil an der Maſchin
ſitzen. Luftſchnappen muß der Menſch auch. Ja! Die Stuben-
luft taugt mir net! Jetzt bin ich halt auf der Bergpartie."

„Geh, is wahr?" fragte die Alte mit anzüglichem Ton.
„Und ſo ganz allein?"

„Ja, gelt, das is ſchad!" Lieſerl lachte, daß man zwiſchen
den roten Lippen die kleinen blinkenden Zähne ſah. „Es hätten
ſich freilich ein paar zur Begleitung anboten. Aber jeder paßt mir
net. Ich bin heiklig! Ja!" Sie ſetzte ſich dicht an Franzls Seite,
drückte den Arm an ſeinen Ellbogen und guckte in die Schüſſel.
„Geh? Alles haſt aufſchnabuliert? Gar nix haſt für mich?"

„Na, gar nix!" Franzl erhob ſich und ſtellte die leere
Schüſſel auf die Bank.

„Aber was rennſt denn! So bleib doch ſitzen und laß ein
bißl plauſchen!"

„Ich hab net Zeit!" meinte der Jäger trocken und faßte
ſeine Büchſe.

„Du biſt aber ein Feiner! Das muß ich ſagen!" ſchmollte
Lieſerl, während die alte Sennerin vergnügt vor ſich hinkicherte.

Franzl nickte einen ſtummen Gruß und ging ſeiner Wege.
Kaum hatte er die Hütte umſchritten, als die Alte nachgehumpelt
kam, laut in die Schürze lachend. „Die haſt aber ſchön abfahren laſſen! Aber ſag ſelber, was das für eine is! Ihr Vater
muß ja rein gar nix wiſſen . . . und der Zauner-Waſtl is doch
ſonſt ein ganz ehrenwerter Mann!" Immer flinker ging die
Zunge der Alten. „Du! Was b' Leut über das Madl alles
reden! Und gwiß mit Recht! Eine ſolche Unmoreulibätt, wie
das Madl hat! Wart nur ein bißl, wirſt ſehen, es dauert net
lang und es kommt einer daher, ſo ein ſtädtiſcher Heuſchniggl,
mit dem ſie ſich ein Ranzewuh geben hat!"

Franzl wurde verdrießlich. „Laß mich in Ruh, du alte
Ratſchen!"

„No ja, hab ich net recht! Und allweil muß ſie's mit die
Fremden haben! Natürlich, es taugt ihr keiner von unſere
Buben mehr, ſeit ihr im letzten Sommer der junge Herr Graf
ein bißl ſcharmiert hat! Und das Ganſl, das dumme, hat's
glaubt! Als ob die Herren Grafen grad fürs Zauner-Lieſerl
gwachſen wären!"

„Jetzt will ich dir aber was sagen!" schalt der Jäger.
„Meinetwegen kannst ratschen über die ganze Welt! Aber meine
Herrschaft laß in Ruh!"

„Ja hab ich denn was über d' Herrschaft gsagt?" staunte
die Alte mit unschuldiger Miene. „Ich red ja doch nur vom
Zauner-Lieserl! Sie is ihm ja nachglaufen, wie 's Hundl dem
Jager! Und wenn du's net glauben willst ... da schau,
da kommt grad der alte Herr Moser ... den kannst ja
fragen."

Aus einer Senkung des Almfeldes tauchte ein bejahrter
Mann hervor, in abgetragener Jägerlivree, mit weißem Schnauz-
bart im roten Gesicht.

Franzl ging dem Alten entgegen: „Hat er ihn schon?"

Verschnaufend schüttelte Moser den Kopf und nahm den
Hut ab; seine mit Schweißperlen besäte Glatze schimmerte in
der Sonne. „Nix hat er, nix! Und fuchsteufelswild is er, weil
ihn der Gamsbock so zum Narren halt. Hätt er nur m i r gfolgt,
er hätt ihn schon lang gschossen! Aber natürlich, der alte
Moser hat ja nix mehr z'reden! Jetzt is der Schipper in Gnaden,
und der alte Moser kann Brieferln tragen! Der Schipper! Ja,
der Herr Schipper!"

Franzls Augen wurden ernst, als er diesen Namen hörte.
Nur um etwas zu sagen, fragte er: „Gehst heim?"

„Unserer Konteß muß ich ein Briefl nuntertragen, der Herr
Graf mag net fort von der Hütten. Ich kann's ihm auch net
verdenken! So ein Trumm Bock mit solche Krucken hab ich meiner
Lebtag noch net gsehen!" Der Alte wandte sich und drohte mit
dem Finger gegen die Berge. „Ich bin nur neugierig, ob er ihn
schießt! Ich sag, er kriegt ihn net! Hätt er nur mir gfolgt! Aber
der Herr Schipper, natürlich! Der is jetzt der gscheitere! Und
der alte Moser wird ausglacht! Ich sag, es gibt kein
Grechtigkeit mehr auf der Welt!" Die Stimme des Alten
zitterte.

„Geh, tu dich net kränken!" tröstete Franzl. „Man muß nur
alles gnau betrachten, nachher kommt man schon drauf, daß alles
mit Grechtigkeit verteilt is. Schau nur u n s an: ich bin der
jünger, dafür bist du der gscheiter ... ich hab die mehreren
Haar, dafür hast du die schönere Glatzen."

Der Alte lachte über den gut gemeinten Scherz. „Ja, Franzl,
du haltst halt noch zu mir! Aber der da droben ... lassen

wir's gut sein, ich will nix reden! Aber tu dich nur nimmer verhalten, Franzl! Der Herr Graf hat es schon gscholten, weil so lang ausbleibst."

Franzl erschrak. „Bhüt dich Gott, Moser!" Und mit langen Schritten eilte er davon.

Die Sennerin, die den kühlen Schatten des Hüttenbaches nicht verlassen hatte, machte vor dem alten Büchsenspanner ihren Bückling. „Hab die Ehre, Herr Moser! Is mir eine rechte Freud, daß der Herr Moser wieder einmal zuspricht." Sie zwinkerte mit den Augen und deutete mit dem Daumen über die Schulter. „Und Gsellschaft haben wir auch drin . . . 's seine Lieserl is da."

„Was? Unser Lieserl? Ah, das is aber lieb!" lachte der Alte und trabte zur Hüttentür.

Die Sennerin kicherte vor sich hin: „Net schlecht! So ein alter Stieglitz . . . und geht auch noch auf b' süße Leimruten!"

Inzwischen war Franzl hinter dem Rücken des Almfeldes verschwunden und erreichte einen Lärchenwald. Der Weg war rauh und mühsam, so daß dem Jäger bei seiner treibenden Eile bald der Atem in hastigen Zügen ging. Die Gedanken, die ihn drückten, sprachen aus seinen Augen. „Aber wie kann er denn schelten? Ich kann ja doch net fliegen!" murmelte er vor sich hin. Die paar Minuten, die er in der Sennhütte gerastet, waren ihm doch sicher nicht zu verdenken? Man wird sich doch auf einem fünfstündigen Marsch auch einmal niedersetzen dürfen? Und drunten im Dorf — da hatte er doch den letzten Treiber besorgen müssen. Und es war doch nicht s e i n e Schuld, daß er den Gang zum Bruckner umsonst getan? Umsonst? Als Franzl zu diesem Gedanken kam, begannen sich seine Züge aufzuhellen. Er hatte nun an andere Dinge zu denken, als an das Gewitter, das ihn in der Jagdhütte erwarten mochte.

Zerklüftetes Gestein begann sich über den Wald zu erheben, und der Fußpfad lenkte in eine enge Schlucht. Bald traten die Wände wieder auseinander, und vor dem Jäger lag ein breites Hochtal, in dessen Mitte, zwischen dichtem Latschengebüsch und vereinzelten Zirbelkiefern, das weiße Schindeldach der Jagdhütte leuchtete. Auf drei Seiten war das Tal umzingelt von steilen Bergzinnen, während gegen die vierte Seite sich ein Ausblick ins Weite öffnete; dort unten, in unsichtbarer Tiefe lag der See, und drüben stiegen die Berge wieder auf, Gipfel hinter Gipfel, in immer zarterem Blau.

Als Franzl sich der Jagdhütte näherte, sah er zwischen den Latschen etwas blinken wie hellen Goldschimmer. Einen Augenblick zögerte er, dann bahnte er sich durch die wirren Aeste einen Weg. Nach wenigen Schritten kam er zu einer kleinen Blöße, auf der ein hohes Rohrstativ mit ausgezogenem Tubus stand. Vor dem großen Fernrohr, das gegen die Mitte einer rauh geklüfteten Felswand gerichtet war, saß auf niederem Stein ein Jäger: Jochel Schipper, Graf Egges Büchsenspanner. Er trug die Tracht der Berge, doch was er am Leibe hatte, war grau verwittert, so daß die regungslose Gestalt einem Felsblock ähnlich sah. Auch das Haar wie Asche — man konnte nicht unterscheiden: war es noch blond oder schon ergraut? Der Nacken von der Sonne so braun gebrannt, wie die hageren Knie, über deren Kehlen sich fingerdicke Sehnen spannten. Als hinter ihm die Zweige rauschten, wandte er langsam das Gesicht. Man sah diesen Zügen die vierzig Jahre an. Die Stirne weiß, so weit der Hutrand sie beschattete, Nase und Wangen gebräunt. Die eine Seite des Gesichtes war dicht mit farblosem Bart bewachsen, die andere nur dünn behaart und mit veralteten Narben gefleckt — vor Jahren einmal, im Rausch, war Schipper mit dem Gesicht gegen die glühende Ofenplatte gefallen. All seine Züge schienen wie erstarrt — nur die Augen lebten, diese kleinen, grauen Augen, und sie hatten den scharfen Blick des Habichts.

„Wo steht der Bock?" fragte Franzl mit gedämpfter Stimme.

Flüsternd, kaum merklich die Lippen bewegend, erwiderte Schipper. „Sorg dich um den Bock net. Der kommt mir net aus'm Aug. Du schau lieber, daß zur Hütten findst. Der Graf wartet schon lang! Ich hab ihm freilich gsagt: du kannst net früher da sein. Aber du weißt ja, wie er is!" Langsam wandte er das Gesicht zum Tubus, kniff das linke Auge zu und spähte mit dem rechten durch das Fernrohr.

Franzl stand ein paar Sekunden, dann schob er schwer atmend den Hut in die Stirn und drückte sich durch die Büsche.

Nun blickte ihm Schipper nach; ein dünnes Lächeln glitt über seine Lippen, und in seinen Augen funkelte die Schadenfreude und der Haß.

6.

Graf Egges Lieblingshütte zeichnete sich, von ihrer günstigen Lage abgesehen, nicht im geringsten durch besondere Eigenschaften aus, am allerwenigsten durch Bequemlichkeit: ein kleines, roh gezimmertes Blockhaus mit winzigen Fenstern und so niederer Tür, daß Graf Egge, wenn es rasch vor die Hütte zu eilen und nach Gemswild auszuspähen galt, gar häufig mit dem Querbalken in recht unangenehme Berührung geriet. Die Folge war eine Beule an der Stirn — oder wie die Leute in den Bergen sagen: ein ‚Dippel‘. Statt den Zimmermann zu rufen und das Uebel an der Türe bessern zu lassen, begnügte sich Graf Egge damit, der Hütte den Ehrentitel ‚Palais Dippel‘ zu verleihen.

Die Tür führte in die kleine Jägerstube, die zugleich als Küche diente, und von der aus eine steile Leiter den Aufstieg zum Heuboden, zum Schlafraum der Jäger, ermöglichte. Neben der Küchenstube lag das ‚Grafenzimmer‘, ein bescheidener Raum, dessen Decke und Balkenmauern mit weißen Brettern verschalt waren; um die Ecke zwischen den zwei kleinen Fensterchen zog sich eine Holzbank; davor ein Tisch mit zwei dreibeinigen Sesseln, und in der Ecke ein Kruzifix mit verblühten Almrosen. In der gegenüberliegenden Ecke stand der eiserne Ofen und daneben das Bett mit grauer Lodenkotze und zerlegener Matratze, unter der die Heufäden hervorhingen; an der Wand noch ein plumper Schrank, ein Jagdkalender und ein Rechen mit Gewehren, Feldstecher, Fernrohr, Wettermantel und allerlei Riemenzeug. Der einzige Ueberfluß, der sich in diesem Raum gewahren ließ, bestand in einem Dutzend Paar Bergschuhe der verschiedensten Art, die frisch geputzt und gefettet rings um den eisernen Ofen standen. Ein braun und schwarz getigerter Schweißhund lag auf dem Bett und ließ sich in seiner Nachmittagsruhe nicht stören, obwohl die zornige Stimme seines Herrn die kleinen Fensterscheiben des Stübchens zittern machte.

Noch ehe Franzl zu dem die Hütte umschließenden Stangenzaun gekommen war, hatte er diese scheltende Stimme schon vernommen. Neben der Tür sah er eine Büchse und einen Bergstock an die Balkenmauer gelehnt — da war wohl ein Jäger aus

einem anderen Jagdbezirk mit einem Anliegen zu seinem Herrn
gekommen und hatte ihn zu übler Stunde getroffen. Franzl
konnte die Worte verstehen, die in der Stube hallten. Er zog
die Brauen auf und kraute sich hinter dem Ohr: „Sakra! Heut
raucht er kein Guten, weil er städtisch redt!" Franzl wußte aus
Erfahrung: wenn Graf Egge in der Jagdhütte hochdeutsch redete,
dann stand der Barometer seiner Laune auf Sturm. Franzl
zögerte. Sollte er eintreten, oder sollte er das Ende des Ge-
witters abwarten, das sich in der Stube entlud? Er entschloß
sich für das letztere und setzte sich auf das neben der Türe an-
gebrachte Bänklein.

In der Stube klang die wuchtige Stimme des Grafen:
„Das muß ein Ende nehmen! Oder ich verliere die Geduld!
Dein Bezirk hat eine Lage, wie man sie schöner im ganzen Gebirg nicht findet. Da sollten die Rudel nur so umeinander
stehen! Und wie sieht es in Wirklichkeit aus? Daß einem
grausen könnte! Mir scheint, du hast die Schußliste vom letzten
Jahr schon völlig vergessen. Armselige drei Hirsche und sieben
Gemsböcke, einer schlechter wie der andere! Ja glaubst denn du,
das ist mir die sieben Zentner Salz und das ganze Winterfutter
wert! Von deinem Gehalt schon gar nicht zu reden! Der ist
ohnehin zum Fenster hinausgeworfen!"

„Aber ich bitt, Herr Graf," stotterte eine scheue Stimme,
„ich lauf mir doch bei Tag und Nacht schier b' Füß ab! Mein
Bezirk liegt halt an der Grenz, und drüben die Bauernjagd! Die
Gams und 's Wildbret kann ich doch net anbinden, und was
halt nüberwechselt, wird drüben niedergschossen! Ja wie soll ich
denn da ein Wildstand in b' Höh bringen! Da weiß ich mir
wahrhaftig kein Rat nimmer."

„Natürlich! Du hast eben andere Dinge im Kopf! Dein
Bezirk wird schlechter von Jahr zu Jahr, und dafür soll ich dir
noch den Gehalt aufbessern! Erlaub mir, Patscheider, das ist
denn doch eine starke Zumutung!"

„Aber ich sieh mich halt mit meine sechshundert Markln
nimmer naus, Herr Graf! Sieben Kinder daheim . . "

„Was geht denn das mich an! Muß denn der Mensch
sieben Kinder haben! Wärst du die ganzen Jahr her bei Tag
und Nacht fleißiger im Dienst gewesen, so hättest du mehr Gemsböcke in deinem Revier und daheim weniger Kinder!"

„Aber Herr Graf . . ."

Ein Faustschlag dröhnte auf der Tischplatte. „Fertig! Wir haben ausgeredet! Bring deinen Bezirk so weit, daß ich im Jahr sechs gute Hirsche und ein Dutzend Gemsböcke schieße, und ich bessere deinen Gehalt nicht nur um die fünfzig Mark auf, die bu haben willst, sondern um volle zweihundert! Und jetzt kein Wort mehr. Weiter! Und nimm dich zusammen, Patscheider, ich sag es dir heut noch im guten! Oder es sitzt übers Jahr ein anderer in deiner Hütte."

Unheimliches Schweigen folgte diesen Worten; dann wurde die Stubentür geöffnet, schwere Tritte ließen sich hören, und im Eingang der Hütte erschien ein schwarzbärtiger Jäger mit bleichem Gesicht und verstörten Augen. Als er Franzl gewahrte, nickte er einen stummen Gruß.

In der Stube begannen die Saiten einer Zither zu klingen. Graf Egge liebte die Zither und spielte sie meisterhaft; sie war in den Mußestunden der Jagdhütte sein einziger Zeitvertreib und sein Heilmittel wider allen Aerger.

Franzl hatte sich erhoben; er legte die Hand auf Patscheiders Arm und fragte flüsternd: „Michel? Brauchst was für daheim?"

„Vergeltsgott, Franzl, aber du hast ja selber net viel übrig!" Patscheider atmete schwer und deutete über die Schulter. „Hast es ghört, was er verlangt? Sechs Hirsch und ein Dutzend Gamsböck! Bei mir drüben! Was sagst! Das möcht unser Herrgott ja selber net zwegenbringen. Und der Graf versteht doch so viel von der Jagd, daß er's wissen müßt! Aber natürlich, der Schipper hetzt halt! Der Herr Schipper!" Er griff nach seiner Büchse. „Das einzig Gscheite wär eh bald, man springet einmal wo nunter über b' Wänb, nachher hätt man doch sein Ruh für ewige Zeiten!"

„Aber Michel! Wie kannst denn so was reden! Denk doch an beine lieben Leut baheim!"

Patscheiders Augen wurden feucht. „Ich sag dir's Franzl, es wird mir hart! Ich renn mir b' Seel aus'm Leib . . . aber von die Grat runter müssen mich ja b' Lumpen überall sehen und können ihre Weg schön einrichten." Er spähte nach dem Fenster und dämpfte die flüsternde Stimme noch mehr. „In vier Wochen haben s' mir drei Gams davon! Wenn ich's dem Grafen sag . . . der jagt mich ja gleich zum Teufel. Jetzt muß ich schon lügen, wenn ich für meine Kinder das bißl Brot erhalten will!" Er hob die Faust. „Aber soll's unser Herrgott geben, daß mir einer übern Weg lauft . . . da gibt's ein Unglück, Franzl!" Mit eisernem Griff umklammerte er den Lauf der Büchse und schritt ohne Gruß davon.

In der Stube sangen die Saiten der Zither einen heiteren Ländler, während Franzl mit bekümmerten Augen dem Jäger nachblickte. Als er ihn hinter den Latschenbüschen verschwinden sah, blies er die Backen auf, als könnte er sich den schwülen Druck, der auf ihm lag, von der Seele blasen wie einen Mund voll Pfeifenrauch. Dann knöpfte er die Joppe zu und trat in die Hütte. Langsam öffnete er die Stubentür und zog den Hut. „Grüß Gott, Herr Graf!" Der Hund auf dem Bette hob den Kopf, doch als er den Jäger erkannte, vergrub er die Schnauze wieder zwischen den Beinen.

Graf Egge saß hinter dem Tisch, hembärmelig, in abgewetzter Lederhose und mit schiefgetretenen Filzpantoffeln. Ohne das Spiel zu unterbrechen, blickte er auf.

„Aaaah! Der Herr Hornegger! Schau nur, schau! Das is ja wie der Wind gangen! Also, der Herr Hornegger is auch schon da!"

Dem Jäger schlug bei diesem Empfang die helle Röte ins Gesicht, und doch atmete er erleichtert auf, als er den breiten Dialekt hörte, der auf mildere Stimmung zu deuten schien. Er begann sich damit zu entschuldigen, daß ihn bereits beim Niederstieg ins Dorf die Begegnung mit der ‚gnädigen Konteß und dem alten Fräulein' aufgehalten hätte.

Ein Schatten des Unbehagens glitt über das Gesicht des Grafen. Er schob die Zither in den Tisch und erhob sich. „Bist du der Kammerdiener meiner Tochter, oder bist du mein Jäger?"

Franzl schwieg, denn er kannte die Wirkung, die jeder Widerspruch auf den Grafen zu üben pflegte.

„Aber natürlich, das ganze Jahr füttert man seine Leute, und wenn man sie braucht, sitzen sie weiß der Teufel wo! Wenn ich den Bock nicht bekomme, bist d u schuld! Seit acht Tagen sitz ich und warte mir die Seel heraus. Richtig, heute mittag steht der Bock, wo ich ihn brauche . . . aber wo ist der Herr Hornegger? Ja, der Herr Hornegger! Der schlaft sich schön aus! Der laßt sich gemütlich Zeit, damit er nur ja keinen Schuhnagel verliert! Und der Graf kann warten! Der kann sich den Bock in der Wand brin anschauen und kann sich die Gelbsucht an den Hals ärgern!" Graf Egge trat dicht vor den Jäger hin.

„Hornegger!" Er betonte jede Silbe: „Wenn ich den Bock nicht
bekomm, dann spukt's in der Fechtschul. Dann waren wir die
längste Zeit gute Freunde mit einander, und ich könnte sogar
vergessen, daß der beste Jäger, den ich je gehabt habe, dein
Vater war!"

Nun konnte Franzl nicht länger schweigen. Seine Gestalt
reckte sich. „Herr Graf! Ich hab den einzigen Ehrgeiz, daß ich
meinem Vater nachschlag. Und ich glaub, ich hab dazu noch allweil den richtigen Willen mitbracht. Wenn ich heut was versäumt hab, so bitt ich um Entschuldigung. Ich bsteh's ein, ich
hätt flinker wieder heroben sein können. Aber so harte Wort
hab ich deswegen doch net verdient."

Das freimütige Bekenntnis schien den Unmut des Grafen
schon zu beschwichtigen; aber die letzte Wendung machte die
Sache nur wieder schlimmer. „Das ist aber doch eine unerhörte
Keckheit! Soll ich mir am Ende gar noch vorschreiben lassen,
wie ich mit meinen Leuten reden muß. Und was hast du nicht
verdient? Du bist ja noch lang nicht Jäger genug, um zu begreifen, was du mir angetan hast." Die Wände hallten vom
Zorn dieser Stimme. „Neunhundertvierzehn Gamsböck hab ich in
meinem Revier geschossen. Aber kein einziger ist darunter, wie
der in der Wand da broben! Der Bock ist mir ein Vermögen
wert! Sechs Jahre lang kenn ich ihn schon und wart auf ihn!
Heut hätt ich ihn haben können. Aber der Herr Hornegger . . ."

Da wurde die Türe aufgerissen, und Schipper stürzte in die
Stube. „Herr Graf! Der Bock steht am richtigen Fleck! Wenn
der Franzl seine Sach jetzt in der Ordnung macht, muß der
Bock am Wechsel herspringen auf den schönsten Schuß!"

Bei Graf Egge war plötzlich aller Zorn verraucht. Fiebernde
Aufregung befiel ihn, wie einen jungen, grünen Jäger, in dem
noch das erste leidenschaftliche Feuer brennt. Im Nu hatte er
die Bergschuhe an den Füßen, und während ihm Schipper die
Riemen band, wußte er vor Erregung an seiner abgeschabten und
geflickten Joppe, die ihm Franzl gereicht hatte, kaum die Löcher
für die Arme zu finden. Mit zitternden Händen stülpte er das
verwitterte Hütlein über die weißen Haare, packte die Büchse
und den Feldstecher und eilte zur Stube hinaus.

„Die Tür, Herr Graf!" wollte Franzl noch warnen — aber
man hörte schon den dumpfen Schlag — das ‚Palais Dippel'
hatte seinem Namen wieder einmal Ehre gemacht. Graf Egge

vergaß in seiner Hast den üblichen Fluch und drückte nur die Hand an die Stirne, während er mit raschen Schritten das Latschendickicht zu gewinnen suchte. Franzl und Schipper folgten ihm.

Als sie die Blöße erreichten, auf welcher der Tubus stand, warf Schipper einen Blick nach der bereits im Schatten der Nachmittagssonne liegenden Felswand und sagte flüsternd: „Er steht noch allweil am gleichen Fleck. Schauen S' ihn an, Herr Graf!"

Graf Egge legte die Büchse ab und spähte durch den Tubus. Es stieg ihm heiß ins Gesicht, und er schob den Hut zurück. „Herrgott! Herrgott! Is d a s ein Bock! Hundertmal hab ich ihn schon angschaut, und allweil reißt's mich wieder." Er atmete tief. „Kinder! Wenn d a s jetzt gut ausfallt . . ." Er nahm sich nicht die Zeit, das Versprechen, das er geben wollte, in Worte zu fassen. Vor allem schob er die Patronen in seine Doppelbüchse. Dann wurde mit flüsternden Stimmen Rat gehalten.

Inmitten der hohen langgestreckten Felswand stand der Gemsbock, dem freien Auge nur wie ein winziges Figürchen erscheinend; kaum merklich bewegte er sich äsend auf einer vorspringenden Kuppe hin und her; manchmal hob er den Kopf, um auszuspähen über das Latschental und die blaue Weite. Vielleicht hatte er auch die Jäger schon gewahrt? Aber er war es ja gewöhnt, tief unter ihm in den Tälern diese kleinen lebendigen Pünktlein schleichen zu sehen, die sich Menschen nennen; vielleicht auch wußte er aus Erfahrung, daß sie seine Feinde waren; doch er schien sich in seiner schwindelnden Höhe sicher zu fühlen. Von den tiefer liegenden Almen herauf klang der Jodelruf einer Sennerin — lang- stand der Gemsbock unbeweglich und äugte in die Ferne, dann wieder begann er sorglos zu äsen, während ihm zu Füßen, im Versteck der Latschenbüsche, um sein Leben gerechnet wurde.

Unter dem südlichen Abfall der Wand sollte Graf Egge seinen Stand nehmen, Franzl von der nördlichen Seite her in die Felsen steigen, um den Gemsbock gegen den Stand zu treiben. Wohl führten von der Stelle, an welcher der Bock sich aufhielt, zwei Wechsel aus der Felswand, der eine niederwärts gegen den Wald, der andere gegen den Grat empor.

„Aber es kann net fehlen!" meinte Schipper. „Wenn der Franzl seine Schuldigkeit tut, m u ß der Bock auf'm unteren Wechsel kommen!"

„Also, Franzl, was meinst?" fragte Graf Egge und hing mit gespanntem Blick an dem Gesicht des Jägers.

Franzl schwieg eine Weile und spähte zu den Felsen hinauf, dann schüttelte er den Kopf. „Herr Graf! Herr Graf! Es k a n n gut gehen, aber es m u ß net! Ich kenn den Bock, ich weiß ja, wie er is, und ich fürcht schier, eh ich den Bock ins Treiben bring, machen ihn die andern Gams lebendig, und da nimmt er den oberen Wechsel an."

„Die andern Gams?" fragte Graf Egge erschrocken. „Wo?"

„Da droben stehen s', drei Stück beinander!"

Franzl deutete mit dem Bergstock nach den Gemsen, die sein scharfes Auge entdeckt hatte. Schipper schoß einen wütenden Blick auf ihn und nagte an den dünnen Lippen.

Langsam wandte sich Graf Egge nach ihm um. „Aber Schipper!" Die beiden Worte klangen nicht freundlich.

Der Jäger lächelte. „Ja glauben S' denn, Herr Graf, ich hab die Gams net gsehen? Die machen uns nix. Im Gegenteil! Die springen gegen die Latschen runter, und unser Bock muß hinter ihnen nach . . . das heißt, wann der Franzl in der richtigen Höh einsteigt."

Graf Egge fuhr mit beiden Händen in den Bart und zerrte — die freudige Laune war ihm vergangen. „Am liebsten ging ich gleich wieder heim in b' Hütten. Denn eh ich den Bock net sicher hab, fang ich nix an mit ihm. Sonst is er beim Teufel für den ganzen Sommer!"

Schipper wurde Feuer und Flamme. „Aber Herr Graf! Jetzt haben S' den Bock schon im Sack und wollen ihn wieder auslassen."

Wieder begann die flüsternde Debatte, und Graf Egge führte sie mit einem Ernst, wie ein Feldherr den Kriegsrat am Abend vor der Entscheidungsschlacht. Nach langem Schwanken und Zögern entschied er sich, die Jagd zu wagen — seine Bedenken waren nicht völlig beschwichtigt, aber die Leidenschaft brannte in ihm. „Also, Franzl, weiter!"

Der Jäger zögerte, und sein Gesicht war bleich. Er wußte, daß es böse Stunden setzen würde, wenn die Sache mißlang — er war nicht mißtrauisch, aber es regte sich in ihm ein Instinkt der Vorsicht. „Ich bitt, Herr Graf, ich möcht bei d e m Bock nix verfehlen. Sagen S' mir gnau den Weg, den ich machen muß."

„Aber Franzl!" fiel Schipper hastig ein. „Halt den Herrn

Grafen doch nimmer auf! Das liegt ja auf der Hand, wie man da steigen muß!"

Graf Egge lächelte; die Vorsicht des Jägers gefiel ihm. „Recht hat er! Er will sich für alle Fäll den Buckel sauber halten! Also paß auf!" Mit umständlicher Genauigkeit beschrieb er den Weg, auf welchem Franzl in die Felswand steigen und dem Gemsbock die Höhe abgewinnen sollte. „Haft verstanden?"

„Ja, und ich mach kein andern Schritt." Franzl zog den Hut. „Weidmanns Heil, Herr Graf!"

Sie trennten sich; aber noch einmal blieb Franzl stehen. „Ich bitt, Herr Graf, verlieren S' die Geduld net! Ich hoff, daß ich den Bock herbring, aber lang wird's dauern. Mein Weg hat schlechte Plätz, und ich darf beim Steigen kein Laut net hören lassen, wenn ich die andern Gams bis zur richtigen Zeit halten will."

Sein Herr nickte ihm freundlich zu. „Geh nur! Das Sitzen verdrießt mich net . . . wenn er nur kommt!"

Nach verschiedenen Seiten schlichen sie durch die Büsche davon. Graf Egge und Schipper hatten einen halbstündigen Weg, bis sie den Stand erreichten; im Schutz eines Latschenbusches nahm der Graf seinen Platz auf einem moosigen Stein; Schipper drückte sich hinter seinen Herrn, zog das Fernrohr auf, legte das Ledertäschchen mit den Patronen auf seinen Schoß und lud die Reservebüchse. Auf hundert Schritte vor ihnen stieg die Felswand auf, aus welcher der Gemswechsel über Klippen und Grasbänder gegen die Latschen niederführte. Jener Teil der Wand, in dem der Bock und die anderen Gemsen standen, war durch eine vorspringende Steinrippe verdeckt, doch sah man in der Ferne die steilen Kuppen, über welche Franzl seinen Weg zu nehmen hatte.

Kühler Schatten und tiefes Schweigen rings umher; nur zuweilen schwamm durch die stillen Lüfte der verlorene Klang einer Almenglocke aus dem sonnigen Tal herauf.

Eine Stunde verrann. Graf Egge saß und rührte sich nicht. Nur manchmal fühlte er mit dem Daumen, ob die Hähne der auf seinem Schoße ruhenden Büchse auch wirklich gespannt wären. Schipper spähte nach den fernen Kuppen der Felswand. „Jetzt steigt er ein!" flüsterte er. Wie ein kleiner dunkler Strich, der sich langsam bewegte, war Franzls Gestalt im grauen

Gestein zu erkennen. „Aber ich weiß net, er steigt mir ein bißl gar z' langsam." •

„Ganz richtig steigt er!" zischelte der Graf. „Er mag außer Dienst ein junger Schlüppel sein, aber wenn's ernst wird, ist Verlaß auf ihn! Da ist er sein ganzer Vater!" Keine Antwort kam; doch Graf Egge hörte, wie Schipper hinter ihm den schweren Atem durch die Nase blies. „Schnauf net so laut!" Nun war Stille.

Franzls Gestalt verschwand in den Schluchten der Felswand, und wieder verrann eine halbe Stunde. Dann tönte, noch weit entfernt, das dumpfe Gepolter fallender Steine.

„Die anderen Gams!" flüsterte Graf Egge. Fester spannten sich seine Hände um die Büchse, und mit brennendem Blick hingen seine Augen an der Felsenklippe, auf welcher der Bock erscheinen mußte. Von Minute zu Minute verschärfte sich die Spannung seiner Züge, aus dem erstarrten Gesichte wich der letzte Tropfen Blut, die herbgeschlossenen Lippen färbten sich bläulich, und immer heißer flackerte das Feuer seiner Augen. Was aus diesem Gesichte sprach — es war nicht die helle, frohe Lust am Jagen, nicht die stolze Männerfreude, die das edle Weidwerk bietet — es war eine wilde, verzehrende Leidenschaft, eine jener Leidenschaften, die im Verlangen und Genießen weder Maß noch Schranke kennen, den ganzen Menschen an Leib und Seele erfassen wie die Flamme das dürre Holz, in ihm das Gefühl für allen anderen Wert des Lebens ersticken, ihn immer nur das einzig Eine sehen und begehren lassen, das ihn berauscht und niemals sättigt, das ihn selbst zerstört und andere mit ihm! Und wie das Mal eines Gezeichneten brannte auf Graf Egges Stirn die rote Beule, die ihm der Balken der Hüttentür geschlagen.

„Herr Graf, da kommt er!" lispelte Schipper.

Die volle Gestalt des Wildes tauchte aus dem Gestein; doch Graf Egge hob die Büchse nicht. „Das ist ein anderer! Ich will den meinigen!" So leis diese Worte gesprochen waren — das Tier hatte sie vernommen. Mit gestrecktem Halse stand es und äugte auf die beiden Jäger nieder; doch sie saßen regungslos, und die Gemse erkannte in den zwei grauen Klumpen die Menschen nicht. Langsam begann sie über den Wechsel herabzuziehen. Da krachte in der Felswand ein Schuß, das prasselnde Gepolter fallender Steine ließ sich hören, und rings über alle Wände rollte das Echo. Die erschreckte Gemse machte ein paar zwecklose Sprünge im Gestein, und Graf Egge verlor seine Ruhe; ein Zittern befiel seine Häude, und in bebendem Zorn raunte er durch die Zähne: „Schlecht geht's! Das war ein Schreckschuß, der Bock nimmt den oberen Wechsel an! Hol dich der Teufel, Schipper! Ich hätt dem Franzl folgen sollen! Jetzt komm ich um meinen Bock! Die anderen Gams haben alles verdorben!"

Die Worte waren laut geworden, und nun erkannte die Gemse ihren Feind. Mit wilden Sprüngen suchte sie einen Weg in das höhere Gestein; sie fand kahle Felsen, mußte sich wenden und kam in sausender Flucht über den Wechsel niedergestürmt.

„Wart, Bestie, du sollst mir büßen!" zischte es von Graf Egges Lippen. Er hob die Büchse — nicht, um als Jäger das Wild zu erbeuten, sondern um seinen flammenden Zorn in dem Blut des Tieres zu kühlen, das ihm die ersehnte Freude verdorben und durch seine vorzeitige Flucht vor dem treibenden Jäger den erwarteten Bock gewarnt hatte.

Der Schuß krachte und im Feuer stürzte die Gemse. Während sie verendend noch mit den Läufen schlug, kamen schon zwei andere Gemsen in voller Flucht über den Wechsel nieder, eine Geiß mit ihrem Kitzlein.

Graf Egge streckte die Hand nach rückwärts. „Gib her!"

„Aber Herr Graf? Eine Kitzgeiß!" stotterte Schipper.

Sein Herr stampfte mit dem Fuß. „Gib her, sag ich!" Mit zornigem Ruck faßte er die Reservebüchse — zwei Schüsse — und die Geiß lag verendet am Boden, während das Kitzlein sich mit zerschmettertem Rückgrat in die Latschenbüsche schleppte und auf dem Geröll eine rote Bahn zurückließ. Noch war das Echo der beiden Schüsse nicht verhallt, da tönte von der Höhe der Felswand nieder ein klingender Jauchzer.

„Herr Graf, der Bock muß kommen!" stammelte Schipper, der die Bedeutung dieses Rufes erkannte. Er griff nach der abgeschossenen Büchse und reichte seinem Herrn das frisch geladene Gewehr. Ein Zittern befiel den Grafen, sein Atem ging schwer, und in kalkiger Blässe erstarrten seine Züge, während seine Blicke emporflogen über den Wechsel. Da fühlte er ein Zupfen an seiner Joppe und hörte die wispernde Stimme des Jägers: „Da droben steht er schon! Grad über Ihnen! Schießen S'! Schießen S'!"

Hinter der Felsrippe mußte der Bock den gewohnten Wechsel

verlassen haben und stand, hoch über den beiden Jägern, inmitten einer breiten Steinrinne, eine stolze, kraftstrotzende Tier-
gestalt, deren selten schöner Hauptschmuck sich mit zwei schwarzen,
scharf gekrümmten Linien von dem grauen Felsen abhob.

Graf Egge starrte in die Höhe und saß wie versteinert.

„Aber, Herr Graf, so schießen S' doch!" zischelte Schipper.
„Der Schuß is verteufelt weit, gute zweihundert Gäng . . . aber
wenn S' jetzt net schießen, is der Bock dahin für den ganzen
Sommer!"

Graf Egge konnte die Waffe nicht heben, das Fieber begann ihn zu schütteln.

„Aber Herr Graf! Herr Graf!"

Der Gemsbock pfiff und setzte mit hoher Flucht über die
Wasserrinne — ein paar Sprünge noch, und er mußte verschwinden. Da ging ein Ruck durch die Gestalt des Grafen, und
die Büchse flog an seine Wange. Schipper hob das Fernrohr,
um die Wirkung des Schusses zu beobachten, und kaum hatte er
das Wild im Glas, da krachte der Schuß. Der Gemsbock wankte,
doch nur einen Augenblick, dann verschwand er hinter zer-
klüftetem Gestein.

„Hat ihn schon!" lachte Schipper. Er warf das Fernrohr
zu Boden, faßte seinen Bergstock und sprang durch die Büsche davon, um hinter der Biegung der Felswand den Bock noch einmal
zu sehen und die Richtung seiner Flucht beobachten zu können.

Graf Egge war aufgesprungen, in der Hand die rauchende
Büchse. Er starrte nach der Stelle, an welcher der Bock gestanden, und lauschte; doch er hörte nichts als die Sprünge des
Jägers, die sich immer weiter entfernten. „Er muß die Kugel
haben!" murmelte er, stellte schwer atmend die Büchse nieder
und griff mit der Hand an seine Stirne. Wohl lag das seltene
Wild noch nicht, das ihm seit Wochen trübe Tage und schlaflose
Nächte bereitet hatte, aber Graf Egge war seiner Kugel sicher;
der Sturm seines Blutes und die Spannung seiner Nerven begann sich zu lösen, fast wie Schwäche befiel es ihn — und nun
plötzlich fühlte er auch den Schmerz der Beule an seiner Stirn.
Sein Blick streifte die beiden verendeten Gemsen; die zuerst ge-
fallene war ein stattlicher Bock, daneben aber lag die Muttergeiß,
und hinter den Latschen rührte sich noch immer das todwunde
Kitzlein. Graf Egge wandte sich ab; ihn ekelte vor der un-
weidmännischen Arbeit, die er im voreiligen Zorn geliefert —

und dieses Gefühl verdarb ihm die Freude des letzten Schusses.

Inzwischen hatte Schipper die Biegung der Wand erreicht. Hoch in den Felsen sah er den Gemsbock langsam vorüberziehen und wieder im Gestein verschwinden. Schipper sprang eine Strecke weiter und sah, daß der Bock sich talwärts wandte, ein Zeichen, das den tödlichen Schuß verriet. Auf einer vorspringenden Platte blieb der Gemsbock mit hängendem Kopfe stehen, er begann zu schwanken, seine Läufe brachen, einen letzten Sprung noch versuchte er, dann taumelte er über den Rand der Felsen hinaus und stürzte, ein brauner Klumpen, durch die Luft herunter. In einem Latschenbusch verschwand er und lag so gut versteckt, daß den Jägern das Suchen schwer geworden wäre, hätte Schipper den Bock nicht fallen sehen. In ungestümer Hast stieg er zu der Latsche hinauf, denn er wußte, daß klingender Dank zu verdienen war, wenn er seinem Jagdherrn diese Beute brachte. Nun erreichte er sie, und die Augen wurden ihm groß, als er das selten schöne Gehörn betrachtete — Graf Egge hatte kein ähnliches in seiner reichen Sammlung. Schipper schätzte und meinte, daß ein Sammler für dieses Krickel wohl hundert Mark und darüber geben würde. Zwei rote Flecken erschienen auf seinen fahlen Wangen. Schon streckte er die Hände, um den Bock aus der Latsche zu heben. Da tönte fern in der Felswand die rufende Stimme Franzls, und Schipper hörte, wie Graf Egge dem Jäger die Weisung hinaufschrie, nicht weiter vorzugehen, sondern den Abstieg gegen die Hütte zu nehmen.

Ein böses Lächeln glitt über Schippers Lippen. „Mir hundert Mark . . . und dem andern ein festen Tritt auf'n Magen, den er spüren soll!" Hastig zerrte er das Messer hervor, schlug dem verendeten Wilde das Krickel mit der Hirnschale aus dem Kopf und warf das Gehörn in weitem Schwung hinunter in das Latschenfeld. Mit funkelnden Augen spähte er nach der Stelle, an der es fiel, dann glitt er lautlos über die Felsen nieder und suchte laufend den Rückweg. Als er die Biegung der Wand erreichte und aus den Latschen hervorkroch, sah er unerwartet den Grafen vor sich, der auf einem Felsblock saß und mit beiden Händen das rechte Schienbein rieb.

„Schipper? Was is mit dem Bock?"

Der Jäger konnte nicht gleich Antwort geben; im Schreck versagte ihm die Stimme. Er drückte die Fäuste auf die Brust,

als hätte der rasche Lauf ihn atemlos gemacht. „Der Bock,
Herr Graf? ... Den hab ich mit keinem Aug mehr gsehen!
Aber sorgeu S' Ihnen net! Da kann nix fehlen! Der hat den
Schuß mitten auf dem schönsten Fleck ... ganz gnau hab ich
mit'm Spektif den Einschuß gsehen, kurz hinterm Blatt. Der
liegt keine zehn Schritt vom Platzl, wo er gstanden is! Soll ich
gleich naufsteigen?" Schipper konnte diese Frage ohne Sorge
stellen, denn er wußte die Antwort seines Herrn voraus.

„Aber Schipper! Wo hast du deinen Verstand? Hat der
Bock den richtigen Schuß, so liegt er mir gut bis morgen.
Ist der Bock aber nur krank, so treibst du ihn wieder auf, und
wir könnten ihn suchen zwei, drei Tag lang. Nix da! Laß du
den Bock nur in Ruh bis morgen!" Stöhnend faßte Graf Egge
nach seinem Bein.

„Was is denn, Herr Graf? Was haben S' denn?" fragte
Schipper wie in Sorge.

„Mein Bock hat mir keine Ruh lassen, ich hab dir nachsteigen wollen ... und da hat's mir auf einmal im Haxen
einen Riß geben. Und jetzt spür ich's im Knochen brin wie
ein ganzen Ameishaufen. Mir scheint, die verfluchte Gschicht
fangt schon wieder an."

„O Mar und Josef! Aber sehen Sie's, Herr Graf, weil S'
mir auch gar net folgen und weil S' keine Unterhosen tragen
wollen! Jetzt haben S' Ihnen wieder verkühlt."

„Laß mich aus, du Lapp!" brummte Graf Egge. „Ich,
und Unterhosen! Ich müßt mich ja rein vor mir selber
schenieren."

„Schenieren oder net! Gleich morgen schreib ich dem Moser
ein Briefl nunter, daß er Ihnen wollene Unterhosen raufschickt."

„Das wird sich aber hart machen. Ich hab keine Unterhose im ganzen Vermögen. Hab meiner Lebtag noch keine
braucht."

„Jetzt muß aber eine her! Ich tu's nimmer anders! So
soll der Moser beim Kramer ein halbs Dutzend kaufen!"

„Was?" Graf Egge erhob sich. „Du tust dir aber leicht,
mit ander Leut ihrem Geld! Ein halbes Dutzend! Den schau
an! Ein einzigs Paar is gnug! Ich brauch net mehr. Aber
was ich sagen will ... die Gschicht mit der Kitzgeiß steigt mir
in d' Nasen und verdirbt mir die ganze Freud' an meinem Bock!"

„Aber Herr Graf! Es is ja nur in der Wut gschehen! Und

für so ein Bock, wie der is, kann man sich schon ein bißl
Aerger gfallen lassen."

Graf Egges Miene heiterte sich auf. „Hast recht! Wenn
ich an die Kruck denk, die der Bock droben hat, vergeß ich alles.
Die kriegt ein silbernes Schildl! Und nachher sperr ich sie erst
noch in die eiserne Kasse. So eine hab ich noch nie net kriegt,
und so eine krieg ich auch meiner Lebtag nimmer!" Schmunzelnd blinzelte er zu der Felswand hinauf. „Gelt, Böckerl, lang
hat's dauert mit uns zwei? Jetzt hast aber doch den kürzern
zogen!" Er blickte in Schippers Gesicht, und vergnügt lachten
die beiden einander an. „Aber weißt . . . die Gschicht mit der
Gamsgeiß . . . das is halt doch zwider. Ich muß mich ja
rein vor'm Hornegger schenieren."

Schipper zögerte mit der Antwort. „Wann der Herr Graf
befehlen . . . der Franzl brauchet ja nix z'wissen davon."

„Hast recht, du Gauner du! Räum die alte Mutter auf
b' Seiten, daß kein Mensch mehr was findt von ihr. Da komm
her!" Graf Egge griff in die Tasche und zog ein rotledernes
Beutelchen hervor, wie es die Bauern führen, wenn sie zu
Markte gehen. Er drückte ein Goldstück in Schippers Hand.
„Halt 's Maul! Da hast ein Pflaster."

„Vergeltsgott, gnädiger Herr Graf! Aber . . . was soll
ich denn dem Franzl sagen, wegen die vier Schuß?"

„Drei auf den ersten Bock . . . und zwei davon gfehlt in
Gottesnamen!"

„Sie, Herr Graf . . . und fehlen? Das wird der Franzl
aber schwerlich glauben. Und es tät auch dem gnädigen Herrn
Grafen Abbruch in seiner Jägerehr."

Graf Egge lachte zufrieden. „Du Teufelskerl! Du denkst
aber doch an alles! So studier dir halt was Feiners aus!"

Schipper mußte eine bessere Ausrede flink zu finden; und
während er ging, um den in der Nähe des Standes liegenden
Gemsbock auszuweiden und die Geiß mit ihrem Kitzlein für
ewige Zeiten in einem Steinloch verschwinden zu lassen, trat
Graf Egge den Heimweg zur Jagdhütte an. Auf dem Wege be-
schäftigten ihn die Gedanken an das herrliche Krickel, das ihm
der kommende Morgen bescheren mußte — nebenbei aber auch die
schmerzende Beule auf der Stirn und das leise Gekribbel in
seinem Schienbein.

7.

Graf Tassilo war am Morgen nicht zum Frühstück erschienen. Als Kitty nach ihm fragte, hieß es, ihr Bruder wäre zeitig ins Dorf gegangen und noch nicht zurückgekehrt. So blieb die Kleesberg ihre einzige Gesellschaft, und eine gar stille. Tante Gundis Augen hatten einen müden, übernächtigen Glanz, und bei all der gemessenen Würde, mit der sie die Teeschale hob und senkte, den Schinken schnitt und in das krachende Butterbrötchen biß, tat sie doch zuweilen einen Atemzug, der wie ein Seufzer klang.

Ein paarmal schon hatte Kitty mit besorgten Augen zu ihr aufgeblickt, und endlich fragte sie: „Du bist noch immer nicht ganz wohl?"

„O, doch! Aber ich hatte eine sehr böse Nacht!"

„Ach, du Arme!" Kitty griff über den Tisch und streichelte Tante Gundis Hand. „Ich mache mir solche Vorwürfe . . ."

Fräulein von Kleesberg schüttelte stumm den Kopf. Nur langsam belebte sich das Gespräch, und dabei wurde des Abenteuers vom vergangenen Abend mit keiner Silbe mehr erwähnt, als wäre ihnen beiden alle Erinnerung bereits erloschen. Nach dem Frühstück brachte Kitty einen Spaziergang in Vorschlag.

Tante Gundi war einverstanden. „Wohin wollen wir gehen?"

Kitty überlegte. „Die Hauptsache ist ein guter ebener Weg, damit du dich nicht ermüdest. Ich meine also, ins Dorf? Da siehst du doch auch ein bißchen Menschen . . . das wird dich zerstreuen."

Fräulein von Kleesberg schien aus diesen Worten etwas zu hören, was ihr nicht gefiel. Mit forschendem Blick streifte sie das Gesicht des jungen Mädchens, legte würdevoll das Haupt zurück und erklärte: „Nein! Wir gehen nach der Walbschwaige."

„Wie du willst! Das ist ja auch kein übler Weg!" meinte Kitty. Aber es schien doch, als hätte sie gegen diesen Vorschlag manches einzuwenden. Denn zur Walbschwaige, einer zu Schloß-Hubertus gehörigen Meierei, führte aus einem Winkel des Parkes ein für den Verkehr der Sommergäste gesperrter Waldpfad. Graf Egge war den Touristen und Sommerfrischlern nicht gewogen; sie liefen ihm in Wald und Berg häufig zur Unzeit

in die Quere; die harmlose Freude, die sie am Singen und Jodeln
fanden, und ihre Vorliebe, auf steilen Gehängen Steine zu lösen,
rührten in ihm die Galle des Jägers auf; er machte sie für
manchen mißglückten Pirschgang verantwortlich, ließ im kahlen
Gestein der höheren Berge die roten Merkzeichen der Touristen-
steige von den Felsen abkratzen und sperrte im Wald jeden Pfad,
an dem er Eigentumsrecht besaß, .mit der Inschrift: Verbotener
Privatweg — herrenlos umherlaufende Hunde werden erschossen.

So durfte Tante Gundi sicher sein, auf dem Weg zur Wald-
schwaige keinem Menschen zu begegnen, als höchstens einem
Holzarbeiter oder einem Knecht der Meierei.

Es war ein stiller Spaziergang. Fräulein von Kleesberg
schwieg beharrlich; sie schien mit ihren Gedanken beschäftigt und
hatte keinen Blick für die sonnige Morgenschönheit des Waldes.
Kitty wurde der krampfhaften Anstrengungen, ein Gespräch in
Gang zu bringen, schließlich müde und begann Unterhaltung
für sich allein zu suchen. Sie wanderte bald zur Rechten, bald zur
Linken in den von goldigen Lichtern durchzitterten Wald hinein
und pflückte, was sie an Blumen fand. Dabei summte sie zuweilen mit halblauter Stimme ein Liedchen, und manchmal stand
sie stille, mit beiden Armen den Wirrwarr der gepflückten Blumen
umschlingend, tief atmend, die Wangen glühend, und blickte
mit träumendem Lächeln vor sich nieder.

Es war ein prächtiger, von zierlichen Grasrispen und Farn-
blättern umschlossener Strauß, den sie nach Hubertus brachte, als
sie mit Tante Gundi gegen zwölf Uhr in das Schloß zurückkehrte.
Während Fräulein von Kleesberg in der Veranda Atem schöpfte,
eilte Kitty in das Speisezimmer, um den Tisch mit ihren Blumen
zu schmücken. Da sah sie auf der Tafel vier Gedecke aufgelegt.
Ein Gast in Schloß Hubertus? Kitty flog zur Treppe und
traf mit Fräulein von Kleesberg zusammen. „Tante Gundi!
Wir haben einen Gast?"

„Einen Gast? Wen?"

„Ich weiß nicht!" Und mit wehenden Fahnen ging's über
die Treppe hinauf, in Tassilos Zimmer. „Aber Tas, wer kommt
denn heute?"

Tassilo erhob sich vom Schreibtisch und lächelte. „Einer
meiner Freunde: Maler Forbeck."

Kitty starrte den Bruder an, so ungläubig und verblüfft,
als hätte er die Ankunft eines chinesischen Würdenträgers ver-

kündet. Und während zarte Röte ihr Gesichtchen überhuschte, stammelte sie: „Merkwürdig! Du bist mit ihm befreundet? Wann und wo hast du ihn denn kennen gelernt?"

„Im vergangenen Winter, bei Professor Werner."

„Werner? Professor Werner? Das ist ja der berühmte Maler, für den die Gundi so riesig schwärmt! Und . . . dein Freund? Der ist wohl auch schon sehr berühmt?"

„Jedenfalls ist er auf dem besten Weg, es zu werden. Ich halte große Stücke von seiner Begabung, und außerdem halt ich ihn für einen ganz prächtigen Menschen. Aber du kennst ja Herrn Forbeck?" Fräulein von Kleesberg erschien auf der Schwelle und horchte beim Klang dieses Namens betroffen auf. „Du hattest ja gestern mit ihm so etwas wie ein kleines Abenteuer?"

Kitty machte große Augen. „Das weißt du auch schon?"

„Natürlich!" Tassilo zupfte sie am Ohrläppchen. „Aber sag mir einmal, du merkwürdiger Spatz, warum hast du mir denn das verschwiegen?"

Sie zuckte mit den Schultern. „Ich habe das gar nicht für so wichtig gehalten." Sie begegnete dem Blick des Bruders und geriet ein wenig aus der Fassung. „Aber ich vergesse ganz . . ." Damit wollte sie die Flucht ergreifen.

„Wohin, wohin?"

„Aber Tas! Sieh mich doch an! Ich kann doch nicht so bei Tische . . ." Sie strich mit den Händen über ihr Kleid, und nun gewahrte sie Fräulein von Kleesberg, die mit dem Sorgenantlitz einer Niobe bei der Türe stand. „Hast du schon gehört, Tante Gundi? Nicht wahr, das ist doch komisch! Jetzt speist er heute bei uns!" Lachend flog sie aus der Stube.

Da löste sich Fräulein von Kleesbergs Erstarrung. Hastig schloß sie die Türe, rauschte zum Schreibtisch und schlug in hellem Entsetzen die Hände zusammen. „Tassilo! Was machen Sie denn nur! Und diesen Menschen bringen Sie uns auch noch ins Haus!"

Tassilo trat verwundert zurück. „Ich begreife nicht . . ."

„Aber haben Sie denn nicht gehört? Gestern hatte sie mit ihm ein Abenteuer! Gerettet hat er sie! Gerettet! Wissen Sie denn nicht, was das heißt für ein junges Mädchen? Ihr Retter! Und zu allem Unglück auch noch ein Künstler! Wenn Sie nicht wissen, was das bedeutet . . . ich weiß es! Ich!" Fräulein von Kleesberg rang die Hände, und es fehlte nicht viel, so wäre sie in Tränen ausgebrochen.

Nun verstand Tassilo. „Ach so? Sie fürchten . . ." Er schüttelte den Kopf und lächelte. „Sie machen sich überflüssige Sorgen. Es wäre übel bestellt um die Erziehung und den Charakter meiner Schwester, wenn jede Begegnung mit einem jungen Mann für sie eine Gefahr bedeuten würde. Beruhigen Sie sich . . ."

„Nein, nein, ich beruhige mich n i c h t ! Sie ist ja schon Feuer und Flamme für sein Genie! Natürlich, das ist immer der Anfang! Ich kenne das! Und daß sie schon zu verschweigen anfängt, haben Sie wohl auch nicht bemerkt? Und daran denken Sie wohl gar nicht: daß dieses verwünschte Abenteuer bei der Klause spielte!" Sie zitterte vor Erregung. „Was bei dieser Klause anfängt, m u ß ein Unglück werden."

„Fräulein von Kleesberg!" Aus Tassilos Zügen war alle Farbe gewichen.

„Aber ich kenne meine Pflicht! Ich will nicht verantwortlich sein, wenn das Haus, in das Sie heute das Feuer tragen, lichterloh zu brennen beginnt. Gott bewahre das arme Kind vor einem s o l c h e n Unglück!" Nun kamen ihr die Tränen. „Ein kurzer Traum, ein paar Tage in Glück und Jubel, und dann all dieser Kummer, dieses Namenlose, dieses ganze zerstörte Leben!"

„Aber Tante Gundi!" Freundlich legte Tassilo die Hand auf ihren Arm. „Sie waren gestern leidend und haben sich noch immer nicht erholt. Sonst wüßte ich Ihre Worte wahrhaftig nicht zu begreifen. Es ist doch wirklich keine Ursache vorhanden, von solchen Ungeheuerlichkeiten zu sprechen. Was Herr Forbeck von meiner Schwester will . . ."

„W a s will er?" Fräulein von Kleesberg ließ das Batisttuch sinken, mit dem sie die Augen getrocknet hatte. „Was will er? Was?"

„Malen will er sie, als Hauptfigur in einem großen Bild."

„Malen!" stammelte Fräulein von Kleesberg, als hätte sie verstanden: ermorden. „Malen? Das wäre gerade noch das Wahre! Das kenn ich!"

„Gut also! Ich war vielleicht ein wenig unvorsichtig, als ich Forbeck in dieser Sache meine Hilfe zusagte. Aber er war so begeistert für seine Idee, so glücklich . . ."

„Glücklich! Natürlich! Unglücklich soll er auch schon sein! Das kommt später noch früh genug!"

Tassilo suchte dieser Hartnäckigkeit gegenüber ratlos nach Worten. „Aber beruhigen Sie sich nur, Sie haben doch in dieser Sache auch ein wichtiges Wort mitzusprechen. Wenn Forbeck seinen Wunsch äußert, können Sie doch eine unverfängliche Ausflucht gebrauchen . . ."

„Gott sei Dank! Wenn es dabei nur auf mich ankommt, dann ist die Sache schon erledigt! Malen will er sie! Malen! Eh ich das erlaube, eher sterb ich!"

Die Türe wurde geöffnet, und Fritz brachte eine Karte. „Hans Forbeck!" las Tassilo. „Ich lasse bitten."

Fräulein von Kleesberg wollte sich entfernen. Aber Tassilo hielt sie zurück. „Tante Gundi! Machen Sie doch keine Torheiten!" Er lachte. „Das sieht ja schon bald aus, als hätten Sie Angst, daß auch Sie sich in ihn verlieben könnten."

„Solche Scherze möcht ich mir denn doch verbitten!" erklärte Fräulein von Kleesberg; aber ihre scheue Hilflosigkeit schien größer zu sein als ihre gerechte Entrüstung.

Forbeck erschien auf der Schwelle, das weiße Hütchen zerknüllt in der Hand, in grauem Beinkleid und einem schwarzen, kurzen Sacco, das seine schlanke Gestalt noch länger erscheinen ließ. Er verbeugte sich etwas hölzern vor Fräulein von Kleesberg, die mit Gewalt nach Würde rang, und ging mit gestreckter Hand auf den Grafen zu. Als Tassilo in diese ernsten Züge blickte, in dieses klare, offene Auge und auf diese redliche Stirn, löste sich in seinem Innern auch der leise Keim von Sorge wieder, den Tante Gundis sonderbare Ahnungen in ihm geweckt hatten. Und mit herzlichem Lächeln faßte er die Hand des jungen Künstlers. „Grüß Gott, lieber Forbeck! Und erlauben Sie gleich, daß ich Sie bekannt mache: Hans Forbeck . . . Fräulein von Kleesberg, die mütterliche Freundin meiner Schwester!"

Forbeck verbeugte sich abermals. „Ich glaube, ich hatte bereits gestern das Vergnügen, allerdings so flüchtig . . ." Er stockte.

Nun mußte Tante Gundi sprechen, und es gelang ihr schwer. „Sehr flüchtig . . . allerdings! Aber ich war in so großer Sorge um das Kind . . . wir wurden vom Unwetter überrascht . . . das arme Kind ist so sehr disponiert für Erkältungen, und ich hoffe nur, Sie haben es nicht als Unhöflichkeit ausgelegt . . . ich mußte eben das Kind so rasch als möglich nach Hause bringen . . ."

„Aber ich bitte, gnädiges Fräulein! Ihre Befürchtung hat sich doch hoffentlich nicht bestätigt?"

„Nein, Gott sei Dank! Und nun ist es mir in der Tat sehr angenehm, daß ich so rasch Gelegenheit finde, Ihnen für den Ritterdienst zu danken . . ."

Sie bot ihm die Hand, und als er sie erfaßte, begann sie wieder zu zittern und hing mit verlorenem Blick an seinen Zügen. Dieser Blick befremdete ihn, und seine Augen glitten zu Tassilo hinüber.

„Tante Gundi?" fragte der Graf erschrocken. Fräulein von Kleesberg schien einer Ohnmacht nahe, und Forbeck stammelte: „Gnädiges Fräulein, ist Ihnen nicht wohl?"

„Doch, doch, es ist nur . . . ich habe gestern . . ."

„Für Fräulein von Kleesberg ist das Abenteuer leider nicht so glücklich ausgefallen, wie für meine Schwester," fiel Tassilo ein, „die Folge war eine Unpäßlichkeit, die noch immer nicht ganz behoben ist."

In Forbeck regte sich ehrliches Mitgefühl. „Ach, das bedaure ich aber . . ."

„O, bitte, ich selbst habe kein Erbarmen mit mir . . . meine Migräne, das ist immer ein dreitägiger Kampf mit dem Drachen!" versuchte Tante Gundi zu scherzen. „Aber nun bitt ich zu entschuldigen . . . ich habe so spät erfahren, und . . . die Pflicht der Hausfrau . . ." Ein verstörtes Lächeln, und sie rauschte zur Türe.

Im Flur blieb sie stehen, drückte die Hände an die Schläfen und schüttelte den Kopf, als stünde sie vor einem unlösbaren Rätsel. Langsam suchte sie ihr Zimmer und wollte die Tür öffnen, die in Kittys Stübchen führte; sie war versperrt. „Ja, Tantchen, nur einen Augenblick, gleich bin ich fertig!" klang die helle Stimme des Mädchens. Fräulein von Kleesberg seufzte und ließ sich vor dem Spiegel nieder, um die Spuren zu verdecken, welche die Tränen durch das blühende Rot ihrer Wangen gezogen hatten. Der Augenblick, von welchem Kitty gesprochen, hatte lange Dauer; endlich erschien sie unter der Türe, frisch und hold wie der Frühling, in einem weißen Tenniskleid, das sie zum erstenmale trug, eine blasse Rose an der jungen Brust. Als sie gewahrte, in welche ‚Arbeit' Fräulein von Kleesberg vertieft war,

ratschte sie lachend die Hände ineinander: „Ei sieh nur, Tantchen, du machst dich ja a u ch schön!" Tante Gundi murrte ein
paar unverständliche Worte, während Kitty hinter ihren Sessel
trat. „Ist er schon da?" fragte sie, obwohl sie im Flur seinen
Schritt gehört hatte, seine Stimme.

„Natürlich! Für solche Leute ist ja das immer eine Aufregung, wenn sie geladen sind ... sie fürchten immer die
Suppe zu versäumen," erklärte Fräulein von Kleesberg mit
dem Anschein größter Seelenruhe und tauchte die Quaste in die
Puderbüchse. „Ich hab ihm auch bereits in deinem Namen ein
paar freundliche Worte für den kleinen Dienst gesagt, den er
dir gestern geleistet hat. Die Sache ist erledigt. Aber sei immerhin
artig und höflich gegen ihn. Man muß solche Leute nicht gleich bei
der ersten Gelegenheit die unausfüllbare Kluft empfinden lassen,
die zwischen uns und ihnen liegt. Das gehört zum guten
Ton."

Kitty zögerte mit der Antwort; es zuckte wohl etwas verdächtig um ihren Mund, aber sie zeigte doch ein sehr ernstes
Gesicht. „Ich werde gegen ihn so artig als möglich sein, schon
d i r zuliebe."

„M i r zuliebe? Was soll das heißen?"

„Ja, denke dir, Tas hat mir gesagt, daß er der Lieblings-
schüler jenes Professors wäre ... wie heißt er nur gleich?
... weißt du, jenes berühmten Malers, für den du so riesig
schwärmst ..."

„Werner?" Das klang wie ein erstickter Schrei; und Fräulein von Kleesberg, aus deren Hand die Puderquaste gefallen
war, wandte das Gesicht mit weit offenen Augen.

„Nicht wahr, das freut dich?" fragte Kitty, während sie
lauschend zur Türe blickte.

Denn draußen gingen Schritte vorüber, und man hörte die
Stimme Tassilos, der seinen Gast auf die merkwürdigsten der
Geweihe aufmerksam machte, von denen alle Flurwände starrten.
Arm in Arm stiegen sie über die Treppe hinunter; im reich
geschmückten Vorhaus nannte Tassilo die Heimat der exotischen
Trophäen, an deren manche sich ein waghalsiges, um Gesund-
heit und Leben spielendes Abenteuer seines Vaters knüpfte.

„Und all diese tausend Trophäen hat Ihr Vater mit eigener
Hand erbeutet?" fragte Forbeck erstaunt. „Aber wie ist das
möglich? Ihr Vater ist wohl nicht mehr jung, aber es kann doch

auch ein hundertjähriges Leben neben Beruf und Arbeit nicht
so viel Muße bieten . . ."

„Muße? Mein Vater kennt keine Muße in seinem Beruf,
denn all seine Arbeit, sein einziger Lebensberuf ist eben die
Jagd. Er ist über sechzig Jahre, mit fünfzehn Jahren hat er
angefangen . . . das ist eine Zeit, in der sich etwas leisten läßt."

Forbeck blickte auf, vom herben Klang dieser Stimme betroffen. „Und Sie selbst? Sie sind k e i n Jäger?"

„Nein!" Das Wort klang, als fiele ein Messer auf Stein.
„Das heißt, ich hatte wohl Freude an der Jagd, aber ich habe
sie mir abgewöhnt. Es ist nicht überall Sitte, so zu sagen, wie
es m i r Vergnügen macht. Und andere Weise behagt mir nicht.
Ich meine, wer nicht ein Handwerker der Jagd ist, wie der dienst-
tuende Jäger, der sollte doch an der Jagd noch edleren Wert
entdecken, als den Nervenreiz, den der Kampf zwischen mensch-
licher List und tierischem Instinkt gewährt. Für meinen Geschmack liegt der edelste Reiz der Jagd in der innigen Berührung mit der Natur, die sich auf stillen, einsamen Gängen
vor uns öffnet wie ein mystisches Buch, das uns bisher ver-
siegelt und verschlossen war, und in dem wir nun plötzlich zu
lesen lernen, Wunder über Wunder. Und dieser Größe gegenüber
lernt man erst sein eigenes Menschengewicht nach dem richtigen
Maße schätzen. Man fühlt sich immer kleiner und kleiner, und
doch hat diese Erkenntnis nichts Bedrückendes, nichts Demütigen-
des. Ganz im Gegenteil, man kommt zu Klarheit und Ruhe,
man wird allen spekulativen Unsinn los und verwandelt sich selbst
in ein Stücklein gesunder Natur. Man sagt sich: so klein bist du,
aber der Raum, den die Natur deinem Persönchen zugewiesen,
ist doch nicht gar so winzig, also füll ihn auch aus, nütze dein
Leben und freue dich seiner!" Die Falte auf Tassilos Stirn war
verschwunden. „Aber kommen Sie!" Er nahm den Arm seines
Gastes; doch schon nach wenigen Schritten blieb er wieder
vor einer Türe stehen. „Das müssen Sie noch sehen: das Allerheiligste meines Vaters."

Forbeck erwartete irgend ein weidmännisches Märchen zu
sehen und machte verblüffte Augen, als er über die Schwelle trat.
Eine kleine weißgetünchte Stube mit gescheuerten Dielen, das
Fenster ohne Vorhänge. Die ganze Einrichtung bestand aus
einem eisernen, mit grauer Lodenkotze bedeckten Bett, einem
alten, mit schwarzgewordenem Leder bezogenen Lehnstuhl und

einer großen, eisernen Kasse. An den Wänden hingen, dicht bei
der Decke beginnend, gegen tausend Gemsgehörne, eines hart
neben dem anderen, Reihe unter Reihe, so daß von den weißen
Wänden kaum noch ein tischhoher Streif über den Dielen frei
war. Und rings um den Fuß der Wände standen Bergschuhe
nebeneinander, mehr als hundert Paare, von feinem Staub
überschleiert; der Geruch des gefetteten Leders lag schwer in
der Stube.

Tassilo mußte lächeln, als er Forbecks verblüffte Augen
sah. „Mir scheint, Sie stehen dieser Stube etwas ratlos gegenüber?"

„Allerdings, ich habe mir das ‚Allerheiligste' Ihres Vaters
anders gedacht."

„Wenn mein Vater die Jagdhütte verläßt, um sich in
Schloß Hubertus ein paar Tage auszuruhen, allerdings ein
seltener Fall, so sitzt er vom Morgen bis zum Abend in dieser
Stube. Und hier schläft er auch. Diese Stube enthält, was ihm
die meiste Freude bereitet. Auf diese Schuhe ist er stolz, denn
er selbst hat ihre verschiedenen Formen und die Art ihres
Eisenbeschlags erfunden, für jede Bergformation eine andere
Gattung, und es vergeht kein Monat, der ihm nicht ein paar
neue Ideen beschert. Wir haben einen Schuster im Dorf, der
fast ausschließlich für meinen Vater arbeitet und dabei eine
große Familie ernährt . . . Sie sehen also, diese hundert Schuhe
haben ihren guten Zweck. Und hier in diesem Eisenkasten hält
Papa eine andere Freude verschlossen. Er hat eine Vorliebe für
ungefaßte Edelsteine, namentlich für Saphire und Rubinen.
Diamanten liebt er nur in spindelförmigem Schliff. Und es
gibt Leute, zu denen er so großes Vertrauen hat, daß er sie
zuweilen einen Blick hinter dieses eiserne Türchen werfen läßt.
Wir Kinder haben diese Schätze noch nie gesehen. Aber sein
Büchsenspanner erzählt helle Wunder von dieser Sammlung.
Das ist auch der einzige Mensch, der das Zutrauen meines Vaters
so sehr genießt, daß er jeden Monat einmal diese Geweihe von
der Wand nehmen darf, um sie zu reinigen. Es sind die Krickeln
der Gemsböcke, die Papa auf seinen eigenen Bergen, rings um
Hubertus geschossen hat. Sein größter Stolz! Er hat es freilich
auch weit gebracht! Vor dreißig Jahren, als er das Jagdrecht
von den Bauern übernahm, schoß er im ersten Sommer nur
vierzehn Böcke, und jetzt bringt er es in jedem Jahr auf hundert

und darüber! Nicht wahr, das ist doch ein Erfolg, der die
Arbeit eines ganzen Lebens lohnt?"

Mit scheuen Augen blickte Forbeck zu Tassilo auf, der all
diese Worte mit unveränderlichem Lächeln vor sich hinsprach;
aber es war ein merkwürdiges Lächeln, und die Stimme klang
seltsam beklommen. Forbeck fühlte sich von einem kalten Hauch
berührt, als schliche das Gespenst des Hauses an ihm vorüber.
Nur um das Schweigen zu brechen, fragte er: "Der Büchsenspanner, von dem Sie sprachen, ist das jener Franzl von gestern?"

"Gott bewahre! Mit dieser Vermutung kränken Sie unseren
guten Hornegger-Franzl in unverdienter Weise. Das ist ein
braver, tüchtiger Bursch. Den ich meine, das ist ein ehemaliger
Holzknecht. Vor etwa dreizehn Jahren ist er meinem Vater
unter den Treibern als besonders verwegen aufgefallen. Papa
machte ihn zum Jäger und vor einigen Jahren zu seinem Büchsenspanner und Geheimrat. Wenn Sie auf Ihren Ausflügen einem
Jäger begegnen, dessen Blick Ihnen das Blut ins Gesicht treibt
. . . das ist er. Mein Vater schwört auf diesen Menschen, mir
aber hat seine unvermeidliche Gesellschaft die Freude an der
Jagd verdorben. Ich greife nur noch zur Büchse, wenn ich
befohlen werde. Und Papa befiehlt nicht oft. Er schießt seine
Gemsböcke am liebsten selbst. Und es ist sein einziger Wunsch,
so lange zu leben, bis er diesen leeren Streif an der Wand
noch ausgefüllt hat. Hoffentlich befriedigt das Schicksal diese
heißeste Sehnsucht seines Daseins! Ich wünsch es ihm von
Herzen."

Auf dem Dach des Schlosses läutete eine Glocke.

"Kommen Sie! Die Tischglocke."

Sie verließen die ,Kruckenstube', und Tassilo zog den
Schlüssel ab. Im Billardzimmer — einen Salon gab es in
Schloß Hubertus nicht — fanden sie Fräulein von Kleesberg und
Kitty. All die schwüle Stimmung, welche Forbeck in den letzten
Minuten empfunden, verschwand mit einem Schlag, als ihm
Kitty entgegentrat, lächelnd, die Wangen von zarter Röte über-
haucht.

"Ich freue mich sehr, Sie bei uns zu sehen."

Seine Augen glitten über ihre sonnige Gestalt, und zögernd
faßte er ihre Hand; doch er brachte kein Wort über die Lippen.
Kitty mochte wohl fühlen, wie sehr sie ihm gefiel, denn ihre
Röte vertiefte sich. Tante Gundi wurde unruhig; zum Glück

erschien in diesem Augenblick der Diener unter der Türe, und Fräulein von Kleesberg rauschte auf das Pärchen zu: „Darf ich bitten?" Aber da war sie schon wieder in neuer Verlegenheit — die Ordnung, in der man zu Tisch gehen sollte, schien ihr schwere Sorge zu machen. Ratlos blickte sie auf Tassilo und winkte mit den Augen — aber sie fand unerwartete Hilfe. Forbeck trat auf Tante Gundi zu und reichte ihr den Arm. Das machte sie so verwirrt, daß sie auf seine Frage, ob ihr Befinden sich bereits gebessert hätte, eine ganz verdrehte Antwort gab.

Kitty nahm den Arm ihres Bruders und zischelte: „Was sagst du? So was von Höflichkeit! Ist das nicht komisch?" Und kichernd drückte sie die Wange an seine Schulter.

8.

Nach dem Diner wurde auf der offenen Veranda der Kaffee genommen. Die Blätterschatten der Jerichorosen und wilden Reben, deren Laub sich schon zu röten begann, zitterten über dem weißen Tisch, und draußen plauderte die Fontäne mit funkelndem Tropfenfall. Während Fräulein von Kleesberg die Schalen füllte, bot Tassilo seinem Gaste die Zigarrenkiste und bediente sich selbst; dann ließ er sich in den geflochtenen Sessel fallen und griff, seiner Gewohnheit folgend, nach den Zeitungen, welche Fritz auf den üblichen Platz gelegt hatte; doch hastig gab er die Blätter wieder beiseite. Das gewahrte Kitty, und lächelnd sprang sie auf. „Kommen Sie, Herr Forbeck, ich zeige Ihnen etwas, das müssen Sie sehen." Sie eilte zum Teich, und Forbeck folgte ihr. „Sehen Sie einmal diese riesigen Forellen! Die jüngeren wurden erst heuer eingesetzt, aber die größeren haben wir schon vier Jahre. Und dort . . . sehen Sie die ganz große dort? . . . die kennt mich, weil ich sie füttere . . . sehen Sie nur, jetzt kommt sie schon!" Lockend streckte sie die Hand und flüsterte, ohne Forbeck anzusehen: „Ich bitte, sagen Sie meinem Bruder ein Wort . . . er ist unglücklich, wenn er seine Zeitungen nicht lesen kann."

Forbeck nickte lächelnd und beugte sich über den Rand des Bassins; im grünlichen Wasser, zwischen Blättern und Algen,

sah er ein schimmerndes Spiegelbild, ein sonnig warmes Gesichtchen, das der vorfallende Rand der weißen Mütze bis über
die Augen beschattete.

„Sehen Sie nur, wie sie die anderen verjagt!“ lachte Kitty
mit heller Stimme und flüsterte wieder: „Wenn Tas seine
Zeitungen hat, kommt Tante Gundi auch noch dazu, mit Ihnen
zu plaudern. Bei Tische waren Sie ja nur für Tas vorhanden.
Das hat Tante Gundi ganz nervös gemacht. Ich spreche
nicht von mir selbst, aber Sie haben auch Tante Gundi stark
vernachlässigt.“

„Verzeihen Sie!“ flüsterte Forbeck und blickte in die Augen
des Spiegelbildes, das unter dem Fall verirrter Tropfen verschwamm, um gleich wieder aufzuleuchten.

„Verzeihen soll ich? Nein, erst müssen Sie Ihre Sünde
wieder gut machen. Und noch eins . . . sprechen Sie mit Tante
Gundi über Professor Werner, sie schwärmt für ihn!“ Die
Stimme erhebend, schritt sie am Rande des Teiches entlang.
„Nein, wie das komisch ist! Sehen Sie doch, da schwimmt sie
mir richtig nach!“ Sie gewahrte, daß Fräulein von Kleesberg
auf der Treppe der Veranda erschien. „Ja, Tantchen, wir
kommen schon!“

Forbeck erwies sich folgsam. Als sie wieder um den Tisch
saßen, löste er seine erste Aufgabe mit promptem Erfolg; Tassilo
sträubte sich nicht lange, und während er eines der Blätter entfaltete, machte sich Forbeck an seine zweite Aufgabe und fragte
Fräulein von Kleesberg, ob sie die Ausstellung im Münchner
Glaspalaste besucht hätte.

„Gewiß!“ nickte Tante Gundi, ohne von der Stickerei aufzublicken, an der sie zu arbeiten begonnen.

„Wir waren nur zwei Tage in München,“ fiel Kitty ein,
„und denken Sie, da waren wir zweimal im Glaspalast. Tante
Gundi hatte sich das erstemal nicht satt gesehen. Sie versteht sehr,
sehr viel von Kunst und ist eine leidenschaftliche Verehrerin . . .“

„Aber Kind!“

„Warum? Da ist ja doch die Wahrheit!“ Kitty wandte sich
an Forbeck. „Gegen Mittag kamen wir in München an, von
Würzburg . . . wir waren seit dem Frühjahr bei Onkel Benno
auf Eggeberg zu Besuch . . . um halb ein Uhr waren wir zu
Hause, und denken Sie: um zwei Uhr schon im Glaspalast.
Tante Gundi konnte es kaum erwarten.“

Noch tiefer beugte Fräulein von Kleesberg das Gesicht über die Stickerei. „Diese Ungeduld ist begreiflich. Ich habe viele Jahre im Stift gelebt, und das war nach langer Zeit wieder die erste Ausstellung, die mir zu sehen vergönnt war.“

„Und der Besuch hat Ihnen Freude gemacht? Darf ich fragen, was ihnen am besten gefiel?“

Tante Gundi zählte die Stiche, und dabei zitterte die Nadel in ihrer Hand. „Das kann ich schwer sagen. Wir haben ja eine so große Menge herrlicher Bilder gesehen . . .“

Kitty fuhr mit einer Frage dazwischen. „War in der Ausstellung auch ein Bild von Ihnen, Herr Forbeck?“

„Ja!“

„Ach, wie schade, das müssen wir rein übersehen haben.“

Fräulein von Kleesberg warf ihr einen mißbilligenden Blick zu und sagte entschuldigend: „Es hing wohl in einem der Säle, für die uns keine Zeit mehr blieb. Ich bedaure wirklich . . .“

Forbeck lächelte. „Da haben Sie nicht viel verloren.“

„Na, na, nur nicht gar so bescheiden,“ fiel Tassilo ein. „Ihr Bildchen ist eine famose Arbeit. Sogar Werner war zufrieden, und das will viel heißen.“

Fräulein von Kleesberg zerrte an dem Seidenfaden, der sich im Stoff verfangen hatte. Forbeck und Kitty tauschten einen Blick und schwiegen, als warteten sie auf eine Frage von Tante Gundi. Und diese Frage kam auch: „Professor Werner ist Ihr Lehrer, Herr Forbeck?“

„Ja, gnädiges Fräulein! Und sein Bild, das ja eine Perle der Ausstellung ist, haben Sie doch gewiß gesehen?“

Die Antwort zögerte: „Ich meine, mich zu erinnern . . .“

„Aber Tante Gundi! Wie kühl! Und vor dem Bild warst du Feuer und Flamme, so bewegt und ergriffen, und jetzt auf einmal kannst du sagen: Ich meine, mich zu erinnern.“

Mit herzlichem Blick hingen Forbecks Augen an Fräulein von Kleesberg. „Ich glaube, Sie zu verstehen, gnädiges Fräulein! Was man in schöner, weihevoller Stunde empfand, verschließt man gerne wie einen kostbaren Schatz. Aber es hat mir Freude gemacht, von der Wirkung zu hören, die Werners Bild auf Sie übte, und ich danke Ihnen! Er hat ja viele Tausende von Verehrern, aber es ist für mich immer ein Feiertag, wenn ich Menschen kennen lerne, die ihn ganz verstehen. Denn das macht uns Werner nicht immer leicht. Und nun gar dieser ‚Spätherbst‘, den Sie in München gesehen haben, das ist für die große Menge ein versiegeltes Buch. Freilich, nur ein schlichtes, landschaftliches Motiv. Aber was redet für den richtigen Blick nicht alles aus diesen Farben!“

Tante Gundi hatte die Arbeit sinken lassen und blickte lauschend vor sich nieder.

„Ich hab es an mir selbst empfunden, wie dieses Bild zu ergreifen vermag mit seinem stillen Ernst und seiner träumenden Schwermut. Es war auch eine von Werners Lieblingsarbeiten. Und merkwürdig: er hat das Bild ohne Vorlage der Natur gemalt, und doch diese schlagende Wahrheit! Echte Poesie ist eben immer wahr! In früheren Jahren muß er dieses Motiv wohl einmal in Wirklichkeit gesehen haben, denn solche Natur erfindet man nicht. Und ich glaube, daß sich für ihn an diese landschaftliche Szenerie irgend eine teure Erinnerung knüpft. Er hat eine Vorliebe für dieses Motiv, das sich mit veränderten Zügen auf verschiedenen seiner Bilder findet.“

Fräulein von Kleesberg rührte die Nadel wieder und hielt die Augen so nahe zur Arbeit, als wäre sie kurzsichtig.

„Namentlich eines seiner ältesten Bilder hat mit dem ‚Spätherbst‘ eine so auffallende Aehnlichkeit, daß ein Laie das eine fast für eine Kopie des andern halten könnte. Und doch, welcher Unterschied! Damals der heiße, leidenschaftlich erregte Kampf mit dem Vorwurf, wohl auch noch die unsichere Hand, die unter dem Sturm der Seele zittert und die übermächtige Empfindung nicht in Linien zu bannen vermag ... und jetzt diese abgeklärte Ruhe, diese freie Beherrschung des Stoffes, der sich äußerlich kaum veränderte; aber nach innen ist alles vertieft, alles klingt zusammen in reiner und ernster Harmonie. Das ist Wirklichkeit, zum Kunstwerk erhoben, dessen Farben und Linien zu uns reden wie die Gedanken und Worte eines seelenvollen und formvollendeten Gedichtes. Die Entwickelung dieses Motives ... ich möchte fast sagen: das ist wie eine Biographie Werners.“ Forbecks Stimme wurde warm. „Was einmal lebt in ihm, das hat festen Halt. Sein Herz ist wie eine bessere Welt. Da gibt es kein Vergehen, nur immer ein schöneres Werden. Und das gilt nicht nur von ihm als Künstler. So ist er auch als Mensch. Wer das Glück hat, ihn kennen zu lernen, muß ihn lieben und zu ihm aufblicken.“

Aus Fräulein von Kleesbergs Augen fielen zwei schwere Tropfen auf die Arbeit nieder. Schweigen trat ein, und man hörte nur das Plätschern der Fontäne; diese plötzliche Stille weckte Tassilo aus seiner Lektüre; er blickte verwundert auf und ließ die Zeitung sinken. Kitty atmete tief, als wäre mit Forbecks Schweigen ein fesselnder Bann von ihr gewichen; und nun bemerkte sie Fräulein von Kleesbergs Erregung, ihre nassen Augen. „Tante Gundi?"

„Was ist denn los?" fragte Tassilo.

Fräulein von Kleesberg hob das Gesicht; durch den weißen Puder liefen zwei dunkle Furchen, die schon wieder zu verblassen begannen. Leise, mit zuckenden Lippen sagte sie: „Das hat mich sehr ergriffen ... wie Herr Forbeck an seinem Lehrer hängt ... das ist schön." Ihre scheuen Augen streiften den jungen Künstler; auch noch zwei andere Augen hingen an ihm, groß und leuchtend.

Forbeck wurde verlegen. „Sie setzen auf meine Rechnung, was doch nur ein Verdienst Werners ist. Wenn Sie ihn kennen würden ..."

„Hast du ihn denn noch nie gesehen?" fragte Kitty.

„Nein!" Und zögernd, während sie ihre Arbeit wieder aufnahm, fügte Fräulein von Kleesberg hinzu: „Ich gestehe ... da ich ihn als Künstler so sehr verehre, es würde mich lebhaft interessieren, ihn einmal persönlich kennen zu lernen."

„Ach so? Ihr habt wohl die ganze Zeit von Professor Werner gesprochen?" sagte Tassilo, streifte den langen Aschenstengel von der Zigarre und wandte sich an Tante Gundi. „Wenn Sie neugierig sind ... stellen Sie sich Herrn Forbeck um fünfundzwanzig Jahre älter vor, und Sie haben ungefähr einen Begriff, wie Werner aussieht."

„Diese Aehnlichkeit ist auch Ihnen schon aufgefallen?" fragte Forbeck, sichtlich erfreut über Tassilos Worte.

„Natürlich. Sie fiel mir schon damals auf, als ich Sie kennen lernte. Ich hab auch schon mit Werner darüber gesprochen. Es ist eine ganz merkwürdige physiologische Erscheinung."

Fräulein von Kleesberg hob die Augen und hing mit ängstlichem Blick an Forbecks Zügen. „Sie sind mit Professor Werner verwandt?"

Tassilo lachte. „Aber dann wäre ja die Sache sehr einfach und natürlich."

Nun wurde auch Kitty neugierig. „Das ist aber doch ein seltsamer Zufall?"

„Das ist durchaus kein Zufall," sagte Forbeck. „Denn vor Jahren bestand diese Aehnlichkeit nicht. Sie hat sich erst während meines Zusammenlebens mit Werner ausgebildet. Wir beide haben schon oft darüber gestaunt, und alle nur möglichen Nachforschungen haben wir angestellt, ob nicht doch unsere Familien in irgend einer verwandtschaftlichen Beziehung zueinander stünden. Aber es war nicht die geringste Spur zu entdecken, obwohl wir die Kirchenbücher seiner und meiner Heimat bis zurück in die Zeit unserer Großväter durchstöberten. Werner ist Oberfranke, und ich bin ein Allgäuer Schwabe. Von unseren Familien saß jede in ihrem heimatlichen Dorf, mit einer Verwandtschaft, die über fünf Stunden im Umkreise nicht hinausreichte. Nein, diese Aehnlichkeit hat andere Gründe." Forbecks Augen glänzten. „Ein Zufall hat mich in Werners Weg geführt, er glaubte Begabung in mir zu erkennen und nahm sich meiner an. Nun darf ich schon seit Jahren mit ihm leben, wie der jüngere Bruder mit dem älteren. Nicht nur mein Können, auch all mein Denken und Empfinden hat Werner geweckt und gebildet. Er hat in geistigem Sinne aus mir ein Stück seiner selbst gemacht. Und bei diesem jahrelangen, innigen Zusammenleben mußte es von selbst so kommen, daß ich auch äußerlich von ihm annahm, manche Eigenart seiner Bewegungen, namentlich bei der Arbeit, seine Art zu sprechen . . . bis dann endlich unsere innerliche Uebereinstimmung, mein völliges Aufgehen in Verehrung für ihn, mein Anschmiegen an seine geistige Ueberlegenheit und der heiße Ehrgeiz, mit dem ich ihm nachstrebe, auch in meinen Zügen sich ausprägen mußte."

Kitty schüttelte das Köpfchen. „Ja kann denn so etwas möglich sein?"

„Gewiß!" erklärte Tassilo. „Und da hast du ja den lebendigen Beweis vor dir. Glücklicherweise ist unser äußerlicher Mensch in der Entwicklung seiner Züge nicht nur von dem Rindfleisch abhängig, das wir zu Mittag verspeisen, sondern auch von dem, was in unserem Kopf und Herzen vorgeht. Diese Erscheinung zeigt sich sehr häufig bei Mann und Frau, die in glücklicher Ehe leben . . . sie beginnen auch äußerlich einander ähnlich zu werden, wie Bruder und Schwester fast."

„Aber Tas! Soll das auch ein Beweis sein? Herr

Forbeck ist mit Professor Werner doch nicht verheiratet."

Nun lachten sie alle; sogar Tante Gundi konnte bei dem drolligen Ernst, mit welchem Kitty diese Wendung heraus-geplaudert hatte, das Schmunzeln nicht unterdrücken. Während sie noch lachten, brachte Fritz einen Brief für Tassilo. Er schien die Schrift der Adresse zu erkennen und öffnete hastig; doch als er las, wurden seine Züge wieder ruhig.

„Wer hat den Brief gebracht?"

„Ein Mädchen," sagte Fritz. „Ich kenne sie nicht."

„Sie soll warten, ich will Antwort schreiben." Er legte die Hand auf Forbecks Schulter. „Nicht wahr, lieber Freund, Sie verzeihen . . ."

Kitty erhob sich. „Das? Du hast doch hoffentlich keine unangenehme Nachricht bekommen?"

„Nein." Tassilo vermied den Blick der Schwester. „Einer meiner Klienten, der im Seehof abgestiegen ist, frägt mich in einem . . . in einer Prozeßangelegenheit um Rat. Entschuldige!" Er trat ins Haus.

Auch Fräulein von Kleesberg hatte sich erhoben; sie schlug einen Spaziergang durch den Park vor, aber Kitty hatte andere Pläne, die sie auch durchzusetzen wußte. Wenige Minuten später war auf dem geschorenen Rasen das Netz gespannt, und während Tante Gundi mit ihrer Arbeit im Schatten einer Ulme saß, flogen auf der sonnigen Wiese die weißen und roten Bälle. For-beck äußerte hier so zweifelhafte Fähigkeiten, daß ihm Kitty nach kurzer Weile lachend zurief: „Na, hören Sie, Herr Forbeck, hoffentlich malen Sie sehr viel besser, als Sie Tennis spielen. Sonst sieht es mit der Unsterblichkeit schlecht aus." Er nahm sich nach Kräften zusammen, aber seine Aufmerksamkeit dauerte nicht lange. Es war aber auch zuviel verlangt, daß er seine Augen beim Spiel, bei Ball und Stellung haben sollte, während drüben über dem Netz das weiße, sonnige Figürchen bald hierhin, bald dorthin flatterte, lachend, von jungem Leben sprühend, glühend von aller Freude am Spiel, Liebreiz in jedem Schritt und jeder Bewegung; doch neben aller Anmut verriet sich in diesem behenden Mädchenkörper auch eine gesunde, ganz respek-table Kraft, scharf und sicher spähten die Augen, wenn der Ball geflogen kam, und die geschulte Hand führte den Schlag, wenn auch mit scheinbarer Leichtigkeit, doch mit so ausgiebigem Druck, daß der Ball flinker zurückflog, als er gekommen war. Der

Verlust auf Forbecks Seite wuchs und wuchs, während mit jedem Fehlschlag, den er machte, Kittys Vergnügen am Spiel sich steigerte; fast schien es ihr ein grausames Behagen zu bereiten, den minder geschulten Partner alle Chikanen und Finten des Spiels empfinden zu lassen — sie machte ihn springen, daß ihm bald der Atem versagen wollte. Das Erscheinen des Dieners, der mit einem Brief für Kitty kam, unterbrach das Spiel.

„Für mich?" staunte sie und streifte die zerzausten Löckchen aus der heißen Stirne. „Schreibt denn heute die ganze Welt an uns? Zuerst an Tas und jetzt an mich?"

„Den Brief hat der alte Moser gebracht."

„Von Papa?" Das Racket schwirrte ins Gras, und Kitty flog auf den Diener zu. Während sie den Brief erbrach, ging Fritz zu Fräulein von Kleesberg; Moser wäre mit Aufträgen vom Herrn Grafen gekommen und hätte mit ihr zu sprechen. Tante Gundi eilte ins Haus — ein Auftrag Graf Egges, das war für ihren Kopf immer ein Wirbel von Schreck und Aengstlichkeit.

Kitty hatte den Brief, der in den groben Zügen einer schweren und schwieligen Hand geschrieben war, gar schnell zu Ende gelesen — was Graf Egge seiner Tochter nach halbjähriger Trennung zu sagen hatte, erledigte sich in wenigen Zeilen — und hastig mußte sie sich abwenden, um vor Forbeck ihre Enttäuschung zu verbergen. Aber er hatte ihre schmerzliche Bewegung schon gewahrt und folgte ihr zögernd zur Bank.

Während sie den zerknüllten Brief in der Tasche vergrub, streifte sie Forbeck mit einem Blick und verstand die sorgende Frage in seinen Augen. „Ach, gar nichts von Bedeutung," schmollte sie und zuckte die Schultern. „Ich hatte mich nur so sehr auf Papa gefreut. Aber er hat leider noch immer keine Zeit für mich. Ja, er ist sehr in Anspruch genommen!" Seufzend ließ sie sich auf die Bank sinken, blickte vor sich nieder und bohrte die Fußspitzen in den weißen Kies.

In Forbeck erwachte die Erinnerung an alles, was er in Graf Egges seltsamer Stube gehört und empfunden hatte, und wieder fühlte er jenes beklemmende Frösteln. Er wollte sprechen und brachte kein Wort über die Lippen. Und während dieses Schweigens tönte von den Zinnen der Berge nieder ein murmelndes Rollen, wie schwacher Donner aus meilenweiter Ferne — es war der verschwommene Widerhall der Schüsse, die Graf

Egge auf die Gemſen abgegeben hatte. Kitty hob langſam die
naſſen Augen und ſpähte hinauf ins Blau. „Das war ge-
ſchoſſen! Vielleicht hat er ihn jetzt?“ Schwer atmend ſprang ſie
auf und drückte die Hände über die Schläſen, als möchte ſie
ihre Unruhe gewaltſam bezwingen. Sogar ein Lachen verſuchte
ſie. „Kommen Sie, Herr Forbeck, wir beide wollen uns nicht
ſtören laſſen! Spielen wir weiter!“ Sie wollte zum Tennis-
platz; doch als ſie dicht an Forbeck vorüberhuſchte, verfing ſich
die Leinenſpitze ihrer flatternden Schärpe an einem Knopf ſeines
Aermels. Es knackte. „Ach Gott!“

Forbeck wollte die Gefangene befreien, doch ſeine Hand
zitterte, und ſtatt die Fadenſchlinge zu löſen, verwirrte er ſie
noch mehr. Eine Weile ließ ihn Kitty lächelnd gewähren; endlich
ſchob ſie ſeine Hand beiſeite. „Sie entwickeln eine Geſchicklich-
keit . . . das iſt doch wirklich rührend! Na alſo, laſſen Sie
m i ch machen, Sie haben ja auch nur e i n e Hand frei . . . aber
bitte, ſtille halten!“ Sie begann mit ihren ſchlanken, roſigen
Fingerchen an den Fäden zu neſteln, aber die Sache ging nicht
ſo leicht; um genauer zu ſehen, neigte ſie das Geſicht, und
Forbeck fühlte auf ſeiner Hand ihren warmen Atem. „Das iſt
aber doch . . .“ nun wurde ſie ungeduldig, „ich ſoll ja wohl
gar nicht mehr von Ihnen loskommen?“ Sie hob den Kopf,
um die Löckchen zurückzuſtreichen, die ihr über die Augen gefallen waren, und da ſah ſie den ſchwermütigen Ernſt ſeiner
Züge und begegnete ſeinem Blick. Sie lachte wie verwundert,
aber es flog ihr auch zugleich eine brennende Röte über die
Wangen. Haſtig faßte ſie mit der einen Hand die Spitze, mit
der anderen Forbecks Aermel — und was in Güte nicht hatte
gelingen wollen, gelang mit Gewalt. „Na alſo doch!“ Sie eilte
hinter das Netz und hob ihr Racket aus dem Gras; aber ſchon
nach wenigen Schlägen ſchüttelte ſie den Kopf. „Es freut mich
nicht mehr! Kommen Sie, Herr Forbeck, ich zeige Ihnen lieber
den Park.“ Während ſie an ſeiner Seite dem weißen Kiesweg
folgte, brach ſie eine Gerte und zupfte die Blätter davon. „Erzählen Sie mir doch etwas! Was Sie wollen . . . von Pro-
feſſor Werner . . . oder von Ihnen ſelbſt? Haben Sie denn ſchon
einmal ſo ein ganz großes Bild gemalt?“

Forbeck mußte lächeln; aber kein anderes Thema wäre ihm
willkommener geweſen; es währte nicht lange, und er war im
beſten Fahrwaſſer und ſteuerte geraden Weges auf die Gewährung

des Wunsches zu, der ihm seit Stunden schon auf der Zunge
brannte. Seine Wangen bekamen Farbe und die Worte sprudelten ihm von den Lippen. Was am verwichenen Abend vor
Tassilos Ohr und Auge aus der erregten Künstlerseele sich her-
vorgewirbelt hatte, wohl schon beseelt und lebendig, doch noch
in wirren und schwankenden Formen — das hatte während der
ruhelosen Nacht und bei der am Morgen mit heißem Eifer be-
gonnenen Arbeit an Klarheit und festem Willen gewonnen. Und
vor der Seele des lauschenden Mädchens entstand das Bild, wie es
Forbeck zu schildern wußte, in farbiger Schönheit und Poesie.
Solang er von seinem Werke sprach, war helles Feuer in seinen
Worten, und alles an ihm redete mit, die Augen, die Hände, der
ganze Mensch in seiner Glut, und die Lauschende fühlte sich
erfaßt von dieser reinen und schönen Flamme. Doch als es
endlich darauf ankam, daß Forbeck seine Bitte in Worte kleiden
und aussprechen sollte, versagte ihm fast die Stimme.

Doch Kitty verstand. Mit strahlenden Augen blickte sie zu
ihm auf und legte die Hand auf seinen Arm. „Und Tas,
sagen Sie, weiß schon davon? Und er ist einverstanden?"

Forbeck nickte nur; aber in all seinen Zügen leuchtete die
glückliche Freude auf.

„Und Sie glauben wirklich, daß das so eine ganz riesige
Sache wird . . . so etwas sehr, s e h r Schönes?"

„Glauben? Der Glaube wäre Hochmut. Aber ich fühl
es in mir . . ."

„Und o h n e mich geht es absolut nicht?"

Er schüttelte den Kopf.

„Aber dann m u ß ich ja doch! Wann wollen wir denn
schon anfangen?"

Durch die Bäume hörte man Fräulein von Kleesbergs
angstvolle Stimme: „Kind! Aber Kind! Wo bist du denn?"

„Hier!" klang der helle Gegenruf. Und Kitty faßte im
Eifer den Knopf an Forbecks Aermel: „Kommen Sie nur! Jetzt
besprechen wir die Sache gleich mit Tante Gundi." Auf der
Suche nach ihr kamen sie am Schloß vorüber; als Kitty am
Zimmer ihres Bruders das Fenster offen sah, rief sie hinauf:
„Aber Tas? Bist du noch immer nicht fertig?"

Tassilo erschien am Fenster, die Feder in der Hand, und
nickte ihr lächelnd zu: „Ein paar Minuten noch."

„Eil dich nur! Wir haben etwas sehr, sehr Wichtiges

miteinander zu besprechen." Da war sie schon um die Ecke
verschwunden.

Taffilo setzte sich wieder an den Schreibtisch, und in flüchtigen Zügen glitt seine Feder über das Papier. Als er den Brief
geschlossen hatte und über die Treppe herunter kam, erhob sich
im Flur das wartende Mädchen von einer Bank. Freundlich
nickend übergab er die Antwort und sagte leise: „Meinen Gruß
an die Damen. Und sagen Sie, wenn ich es irgendwie ermög-
lichen kann, so komme ich wohl noch früher!" Er trat auf die
Veranda und umschritt das Haus. Auf dem Rasen sah er
Kitty und Forbeck in eifrigem Spiel, heiter und lachend. Auf
der Bank saß Fräulein von Kleesberg, die sich ungestüm erhob, als Taffilo um die Hausecke tauchte; in erregter Eile
rauschte sie auf ihn zu, umklammerte seinen Arm und zog ihn
gegen die Veranda. „Helfen Sie mir, ich bitte Sie um Gottes
willen, Sie m ü s s e n mir helfen!"

„Aber was ist denn geschehen?"

„Ich kann es mir gar nicht erklären, wie es nur möglich
war," stammelte sie, „aber denken Sie nur . . . ich habe eingewilligt, daß er sie malen soll."

Taffilo lachte. „Aber Tante Gundi!"

Sie blickte kummervoll zu ihm auf. „Er war so glücklich, so
begeistert . . ."

„Das sind zwei Gründe, die Sie heute mittag nicht gelten
lassen wollten. Und jetzt . . ."

„Jetzt müssen S i e es verhindern! Sie müssen!"

„Ich? Aber wie ist das möglich? Meine Zusage hatte er ja
gestern schon, und ich kann sie unmöglich zurücknehmen. Ich
hatte mich ganz auf Sie verlassen! Na, Tantchen, Sie sind ein
netter Held! Wo bleibt denn der Löwenmut, mit dem Sie
Kitty verteidigen wollten?"

„Ich weiß nicht . . ." stotterte sie hilflos. „Aber das darf
nicht geschehen, unter gar keiner Bedingung! Sie müssen ein
Machtwort sprechen! Sie müssen! So hören Sie doch: wie
sie zusammen lachen und sich freuen! Es hat sie alle beide
schon gepackt . . . wie ein Rausch."

Taffilo wurde ernst. „Wenn es so wäre, dann käme jedes
Machtwort zu spät, und gerade ich hätte das letzte Recht, ein
solches zu sprechen."

„Das versteh ich nicht!"

„Haben Sie noch ein paar Tage Geduld', und Sie werden verstehen, was ich meine."

Sie schüttelte in wahrer Verzweiflung seinen Arm. „Aber wenn nun wirklich geschieht, was ich fürchte ... und seit ich ihn heute kennen lernte, zweifle ich überhaupt nicht mehr ... sie muß sich in ihn verlieben! Sie muß! Was dann? Und wenn ich schon von ihm nicht spreche ... der arme Mensch rennt ja doch auch mit Siebenmeilenstiefeln in sein Unglück hinein ... aber Kitty! Ihre Schwester! Was dann?"

„Dann wird sie vor eine Wahl gestellt sein, die dem einen leicht und dem anderen schwer wird: Mut und Glück ... oder Feigheit und Elend." Er wandte sich ab und schritt dem Rasen zu, von welchem Kitty dem Bruder in überschäumender Laune einen Ball entgegenschleuderte.

Fräulein von Kleesberg hielt die Hände ineinander verschlungen und stand wie versteinert. — —

Eine Stunde später wanderte Tassilo mit Forbeck dem Dorf entgegen; Kitty hatte ihnen bis zum Parktor das Geleit gegeben und war dann, ein heiteres Liedchen summend, im Schatten der Ulmen zurückgewandert. Eine Weile folgten die beiden jungen Männer schweigend der Straße. Dann sagte Tassilo: „Das ist ein bedeutungsvoller Tag für uns beide. Sie kommen zu Ihrem Bilde, das dem Klang Ihres Namens Flügel geben soll, und ich habe heute die Würfel fallen lassen, die über meine Zukunft entscheiden. Sie haben ja wohl in den Zeitungen schon zu wiederholtenmalen gelesen, daß Fräulein Herweghs Vertrag mit dem ersten September zu Ende geht. Seit einem halben Jahr bemühte sich die Intendanz um die Verlängerung des Vertrages, allein Anna schob die Entscheidung immer hinaus. Nun hat man ihr heute die Pistole eines bringenden Telegrammes auf die Brust gesetzt, und Anna mußte Farbe bekennen, daß sie den Vertrag nicht mehr zu erneuern gedenkt. Morgen wird es wohl schon in allen Zeitungen stehen, und mein liebes München wird etwas zu raten haben."

„Fräulein Herwegh wird der Bühne entsagen?" fragte Forbeck mit dem Ton ehrlichen Bedauerns. „Eigentlich ist es ja selbstverständlich ... aber es ist für die Kunst ein schwerer Verlust."

„Ein um so größerer Gewinn für mein Glück. Anna ist eine echte Künstlerin ... hätte sie ohne die Bühne nicht leben

können, ich hätte auch in das gewilligt, obwohl mit schwerem
Herzen. Aber sie hat mir das große Opfer aus freier Entscheidung gebracht, und ich will es ihr danken mein Leben lang.
Am ersten September ist Anna frei, und einen Tag später soll sie
schon wieder gebunden sein . . . an mich!" Tassilo blieb stehen
und drückte die Hände auf seine schwellende Brust. „Dann
hab ich keinen Wunsch mehr an das Leben." Er lächelte. „Nur
an den Zufall hätt ich noch eine Bitte: daß er meinem Vater am
Morgen des Tages, an dem ich mit ihm sprechen will, eine
Strecke von zehn oder zwölf Gemsböcken bescheren möchte. Das
könnte ihn in eine Laune bringen, in der er mir alles zu
verzeihen imstande wäre. Hat er aber schlechte Jagd, so steht
mir eine böse Stunde bevor."

Sein ruhiger Blick suchte die Felsengipfel der Berge, die
in der sinkenden Sonne mit rotem Glanz übergossen waren.

9.

Um die gleiche Stunde, als alle die steilen Wände in
greller Abendhelle leuchteten, kehrte Graf Egge von der Jagd,
die ihm nach wechselnden Aufregungen schließlich doch den heiß
ersehnten Schuß gewährt hatte, müden Schrittes ins Palais
Dippel zurück. Der gewaltsame Nervenreiz und all die überstandene Erregung blieben nicht ohne Rückschlag auf seinen
sechzigjährigen Körper. Er schleppte die Füße, als hätte er
Blei in den Schuhen; und dazu hatte sich die brennende Beule
auf seiner Stirn schon so weit ausgewachsen, daß der Hut
nicht mehr sitzen wollte.

Bei der Hütte angelangt, lehnte Graf Egge Büchse und Bergstock an die Wand und ließ sich seufzend auf die Hausbank nieder.

In den Latschen knirrte ein Schritt, und ehe Franzl noch
völlig aus den Büschen tauchte, klang schon seine helle Stimme:
„Ich gratulier, Herr Graf!"

„Verschrei nur nix, du Lalle du!" rief Graf Egge lachend
zurück. „'s Kügerl hat er droben, aber liegen tut er noch allweil net."

„Was? Das glaub ich Ihnen aber doch net recht, Herr
Graf! Wenn's bei Ihnen schnöllt, nachher liegt doch 's Sach.

Den Bock, den braucht man bloß aufklauben morgen in der Fruh.
Da kann ich deswegen doch gratulieren. Aber was war denn
mit die drei anderen Schuß?"

„Auf den ersten Bock hab ich gschossen in der Wut, weil ich
glaubt hab, der gute kommt nimmer."

„Da schau, ich hab mir's aber gleich denkt!" Franzl trat
durch den Zaun; die Haare klebten ihm an der Stirn, und in
glitzernden Tropfen rann ihm der Schweiß über den Hals; die
Aermel seiner Joppe waren von grauem Schutt überstäubt, die
Hände zerschunden und die nackten Knie fleckig von getrocknetem
Blut. „Aber die zwei anderen Schuß?"

„Ja, was sagst, was mir der Schipper da für Sachen
macht! Auf den ersten Schuß springt mir der Gamsbock weg
mit der Kugel auf'm Blatt . . . schießt ihm net der Schipper
noch zweimal nach! Ich hab ja rein gemeint, ich muß ihm die
Ohrwascheln aus'm Grind reißen!"

„Was is ihm denn da nur eingfallen?" brummte Franzl.
„Und ich muß ehrlich sagen, wie's gwesen is . . . die zwei
Schuß hätten 's Millihaferl bald umgworfen." Er schöpfte
Atem. „Aber weil nur alles gut gangen is! Und passen S' auf,
die Kruck wenn S' morgen sehen! So eine hat noch meiner
Lebtag kein Bock net droben ghabt! Die is mit zweihundert Mark
noch lang net zahlt." Er stellte die Büchse an die Mauer, nahm
den Hut ab und fuhr mit dem Aermel über die nasse Stirn.
„Aber Beißen hat's gheißen! Verteufelt hart is die Gschicht
gangen."

„Hast schlechte Weg in der Wand drin ghabt?"

Franzl lachte. „Da haben S' recht, Herr Graf! Meine
Fingernägel kann ich suchen. Und Haut und Haar hab ich auch in
der Wand drin lassen, daß man sich eine Pfeifen voll davou
anzünden könnt!"

Graf Egge erhob sich und klatschte zufrieden die beiden
Hände auf die Schultern seines Jägers. „Gut hast dein Sach
gemacht! Jetzt wünsch dir was!"

Franzls Augen strahlten vor Vergnügen. „Ich brauch nix!
Weil nur Sie den Bock haben, Herr Graf! Aber wenn S' schon
grad was übrigs tun wollen, so erlauben S' halt, daß ich mir
nach'm Essen eine Flaschen Bier raufhol. In mir drin spür
ich was wie 's reine Schmiedfeuer."

Der bescheidene Wunsch schien die gute Laune des Grafen

noch wesentlich zu steigern. „Ja, Franzl, die Flasche sollst haben, die hast verdient. Und jetzt geh nur hinein und fang gleich 's Kochen an. Da kommt der Schipper eh schon mit dem ersten Bock daher.“

Franzl trat in die Hütte, und Graf Egge folgte ihm, um die Joppe abzulegen und die schweren Bergschuhe gegen die Filzpantoffeln zu vertauschen. Dann nahm er einen naßkalten Bund um die Stirne, zündete in der kleinen Stube die Hänglampe an und stimmte die Zither.

Schipper brachte den Bock und hängte ihn unter dem vorspringenden Dach mit den Krickeln an einen hölzernen Zapfen. Ohne Gruß trat er in die Küche, streifte die Schuhe von den Füßen und schleuderte sie in einen Winkel. Franzl, der schon beim flackernden Feuer stand und den Teig zum Schmarren rührte, blickte über die Schulter. „Heut kommst aber ungut heim!“

Ein Fluch war die ganze Antwort. Erst nach einer Weile fragte Schipper: „Hat der Herr Graf schon erzählt, was ich angestellt hab?“

Franzl sagte begütigend: „Gscheit war's freilich net, und die zwei Schuß hätten viel verderben können. Aber schau, es is doch alles gut ausgangen. Da mußt dich net ärgern!“

„Gleich vergiften könnt ich mich.“ Schipper hob die Stimme, daß man seine Worte in der Stube hören mußte. „Die zwei Schuß vergißt mir der Herr Graf so bald net! Grad dem Himmel kann ich danken, daß der ander Bock doch wenigstens noch kommen is. Der muß die Kugel auf'm schönsten Fleck haben. Ich glaub, der liegt schon lang verendt in der Wand droben. Da brauchst morgen in der Früh gar nix, als dem Wechsel nachsteigen, so mußt schnurgrad an den Bock hinrennen und darfst ihn nur aufklauben!“ Schipper trat in die Grafenstube.

Vorsichtig goß Franzl den Teig in die Pfanne, in der die heiße Butter zischte. Und während er die brodelnde Speise überwachte, lauscht er auf das sentimentale Volkslied, das in der Stube von Graf Egge mit großem Gefühlsaufwand, mit Tremolo und süßen Flageolettönen gespielt wurde. Leise summte Franzl die Worte des Liedes mit, und ein verträumtes Lächeln spielte um seine Lippen. Er hatte, als er durch die Felswand gestiegen war, auf den steilen Graskuppen eine Menge blühender Edelweißstauden entdeckt — und nun meinte er, daß sich ein

Sträußchen der weißen Sterne an Malis Kammerfenster gar nicht übel ausnehmen würde. Allerdings, da mußte man vor allem wissen, welches Fenster das richtige wäre! In Gedanken umwanderte Franzl das ihm wohlbekannte Haus — aber merkwürdig: aus jedem Fenster blickte ihm das finstere Gesicht des Bruckner entgegen.

In der Stube verstummte das Zitherspiel, und Schipper deckte den Tisch. Das war kurze Arbeit: ein kleines Stück blaugefärbter Leinwand wurde ausgebreitet und drei zinnerne Löffel darauf gelegt. Hinter dem Ofen hob Schipper das Falltürchen der Kellergrube und holte einen schon zu Ende gehenden Laib Brot heraus.

„Nimm gleich eine Flasche Bier für den Franzl mit!" rief Graf Egge, der sich auf die Matratze gestreckt hatte und den Schweißhund als lebendige Wärmflasche für seine Füße benützte.

„Eine nur, Herr Graf?"

„Ja, is lang schon gnug!"

Franzl erschien, in der einen Hand die dampfende Pfanne, in der anderen ein kleines, rußiges Brettchen, das er in die Mitte des Tisches legte, als Untersatz für die Pfanne.

Graf Egge erhob sich — und stehend, mit gefalteten Händen, wurde der Abendsegen gesprochen, wie in einer Bauernstube. Nach dem Amen sagte der Graf: „Guten Abend miteinander!" Und die Jäger antworteten: „Guten Abend, gnädiger Herr Graf!" Dann schoben sie sich hinter den Tisch; in der zugsicheren Ecke saß der Graf, Schipper zu seiner Rechten, Franzl zur Linken. Den Löffel in der Hand, mit aufgestütztem Arm warteten die Jäger, bis Graf Egge den ersten Bissen genommen hatte; dann griffen auch sie zu, und einträchtig löffelte das Kleeblatt die grobe und fette Kost aus der Pfanne.

Als das Mahl zu Ende war, trug Schipper die Pfanne in die Küche und brachte für seinen Herrn einen Maßkrug voll Wasser, in das Graf Egge einen Schluck Enzian goß, ‚damit 's Schmalz im Magen net rebellisch wird', wie er sagte. „Wer rauchen will, kann sein Pfeifen anzünden. Und du, Franzl, mach dir dein Bier auf!"

Schmunzelnd, mit feierlicher Umständlichkeit entkorkte Franzl die Flasche und goß ihren Inhalt vorsichtig in eine hölzerne Bitsche — eine Flasche Bier, das bedeutete in Graf Egges Jagdhütte so viel, wie auf einem bürgerlichen Tisch eine Flasche Champagner.

Bald dampften die Pfeifen, und Graf Egge griff zur Zither. Die blauen Wölklein kräuselten sich um die Hängelampe, und beim schwirrenden Klang der Saiten kehrte eine behagliche Stimmung in der kleinen Stube ein. Spielte Graf Egge eine schmachtende Volksweise, so mußte Stille herrschen; doch stimmte er einen lustigen Ländler an, so wurde geplaudert und gelacht, und die Jäger schlugen· mit den schweren Holzpantoffeln den Takt. Schließlich kamen die Schnaderhüpfel an die Reihe. Mit erstaunlicher Virtuosität pfiff Graf Egge das Zwischenspiel und sang ein Gesetzlein. Und so lustig weiter! In seinem Gedächtnis war ein reicher Schatz von Schnaderhüpfeln aufgespeichert, und wenn er in vergnügter Stunde das Türchen öffnete, dann flogen die kleinen vierzeiligen Lieder aus, eins nach dem anderen, wie die Bienen aus ihrem Stock. Er selbst unterhielt sich dabei am allerbesten und bot in seiner saftigen Laune einen Anblick, der auch einen anderen erheitern mußte: hemdärmelig, um den grauen Kopf die weiße Binde, und darunter das vom Lachen rote Gesicht mit dem zitternden Bart und dem lustigen Faltenspiel um die zwinkernden Augen. Wer ihn zu solcher Stunde sah, konnte auch mit der schärfsten Menschenkenntnis nicht höher raten, als auf einen pensionierten Förster, auf einen gutmütigen, kreuzfidelen Alten, der in Gesellschaft jüngerer Kameraden die selige Erinnerung an die vergangenen Zeiten aufgefrischt und ein Schöpplein über den Durst getrunken hatte.

Es war späte Nacht geworden, als Schipper endlich mahnte: „Herr Graf, es is Schlafenszeit. Morgen heißt's in aller Früh auf die Füß sein und unseren Bock suchen."

Graf Egge nickte und wollte die Zither beiseite stellen. „Aber halt, meinem Böckerl muß ich doch noch eins singen zur guten Nacht!" Schmunzelnd begann er wieder zu spielen, zog die Brauen auf und besann sich. Nun sang er:

> ,Viel Jahr lang hat er mich ghieselt,
> Und hat mich gschöppelt und gnarrt,
> Zletzt war ich halt bengerst der Schläuchre,
> Hab 's richtige Stündl derwart!
> Und 's richtige Stündl hat gschlagen,
> Und 's Büchserl hat sakerisch kracht,
> Und 's richtige Kugerl is gflogen —
> Mein Böckerl, ich wünsch dir gut Nacht!'

Mit einem Jauchzer, der einem Hüterbuben Ehre gemacht hätte, schloß Graf Egge das Spiel. „So, und jetzt legen wir uns schlafen! Herrgott! Ich glaub, ich träum die ganze Nacht von nix anderem als von meiner Kruck.“

Sie erhoben sich, Franzl als der erste. Er spürte die schweren Wege des Tages in allen Knochen und hatte seit geraumer Zeit nur noch mühsam die Augen offen gehalten. Er wünschte seinem Herrn gute Nacht und verließ die Stube. Mit eingekniffenen Augen blickte ihm Schipper nach und lächelte.

Kaum hatte Franzl hinter sich die Türe geschlossen, so hörte er Schipper mit lauter Stimme sagen: „Heut muß er ordentlich müd sein, der Franzl! Er hat sich aber auch verteufelt plagt! Und gut hat er sein Sach gmacht, das muß ich selber sagen! Da müssen S' ihm morgen schon die Ehr lassen, Herr Graf, daß er den Bock aufhebt und die Krucken bringt.“

„Ja, heut war ich zufrieden mit ihm! Heut is er sein ganzer Vater gwesen!“

Franzl fühlte, wie ihm das heiße Blut in die Wangen stieg. Er hätte sich für all die schwere Mühe des Tages keinen besseren Dank gewünscht, als diese Worte seines Jagdherrn. Und daß auch Schipper einmal gut von ihm redete und ihm die verdiente Jägerehre gönnte, das freute ihn doppelt. Denn Schipper hatte sich nicht immer als sein Freund erwiesen und hatte ihm bei Graf Egge schon manche bittere Suppe eingebrockt. Weshalb? Das hatte sich Franzl nie erklären können. Einmal war er hart mit Schipper aneinander geraten, und damals hatte ihn aus diesen grauen, kalten Augen etwas angeblickt, das ihn betroffen machte. Aber weshalb sollte Schipper ihn hassen? Franzls ehrliche und gerade Natur wehrte sich gegen solche Gedanken. Und so blieb ihm für Schippers ungute Art nur die eine Erklärung: ich bin der jüngere, und er fürchtet, daß ich ihn einmal von seinem Platz verdrängen könnte, wie er selbst vor einigen Jahren den alten Moser aus seiner Stellung hinausgedrückt hatte. Aber Graf Egges Büchsenspanner zu werden, das war Franzls letzter Ehrgeiz. Er war zu sehr mit Leib und Seele Jäger, um Sehnsucht nach dem ‚Stubendienst‘ zu empfinden, der bei Graf Egge seine ‚bösen Mucken‘ hatte — er hing mit seinem ganzen Herzen an Wald und Bergen, am freien Wandern und Steigen. Vielleicht hatte Schipper nun endlich eingesehen, daß er in dem jüngeren Kameraden keinen Neben-

buhler zu fürchten hatte — so meinte Franzl, denn anders
wußte er sich die anerkennenden Worte Schippers, die er soeben gehört hatte, nicht zu erklären.

Ihm war bei diesem Gedanken, als fiele ihm ein Gewicht von
der Seele, denn dieser schleichende Zwist hatte ihm oft die beste
Freude an seinem Beruf vergällt und ihm Verdruß und Sorgen
in Fülle bereitet. Aber das war ja nun zu Ende und freundlichere
Zeiten mußten kommen. Aufatmend trat er ins Freie, um vor
dem Schlafengehen noch einen Trunk frischen Wassers zu
nehmen. Friedliche Nachtstille lag um die Hütte her, nur leise
murmelte das Brünnlein. Der Mond war schon hinter die
Berge gesunken, und zahllos funkelten die Sterne am stahlblauen
Himmel. Als Franzl vom Brunnen zurückkehrte, sah er eine
Sternschnuppe mit langem Feuerschweif durch die Lüfte sausen
und in Funken zerstieben. Er stammelte ein paar Worte, noch ehe
sie erlosch. Und dann lachte er. „Sakra! Jetzt hab ich mir aber
was Schönes gwunschen! Mali! Da müssen dir die Ohren
klingen im Schlaf!" Er trat in die Hütte und stieg in glückseliger Stimmung über die Leiter zum Heuboden hinauf. Mit
behaglichem Seufzer streckte er die müden Glieder in das weiche
Heu. Die Lider wurden ihm schwer, doch er wollte wachen und
auf Schipper warten — einen besseren Anlaß, um sich offen mit
seinem Kameraden auszusprechen, konnte er so bald nicht finden. Aber seine Müdigkeit war stärker, als diese Absicht. Als
drunten die Türe ging, schlummerte Franzl schon so fest, daß
er auch nicht erwachte, als sich Schipper an seiner Seite in das
Heu warf.

Stille Stunden verrannen. Mit ruhigen Zügen atmete
Franzl in seinem gesunden Schlummer. Schipper, der einen
Schlaf hatte wie eine Katze, wurde mehrmals wach. Es ging
schon gegen Morgen, als er aus der Stube des Grafen herauf
ein Geräusch vernahm. Lautlos erhob er sich und glitt über die
Leiter hinunter. Eine halbe Stunde später rasselte in der Küche
der Wecker, und Franzl erwachte. „He, Schipper, auf, der
Wecker is gangen!" Als er keine Antwort hörte, griff er mit
beiden Händen nach rechts und links ins Heu. „Ja was is denn?
Wo bist denn? Schipper?" Erschrocken sprang er auf. „Um
Gottes willen! Ich kann doch net verschlafen haben!" Ein Blick
auf die Fensterlucke beruhigte ihn — draußen graute kaum der
Tag. Er griff nach seiner Joppe und stieg in die Küche hin-

unter, auf deren Herd ein kleines Feuer flackerte. Schipper
kam aus der Grafenstube, ein Leintuch in der Hand.

„Ja was is denn?" stotterte Franzl.

Schipper drückte das Leintuch in eine irdene Schüssel und
stellte sie über das Feuer. „Heut hat er ein schiechen Hamur!
In der Nacht hat ihm träumt, daß er den Bock net kriegt. Und
wie er aufwacht, is ihm der ganze Fuß steif gwesen. Mach nur,
daß gleich weiter kommst, und schau, daß der Bock bald da is!
Da wird ihm nachher gleich wieder besser. Ich muß ihm warme
Tücher machen und muß ihm die Hacen frottieren. Mir scheint,
's Zipperl fangt wieder an bei ihm!"

„Mein Gott, der arme Herr!" stammelte Franzl und rannte
zum Brunnen, um sich zu waschen. Er dachte nicht an das Frühstück, und war mit Büchse und Bergstock schon davon gerannt,
noch ehe das Tuch in der Schüssel warm wurde.

Als er den Platz erreichte, auf dem Graf Egge geschossen
hatte, begann der helle Tag. Der Wand zu Füßen fand er
über dem groben Geröll die roten Spuren auf drei getrennten
Stellen. Kopfschüttelnd stand er — diese Schweißfährten waren
ihm unerklärlich. Doch er grübelte nicht lange, sondern begann
über den Wechsel anzusteigen. Nach langem Suchen fand er die
Steinrinne, in welcher der gute Bock im Augenblick des Schusses
gestanden. Abgeschossene Haare und noch feuchter Schweiß bezeichnete die Stelle. Franzl atmete erleichtert auf, denn die lichte
Farbe des mit kleinen Bläschen durchsetzten Schweißes verriet
den tödlichen Lungenschuß. Hastig stieg Franzl weiter; er konnte
den Weg, den das Wild genommen, nicht verfehlen, denn zur
Linken war der Absturz, zur Rechten die glatte Wand; auch
machte es ihm keine Sorge, als schon nach kurzer Strecke die
Schweißfährte zu Ende ging — der Bock mußte wenige Minuten
nach dem Schuß verendet sein und konnte so weit nicht liegen.
Franzl stieg und stieg, er kam von Rinne zu Rinne, von einer
Scharte zur andern, doch er fand nichts. Befremdet schüttelte
er den Kopf, stieg zurück, begann wieder von Anfang an zu
spüren und spähte bei jedem Schritt hinunter auf das offene
Kiesfeld, auf dem er das Wild, wenn es vom Wechsel in die
Tiefe gestürzt wäre, sofort hätte entdecken müssen.

Zwei volle Stunden waren ihm bei nutzloser Arbeit vergangen, als er den Grafen mit Schipper, der den Hund an der
Leine führte, durch die Latschen gegen die Felswand steigen sah.

Schon von weitem schrie Graf Egge: „Hornegger? Was is denn?"

Und Franzl, mit vor Aufregung heiserer Stimme, rief aus der Wand herunter: „Da kenn ich mich bald selber nimmer aus, Herr Graf. Der schönste Lungenschweiß, aber weit und breit kein Bock net!"

„Was! Ah, das wär net übel! Mir scheint da muß ich selber nauf!" Graf Egge legte die Büchse ab und eilte über das Geröll empor, als wären plötzlich alle Schmerzen in seinem Bein geschwunden.

Schipper lief ihm nach und faßte seinen Arm. „Aber Herr Graf! Was machen S' denn! Sie! Und da naufsteigen! Mit Ihrem Fuß!"

„Laß aus, sag ich! Fuß hin oder her, es gibt keine Wand, in die ich um so einen Bock net naufsteig. Wenn der junge Lapp da broben den Verstand verliert, so muß ich schon selber suchen! Laß aus!" Graf Egge riß sich los und begann mit erregter Ungeduld über den Wechsel empor zu klimmen. Schweigend folgte ihm Schipper mit dem Hund.

Droben in der Steinrinne trafen sie mit Franzl zusammen. Ohne auf ihn zu hören, ließ sich Graf Egge vor der Rotfährte auf die Knie nieder, musterte den Schweiß und jedes der abgeschossenen Haare. Als er sich aufrichtete, nickte er beruhigt. „Der Bock muß liegen! Schipper! Laß den Hund aus!"

„Aber Herr Graf?" mahnte Franzl. „In der Wand laßt man doch kein Hund aus! Der Hund is hitzig! Wenn er abfallt ..."

An Graf Egges Schläfen schwollen die Adern. „Laß den Hund aus!" Er trat zur Seite, um Platz für Schipper zu machen, der den Hund auf die Rotfährte setzte und die Leine löste.

Winselnd nahm Hirschmann die Fährte an und verschwand hinter der Scharte. Franzl wollte folgen, aber Graf Egge schrie ihn an: „Laß mich voraus!" Sie stiegen zur Scharte hinauf, Schipper als der letzte. Als der Wechsel eben wurde, sahen sie den Hund wieder zurückkommen, mit suchender Nase. Das war ein gutes Zeichen und Graf Egge lachte: „Natürlich! Der Bock liegt brunten. Und dort muß er abgefallen sein." Er deutete auf den Hund, der auf einer vorspringenden Steinplatte hielt und die Nase winselnd über den Fels hinausstreckte. In fieberndem Eifer, kläffend und mit trippelnden Füßen suchte der Hund einen Weg in die Tiefe.

„Packen S' ben Hirschmann, Herr Graf!" schrie Franzl. Aber im gleichen Augenblick verlor der Hund auf der abschüssigen Platte den Halt; er versuchte noch einen Sprung, überschlug sich und stürzte in die Tiefe. Man hörte einen dumpfen Klatsch. Franzl wurde dunkelrot im Gesicht, doch er schwieg.

„Ah, das macht ihm nix!" meinte Schipper. „Es is ja net hoch nunter."

Da hörten sie ein Winseln des Hundes, bann seinen hellen Standlaut.

„Er hat den Bock!" rief Graf Egge. „Nur hinunter jetzt, hinunter!"

Schipper kromm in ungestümer Hast über die Scharte; Franzl wollte ihm folgen, doch Graf Egge rief ihn zurück — beim Abstieg versagte ihm der schmerzende Fuß, und er brauchte einen Helfer. Während die beiden durch die Steinrinne langsam niederstiegen, erreichte Schipper den Latschenbusch, in welchem Hirschmann an der starren Wildleiche zauste. Mit einem Faustschlag trieb Schipper den Hund zurück, faßte einen Steinbrocken und rieb damit die zerhackte Hirnschale des Bockes, daß sie frisch zu schweißen begann.

Schwer atmend trat Graf Egge, von Franzl gestützt, aus der Steinrinne auf den kiesigen Hang heraus. Da hörte er hinter der Biegung der Felswand die erschrockene Stimme seines Büchsenspanners: „Ja um Gottes willen . . ."

Diese Worte ließen nichts Gutes ahnen. „Schipper? Was is benn?" Als keine Antwort kam, setzte sich Graf Egge in Trab. „Ja Herrgott . . . der Bock wird sich doch die Kruken net abgfallen haben!"

„Ja, Herr Graf, mit der Kruken is was passiert!" klang die Stimme Schippers.

Stolpernd rannte Graf Egge über das Geröll; als er die Biegung der Felswand erreichte, sah er Schipper auf dem Kieshang stehen, und hinter dem Jäger lag der Bock. „Aber so red doch! Was is benn?"

Scheu zog Schipper den Hut, mit einer Trauermiene, als hätte er einem Leichenbegängnis beizuwohnen, und seine Stimme zitterte: „Ich trau mir's gar net z'sagen, Herr Graf . . . dem Bock is mit'm Messer die Kruken abgschlagen."

Graf Egge rührte nur die Lippen, doch er brachte kein Wort heraus; sein Gesicht war weiß wie Kalk geworden, und auf der fahlen Stirne sah man die Stelle der geschwundenen Beule als einen blaugrünen Fleck. Auch Franzl hatte vor Schreck die Sprache verloren. Wortlos standen sie alle drei um den Bock herum und starrten die blutige Stirnhöhle an.

Endlich sagte Schipper: „Da droben in der Latschen is er glegen ... da hat der Franzl vom Wechsel aus freilich net hinsehen können ... und gelt, Franzl, vom Wechsel bist ja net weg kommen?"

„Ich? Kein Schritt!"

„Freilich, es hätt auch net viel gholfen ... der Hund hat ja rein auf den Bock nauffallen müssen, daß er ihn findt. Aber gelten S', Herr Graf, gelten S', hätten S' mir gfolgt gestern abend, und hätten wir den Bock gleich gsucht. Vielleicht wär er doch zum ausmachen gwesen, und 's Malör wär net gschehen. Weil S' aber auch gar nie folgen wollen und allweil 's eiserne Köpfl aufsetzen. Ich kann mir's gar net anders denken ... einer von die Hüterbuben muß der ganzen Jagd zugschaut haben ..."

„Aber geh," fiel Franzl ein, „die Hüter da umeinander sind lauter ordentliche Leut."

„Ordentliche Leut!" Schipper verlor die Ruhe. „Es muß aber doch einer gwesen sein! Wo is denn die Krucken? Wer hat s' denn davon? Der Lump, der gottvergessene, hat von weitem den angschossenen Bock in der Wand drin gsehen ... und kaum sind wir in der Hütten gwesen, is er her, der Tropf, und hat schön heimlich gwart, bis der Bock runtergfallen is ..."

„Du Schafskopf! Bist du blind?" Das war hochdeutsch; Graf Egges Lippen zitterten vor Wut, und seine Augen funkelten. „So sieh doch her! Die Schale schweißt ja noch, und der Schnitt ist frisch."

Betroffen beugte sich Schipper über den Bock. „Meiner Seel ..." Blitzschnell glitten seine Augen an Franzl hinauf, und Graf Egge gewahrte diesen Blick. „Meiner Seel ... das hab ich vor lauter Schreck gar net beobacht! Da kann ja 's Malör erst heut in der Früh gschehen sein?" Und wieder hefteten sich seine kalten grauen Augen auf den Kameraden.

Franzls Gesicht verlor unter diesem Blick alle Farbe, und mit halb versagender Stimme stammelte er: „Aber Schipper, wie kannst denn so was reden! Wie's Tag worden is, bin ich ja

schon dagwesen, und unter meine Augen hat's doch wahrhaftiger
Gott net gschehen können!"

Ratlos hob Schipper die Arme und ließ sie wieder fallen.
„Da hat der Franzl wieder recht! . . . Jetzt weiß ich schon gar
nimmer, was ich denken soll!"

Graf Egge hielt die Augen auf Franzl geheftet und fragte
mit schmalen Lippen: „Hornegger? Was hast du? Ist dir
übel? Du siehst ja aus wie ein Gestorbener?"

„Aber Herr Graf . . . man wird mir halt außen anmerken,
wie mir einwendig z' Mut is!" Franzl würgte mühsam jedes
Wort hervor. „Ich weiß doch, was Ihnen die Krucken gilt . . .
und ich bin ja außer Rand und Band, ich spür ja in mir
kein Tropfen Blut nimmer . . ." Die Stimme erlosch ihm.

„Das is ja doch begreiflich," nickte Schipper, „mir selber
is ja grad so, in jedem Augenblick siedheiß und wieder eiskalt.
Aber ich bitt um Gottes willen, Herr Graf, was machen wir
denn?"

„Macht, was ihr wollt!" Graf Egge ging mit wankenden
Knien auf einen Felsblock zu und ließ sich nieder. „Hier sitze ich,
und ich stehe nicht wieder auf, eh ich nicht die Kruck in
meiner Hand habe. Macht, was ihr wollt! Aber die Kruck muß
her!" Zwei rote Flecken brannten auf seinen Wangen. „Und
wenn ich umsonst warte, seid ihr um euren Dienst! Alle beide!"

Schipper erbleichte bis in die Lippen. „Aber Herr Graf,
was kann denn ich dafür . . .?"

Franzl hatte kein Ohr für den merkwürdigen Nachdruck, mit
welchem Schipper das ,ich' betonte, und legte die Hand begütigend auf den Arm seines Kameraden; seine Stimme klang,
als wäre ihm der Hals zugeschnürt, und dennoch tröstete er:
„Geh, der Herr Graf meint's ja gwiß net so arg. Es redt halt
der grechte Unmut aus ihm raus. Und natürlich, wer die Krucken
gsehen hat, wie ich gestern beim Treiben, der begreift am
End alles! So was soll man verlieren müssen!" Langsam
wandte Graf Egge das Gesicht, als er diese Worte hörte, und
maß mit seltsam forschendem Blick den jungen Jäger vom Kopf
bis zu den Füßen. „So geh, Schipper, mit'm Jammern is nix
gholfen. Jetzt müssen wir halt machen, was möglich is. Heut in
der Fruh kann's net gschehen sein, entweder gestern spät
am Abend oder heut in der Nacht. Spring du zur Mitterkaseralm
nunter, ich lauf zur Hochalm nüber. Von die Hüterbuben war's

keiner, da leg ich meine Hand ins Feuer ... aber es kann ja sein, daß die Sennerleut auf'n Abend so ein verdächtigen Kerl gwahrt haben. Probieren wir's halt." Franzl griff nach seiner Büchse und sprang in die Latschen.

Schipper stand unschlüssig; sein graues Gesicht hatte einen Stich ins Grüne; endlich wandte er sich und ging ohne Büchse davon. Mit schlagenden Armen kämpfte er sich durch die wirren Büsche, und als er außer Hörweite seines Herrn war, fluchte er leise vor sich hin: "Himmel Sakrament, die Gschicht kann schief ausgehen!"

Da hörte er einen gellenden Jauchzer, dann Franzls jubelnde Stimme: "Herr Graf! Herr Graf! Die Krucken! Ich hab die Krucken gfunden."

Schipper stand wie versteinert, während droben bei der Wand die vor Erregung heisere Stimme seines Herren klang: "Her damit! Her damit!"

Schipper rannte durch die Latschen zurück, und als er den offenen Kieshang erreichte, sah er Franzl, das schwarze Krickel in der erhobenen Hand, über das Geröll hinaufstürmen. Nun versuchte auch er einen Jauchzer und schlug die Hände über dem Kopf zusammen. "Meiner Seel, es is wahr! Ja weil nur die Krucken da is! Gott sei Lob und Dank!"

Als Franzl seinem Herrn das Krickel reichte, war er so atemlos, daß er kein Wort über die Lippen brachte. Aber seine Augen leuchteten, und unter schnappenden Atemzügen lachte er mit dem ganzen Gesicht.

Mit zuckender Hand hatte Graf Egge das Krickel erfaßt; die Freude trieb ihm das Blut in die Stirn, und seine Augen hingen an dem Gehörn, wie an einem unbezahlbaren Schatz. "Herrgott und alle Heiligen, ist d a s eine Kruck! Ueber tausend hab ich drunten hängen ... aber keine zweite wie die!" Mit zitternden Fingern maß er die Spannenlänge des Gehörns; dann hastig, als hätte er einen neuen Verlust zu befürchten, schob er das Krickel unter die Joppe und schloß die Knöpfe. Suchend blickte er umher: "Wo ist der Hund?"

"Hirschmann! Hirschmann!" kreischte Schipper und pfiff durch die Finger; aber der Hund blieb verschwunden. "Entweder is er durch und jagt, oder er is heim in b' Hütten. Die Hauptsach is ja, daß die Krucken da is!"

Nun endlich vermochte Franzl zu sprechen. "Gott sei Dank!

Ich hab ja glaubt, ich muß aus der Haut fahren vor lauter
Freud, wie ich durch d' Latschen durchspring, und es blitzt
mir auf einmal die Krucken ins Gsicht . . . einghakelt in ein
Ast, wie mit der Hand dran hinghängt! Jetzt soll mir ein
Mensch sagen, wie die Krucken da eini kommt in d' Latschen!"

„Ich glaub schier, das begreif ich," lachte Schipper. „Der
Lump, der miserablig, wird 's Kurasch net ghabt haben, daß er
die Krucken mit in d' Sennhütten nimmt. So hat er s' halt
in d' Latschen einighängt und hat sich denkt, er holt s' wieder,
wenn der erste Spektakel vorbei is! Aber das is ja doch 's hellichte
Wunder, daß grad du die Krucken gfunden hast, mitten in die
Latschen drin! Das is doch merkwürdig."

Mit langsamen Augen musterte Graf Egge die beiden Jäger
und sagte kalt: „Ja, das ist wirklich merkwürdig!" Er wandte sich
ab und stieg über das Geröll hinunter.

Erschrocken blickte ihm Franzl nach. Schipper schüttelte
den Kopf und sagte laut: „Ja Franzl, was is benn jetzt das?
Der Herr Graf wird doch um Gottes willen net glauben, daß
du . . ." Er sprach nicht aus, was er sagen wollte; aber es
stand in seinen Augen zu lesen.

Franzl erblaßte. Mit heiserem Laut warf er die Büchse
auf das Geröll, sprang auf Schipper zu und schlug ihm die
Fäuste um die Kehle. „Du . . . bu . . . das Wort nimm
zruck . . ."

„Schipper!" klang die scharfe Stimme Graf Egges von
den Latschen her. Franzl ließ die Arme sinken und taumelte.
„Schipper! Her zu mir! Und du, Hornegger, mach deinen
Dienst!"

Einen brennenden Blick des Hasses warf Schipper auf seinen
Kameraden, dann ging er mit aschfahlem Gesicht auf seinen
Herrn zu und fragte ruhig: „Ich bitt, Herr Graf, was soll mit
dem Bock gschehen?"

Graf Egge machte eine heftig abweisende Geste mit der
Hand. „Laß ihn liegen! Heute kommen die Treiber . . . sie
sollen den Bock unter sich aufteilen, ich will kein Haar mehr
von ihm sehen." Er griff an die Joppe, unter welcher er das
Krickel verwahrt trug, und suchte den Heimweg zur Hütte.

Schipper holte die beiden Gewehre und folgte seinem Herrn.
Als er ihn erreichte, sagte er: „Ich bitt, Herr Graf . . . Sie
haben's ja selber gsehen . . . und jetzt muß ich schon sagen:

das tut kein Gut mehr mit'm Franzl und mir! Wir zwei können von heut an nebeneinander nimmer bleiben. Entweder ..."

Da wandte sich Graf Egge. „Halte dein Maul!"

Nicht diese Worte machten den Jäger verstummen, sondern der drohende Zorn, der ihm aus den Augen seines Herrn entgegenblitzte. Schweigend schritt er hinter dem Grafen her, die eine Büchse auf dem Rücken, die andere über der Brust. Die Hände krampfte er um den Bergstock, daß die Finger weiß wurden, nagte an den farblosen Lippen und blies den lauten Atem durch die Nase. Als er sah, daß Graf Egge mit dem rechten Fuß immer vorsichtiger aufzutreten begann, zwinkerte er mit den Augen und lächelte boshaft.

<hr />

10.

Graf Egge und Schipper waren schon längst in den Latschen verschwunden, und noch immer stand Franzl auf dem gleichen Fleck, totenbleich und an allen Gliedern zitternd. Mit verstörtem Blick betrachtete er die starre Wildleiche, aus deren zerhacktem Haupt die blutumronnenen Augäpfel hervorhingen; dann hob er die Büchse vom Geröll und faßte den Bergstock. Kaum hatte er sich durch die ersten Büsche gewunden, da hörte er in seiner Nähe ein leises Winseln. Hastig drängte er sich durch die Stauden und fand im Schatten einer Latsche den Schweißhund, der an einer blutenden Schenkelwunde leckte. „Richtig, jetzt hat das arme Hundl auch sein Treff dabei kriegen müssen!" Jäher Zorn ballte ihm die Fäuste, und das Wasser schoß ihm in die Augen. „Das is ja nimmer Jagd, das is ja Metzgerei!"

Der Hund hatte langsam den Kopf gehoben. Franzl ließ sich auf die Knie nieder und wollte die Verletzung untersuchen; da schnappte der Hund nach seiner Haud, doch er biß nicht, sondern hielt nur mit den Zähnen die Finger des Jägers fest. Franzl zog die Hand nicht zurück und streichelte mit der anderen den Kopf und Nacken des Hundes. „Aber, Hirschmandl, geh, wie magst denn schnappen nach mir! Schau, Alterl, wir zwei, wir sind heut gleich schlecht weggekommen, du und ich!" Da gab Hirschmann die Hand des Jägers frei und schüttelte die

Ohren. Willig ließ er nun an die Wunde rühren und stieß nur, wenn die fühlenden Hände seine Schmerzen mehrten, die Nase winselnd an den Arm des Jägers. Die Wunde war tief gerissen und zog sich fast über die ganze Länge des Schenkels. Franzl schüttelte den Kopf, als er sich erinnerte, daß der Hund nach dieser Verletzung noch seine Pflicht erfüllt und das tote Wild verbellt hatte. Zärtlich kraute er ihm die Ohren. „Ja, Hirschmandl, hast schon recht . . . man muß oft Unrecht leiden, aber sein Sach muß man doch in Ordnung machen, sonst is man um kein Graul besser als die andern!" Seufzend erhob er sich und nahm den Hund auf die Arme; er tat ein paar Schritte, als wollte er den Weg zur Jagdhütte suchen, doch kopfschüttelnd hielt er inne. „Na! Jetzt net! Ich könnt mich net zruckhalten. Z'erst muß ich mich auslaufen, daß mir der gache Zorn vergeht!" Er wandte sich und schlug den Weg nach der eine halbe Stunde entfernten Hochalm ein.

Unter dem Gewicht des Hundes waren ihm die Arme steif geworden, als er die Hütte erreichte. In der Kammer wurde Hirschmann auf den Kreister gebettet, und die Sennerin brachte dem Jäger, was er nötig hatte, um die Wunde zu vernähen und ein Heftpflaster aufzulegen. Während Franzl schor und nähte und kleisterte, hielt die Sennerin unter endlosem Geschwatz den Kopf des Hundes fest. Zum Schluß der nicht sonderlich kunstvollen Operation wurde die Außenseite des Pflasters noch mit Pfeffer eingerieben. Das hatte seinen guten Zweck; denn kaum war Hirschmann aus den Händen der Sennerin erlöst, da wollte er gleich sein gewohntes, schmerzstillendes Heilmittel versuchen; aber die Sache hatte ihre Bitternis; verdrossen schüttelte er den Kopf und schlenkerte die brennende Zunge. Das war drollig anzusehen; die Sennerin kreischte vor Vergnügen, und sogar Franzl brachte ein müdes Lächeln zuwege. Er streichelte den Hund, reichte der Sennerin die Hand und ging. Winselnd hob Hirschmann den Kopf, als er den Jäger verschwinden sah. Vor der Hütte nahm Franzl seine Büchse von der Bank und gewahrte mit Schreck den Schaden, den sie gelitten hatte, als er sie auf das Geröll geworfen. Ein echter Jäger, pflegte er seine Waffe in tadellosem Zustand zu halten. Und wie sah sie nun aus! Der polierte Schaft von splitterigen Rissen durchzogen, die sonst so spiegelblanken Läufe fleckig und zerkratzt — und von einem der beiden Hähne war der Hammer abgebrochen!

„Der Hund, mein Büchsl und ich . . . gut schauen wir aus, alle miteinander!"

Mit stürmenden Schritten eilte er über die offenen Almen dem Bergwald zu. Stunde um Stunde rannte er umher, von dem unklaren Wirrsal seiner Gedanken und seines Zornes erfüllt, und tat mechanisch seinen Dienst. Alle Hauptwechsel des Rotwildes besuchte er, alle Salzlecken und Suhlen, zählte die Fährten der jagdbaren Hirsche und kritzelte die Zahlen mit zitternder Hand in sein Taschenbuch. Als die Sonne über Mittag stand, begann er durch den Bergwald wieder emporzusteigen gegen die kahlen Wände, um mit der Schattenzeit die Gemsreviere zu erreichen. Ehe der Wald ein Ende nahm, wollte er eine Weile rasten. Neben dem Steig, der zu den Mitterkaseralmen führte, ließ er sich auf einen vom Sturm geworfenen Baumstamm nieder. Als sein müder Körper ruhte, suchte er auch das Gewirbel in seinem Kopf zur Ruhe zu bringen und begann die Ereignisse des verwichenen Abends und der Morgenstunden zu überdenken. Doch das Ergebnis dieser Gedanken mehrte nur seine Unruhe. Er war ja gewiß so unschuldig wie der lichte Tag — aber er fühlte: eine Reihe von Zufällen sprach wider ihn — und er wußte, wie mißtrauisch Graf Egge in allen Dingen war, welche die Jagd betrafen. Daß dieser ungerechte Verdacht seine Stellung bedrohte, daran dachte er nicht — er fühlte nur den brennenden Makel, der auf seine Jägerehre gefallen! Und dieses selten schöne Krickel wog ja auch schweres Geld — das war ja wie ein versuchter Diebstahl! Er griff sich mit beiden Händen an die glühende Stirn. „Herrgott im Himmel! Was tu ich denn nur?" Wieder begann er zu grübeln. Er sagte sich, wenn Graf Egge einmal diesen Verdacht empfunden, so wird er ihn auch nicht eher wieder aufgeben, ehe nicht der wirkliche Täter gefunden ist. Schwer atmend preßte Franzl das Gesicht in die Hände. Tag um Tag nun sollte er umherlaufen mit diesem drückenden Gewicht auf seiner Brust, keinen Blick mehr sollte er zu dem Gesicht seines Herrn erheben dürfen, ohne fühlen zu müssen, daß der andere im stillen denkt: du bist ein Dieb! Er mußte den Menschen ausfindig machen, der es getan — um jeden Preis! Aber auf welchem Weg? Er wußte sich ja kaum die Möglichkeit zu denken, wie und wann der Diebstahl begangen wurde, und weshalb das Gehörn in den Latschen hing. Denn die Erklärung, die Schipper so flink bei der Hand gehabt, war leeres

Geschwätz! . . . Schipper? . . . Schipper? . . . Franzl brachte seine Gedanken nicht wieder los von diesem Namen. Doch was ihm wider Willen durch die Sinne fuhr, erfüllte ihn mit Ingrimm gegen sich selbst. „Ich muß ein schlechter Kerl sein, weil ich dem Kameraden zutrauen kann, was ich von mir selber abwehren will."

Schon wollte er sich erheben, als sich von rückwärts zwei warme Hände über seine Augen legten. Franzl meinte, das könnte wohl die Sennerin vom Mitterkaser sein, doch er war nicht aufgelegt zum Raten. Unwillig befreite er seinen Kopf, aber als er die Augen hob, versagte ihm vor freudigem Schreck beinah die Stimme.

„Mali!"

Lachend ließ sich das Mädchen an der Seite des Jägers nieder. „Gelt! Da schaust?"

Er wußte sich kaum zu fassen. „Ja sag nur, wie kommst denn du auf einmal daher?"

„Von Mitterkaser komm ich." Sie zog das weiße Tuch vom Kopf, das sie zum Schutz gegen die Sonne umgebunden hatte, und fuhr damit über die glühenden Wangen. „Heut in der Fruh, mein Bruder is schon fort gwesen in der Holzarbeit . . . gar net weit da drunten hat er sein Schlag . . . heut in der Fruh kommt unser alte Nachbarin rüber zu mir und jammert, sie hätt ghört, daß ihr Mahl in Mitterkaser droben verkrankt wär . . ."

„D' Sennerin?"

„Ja. Und b' Nachbarin is ganz auseinander gwesen vor lauter Sorg. So hab ich halt gsagt: Tu mir aufpassen auf meine Kinder, so spring ich auf Mitterkaser nauf und bring dir Botschaft, was los is." Mali lachte. „'s Mahl is schon wieder kreuzfidel. Ein paar Tag lang hat's Magenweh ghabt. Ich glaub, sie hat am letzten Freitag z'viel Schmalznudeln gessen."

„Unser Herrgott soll ihr die nächste Schüssel gut anschlagen lassen! Das hat b' Sennerin verdient um mich . . . denn schau, Mali, lieber hättst mir in keiner Stund in Weg laufen können, als heut grad. Da muß sich der Herrgott rein denkt haben: heut braucht er ein Trost!"

„Ja was hast denn, Franzl?" Schon der gepreßte Klang seiner Stimme hatte sie befremdet, und als sie zu ihm aufblickte

und die Bläſſe ſeiner erregten Züge ſah, erſchrak ſie völlig.
„Aber ums Himmels willen, was is dir denn?“

„Geh, frag net . . . ich kann net reden davon!“

„Ja warum denn net?“

Er atmete ſchwer. „Es ſind halt ſo Sachen, weißt . . .“

„Ah, da ſchau!“ Energiſch faßte Mali ſeinen Arm. „Das
geht ſein net: z'erſt ſo halbe Wörtln reden und ein erſchrecken
bis in b' Seel, und nachher den Heimlichen ſpielen? Es ſteht
dir ja auf'm Gſicht, daß dich was druckt wie ein ganzer Wagen
voll Steiner! Ich bin deine alte Kamerädin . . . und jetzt
redſt auf der Stell!“

Franzl nagte an den Lippen und ſchüttelte den Kopf.

„Paß auf, Franzl, jetzt muß ich dir aber was erzählen!“
Mali rückte dicht an die Seite des Jägers und ſchob ihren
Arm in den ſeinen. „Bſinnſt dich noch auf den ſelbigen Tag,
wo wir als Kinder miteinander gute Freund worden ſind?
Weißt es nimmer, wie ich hinter der Hecken gſeſſen bin und
gweint hab, daß mir der Schluchezer 's Herzl ſchier abgſtoßen
hat? Und wie auf einmal dagſtanden biſt vor mir und haſt
mir b' Handln niederzogen und haſt mich gfragt: ‚Ja Malerl,
was weinſt denn?‘ Vor lauter Schluchzen hab ich's kaum
rausbracht, daß mir der Nachbarbub mein Dockerl* gnommen
und die Zöpf halb ausgriſſen hat. Kein Wörtl haſt gſagt und
biſt davongrennt . . . aber gar net lang hat's dauert, da biſt
neber meiner wieder rausgſchloffen durch b' Hecken, 's Gwand
zerriſſen und käsweiß im Gſicht . . . und mein Dockerl haſt in
der Hand ghalten und haſt mich anglacht: ‚Du! Der hat's kriegt
von mir! Den hab ich ordentlich ghaut!‘ Freilich, 's Dockerl
hat kein Kopf nimmer ghabt . . .“

Franzl nickte und ein mattes Lächeln ſtahl ſich über ſeine
Lippen. „Den hat er abgriſſen in der Wut, wie er gmerkt
hat, daß er die Docken wieder hergeben muß!“

„Und weißt nimmer, wie dich hingſetzt haſt neben meiner?
Und daß ich nimmer weinen ſoll, haſt dein ganzen Sack voll
Haſelnuſſen vor mir ausgleert . . . und alle die harten haſt mir
aufbiſſen.“ Herzlich rüttelte Mali ſeinen Arm. „Und ſchau,
Franzl, heut hab ich dich hinter der Hecken gfunden . . . Und
mir ſcheint, es geht um ernſtere Ding, als um ein Dockengſpiel.
So ſei jetzt gſcheit und ſag mir alles! Und wenn's auch gleich
von alle Nuſſen die härteſte wär . . . ſchau, ich hilf dir beißen.“

---

* Puppe.

Da konnte Franzl nicht länger schweigen und mit hastigen Worten begann er die Geschichte der verwichenen Stunden zu erzählen. Er schalt und jammerte nicht — aber die Kränkung, die er an seiner Ehre erfahren, redete aus seinen Augen. Schweigend lauschte Mali. Doch als er erzählte, wie Schipper den Verdacht gegen ihn ausgesprochen, fuhr es ihr im Zorn über die Lippen: „Ah, den schau an! Das is aber ein seiner Kamerad! Und Schipper heißt er?" Sie blickte vor sich hin, als würde eine Erinnerung in ihr lebendig. „Schipper? Is das ein Verwandter vom selbigen Schipper, der in meiner Kinderzeit Holzknecht gwesen is?"

„Es is der nämliche."

„Was? Und der is Jager jetzt? . . . No, da dank ich! Da hast freilich ein noblen Kameraden! Ganz gut denk ich's noch aus meiner Kinderzeit, daß der Vater selig Tag um Tag allweil gscholten hat auf'n Bruder, weil er so dicke Freundschaft mit'm Schipper ghalten hat, der ihn zu alle Lumpereien hätt verführen mögen. Wenn der deinige der nämlich is, nachher glaub ich schon gleich, daß er die Krucken selber gstohlen hat!"

Franzl hob die Hand. „Na, Mali, so was dürfst net sagen . . ."

„Es is mir halt in der Wut so rausgfahren. Aber sei's jetzt gwesen, wer mag . . . du bist an der ganzen Sach unschuldig! Und das laßt dir net gfallen, Franzl! So ein Verdacht darfst net auf dir sitzen lassen!" Malis Augen blitzten. „Und da brauchst gar net denselbigen, der die Gaunerei angstellt hat, erst ausfindig machen! Wer solche Augen hat, wie du, der braucht kein andern Beweis als sein ehrliches Gsicht! Jetzt nimmst dein Büchsen und machst in Ordnung dein Dienst, wie's der Herr Graf hat haben wollen. Und auf'n Abend stellst dich hin vor dein Grafen und sagst ihm alles ins Gsicht, grad so, wie du's m i r gsagt hast, und grad so, wie mich, so schaust ihn an mit deine Augen! Da muß er dir glauben! Sonst gäb's ja kein Grechtigkeit nimmer auf der Welt. Und jetzt halt dich nur nimmer auf . . . um meinetwegen sollst nix versäumen im Dienst." Eifrig sprang sie auf, hob die Büchse hinter dem Baum hervor und reichte sie dem Jäger. „Da hast deine Kugelspritzen! Was wir zwei miteinander gredt haben, bleibt unter uns! Da brauchst kein Sorg haben, Franzl! So, und jetzt mach weiter! Bhüt dich Gott!"

Mit der Büchse hatte Franzl auch Malis Hand gefaßt. Das redliche Vertrauen, das so beredt aus ihr gesprochen, war auf ihn übergegangen, und heller blickten seine Augen. „Schau, Mali, ganz aufgricht hast mich wieder. Vergelt's dir Gott tausendmal!“

Ihre Hände verschlangen sich, und lächelnd sahen sie einander in die Augen. Was jetzt im Herzen eines jeden redete, das brauchte nicht Stimme zu haben, um vom anderen verstanden zu werden. Schweigend schieden sie voneinander. Franzl wanderte durch den Wald hinauf, und Mali folgte dem talwärts führenden Pfad. Nach wenigen Schritten aber blieb sie wieder stehen und wandte das Gesicht. „Du, Franzl?“

„Ja?“

„Was ich noch fragen will . . . hast vielleicht du mit meinem Bruder einmal was ghabt? Ein Streit oder sonst was?“

„Ich? Gott bewahr! Warum fragst denn?“

Sie schien verlegen zu werden. „No weißt, ich hab halt gmeint . . . weil er 's letztmal so brummig zu dir gwesen is!“

„Da haben halt b' Sorgen aus ihm rausgredt. Was macht denn 's Netterl?“

„Die Nacht heut is recht gut gwesen, ja. Mit Gotteshilf wird sich 's Kindl ja doch wieder in b' Höh machen. Grad recht, daß b' mich dran mahnen tust . . . jetzt fang ich aber 's Laufen an.“ Mit herzlichem Lächeln nickte sie dem Jäger zu und folgte hastigen Schrittes ihrem Weg.

Franzl blickte ihr nach, bis sie verschwunden war. Dann hob er die Augen und spähte durch die leis rauschenden Wipfel, als möchte er am Himmel die Stelle suchen, an der in der Nacht das fallende Meteor erloschen war.

„Mein Sternbl, mir scheint, du hast net glogen!“

Raschen Ganges stieg er durch den Wald hinauf und erreichte die offenen Almen. In der Länge einer guten Wegstunde dehnten sich die steinigen Matten mit ihren weit zerstreuten Hütten am Waldsaum entlang. Fast am Ende der Almen gewahrte Franzl zwei Männer, schon nahe dem Wald; und da er meinte, einen Büchsenlauf blinken zu sehen, zog er das Fernrohr auf.

Es war Schipper mit einem Treiber, der den von Graf Egge am verwichenen Abend erbeuteten Gemsbock auf dem Rücken trug.

Kurze Zeit, nachdem der Graf mit seinem Büchsenspanner die Jagdhütte erreicht hatte, waren die von Franzl bestellten Treiber eingetroffen. Aber Graf Egge kümmerte sich nicht um ihre Ankunft. Er wanderte in der Stube zwischen den engen Wänden auf und nieder und rastete nur zuweilen für einige Minuten, um unter grübelnden Gedanken das Krickel, das mit der blutigen Hirnschale auf dem Tisch lag, zu betrachten, oder um den rechten Fuß auf einen Stuhl zu heben und mit beiden Händen das schmerzende Schienbein zu frottieren. Als Schipper nach langem Zögern endlich die Türe öffnete, um nach den Befehlen seines Herrn zu fragen, schrie ihn Graf Egge an: „Ruh will ich haben!" . . . und schlug ·mit einem Fußtritt dem Jäger die Türe vor der Nase zu.

Wartend, unter leisem Geplauder saßen die Männer vor der Hütte, während Schipper in der Küche die Gewehre putzte. Nach zwei Stunden endlich rief Graf Egge den Rottmeister der Treiber in die Stube: „Heute wird nicht mehr gejagt. Einer von euch tragt den Bock, der draußen hängt, nach Hubertus hinunter, die andern sollen machen, was sie wollen. Aber Ruh will ich haben! Und morgen früh um fünf Uhr seid ihr bei der Hütte." Er trat zur Türe. „Schipper! Du machst deinen Dienst . . . und das Gams unter der Wand da drüben soll fort!" Mit einem Wink der Augen schickte Graf Egge den Rottmeister zur Stube hinaus und schlug die Türe zu.

Mit langem Gesicht stand der Mann in der Küche und fragte flüsternd: „Was hat er denn heut?"

„Geht's dich was an?" knurrte Schipper und zeigte dabei ein Gesicht, als hätte er Galle auf der Zunge. Einige Minuten später war er wegfertig und wanderte mit den sieben Männern über das Latschenfeld gegen die Wände.

Graf Egge stand am Fenster und sah ihnen nach, bis sie verschwunden waren. Dann ging er in die Küche und schürte Feuer an, um die Hirnschale des Krickels auszukochen. Eine volle Stunde saß er auf dem Herdrand und wandte keinen Blick von dem sprudelnden Wasser, aus dem die schwarzen Haken des Gehörns hervorragten. Als sich die Stirnhaut von den Knochen gelöst hatte, schabte er mit geduldiger Sorgfalt die letzte Muskelfaser von dem weißen Bein und trug das Krickel in die Sonne, damit die Schale trocknen und bleichen möchte. Die Hände im Schoß, saß er neben dem Gehörn auf der sonnigen Hüttenbank

und musterte immer wieder mit zärtlich stolzen Augen die schöne
Trophäe. Es währte eine halbe Stunde, bis in der heißen
Sonne die letzte Spur von Feuchtigkeit an der bleichen Hirnschale verdunstet war. Graf Egge trug das Krickel in die Stube,
holte Feder und Tinte zum Tisch und malte in zierlicher Schrift
das Datum der Jagd, die ihm die seltene Beute beschert hatte,
auf das weiße Bein. Während er sacht über die nassen Schrift-
züge blies, um sie rascher trocknen zu lassen, betrat ein alter
Mann mit untertänigen Verbeugungen und halb atemlos die
Stube — der Postbote. Es war ihm anzumerken, daß er den
weiten, mühseligen Weg vom Dorf herauf mit manchem Seufzer
begleitet hatte. Die Sendung, die er brachte, hatte ihn wohl
mit ihrem Gewichte nicht gedrückt, und dennoch atmete er erleichtert auf, als er das winzige, mit vierzehntausend Mark
bewertete Kistchen in Graf Egges Hände legte.

„Setz dich! Ich will in deiner Gegenwart nachzählen,
ob alles in Ordnung ist.“

Graf Egge zog das Messer aus der Lederhose und sprengte
den kleinen Holzdeckel. Eine in Watte gehüllte Schachtel kam
zum Vorschein, und als Graf Egge sie öffnete, flammten seine
Augen in heißer Freude. Auf einem mit schwarzem Samt über-
zogenen Brettchen waren, in vier Reihen übereinander, ungefaßte, in absonderlichen Formen geschliffene Saphire und Rubinen mit feinen Silberdrähten angeheftet. Durch das Fenster
fiel die Sonne auf die Steine, und das funkelte und gleißte in
bunten Farben. Der Juwelier schien den Geschmack seines Kun-
den getroffen zu haben, denn mit zufriedenem Nicken musterte
Graf Egge die Sendung. Rasch überflog er den Begleitbrief und
zählte die Steine mit hastig tippendem Finger. „Stimmt!“ Er
unterschrieb den Postschein und reichte ihn dem Boten. „Alles
in Ordnung.“

Der Alte erhob sich. „Bhüt Ihnen Gott, Herr Graf!“
Bei der Türe blieb er zögernd stehen, als wäre die Sache für
ihn noch nicht erledigt. Doch Graf Egge hatte sich schon wieder
in die Betrachtung der Steine vertieft. „Ich bitt, Herr Graf,“
fragte der Alte kleinlaut, „haben S' kein Auftrag nunter? Oder
sonst was?“

Ohne aufzublicken schüttelte Graf Egge den Kopf.

Verdrossen schlich der Alte davon und zog lautlos die Türe
zu. Vor der Hütte blieb er stehen, schielte nach dem Stuben-

fenſter und ſchüttelte ſeufzend den Kopf. „Fünf Stund da rauf!
Da wären doch ein paar Maß Bier net z'viel gweſen!" Müden
Ganges trat er den Heimweg an.

Als er das Almfeld erreichte, wurde er von Schipper und
dem Treiber überholt, der auf dem Rücken den Bock und in der
Hand ein blutflediges Bündel trug, das ſeinen Anteil an der
unter die Treiber verteilten Gemſe enthielt. Der alte Poſtbote
vermochte mit den beiden nicht lange Schritt zu halten und
blieb zurüd.

Am Saum des Bergwaldes — hier hatte Franzl aus der
Ferne das Paar beobachtet — trennte ſich Schipper von ſeinem
Begleiter.

„So, mach weiter jetzt! Und vergiß mir die Botſchaft an
Moſer net. Er ſoll die Hoſen für'n Herrn Grafen gleich fauſen
und ſoll dir ſ' mitgeben."

Der Mann folgte dem Steig, und Schipper wandte ſich
ſeitwärts in den Wald; als er allein war, knirſchte er einen
Fluch durch die Zähne. Haſtig und ziellos wanderte er zwiſchen
den Bäumen dahin. Auf einem ſtark begangenen Wildwechſel
fand er die friſche Spur eines genagelten Schuhes. „Da is
er gweſen!" murmelte Schipper und ſpie auf die Fährte. Nun
folgte er dem Wege, den Franzl genommen hatte — aber die
ſtille Hoffnung, die ihn dabei leitete, erfüllte ſich nicht; denn
er kam zu keiner Salzlede, bei der die Spur jenes anderen
Fußes fehlte.

„Schau nur, wie gnau er heut ſein Dienſt gmacht hat!
Als hätt er ſchmecken können, daß ich ihm nachſteig!"

Bald erreichte er den nach Mitterkaſer führenden Pfad und
ſah neben einem geſtürzten Baum ein weißes Kopftuch auf der
Erde liegen. Er hob es auf, und während er das Tuch noch
in den Händen hielt, klangen flinke Schritte auf dem tieferen
Steig.

Mali erſchien, mit ſuchenden Augen nach allen Seiten
blickend. Als ſie den Jäger ſah, hielt ſie betroffen inne; doch
kaum gewahrte ſie den Fund in Schippers Hand, da ſprang ſie auf
ihn zu und entriß ihm das Tuch. „Her damit! Das Tüchl
ghört mein!"

„Oho! Bei dir geht's aber gſchwind!" lachte Schipper, das
Mädchen mit zwinkernden Augen betrachtend. Das Ergebnis
dieſer Muſterung ſchien ihm ſichtlich zu behagen. Er zog die

Brauen in die Höhe und fragte staunend: „Wer bist denn du? Dich kenn ich ja gar net?"

„Wenn dich d' Neugier gar so plagt, ich bin die Bruckner-Mali."

„Waaas? Die Mali? Ah, da legst dich nieder! Seit wann bist denn du wieder daheim?"

Mali überhörte diese Frage und ließ die Augen mit einem nicht sehr freundlichen Blick über die Gestalt des Jägers gleiten. „Bei dir, glaub ich, brauch ich net fragen, wer bist?" Sie verzog den Mund und sagte langsam: „Du bist wohl der Schipper?"

„Troffen, Madl! No schau, das freut mich, daß mich nach so viel Jahr gleich wieder kennst. Und das muß ich sagen, gut hat dir der Aufenthalt bei der Schwester angschlagen. Bist schon selbigsmal ein saubers Kind gwesen, ja, und als Madl bist noch säuberer worden."

Mali lachte, doch es klang nicht besonders heiter. „Ah, da schau, Komplimenten macht er! Die muß ich dir schon zruckgeben. Ja, bist schon selbigsmal ein schiecher Kerl gwesen, und jetzt schaust noch grauslicher aus!" Ohne Gruß ging sie davon.

Schipper wußte nicht recht, sollte er lachen oder sich ärgern. Er entschloß sich für das erstere und rief dem Mädchen nach: „Du hast aber ein saubern Schüppel voll Haar auf die Zähn mit heim bracht. Fein tust dich bedanken dafür, daß ich dein Tüchl gfunden hab!"

Mali drehte das Gesicht über die Schulter. „Hättst es liegen lassen, ich hätt's schon selber aufghoben!"

Nun schoß dem Jäger doch eine Blutwelle ins Gesicht; aber je länger er der Davonschreitenden nachblickte, desto freundlicher wurden seine Augen wieder. „Die is grob gnug ... aber verteufelt sauber! Die hat Holz beim Ofen! Für das Madl könnt ich auf meine vierzig Jahr noch Dummheiten machen!" Mali verschwand in der Tiefe des Steiges; Schipper wandte sich, und ein dünnes Lächeln zuckte um seine Lippen. „Dem Bruckner seine Schwester? Schau, das trifft sich ja gar net schlecht ... mit dem Bruckner könnt man ja ein Wörtl reden." Während er weiterschritt, drehte er noch einmal das Gesicht und blickte schmunzelnd über den Pfad zurück. Durch den Wald herauf hörte er Malis Bergstock klirren.

Sie schien Eile zu haben. Häufig kürzte sie die Wendungen des Pfades und nahm ihren Weg in gerader Richtung talwärts

durch den Wald. Als sie das tiefere Gehölz erreichte, hörte sie
seitwärts über den Berghang her den Hall wuchtiger Axtschläge
— da drüben arbeitete ihr Bruder. Unschlüssig blieb Mali
stehen. Am Morgen hatte sie den Bruder aufgesucht und hatte ihm
versprochen, auf dem Rückweg wiederzukommen. Aber sie hatte
zu viel Zeit verloren — und das kleine Netterl, meinte sie,
würde wohl schon mit Schmerzen auf sie warten. Die eigentliche
Ursache, weshalb sie jetzt, nach der Begegnung mit Franzl, dem
Bruder nicht gerne gegenübertrat, wollte sie sich selbst nicht
eingestehen. Damit er wüßte, daß sie bereits auf dem Heimweg
wäre, höhlte sie die Hände um den Mund und schickte einen
langgezogenen Ruf in den Wald.

Die Axtschläge verstummten, und Bruckner gab Antwort —
er hatte die Bedeutung des Rufes verstanden. Während Mali
davoneilte, klangen wieder die Beilhiebe, und es hallte das
Krachen eines stürzenden Baumes durch den weiten Bergwald.

Bruckner arbeitete, bis der Abend zu dämmern begann;
dann machte auch er sich auf den Heimweg. Die Joppe lose
um die Schultern tragend, die Axt mit dem Eisen in die Arm-
beuge eingehenkt, wanderte er zwischen den Bäumen dem Pfade
zu, lautlosen Ganges, denn der weiche Moosgrund dämpfte
jeden Hall seiner Schritte.

Plötzlich stand er wie angewurzelt. Er hatte einen Hirsch
gewahrt, der aus der Tiefe des Waldes emporgestiegen kam
und die Almen suchte. Bruckners Hände begannen zu zittern,
während er, an einen Baum gedrückt, mit funkelnden Augen
jede Bewegung des Wildes verfolgte. Der Hirsch merkte die
Nähe des Menschen nicht und zog in sorgloser Ruhe kreuz und
quer zwischen den Bäumen aufwärts, bald hier ein Kraut, bald
dort ein paar Gräser von der Erde zupfend. Weißblinkend
hoben sich die Spitzen des stattlichen Kronengeweihs vom finsteren
Grün des abendlichen Waldes ab. Immer näher kam der Hirsch
dem Baume, hinter welchem Bruckner stand; der Bauer preßte
in wachsender Erregung die Lippen aufeinander, den schweren
Atem gewaltsam erstickend, und langsam gleitend faßte seine
Hand den Stiel der Axt. Nun stand das Wild vor ihm, kaum
zehn Schritte weit — und in jähem Schwung holte Bruckner mit
der Axt zum Wurfe aus. Doch ehe das Beil noch flog, machte
der Hirsch einen erschreckten Satz und warf das Haupt auf, gegen
die höher stehenden Bäume äugend; das währte nur einen

Augenblick, und in sausender Flucht verschwand das Wild zwischen dem Gewirr der Stämme, während das Beil dumpf hallend mit der Schneide in eine Fichte schlug.

Mit beiden Händen griff Bruckner an seine Schläfe und keuchte. „Allweil packt's mich wieder!" Er hob die Joppe auf, die ihm von den Schultern geglitten war, und ging zu der Fichte, um das Beil aus dem Holz zu reißen. Da hörte er hinter sich ein leises Lachen. Erschrocken wandte er das Gesicht, und kalkige Blässe rann über seine Züge, als er den Jäger erkannte.

Langsam, immer lachend, kam Schipper näher. „Grüß dich Gott, Lenzi! Was machst denn da?"

Bruckner brachte keinen Laut über die Lippen; finsteren Blickes den Jäger streifend, zog er die Joppe an.

„Ja, Lenzi, gelt? Das is ein hartes Stückl, so ein Prügelhirsch anschauen müssen und kein Büchsl net in der Hand haben? Mit der Art macht sich halt so was schlecht, gelt? Oder gehst vielleicht manchmal zur Abwechslung mit derselbigen Art, die vorn ein Loch hat und hint ein Hahn? Seit wann hat dich denn der Wildteufel wieder beim Krawattl?"

Bruckner nahm die Art in den Arm und tat einen Schritt gegen den Jäger. „Hör an, Schipper, was ich dir sag . . ." Die Stimme des Bauern klang heiser. „Es zuckt mir in jeder Faust, so oft ich den Wald anschau . . . und 's ganze Blut in mir drin wird rebellisch, so oft mir ein Stückl Wildbret über'n Weg lauft. Aber mein Schwur hab ich ghalten bis zum heutigen Tag."

„Ja, ja, ich glaub dir schon . . . deswegen brauchst keine so gwichtigen Brocken daherreden! Ich nimm die Sach net so ernst. Und schau, Alter . . . wenn's drauf und dran käm . . . so weit die Gschicht m i ch angeht . . . ich tät ja vielleicht mit mir reden lassen!"

Mit einem Blick, der kein sonderlicher Beweis von Achtung war, maß der Bauer den Jäger. „Ich glaub schon bald selber, daß man dir so was zutrauen könnt! Dir!"

Schipper lächelte. „Natürlich! Wir zwei, wir sind ja alte Spezi! U n s e r Freundschaft hat festen Halt! Da is was gut dafür!" Bruckner wollte sprechen, aber die Stimme versagte ihm, und scheu blickte er im dämmernden Wald umher. „Sorg dich net, es hört uns keiner!" tröstete Schipper. „Ja, und schau, ich sag dir's ganz offen . . . wenn's halt doch wieder

schnackeln tät bei dir ... mich brauchst net fürchten. Der
Franzl halt!" Schipper zuckte die Achseln. „Vor dem müßt
sich einer freilich in acht nehmen! Der Franzl, natürlich, der
versteht kein Spaß!" Immer langsamer und leiser wurden
Schippers Worte. „Der hat was an ihm, wie sein Vater
gwesen is!"

Eine Weile standen die beiden Aug in Auge voreinander.
Dann legte Schipper lachend die Hand auf Bruckners Schulter.
„Geh, reden wir von lustigere Sachen! Was ich sagen will ...
da droben hab ich deine Schwester troffen. Die hat sich aber
sauber ausgwachsen. Ja, du, die gfallt mir! Ich sag's ganz
ehrlich ... so einem Madl zlieb wär mir net einmal der Umweg über'n Pfarrer z'weit."

Bruckner richtete sich auf. „Ah so? Jetzt versteh ich dein
Reden erst ... 's ander war b' Mauer, und jetzt kommt 's Dach?
Also, meine Schwester gfallt dir? Das geht aber gschwind bei
dir!"

„Ja, wie bei die guten Hirsch!"

„Schau nur, schau, das Madl macht ja die ganzen Jager
rebellisch!" höhnte der Bauer mit zornbebender Stimme.
„Gestern der ander ... und heut schon du! Da tut mir ja rein
die Wahl weh."

„Der ander?" fuhr es über Schippers Lippen. „Doch net
der Franzl?" Bruckners Schweigen schien dem Jäger genügende
Antwort zu sein. „Aaaah, da gfallt mir ja b' Mali noch viel
besser! Da muß ich mich schon tummeln und muß in aller
Gschwindigkeit mein ernsthaften Antrag stellen ... obwohl ich
mir denk, daß ich den Franzl net gar arg fürchten muß.
Ich hab so meine Gründ dafür. Oder hab ich net recht, Lenzi?"
Mit zwinkernden Augen blickte Schipper in Bruckners Gesicht,
auf welchem Röte und Blässe wechselten. „Also, Herr Bruder
und Vormund ... wenn ich Ernst machen tät, was könntst
denn aussetzen an mir? Ich hab meine schöne Stellung, neun-
hundert Mark sicheren Ghalt, Holz und Loschie ... mein Posten
tragt auch sonst noch was, ja, in fünf Jahr hab ich mir drei-
tausend Mark erspart ... und wenn der Graf einmal den
letzten Schnaufer tut, vergißt er mich gwiß net im Testament
... ja, so gern hat er mich! Ich mein' doch, das wären
die schönsten Aussichten?"

Bruckner trat dicht vor den Jäger hin, mit brennenden

Augen. „Der ander kommt mir net ins Haus. Das hat seine guten Gründ. Aber eh mir du mit einer Hand an meine Schwester rührst, eh schlag ich dich nieder mit der Art."

Schippers Züge wurden um einen Schatten bleicher, doch er lächelte. „Geh, geh, geh . . . aber Lenzi! Wer wird denn so was tun! Du, da möchten s' dich aber ordentlich einspinnen. Und vor so was hast ja ein gwaltigen Respekt . . . das weiß ich doch aus Erfahrung! Und schau, mußt doch an deine armen Kinderln denken! Die brauchen ihren Vater! Aber ich merk schon, heut is dir was übers Leberl glaufen, heut is schlecht biskrieren mit dir. Ich komm bald wieder nunter ins Ort. Nachher reden wir in aller Ruh miteinander. Also, alter Spezi, bhüt dich Gott für heut!" Schipper stieg durch den Wald hinauf. Als er den Steig erreichte und sich umblickte, stand Bruckner noch immer an der gleichen Stelle, die Art in der schlaff hängenden Hand. Die Gestalt des Bauern verschwamm bereits im Zwielicht, und sein bleiches Gesicht hing wie ein weißer Fleck im Dunkel. „Jetzt studiert er aber!" lächelte Schipper vor sich hin und folgte raschen Ganges dem Steig.

Ein zweistündiger Weg lag vor ihm, und es wurde dunkle Nacht, bis er die erleuchteten Fensterchen der Jagdhütte zu Gesicht bekam. Als der Weg zu Ende ging, hörte Schipper auf einen Büchsenschuß vor sich die klappernden Schritte Franzls, der den Hund von der Hochalm abgeholt hatte und auf den Armen zur Hütte trug.

In der Hüttenstube klang die Zither, doch sie verstummte, als Franzl die Schuhe an die Schwelle stieß. Hastig legte Graf Egge die blitzenden Edelsteine, die er zu seinem Zeitvertreib in einer Herzlinie rings um die weiße Hirnschale des Krickels gereiht hatte, in das hölzerne Kistchen zurück und verwahrte Gehörn und Steine in einem kleinen Wandschrank, der zu Häupten des Bettes in die Balken eingelassen und mit einer Eisenstange und schwerem Vorhängschloß zu versperren war. Als Graf Egge den Schlüssel abzog, trat Franzl in die Stube; sein Herr machte große Augen, als er auf den Armen des Jägers den Schweißhund mit dem verpflasterten Schlegel sah.

„Was hat der Hund?"

Mit kurzen Worten erzählte Franzl. Wortlos nickte Graf Egge, hob den Hund auf seine Arme und trug ihn zum Bett; auf seinem Gesicht war die mitleidige Sorge zu lesen, die er um das Tier empfand. Nachdem er achtsam das aufgelegte Pflaster untersucht hatte, setzte er sich an die Seite des Hundes, der den Kopf über den Schenkel seines Herrn legte und mit der Zunge die schmeichelnde Hand zu erreichen suchte, die ihm Stirn und Ohren kraute. Langsam blickte Graf Egge zu Franzl auf, der inmitten der Stube stand, schwer atmend und mit dunkelroter Stirne.

„Hast du Wild gesehen?"

„Wohl, Herr Graf." Franzl zog das Notizbuch aus der Tasche und begann seinen Rapport. Als er damit zu Ende war, tat er einen tiefen Atemzug, als hätte er nun ausgiebige Luft vonnöten. „Und jetzt, Herr Graf, jetzt muß ich schon die Gschicht von heut in der Fruh zur Sprach bringen."

„Warum?" Auf Graf Egges Lippen erschien ein kaum merkliches Lächeln.

„Aber hören S', Herr Graf ... da können Sie noch fragen: warum? So schauen S' mir doch ins Gsicht! Ich mein' ja, es müßt mir jedes Kind anmerken können, was ich für ein Tag hinter mir hab? Es is wahr, zur Hälft bin ich selber dran schuld ... es is unrecht gwesen, daß ich mich vom gachen Zorn hab hinreißen lassen, und daß ich mich am Schipper vergriffen hab." Franzls Stimme schwankte und seine Lippen zitterten. „Ich hätt mich vor mein Herrn hinstellen sollen, wie ich's jetzt mach, und hätt offen und ehrlich fragen sollen: Können Sie wirklich so was glauben von mir, Herr Graf?"

„Hab ich einen Verdacht gegen dich ausgesprochen?" fragte Graf Egge.

„Das is freilich wahr, aber ..." Dem Jäger gingen die Worte aus, als er hörte, daß Schipper in die Hütte trat. Auch wußte er nicht, was er auf diese Frage noch erwidern sollte. In seinen Ohren aber klang die Stimme Malis: „Red, Franzl, red!" Mühsam rang er nach Worten, und als er nur erst ein paar verworrene Sätze herausgestottert hatte, kam er allmählich in warmen Zug. Mit ruhig forschendem Blick hingen Graf Egges Augen an dem Jäger, dem die Worte in immer heißerem Eifer von den Lippen sprudelten. Wie er zu Mali gesprochen, so redete er jetzt zu seinem Herrn, redlichen Sinn in jeder Silbe und Ehrlichkeit in jedem Blick. „Herr Graf," so schloß er, „meine Händ sind sauber. Glauben S' mir jetzt oder glauben S' mir net?"

Kalt und ruhig klang die Antwort. „Ja, ich glaub dir."

Die Türe ging auf, und aus der Küche hörte man das Krachen des Feuers. Schipper trat ein. „Ich wünsch guten Abend, Herr Graf." Er ging zum Tisch und begann ihn für das Nachtmahl zu decken.

Franzl stand wortlos und strich mit der Hand über die Haare. Nun hatte er die Antwort, die er zu hören gehofft, klar und deutlich — und doch gefiel sie ihm nicht. Er stand noch eine Weile und glättete immer wieder die Haare über seiner Stirne. „No also . . ." murmelte er endlich, als wäre eigentlich alles in Ordnung, und ging zur Türe.

Graf Egge blickte ihm nach, und als sich die Türe geschlossen hatte, fragte er den andern: „Für wen deckst du?"

„Für Sie, Herr Graf, und für uns."

„Ich esse allein!"

Schipper machte eine stumme Bewegung, die eine entfernte Aehnlichkeit mit einer Verbeugung hatte, legte die zwei überzähligen Löffel wieder in die Tischlade zurück und verließ die Stube.

Draußen in der Küche saß Franzl auf dem Herd und starrte ins Feuer. Als er hinter sich den Schritt des anderen hörte, sprang er auf, und die Blicke der beiden kreuzten sich.

„Was willst?" fragte Schipper mit der Harmlosigkeit einer sechzehnjährigen Kranzljungfer.

Es zuckte wohl in Franzls Fäusten; doch er wandte sich ab, trat ins Freie, und setzte sich auf die Hüttenbank. Lange blickte er zu den flimmernden Lichtern des Himmels auf, als könnte er das Fallen eines Sternes erwarten — doch sie alle hingen fest an dem schwarzblauen Gewölbe.

Nach einer halben Stunde rief ihn Schipper zum Nachtmahl. Er trat wohl in die Küche, doch statt sich zu der von Graf Egge halb geleerten Pfanne zu setzen, stieg er über die Leiter zum Heuboden hinauf.

Schipper nickte schmunzelnd, setzte den Löffel in Arbeit und zitierte das Sprichwort: „Wer trutzt bei der Schüssel, schadt sich am Rüssel!" Als er die Pfanne geleert hatte, spülte er das Geschirr, machte Ordnung in der Küche und schmierte Graf Egges Bergschuhe mit besonderer Sorgfalt. Da erschien sein Herr unter der Stubentüre.

„Du, mir scheint, dem Hirschmandl wird die Nasen heiß."

Es zuckte über Schippers Gesicht, als er den Dialektklang dieser Worte hörte — ein sicheres Zeichen, daß sich am Gewitterhimmel seines Herrn die dunkelsten Wolken zu verziehen begannen. Geschäftig rannte Schipper in die Stube und unterzog den auf dem Bett liegenden Hund einer genauen Untersuchung.

„Herr Graf, da können S' ruhig sein! Dem Hund fehlt net viel! Wär ja net übel, wenn das arme Hundl von der verfluchten Gschicht a u ch noch was haben müßt. Und weil wir schon grad reden davon, Herr Graf, da muß ich schon sagen . . ."

„Halt dein Maul!" fuhr ihm Graf Egge ins Wort. „Die Kruck is da, Gott sei Dank! Aber die Gschicht is mir heut den ganzen Tag im Kopf rum gangen. Es is die reine Unmöglichkeit, daß ein fremder Mensch dem Bock die Krucken abgschlagen hat! Wenn's also kein Fremder war, so war's einer von euch zwei! Aber wer? Der Franzl is ein ehrlicher Narr, und ich kann ihm so was net zutrauen. War's also der Franzl net, so mußt es du gwesen sein!"

Schipper legte gekränkt die beiden Hände auf sein redliches Herz. „Aber Herr Graf . . ."

„Halt dein Maul, sag ich! Ich glaub's von dir und glaub's wieder n e t! Ein Gauner bist ja . . . aber ich bin dir doch gestern gleich nach, weil ich schon weiß, es is dir net z'trauen! Und heut in der Nacht kannst doch auch net aufgstanden sein! Also, wenn d u der Heilige bist, so is wieder der ander der Lump. Und das will mir net in Kopf! Ich kenn mich ja gar nimmer aus. Und wenn ich schon die scharfe Saiten aufziehen möcht, so müßt ich euch rein alle zwei zum Teufel jagen. Aber was hab ich davon? Der Franzl is ein Jager . . . so ein könnt ich mir wieder suchen weit und breit. Und so wie du hat mir noch keiner meine Schuh gschmiert, so schlau wie du stellt sich keiner, wenn's der Jagd z'lieb was zu vertuschen gibt. Was bleibt mir also übrig, als daß ich fünfe grad sein laß. Aber eins merk dir, Schipper, und das kannst dem andern heut noch stecken: der erste von euch zwei, der mich wieder ärgert . . . der fliegt! Ohne Gnad und Pardon!" Graf Egge bückte sich und griff nach seinem rechten Schienbein.

Schipper bot den Anblick eines Märtyrers, der inmitten der Arena steht und mit stiller Ergebung die Löwen erwartet. „Ja, wenn der Herr Graf so mit mir reden, da kann ich mich nimmer verteidigen. Da bleibt mir nix übrig, als daß ich meine Pflicht und Schuldigkeit in der Ordnung tu und auf die Stuub wart, wo der Herr Graf einsieht . . ."

„Hör auf mit dem Gesäusel!" brummte Graf Egge; in Schmerz verzog er das Gesicht und hob den Fuß auf einen Sessel. „Herrgott! Herrgott!"

„Was is denn? Haben S' wieder Schmerzen?" Schipper war jählings in die verkörperte Sorgfalt verwandelt. „Ja warum sagen S' denn nix? Na, Sie sind aber einer! Jetzt legen S' Ihnen aber gleich ins Bett!" Mit beiden Händen zog er seinem Herrn die Joppe herunter. „Die Bettwärm is für so was alleweil 's beste. Und morgen müssen S' wieder ordentlich beinander sein. Morgen schießen S' drei, vier Gamsböck und ein paar gute Hirsch!"

„Meinst?"

„Natürlich! Da sorg ich schon dafür! Aber jetzt nur gleich ins Bett!"

Graf Egge ließ sich zum Lager führen und trat mit dem rechten Fuß so vorsichtig auf, als wäre der Stubenboden mit Nadeln gespickt. „Teufel! So arg wie heut hab ich's schon lang nimmer gspürt! Das wird mir ja doch um Gottes willen net bleiben! Da könnt ich ja bald auf kein Berg nimmer nauf. Aber macht nix, 's Jagen gib ich deswegen net auf . . . wenn meine Füß nimmer mögen, laß ich mich nauf t r a g e n zum Gamsschießen. So lang's im Aug net fehlt, is gar nix verloren!"

Unter einem Wortschwall von zärtlicher Sorge entkleidete Schipper seinen Herrn, rückte ihm das Kissen und legte die wollenen Decken zurecht. „So, und jetzt haben S' ein paar Minuten Geduld, nachher komm ich mit'm Franzbranntwein und mit die warmen Tücher." Er eilte in die Küche.

Als er nach einer Weile seine Kur begonnen hatte und auf den Dielen kniete, das nackte Bein seines Herrn unter den Händen, blickte Graf Egge mit zwinkernden Augen auf ihn nieder.

„Schipper! Jetzt sag mir ehrlich . . . kannst du die Gschicht mit der Krucken vom Franzl glauben?"

Ohne das Frottieren auszusetzen, wiegte Schipper bedächtig den Kopf zwischen den Schultern. Und endlich sagte er: „Na, Herr Graf . . . ich kann's doch net recht glauben!"

Graf Egge schwieg.

Ueber den beiden zitterte die Stubendecke — dort oben auf dem Heuboden wälzte sich Franzl in schlafloser Kümmernis von einer Seite auf die andere.

11.

Noch an jenem Abend, an welchem Forbeck in Tassilos Begleitung von Schloß Hubertus in das Dorf zurückgekehrt war, hatte er den Tischler aufgesucht, um den für das Bild nötigen Blendrahmen fertigen zu lassen. Bei Kerzenlicht hatte er die Leinwand aufgezogen. Nun waren zwei Tage vergangen, und Forbeck hatte von der ersten Helle des Morgens bis zum Einbruch der Dämmerung mit glühendem Eifer gearbeitet. Am dritten Abend war der Entwurf des figurenreichen Bildes in Zeichnung und Farbe schon so weit gediehen, daß Tassilo, als er vor seinem gewohnten Gang zum See für ein paar Worte bei dem Freunde vorsprach, das Werk dieser beiden Tage mit Staunen betrachtete: „Ich hätte dieser Leinwand gegenüber auf drei Wochen fleißiger Arbeit geraten. Wie jede Linie und jede Farbe sitzt! Wie das schon redet!"

Forbeck errötete wie ein junges Mädchen. „Daran hat mein Fleiß keinen Anteil," erwiderte er bescheiden, während in seinen Augen doch die Freude glänzte. „Ich hab es gesehen, und das arbeitet nun in mir und springt heraus, ich komme mir dabei vor wie die willenlose Maschine, meine Hand bewegt sich und findet die Linien und Farben, oft weiß ich selber nicht wie!"

Tassilo legte ihm die Hand auf die Schulter. „Echte Kunst hat keiner noch ‚gemacht' . . . sie erschafft sich selbst. Aber kommen Sie, man sieht es Ihnen an: die Maschine ist warm gelaufen. Ich habe noch eine Stunde Zeit, wir wollen bummeln."

Als sie ein paar Minuten später über die steile Treppe hinunterstiegen, hörten sie aus der Stube die Stimme Malis, die mit den Kindern spielte:

‚Müller Müller Sackl,
Is der Müller net im Haus?
Schloß vor, Riegel vor,
Werfen wir 's Sackerl hinters Tor!'

Zwei Kinderkehlen jauchzten in heller Freude, und dazwischen klang das Lallen eines dünnen Stimmleins.

Als es dunkler Abend geworden war, trennten sich Tassilo und Forbeck vor dem Seehof.

„Also morgen!" sagte Tassilo. „Und Ihrem Bild zuliebe hoffe ich, daß meine Schwester eine geduldige Laune zur Sitzung bringen wird. Sie war heute ein wenig ärgerlich . . ."

„Doch nicht über mich?"

Tassilo lachte. „Ja. Und ich weiß gar nicht, wieso der lustige Spatz plötzlich so zeremoniös geworden ist. Kitty hat es Ihnen übel genommen, daß Sie nach dem Diner zwei Tage vergehen ließen, ohne Ihre Karte abzugeben."

„Aber ich mußte doch arbeiten über Hals und Kopf, um den Entwurf so weit zu bringen, daß die Sitzung für mein Bild von Nutzen sein kann."

„Natürlich, und Arbeit geht allem vor. Ich habe Sie selbstverständlich mit Wärme verteidigt, und Fräulein von Kleesberg hat mir dabei geholfen." Tassilo lächelte. „Sie haben an Tante Gundi eine Eroberung gemacht. Nützen Sie das nur gehörig aus, denn die Zahl der Sitzungen hängt weder von Ihrem künstlerischen Bedürfnis, noch von der wechselnden Laune meiner Schwester ab, sondern von der Protektion, die Fräulein von Kleesberg Ihrem Werke angedeihen läßt. Aber da kommt mein Boot. Also morgen auf Wiedersehen!"

Tassilo ging zum Ufer, und Forbeck stieg auf die Terrasse des Gasthofes, um sich seitwärts von den besetzten Tischen ein einsames Plätzchen zu suchen. Der Gedanke an Kittys Ungnade, die er wider Willen auf sich geladen, verließ ihn nicht mehr; er trug ihn mit nach Hause und nahm ihn hinüber in die wirren Träume seines nach aller Arbeit müden Schlafes.

Am anderen Morgen, gegen neun Uhr, kam der alte Moser in das Brucknerhaus — Tante Gundi hatte ihn geschickt, um die ‚Malersachen' zu holen. Forbeck übergab ihm die Staffelei und den Farbenkasten; die Leinwand trug er selbst, um die noch feuchten Farben vor Schaden zu bewahren. Auf dem Wege nach Schloß Hubertus schwatzte Moser unermüdlich, und erzählte auch von der glücklichen Treibjagd, die Graf Egge am verwichenen Tage abgehalten; drei gute Gemsböcke und zwei Hirsche hätte man von der Hütte heruntergebracht. „Das is net schlecht für den ersten Tag. Aber hätt er mich droben ghabt, so hätt er noch

mehr gschossen." Und weitschweifig berichtete der Alte von den
unglaublichen Jagderfolgen, die sein Herr ihm zu verdanken hätte.

Als sie das Schloß erreichten, stand Kitty am Teich und
fütterte die Forellen; sie war gekleidet wie an jenem Nachmittag,
an dem das Gewitter sie überrascht hatte. Lächelnd warf sie,
als Forbeck näher kam, den Rest des Brotes ins Wasser und
klopfte die Brosamen von den Handschuhen. Forbeck lehnte
achtsam die Leinwand an einen Baum und trat auf das Mädchen
zu, das weiße Hütchen in der Hand zerknüllend. Er grüßte
befangen und sagte: „Ich habe diese beiden Tage gearbeitet, um
mit dem Entwurf meines Bildes vorwärts zu kommen . . .
und hoffe, daß Sie mir verzeihen werden, wenn ich vielleicht
eine Unhöflichkeit begangen habe . . ."

Sie verstand nicht gleich, was er meinte; dann wurde sie
rot und lachte: „Ach so? Das hat wohl geplaudert, daß ich
mich über Sie geärgert habe? Ja, das stimmt! Aber sehen
Sie mich deshalb nur nicht so erschrocken an. Denn eigentlich
hab ich ja das vor Das nur so geäußert, weil ich mir gleich
dachte, er würde Ihnen bei der ersten Gelegenheit einen freund-
schaftlichen Wink geben. Ich nehme ja solche Dinge nicht sehr
genau, aber wissen Sie . . ." dabei nahm sie eine ernste Gönnermiene an, „ich sage das um Ihretwillen. Tante Gundi ist un-
gemein peinlich in allem, was Form heißt. Und wenn Sie
oft und lange hier malen wollen, müssen wir sie bei guter
Laune erhalten. Nicht wahr, das begreifen Sie doch?"

„Aber natürlich!" stammelte Forbeck, erleichtert aufatmend;
und als er im gleichen Augenblick Fräulein von Kleesberg
auf der Veranda erscheinen sah, eilte er ihr entgegen und
küßte ihre runde, rote Hand mit feierlicher Huldigung.

Tante Gundi schien verwirrt und glücklich; dabei war sie
auch neugierig, denn durch Tassilo hatte sie bereits von den
erstaunlichen Fortschritten des Bildes gehört. Forbeck holte die
Leinwand und stellte sie auf den Stufen der Veranda in das
beste Licht. Fräulein von Kleesberg brach in laute Bewunderung
aus, und Kitty stand schweigend, die großen staunenden Augen
bald auf das Bild, bald auf den jungen Künstler gerichtet.
Um ihre Kunstkennerschaft war es allerdings bedenklich bestellt
— und dennoch empfand sie das Ursprüngliche und Hinreißende
der jungen Kraft, die aus diesem Wirbel leuchtender Farben,
aus diesem Durcheinanderstürmen kühner und doch so har-

monischer Linien redete. Zögernd deutete sie auf ein in der
Mitte des Bildes angedeutetes Figurenpaar. „Und das da?
Das soll ich und unser Franzl werden?" Langsam blickte sie zu
Forbeck auf, der schweigend nickte. Da legte sie die Hand auf
seinen Arm. „Kommen Sie, verlieren Sie nur keine Zeit mehr,
wir wollen gleich anfangen!"

Tassilo erschien, und nun wanderten sie miteinander durch
den Park, damit Forbeck für die Sitzung im Freien einen
Platz mit geeigneter Beleuchtung wählen möchte. Neben einem
der Kieswege fand sich ein kleiner Rasenfleck, von Buchen und
Linden umstanden, der grüne Grund überwebt von Lichtern
und Schatten. Hier wurde die Staffelei aufgestellt und für
Tante Gundi eine Gartenbank herbeigetragen. Einige Schwierigkeit bereitete es, für Kitty einen etwas höheren Sitz zu errichten,
auf dem sie ohne Unbequemlichkeit die für das Bild nötige
Stellung einzunehmen vermochte. Auch dafür wurde Rat geschaffen — Tassilo brachte den großen Lehnstuhl aus der Kruckenstube in Vorschlag, dessen Seitenstütze den tragenden Arm ersetzen sollte. Als Kitty ihr Plätzchen eingenommen hatte, kehrte
Tassilo zu seiner Arbeit zurück, und die Sitzung begann. Mit
scheuer Achtsamkeit ordnete Forbeck an Kittys Kleid die Falten,
dann trat er vor die im Schatten einer Linde stehende Leinwand, während Tante Gundi ihren Heyse aufschlug. Aber der
Dichter kam bei ihr nicht zu seinem Rechte. Immer wieder sah
sie über das Buch hinweg, hing mit prüfenden Blicken an den
ihr halb zugewendeten Zügen des jungen Künstlers, verlor sich
in Gedanken, erwachte, seufzte und versuchte wieder zu lesen.

Ein leises Flüstern ging durch das schon dem Welken nahe
Laub der Bäume, kaum merklich zitterten die Sonnenlichter auf
dem Rasengrund, vom Schlosse her ließ sich gedämpft das
Plätschern der Fontäne hören, und in diese sanft atmende Som-
merstille klang nur manchmal von der Ulmenallee herüber der
harte Schrei eines Adlers.

Kitty schwieg, und auch Forbeck sprach nur selten ein paar
Worte, wenn er eine kleine Aenderung in der Haltung wünschte,
oder fragte, ob Kitty ermüdet wäre. Lächelnd schüttelte sie
auf solche Frage immer das Köpfchen. Sie hatte die Wange
auf der Lehne des Sessels liegen, so daß ihre Augen gerade auf
Forbeck gerichtet waren. Mit wachsendem Interesse beobachtete
sie jede seiner Bewegungen, wenn er von der Leinwand zurück-

trat, um die Arbeit zu prüfen, und dann wieder näher trat
und die flink schaffende Hand erhob. Er schien bei der Arbeit
ein anderer zu sein als sonst; alles Verlegene, Unsichere war
von ihm abgestreift, seine schlanke Gestalt war aufgerichtet und
schien gewachsen, ruhige Sicherheit lag in seinem ganzen Wesen,
und sein schmales, streng geschnittenes Antlitz war durchgeistigt
und verschönt. Und wenn er die Blicke zu dem Mädchen erhob —
wie strahlend, wie glücklich diese dunklen Augen blickten! Je
häufiger Kitty diesem trinkenden Künstlerblick begegnete, desto
heißer wurden ihre Wangen. Sie fühlte, wenn auch nur halb
bewußt, daß aus dem schwimmenden Feuerglanz dieser Augen
neben dem Genuß am Schaffen, neben der Freude am künstlerischen Werk auch noch ein anderes redete: das trunkene Wohlgefallen an dem lebendigen Bilde ihrer Jugend und Schönheit.

Wohl begann auf die Dauer ihr Körper zu ermüden, und
dennoch wurde sie fast unwillig, als Tante Gundi endlich die
Sitzung unterbrach, um für Kitty ein paar Minuten Erholung zu
erwirken. Man machte einen Schlendergang durch den Park
und blieb in der Ulmenallee eine Weile vor dem Adlerkäfig
stehen. Mit sprudelndem Eifer erzählte Kitty, wie ihr Vater
einen dieser Vögel unter den Flügelschlägen und Klauenhieben
des den Horst verteidigenden Weibchens aus dem Neste gehoben
— aber schließlich merkte sie doch bei allem Eifer, daß Forbeck
nicht hörte. Er hing wohl mit dem Blick an ihren Lippen, an
ihren Augen, aber ... „Sie sind wohl schon wieder bei Ihrem
Bild?" fragte sie lächelnd, mitten in der Erzählung abbrechend.
„Kommen Sie, wir fangen wieder an! Ich habe schon genug
geruht."

Wieder vergingen zwei stille Stunden, und die Sitzung
wurde erst abgebrochen, als auf dem Dach des Schlosses die
Mittagsglocke läutete.

„Ich darf Sie doch bitten, mit uns zu speisen?" sagte
Tante Gundi zu Forbeck. Und Kitty fiel ein: „Natürlich, Sie
müssen bleiben."

Forbeck wurde verlegen; Kopf und Herz waren ihm zu
voll, als daß er sich jetzt vor Schüssel und Teller hätte setzen
mögen. Und seine Hand war nicht müde, sie brannte und verlangte nach Arbeit — er wollte die gute Stimmung und den
Rest des Tages benützen, um auch mit den anderen Partien des
Bildes vorwärts zu kommen. Das brachte er stockend vor. Kitty

schmollte wohl — es hatte sie auch ein wenig verdrossen, daß
er es ihr nach Schluß der Sitzung mit scheuer Aengstlichkeit
verwehrt hatte, einen Blick auf die Leinwand zu werfen —
„Sie sollen das Halbe nicht sehen!" hatte er gesagt.

Um so gnädiger wurde Forbeck von Tante Gundi entlassen,
und als er mit Moser in der Ulmenallee verschwand, sagte sie:
„Das gefällt mir sehr an ihm! Er hat von Aufbringlichkeit keine
Spur an sich. Und wie er an seiner Arbeit hängt! Ich sage dir,
Kind, aus diesem jungen Menschen wird noch etwas, gib acht,
etwas Großes! Er sieht nicht umsonst . . ." Was sie weiter
noch sagen wollte, verschluckte sie und streifte Kitty mit ängstlichem Blick.

Schon in der Allee hatte Forbeck einen so stürmischen
Schritt angeschlagen, daß sich Moser nur mühsam an seiner
Seite zu halten vermochte. Als sie das Brucknerhaus erreichten,
und Mali den Farbenkasten und die Staffelei übernahm, um
sie über die Treppe hinaufzutragen, wischte sich der Alte den
Schweiß vom Gesicht und brummte: „Der hat aber ein guten
Schritt! Sakra! Hinter dem möcht ich net als Büchsenspanner
auf die Berg umeinander steigen!" Aber all seine Erschöpfung
schien jählings verschwunden, als er draußen auf der Straße
das ‚seine Lieserl' vorübergehen sah. „He! Schatzerl!" rief er
und humpelte hastig zum Gatter. „So wart doch ein bißl auf
dein alten Spezi!"

Lachend verhielt das Mädchen die Schritte. „Was is denn?
Wo brennt's denn? Hast was Neus?"

„Natürlich! Meine alte Lieb! Die is allweil wieder neu,
so oft ich dich anschau!"

„Und nix Gscheiters weißt wirklich net, du alter Narren-
seppl!"

„Aber gwiß! Aber gwiß!" Moser hängte sich vertraulich
in den Arm des Mädchens ein, zwinkerte mit den Augen, wie
er es von seinem Herrn gelernt, und kicherte: „Jetzt kommen
unsere jungen Grafen bald!"

Lieserls Augen blitzten. „Alle zwei?" huschte es mit
flinker Frage von ihren roten Lippen.

„Alle zwei? Ja warum fragst denn? Wart, wart, wart . . .
du bist mir aber eine!" Moser lachte und kniff mit Behagen
in den runden Arm des Mädchens. „Alle zwei? Sooo? Gelt?
Wenn der Herr Graf Robert allein kommen möcht . . . mir

scheint, das tät dir net völlig taugen? Was?" Wieder rührte er die Finger, und diesmal so derb, daß Lieserl vor Schmerz und Aerger kreischte.

„Au! Du verfluchter Kerl, was machst denn! Hör doch auf mit deiner Zwickerei!"

Es gelang dem Alten schwer, die Zürnende zu versöhnen. Schließlich lachte sie aber doch wieder zu seinen Späßen — und als sie das Haus ihres Vaters erreichte, schieden die beiden als gute Freunde voneinander.

So schmuck und aufgeputzt wie Lieserl selbst, so sauber und proper war das zweistöckige Häuschen anzusehen, das sie ihre Heimat nannte. Inmitten eines wohlgepflegten Gärtchens lag es einsam an der nach Schloß Hubertus führenden Straße. Rings um den Zaun dehnten sich die offenen Wiesen, vor der Front des Hauses zog der staubige Weg vorüber, jenseits der Straße rauschte in tiefer Schlucht der Seebach, und drüben begann der gegen die Berge aufsteigende Wald.

Die Hauswand, die von der Türe durchbrochen war, schimmerte in blendend weißem Anstrich, während die Giebelseite bis unter das Dach hinauf von dichtem Weinspalier überwachsen war, aus dem die kleinen Fenster hervorlugten wie die Augen aus einem bärtigen Gesicht. Zwischen dem wirren Blätterwerk guckte auch noch ein rotes Schild hervor, mit der verblaßten Inschrift: „Sebastian Zauner, Sattlermeister und Tapezierer."

Die Räume des Hauses waren beschränkt: zu ebener Erde der Flur mit der schmalen, steilen Treppe, die Küche, das Wohnzimmer und die kleine Werkstätte, im oberen Stock die beiden Schlafstuben und eine Lederkammer.

Als Lieserl in den Flur trat, verzog sie das Näschen. Der scharfe Leder- und Beizgeruch, der alle Räume erfüllte, war ihr ein Greuel, so oft sie nach Hause kam — und um ihn nicht auch an ihrem eigenen Körper auf die Straße mit hinaus zu tragen, hatte sie gelernt, sich mit allen möglichen Wohlgerüchen, mit Rosen-, Nelken- und Veilchengeist zu parfümieren; auf dem Fensterbrett ihrer Schlafkammer standen jahraus und jahrein die Gläser, in denen die Blüten mit verdünntem Spiritus der ‚Sonnendestallazion' ausgesetzt waren.

Die Wohnstube, die das Lieserl betrat, verriet in ihrer ganzen Ausstattung, daß der Zaunerwastl neben seinem Handwerk auch alle freien Künste trieb. Was sich zwischen diesen

Wänden befand — Spiegel, Geschirr, Nähmaschine und die Schwarzwälderuhr ausgenommen — war ein Werk von Wastls Händen, sogar der ‚altdeutsche‘ Kachelofen. Natürlich war die Stube ‚tapeziert‘ und hatte statt der üblichen Wandbank und den dreibeinigen Stühlen hochgepolsterte Möbel von unterschiedlicher Stilart. Neben der Türe stand ein geschnitzter Schrank. An der Wand hing eine Guitarre und eine Violine zwischen den geschnitzten Photographierähmchen und den ausgestopften Vögeln auf Postamenten aus Laubsägearbeit. In jedem der beiden Fenster hingen vier Vogelkäfige, der eine wie ein Schloß geformt, der andere wie eine Sennhütte und der nächste wie ein Schweizerhaus — und in diesen Käfigen befanden sich die merkwürdigsten Maschinerien, Treträder, Schaukeltreppen, Flaschenzüge, mit denen die dressierten Vögel die schwierigsten Kunststücke ausführen mußten, wenn sie zu Trank und Futter gelangen wollten. Wie ein kleines Museum war das Plateau des Kachelofens anzusehen; hier stand ein Spielwerk neben dem anderen: die Schlange am Kreuz, der Schmied beim Ambos, der Scherenschleifer mit seinem Stein, der Kapuziner auf der Kanzel u. s. w. Jetzt im Sommer standen freilich alle diese Spielwerke still — aber im Winter, wenn der Ofen geheizt war und die Wärme in die Höhe strömte, dann ringelte sich die Schlange um das Kreuz, der Schmied hämmerte im Takt, der Scherenschleifer drehte den Stein und der Kapuziner schlug mit den Fäusten auf die Kanzel wie bei der Osterpredigt.

Inmitten all der schreienden Unruhe, welche diese Stube füllte, saß die Zaunerin am Tisch, massig und in die Breite gewachsen, das einzig Feste in diesem Raum. Behaglich schlürfte sie ihr Schälchen Kaffee — denn der Meister war außer Hause, und jede solche Gelegenheit benützte die Zaunerin, um ihren geliebten Labetrank zu brauen, gleichviel ob sich diese Gelegenheit am Vormittag, nach Tisch oder am Abend ergab.

„Grüß Gott, Mutter!"

Die Zaunerin nickte, und ihre kleinen, fettumpolsterten Aeuglein hingen mit aller Zärtlichkeit mütterlichen Wohlgefallens an dem Mädchen, das zum Tische trat und neugierig den Deckel der Kaffeekanne hob.

„Hat mir die Mutter was aufghoben?"

„Aber freilich, Herzerl, komm, setz dich nur her, ich schenk dir gleich ein."

Lieserl zog einen Lehnstuhl zum Tisch, gähnte und ließ sich von der Mutter bedienen.

„Hast die Stadtleut antroffen?" fragte die Zaunerin. „Hast die Hemden abgliefert? Bist gleich zahlt worden?"

„Ja, es is alles in Ordnung. Aber es is leider bloß die Frau daheim gwesen, und die handelt allweil. Statt vierzehn Mark hat s' mir bloß zwölfe geben. Wenn ich mit'm Herrn hätt reden können, von dem hätt ich gwiß achtzehn oder zwanzig kriegt. Denn weißt," das Lieserl lachte, „mit die Herrn versteh ich mich aufs Reden."

„Ja, ja, Schatzerl, halt dich nur an die Mannsbilder, das tragt allweil mehr!" Die Zaunerin warf einen Zuckerbrocken, wie ein Kinderfäustchen so groß, in Lieserls Schale und rührte mit dem Löffel um. „So, Herzerl, jetzt laß dir's schmecken!" Sie nahm ihren Platz wieder ein, legte die Arme breit über den Tisch und bewunderte ihr schönes Kind. „Aber lang bist ausblieben."

„No mein, d' Mutter weiß doch, ich kann ja kein Schritt zur Haustür nausmachen, ohne daß sich ein paar an mich anhängen und ein aufhalten."

„Ich kann's ihnen gar net verdenken!" Die Zaunerin griff über den Tisch und tätschelte Lieserls Hand. „Wenn dich einer anschaut, müssen ihm doch b' Augen auswachsen. Geh, sag, wer hat denn schon wieder plänkelt?"

Lieserl zählte eine ganze Liste von Namen auf; den Namen des alten Moser verschwieg sie und sagte dafür: ,einer von die Grafenjäger'; schließlich merkte sie, daß sie sogar einen vergessen hatte. „Ja, und der Pointner-Andres, was sagst, der hat mir auch den Weg wieder abpaßt und hat Augen gmacht wie ein abgstochener Gockel! Wenn mich nur der einmal in Ruh lassen tät! Ich sag dir's Mutter, wenn so ein Trumm Bauernlackel verliebt wird, das is ja rein zum Lachen!"

„Bist aber doch freundlich mit ihm gwesen?"

„Mit dem? Fallt mir ein! Ordentlich abfahren hab ich ihn lassen!"

„Aber geh, geh, Herzerl ..." Die Zaunerin schüttelte mit schwerer Mißbilligung den Kopf und zeigte eine diplomatische Miene. „Der Andres ist freilich ein fürchtigs Trumm Blod. Aber er is doch der einzige Sohn, und sein Vater hat 's schönste Anwesen im Ort."

Lieserl leerte die Tasse und setzte sie energisch auf den Tisch. „Ah na, Mutter, für so ein gscherten Bauernlümmel bin ich mir doch z'gut!"

„Ja, ja, hast ja recht, Herzerl! Schau, ich sag's ja selber, du bist für was Bessers geboren. Aber man weiß halt doch net, wie's geht in der Welt. Und schau, drum mein' ich halt, du sollst ein bißl gscheit sein und sollst dir den Andres warm halten für den Fall, Gott behüt, daß halt doch nix Bessers kommen tät."

Lieserl erhob sich und lachte. „Da braucht die Mutter keine Sorg net haben! Es wird schon was Bessers kommen . . . und wer weiß, vielleicht recht bald . . . und was v i e l Bessers!"

Das war so geheimnisvoll gesprochen, daß die Zaunerin neugierig wurde. „Ja was is denn los? Was meinst denn? . Aber geh, so red doch, Herzerl! Deiner Mutter kannst dich doch anvertrauen!"

„Na! Das muß ich schon für mich bhalten!" Mit vergnügtem Schmunzeln trat Lieserl vor den Spiegel und zupfte an dem roten Seidenband, das um ihre Halskrause geschlungen war. „Wenn's einmal Zeit is zum Reden, da wird b' Mutter Augen machen!"

Die Zaunerin brannte vor Neugier; doch ehe sie eine weitere Frage stellen konnte, hörte sie vor dem Haus einen schweren Schritt. „Jetzt kommt der Vater!" Hastig trug sie das Kaffeegeschirr hinter den Ofen, während sich Lieserl an die Nähmaschine setzte.

Die Türe wurde aufgestoßen, und Meister Zauner trat in die Stube; eine nicht allzu behäbige Gestalt, mit einem gescheiten und gutmütigen Gesicht, das aber jetzt auf übel Wetter zeigte. Ein paar Jährlein mochte er schon über den Fünfziger haben. Die breiten, klobigen Daumen und die von der Lederbeize schwarzblau gefärbten Fingerspitzen verrieten sein Handwerk. Im übrigen aber zeigte er eine Figur — so ähnlich etwa, wie auf kleinen Theatern der verkommene Künstler in der Maske geschildert wird: mit enger, karrierter Tuchhose, in blusenartigem Janker, eine langgedröselte Seidenbinde um den Hemdkragen und mit einem breitkrempigen Filzhut, der noch schwarz zu nennen war, aber schon in alle möglichen Farben hinüberschillerte. Bei Meister Zauner aber war dieses Aeußere kein zutreffendes Bild des inneren Menschen. Denn trotz der

Vorliebe und Genialität, mit der er fast ein Dutzend brotloser Künste betrieb, war er im Grunde doch ein tüchtiger, fleißiger Handwerker, ein braver ehrlicher Kerl, der eigentlich nur den einen Kardinalfehler hatte, daß er mehr als zulässig unter dem Pantoffel stand — nicht unter dem schweren Schlappschuh seiner Frau, sondern unter dem kleinen Pantöffelchen seiner einzigen Tochter.

Zuweilen suchte er freilich gegen diese höhere Macht anzukämpfen. Auch jetzt, als er mit rotem Gesicht in die Stube trat, merkten es Mutter und Tochter gleich, daß die rostige Kanone seines Zornes schwer geladen und auf Lieserl gerichtet war. Mutter und Tochter tauschten den verständnisvollen Blick der zu Schutz und Trutz Alliierten. „Grüß Gott, Herr Vater!" sagte Lieserl und setzte die Nähmaschine in Gang, deren hurtiges Geklapper das wirre Gezwitscher der Vögel übertönte.

Meister Zauner machte einen Rundgang durch die Stube, rückte ein paar Stühle, warf seiner zwar nicht besseren, aber unleugbar gewichtigeren Ehehälfte einen wütenden Blick zu und schleuderte seinen Hut auf das Fenstergesims, daß die vier Vögel dieser Nische erschreckt in alle Winkel ihrer Käfige flatterten und die sämtlichen Maschinen in Bewegung setzten.

„No, no, no, was is benn?" brummte die Zaunerin hinter dem Ofen.

Mit beiden Händen fuhr sich der Meister durch die Haare und ging auf den Tisch zu. Als säße der Gegenstand seines Zornes hier vor ihm, so tippte er mit gestrecktem Zeigefinger auf die Platte und schrie gegen die leere Stubenecke: „Jetzt sag ich's aber zum letztenmal . . . wenn die Gschicht net bald ein End nimmt, nachher gibt's einmal ein ordentlichen Spektakel! Ich bin ein guter Kerl. Aber endlich wird's mir halt doch z'dumm! Jung sein und lustig, das laß ich mir schon gfallen. Aber was ich alles hören muß, das is ja schon bald nimmer schön! Auf Schritt und Tritt fassen mich ja d' Leut schon ab und erzählen mir Gschichten, daß mir Hören und Sehen vergeht. Und wenn ich auch schon glauben will, daß die Hälft davon erlogen is . . . es muß mir ja vor der andern Hälft schon grausen! Und wie steh ich denn da, wenn so was am End ins Schloß eini tragen wird. Ich müßt ja vor der gnädigen Herrschaft in Boden versinken vor lauter Schand! Da schieb ich aber doch noch ein Riegel vor! Und jetzt sag

ich's zum letztenmal ... die Gschichten hören auf! Oder es
gibt ein Spektakel! Himmelherrgottsakrament!" Meister Zauner
schlug die Faust auf die Tischplatte, trat zum Fenster, legte die
Hände hinter den Rücken und starrte mit dunkelrotem Gesicht
auf die Straße hinaus.

Lieserl hatte die Nähmaschine gestellt, und Stille war in
der Stube — nur einer der Vögel wagte ein schüchternes Gezwitscher. Kopfschüttelnd blickte das Mädchen auf die Mutter.
„Ja was hat denn der Herr Vater?"

„Was weiß denn ich?" seufzte die Zaunerin, die auf der
Ofenbank saß und den Saum der Schürze durch die Finger zog.

Lieserl erhob sich langsam. „Aber Herr Vater, so reden S'
doch! Was is denn?"

„Du wirst schon wissen, was los is!" schrie Meister Zauner,
das Gesicht nur halb über die Schulter wendend.

„Ich?" fragte das Mädchen staunend. „Der Herr Vater
hat doch net am End mich gmeint mit der ganzen Gschicht.
Da müßt ich aber doch bitten ..."

In gereiztem Zorn schoß Zauner auf die Tochter zu und
hob ihr die Faust vor das Gesicht. „Lieserl, ich sag dir's, tu
dich net föppeln mit mir! Sonst mach ich doch einmal Ernst!"

„Jesses Maria!" kreischte die Meisterin und schlug die
Hände über dem Kopf zusammen.

„Aber Herr Vater! Reden S' doch in der Ruh mit mir!"

„Ja, ja," fiel die Mutter ein. „Wie kann sich denn ein
Mensch so aufführen gegen sein einzigs Kind!"

Diese Mahnung kam bereits verspätet, denn vor den Augen
der Tochter vermochte der Zorn des Vaters nicht lange stand
zu halten. Um das Feld zu behaupten, wandte sich Meister
Zauner an sein Weib. „Du sei nur ganz still, du! Denn du bist
schuld an allem. Mit deiner ewigen Schöntuerei! Mit dem
ewigen Hascheln und Tatscheln! Da muß sich 's Madl freilich
was einbilden und muß glauben, sie kann grad alles treiben,
was ihr taugt! Du bist schuld, ja, du, wenn sich 's Madl auf
b' leichte Seiten legt und unsern guten Namen in alle Mäuler
bringt! Du! Du ganz allein!"

„Jetzt sag ich dir aber, Wastl ..."

„Sei stad, Mutter!" Lieserl stellte sich kampfbereit zwischen
Vater und Mutter. „Jetzt muß ich schon selber fragen, was
der Herr Vater eigentlich haben will von mir?"

„So? Das kannst noch fragen!" schrie Meister Zauner in die Stubenecke. „Was is benn nachher das schon wieder für eine Gschicht mit dem jungen Stadtherrn, der im Seehof loschiert?"

„Mit wem?" Lieserl zog die Brauen in die Höhe. „Ich weiß ja gar net, wen der Herr Vater meint?"

„So? Und was hast benn neulich mit ihm am Berg broben gmacht?"

„Ich? Am Berg broben? Ah, das is aber nett! Mir scheint, der Herr Vater bsinnt sich auf gar nix mehr! Hat net der Herr Vater neulich selber gsagt: schau, Lieserl, jetzt bist vierzehn Tag bei der Arbeit gsessen, jetzt schnauf dich ein bißl aus! . . . So hab ich halt unser Nachbarin in der Senn-hütten aufgsucht!"

„No ja, es is ja alles recht . . . aber muß man benn seine freie Zeit zu solchene Sachen benützen?"

„Solchene Sachen? Was für Sachen? Ich hab ja meiner Seel an gar nix denkt! Was kann benn ich bafür, daß mir der junge Springer zufälligerweis in Weg glaufen und nach-gstiegen is?"

„No freilich, was kann benn 's Madl bafür!" fiel die Zaunerin eifrig ein. „Sie hat halt schon einmal 's Gsrett mit die Mannsbilder! Hättst ihr ein anders Gsicht verschafft. Aber wenn einer 's Madl anschaut, gfallt's ihm halt!"

Meister Zauner warf einen halb wütenden, halb scheuen Blick über das schmucke Gesicht und das appetitliche Figürchen seiner Tochter. Das Argument seines Weibes schien ihm einzu-leuchten, und er brummte ein paar unverständliche Worte.

„Und wenn wir grad schon weiter reden," dozierte die Zaunerin, „für was is benn ein Madl auf der Welt, wenn's net gfallen soll? Die guten Heiraten werden heutigentags nim-mer in der Butten umeinander tragen. Da muß sich ein Madl beizeiten umschauen und ordentlich b' Augen aufmachen. Aber natürlich, wenn's d i r nachging, könnt 's Lieserl hinterm Ofen hocken und sitzen bleiben!"

„Sitzen bleiben!" grollte Meister Zauner. „Vor so was braucht unser Lieserl kein Angst net haben! Die findt einer hinterm Ofen auch! Da braucht s' net alle Tag ein neus Gspusi anfangen, daß b' Leut im ganzen Ort rebellisch werden. Und wenn's ihr mit'm Heiraten ernst is . . . der Pointner-Andres nimmt 's Madl auf der Stell! Und das is ein Bursch, mit

dem jedes Mahl zfrieden sein könnt ... und glücklich auch
noch dazu!"

Lachend drückte Lieserl den Kopf in den Nacken und setzte
sich zur Nähmaschine.

Als Meister Zauner den Rücken seiner Tochter sah, wuchs
ihm wieder der Zorn. Er trat dicht hinter Lieserls Stuhl,
drohte mit dem Finger und überschrie das Geklapper der Maschine. „Du! Das sag ich dir! Lachen tust mir net über den
Andres! Das is kein Mensch, mit dem man seine Spasseln
macht! Jede andere wär in b' Haut eini froh, wenn f' den
Andres kriegen könnt. Aber wart nur, dir setz ich schon noch
dein narrisches Köpfl zrecht!"

„Wenn ihn 's Lieserl aber einmal net mag!" fuhr die
Zaunerin dazwischen.

„Net mögen!" Meister Wastl schien ein Jucken in den
Fäusten zu verspüren. „Ja bist denn du auch schon völlig verruckt, du Schnadern, du alte! Net mögen! Ein Anwesen wie
der Pointnerhof, der seine hunderttausend Markln wert is,
so was soll man net mögen? Meinst vielleicht net, es is
gscheiter, wenn deine Tochter die Bäuerin auf der Point droben
heißt, als wenn b' Leut von ihr sagen, 's seine Lieserl' und
deuten mit bie Finger hinter ihr her? Himmelkreuzteufel noch
einmal! Da könnt man ja doch aus der Haut fahren!" Meister
Zauner stapfte in seine Werkstatt hinaus und schmetterte hinter
sich die Türe zu, daß unter den Tapeten der Mörtel bröselte.

„Fein benimmt sich der Herr Vater!" sprach Lieserl
lächelnd auf den Hembärmel nieder, den sie durch die Maschine
gleiten ließ.

Die Zaunerin säuberte bie Hände an der Schürze, als
hätte sie nasse Arbeit gehabt. Langsam beugte sie sich über
Lieserls Schulter und flüsterte ihr mit Vorsicht ins Ohr: „Was
den Andres betrifft, hat er net so unrecht, weißt."

„Jetzt mag ich erst recht net! Jetzt grad mit Fleiß! Jetzt
führ ich ihn erst recht an der Nasen rum. Und jetzt leg ich grad
alles drauf an, daß mir meine heimlichen Gedanken naus-
gehen! Es wird sich ja zeigen, ob ich recht hab oder net! Und
wenn mir alles nausgeht, wie ich denk ... da wird's erst recht
was z'reden geben im Ort! Da freu ich mich schon drauf!"
Mit vergnügtem Kichern beugte sich Lieserl über ihre Arbeit.

Die Zaunerin fuhr mit der Zunge im Kreis über die

trockenen Lippen; ihr Mutterherz fieberte vor Neugier. Zärtlich
strich sie mit der Hand über Lieserls Haar und wisperte:
„Schatzerl, geh, wie kannst denn so zruckhalterisch sein vor deiner
Mutter! Hast ja doch keine bessere Freundin im Leben! Geh,
sag mir, was los is?"

Aber Lieserl schüttelte das Köpfchen, ließ die Maschine
klappern und gab keine weitere Audienz.

12.

Am folgenden Morgen mußte Tassilo seinen Diener schicken,
um Forbecks Geräte nach Schloß Hubertus zu bringen; denn
der alte Moser hatte über Hals und Kopf zu schaffen. Es war
eine neue Wildsendung von der Jagdhütte eingetroffen — vier
Gemsböcke und drei Kapitalhirsche — und da mußte Moser die
Geweihe von den Schädeln sägen und die Verfrachtung des
Wildbrets überwachen. Das war eine Arbeit, die den Alten fast
noch heiterer stimmte, als eine Begegnung mit dem ‚seinen
Lieserl'. Laut rumorte er im Zwirchgewölb umher, sang bei
seinem Werk ein Schnaderhüpfl um das andere und hielt lachende
Ansprachen an das tote Wild. Seine Stimme klang bis zu dem
von Licht und Schatten überzitterten Rasen, auf welchem Kitty
ihr Plätzchen wieder eingenommen hatte und Forbeck in stiller
Arbeit vor der Leinwand stand, während Tante Gundi mit dem
Buch auf der Bank saß. Schon ein paarmal hatte Fräulein
von Kleesberg unwillig nach der Richtung geblickt, in der das
Wirtschaftsgebäude lag — sie fürchtete, daß die konfuse Dudelei
des Alten den Künstler stören könnte. Doch Forbeck schien kein
Ohr zu haben und war nur Auge für Kitty und sein Bild —
es hatte sogar den Anschein, als käme das letztere bei dieser
Teilung ein wenig zu kurz, denn je häufiger er die Blicke von
der Leinwand hob, desto länger hafteten sie an diesem holden
Bild des Lebens; und manchmal, tief atmend und mit brennenden
Wangen, schüttelte er den Kopf, als vertrüge vor seinem eigenen
Urteil das künstlerische Abbild, an dem er schaffte, nicht den
Vergleich mit der schönen Wirklichkeit. Kitty, die still und
geduldig wie ein Mäuschen saß, gewahrte die Unruhe, die ihn
befiel, und als er wieder einmal den Rücken der Hand an die

glühende Stirne preßte, fragte sie leise: „Herr Forbeck . . .?"

Tante Gundi ließ das Buch sinken.

Da knirschten eilige Schritte auf dem Kiesweg, und der alte Moser erschien: hemdärmelig, die nackten Arme bis über die Ellbogen mit Blut besudelt, ein paar rote Fingerstriche im lachenden Gesicht und in den Händen das frisch abgesägte Geweih eines Zwölfenders.

„Ich bitt, meine lieben Herrschaften, so was muß man anschauen!" rief er und hob das Geweih. „So ein Hirsch hat der Herr Graf schon lang nimmer gschossen. Das is halt einer, der noch aus **meiner** Zeit übrig blieben is!"

Kitty und Forbeck streiften das Geweih mit zerstreuten Blicken. Tante Gundi sprang auf und schalt: „Aber Moser! Sind Sie denn verrückt, wie können Sie sich nur einfallen lassen, in solchem Aufzug vor Damen zu erscheinen! Wie ein Mörder! Gehen Sie mir aus den Augen! Flink!"

„Jesus Maria!" stotterte der Alte erschrocken und wandte sich zur Flucht. Hinter den Büschen blieb er kopfschüttelnd stehen und brummte: „Es gibt wahrhaftiger Gott Menschen auf der Welt, die für so ein Gweih kein Sinn haben! Man sollt's net glauben! Ja, ja, die Frauenzimmer! O du lieber Herrgott! Da fehlt's weit!"

Fräulein von Kleesberg vermochte sich lange nicht zu beruhigen; der ‚gräßliche Anblick' war ihr auf die Nerven gegangen; so etwas pflegte bei ihr immer zu wirken wie ein Steinfall ins Wasser: da weckt eine Welle die andere, und sie brauchen Zeit, um sich wieder zu verlaufen. Was Tante Gundi aus ihrem Aerger herausredete, war nichts weniger als ein Lobgesang auf die Jagd — und Graf Egge wäre dabei fast übel weggekommen, hätte nicht Kitty in peinlicher Verlegenheit gemahnt: „Aber Tante Gundi!"

Von den dreien schien Forbeck der einzige, dem diese Störung willkommen und von Nutzen gewesen. Er war ruhiger geworden und arbeitete mit gleichmäßigem Eifer. Dann plötzlich wieder kam es wie stürmische Ungeduld in seine Hand, alles an seinem Wesen war feuriges Leben und freudige Hast.

Als Tante Gundi dies bemerkte, machte sie große Augen. „Aber Herr Forbeck! Was haben Sie denn?"

„Sehen Sie nur . . . die Beleuchtung in diesem Augenblick," stammelte er, ohne die Arbeit zu unterbrechen, „wie das Haar

an der Schläfe schimmert ... und die Wange ... wie das
im Schatten noch leuchtet! Das ist ein Märchen, ein Traum!
Das m u ß ich haschen!"

Stille Minuten vergingen. Dann trat er von der Leinwand zurück, mit einem stockenden Atemzug, wie nach gewaltsamer Anstrengung; die Freude verzerrte ihm fast das Gesicht.
„Ich glaube, ich hab's!"

Fräulein von Kleesberg rauschte zur Staffelei. Auch Kitty
machte eine Bewegung, als wollte sie aufspringen. Das gewahrte Forbeck, und mit glücklichem Lächeln sagte er: „Wollen
Sie sehen?" Sie kam herbeigeflogen, während Tante Gundi
dem jungen Künstler schon ein wortreiches Loblied sang.
Schweigend, das Gesicht von glühender Röte übergossen, stand
Kitty eine Weile vor dem Bild; dann blickte sie zögernd zu Forbeck auf, und mit einer Stimme, die ihre Freude verriet, sagte
sie: „Ich fürchte nur, Sie haben ein wenig geschmeichelt ...
s e h r geschmeichelt!"

Er sah sie mit leuchtenden Augen an, und Tante Gundi
übernahm für ihn die Antwort: „Aber nein, Kind! Es war
gerade so, wie es hier gemalt ist! Es ist ganz unglaublich, wie
Herr Forbeck das getroffen hat! Dieser Duft! Dieser Sonnen-
schimmer!" Und das sprudelte so weiter.

Forbeck wurde dieser wortreichen Begeisterung gegenüber
ganz verlegen. Er legte neue Farben auf die Palette und
wandte sich an Kitty. „Darf ich bitten ... nur noch ein
Viertelstündchen für das Kleid, ehe das Licht sich ändert?"

Sie eilte zum Lehnstuhl, um ihre Stellung wieder einzunehmen.

Aus dem Viertelstündchen wurde eine lange Stunde rastloser Arbeit. Forbeck war so vertieft in Schauen und Schaffen,
daß er die Schritte Tassilos überhörte, der gegen Mittag kam,
ein offenes Blatt in der Hand; seine Augen blickten noch ernster
als sonst; doch als er einen Blick auf die Leinwand warf, hellten
sich seine Züge auf. Er legte die Hand auf die Schulter des
jungen Künstlers. „Ja, lieber Freund, Werner wird seine Freude
haben an dieser Arbeit!" Eine Weile noch stand er in die
Betrachtung des Bildes versunken — dann trat er auf Fräulein
von Kleesberg zu, und ohne die Verwirrung zu gewahren, die
seine zu Forbeck gesprochenen Worte bei Tante Gundi hervor-
gerufen hatten, reichte er ihr das offene Telegramm und sagte,

zu seiner Schwester gewendet: „Robert und Willy kommen heute nachmittag.“

Mit jubelndem Laut sprang Kitty auf und wollte zu Fräulein von Kleesberg eilen, um das Telegramm zu sehen. Doch auf halbem Wege stand sie erschrocken still — ihre Blicke hingen an Forbeck, und wie ein trüber Schatten glitt es über ihr Gesichtchen. Auch Forbeck war seltsam erregt; er schien die Sitzung für beendet zu halten, verwahrte mit zitternden Händen die Pinsel in der Blechschale und schloß den Farbenkasten.

Inzwischen besprach Tante Gundi in etwas konfuser Weise mit Tassilo alle nötigen Vorbereitungen: man mußte für Robert und Willy die Zimmer in Ordnung bringen, einen Wagen zu der eine Stunde entfernten Bahnstation schicken und die Träger für den Aufstieg zur Jagdhütte bestellen, der nach Graf Egges Anordnung schon am kommenden Morgen erfolgen sollte. Seufzend griff sich Fräulein von Kleesberg an die Stirne und eilte davon, ohne sich von Forbeck zu verabschieden.

Tassilo stand in Gedanken versunken, mit einer tiefen Furche zwischen den Brauen. Und Kitty schien die Sprache verloren zu haben. Forbeck nahm die Leinwand von der Staffelei, und dann gingen sie langsam dem Schlosse zu. Als sie den Teich erreichten, fragte Tassilo, aus seinem Sinnen erwachend: „Sagen Sie, Forbeck, haben Sie denn nun, was Sie brauchen? Oder ist noch eine weitere Sitzung nötig?“

Mit scheuen Augen blickte Kitty zu Forbeck auf, der die Worte mühsam zu finden schien. „Ich glaube wohl, daß ich mit dem, was ich habe, zurechtkommen werde. Und ich darf auch nicht unbescheiden sein . . .“

„Unbescheiden? Ihr Bild soll nicht leiden! Morgen wird sich die Sache allerdings schwer machen . . . diese Unruhe im Haus . . . aber vielleicht übermorgen. Ich will mit Fräulein von Kleesberg sprechen. Und wenn Ihnen Fritz nach Tisch Ihre Sachen bringt, schick ich Ihnen Nachricht.“

Forbeck vermochte nur mit einem Blick zu danken. Die Kehle war ihm wie zugeschnürt. Ohne die Augen zu heben, verneigte er sich vor Kitty, reichte Tassilo die Hand und wandte sich zum Gehen. Tassilo begleitete ihn schweigend bis zur Ulmenallee; als sie in den Schatten der Bäume traten, sagte er leise: „Sie haben es gut, lieber Freund! Sie können vor Ihrem

wachsenden Werke stehen, und kein Gedanke stört Ihnen das
reine und volle Glück Ihres Schaffens."

Forbeck nickte, als wäre an dieser Tatsache gar nicht zu
zweifeln; dabei aber seufzte er und sah zu Boden.

„Aber ich!" Tassilo blickte durch das Gewirr der Aeste gegen
die Berge. „Ich werde um mein Glück ein böses Jagen haben
. . . dort oben."

Kitty war beim Teiche stehen geblieben, und während sie
den beiden mit den Augen folgte, streckte sie die Hand in den
kühlen Regen der Fontäne. Sie sah, wie Tassilo und Forbeck
von einander Abschied nahmen, als gält es eine Trennung für
lange. Ein leiser Schauer rieselte ihr über die Schultern; sie
zog die Hand zurück, trocknete sie mit dem Tuch und starrte
verlorenen Blickes in das klare Wasser nieder, in dem die
Forellen näherschwammen. So überhörte sie die Schritte
Tassilos, der die Veranda betrat, und überhörte es sogar, als
eine Weile später die Glocke läutete. Fritz mußte sie rufen. Als
sie bei Tisch erschien, blickte Tante Gundi befremdet zu ihr
auf. „Aber Kind, was ist dir?"

„Mir? Nicht das geringste! Ich glaube nur, daß ich ein
wenig ungedulbig bin . . . ich kann es kaum erwarten, bis
Robert und Willy kommen."

„Willst du mit dem Wagen zur Bahn fahren?"

Kitty nickte etwas unschlüssig, aber Tassilo fiel hastig ein:
„Das möchte ich doch nicht raten." Er führte seine Gründe
an, die staubige Straße, die drückende Hitze — aber an der
Art, wie er sprach, merkte Kitty, daß seine Sorge um ihr Wohlbefinden nur eine Ausflucht war. Weshalb aber wollte er sie
zu Hause behalten?

Fräulein von Kleesberg hatte ein weniger feines Ohr.
„Vielleicht bist du auch etwas ermüdet," sagte sie. „Die Sitzung
hat heute lange gedauert, und wir haben keine Pause gemacht.
Ich weiß wahrhaftig nicht, wie ich das nur übersehen konnte.
Freilich, Herr Forbeck war heute in so prächtiger Arbeitsstim-
mung. Aber wenn er übermorgen wieder kommt . . ."

„Uebermorgen? Wirklich?" huschte es von Kittys Lippen.
Und zögernd fügte sie bei: „Also doch noch eine Sitzung?"

„Ja, mein Kind, dieses kleine Opfer mußt du dem jungen
Künstler wohl noch bringen," mahnte Tante Gundi mit mütter-
lichem Ernst. „Tassilo sagte mir, das wäre im Interesse des

Bildes notwendig, und wir dürfen doch dem Gedeihen eines so schönen Werkes kein Hindernis in den Weg legen.“

Tassilo blickte zu Fräulein von Kleesberg auf und lächelte. Kitty zuckte statt aller Antwort nur die Schultern, aber im Verlauf des Diners besserte sich ihre Laune in ganz überraschender Weise. Nur ihre Neugier, was hinter Tassilos Ausflucht stecken möchte, wollte sich nicht beruhigen.

Als sie nach dem Diner zur Veranda gingen, Fräulein von Kleesberg voraus, hängte sich Kitty an den Arm des Bruders und fragte flüsternd: „Sag mir, Tas, aber ehrlich, warum willst du mich zu Hause haben?“

„Komm zu mir hinauf, wenn Tante Gundi ihr Schläfchen macht, und du wirst es erfahren!“

Sie sah ihm betroffen in die Augen, denn eine seltsame Erregung sprach aus dem gedämpften Klang seiner Stimme. Doch sie fragte nicht weiter. Eine zitternde Unruhe erwachte in ihr, als hätte sie ein böses Gewissen und Vorwürfe zu befürchten. Aber wie lange sie auch grübeln mochte, sie war sich keiner Schuld bewußt. Das sagte sie sich immer wieder, und dennoch wollte das bange Pochen, das sie in ihrem Innern verspürte, nicht zur Ruhe kommen.

Auf der Veranda nahm Tassilo seinen gewohnten Platz nicht ein. Stehend leerte er die Kaffeetasse, die Fräulein von Kleesberg ihm reichte, raffte die Zeitungen zusammen, nickte einen stummen Gruß und verschwand.

„Was hat er denn?“ fragte Tante Gundi verwundert.

Kitty zeigte eine ernste Miene. „Er hat ja gestern bis spät in die Nacht gearbeitet und heute wieder den ganzen Vormittag. Ich glaube, er wird ein wenig ruhen wollen. Es ist aber auch furchtbar schwül heute! Eine so merkwürdig drückende Luft.“

„Ja, da hast du recht! Wie vor einem Gewitter!“ Fräulein von Kleesberg spähte durch das Geschling der Reben; doch der Himmel leuchtete blau, kein einziges Wölklein war zu sehen.

„Nicht wahr, es ist dir auch so ... ich weiß nicht wie! Aber nimm nur keine Rücksicht auf mich. Wenn du müde bist ...“

„Ja, mein gutes Herz, ich danke dir!“ Und zärtlich streifte Tante Gundi die Hand über Kittys glühende Wange.

Nun saßen sie schweigend. Fräulein von Kleesberg hielt die Schale in der Hand, sah mit verträumten Augen ins Leere und nahm von Zeit zu Zeit ein Schlückchen Kaffee. Kitty lauſchte ſcheu gegen ein offenes Fenſter des oberen Stockes empor — dort oben klang der gedämpfte Hall raſtloſer Schritte.

Endlich erhob ſich Tante Gundi, um ihr Zimmer zu ſuchen. Kitty begleitete ſie bis zur Treppe und wartete im Flur, bis droben die Türe ging. Dann huſchte ſie lautlos über die Treppe hinauf und trat mit erregter Spannung in das Zimmer ihres Bruders.

„Da bin ich, Tas!"

Er unterbrach ſeine Wanderung. „Komm her!" Mit geſtreckten Armen ging er der Schweſter entgegen und zog ſie an ſeine Bruſt. „Ich habe mit dir zu reden."

„Von mir?" klang die ſcheue Frage.

„Nein! Von deinem Bruder Tas."

Nun atmete ſie auf und lachte. „Da bin ich rieſig neugierig! Aber Tas! Was haſt du denn nur? Du biſt ja ganz feierlich?"

Er ſah ihr in die Augen und ſtreichelte ihr Haar. „Ich habe dich lieb . . . nicht wahr das weißt du? Und ich glaube, du hängſt auch ein wenig an mir. Und ſieh, deshalb möchte ich dir eine unbehagliche Ueberraſchung erſparen. Komm . . . ich will dir etwas zeigen!" Er führte ſie zum Schreibtiſch, ließ ſich nieder und zog ſie auf ſeinen Schoß. Verwundert ſchüttelte ſie das Köpfchen, während er eine Lade öffnete. „Sieh dir einmal dieſes Bild an!" Dabei reichte er ihr ein kunſtvoll ausgeführtes Paſtell in braunem Plüſchrahmen.

Das Porträt einer jungen Dame! Noch ehe Kitty das Bild genauer betrachtet hatte, dämmerte in ihr eine Ahnung. Mit brennenden Wangen blickte ſie haſtig zu dem Bruder auf und jubelte: „Aber Tas! Du wirſt doch nicht . . ."

Er lächelte. „So ſieh dir das Bild an!"

Der Reiz des Geheimniſſes erfaßte ſie; ſchauernd bewegte ſie in ſeligem Vergnügen die Schultern und betrachtete das Bild. „Ach, wie entzückend, wie ſchön! Dieſer ſanfte Mund und dieſe wundervollen Augen . . ." Da ſtutzte ſie, und die Entdeckung, die ſie machte, erſtickte momentan alles andere Denken in ihr. „Aber Tas? Täuſch ich mich, oder . . . das iſt ja doch Fräulein Herwegh von der Oper? Natürlich! Das iſt ſie! Ich habe ſie doch ſchon dreimal gehört! Als Acuzena, dann im ‚Orpheus‘, als Fides im ‚Propheten‘! Nein, Tas, ich ſage dir, dieſe Fides! Ich war außer mir vor Wonne, ich habe ſo geſchluchzt, daß Tante Gundi wütend mit dem Fächer zu

puffen anfing: ‚Aber so schäme dich doch! Es werden ja schon
alle Leute aufmerksam!‘ . . . aber das ging bei mir über die
Backen herunter wie zwei Wetterbäche . . . und schließlich hat
mich Tante Gundi gefaßt und hat mich in den dunklen Fond
der Loge gezogen. Da mußte ich stille halten, bis ich mich aus-
geweint hatte.“ Kitty lachte, doch mitten im Lachen brach sie
ab und wurde ernst. „Fräulein Herwegh ist eine große Künstlerin! Aber was mich damals so tief ergriffen hat, daß ich
meinte, es zerdrückt mir das ganze Herz . . . denke dir, Tas:
in der großen Szene, weißt du, zwischen Fides und ihrem
Sohn . . . da ging es mir plötzlich durch den Kopf: ob nicht Mama
so ausgesehen haben könnte, wie Fräulein Herwegh als Fides?“

In herzlicher Freude hatte Tassilo den sprudelnden Worten
der Schwester gelauscht; nun aber furchte sich seine Stirne, und
schwer atmend schüttelte er den Kopf.

Kitty hielt das Bild im Schoß, lehnte die Wange an die
Schulter ihres Bruders und blickte mit schwimmenden Augen
ins Leere. „Es war ein großes Unglück für mich, daß ich
Mama so früh verlieren mußte . . . und je älter ich werde,
desto schmerzlicher fühl ich das. Und wenn es mich manchmal
so hart überfällt, hab ich nicht einmal eine Erinnerung, die
mich trösten könnte. Wenn ich an Mama denke, ist alles leer
vor mir . . . ich sehe nichts!“ Sie hob das Köpfchen und
blickte in Tassilos Augen. „Sag mir, Tas . . . es ist doch
eigentlich sehr seltsam, daß wir von Mama nicht ein einziges
Bild haben, weder hier in Hubertus, noch in München?“

Tassilo zögerte mit der Antwort, und seine Stimme
schwankte. „Mama wollte sich niemals malen lassen.“ Fester
schlang er den Arm um Kitty. „Aber ich habe dir doch unsere
Mutter schon so oft geschildert . . .“

„Wie schön sie war, und wie gut . . . ja, Tas! Aber ich
sehe sie doch nicht! Wenn ich mir eine Vorstellung von ihr zu
machen suche, schwimmt mir alles vor den Blicken . . . ich
sehe das Haar und sehe Augen . . . aber kein Bild, das ich mit
dem Herzen festhalten könnte. Und weißt du, das ist in mir
wie eine unstillbare Sehnsucht. Und so oft ich ein schönes Bild
sehe, oder eine Dame, deren Erscheinung auf mich Eindruck
macht . . . da zuckt es mir immer so merkwürdig heiß durch das
Herz: vielleicht hat Mama so ausgesehen. Das war auch damals
so, als ich Fräulein Herwegh in der Rolle der Fides sah.

Diese schöne, stille Größe ..." Verstummend neigte Kitty das Gesichtchen und hing mit schwärmerischen Augen an dem Bilde. Plötzlich glitt es wie Schreck über ihre Züge, und sie stammelte: „Aber Taß! Sage mir doch, was soll ... wie kommt denn dieses Bild in deine Hände?"

„Auf die natürlichste Weise. Fräulein Herwegh hat es mir geschenkt."

„Sie? ... Dir? ... Ja kennst du sie denn?"

„Gewiß! Seit drei Jahren schon."

„Und davon hast du nie gesprochen? Weshalb nicht?" Dem stillen Lächeln des Bruders gegenüber steigerte sich ihre Verwirrung immer mehr. „Und dieses Bild? ... Das alles versteh ich ja nicht! Daß sie dir dieses Bild gab ... das muß doch eine Ursache haben ... einen Sinn?"

„Und den errätst du nicht?"

„Taß!" Mit zitterndem Aufschrei, ohne das Bild aus der Hand zu lassen, schlug Kitty den Arm um den Hals des Bruders.

Tassilo hielt sie umschlungen und sprach mit leiser Stimme. „Ich liebe sie, und Anna liebt mich wieder. Fast weiß ich dir nicht zu sagen, wie es kam ... es ist eine einfache, stille Geschichte. Aber weißt du, wahres Glück ist niemals eine komplizierte Sache. Da fällt ein Same in ein Menschenherz ... niemand weiß, wer ihn streute ... und das wächst in aller Stille, an das schwankende Hälmchen setzt sich Blatt um Blatt, in einer guten Stunde fällt ein warmer Sonnenstrahl auf die Knospe, und die Blume öffnet sich und hat Duft und Farben. Das ist in Wahrheit mein ganzer Roman. Ich verehrte Anna schon als Künstlerin, noch bevor ich sie persönlich kennen lernte. Die erste Begegnung mit ihr hatte ich an jenem Tag, an dem ich als Konzipient bei Doktor Neuroth eintrat. Er war ihr Anwalt, und als er sich vor einem Jahr von den Geschäften zurückzog und mir seine Kanzlei übergab, wurde Anna meine Klientin. Da hatte ich nun reiche Gelegenheit, ihren reinen Charakter kennen zu lernen, ihr tiefes Gemüt, ihr lauteres Wesen und die trauliche Häuslichkeit, in der sie mit Mutter und Schwester lebt. Wir glaubten Freunde zu sein und wußten nicht, daß wir uns liebten."

Regungslos hatte Kitty gelauscht, und nun fragte sie flüsternd: „Wie kam es, daß ihr euch gefunden habt?"

Tassilo lächelte. „Du wirst enttäuscht sein, wenn ich es

dir erzähle. Es war im Frühjahr ... da bat sie mich eines
Tages um meinen Besuch. Ich sah, daß die Zeilen in erregter
Hast geschrieben waren, und ließ alle Arbeit liegen. So kam
ich zu ihr und erfuhr, sie hätte einen glänzenden Antrag der
Wiener Oper erhalten, müsse sich innerhalb eines Tages entscheiden und bäte mich um meinen Rat. Mir fuhr es ins Herz
und an die Kehle, daß ich keine Silbe über die Lippen brachte.
Sie sah mich betroffen an, und so standen wir eine Weile wortlos
voreinander. Dann setzten wir uns, ich las den Vertrag, wir
besprachen alle Verhältnisse dieser neuen Stellung, und aus
ehrlichem Gewissen mußte ich ihr raten, den Kontrakt zu unter-
zeichnen. Lange saß sie schweigend, dann faltete sie den Vertrag zusammen und verschloß ihn. Wir plauderten noch über
alle möglichen Dinge; dabei saß sie auf dem Stuhl vor dem
offenen Flügel und griff zuweilen mit einer Hand ein paar
Akkorde. Plötzlich brach sie mitten im Worte ab und begann
zu spielen ..."

„Und sang?"

Er nickte. „Und sang! ... Ein kleines Liedchen von
Schumann, ‚Jasminenstrauch‘."

Hastig hob Kitty das Köpfchen. „Ich kenne das Lied!"
Zwei Tränen schimmerten an ihren Wimpern, während sie
lächelnd die Verse flüsterte:

> „Grün ist der Jasminenstrauch
> Abends eingeschlafen.
> Als ihn mit des Morgens Hauch
> Sonnenlichter trafen,
> Ist er schneeweiß aufgewacht:
> ‚Wie geschah mir in der Nacht?‘
> Seht, so geht es Bäumen,
> Die im Frühling träumen."

Ein tiefer Atemzug schwellte ihre junge Brust, und die
Tränen rollten von ihren Lidern.

„Dieses Liedchen sang sie ... aber wie sie es sang, vermag ich dir nicht zu sagen. Und ich kann dir auch nicht schildern, was ich beim Klang ihrer Stimme empfand ... es war
über mich gefallen wie ein Rausch von Weh und Freude. Als das
Liedchen zu Ende war, ließ sie die Hände in den Schoß fallen.
Und ohne das Gesicht nach mir zu wenden, sagte sie: „Ich

habe mich besonnen, ich gehe **nicht** nach Wien." Eine Antwort fand ich nicht . . . aber ich umschlang sie mit zitternden
Armen und küßte ihren Mund."

„Ach, du Glücklicher! Du Glücklicher!"

„Ja, Schwester, ich habe das Glück gefunden, und ich will
es halten! Anna wird meine Frau! . . . Willst du ihr gut sein?"

„Gut sein? Nur gut sein? Tas! Tas! Ich werde ja
närrisch vor Freude!" jubelte Kitty und erstickte den Bruder
fast mit Küssen. Plötzlich richtete sie sich auf und glitt von
seinem Schoß. Ihr Gesichtchen hatte alle Farbe verloren. Mit
angstvollem Blick streifte sie das Bild und legte es auf den
Schreibtisch, während sie tonlos stammelte: „Aber Tas . . .
um des Himmels willen . . . Papa! Hast du denn schon mit
Papa gesprochen?"

Tassilo erhob sich. „Noch nicht. Das soll dieser Tage
geschehen, droben in seiner Jagdhütte."

Mit ganz verstörten Augen blickte sie zu ihm auf. „Herr,
du mein Gott . . . lieber, lieber Tas . . . das wird böse Geschichten absetzen!"

„Das fürchte ich allerdings!" erwiderte er ruhig.

Mit leidenschaftlicher Entschlossenheit, als hätte Kitty um
ihr eigenes Glück zu kämpfen, faßte sie die Hand des Bruders.
„Sei nur mutig, Tas! Dann wirst du es auch durchsetzen!
Und das mußt du! Das bist du deiner Liebe schuldig! Und
habe nur keine Sorge . . . wie es auch kommen mag . . . ich halte
zu dir! Und fest!" Mit beiden Armen umklammerte sie seinen
Hals. „Ach, Tas, ich habe dich ja so furchtbar lieb!"

Sanft löste er ihre Arme und nahm ihr zuckendes Gesichtchen zwischen die Hände. „Ich danke dir! Ja, mein kleiner
Spatz, du hast mich lieb! Und ich wußte, daß du dich für mich
entscheiden würdest . . . ebenso wie ich weiß, daß alle anderen
gegen mich sein werden, mein Vater und meine Brüder!"

„Nein, Tas, nein! Denke doch nicht gleich das Aller-
schlimmste!" So tröstete sie und griff sich dabei in neu
erwachender Angst an die Stirne. „Ich sage dir etwas! Nimm
dieses Bild mit hinauf in die Hütte! Wenn Papa dieses Bild
sieht . . . oder noch besser, Tas: grüble dir einen Vorwand
aus, suche Papa zu einer Fahrt nach München zu bewegen,
mach ihn mit Fräulein Herwegh bekannt . . ."

Tassilo schüttelte den Kopf. „Ich kenne unseren Vater

beſſer. Mit einem ſolchen Verſuche würde ich Anna nur einer
Demütigung ausſetzen . . . vielleicht noch Schlimmerem. Könnte
ich mir von einer ſolchen Begegnung Gutes verſprechen, ſo
wäre eine Fahrt nach München gar nicht notwendig. Anna
iſt mit ihrer Mutter und Schweſter hier im Dorfe, ſeit drei
Wochen ſchon."

„Tas! Und das ſagſt du mir jetzt erſt!" ſtammelte Kitty in
Schreck und Freude. Sie atmete tief, und dann ſprudelte es von
ihren Lippen: „Führe mich zu ihr, Tas! Ich bitte dich! Ich
muß ſie kennen lernen! Ich muß! Nicht wahr, du erfüllſt meine
Bitte? Morgen? Nein, heute noch! Jetzt! Sieh nur, lieber
Tas, wir können ja keine beſſere Stunde finden! Tante Gunbi
ſchläft, und Papa iſt in der Hütte broben . . . es iſt alſo abſolut
unmöglich, daß ich irgend jemanden um Erlaubnis frage! Komm,
Tas, komm, ich bitte dich! Sieh nur: was ſpäter ſein wird,
wiſſen wir alle beide nicht, aber heute können wir noch tun,
was wir wollen! Ich bitte dich, Tas!"

In ungeſtümer Freude zog Taſſilo die Schweſter an ſeine
Bruſt. „Ja, Schatz, wir wollen gehen! Und ich will ehrlich
ſein . . . ich hoffte, daß du dieſe Bitte ſtellen möchteſt. Es
wird für Anna eine große Freude ſein, wenn ich dich bringe
und ihr ſagen kann, daß es dein freier Wunſch war."

„Wirklich? Wirklich?" jubelte Kitty. „Aber richte dich nur
gleich! Ich bin in fünf Minuten fertig. Und gib acht, wie ſchön
ich mich machen werde!" Sie eilte zur Türe, doch auf halbem
Wege kehrte ſie wieder um. „Halt! Noch etwas!" Sie lief zum
Schreibtiſch, nahm das Bild, betrachtete es in zärtlicher Be-
geiſterung, brückte es an die Lippen und huſchte lachend davon.

Mit glücklichen Augen hing Taſſilo an der Türe, die ſich
hinter Kitty geſchloſſen hatte. Dann nahm auch er das Bild
und betrachtete es lange. Keine Spur von Sorge lag auf ſeinem
Antlitz, nur die helle Zuverſicht ſeines Glückes. Endlich ver-
ſchloß er das Bild in die Lade, nahm Hut und Stock und ging,
um auf der Veranda die Schweſter zu erwarten.

Nach wenigen Minuten erſchien ſie mit heißen Wangen
und ſtrahlenden Augen. Und ſie hatte ſich ‚ſchön' gemacht —
genau ſo ſchön wie für jenes Diner, zu welchem Forbeck geladen war.

Arm in Arm wanderten ſie durch die Ulmenallee, an dem
Käfig vorbei, in dem die Adler ruhig auf den Stangen ſaßen;

die Raubvögel bewegten nur leise die Köpfe, als das Paar vorüberschritt, und die durch keine Gefangenschaft zu brechende Wildheit ihrer Art funkelte in den scharfen Augen; einer von ihnen knappte mit dem Schnabel und zog die Fänge an, daß die Stange knirschte.

Als Tassilo und Kitty aus dem Parktor auf die Straße traten, ging das ‚feine Lieserl‘ an ihnen vorüber und grüßte mit lächelnder Höflichkeit. Doch die beiden waren zu sehr mit sich selbst beschäftigt, um diesen Gruß zu bemerken.

13.

Vor dem Seehof füllte ein Gewirr von Menschen und Wagen den sonnigen Landeplatz. Schiffe kamen und gingen, und aus dem See heraus tönten die Echoschüsse.

Der Wirt, welcher Tassilo und Kitty kommen sah, drängte sich aus einem Knäuel schreiender Touristen hervor; doch Tassilo winkte ihm zu bleiben und trat mit seiner Schwester in eine der Schiffhütten. Hier bestiegen sie das Boot. Kitty faßte die Steuerschnüre, aber sie war so wenig bei der Sache, daß Tassilo immer wieder mit dem Ruder die Schwankungen des Bootes korrigieren mußte. Auf einem hinter den Villen gegen den Wald führenden Promenadenweg gewahrte er zwei Damen und erkannte Frau Herwegh mit ihrer jüngeren Tochter. Schon fürchtete er, auch Anna nicht zu Hause zu finden; doch die Klänge eines Flügels, die immer deutlicher hörbar wurden, je mehr sich der Nachen dem Villenufer näherte, beruhigten ihn. Auch Kitty hatte diese Töne schon vernommen. Sie wandte keinen Blick mehr von dem unter Bäumen halb versteckten Landhaus, und die gedämpften Klänge schienen ihre brennende Erregung noch zu steigern; während der Nachen an der Steintreppe anlegte, war sie in einer Stimmung, als sollte sie ein verwunschenes Schloß betreten. Sie klammerte sich an den Arm des Bruders, daß er lächelnd fragte: „Hast du Angst?“ Tief atmend schüttelte sie das Köpfchen und ließ sich führen.

Als sie den kleinen, hübsch gepflegten Garten durchschritten, gesellte sich zu den Tönen des Flügels der Gesang einer Altstimme, voll und weich wie der Klang einer Glocke.

„Bleib, ich bitte dich,“ stammelte Kitty, „laß mich hören!“
„Komm nur! Das hörst du in der Nähe besser!“

Sie traten in den Flur der Villa, und geräuschlos öffnete Tassilo eine Türe. Kitty hatte kein Auge für den Raum, in den sie der Bruder zog. Zitternd stand sie, und ihre Blicke hingen an der schönen, mit vornehmer Schlichtheit gekleideten Mädchengestalt, die, der Türe den Rücken wendend, vor dem Flügel saß. Von den perlenden Akkorden getragen, füllte die herrliche Stimme den Raum. Regungslos, in tiefer Bewegung lauschte Kitty, und wie ein flinkes Hämmerlein schlug ihr das Herz. Was sie fühlte, war nicht nur der Reiz des Augenblickes, nicht nur das scheue Mitempfinden am Glück des Bruders, dessen streng gehütetes Geheimnis sich vertrauensvoll vor ihr erschloß. In ihre junge Seele war in diesen Tagen ein Same gefallen, welcher keimte und still zur Blüte trieb; und in dieses ihr selbst noch unbewußte Fühlen klangen die Worte des Mendelssohnschen Wiegenliedes, das Anna Herwegh sang:

> ‚Schlummre und träume von kommender Zeit,
> Die sich dir bald muß entfalten,
> Träume, mein Kind, von Freud und Leid,
> Träume von lieben Gestalten! ...
> Schlummre und träume von Frühlingsgewalt,
> Schaue das Blühen und Werden,
> Horch, wie im Hain der Vogelsang schallt:
> Liebe ist Himmel auf Erden!
> Heut zieht's vorüber und kann dich nicht kümmern,
> Doch wird dein Frühling auch blühen und schimmern,
> Bleibe nur fein geduldig,
> Bleibe nur fein geduldig!‘

Mit sachten Schritten, deren Hall der Teppich dämpfte, war Tassilo hinter Annas Stuhl getreten, und als das letzte Wort des Liedes mit den verklingenden Akkorden wie ein leiser Hauch erlosch, legte er die Hände auf ihre Schultern.

Sie hob die Augen. „Du!“ Was lag nicht alles in diesem einen Laut! Und mit seligem Lächeln streckte sie die Arme nach ihm.

Er faßte ihre Hände und küßte das schimmernde Haar. „Ich habe dir einen Gast gebracht!“

Annas Blicke flogen zur Türe, und erschrocken sprang sie

auf, als sie das junge Mädchen gewahrte. Alle Farbe wich aus ihren Zügen, und mit tastender Hand suchte sie Tassilos Arm, als bedürfte sie einer Stütze.

Kitty stand wie angewurzelt bei der Türe, auf all ihren Gliedern lag es wie ein lähmender Baun. Sie sah nur diese beiden großen, ernsten Augen, die ihr entgegenblickten, halb in verwirrendem Schreck und halb in scheuer, hoffender Freude. Dieser Blick hatte Sprache, er sagte mehr, als tausend Worte hätten sagen können, und Kitty verstand diese Sprache. Mutig machte sie ein paar Schritte und begann zu stammeln: „Mein Bruder ... ich habe erst heute ... kaum weiß ich, wie ich Ihnen meine Freude ...“ Da gingen ihr schon wieder die Worte aus. Ein paar Sekunden stand sie hilflos, mit schwimmenden Augen, dann plötzlich, unter Lachen und Weinen, flog sie auf Anna Herwegh zu und umschlang sie mit beiden Armen. —

Um die gleiche Stunde öffnete Fräulein von Kleesberg in Schloß Hubertus Tür um Tür. „Kitty? Kitty?“ Ihre Stimme klang durch das ganze Haus; aber nur Fritz erschien, der auf Tante Gundis erregte Fragen keine Antwort wußte. Die Entdeckung, daß auch Tassilo mit Hut und Stock verschwunden war, beruhigte sie einigermaßen und weckte in ihr die Vermutung, daß Kitty mit ihrem Bruder dem Wagen eine Strecke entgegengegangen wäre.

Im Laufe des Nachmittags war Roberts Stallbursche mit zwei Reitpferden in Hubertus eingetroffen, und gegen sechs Uhr abends rollte der offene Jagdwagen mit den beiden Brüdern durch die Ulmenallee heran. Willy, ein neunzehnjähriger Fähnrich, glich im Schnitt der Züge auffallend seiner Schwester; nur die Gestalt war derber und erinnerte in den breiten Schultern an den Vater; glühende Farbe lag auf dem fröhlichen Gesicht, aus dessen Augen der Uebermut und das junge Leben lachten; die kurzen Spitzen des kleinen Bärtchens standen scharf von der Oberlippe ab — man sah ihnen an, daß sie mit Ungeduld gepflegt und gezogen wurden. Schon als der Wagen in das Parktor lenkte, sprang Willy auf, rief mit hallender Stimme den Namen der Schwester und reckte den Kopf nach allen Seiten, um durch das Gewirr der Aeste zu spähen. Vor einem der niederhängenden Zweige duckte er sich, wankte im schaukelnden Wagen und trat dabei etwas unsanft auf den glänzenden Lackstiefel seines Bruders.

„So bleib doch sitzen, du Fex, und trample nicht anderen Menschen auf den Füßen herum! Was uns erwartet, läuft dir ja nicht davon."

„Na, sei gut, ich war ja nicht lange droben!" tröstete Willy lachend.

Robert stäubte ärgerlich mit dem duftenden Taschentuch den Stiefel ab und saß wieder in gemessener Ruhe, die eine Hand auf dem Korb des Säbels, den er zwischen den Beinen stehen hatte, in der anderen die Zigarette. Er trug die schmucke Uniform der Ulanen; das dunkle Grün hob seine schlanke, elegante Gestalt, und mit Akkuratesse saß die Mütze auf dem tadellos frisierten Kopf. Neben dem unruhigen Leben des Bruders erschien Robert wie die Verkörperung jener Langeweile, die sich als selbstbewußte Vornehmheit zu geben weiß. Einem schärferen Blick aber entging es nicht, daß diese stilvolle Ruhe nur Kostüm war. Es zuckte immerwährend um die grauen Augen, und etwas Nervöses lag in der Art, wie er beim Einatmen des Zigarettenrauches die Unterlippe zwischen die Zähne zog. Auch sonst noch erzählte dieses Gesicht gar mancherlei Dinge; es war farblos und frostig, wie das Gesicht eines Menschen, der soeben aus dem kalten Bad gestiegen. Die Aehnlichkeit mit Tassilo war unverkennbar — aber obwohl Robert um vier Jahre jünger war, schätzte man ihn älter als den Bruder.

Vor der Veranda erwartete Fräulein von Kleesberg den Wagen, und in angemessener Entfernung stand die Dienerschaft in Reih und Glied: Fritz, Moser, die alte Beschließerin, die noch ältere Köchin und Roberts Stallbursche in Uniform.

„Tante Gundi! Tante Gundi!" rief Willy und winkte mit beiden Händen. „Aber wo ist denn unsere kleine Maus? Und den gestrengen Herrn Doktor seh ich auch nicht?" Es fiel ihm nicht ein, nach dem Vater zu fragen — denn daß Graf Egge droben in seiner Jagdhütte saß, das war eine selbstverständliche Sache.

Robert verließ als erster den Wagen und dehnte die Beine, als wäre er vom Pferde gestiegen. Mit vorschriftsmäßiger Höflichkeit küßte er Fräulein von Kleesberg die Hand und nickte der Dienerschaft einen kaum merklichen Gruß zu. Tante Gundi stotterte in Sorge die Frage, ob Kitty und Tassilo dem Wagen nicht begegnet wären. Aber sie kam damit nicht zu Ende. Willy umarmte sie mit stürmischem Jubel und drückte ihr zwei schallende

Küsse auf die Wangen, daß er weiße Lippen und Tante Gundi
zwei rote Flecken bekam. „Na also, Tantchen, da wären wir!
Und geben Sie mal acht, wie ich Ihnen die Cour schneiden werde.
Natürlich nur zu meiner Uebung. Der Leutnant wird nicht
lange mehr auf sich warten lassen, und bis dahin muß ich
ferm sein, Tantchen! Ferm! Und Uebung macht den Meister!"
Wieder umarmte er sie lachend.

„Ich warne Sie, Fräulein!" fiel Robert ein, zwischen den
Zähnen eine frische Zigarette, die er in Brand steckte. „Der
Junge weiß in solchen Dingen manchmal zwischen Scherz und
Ernst nicht zu unterscheiden. Wenn er ein paar Zöpfe wittert
. . . und Sie haben doch noch welche? . . . das macht ihn
toll!" Er wandte sich an seinen Stallburschen. „Sind die
Pferde gut untergebracht?"

„Zu Befehl, Herr Graf!"

„Davon will ich mich doch lieber selbst überzeugen! Vorwärts." Er folgte dem Burschen zu den Ställen.

Auf Fräulein von Kleesbergs Wangen brannte die Röte
der Empörung durch den Puder. Mühsam raffte sie all ihre
ins Wanken geratene Würde zusammen; und da sie den eigent-
lichen Missetäter ihrer Entrüstung entzogen sah, wandte sie sich
mit ihrer strengsten Miene gegen den lachenden Fähnrich: „In
aller Güte, lieber Graf Willy, aber ich muß Ihnen doch bemerken, daß ich solche Scherze mir gegenüber mehr als un-
schicklich finde. Wenn sich Ihr Vater zuweilen solche Späße in
der Lodenjoppe erlaubt, so laß ich mir das mit Rücksicht auf
Kitty gefallen und schweige . . ."

„Aber Tantchen! Seien Sie doch gemütlich!" Willy versuchte der Zürnenden die Wange zu streicheln.

„Ich bin sehr gemütlich! Aber alles hat seine Grenze,
lieber Graf Willy. Und deshalb möchte ich Ihnen wie Ihrem
Bruder bemerken . . ."

Fräulein von Kleesberg verstummte, denn mit langen
Sprüngen rannte Willy davon. „Kitty! Kleine, süße Maus! Da
bist du ja!" rief er und breitete die Arme nach der Schwester
aus, die mit Tassilo in der Ulmenallee erschienen war.

Kitty eilte ihm entgegen, er umarmte und küßte sie mit
burschikoser Zärtlichkeit und schwang sie im Kreis, daß sie eine
ganze Weile mit den Füßchen nicht auf die Erde kam. Als er
sie niedersetzte und ihre Hände faßte, machte er staunende Augen.

„Nanu! Schatz! Was ist denn aus dir in diesen acht Tagen geworden! Die Luft in Hubertus wirkt ja helle Wunder! Na, sieh mal, wie sich das Ding gestreckt hat! Und die Augen, die sie macht!"

Kitty atmete tief, und ohne zu antworten, blickte sie auf Tassilo zurück, der langsamen Schrittes herbei kam. Aus ihren Zügen redeten noch die Eindrücke der vergangenen Stunden, und ihre Augen hatten einen glückselig träumerischen Glanz. Als sie bemerkte, daß Willy keine Miene machte, den Bruder zu begrüßen, flüsterte sie ihm hastig zu: „Wenn du mich lieb hast, so bitte ich dich, sei freundlich mit Tas!"

Willy stutzte. „Freundlich? Weshalb denn nicht? Ich habe durchaus keine Ursache, kühl gegen ihn zu sein . . . wenn er es nicht gegen mich ist!"

Kitty geriet in heißen Eifer. „Er ist nicht kühl, am allerwenigsten gegen seine Geschwister. Das sage ich dir, denn ich weiß es! Nur ernst ist er . . . und will verstanden sein!"

„Na, meinetwegen!" Mit gestreckter Hand ging Willy auf seinen Bruder zu. „Guten Abend, lieber Tas! Wie geht's dir? Ich freue mich herzlich . . . eine famose Sache, daß wir alle mal wieder so nett beisammen sind. Das ganze Nest von Hubertus!"

„Grüß dich Gott, lieber Willy!" Tassilo faßte die Hand des Bruders und prüfte mit freundlich ernstem Blick seine Züge, die den Anschein strotzender Gesundheit boten. „Dein Aussehen macht mir Freude und läßt mich hoffen, daß du dich wieder völlig wohl fühlst?"

„Sei ohne Sorge, ich habe mich wieder flott auf den Damm geschwungen."

„Warst du denn krank, Willy?" fragte Kitty erschrocken.

Er wurde ein wenig verlegen. „Ach, Gott bewahre! So 'ne ganz harmlose Erkältung . . . nicht der Rede wert! Ist schon wieder wie weggeblasen. Weißt du, das war nur so . . ." Er begann eine Geschichte zu erzählen: von einem Marsch bei ‚scheußlichem‘ Wetter und von einem unvorsichtigen Trunk. Dabei dämpfte er die Stimme und zog die Schwester am Arm aus Tassilos Nähe.

Das war überflüssige Vorsicht; denn Tassilo nahm dem Boten, der die Abendpost brachte, die Zeitungen und Briefe ab. Rasch überflog er die Adressen — eine von ihnen war mit plumpen, ungeübten Zügen geschrieben: „Ann ben hochgebohrnen Dogtor Graffen Dafilo Elle Senefeld . . .“ Taffilo schien die Schrift zu erkennen. „Einen Augenblick!“ rief er dem Boten zu, ber sich schon wieder zum Gehen wandte, und erbrach hastig ben Brief.

Kitty hatte Willys wortreiche Geschichte schweigend angehört und streichelte ihm nun mit bekümmerter Zärtlichkeit die Wange. „Da darfst bu wirklich von Glück sagen, baß bu mit bem Schreck bavongekommen bist. Du siehst ja wieder aus wie bas Leben. Jetzt sei aber nur auch vernünftig und halte dich!“

„Na, bas versteht sich boch. Man wird ja auch älter und vernünftiger, weißt bu!“

„Aber wo bleibt benn Tas?“ Sie sah sich nach bem Bruder um und hörte ihn zum Postboten sagen: „Ich werde gegen acht Uhr einen Expreßbrief schicken und lasse ben Herrn Expebitor bitten, mir zu Gefallen eine Ausnahme zu machen und ben Brief noch anzunehmen, .er muß mit der nächsten Post noch abgehen, oder ich müßte ihn birekt zur Bahn schicken.“ Kitty wurde unruhig, eilte auf Taffilo zu und fragte flüsternd: „Hast bu eine unangenehme Nachricht erhalten?“

„Nein, Schatz! Ein armer Teufel, den sie im vergangenen Sommer zu brei Jahren verurteilen mußten, ist auf Grund seiner tabellosen Führung begnabigt worden. Ich habe ihn bamals verteidigt, und nun hat er mich in München aufgesucht und nicht gefunden. Er ist ratlos, niemand will ihm Arbeit geben. Aber er muß eine Stelle finden, bie ihm zu leben gibt . . . und ich hoffe ihm eine solche verschaffen zu können. Verzeihe, Schatz, aber die Sache hat Eile.“ Er nickte ber Schwester zu und ging mit raschen Schritten bavon.

„Was hat er benn?“ fragte Willy, als Kitty wieder zu ihm trat.

„Er muß einen Brief beantworten . . . eine sehr ernste Angelegenheit.“

Willy lachte: „Ernst, ernst, erust . . . bas ist ja bein zweites Wort! Ja sag mir nur, bu kleine Maus, was ist benn nur um bes Himmels willen in bich gefahren! Wer bich ansieht, möchte bich für eine Dame nehmen, und wer bich hört, für eine Gouvernante.“

„Scherze nicht! Ich fange endlich an, ben Ernst bes Lebens zu verstehen. Aber komm, jetzt wollen wir zu Robert.“ Sie nahm Willys Arm und ließ ihn im nächsten Augenblick wieder fahren, um fliegenden Laufes ihren Bruder Tassilo einzuholen. Bei der Veranda erreichte sie ihn und schlang die Arme um seinen Hals. „Sie ist entzückend, Tas, ich liebe sie wahnsinnig!" flüsterte sie ihm zu, küßte ihn auf das Ohr und eilte mit seligem Lachen zu Willy zurück.

„Erlaube mir, Maus, du benimmst dich mit ihm, das ist ja geradezu sonderbar!" Es klang aus diesen Worten eine Regung brüderlicher Eifersucht.

Kitty wurde rot und wandte die Augen ab. Das Geheimnis, das sie vor Willy verbergen mußte, machte sie glücklich, aber dabei doch auch ein wenig schuldbewußt. „Er ist ja so herzensgut!"

„So? Und das bin ich wohl nicht?"

„Natürlich! Du auch!"

Der leere Jagdwagen fuhr im Bogen um das Schloß herum, und aus dem Flur klang die Stimme Tante Gundis, welche die Unterbringung des Gepäckes überwachte. Der alte Moser, der seinen Anteil an dieser Arbeit bereits erledigt hatte, näherte sich den beiden Geschwistern mit dem Hut in der Hand.

„Wo ist denn mein Bruder Robert?" fragte ihn Kitty.

„Im Stall, Fräulein Konteß!"

Während Kitty davoneilte, blieb Willy vor dem Alten stehen und klopfte ihn auf die Schulter. „Na, Moserchen, wie haben wir denn überwintert?"

„Net schlecht, Herr Graf ... wie ein alter Has, der die warmen Platzerln kennt. Aber das muß ich schon sagen, Herr Graf, völlig verdrossen hat's mich, daß der Herr Graf den alten Moser so lang mit keinem Gruß beehrt haben, ja, völlig verdrossen hat's mich ... und ich hab mich so viel auf den jungen Herrn Grafen gfreut!"

„Aber Moserchen, wer wird denn gekränkt sein! Wir waren doch immer gute Freunde, und das bleiben wir auch!"

Der Alte lachte geschmeichelt und drehte den weißen Schnurrbart. „Ja, Herr Graf, für Ihnen geh ich noch allweil durchs Feuer! Kein bessern Freund haben S' sein net, als mich!"

„Natürlich! Und jetzt legen Sie mal los, Moserchen, was gibt's denn Neues in und um Hubertus?"

„Ein guts Jahr heuer, ja! Der gnädig Herr Graf droben schießt ein Hirsch und ein Gamsbock um den andern ... es kracht nur allweil. Und den ganz alten Bock, den mit der sakrischen Krucken, den hat er jetzt endlich auch beim Zibsl erwischt. Hätt's net denkt, daß er ihn so bald kriegt! Aber jetzt hat er ihm doch 's richtige Stünbl abpaßt! Den Freudensprung möcht ich gsehen haben, den er gmacht hat! Ja, ein saubers Jahr heuer! Die Gams sind gut im Wildbret, und die Hirsch haben teuflische Gweih auf!" Ein lustiges Kichern unterbrach den bedächtigen Bericht. „Und b' Leut haben sich auch net schlecht ausgwachsen heuer! Gwisse Leut!" Der Alte duckte den Kopf und zwinkerte mit den Augen.

Willy suchte den Sinn dieser dunklen Anspielung zu ergründen.

„Spitzen werden S', Herr Graf, grad spitzen, wenn Sie 's Lieserl wieder sehen."

„'s Lieserl?" Willy schüttelte den Kopf, denn seine Erinnerung ließ ihn im Stich.

„Aber Herr Graf! Vor mir brauchen S' Ihnen doch net verstellen! Sie wissen schon, wen ich mein' . . . unser liebs Zaunerlieserl können S' doch net vergessen haben! Sie, Herr Graf, wie das Madl sich ausgwachsen hat, das is ja rein zum Staunen!"

„Das Lieserl! Richtig, das Lieserl!" Es dämmerte in Willys Gedächtnis, und lachend zog er mit beiden Händen an seinem Bärtchen.

„Ja, Herr Graf, wenn einer das Madl nur anschaut . . . gleich anbeißen möcht er! So viel lieb is der kleine Schniegel!"

„Da bin ich aber wirklich neugierig! Und sag mir, Moser . . ." Willy brach ab, da er Kitty und Robert um die Ecke des Schlosses kommen sah. Er klopfte den Alten auf die Schulter und sagte mit veränderter Stimme: „Brav, Moserchen, das freut mich, daß Sie noch immer so rüstig sind. Morgen steigen wir miteinander hinauf zur Hütte . . . das soll eine lustige Jagd werden!" Lachend reichte er ihm die Hand zum Abschied und bummelte den Geschwistern entgegen.

Robert schien übler Laune und Kitty in Erregung. Mit beiden Händen hielt sie seinen Arm umspannt und blickte flehend zu ihm auf. „So tu es doch mir zuliebe, ich bitte dich, Robert! Geh hinauf zu ihm und sag ihm einen Gruß."

„Das ist ja alles recht lieb und niedlich von dir! Aber jeder nach seiner Art. Ich kann es in aller Gemütsruhe ab-

warten, bis ich Gelegenheit finde, Herrn Doktor Egge einen
vergnügten Abend zu wünschen."

„Aber Robert!"

„Ich müßte mir übrigens auch einen Vorwurf daraus
machen, wenn ich ihn bei seiner humanen Beschäftigung stören
wollte." Mit hoheitsvoller Entschiedenheit löste Robert seinen
Arm, nahm eine frische Zigarette aus seinem Tula-Etui und
trat ins Haus.

Mit traurigen Augen sah Kitty ihm nach und streifte die
Hand über ihre Stirne. Willy legte den Arm um ihre Schulter.
„Was? Zwischen den beiden fängt wohl die alte Geschichte
schon wieder in der ersten Stunde an? Na, ich habe meine
Schuldigkeit getan! Und du sei klug, meine kleine Maus, und
mische dich nicht in Dinge, die du nicht ändern kannst. Komm,
wir beide wollen zusammenhalten und lustig sein! Jetzt machen
wir einen run durch den Park. Das trainiert den Hunger,
bis es läutet." Lachend zog er die Schwester mit sich fort.

Aber Kittys trübe Laune und zerstreute Verstimmung wollte
nicht weichen, so sehr sich auch Willy alle Mühe nahm, die
Schwester aufzuheitern. Er gab alle Schnurren zum besten,
die ihm einfielen, kopierte in drolliger Weise den alten Moser,
Fräulein von Kleesberg und seinen Bruder Robert, stellte sich
in der Haltung berühmter Statuen auf die Felsblöcke und
Baumstümpfe, schwang sich à la Windfahne um die Laternen-
pfähle und war so harmlos ausgelassen, wie ein guter, lustiger,
unverdorbener Junge, der aus dem Seminar in die Ferien
kam und sich der ersten freien Stunde freut.

Ein paarmal zwang er wohl die Schwester zum Lachen,
doch es kam ihr nicht von Herzen. Und als sie schließlich, einem
an der Mauer sich hinziehenden Pfade folgend, beim Parktor
die Ulmenallee erreichten, schien es Kitty willkommen zu sein,
daß sie mahnen konnte: „Es wird spät und kühl, wir wollen
ins Haus zurück."

„Na, meinetwegen!" murrte Willy. „Du hast heute einen
Humor . . . ein Igel ist gegen dich der reine Seidenpinsch!"

Da klang durch das Torgitter eine freundliche Mädchenstimme. „Recht guten Abend, Fräulein Konteß! Guten Abend
auch, Herr Graf!"

Hurtig drehte sich Willy auf dem Haken herum, sah ein
weißes, hübsches Gesicht durch die Eisenstäbe schimmern und ein

schmuckes, halb städtisch gekleidetes Figürchen hinter der Mauer verschwinden.

„Wer war das?"

Kitty blieb stehen. „Wer?"

„Das Mädchen, das uns grüßte?"

„Ich weiß nicht . . . ich habe nichts gehört."

Willy stand unschlüssig und zupfte an seinem Bärtchen. Zögernd folgte er der Schwester und ging schweigend an ihrer Seite. Als sie das Ende der Allee erreichten, griff er mit beiden Händen an all seine Taschen. „Verwünscht! Jetzt hab ich meine Zigarrentasche verloren. Geh nur voran ins Haus, ich komme gleich!" Immer wieder an die Taschen greifend, folgte er einem seitwärts zwischen die Büsche führenden Pfad; hinter einer Biegung blieb er stehen, und als er die Schritte der Schwester auf der Veranda hörte, rannte er zum Parktor. Lautlos öffnete er das Gitter und trat auf die Straße, über deren Staub sich schon der Tau des dämmernden Abends legte. Er konnte die Straße auf eine weite Strecke übersehen, fast hinunter bis zu Meister Zauners Häuschen, dessen braunes Dach sich über die Buchenbüsche und Obstbäume erhob. Aber die Straße war leer. „Natürlich," schmollte er wie ein Kind, dem der Wunsch nach einem Spielzeug versagt wurde, „sie muß ja schon lange zu Hause sein!" Schon wollte er mißlaunig den Rückweg antreten, als ihm einfiel, daß das Mädchen nach der entgegengesetzten Richtung gegangen wäre. Aber wohin? Da draußen, inmitten einiger Waldwiesen, lag noch ein vereinzeltes Bauernhaus, der Mooshof. Was konnte das junge Ding so spät am Abend noch da draußen zu schaffen haben? Während er noch stand und grübelte, tauchte das Mädchen an der Biegung der Parkmauer auf. Vergnügte Neugier sprach aus Willys Augen, und er stellte sich in erwartungsvolle Positur, die eine Hand in der Tasche, die andere am Bärtchen: Mars, der Siegende!

Das Mädchen schien ihn bereits gewahrt zu haben und schlängelte sich, als wäre ihm vor dieser Begegnung ein wenig bange, auf die entgegengesetzte Seite der Straße.

Lächelnd verfolgte Willy dieses vielsagende Manöver. Wohl spann schon die Dämmerung ihre grauen Schleier, doch immerhin vermochte er die Kommende noch einer so erfolgreichen Musterung zu unterziehen, daß er in Gedanken zu sich sagen konnte: „Ei sieh mal an! Moserchen hat wahrhaftig nicht übertrieben! Der kleine Käfer vom vergangenen Sommer hat sich ja ganz allerliebst ausgewachsen."

Nun ging sie an ihm vorüber, nickte zutraulich einen stummen Gruß und blickte auf die Seite, um ihr vergnügtes Lächeln zu verstecken. Willy machte ein paar flinke Sprünge. Mit vorgebeugtem Kopfe blickte er in ihr kokettes Grübchengesicht und drohte mit dem Finger. „Lieserl! Lieserl! Ein so junges, hübsches Kind, wie du, sollte so spät am Abend nicht mehr allein auf der Straße gehen!"

Sie blitzte ihn mit den dunklen Augen an und schmunzelte; doch gleich wieder zeigte sie ein ernstes Gesicht und sagte selbstbewußt: „Ich fürchte mich nicht, Herr Graf! Ich weiß mich nötigen Falles schon zu verteidigen."

„So!" Ihr Versuch, mit ihm hochdeutsch zu sprechen, erschien ihm so possierlich, daß er hell auflachte. „Und wo kommst du denn so spät noch her?"

„Mein Herr Vater hat mich mit einer Botschaft zum Mooshof geschickt; doch der Mooshofer ist mir begegnet und hat mir den halben Weg erspart. Aber ich bitte, Herr Graf . . . ich muß nach Hause. Wünsch guten Abend!" Sie machte einen nicht übel gelungenen Kuix, versuchte das Lächeln zu unterdrücken und setzte sich langsam in Gang.

Willy blieb an ihrer Seite. „Hör, Lieserl, das ist ein großes Unrecht von deinem Herru Vater, daß er dich so spät noch fortschickt. Denk nur, was dir alles passieren kann! Da ist es meine heilige Ritterpflicht, dich unter meinen Schutz und Schirm zu stellen!" Er wollte ihren Arm nehmen, doch kichernd wich sie vor ihm zurück.

„Aber Herr Graf! Was denken Sie nur! Sie und ich! Wenn das die Leute sehen würden!"

„Geh, du Närrlein! Erstens einmal sieht es kein Mensch, und zweitens würde ich mich den Teufel darum kümmern, was die Leute reden." Willy haschte ihren Arm und gab ihn nicht wieder frei — Lieserl sträubte sich auch nicht allzusehr. „Und vor mir wirst du doch keine Angst haben! Wir beide sind ja halb und halb schon im vergangenen Sommer gute Freunde geworden. Ja, Lieserl, ich habe in dieser langen Zeit sehr viel an dich gedacht. Und heute bei meiner Ankunft in Hubertus war die Frage nach dir das erste Wort, das ich mit Moser gesprochen habe."

Lieserl blinzelte ungläubig zu ihm auf. „Ist das auch wahr, Herr Graf?"

„Natürlich," versicherte er und drückte ihren runden Arm an seine Brust. „Und ich kann dir gar nicht sagen, wie sehr ich mich freue, daß ich dir begegnet bin, gleich am ersten Abend!"

„Ja, das ist wirklich merkwürdig ... ein solcher Zufall!" Kichernd versteckte sie das Gesicht.

„Und du, Lieserl, sag mir ehrlich, hast du auch manchmal an mich gedacht?"

Die Antwort ließ auf sich warten. Endlich hob Lieserl die Schultern und sagte diplomatisch: „Das ist aber ein bißl viel gefragt, Herr Graf ... man muß nicht alles wissen!"

Willy wurde warm. „Wirst du gleich antworten, du Schnabel, du niedlicher!" Mit flinkem Griff umschlang er ihre Hüfte. „Heraus mit der Sprache: hast du an mich gedacht oder nicht?" Er preßte das Mädchen fest an sich.

Nun war es mit Lieserls Hochdeutsch zu Ende. „Aber ich bitt, Herr Graf, sind S' doch gscheit!"

„Heraus mit der Sprache ..."

Da klang vom Zaunerhäuschen her der Ruf einer Männerstimme: „Lieserl! Lieserl!"

„Jesus Maria, der Vater!" stotterte das Mädchen und versuchte sich loszureißen.

Doch Willy hielt mit dem einen Arme fest, fing mit dem anderen das hübsche Köpfchen ein und verschloß den stotternden Mädchenmund mit einem energischen Kuß, der nicht unerwidert blieb.

„Aber Sie sind einer!" schmollte Lieserl, als sie nun endlich ihre Freiheit gewann; und hurtig eilte sie davon, während Willy lachend den Straßengraben übersprang und sich in die Buchenbüsche drückte.

Vom Schloß Hubertus klang mit bimmelndem Hall die Tischglocke. Dem Fußweg neben der Straße folgend, begann Willy zu laufen, immer schneller. Fast atemlos erreichte er das Parktor und rannte durch die dunkle Ulmenallee. Als er den freien Platz vor dem Schloß erreichte, befiel ihn plötzlich ein krampfhafter Hustenreiz. Taumelnd stützte er sich an einen Baum und drückte das Taschentuch auf den Mund.

Als der Anfall vorüber war, trat er langsam auf den offenen Platz hinaus, über den die erleuchteten Fenster ihre

Helle warfen. Vor der Veranda blieb er stehen, streifte mit dem Zeigefinger über die Lippen und untersuchte das Taschentuch. „Ach, Unsinn!" murmelte er und nahm mit einem Sprung die drei Stufen der Veranda.

Im Speisezimmer fand er Kitty, Fräulein von Kleesberg und Robert bereits beim Souper. Tassilos Platz war noch leer. Als Willy eintrat, fragte seine Schwester: „Hast du sie gefunden?"

Der Doppelsinn, der für ihn in dieser Frage lag, machte ihn lachen. „Natürlich! Das hat keine sehr große Mühe gekostet!" Er nahm seinen Platz ein und rieb vergnügt die Hände. Während des Soupers trug er die Kosten der Unterhaltung, plauderte unermüdlich, kramte alle Neuigkeiten der Residenz aus und sprach dabei mit bedenklichem Eifer dem Glase zu. Das bemerkte Robert und räumte schließlich dem Bruder unter einem mahnenden Blick die Weinflasche aus dem Bereich der Hände. Willy schien die Bedeutung dieses Blickes zu verstehen; wohl zuckte er ärgerlich die Schultern, doch ließ er sich die Sache schweigend gefallen. Für ein paar Minuten war seine Laune gedämpft; aber dann sprudelten seine Worte wieder wie ein munteres Brünnlein. Der Erfolg, den er davon hatte, war allerdings ein zweifelhafter. Robert aß mit nervöser Ruhe und schien nicht zu hören, Kitty blieb zerstreut und verstimmt, und Fräulein von Kleesberg hüllte sich in die schweigende Würde der Beleidigten. Bei der fliegenden Revue, die Willy über die Sensationen der letzten Wochen hielt, kam auch der Theaterklatsch an die Reihe. Trotz der räuspernden Unruhe, in welche Tante Gundi geriet, erzählte er von wackelig gewordenen Künstlerehen, von einem viel kommentierten Urlaub, den die Naive genommen, und von einer Duellaffäre, in die der Name der ersten Solotänzerin verwickelt wäre. Mitten in dieser Geschichte brach er ab und wandte sich an seine Schwester.

„Aber weißt du auch schon das Allerneueste? Das muß dich besonders interessieren, denn ich weiß, du schwärmst ja für Fräulein Herwegh."

Erschrocken blickte Kitty auf; doch gleich wieder neigte sie das Gesicht, denn sie fühlte die brennende Röte, die in ihre Wangen stieg.

„Denke dir, Fräulein Herwegh geht für immer von der Bühne ab. Das ist ein großer Verlust für unsere Oper . . .

sie hat doch eine ganz phänomenale Stimme und ist eine Künstlerin ersten Ranges."

„Ja, das ist sie!" fiel Kitty in streitbafter Erregung ein, ohne aufzublicken. „Und ich verehre sie so sehr ... ich dulde unter keinen Umständen, daß in meiner Gegenwart auch nur ein einziges unfreundliches Wort über Fräulein Herwegh gesprochen wird."

„Aber Mäuschen, was hast du denn nur?" lachte Willy. „Ich sage ja doch nur das Beste von ihr. Eine wirkliche Künstlerin ... dazu noch jung und schön. Dagegen hab ich doch wahrhaftig nichts einzuwenden. Ich wollte nur sagen, daß dieser plötzliche Abschied ... dazu noch ohne Sang und Klang, denn sie tritt überhaupt nicht wieder auf ... eine sehr rätselhafte Sache ist. Niemand hatte eine Ahnung von diesem Schritt, niemand weiß, weshalb er geschieht ...“

„Fräulein Herwegh wird sicherlich ihre triftigen Gründe haben."

„Höre, Maus, da hast du eine kolossale Weisheit ausgesprochen! Aber auf diese Gründe ist man eben neugierig! Die Sache ist Stadtgespräch, und gestern brachten alle Zeitungen ellenlange Artikel, begeisterte Würdigungen der scheidenden Künstlerin, Lamentationen über den unersetzlichen Verlust, aber daneben auch die gewagtesten Kombinationen über diese geheimnisvollen Gründe. Natürlich vermutet man, daß sie heiraten wird. Aber wen? Eine Zeitung hat auf den ‚Träger eines hocharistokratischen Namens‘ angespielt. Ich möchte wissen, wer damit gemeint ist?"

„Zeitungsgewäsch!" sagte Robert. „Wenn hinter diesem Gerücht wirklich ein Fünkchen Wahrheit steckt, so haben wir nicht die geringste Ursache, neugierig zu sein. Es heißt ja, sie soll sich in ihrer zehnjährigen Bühnenkarriere ein hübsches Vermögen gemacht haben ... und es gibt leider Menschen, die mit solchen Dingen rechnen und dabei eine Krone im Schnupftuch tragen! Sie wird sich nach bekanntem Muster irgend ein verkrachtes Halbblut gefischt haben, das sich rangieren will."

„Weißt du gewiß, ob sich die Sache so verhält?" fragte Kitty mit vor Erregung fast erstickter Stimme.

„Aber kleine Maus?" staunte Willy. „Was hast du?"

„Antworte mir, Robert!"

Langsam hob Robert die kalten Augen und schüttelte den

Kopf. „Die Kleine ist wirklich komisch. Wie kommst du denn
überhaupt dazu, in solchen Dingen mitzusprechen? Was willst
du von mir?"

Kittys Augen blitzten in hellem Zorn, doch gewaltsam zwang
sie ihre Stimme zur Ruhe. „Mir scheint, ich verstehe nicht
viel von dem, was ihr beide als Anständigkeit und guten Ton
betrachtet. Ich aber meine, man sollte überhaupt von einer
Dame nicht in solcher Weise sprechen . . . am allerwenigsten,
wenn man nichts anderes vorzubringen weiß, als eine grund-
lose, beleidigende Vermutung!"

Die beiden Brüder machten verblüffte Gesichter, und Fräulein von Kleesberg schien wie auf Kohlen zu sitzen. Nach einer
kleinen Pause fand Willy zuerst wieder die Sprache; die Sache
begann ihn zu belustigen, und er klatschte vergnügt die
Hände ineinander. „Sieh mal einer den kleinen Naseweis!
Wahrhaftig, Maus, an dir ist ein Schulmeister verloren
gegangen."

Robert schloß einen Moment die Augen und seufzte, als
hätte er ein Gähnen zu unterdrücken. „Du hast wohl heute zu
viel Schiller gelesen? Was? Na, sei gut, du kleiner Schäker! Du
wirst ja wohl auch noch in die vernünftigen Jahre kommen, in
denen man dir nicht näher auseinander zu setzen braucht, daß
solchen . . . du sagtest: Dame? nicht wahr? . . . daß solchen
Damen gegenüber die Erfahrung jede Gewißheit ersetzt. Also
beruhige deinen echauffierten Idealismus. Und daß einer unserer
guten Namen bei der Sache kompromittiert werden könnte,
das brauchst du nicht zu befürchten. Wer Vollblut ist, weiß
solchen Damen gegenüber immer die Grenze des Zulässigen zu
wahren . . . so etwas liebt man unter Umständen, aber das
heiratet man nicht!"

Kitty erblaßte und ihre Lippen zuckten. „Ich hoffe, Robert, du hast nicht deine eigene Meinung ausgesprochen, denn
was du da gesagt hast, ist eine Niedrigkeit!"

„Aber Maus?" stotterte Willy, und seine Augen hefteten
sich in unbehaglicher Sorge auf den Bruder.

Robert hatte den Stuhl gerückt und legte das Besteck auf
den Tisch, daß es klirrte. Mit einem wahrhaft olympischen
Blick seiner kalten Augen musterte er die Schwester. „Es scheint
dir doch einigermaßen das Verständnis für das zu fehlen,
was du sprichst." Er wandte sich an Fräulein von Kleesberg.

„Ich meine, Sie sollten die Sprachübungen der Kleinen einer
etwas schärferen Kontrolle unterziehen."

Da riß bei Tante Gundi der langgezogene Faden der Geduld. Langsam legte sie das Haupt zurück — ein Zeichen ihrer
tiefsten Entrüstung — und sagte: „Erstens bin ich nicht die
Gouvernante, mit der Sie mich zu verwechseln belieben. Und
zweitens ... wenn ich auch Kittys unbedachte Worte nicht begreife, so verstehe ich doch sehr wohl ihre begründete Mißbilligung
eines Gespräches, das vor zarten Ohren nicht am Platze er-
scheint, am allerwenigsten vor den Ohren einer jüngeren
Schwester."

Robert strich die Serviette über den Schnurrbart, erhob
sich, blickte aus unnahbarer Höhe auf Fräulein von Kleesberg
herab und steckte an der Lampe eine Zigarette in Brand. „Na,
viel Vergnügen!" nickte er und zog sich ins Billardzimmer
zurück.

Willy setzte die Fäuste in die Hüften und schmollte: „Aber
hört, Kinder, das ist doch mehr als ungemütlich!"

Fräulein von Kleesberg warf ihm einen strengen Blick zu,
und Kitty saß schweigend, mit Tränen in den Augen.

Als Fritz das Dessert servierte, erhob sich auch Willy und
griff nach seiner Mütze. „Ich mache noch einen Bummel," sagte
er und wanderte gemächlichen Ganges davon.

Im Speisezimmer blieb es stille. Tante Gundi flüchtete
sich mit ihrem Buch in einen Erker, und Kitty saß mit aufge-
stützten Armen einsam am Tische, während im Zimmer nebenan
die Billardbälle klapperten. Als Tassilo endlich erschien, flog
ihm Kitty entgegen und schlang mit leidenschaftlicher Zärtlichkeit die Arme um seinen Hals. „Komm nur, komm," stammelte
sie, „ich leiste dir Gesellschaft!" Sie zog ihn zum Tisch und
drückte auf die Glocke. Schon wollte Tassilo seinen Platz ein-
nehmen, als er das Geklapper der Billardbälle hörte. Ein
Schatten ging über seine Züge; doch nur einen Augenblick zögerte
er, dann schritt er dem anstoßenden Zimmer zu; er sah nicht,
daß Kitty eine Bewegung machte, als wollte sie ihn zurückhalten.

Robert salbte gerade den Queue, als Tassilo eintrat.

„Verzeih, ich habe bis jetzt nicht Gelegenheit gefunden, dich
zu begrüßen. Wie geht es dir?"

„Danke, gut!" Robert legte die Kreide nieder und blies
über die Fingerspitzen. „Und dir?"

„Ich bin zufrieden."

„Schön! Das hör ich gerne!" Mit ernstem Blick musterte Robert die Stellung der Bälle; er legte den Queue und zielte lange, denn es war ein schwieriger Stoß.

Tassilo kehrte in das Speisezimmer zurück, und während des Soupers, das Fritz ihm nachservierte, bediente ihn Kitty, wie ein Mütterchen den Lieblingssohn, der nach langer Trennung die erste Mahlzeit wieder am heimatlichen Tisch genießt.

◆◆◆◆◆◆◆◆◆◆◆◆◆◆◆◆◆◆◆◆◆◆◆◆◆◆

14.

Spät am Abend kam Franzl von der Jagdhütte herunter ins Dorf. Auf den Armen trug er den Hund, den er dem Tierarzt zur Pflege übergeben sollte, denn Hirschmanns Befinden hatte sich bedenklich verschlimmert. Als Franzl an Meister Bauners Häuschen vorüberschritt, hörte er leises Kichern aus dem Garten und sah das ‚seine Lieserl' mit einem jungen Manne beisammenstehen, der sich in die dunklen Büsche drückte, als möchte er nicht erkannt werden. Dem Jäger war es, als sähe er die Knöpfe einer Uniform blinken. „Schau, jetzt hat sie sich wieder ein Urlauber aufzwickt!" dachte er, und damit war die Sache für ihn erledigt.

Er hätte sein Heim auf kürzerem Weg erreichen können, doch eine sehnsüchtige Hoffnung veranlaßte ihn zu weitem Umweg. Aber er fand, als er das Bruckneranwesen erreichte, den Hofraum leer und alle ebenerdigen Fenster dunkel; nur aus dem großen Fenster der Giebelstube fiel der strahlende Schein einer Lampe, und manchmal glitt über die erleuchteten Scheiben ein schlanker Schatten, als schritte jemand unermüdlich in dem Stübchen auf und nieder. Seufzend wanderte Franzl davon.

Vor der eigenen Haustür mußte er eine Weile warten, denn seine Mutter war schon zur Ruhe gegangen. Erschrocken kam sie auf sein Klopfen und öffnete — seit ihres Mannes Tod erschrak sie immer, wenn man zu ungewohnter Stunde an ihre Türe pochte.

„Bub? Du? Jesus Maria, was is denn schon wieder gschehen?"

„Aber Mutterl! Gar nix! Grüß dich Gott!" Franzl

zeigte ihr den kranken Hirschmann als Ursache seiner späten Heimkehr. Aber das beruhigte die Horneggerin nur zur Hälfte; die sorgende Mutterliebe in ihrem Herzen hatte scharfe Augen, und ihr entging der kummervolle Zug im Gesicht ihres Buben nicht. Aber Franzl wußte hundert beruhigende Ausreden. Schließlich flüchtete er sich in sein Stübchen und verließ am andern Morgen schon vor der Dämmerung das Haus, mit dem Hund auf den Armen. Er weckte den Nachbar, ließ das Berner-wägelchen einspannen und kutschierte zur Bahnstation, in welcher der Tierarzt wohnte. Schweren Herzens trennte er sich hier von dem Hunde, der ein jämmerliches Gewinsel begann, als er in das ‚Spital‘ gesperrt wurde und den Jäger verschwinden sah.

Um die neunte Vormittagsstunde war Franzl schon wieder im Dorf. Gegen elf Uhr sollte er mit den jungen Herren den Aufstieg zur Jagdhütte antreten — so blieben ihm zwei freie Stunden, die er gut benützen wollte. Und diesmal schlug ihm seine Hoffnung nicht fehl. Ein Schimmer warmer Freude über-glänzte seine abgehetzten Züge, als er das Bruckneranwesen erreichte und Mali mit dem kleinen Netterl auf der sonnigen Hausbank sitzen sah. Schon von der Straße aus rief er dem Mädchen einen lauten Gruß zu. Mali wurde rot bis über die Stirne und nickte dem Jäger schweigend zu, als hätte ihr die Freude der unerwarteten Begegnung die Rede verschlagen. Franzl kam und reichte ihr die Hand; mit wortlosem Lächeln sahen sie einander in die Augen. Endlich zog ihn Mali auf die Bank, warf einen scheuen Blick über Hof und Straße und sagte flüsternd: „Jetzt red nur gleich! Wie is denn alles gangen droben? Bist wieder in Ordnung mit'm Herrn Grafen? Hast ehrlich gredt mit ihm?“

„Alles hab ich ihm gsagt!“

„Aber da muß ja doch alles wieder gut sein!“

„Gut? … Wie man's halt nimmt! Ins Gsicht hat er mir freilich gsagt: ich hab dir kein Vorwurf gmacht! Aber die ganzen Tag her, bei der Jagd und in der Hütten, hab ich's allweil merken müssen, daß er mich mit andere Augen an-schaut und anders redt, wie sonst, und daß er 's richtige Zu-trauen nimmer hat zu mir.“

„Da hört sich aber doch die Gmütlichkeit auf! Wie soll man denn dir net glauben können! So was von Ungerechtigkeit! Das muß ich schon sagen … das gfallt mir sein gar net vom

Herrn Grafen. Wenn nur ich einmal ordentlich mit ihm reden
könnt ... ich möcht's ihm ghörig hinsagen, was er an dir
versündigt! Er mag ja sonst ein ganz ehrenwerter Herr sein!
Aber was er mit dir für ein Stückl aufführt ..."

„Geh, mußt net schelten! Schau, er is ja doch mein Herr!
Die Gschicht liegt mir freilich am Buckel wie ein paar Zentner-
stein ... aber im Grund gnommen därf ich's ihm gar net
verübeln. Weißt, er is schon über die vierzig Jahr bei der
Jagerei, und da is ihm schon mancher schlechte Kerl unterkommen, der ihn hint und vorn anglogen und betrogen hat.
Und was die andern verschuldt haben, muß halt ich jetzt büßen!
In Gottesnamen! Er is und bleibt mein Herr ... und ich
muß mich halt in Geduld fassen, bis der Herr Graf selber
einsieht, daß er mir unrecht tan hat!"

Malis Zorn begann sich zu beschwichtigen, und mit herzlichem
Blick hingen ihre Augen an dem Jäger. „Franzl, du bist ein
guter Kerl! Aber schau, 's Gutsein hat oft sein Gfahr. Das nützen
die andern aus, und der ehrliche Mensch kommt allweil z'kurz!"

„Da kannst schon recht haben! Aber man kann sich halt
selber net wenden, wie der Schneider die alte Joppen. Wie der
Stein fallt, so liegt er, wie der Mensch is, so bleibt er. Aber
lassen wir jetzt die Gschicht in Ruh! Ich bin zfrieden, weil ich
weiß, du meinst es gut mit mir. Das hab ich sein lang schon
gspürt! Und gwiß wahr, wenn ich bei dir bin ..." Er verstummte mit glücklichem Lächeln und rückte näher.

Mali wurde ein wenig verlegen, aber dem kleinen Netterl
schien die Annäherung des Jägers eine besondere Freude zu bereiten; lange schon hatte das Kind die winzigen Händchen be-
gehrlich nach den in Silber gefaßten Hirschgranen, Adlerklauen
und Murmeltierzähnen gestreckt, die an Franzls Uhrkette in
dicker Quaste klunkerten; nun endlich konnte Netterl den Gegenstand seiner Sehnsucht erhaschen und äußerte sein Vergnügen
mit fröhlichem Gezappel.

„So schau nur grad das Kindl an!" lächelte Mali. „Geh,
laß ihm seine Freud ein bißl!"

„Aber freilich!" Um dem Kinde das Spiel zu erleichtern,
beugte sich Franzl vor; dabei war ihm der eine Arm ein wenig
hinderlich, und er mußte ihn um Malis Schultern legen. „Ja,
du," sagte er, „völlig staunen tu ich, um wie viel das Kindl
heut besser ausschaut gegen 's letztemal."

Die Freude glänzte in Mails Augen. Und um dem Netterl die Sache recht bequem zu machen, schmiegte sie sich so eng als möglich an den Jäger. „Gelt, ja? Die ganzen Nachbarsleut reden schon davon, wie das gute Kindl völlig wieder auflebt!"

„In deiner Lieb halt, weißt!" meinte Franzl mit wichtigem Ernst. „So was is sein gut . . . das gspürt einer gleich, ja! So was is oft besser wie der beste Dokter! Da wird einem völlig warm in die innern Urgan, weißt, und 's ganze Leben kriegt ein andern Zug, wie ein kranks Blümerl, wenn b' Sonn kommt! Gelt, Netterl, gelt? So was tut wohl! Jaaa . . ." Zärtlich tätschelte er das Gesichtchen des lallenden Kindes, das auf dem Schoß seiner jungen Pflegemutter immer lustiger zappelte und mit beiden Händchen in dem klappernden Spielzeug wühlte. „Jaaa, Netterl, gelt? Die richtige Lieb hilft gschwinder als Meisterwurz und Hollertee!"

„Da soll's net fehlen an mir!" beteuerte Mali. „Lieb hab ich ein ganzen Sack voll im Herzen, und alles gib ich her, wenn's helfen kann!"

Nun saßen sie stumm und sahen lächelnd dem Spiel des Kindes zu.

Forbeck, der von seinem Morgenspaziergang zurückkehrte, betrat den Hofraum. Sein Gesicht war bleich, und dunkle Schatten lagen um seine Augen, als hätte er eine schlaflose Nacht verbracht. Doch beim Anblick dieser drei Menschen, die anzusehen waren wie eine junge, glückliche Familie, heiterten sich seine Züge auf. Auch der malerische Reiz des Bildes fesselte ihn, und gerne begrüßte er die Gelegenheit, den Jäger, den er auf den ersten Blick wiedererkannte, als Modell zu gewinnen.

Als sich Forbeck der Hausbank näherte, rückte Mali errötend ein wenig zur Seite, und Franzl machte ein verdrossenes Gesicht. Auf die Bitte des Malers, ihm eine Stunde als Modell zu stehen, wußte der Jäger nicht gleich Antwort zu finden. Erst als ihm Mali ermunternd zunickte, erhob er sich und sagte: „Wenn der Herr Maler an mir was z'malen findet . . . meinetwegen. Ein Stündl hab ich noch Zeit!"

Forbeck und Franzl stiegen hinauf in die Giebelstube, und die Arbeit wurde sofort begonnen. Der Jäger, der an dem Bilde seine helle Freude fand und über die Aehnlichkeit der ‚lieben Konteß' nicht genug zu staunen wußte, erfaßte mit flinker Gelehrigkeit seine Aufgabe. Doch als er eine Weile in der ihm

vorgeſchriebenen Stellung ausgehalten hatte, ließ er die Arme
ſinken und ſchüttelte nachdenklich den Kopf.

„Sind Sie müde?" fragte Forbeck.

„Gott bewahr! Aber wiſſen S', Herr Maler, ich glaub,
wir könnten die Sach noch ein bißl beſſer machen. Ich denk
mir freilich, daß ich wieder die Konteß ſo trag wie ſelbigsmal.
Aber ich mein', die richtige Kraft im Gſtell käm halt doch beſſer
raus, wenn ich wirklich was auf die Arm hätt . . . was
Gwichtigs! Meinen S' net auch?"

„Allerdings . . ."

Da rannte Franzl ſchon in heißem Eifer zur Tür und rief
über die Treppe hinunter: „Mali! Geh, komm gſchwind ein bißl
rauf!"

Das Mädchen erſchien mit Netterl in der Stube. Geſchäftig
breitete Franzl ſeinen Wettermantel über die Dielen, ſetzte das
Kind zu Boden und gab ihm die Uhrkette mit ihren baumelnden Schätzen als Spielzeug.

„Aber was machſt denn?" ſtotterte Mali. „Was is denn
los?"

„Paß nur auf!" lachte Franzl und hob das Mädchen mit
flinkem Griff auf ſeine Arme. „So, Herr Maler! Jetzt
fangen S' an!"

Unter Lachen wollte ſich Mali ſträuben; aber Franzls Arme
pflegten feſtzuhalten, was ſie einmal gefaßt hatten — und als
auch Forbeck ſich noch mit einem bittenden Wort ins Mittel legte,
gab Mali ihren ohnehin nicht allzu energiſchen Widerſtand auf
und ſagte: „Weil's der Herr Maler will . . . in Gottesnamen!"

Forbeck arbeitete mit ſtillem Eifer, während durch das
Fenſter die helle Morgenſonne breit und leuchtend auf die zwei
geduldigen Modelle fiel. Die beiden waren ſo ganz bei der Sache,
daß Franzl die Elfuhrglocke und Mali die Stimmen überhörte, die ſich drunten im Hofe vernehmen ließen.

Die beiden älteren Kinder des Bruckner waren von der
Schule heimgekehrt und auf der Straße mit ihrem Vater zu-
ſammengetroffen. Als der Bauer die Stube leer und in der
Küche den Herd ohne Feuer fand, rief er mit lauter Stimme
nach der Schweſter. Da hörte er Lärm in der Giebelſtube und
eine erſchrockene Männerſtimme: „Mar' und Joſef! Else vorbei! Jetzt preſſiert's aber!" Droben wurde die Türe aufgeriſſen,
haſtige Schritte polterten über die Treppe herunter, und Franzl,

mit Büchse und Bergstock stürmte ohne Gruß an dem Bauer
vorüber, wie ein Flüchtling.

Bruckner erblaßte und stand wie angewurzelt im Flur; doch
als die Schritte des Jägers verhallten, stieß er mit bebendem
Fluch die Schuhe von den Füßen und sprang über die Treppe
hinauf. Droben auf der Schwelle der offenen Türe aber blieb
er ratlos stehen: er hatte gefürchtet, die Schwester allein zu
finden — und nun stand sie neben dem Maler, mit dem
Netterl auf den Armen, und betrachtete unter vergnügtem Lächeln
die Leinwand.

„Mali! Die Kinder sind daheim!" sagte der Bauer mit
schwankender Stimme, wandte sich ab und stieg wieder hinunter
in den Flur. Hier wartete er, und als die Schwester kam,
hing er mit finsterem Blick an ihrem Gesicht, dessen Augen
in heiterer Freude leuchteten.

„Jetzt hab ich mich ordentlich versäumt . . . jetzt koch ich
aber auf der Stell!" sagte sie und wollte an dem Bruder vorüber in die Küche.

Doch er vertrat ihr den Weg, und seine gedämpfte Stimme
klang heiser: „Wie kommt der Jager ins Haus?"

Lachend wollte Mali Antwort geben, doch als sie in das
bleiche, vor Erregung zuckende Gesicht des Bruders sah, verging
ihr das Lachen. „Aber Lenzi, was hast denn schon wieder?
Was is denn?"

„Wie kommt der Jager ins Haus?"

Malis Brauen furchten sich. „Du fragst ein bißl gspaßig!
Und anschauen tust mich, als hätt ich Gott weiß was angestellt!
Da sollt ich eigentlich gar kein Antwort nimmer haben. Aber
weil dich die Sach schon gar so merkwürdig interessiert . . .
der Herr Maler droben malt den Franzl und hat ihn mit nauf-
gnommen in b' Stuben . . . und mich hat er auch dazu braucht,
und so bin ich halt naufgangen. Is jetzt da was Unrechts dran?"

Bruckner starrte vor sich nieder: dann strich er die schwielige
Hand über das Haar und wandte sich ab.

Nun aber hielt ihn Mali zurück. „Du hast 's Reden angfangt, Lenzi . . . jetzt reden wir die Sach einmal aufs End!"

„Da is nix weiter z'reden."

„Ich mein' aber doch! Es wär ja möglich, daß der Franzl
einmal um meinetwillen käm . . . hättst denn da wirklich im
Ernst was einzwenden dagegen?"

Bruckner schwieg und seine Augen irrten mit scheuem Blick.

„So red doch, Lenzl! Ich mein', grad du als mein Bruder könntst am allerletzten was dagegen haben, wenn ich an den Franzl denk. Hat er net sein schönen Verdienst? Hat er net sein Häusl und sein netts Anwesen? Und von all dem abgsehen: is der Franzl net ein braver Mensch, den man gern haben muß?" Mali gewahrte, daß ihr Bruder zu diesen Gründen wie zustimmend vor sich hinnickte. „No also, schau, das mußt ja selber alles zugeben! So sag mir doch: was kannst denn da noch einwenden gegen den Franzl?"

„Frag net," murmelte der Bauer, den Blick der Schwester vermeidend, „'s Reden tät net gut!"

„Es wird aber doch wohl gredt sein müssen, ob heut oder ein andersmal!"

Da nickte der Bauer wieder, tonlos die Worte wiederholend: „Ob heut oder ein andersmal . . ."

„Schau, Lenzi, ich red offen mit dir! Der Franzl hat freilich noch kein ernstlichen Antrag fürbracht . . . aber ich spür's: er hat mich gern. Und ich selber bin ihm grad so gut, ich könnt mein Leben für ihn lassen!"

„Mali! Jesus Maria!" Der Bauer starrte die Schwester an, als hätte er die Botschaft eines schweren Unglücks vernommen.

Sie meinte ihn zu verstehen und legte freundlich die Haud auf seine Schulter. „Mußt dich net ängsten, Lenzi! Ich verlaß deine Kinder net, solang mich die armen Würmerln noch brauchen." Das kleine Netterl, das Mali auf den Armen trug, hatte wohl diese Worte nicht verstanden; doch die stille Geduld des Kindes schien ein Ende zu haben; lallend klatschte es die Händchen in Malis Gesicht und drückte das winzige Näschen an die Wange des Mädchens. Mali lachte, und ihre Augen wurden feucht. „Schau nur, Lenzi, wie das gute Kindl an mir hängt! Ich? Und deine Kinder verlassen? Da hätt ich schon gar net 's Herz dazu. Der Franzl und ich, wir sind zwei junge Leut, wir können warten. Aber daß wir zwei mit der Zeit ein richtigs Paar werden, da wird sich nix mehr ändern lassen. Das is so gut wie fest und sicher."

Schwer atmend schüttelte Bruckner den Kopf. „Es kann und darf net sein! Meiner Lebtag net!"

„Und warum net?" stammelte Mali.

„Warum net?" Bruckner hob das bleiche Gesicht. „So gern haft ihn, daß dein Leben für ihn lassen könntst? ... Da tust mich erbarmen, Schwester! ... Da geht's halt wieder, wie's in der Welt schon oft gangen is: wenn einer fallt, reißt er die andern hinter ihm nach! ... Verstehst mich net, gelt? So muß ich dir halt alles sagen! Komm!"

Mali zitterte, und alle Farbe wich aus ihrem Gesicht, als der Bruder sie bei der Hand faßte und in die Stube zog.

Hell fiel die Sonne durch die offene Haustür in den Flur, und draußen im Hof klangen die fröhlichen Stimmen der beiden Kinder, die unter den Obstbäumen das Gras durchstöberten und die Aepfel und Birnen auflasen, die in der Nacht gefallen waren.

Auf der Straße ließ sich Hufschlag vernehmen, und zwei Reiter trabten vorüber: Graf Robert in Begleitung seines Stallburschen. Hurtig liefen die beiden Kinder zum Zauntürchen, um dieses im Dorfe seltene Ereignis aus nächster Nähe zu bestaunen.

Graf Robert hatte es unter seiner Würde gefunden, in der ‚kurzledernen Maskerade', die für das Erscheinen in der Jagdhütte unumgängliche Vorschrift war, das Dorf und die von Sommergästen wimmelnde Seelände zu passieren. So ritt er nun voraus, um sich erst bei ihm passend erscheinender Gelegenheit in einen Jäger nach dem Geschmack seines Vaters zu verwandeln.

Eine Viertelstunde später zogen seine Brüder mit Büchse und Bergstock an dem Brucneranwesen vorüber. Franzl, der mit spähenden Augen die Fenster und den Hofraum überflog, führte den kleinen Zug. An seiner Seite wanderte Tassilo, dessen kräftige Gestalt in der verwitterten Jägertracht ein schmuckes Bild gewährte — seinen ernsten Zügen aber war es nicht anzumerken, daß es nun bergwärts ging zu ‚fröhlichem Jagen'. Hinter ihnen kamen drei Träger mit schwer gepackten Rucksäcken, und in weitem Zwischenraum folgte Willy mit dem alten Moser, der Graf Roberts Büchse trug; die beiden sprachen lachend miteinander, blickten immer wieder über die Straße zurück und winkten mit der Haub, wie zu lustigem Abschied auf baldiges Wiedersehen. Als ihnen der Gegenstand ihres Vergnügens aus den Augen schwand, stieß der alte Moser scherzend den Ellbogen an den Arm seines jungen Herrn und kicherte: „Was? Hab

ich net recht, Herr Graf? So was Liebs gibt's doch in der
ganzen Welt nimmer!"

Willy lächelte. „Aber den Schnabel halten, Moser!" Mit
ernsten Augen sah er den Alten an und zog die Brauen in die Höhe.

„Da wird nix fehlen! Das wissen S' doch, daß ich Ihnen
ein kleins Spasserl von Herzen vergönn. Lassen S' nur nimmer
aus . . . mir scheint, 's Fischerl hat schon anbissen!"

Raschen Ganges folgten sie den andern, und bald erreichte
der kleine Jagdzug den ansteigenden Bergwald. Zwei Stunden
ging es im Schatten der Buchen und Fichten auf leidlich bequemen Wegen aufwärts. Als die Lichtung der ersten Almen
durch die Bäume schimmerte, begegnete ihnen der Stallbursche,
der die beiden Pferde nach Schloß Hubertus zurückführte. Bei
der Sennhütte wartete Robert; er schien sich in Joppe und
Lederhose nicht sehr behaglich zu fühlen, hatte für die Brüder
kaum einen Gruß und zeigte während des Frühstücks, das in der
Hütte genommen wurde, eine höchst ungnädige Stimmung; nachdem er einige Bissen genossen hatte, sprang er auf, steckte mit
nervöser Hast eine Zigarette in Brand und trat vor die Hütte,
als möchte er mit seinen unruhigen Gedanken allein sein.

Dem alten Moser mochte es wohl rätselhaft erscheinen, daß
es auf der Welt einen Menschen gab, der zur Gemsjagd ausziehen
konnte, ohne die lachende Weidmannslaune zu finden. Verwundert schüttelte er den Kopf und wandte sich an Willy mit
der flüsternden Frage: „Was hat denn der Herr Bruder?"

Willy lachte nur, ohne Antwort zu geben; doch als er
Tassilos fragenden Blick gewahrte, sagte er: „Ich bin nur
neugierig, wie er diesmal mit Papa ins reine kommt."

Tassilo schien den Sinn dieser Worte zu verstehen; schweigend, mit ernsten Augen, blickte er zur Türe, vor welcher Robert
in der hellen Sonne stand und den Rauch der Zigarette ge-
dankenvoll vor sich hinblies.

Franzl mahnte zum Aufbruch. Als man zum Weitermarsch
bereit war, trennte sich einer der Träger von den anderen und
nahm seinen Weg seitwärts gegen den Wald.

„Gehört der Mann nicht zu uns?" fragte Tassilo.

„Aber freilich," versicherte Moser und zwinkerte mit den
Augen. „Der tragt die heimliche Zehrung in d' Holzerhütten
nauf. Man muß ja alles verstecken vor dem gnädigen Herrn
Grafen. Sie wissen ja, wie er is!"

Tassilo furchte die Brauen. „Wer hat das angeordnet?"

„Ich!" fiel Willy ein. „Und du wirst sehen, ich habe für uns alle mit wahrhaft mütterlicher Zärtlichkeit gesorgt: Niersteiner, Spatenbräu, Konserven . . ."

„Das war unrecht! Du weißt, daß Papa in der Jagdhütte keine Aenderungen seiner Gewohnheit duldet. Und wenn wir ihm nicht Aerger bereiten wollen, müssen wir uns seinem Willen fügen."

„Ach, fällt mir ein! Mich acht Tage von Mehlschmarren und Wasser zu nähren . . . dafür bedank ich mich! Wenn du von meiner genialen Vorsicht keinen Gebrauch machen willst, oh, bitte! Ich tue, was m i r beliebt! Wenn ich mich den ganzen Tag auf der Jagd abgehetzt habe, will ich wenigstens am Abend essen und trinken wie ein anständiger Mensch." Willy nahm die Büchse auf die Schulter und schritt davon. „Philister!" brummte er vor sich hin und suchte Robert einzuholen, der raschen Ganges über das offene Almfeld vorangestiegen war, als könnte er die Ankunft in der Jagdhütte kaum erwarten.

Im neu beginnenden Walde wurden die Pfade steil und beschwerlich. Robert hielt sich mit treibender Eile immer an der Spitze des Zuges; Willy schien müde zu werden, warf sich nach jeder Viertelstunde für ein paar Minuten in den Schatten eines Baumes und holte mit keuchender Hast die Vorausgestiegenen wieder ein. Nur Tassilo bewahrte seinen gleichmäßig ruhigen Schritt und blickte mit sinnenden Augen in das von grellen Lichtern durchwobene Schattendunkel des Waldes. Einmal hörte er hinter sich den alten Moser ein paar erschrockene Worte stottern, und als er sich umblickte, sah er, daß Willy in erschöpfter Haltung an einen Baum gelehnt stand und aus der kleinen Branntweinflasche trank, die Moser ihm gereicht hatte. Besorgt eilte Tassilo auf den Bruder zu. „Was ist dir?"

„Ich weiß nicht . . . so ein komischer Schwindel. Ich bin wohl ein wenig zu rasch gestiegen und habe den Atem verloren." Willy richtete sich auf und versuchte zu lächeln.

„Aber hab ich's net allweil gsagt: lassen S' Jhuen Zeit!" schmollte Moser. „Das gache Umeinanderfahren tut kein gut in die Berg! Da muß man schön stad ein Schrittl vors auber stellen! Zeit lassen, junger Herr, Zeit lassen!"

Mit ernster Sorge blickte Tassilo in Willys Gesicht, dessen müde Blässe einer langsam wiederkehrenden Röte wich. „Hier

ift ein schattiger Platz. Komm, setze dich und ruhe dich tüchtig
aus, ehe wir weitersteigen!"

„Ach, Unsinn! Es ist ja schon vorüber. Und von Ermüdung fühl ich keine Spur!" Unmutig den Bergstock einsetzend,
sprang Willy über einen Steinblock hinweg und folgte dem Pfad.

Tassilo schwieg; doch während der Wanderung war es den
Blicken, mit denen er immer wieder an Willy hing, wohl anzumerken, daß ihn die Sorge um den Bruder beschäftigte. Als
der Pfad zwischen den Felswänden einer breiten Schlucht auf
ebenem Grund verlief, trat Tassilo an Willys Seite.

„Wie fühlst du dich?"

„Ich? Warum? Ach so, du meinst, wegen vorhin? Danke,
mir ist pudelwohl! Das ist vorüber. Und ich begreife überhaupt deine ganze Sorge nicht. So eine harmlose Blut-
wallung . . ."

„Du solltest die Sache doch nicht so leicht nehmen. Hätte
ich geahnt, daß du noch unter den Nachwehen deiner Krankheit
zu leiden hast, so würde ich dir geraten haben, diese strapaziöse
Tour nicht mitzumachen. Papa hätte dich gewiß entschuldigt.
Man hätte ihm ja sagen können, daß du dich noch immer schonen
mußt . . . ohne ihn deshalb zu beunruhigen und ihm einzu-
gestehen, wie ernstlich krank du warst."

Willy lachte; doch es klang ein wenig gezwungen. „Ich?
Und ernstlich krank? Wer hat dir nur diesen Bären aufgebunden? Eine leichte Bronchitis . . . die reine Lächerlichkeit . . ."

„Weiche mir nicht aus, mein Junge! Sieh, ich habe die
Gelegenheit herbeigesehnt, einmal offen mit dir zu reden." Tassilo schlang Willys Arm in den seinen und dämpfte die Stimme.
„Vor meiner Abreise von München hab ich deinen Arzt gesprochen . . ."

„Du hast ihn wohl aufgesucht, um auf den Busch zu
klopfen? Was? Und nun willst du mich bei Papa droben
antreiben?"

„Nein Willy, ich habe weder das eine getan, noch beabsichtige
ich das andere. Ein Zufall hat mich mit dem Doktor zusammen-
geführt, und deinem Willen entgegen hielt er es für seine
Pflicht, mir mitzuteilen, in wie schwerer Gefahr du warst. Er
sagte mir, daß du trotz des glücklichen Verlaufes der Sache noch
immer alle Ursache hättest, dich zu schonen . . . ein Rückfall
könnte sehr bedenklich werden . . . und vor allem solltest du

dich vor jeder Ausschreitung hüten." Tassilo zögerte, als fielen ihm die Worte schwer. „Du weißt, was ich meine . . ."

Willy wollte heftig erwidern; aber der herzliche Blick, der ihn aus den Augen des Bruders traf, machte ihn verlegen und stumm; er zuckte die Schultern und verzog den Mund, wie ein verdrossenes Kind.

Es schien, als wäre Tassilo auch mit diesem halben Erfolge schon zufrieden; noch fester zog er Willys Arm an seine Brust, und seine Stimme wurde wärmer. „Ich weiß ja, du bist jung, und Jugend will austoben. Und ich bin gewiß der letzte, der dir aus deiner sprudelnden Lebensfreude einen Vorwurf machen will. Aber sieh, mein Junge, es hat doch alles seine Grenzen."

„Das stimmt! Aber weißt du, mein junger Schimmel hat Rasse und brennt eben manchmal mit mir durch. Da pariere nun einer. Ich mache wohl ab und zu einen Versuch, den Zügel anzuziehen . . . aber was willst du . . . der Ausreißer in mir ist hartmäulig. Was ist da zu machen?"

„Mit ernstlichem Willen alles! Aber da fehlt es bei dir wohl ein klein wenig . . . nein, laß mich zu Ende sprechen . . . ich weiß ja auch, daß die erste Schuld nicht an dir liegt. Du warst nur leider in allzu jungen Jahren dir selbst überlassen." Tassilos Stimme bekam einen herben Klang. „Papa war mit seinen Gemsen und Hirschen immer so sehr beschäftigt, daß wir alle darunter leiden mußten . . . und ich fürchte, du am allermeisten. Das Versäumte ist nicht mehr zu ändern. Aber sieh, mein Junge, nun bist du doch in den Jahren, in denen man selbst unterscheidet zwischen Gewinn und Nachteil und die Wendungen seiner Lebenswege mit klaren Augen überblicken kann. Nun mußt du schon dein eigener Hüter sein. Und das kann dir doch auch nicht allzuschwer fallen, wenn du dir nur immer vorhalten möchtest, was für dich auf dem Spiele steht. Was du jetzt an Kraft und Gesundheit vergeudest, das wird dich darben machen ein ganzes Leben lang. Erwacht dann einmal in dir die Sehnsucht nach reiner Freude und wahrem Glück, und führt dich dein Lebensweg zu spät an die Stelle, an der die schöne Blume für dich hätte blühen können, so wirst du mit zaghaften Händen zugreifen, in Zweifel und Reue. Denn du wirst empfinden müssen, daß du nur die Halbheit gewinnen kannst, da du zum Tausche nur einen halben, verbrauchten Menschen zu bieten vermagst. Alles volle Glück, sei es nun in Tat und

Arbeit oder in der Liebe, verlangt einen g a n z e n Menſchen!"

Mit verträumten Augen blickte Willy vor ſich nieder; dann atmete er tief und lächelte den Bruder an. „Du haſt recht, Tas! Es muß weiß Gott eine ſchöne Sacha ſein, in guter Kondition ſein Ziel zu erreichen, als ein ganzer und glücklicher Menſch. Wie das ſchmecken könnte, brauchſt du mir gar nicht zu ſchildern. Das hab ich mir ſelbſt ſchon oft mit den großartigſten Farben aus-gemalt. Denn weißt du, bei allem Rummel hab ich manchmal ſo meine lyriſchen Stimmungen mit dem obligaten Katzenjammer. Aber nun will ich einmal Ernſt machen! Aus mir ſoll etwas werden! Man lebt nicht zweimal, und ich will mein Glück nicht verſcherzen . . . ich will meine ‚Blume‘ brechen, die echte! Und ich danke dir, daß du mir einmal tüchtig ins Gewiſſen ge-redet haſt."

Taſſilo lächelte. „Es war ja nicht der erſte Verſuch, den ich machte!"

„Na ja! Aber das Vergangene wollen wir begraben, nicht wahr? Ich verſpreche dir, daß ich mir meine ſtützige Art dir gegenüber nach Kräften abgewöhnen will. Aber dann darfſt du mir auch nichts nachtragen! Denn eigentlich, weißt du, eigentlich war das bei mir gar niemals . . . wie ſoll ich nur ſagen . . . Mangel an gutem Willen oder Bockbeinigkeit. Im Grunde ge-nommen bin ich ja ein ſehr guter Kerl, der gerne mit ſich reden läßt. Aber wenn du mich manchmal ins Gebet nahmſt, ſo hatteſt du oft ſo eine Art zu reden . . . ich habe unwillkürlich immer den Advokaten aus dir heraus gehört . . . und das iſt mir gegen den Knopf gegangen. Jetzt biſt du wohl böſe? Was?"

„Nicht im geringſten. Es mag ja ſein, daß ich nicht immer den rechten Ton und die richtige Stunde gefunden habe. Und da geb ich dir nun ein Verſprechen zurück: ich will dem Advokaten in mir ein Schloß vor den Mund hängen, damit du immer nur den Bruder hören ſollſt!"

„Das war nett! Und ich danke dir, Tas! Was du mir heute geſagt haſt, das ſoll auf guten Boden gefallen ſein. Und wenn ich wieder einmal einen Schubbs brauche, um in den rechten Sättel zu kommen, dann weiß ich, wo ich mir den Helfer ſuche. Schlag ein, Tas!"

Mit feſtem Druck umſpannten ſich ihre Hände.

Inzwiſchen waren die anderen weit vorausgekommen und hinter einer Biegung der Felswand verſchwunden. Nun kam

Franzl zurückgelaufen und rief: „Ich bitt, meine Herrn, ein bißl flinker! Der Herr Graf hat einen Treiber gschickt . . . er wartet unter der Bärenwand und will 's Latschenfeld heut noch durchtreiben lassen.“

Nun galt es Eile. Die Träger schlugen den Weg zur Jagdhütte ein, während die Jäger, von dem Treiber geführt, seitwärts über steiles Gehäng emporstiegen. Der alte Moser hielt sich wieder an Willys Seite; doch so lustig er auch darauf losplauderte — er hatte einen gar stillen und zerstreuten Zuhörer. Auf einem grasigen Fels gewahrte er zwei blühende Brunellen; schmunzelnd brach er die braunen Blumen und reichte sie seinem jungen Herrn. „Da schauen S', Herr Graf . . . sind die Blümerln net grad so lieb und süß, wie dem Lieserl seine Aeugerln?“

Willy nahm die Blüten, betrachtete sie lächelnd und atmete ihren süßen Duft ein; dann plötzlich warf er sie über die Schulter. „Ach, Unsinn! Hol der Teufel all diese Dummheiten!“

„Aber, Herr Graf!“ stotterte Moser verwundert und gekränkt. „Was haben S' denn?“

Willy blieb ihm die Antwort schuldig.

15.

Unter der steilen, auch für den Fuß der Gemse pfadlosen Bärenwand dehnte sich, den schräg ansteigenden Schuttkegel eines vor grauer Zeit niedergegangenen Bergsturzes bedeckend, ein riesiges Latschenfeld, aus dem sich eine breite Talrinne gegen die offenen Almen hervorsenkte. Wenn das Latschenfeld von Treibern durchstöbert wurde, flüchtete das Wild, das keinen Aufstieg über die glatten Felsen saub, am liebsten durch diese Mulde — hier war also der Hauptstand. Zu Füßen einer alten, moosigen Fichte saß Graf Egge auf einem mit dem Wettermantel überbreiteten Steinblock; zu seiner Rechten hatte er schon die Patronen ausgelegt, zu seiner Linken standen die beiden Expreßbüchsen schußfertig an den Baum gelehnt. Ungeduldig blickte er über das Almfeld der Stelle zu, an der seine Söhne erscheinen mußten. Den mürben Filzhut hatte er tief in die Stirne gezogen, so daß man den grüngelben Fleck, den die verschwundene Beule zurückgelassen, kaum bemerken konnte. Nur das linke

Knie war nackt, das rechte von einem groben Wolltrikot um-
schloffen — Graf Egge hatte es als eine überflüssige Verschwen-
dung betrachtet, die wollene Unterhose, die Moser für ihn ge-
kauft und zur Jagdhütte geschickt, auch am gesunden Bein zu
tragen, und so hatte er sie in der Mitte entzweigeschnitten und
trug nur die rechte Hälfte. Die warme Wolle schien auch ihre
Schuldigkeit zu tun. Denn als Graf Egge seine Söhne kommen
sah und sich erhob, stand er fest auf den Füßen, und den paar
Schritten, die er den Kommenden entgegen machte, merkte man
keine Spur von Schwäche an. Schipper, der neben seinem Herrn
gestanden, trat auf die Seite und zog den Hut.

Robert kam als erster und reichte dem Vater die Hand.
„Weidmanns Heil, Papa, da sind wir! Dein Aussehen ist vor-
trefflich, wie immer. Wir Jungen werden älter mit jedem
Tag, und an dir wirkt Hubertus seine verjüngenden Wunder.
Es ist fabelhaft, wie famos du aussiehst! Natürlich, die Jagd!
Wer es so gut haben könnte, wie du!"

„Meinst du?" lachte Graf Egge. „Aber sprich ein wenig
leiser, die Treiber sind schon aufgestellt. Und tu mir den
Gefallen und wirf die Zigarette weg. Ich und meine Gemsböcke
vertragen das nicht. Wenn du rauchen willst, kann dir Schipper
seinen Stummel leihen."

„Entschuldige, ich vergaß!" Die Zigarette flog ins Moos.
Nun kam Willy; er umarmte den Vater herzlich und küßte
ihn auf beide Wangen. Graf Egge musterte ihn mit freundlichem Blick und doch mit etwas spöttischem Lächeln — die neue,
glänzend schwarze Lederhose, die Willy trug, schien ihm
nicht sonderlich zu gefallen. „Grüß dich Gott, Junge! Und
wie sein du dich gemacht hast, uuuh! Na, auf den Anlauf
bin ich begierig, den d u heut haben wirst. Deine Hose leuchtet
ja wie eine Laterne! Und sag mir, du zärtlicher Floh, wie steht's
mit deiner Gesundheit? Haben dir die Münchner Quacksalber
den rostigen Lauf wieder ordentlich blank geputzt?"

„Natürlich, Papa! Da spiegelt wieder alles, blitzblank wie
eine nagelneue Büchse."

„Das hör ich gerne. Und laß dir . . ." Graf Egge verstummte, und seine Augen wurden kleiner, als er Tassilo auf
sich zukommen sah. „Aaaah! Herr Doktor Egge! Und sieht,
weiß Gott, wie ein richtiger Jäger aus! Oder steckt dir nicht
doch die Feder hinter dem Ohr?" Das war wie ein Scherz,

und Graf Egge lachte auch; aber seine Stimme hatte harten Klang.

Taſſilo ſchien dieſen ſonderbaren Willkomm überhört zu haben. Ruhig reichte er seinem Vater die Hand. „Guten Tag, Papa! Wir haben uns lange nicht geſehen . . .“

„Das iſt begreiflich, du biſt ja ſehr beſchäftigt! Hoffentlich fallen deine Prozeſſe immer glücklich aus! Und wie ſteht das Befinden deiner geliebten Spitzbuben?“

„Ich verſtehe dich nicht . . . wen meinſt du?“

„Deine ſogenannten Klienten: Waldfrevler, Wildbiebe und ſo weiter.“

„Zu meinen Klienten zählt auch dein alter Freund Fürſt Wittenſtein!“

Graf Egge machte ein verblüfftes Geſicht. „Was hat er denn angeſtellt?“

„Aber Papa!“ fiel Willy lachend ein. „Wie kommſt du nur auf eine ſolche Idee? Wittenſtein hat Tas die Verwaltung ſeines Vermögens übertragen.“

Nun verwandelte ſich Graf Egges Verblüffung in ehrliches Staunen, und es zwinkerte um ſeine Augen, als hätte ſeine Stimmung eine angenehme Wendung erfahren. „Schockſchwerenot! Da fängt ja dein Handwerk an, einen goldenen Boden zu bekommen. Ich weiß, was ich Jahr um Jahr meinem Anwalt bezahle, und gegen Wittenſtein bin ich ein Schlucker . . . das muß dir ein fettes Stück Geld eintragen?“

Dunkle Röte glitt über Taſſilos Stirne; doch er nickte ruhig. „Ja, Papa!“

„Da haſt du am Ende die Apanage, die ich dir bezahle, gar nicht mehr nötig?“

„Nein. Wenn du für die Summe eine beſſere Verwendung haſt, ich verzichte gerne.“

Robert zog den ſorgſam gepflegten Schnurrbart durch die Finger und wandte ſich lächelnd ab, während Willy mit einem haſtigen Schritt an Taſſilos Seite trat, als wollte er Partei in dem Zwiſt ergreifen, deſſen Ausbruch er befürchten mochte.

Graf Egge aber ſchien von Taſſilos Antwort nicht im geringſten unangenehm berührt. „Gut! Wir ſprechen noch über die Sache. Jetzt haben wir wichtigeres zu tun!“ Er ſah auf die Uhr. „Eine halbe Stunde habt ihr Zeit, um eure Stände zu erreichen. Punkt fünf Uhr gehen die Treiber an. Schipper,

du gehst mit Robert auf den Wechsel unter der Wand! Moser, du
mit Willy auf den Rückwechsel ... und gib acht, daß mir der
Junge keine Gemsgeiß niederbrennt! Sonst schlagt das Wetter
ein! Und du, Hornegger, führst deinen Schützen dort hinüber
unter das Latschenfeld, zu der alten Zirbe."

Franzl machte verwunderte Augen zu dieser Weisung.

„Also weiter!" mahnte Graf Egge, nahm seinen Stand ein
und zog den Feldstecher aus dem Futteral.

Seine Söhne und die Jäger lüfteten die Hüte. „Weidmanns
Heil, Papa! Weidmanns Heil, Herr Graf!"

„Weidmanns Dank!"

Schipper stieg mit Robert nach links über das Gehäng empor,
während Franzl und Moser mit ihren Schützen nach rechts
im Almental davon wanderten. Der Grund senkte sich, und
Graf Egge entschwand ihren Blicken. Nach etwa tausend Schritten war die alte Zirbe erreicht, bei welcher Franzl und Tassilo
blieben.

Moser, der in Eile weiterstieg, mahnte: „Ein bißl flinker,
junger Herr! Wir haben nimmer viel Zeit und müssen noch
ein gutes Stückl in b' Höh."

„Es pressiert nicht," meinte Willy, „ich muß mich schonen."

Inzwischen richtete Franzl der Zirbe zu Füßen einen bequemen Sitz.

„Wo laufen die Wechsel aus?" fragte Tassilo.

„Wechsel?" brummte der Jäger. „Ich weiß keinen da in
der Näh. Warum Ihnen der Herr Vater dahergschickt hat, das
kann ich mir meiner Seel net denken. Da is meiner Lebtag
noch nie was kommen. Und da kommt auch heut nix!"

„Das Unglück wäre zu verschmerzen!" sagte Tassilo lächelnd.

Sie ließen sich nieder, und Tassilo nahm die Büchse über den
Schoß; hinter ihm, auf den Wurzeln der Zirbe, nahm Franzl
seinen Sitz. Nach einer Weile sahen sie in der Höhe des Latschenfeldes Robert und Schipper erscheinen, die über eine schmale
Blöße gegen den Fuß der Felswand emporstiegen.

Als die beiden ihren Stand erreichten, krachte im äußersten
Winkel des Latschenfeldes der Pistolenschuß, der den Anmarsch
der Treiber verkündete; das Echo rollte über die Berge hin,
im Dickicht ließ sich das Geklapper rollender Steine vernehmen
— und wieder herrschte tiefe Stille.

Robert spannte die Hähne der Büchse; dann griff er in

die Tasche und drückte ein Zehnmarkstück in die Hand seines Jägers: „Sag mir, ist Papa in guter Laune?"

Schipper schien eine Witterung für den Sinn dieser Frage zu haben; schmunzelnd kniff er das linke Auge ein. „Sie brauchen ihn wohl bei gutem Hamur?"

„Wohl möglich!"

„Die ganzen Tag her war er kreuzfidel! Aber was er heut abends für ein Wetter aufzieht, das hängt jetzt ganz davon ab, wie der Bogen ausfallt. Wenn er was Saubers kriegt, kann's ein lustigen Abend geben. Und wenn S' was dazu beitragen wollen, so schießen S' net, wenn Ihnen vielleicht ein Gamsbock hersteigt! Denn wissen S', der Herr Graf hat seine Mucken, wenn ein anderer was schießt ... ich mein' schier, da nimmt er seine Herrn Söhn net aus."

Robert spannte die Hähne seiner Büchse ab, stellte die Waffe hinter sich und steckte eine Zigarette in Brand; für ihn war die Jagd zu Ende.

Auf dem Hauptstand hallte der erste Schuß, und in den vielstimmigen Widerhall mischten sich die klingenden Jauchzer der Treiber; die Stille, die über dem weiten Hochtal gelagert hatte, war gewichen und kehrte nicht mehr zurück; immer wieder klangen die lauten Rufe der Treiber, wenn sie Wild erblickten, oder wenn sie ihre auf den beschwerlichen Wegen in Unordnung geratene Linie wieder herzustellen suchten. Noch dreimal krachte Graf Egges Büchse auf dem Hauptstand, und in dem Winkel des Latschenfeldes, in welchem Willy saß, fielen in rascher Folge sieben Schüsse.

Nur unter der Felswand droben rührte sich nichts, und auch bei der Zirbe blieb es still. Mit gekreuzten Armen saß Tassilo an den Baum gelehnt und blickte unter stillen Gedanken empor zu den langsam ziehenden Wölklein, die ein letzter Glanz der sinkenden Sonne mit sanftem Schimmer übergoß. Die Träume seines Glückes füllten ihm die Seele. Wohl wußte er, daß ihm ein harter Kampf mit dem Vater bevorstand, vielleicht schon in der nächsten Stunde doch er sollte ja kämpfen um all den besten Wert seines Lebens, und er wußte, daß er siegen würde. Seine Gedanken blickten in die schöne Zukunft, und um ihn her versanken die Berge mit allem, was sie trugen.

Regungslos saß Franzl hinter ihm; als sich die Treiber schon dem Ende des Latschenfeldes näherten, nickte er trüb-

selig vor sich hin und flüsterte: „Nix! Ich hab's ja gsagt!"
Schon wollte er nach seiner Pfeife greifen, da vernahm sein
scharfes Ohr ein Geräusch im Dickicht. „Obacht!" lispelte er;
doch Tassilo hörte nicht. Franzl saß wie zu Stein geworden und
blickte mit regungslosen Augen nach einer Latschengasse, in
der das mächtige Haupt eines Sechzehnenders erschien, langsam und lautlos; über das Gesicht des Jägers floß eine dunkle
Röte — das war ein Hirsch, wie seit Jahren in Egges Revieren kein zweiter geschossen wurde. Schon trat das herrliche
Tier mit freier Brust aus der Dickung hervor, und noch immer
ruhte die Büchse auf Tassilos Knien. In Franzl erwachte die
Sorge, denn mit funkelnden Lichtern äugte das Wild schon nach
den Gestalten der beiden Jäger; mit einer kaum merklichen
Handbewegung faßte er Tassilos Joppe und zupfte. Nun erwachte der Träumer und wandte das Gesicht; im gleichen Augenblick gewahrte er wohl den Hirsch — aber auch der Hirsch erkannte seinen Feind und setzte mit einem sausenden Sprung über
die letzten niederen Büsche hinweg. Mit zurückgelegtem Geweih
raste er über die schmale Talmulde und verschwand in der
gegenüberliegenden Dickung, deren Aeste über ihm zusammen-
schlugen; noch lange hörte man das laute Brechen im Gezweig.

Tassilo hatte wohl nach der Büchse gegriffen, doch keinen
Versuch gemacht, sie an die Wange zu heben; sein zufriedenes
Lächeln ließ vermuten, daß ihm das herrliche Bild dieser Flucht
weit größere Freude beschert hatte, als der glücklichste Schuß
ihm hätte bereiten können.

Franzl freilich war in anderer Laune. Kopfschüttelnd und
mit vorwurfsvoller Trauer sagte er: „Aber Herr Graf! Was
haben S' denn da jetzt angstellt! Es is ja wie 's reine Wunder,
daß der Hirsch bei uns da kommen is ... und Sie lassen ihn
durch! Mar' und Josef! Was wird der gnädig Herr sagen!
Da gibt's ein ordentlichen Spitakel!"

Nun wurde auch Tassilo nachdenklich; eine verdrießliche
Szene, die aus diesem weidmännischen Schwabenstreich hervor-
wachsen konnte, erschien ihm als eine nicht sehr günstige Einleitung für alles andere, was sich in diesen Tagen zwischen
seinem Vater und ihm entscheiden sollte; er mußte jeden Verdruß zu vermeiden suchen. „Wir brauchen keine Unwahrheit
zu sagen," meinte er, „aber wenn die Sache nicht von selbst zur
Sprache kommt, können wir ja schweigen."

Franzl kraute sich hinter den Ohren.

Das Jagen war zu Ende, und die Treiber begannen schon gegen den Hauptstand niederzusteigen. Hier schritt Graf Egge mit strahlendem Gesicht umher und musterte der Reihe nach den Zehnender und die drei Gemsböcke, die er mit vier sicheren Schüssen zur Strecke gebracht.

Mit langen Sätzen kam Schipper über das Geröll heruntergesprungen. „Ich gratulier, Herr Graf!"

„Ja, heut is gut gangen, heut war halt wieder 's richtige Stündl!" lachte sein Herr und ließ sich den grünen Bruch hinter das Hutband stecken. „Aber warum hat denn der deinig da droben net gschossen? Zwei von meine Gemsböck sind doch i h m zuerst angsprungen?"

„Ja, Herr Graf! Wannenbreit sind s' dagstanden vor uns, der Herr Graf Robert hätt auf alle zwei den schönsten Schuß ghabt . . . aber weil er gmeint hat, die zwei Böck könnten vielleicht noch den Wechsel gegen Ihren Stand annehmen, drum hat er s' durchlassen. Und recht hat er ghabt! Der muß Ihnen gern haben, Herr Graf! Der vergönnt Ihnen was!"

Als Robert herbeikam, wurde er gnädig empfangen; Graf Egge legte ihm die Hand auf die Schulter und sagte: „Das hast du gut gemacht, Bertl. Du hast mir zuliebe getan, was ich an deiner Stelle schwerlich fertig gebracht hätte. Ich danke dir!" Seine gute Laune verschwand auch nicht, als Tassilo erschien. „Du bist leer ausgegangen?" fragte er lachend.

„Ja, leider!"

„Na, tröste dich! Vielleicht hast du morgen einen besseren Tag. Aber wo bleibt denn unser Salontiroler? Der Junge hat ja da droben gepulvert wie ein Feuerwerker. Ich bin nur neugierig, was bei ihm liegt!"

Es währte nicht lange, und Willy kam mit Moser unter erregtem Disput in die Mulde herabgestiegen.

„Na, na, rauft nur nicht miteinander!" rief ihnen Graf Egge entgegen. „Her zu mir, Junge! Was war denn los bei dir?"

In sprudelnden Worten begann Willy eine lange Rede, deren kurzer Sinn dahin lautete, daß er durch Mosers Schuld einen ‚kapitalen' Gemsbock ‚verpatzt' hätte.

„Mein Schuld? Was? Mein Schuld?" kreischte der Alte.

„Natürlich! Der Kerl hat mich ja ganz verrückt gemacht

mit feinem ewigen: Schießen S', schießen S', schießen S'!"

„Natürlich! Weil S' den Gamsbock im besten Augenblick verpaßt haben! Hätten S' gleich gschossen, so wär er daglegen!" Moser zappelte vor Aerger mit Händen und Füßen. „Aber na! Da muß man warten, bis der Bock flüchtig wird ... und pulvert siebenmal hinter ihm her ... und trifft ihn net! Da möcht man ja aus der Haut fahren!"

Lachend beendete Graf Egge den Streit, indem er zum Heimweg mahnte, um vor Einbruch der Nacht die Jagdhütte zu erreichen; er schritt voran, seine Söhne folgten ihm, und Moser tappte brummend hinter Willy her, während Schipper und Franzl mit den Treibern bei dem erlegten Wilde zurückblieben.

Immer dunkler wurden die Schatten des Abends, und am Himmel blitzten schon die ersten Sterne, als Graf Egge mit seinen Söhnen das Hochtal erreichte, in dem das ‚Palais Dippel' lag. Die Jagdhütte war schon in Sicht, da rief Graf Egge über die Schulter zurück: „Bertl! Komm her zu mir!"

Mit raschen Schritten holte Robert ihn ein: „Papa?"

„Du! Die Geschichte mit den zwei Gemsböcken will mir nicht aus dem Kopf! Die Gelegenheit zu einem guten Schuß versagt man sich nicht ohne triftigen Grund, und ich habe so ein merkwürdiges Gefühl in der Nase, als hättest du das nicht umsonst getan? Also in Gottesnamen, schieß los ... was willst du?"

„Ich habe allerdings eine Bitte, aber ... mit den zwei Böcken hat das nichts zu schaffen. Schipper sagte mir ..."

„Schon gut! Komm zu deiner Bitte!"

Robert machte eine kurze Pause. „Sei nicht böse, Papa, aber ich bin wieder einmal abscheulich hereingefallen."

„Du hast gespielt?" fragte Graf Egge in ahnungsvollem Schreck. „Und dein Versprechen vom vergangenen Sommer?"

„Ich gestehe, es war unrecht, aber man kann nicht immer ausweichen. Schließlich hat man doch auch Rücksichten ..."

„So?" unterbrach Graf Egge. „Und die Rücksicht auf meinen Geldsack? Wo bleibt denn die? Du bist mir ein Feiner! Wenn du gewinnst, verbrauchst du das Geld für deinen Stall und deine sonstigen Scherze. Und verlierst du, so soll ich bezahlen. Dafür bedank ich mich! Und ich sage dir auch: das ist das letztemal. Wieviel brauchst du?"

Die Antwort kam ein wenig zögernd: „Achtzehn ..."

„Hundert?"

„Leider nein, Papa!"

„Tausend!" Das Wort klang wie ein erstickter Schrei nach Hilfe. Dann war Stille zwischen Vater und Sohn, und Graf Egge schlug mit vorgebeugtem Kopf einen Sturmschritt an, als könnte er dieser Forderung mit der Schnelligkeit seiner Beine entrinnen. Robert versuchte nicht das Schweigen zu brechen, doch er hielt sich dicht hinter dem Vater. Vor dem Zaun der Jagdhütte blieb Graf Egge stehen; seine funkelnden Blicke hafteten im sinkenden Dunkel an dem bleichen Gesicht des Sohnes, und seine Stimme bebte vor Zorn. „Das waren zwei teure Gemsböcke . . . ein andermal will ich billiger jagen."

Robert atmete auf.

„Wann brauchst du die Summe?"

„Die Anweisung muß morgen mit der ersten Post abgehen."

„Gut! Du sollst sie haben. Aber jetzt höre, Robert! Das war der letzte Rest an meinem Geduldsfaden. Kommst du mir ein zweitesmal wieder, so laß ich dich sitzen in der Patsche, und wenn es dir den Hals bricht. Darauf hast du mein Wort. Und ich, das weißt du, ich halte, was ich sage. Jetzt komm here n!"

„Ich danke, Papa, und verspreche dir . . ."

„Dank und Versprechen kannst du dir sparen! Du hast mir einen vergnügten Abend gründlich verdorben."

Graf Egge trat in die Jagdhütte. In der Herrenstube zündete er die kleine Hänglampe an, holte das Schreibzeug aus dem Wandschrank und kritzelte mit schwerer Hand einige Zeilen auf ein Blatt; die Anweisung ließ er auf dem Tische liegen und ging mit einem blasenden Seufzer aus der Stube, als wäre ihm zu schwül unter Dach.

Mit beiden Händen griff Robert nach dem Blatt und nickte zufrieden, als er gelesen hatte. Aus seiner Brieftasche holte er ein Kuvert hervor, das einen bereits geschriebenen Brief enthielt und schon die Adresse trug; in dieses Kuvert verschloß er die Anweisung und siegelte den Brief. Dann rieb er die Hände und bewegte die Beine, als wäre er nach strapaziösem Ritt vom Pferd gestiegen; lächelnd steckte er eine Zigarette in Brand, warf sich auf das Bett seines Vaters und dehnte behaglich die Glieder.

Draußen vor der Türe ließen sich Schritte hören. Tassilo

und Moser kamen mit Willy, dem der neunstündige Marsch wie Blei in den Gliedern zu liegen schien. Die beiden Brüder traten in die Herrenstube, und Moser, der seine gute Laune noch immer nicht völlig gefunden hatte, schürte auf dem Küchenherd ein Feuer an.

Inzwischen saß Graf Egge nahe bei der Hütte auf dem Trog des laufenden Brunnens, die Hände in den Hosentaschen, und brütete in heißem Aerger vor sich hin, bis ihn sein Büchsenspanner, den er in der Finsternis nicht kommen sah, mit den Worten weckte: „Aber Herr Graf! Wie können S' denn in der kühlen Nacht da draußen sitzen! Mir scheint, es taugt Ihnen net, daß Ihr Fuß wieder ein bißl besser is? Was? Jetzt gehen S' mir aber auf der Stell wieder in d' Hütten ein!"

Graf Egge erhob sich. „Ist das Wild versorgt?"

„Alles in Ordnung! Die drei Gamsböck hängen bei der Holzerhütten drüben, und der Hirsch liegt auf'm Schlitten. Die Träger können morgen in aller Fruh damit abfahren. Was wird denn kocht auf'n Abend?"

„Schmarren!" brummte Graf Egge.

„Und wieviel Flaschen Bier soll ich denn für die jungen Herrn aufstellen?"

„Bier? Warum denn Bier? Da lauft der Brunnen! Der heutige Tag ist mir schon teuer genug gekommen."

Schipper wollte in die Hütte treten; doch unter der Türe drehte er sich wieder um und sagte mit gedämpfter Stimme: „Noch was Neus, Herr Graf! Der gute Hirsch mit dem Prügelgweih, den wir in der vorigen Woch gsehen haben . . ."

Nun wurde Graf Egge lebendig. „Was ist mit dem Hirsch?"

„Im Bogen is er gwesen!"

„Heute?"

„Einer von bie Treiber hat ihn gsehen auf fünf Schritt. Der Hirsch hat sich durch d' Latschen abwärts gstohlen und is beim Herrn Tassilo naus. Der Franzl hätt's gern verschwiegen, aber z'letzt hat er's doch einbstehen müssen, daß sein Schütz den Hirsch übersehen hat."

„Aber da soll ja doch ein heiliges Donnerwetter gleich alles in Grund und Boden schlagen!" schrie Graf Egge, dem eine Gelegenheit, den Aerger der letzten Stunde von sich abzuladen, mehr als willkommen schien. Um die Taube, die Schipper hatte fliegen lassen, noch setter zu machen, kam Franzl im unglücklichsten Augenblick zur Hütte. „Hornegger! Her zu mir!"

„Jawohl, Herr Graf!" klang aus der Finsternis die schwankende Stimme des Jägers, dem nicht viel Gutes schwanen mochte. Im Laufschritt erschien er und stellte sich in straffer Haltung vor seinen Herrn.

„Warum hast du mir nicht sofort gemeldet, daß der gute Hirsch im Treiben war?"

„Aber ich bitt, Herr Graf," stotterte Franzl, „es is ja gar keine Zeit zum Reden gwesen. Der Herr Graf is ja gleich davon, und ich hab bei die Gamsböck zruckbleiben müssen."

„Das ist eine Ausrede, die ich absolut nicht dulde! Es war deine Pflicht, mir sofort die Paßerei zu melden, die dein Schütze gemacht hat, und du mit ihm! Oder habt ihr euch etwa verabredet, zu schweigen?"

Es war ein Glück, daß Graf Egge bei der herrschenden Dunkelheit nicht bemerken konnte, was sich auf den Zügen des Jägers abspielte. Und da sich Franzl dachte, daß es genug wäre, wenn er allein sein Donnerwetter von der Sache abbekäme, sagte er: „Von einer Heimlichkeit is gar keine Red net gwesen! Ich allein bin der Schuldig . . . ich hab halt in der Eil vergessen, die Meldung z'machen . . ."

„Gut! Also wieder ein Strich auf deiner Rechnung. Viel Platz hast du nicht mehr übrig. Und es ist für heute noch dein Glück, daß ich nicht an eine Manklerei zwischen euch beiden glaube. So etwas möcht ich mir gründlich verbitten! Wo ich bin, da wird g e j a g t . . . da werden keine Advokatenschliche getrieben. In meinem Revier bin noch immer i ch der Herr, und da geschieht, was i ch will. Wer sich nicht fügen will, der kann marschieren . . . ob es nun einer von euch ist, oder von meinen Buben!"

Graf Egges Stimme war so laut geworden, daß sie in die Herrenstube klang. Robert rührte sich nicht auf dem Bett, aber Tassilo und Willy eilten ins Freie, um zu sehen, was es gäbe — und dabei holte sich Willy an der niederen Hüttentüre den ersten ‚Dippel'. Die Hand auf die Stirne drückend, fragte er: „Was ist denn los, Papa?"

„Was los ist? Frag deinen gelehrten Herrn Bruder! Der wird's wissen! Und mit solchen ‚Jägern' soll man eine Jagd halten! Und so was sitzt auf dem Staub und hat eine Büchse in der Hand! Ein Besenstiel wäre das richtige! Und der Hirsch, natürlich, der wird ja das ungefährliche Tintenfaß im Wind gehabt haben. Der hat ganz genau gewußt, welchen Schützen er sich aussuchen muß, um mit heiler Decke durchzukommen!"

Tassilo wußte nun wohl, wem der wortreiche Zorn seines Vaters galt; doch er hatte genügende Gründe, jeden ernsteren Zwischenfall zu vermeiden, und hielt es für das beste, mit einem sein ‚Versehen‘ entschuldigenden Worte den Rückzug in die Hütte anzutreten.

Das machte aber der Szene kein Ende. Graf Egge war nun einmal im Zug, und das Rad seines Zornes lief polternd weiter. Willy suchte den Vater zu beruhigen, und auch Franzl wollte mit stotternden Worten seinem Herrn die Ueberzeugung beibringen, daß die Sache doch eigentlich gar nicht so schlimm wäre. Nur Schipper mischte sich mit keiner Silbe in den lauten Disput; er kannte seinen Herrn besser, als die Söhne ihren Vater, und war überzeugt, daß Graf Egge den stattlich geweihten Hirsch lieber lebendig wußte, als von der Kugel eines anderen gefällt; da blieb ihm doch immer noch die Hoffnung, den Hirsch einmal vor die eigene Büchse zu bringen.

Die Szene vor der Hütte nahm erst ein Ende, als die Pfanne mit dem Schmarren auf den Tisch getragen wurde. Beim ersten Schritt in die Stube roch Graf Egge den Zigarettenrauch; aber er schien sich müde gescholten zu haben, streifte Robert nur mit einem wütenden Blick und warf den Hut auf das Bett. Da es am Tische an Raum fehlte, mußten Franzl und Moser ihr Nachtmahl in der Küche nehmen; nur Schipper durfte am Herrentische sitzen. Das Mahl begann unter unbehaglichem Schweigen. Tassilo aß sich satt, Willy zwang sich, einige Bissen zu kosten, und Robert saß mit gekreuzten Armen, ohne den Löffel zu berühren.

„Warum ißt du nicht?" fragte Graf Egge.

„Ich danke, Papa, mich hungert nicht."

„Sooo? Es wäre begreiflicher, wenn heute der Appetit mir vergangen wäre. Aber warte nur, der Hunger wird dir schon kommen! Es soll mir kein anderer Bissen auf den Tisch, als Schmarren. Wer mit mir jagen will, wird sich auch herablassen müssen, mit mir aus einer Schüssel zu essen. Und du, Schipper, du bist mir verantwortlich, daß in die Hütte nichts anderes eingeschmuggelt wird."

Willy und Robert tauschten einen Blick des Unbehagens, und wieder war Stille am Tisch. Graf Egge und Schipper leerten die Pfanne. Als die ‚Tafel‘ endlich aufgehoben wurde und Graf Egge seinen Stummel mit der zweifelhaftesten aller Knastersorten stopfte, schlich sich Willy hinter dem Büchsenspanner in die Küche hinaus und legte ihm vertraulich die Hand auf die Schulter.

„Na, Schipperchen, du wirst uns doch nicht verraten, wenn wir auf dem Heuboden eine Flasche Wein trinken, etcetera?"

Schipper zuckte die Achseln und zeigte eine ernste Miene. „Ich bitt, Herr Graf . . . tun S', was S' wollen . . . aber ich darf nix sehen! Wenn ich was sieh, muß ich's melden! Sie haben ja ghört, wie der Herr Vater gredt hat. Ich hab die Verantwortung . . . ich darf nix sehen."

Willy schien mit dieser Antwort vollständig zufrieden, und Moser wurde zur nahen Holzerhütte geschickt, um die erste Ration der Kontrebande herbeizuschleppen und auf dem Heuboden in Sicherheit zu bringen. Als Willy die Stube wieder betrat, nickte er seinem Bruder Robert mit vergnügten Augen zu und fragte den Vater: „Wo bleibt deine Zither, Papa? Ich habe mich schon riesig gefreut, dich wieder zu hören."

„So? Na, dann freue dich nur noch ein wenig länger!" brummte Graf Egge und warf sich, mit der Pfeife zwischen den Zähnen, auf das Bett. „Ich bin heute gerade in der Laune, euch etwas vorzududeln!"

Franzl kam in die Stube und legte vor Tassilo zwei Patronen auf den Tisch. „Ihr Büchsl hab ich ein bißl durchgwischt, Herr Graf," sagte er und hängte das Gewehr an das Zapfenbrett.

„Das war heute wohl überflüssige Arbeit!" klang es vom Bette her. „Und ‚Herr Graf‘? Wenn du dich bei ihm schön Kind machen willst, Hornegger, so mußt du ‚Herr Doktor‘ sagen. Das hört er viel lieber!"

Franzl, dem die Luft in der Stube nicht geheuer schien, drückte sich schleunigst wieder zur Türe hinaus, während sich Tassilo an seinen Vater wandte: „Du irrst, Papa, ich mache keinen Unterschied zwischen Titeln."

„So? Man hat mir aber doch erzählt, daß auf dem Schild deiner Wohnungstür zu lesen steht: ‚Doktor Egge‘ . . . kurzweg? Da muß dir der angebüffelte Doktor doch besser gefallen, als dein angeborener Graf?"

„Mir gilt der eine so viel wie der andere. Daß ich auf dem Schild meiner Türe den ersteren vorziehe, das ist eine Konzession, die ich meinem Beruf mache. Zu mir kommen mancherlei Leute . . .“

„Mit besonderer Vorliebe die Wildschützen,“ ergänzte Graf Egge.

„Das ist wohl nicht der Fall,“ sagte Tassilo, dessen Stirn sich rötete, „aber es würde mich nicht wundern, wenn es so wäre. Der arme Teufel, der im vergangenen Winter meine Hilfe suchte, vermutete ganz richtig, daß ich so viel von Jagd gehört und erfahren hätte, um eine Leidenschaft zu begreifen, die den Frieden einer ganzen Familie zerstören und einen Menschen zum Verbrecher machen kann.“

Graf Egge lachte. „Aaaah! Du gibst also wenigstens zu, daß ein Wildschütz ein Verbrecher ist?“

„Na, sieh mal, mit diesem Zugeständnis hast du Papa sogar eine Freude gemacht,“ fiel Robert mit lauerndem Lächeln ein, „und ich vermutete schon, daß du eigentlich etwas ganz anderes sagen wolltest? Oder nicht?“

Willy sah den Blick, den die Brüder tauschten, und versuchte einzulenken. „Natürlich ein Verbrecher! Der Kerl ist ja auch richtig verknurrt worden. Das plaidierte doch nur auf mildernde Umstände, und die waren in diesem Falle wirklich am Platz. Wenn man die Sache genau betrachtet, bestand das einzige Verbrechen dieses Menschen doch eigentlich nur darin, daß er nicht vorsichtig genug in der Wahl seiner Eltern war. Wäre er mit dieser Leidenschaft für die Jagd als der Sohn eines reichen Vaters auf die Welt gekommen, so hätte er sich ein paar Reviere pachten können, wäre ein großer Nimrod geworden und dabei ein anständiger Mensch geblieben. Hab ich nicht recht?“ Willy eilte zum Vater und faßte scherzend seine Hände. „Sei einmal ehrlich, Papa, und setze den Fall, daß du selbst als armer Teufel auf die Welt gekommen wärest . . . ich glaube, aus dir wär auch ein Wildschütz geworden, dazu noch ein riesig gefährlicher!“

„Nein!“ entschied Graf Egge. „Ein Wildschütz gewiß nicht, wahrscheinlich ein pflichtgetreuer Jäger.“

„Ein solcher wäre auch aus meinem Klienten geworden,“ sagte Tassilo, „wenn du auf meine Bitte gehört und den Mann in deine Dienste genommen hättest!“

„Das hätte mir gerade noch taugen können nach all der Galle, die mir die Sache gemacht hat, und nach all dem verwünschten Klatsch!"

„Geschäftsprinzip!" lächelte Robert. „Ein junger Advokat muß von sich reden machen. Und alle Achtung, das gelingt dir! Alle Welt macht sich mit dir zu schaffen, die Zeitungsschreiber beten dich an ... sogar in den sozialdemokratischen Blättern bist du immer einer ehrenvollen Erwähnung sicher!"

„Woher weißt du das?" fragte Tassilo mit mühsam bewahrter Ruhe. „Du liest ja doch nie eine Zeitung."

„Wahrscheinlich habe ich besseres zu tun. Aber die guten Freunde sorgen dafür, daß man immer das Nötigste über dich erfährt."

„Das ist wohl auch die einzige Gelegenheit, bei der du dich um mich bekümmerst?"

„Erlaube mir ... du hast es deinen Brüdern doch einigermaßen schwer gemacht, ab und zu einmal bei dir vorzusprechen. Bei dir soll ja eine Kollektion von Bassermannschen Gestalten aus und ein gehen, mit denen ein reinlicher Mensch nicht gerne in Berührung kommt. Ich bin gewohnt, mit Leuten zu verkehren, in deren Nähe man sich die Taschen nicht zuzuknöpfen braucht."

„Das Bild ist nicht gut gewählt, Robert! Du könntest dich ohne Mühe davon überzeugen, daß gerade du mit deinen offenen Taschen in der Nähe der Menschen, die zu m i r kommen, viel weniger gefährdet wärst, als du es in d e i n e r Gesellschaft und am Spieltisch bist."

„Das sitzt, Bertl!" lachte Graf Egge schadenfroh. „Mit Worten schießt er besser als du!"

Robert nahm eine hoheitsvolle Miene an und sah über den Bruder hinweg. „Das Vergnügen, mit Impertinenzen gegen mich anzufahren, vergönn ich ihm herzlich gerne. Aber die Abwesenden gedenke ich zu verteidigen und verbitte es mir auf das entschiedenste, daß meine Kameraden hier verunglimpft werden. Allerdings, die gute Gesellschaft und den makellosen Namen anderer Leute zu respektieren, das läßt sich schwer von jemand verlangen, der mit dem eigenen Namen bereits abgewirtschaftet hat."

Tassilo richtete sich mit blitzenden Augen auf. „Wie meinst du das?"

Willy, der die Nutzlosigkeit seiner diplomatischen Bemühungen einsah, verließ die Stube, während Graf Egge sich vom Bett erhob und langsam, den Pfeifenrauch in einem dünnen Faden vor sich hinblasend, zum Tische kam.

Ohne zu antworten, hatte Robert die Arme gekreuzt und blickte mit überlegenem Lächeln zu dem Bruder auf; ein paar lautlose Sekunden verrannen.

„Hast du meine Frage nicht gehört?"

„Gewiß! Aber mir scheint, was ich sagte, bedarf keiner weiteren Erklärung. Uebrigens habe ich ja nur nachgesprochen, was du selbst vor einer Minute eingestehen mußtest: daß du in deinem Geschäftsbetrieb auf deinen ererbten Titel verzichtest und dich mit dem Doktor begnügst. Das muß doch seine Gründe haben. Entweder scheint dir der ‚Graf' für deine praktischen Zwecke bereits entwertet . . . oder du bist ängstlicher Natur und fürchtest, daß du bei deinen Klienten als ‚Graf' Tassilo Egge eine etwas zweifelhafte Ehrfurcht genießen möchtest?"

„Ehrfurcht hab ich niemals verlangt," erwiderte Tassilo, „weder für meinen Namen, noch für meine Person. Aber mein Beruf bringt es mit sich, daß ich Vertrauen verlangen muß. Und da ist es doch wohl nicht m e i n e Schuld, wenn ich die Wahrnehmung machen mußte, daß hiezu der Titel, der mir in die Wiege fiel, für sich allein nicht genügt . . . daß er eher in meinem Beruf ein Hindernis für mich bedeutete, eine Ursache des Mißtrauens, mit dem ich in der ersten Zeit schwer zu kämpfen hatte . . ."

„Oho!" murrte Graf Egge. „Soll das ein Hieb auf den Adel sein?"

„Durchaus nicht, Papa! Es ist mir noch nie in den Sinn gekommen, den Wert der adeligen Geburt zu bezweifeln, und wenn ich auch den Grafen nicht auf meine Türe schreibe, so schlage ich meinen Adel doch höher an, als mancher andere ihn schätzt, der die Krone auf jede Zigarettendose und auf den Knopf jeder Reitpeitsche gravieren läßt und der Meinung ist, daß er damit allen Verpflichtungen, die seine Geburt ihm auferlegt, vollständig genügt hätte."

„Mir scheint, Bertl, das geht auf dich!" stichelte Graf Egge.

„Nein, Papa!" fiel Tassilo ein, ehe Robert eine Antwort finden konnte. „Nur gegen deinen Einwurf wollte ich mich verteibigen und wiederhole dir: ich bin stolz auf meinen Adel. Aber ich betrachte die edle Geburt nicht nur als ein Vorrecht, sondern auch als eine Verpflichtung. Man kann nicht Vorrechte beanspruchen, ohne nicht auch seine Pflichten umso höher zu fassen. Adelige Geburt stellt uns auf einen exponierten Posten, zu dem Hunderte von Augen leichter den Weg finden, als zu dem einzelnen Bürger, der mitten im allgemeinen Getriebe recht oder schlecht die Aufgabe seines Lebens zu erfüllen sucht. Was wir Gutes und Tüchtiges leisten, wird dem einzelnen von uns immer nur als das Selbstverständliche angerechnet. Wir beanspruchen ja, die ‚Auserwählten‘ zu sein. Aber jede Ausschreitung und Mißartung wird hundertfach gesehen und wird sofort als typisch für uns alle bezeichnet. Gewiß mit Unrecht. Aber es ist nun einmal so, und darin liegt für uns eine doppelte Verpflichtung.“

„Großartig!“ lachte Robert. „Mir scheint nur, du irrst dich im Lokal und in deinem Publikum. In einer Vorstadtkneipe würdest du dich mit solchen Tiraden riesig populär machen. Aber hier . . . in Papas Jagdhütte? Doch ich bitte, nur weiter im Text! Du hast einen langen Atem, aber meine Geduld hat noch längere Beine.“ Er blickte zu seinem Vater auf, der breitspurig und mit gekreuzten Armen stand, die zwinkernden Augen auf Tassilo gerichtet und den Pfeifenrauch in dicken Wolken vor sich hinpaffend. „Und du, Papa? Ich hoffe doch, du amüsierst dich! Gib acht, es dauert nicht mehr lange, und er rückt auch noch mit dem abgedroschenen Zitat heraus: Noblesse oblige!“

Graf Egge schwieg und verzog keine Miene.

„Noblesse oblige!“ wiederholte Tassilo. „Ja, Robert! Das Wort ist alt geworden! Hätten wir es jung erhalten, so genösse der Adel jene Achtung, die ich ihm von Herzen wünsche, auch heute noch! Trotz der gewandelten Zeiten! Und nicht nur bei unseren Bedienten! Dann wäre mir auch die Erfahrung erspart geblieben, daß jeder von uns, den es zu ernster Arbeit treibt, auf allen Wegen einem beschämenden Mißtrauen begegnet, einem nur schwer zu überwindenden Zweifel an seinen Fähigkeiten und seinem redlichen Willen . . . gerade weil er von Adel ist. Allerdings, in deinem Klub würde mir mein Titel alle Türen öffnen. Nur schade, daß ich für dieses Vorrecht nicht das richtige Verständnis besitze. Aber du hast recht, das ist kein Thema für die Jagdhütte. Und Papa wird müde sein . . . es ist Zeit, daß wir ein Ende machen. Gute Nacht, Papa!"

Graf Egge blies eine dicke Wolke vor sich hin und nickte schweigend.

Als Tassilo die Stube verlassen hatte, schob sich Robert hinter dem Tisch hervor und reckte gähnend die Beine. „Ein netter Herr! Was sagst du, Papa?"

Graf Egge machte die Augen klein und strich mit der Pfeifenspitze über den weißen Schnurrbart. „Ich sage: du sei ganz still! Im Grunde genommen hat er nicht unrecht . . . und wenn es auf e i n e n paßt, was er gesagt hat, so paßt es auf d i c h! Die Hoffnung, daß aus ihm noch ein Jäger wird, geb ich auf. Aber lieber sitzt er mir noch hinter dem Schreibtisch, als hinter dem verfluchten Möbel, an welchem d u auf meine Kosten deine Nächte verbringst. Leg dich schlafen!" Graf Egge pfiff durch die Finger, und während er an der Ofenkante die Pfeife ausklopfte, kam Schipper zur Türe herein geschossen. „Mach die Fenster auf, daß der Rauch hinaus kann, und richte mir das Bett!"

Wortlos ging Robert aus der Stube und kletterte über die Leiter auf den Heuboden, wobei er die ‚Scheußlichkeit' des ihm zugedachten Quartiers mit einem kräftigen Reiterfluch kommentierte.

Für jeden der Brüder hatte Franzl ein Leintuch über das Heu gebreitet und eine wollene Decke zurechtgelegt. Die Kerze, die hinter den trüben Gläsern einer Laterne brannte, erleuchtete mit ihrem matten Schimmer den niederen Raum und das von Spinnweben überzogene Sparrenwerk des Daches. Tassilo hatte sich schon zur Ruhe gelegt und hielt die Hände unter dem Nacken verschlungen, erfüllt von ruhelosen Gedanken. Auch Franzl war schon ins Heu gekrochen, ohne bei dem heimlichen Nachtmahl mitzuhalten; während Schipper in der Herrenstube Graf Egges Bein frottierte, taten sich Robert und Willy auf dem Heuboden an Niersteiner und Spatenbräu gütlich und vertilgten den Inhalt einer Konservenbüchse.

16.

Früh am Morgen hatte sich Forbeck erhoben, um vor seinem Gang nach Hubertus noch einige Stunden für die Arbeit zu gewinnen. Er öffnete das Fenster, um der frischen Morgenluft den Eintritt in die schwüle Stube zu gewähren, und rückte die Leinwand in das beste Licht. Wohl nahm er nun auch die Palette zur Hand, doch als er vor das Bild trat und den Blick auf die leuchtende Mädchengestalt heftete, die vor ihm zu leben schien, umschimmert von einem letzten Sonnenstrahl, den das ausbrechende Unwetter schon zu erlöschen drohte — da atmete er schwer und schien die Arbeit wieder zu vergessen. Er hörte nicht, daß Mali die Stube betrat, um das Frühstück zu bringen. Erst als die Tassen auf dem Tische klirrten, erwachte er aus seinem Brüten und nickte zerstreut einen Gruß, den Mali mit gedrückter Stimme erwiderte. In Hast verließ sie die Stube. Und Forbeck hüllte die Leinwand in ein weißes Tuch, legte den Malkasten auf den Tisch, und machte sich zum Ausgang fertig, ohne das Frühstück zu berühren. Im Flur begegnete ihm Mali, die aus der Küche kam, mit dem kleinen Netterl auf den Armen.

„Wenn jemand von Schloß Hubertus kommt, um meine Geräte zu holen," sagte er, „ich habe droben alles bereit gestellt. Aber bitte, sagen Sie dem Diener . . ." Da verstummte Forbeck und sah erschrocken in das Gesicht des Mädchens.

Wer Mali am vergangenen Tage noch gesehen hatte in der frischen Röte ihrer Gesundheit und mit den lachenden Augen, dem mußte sie jetzt erscheinen wie ein Gespenst ihrer selbst. Der Ausdruck eines trostlosen Kummers lag auf den bleichen, vergrämten Zügen, und dunkle Ränder zogen sich um die heiß und scheu blickenden Augen.

„Was ist Ihnen?" fragte Forbeck. „Sind Sie krank?"

Malis Augen füllten sich mit Tränen. „Ja, Herr, es wird wohl so was sein mit mir!" sagte sie mit schwankender Stimme, wandte ihm den Rücken und trat in die Stube.

Forbeck wollte ihr folgen, als sich die Haustür verfinsterte und Bruckner auf der Schwelle erschien; er mußte Malis Worte noch gehört haben und betrachtete Forbeck mit mißtrauisch forschendem Blick.

„Bruckner? Was ist mit Ihrer Schwester geschehen?"

„Mit meiner Schwester? Warum?"

„Aber Mensch! Haben Sie denn nicht bemerkt, wie das Mädchen aussieht? Ich bin erschrocken! Das ist ja das Gesicht einer schwer Kranken."

„Die Mali? Und krank?" Das Lachen, das der Bauer versuchte, wollte nicht recht gelingen. „Gott bewahr, Herr! Meine Schwester hat ein Gsund wie ein Trumm Eisen. Aber sie hat halt jetzt die ganzen Nächt her bei dem Kindl gwacht. So was greift einen an auf b' Letzt!" Mühsam suchte er nach Worten. „Kann sich b' Mali ein paar Nächt ordentlich ausschlafen, da wird bald wieder alles in der besten Ordnung sein. Ja, Herr, da brauchen S' Ihnen gar net sorgen! Bhüt Ihnen Gott!" Er strich mit der schweren Hand das Haar in die Stirne, ging an Forbeck vorüber und trat in die Stube.

Hier sah er Mali beim Fenster stehen. Sie wandte ihm den Rücken; doch als sie hinter sich das leise Tappen der nackten Füße hörte, lief ein Zittern über ihre Gestalt, und fester schlangen sich ihre Arme um das Kind. Zögernd, mit verstörten Augen, ging der Bauer auf sie zu und flüsterte: „Um Gottes willen, Schwester, ich tu dich bitten, nimm dich zamm . . . es merken ja b' Leut schon, daß was los sein muß!"

Mali wollte sprechen, doch die Worte versagten ihr, und mit beiden Armen das Kind an ihrer Brust umklammernd, sank sie auf die Holzbank nieder und brach in Schluchzen aus.

Draußen vor dem Fenster klangen die Schritte Forbecks, der den Hofraum verließ. Er folgte einem Pfad, auf den ihn der Zufall führte, und irrte zwei Stunden in dem Wald umher, der den Park von Schloß Hubertus umgab. Immer wieder geriet er in die Nähe des Tores; dann stand er unschlüssig, warf einen Blick auf die Uhr und wandte sich wieder in den Wald zurück. Endlich ging es auf die zehnte Stunde; während der letzten Minuten wanderte Forbeck vor dem Parktor auf und nieder, und mit dem ersten Glockenschlag, der von der Dorfkirche herübertönte, trat er ein. Als er sich dem Adlerkäfig näherte, begegnete ihm Moser mit einer blutfleckigen Holzschüssel; der Alte war am Morgen mit dem Wildtransport von der Jagdhütte heruntergekommen, hatte Roberts Brief zur Post getragen, dann die Arbeit in der Zwirchkammer erledigt und brachte nun den Adlern die rohe Leber des Wildes zum Futter. Mit Gönnermiene nickte er dem jungen Künstler zu und deutete über die Schulter: „Die Fräulein sind schon mit die Malersachen im Park hint und warten!" Die Adler hatten die ihnen wohlbekannte Schüssel bereits gewahrt und flatterten hinter dem Gitter lärmend durcheinander, so daß sich vom Boden des Käfigs eine schmutzige Wolke erhob. Während Moser das Gitter öffnete, beschleunigte Forbeck seine Schritte — der Anblick des Käfigs hatte immer peinlich auf ihn gewirkt, und das blutige Menageriegeschäft, das er den alten Jäger üben sah, mehrte in ihm noch dieses Gefühl des Widerwillens. Als er den offenen Platz vor dem Schloß erreichte, hielt er tief atmend inne und blickte umher, als sollte das malerische Bild der bunten Blumenbeete, das zitternde Lichterspiel im Gezweig der Bäume und der leuchtende Tropfenfall der plätschernden Fontäne die Beklemmung lösen, die ihn erfüllte.

„Wie schön das ist . . . und das seh ich heute zum letzten-mal!"

Da hörte er Fräulein von Kleesbergs Stimme, und als er das Schloß umschritten hatte, sah er auf dem Rasen die Staffelei mit der Leinwand bereits aufgestellt. Kitty und Tante Gundi standen vor dem Bild, und Forbeck hörte, während er näher kam, noch ein wortreiches Stücklein der begeisterten Rede, in welcher Fräulein von Kleesberg dem in Schweigen versunkenen Mädchen die ,unglaublichen Fortschritte' der Arbeit pries. So aufmerksam Kitty auch zu lauschen schien — sie hörte doch den leisen Schritt, der sich näherte; seine Röte huschte über ihre Wangen, während sie, ohne den Blick zu wenden, der begeisterten Dozentin zuflüsterte „Er kommt!"

Fräulein von Kleesberg begrüßte den jungen Künstler mit überströmender Herzlichkeit und mit einem Eifer, der fast ver-muten ließ, als hätte sie sein Erscheinen mit Ungeduld erwartet; aber diese freudige Stimmung hielt bei ihr nicht lange an — Forbecks ernster Blick genügte, um bei Tante Gundi jene selt-same Erregung und Verstörtheit zu wecken, die sie während all der vergangenen Tage in Forbecks Nähe niemals ganz hatte überwinden können. Und als ihr Forbeck, der keine Silbe über die Lippen brachte, die Hand mit einer Zärtlichkeit küßte, zu welcher Kitty ganz merkwürdig verwunderte Augen machte, tat Fräulein von Kleesberg einen brunnentiefen Seufzer und blickte so verträumt auf Forbeck nieder, als wären ihre

Gedanken, weiß Gott, in welcher Ferne und vergangenen Zeit.

Bei Kitty war die Begrüßung schneller abgetan; schweigend reichte sie Forbeck die Hand, und als er sie zu kurzem Druck erfaßte, vermied eines den Blick des andern. Während Kitty langsam auf den schon bereit gestellten Sessel zuging, um ihre Stellung einzunehmen, fand Tante Gundi halb und halb ihre Fassung wieder. „Beginnen Sie nur gleich mit der Arbeit, Herr Forbeck!" mahnte sie in etwas scheuer Hast. „Das ist ja heute die letzte Sitzung, und . . . wir müssen die Zeit noch gut benützen!" Das klang beinahe, als wäre auch ihr bei dieser letzten ‚Sitzung‘ eine wichtige Rolle zugewiesen. Sie griff nach ihrem Buch, aus dem ein altmodisches Merkzeichen hervorlugte, und ließ sich auf die Rohrbank nieder, die heute dicht neben die Staffelei gerückt war. „Es stört Sie doch nicht, wenn ich so nahe sitze?"

„Gewiß nicht!" Die Palette zitterte in Forbecks Hand, während er die Farben aus den Tuben drückte; dann trat er vor die Leinwand und begann mit ernsten Blicken Original und Bild zu vergleichen. Die Falten des Gewandes schienen ihm einer Korrektur bedürftig. Er ging auf Kitty zu und fragte: „Gestatten Sie . . ."

„O, bitte!" klang leise die Antwort.

Nur mit den Fingerspitzen, wie man zarten Filigranschmuck zu berühren pflegt, faßte Forbeck das weiße Gewebe an, um die Falten zu legen. Kitty saß dabei so ruhig, als wäre sie versteinert. Forbeck beendete diese künstlerische Toilette, ohne auch nur ein einzigesmal aufzublicken — doch als er zurücktrat und das Werk seiner zitternden Hände einer letzten Musterung unterzog, verirrten sich seine Augen bis zu Kittys glühendem Gesichtchen, und da tauchte Blick in Blick, so seltsam erschrocken, als erschiene eines dem anderen wie ein unbegreifliches Rätsel.

Ein stockender Atemzug erschütterte Kittys Brust, als Forbeck sich abwandte; wie ein Träumender ging er zur Staffelei zurück und begann die Arbeit. Lautlose Minuten vergingen; nur ab und zu ließ sich aus dem Schatten der Bäume das Gezwitscher eines Vogels hören, und manchmal knisterte es leise, wenn Fräulein von Kleesberg ein Blatt ihres Buches umschlug. Doch es schien ihr mit dem Lesen nicht sonderlich ernst zu sein. Immer wieder glitten ihre Blicke über das Buch hinweg und zu Forbeck hinüber. Und endlich klappte sie das Buch zu, und mit einer Stimme, die unverfänglich klingen wollte, fragte sie: „Sind Sie bei der Arbeit immer so schweigsam? Sie haben es wohl nicht gerne, wenn geplaudert wird?“

Forbeck erwachte aus seiner Verlorenheit. „Im Gegenteil, ich bin es ja seit Jahren gewohnt, mit Werner gemeinsam zu arbeiten. Und da haben wir immer was zu plaudern.“

Fräulein von Kleesberg seufzte, als hätte sie die Kunde eines beneidenswerten Loses vernommen. „Und wie lange leben Sie schon in München?“

„Seit vierzehn Jahren . . . seit mich Werner zu sich nahm.“

„Ach ja, richtig . . . wenn ich nicht irre, erzählten Sie uns neulich, daß Sie mit . . . mit Professor Werner verwandt wären . . .“

„Aber Tante Gundi!“ rief Kitty von ihrem Sessel herüber. „Herr Forbeck erzählte ja gerade das Gegenteil . . . erinnere dich doch . . . auf der Veranda, als uns Tas diese merkwürdige Aehnlichkeit erklärte.“

„Diese Aehnlichkeit . . .“ lispelte Fräulein von Kleesberg vor sich hin und schüttelte den Kopf, „diese Aehnlichkeit . . .“

In Kitty war, als sie den Namen des Bruders ausgesprochen hatte, der Gedanke erwacht, daß Tassilo vielleicht gerade in dieser Stunde vor dem Vater stünde, im heißen Kampf um sein Glück. Mit bangem Blick suchte sie die fernen Berge und zog unter einem Seufzer die beiden Daumen ein.

„Sagten Sie nicht auch, daß Professor Werner Sie erziehen ließ?“ begann Fräulein von Kleesberg von neuem ihr Verhör.

„Ja, gnädiges Fräulein. Was aus mir geworden, verdanke ich Werner. Ich war neun Jahre alt, als er mich fand . . .“

„Als er Sie fand . . .?“ wiederholte Tante Gundi hastig, als hätte dieses Wort für sie ein Häkchen, an das sich eine Frage hängen ließ. „Er wußte wohl von Ihrer Existenz und suchte Sie?“

Forbeck schüttelte den Kopf. „Nein! Werner wußte früher von mir so wenig, wie ich von ihm. Er hat meine Eltern nie gekannt, weder meinen Vater, noch meine Mutter. Meine Eltern waren arme Söldnersleute in einem kleinen Dorf . . . und sie waren nicht mehr jung, als ich geboren wurde. Ich hatte noch drei Geschwister, aber ich habe sie nie gekannt. Sie starben vor meiner Geburt.“ Der Ausdruck tiefer Schwermut legte

sich wie ein Schatten über Forbecks Züge. „Es war keine glück-
liche Kindheit, die ich verleben mußte." Er schwieg und sah
mit verlorenem Blick auf die Palette nieder, während er eine
Farbe mischte. In seiner Erinnerung tauchte das Bild einer
ärmlichen Stube auf, mit verwahrlostem Gerät; ein vierjähriger
Knabe, in Lumpen gehüllt, lauert hinter dem Herd, auf dem die
Mutter sitzt, mit verdrossenem Faltengesicht und die irdene
Kaffeetasse in der Hand; in schweigendem Brüten leert sie
eine Tasse um die andere, bis sie draußen vor der Türe schwere
Tritte poltern hört; nun versteckt sie das Geschirr, und der
Vater stolpert in die Stube, betrunken, mit verwüstetem Gesicht
und glasigen Augen. Ein Fluch ist sein Gruß, und der Knabe
im Herdwinkel beginnt zu zittern — er weiß ja, was ihm
bevorsteht!

Tief atmend richtete sich Forbeck auf, als möchte er diese
Erinnerung gewaltsam von sich abwerfen.

„Sie haben Ihre Eltern früh verloren?" fragte Fräulein von
Kleesberg bewegt, während Kitty lautlos saß, mit erblaßtem
Gesicht.

„Meine Mutter starb, als ich noch nicht fünf Jahre alt
war. Und wenige Monate später verunglückte mein Vater."
Wieder verstummte Forbeck. Vor seiner Erinnerung stand das
Bild jenes Abends, an dem der Vater nicht wie sonst nach Hause
kam. Bei sinkender Nacht brachten ihn vier Männer getragen,
Leute drängten sich in die Stube, und alle schrien durcheinander;
aber das dauerte nicht lange; die Leute verliefen sich wieder —
und neben dem flackernden Feuer lauerte der Knabe im Herdwinkel und spähte in scheuer Furcht nach dem Heubett, von
dem die Wassertropfen niederfielen. Er begriff nicht, was geschehen war, und fürchtete, der Vater möchte erwachen und wie
sonst die Fäuste rühren. Aber Stunde um Stunde verging,
und der Schläfer lag noch immer regungslos — er schnarchte auch
nicht. Von einem seltsamen Bangen getrieben, kam der Knabe
aus seinem Winkel hervorgeschlichen. Er sah den Vater in triefenden Kleidern liegen; die nassen Haare klebten an dem fahlen
Gesicht und hingen über die offenen Augen. So war vor einem
halben Jahr die Mutter auf dem gleichen Bett gelegen, mit
den gleichen wächsernen Zügen und mit diesen bläulichen Lippen.
Der Knabe begann an allen Gliedern zu zittern, ihn befiel
jene ziellose Furcht, die der Tod auch in jenen erweckt, die

ihn nicht erkennen. An der Wand sich forttastend, schlich das
Kind aus der Stube und legte sich unter freiem Himmel auf die
Hausbank zum Schlaf. Sein letzter Gedanke vor dem Schlummer
war: wer wird mich morgen schlagen?

Mit feuchten Augen hing Kitty an Forbecks Zügen, als wäre
in ihr eine Ahnung all der Kümmernis erwacht, die hinter den
wenigen Worten verborgen lag, die er gesprochen. Auch Fräulein
von Kleesberg hatte Tränen in den Augen und sagte mit gedrückter Stimme: „So früh verwaist! Und wer sorgte für Sie,
als Ihre Eltern gestorben waren?"

„Niemand! Ich war mir selbst überlassen. Die Gemeinde
fühlte keine Verpflichtung, sich meiner anzunehmen . . . es
hieß, mein Vater hätte kein Heimatsrecht im Dorfe besessen.
Zwei Jahre lebte ich . . ." Ein bitteres Zucken seiner Lippen
und eine leise Bewegung der Schultern vollendete den Satz.
„Schließlich gaben sie mir die Gänse zu hüten. Und da kamen
bessere Zeiten für mich. Man gab mir Unterkunft im Ge-
meindehaus, und ich bekam zu essen. Anfangs empfand ich sogar über meine Freiheit so etwas wie Freude. Der Wald, die
weiten Wiesen, der Bach und die Sonne, das war für mein
Kinderherz ein Reichtum, aus dem ich immer schöpfte. Aber
die Einsamkeit reist auch einen Kinderverstand . . . ich begann
zu denken, begann mein Leben mit dem Leben anderer Kinder
zu vergleichen. Neid hab ich nie empfunden . . . aber eine
Sehnsucht, die mir fast das Herz verbrannte. Ich kam zum
Bewußtsein meiner Verlassenheit, mich bürstete nach einem guten
Wort, nach einem Funken Liebe. Oft lag ich lange Stunden,
das Gesicht ins Gras gedrückt, und weinte . . . und wenn ich
mich müde geweint hatte, begann ich zu träumen und malte mir
in Gedanken aus, was meinem sehnenden Kinderherzen als
Glück erschien. Damals erwachte auch jener Drang in mir, die
Bilder meiner Träume zu formen . . . ich begann mit dem Finger
oder mit einem Reis in den Sand zu zeichnen, dann mit Kohle
oder Rötel auf die Mauern aller Ställe und Scheunen. Ich
zeichnete Häuser mit umzäunten Gärten, mit Pferden und Kühen,
zeichnete meine Gänse und alle anderen Tiere . . . den Kirchturm
mit der Sonne darüber, den lieben Gott und den Teufel, Riesen
und Zwerge . . . und schließlich versuchte ich die Züge der
Menschen nachzubilden, in deren Mitte ich lebte."

„Da zeigte sich eben das angeborene Talent!" Tante Gunbis

Eifer wuchs mit jedem Worte. „Was sagst du, Kitty? Erinnerst du dich noch an die Biographie Defreggers, die wir neulich gelesen? So fing es auch bei ihm an, als er noch ein Knabe war . . . und welch ein großer Künstler ist er geworden!" Was sie mit diesen Worten eigentlich sagen wollte, verriet der respektvoll zärtliche Blick, mit dem sie den jungen Künstler musterte.

Kitty nickte zustimmend, und ein glückliches Lächeln spielte um ihre Lippen.

Forbeck schien Fräulein von Kleesbergs Worte überhört zu haben — die feinen Linien des unter dem Gewandsaum hervorlugenden Füßchens, an dem er gerade malte, nahmen seine ganze Aufmerksamkeit in Anspruch. Es währte eine Weile, bis er wieder zu erzählen anfing: „Meine Kritzeleien begannen im Dorfe von sich reden zu machen . . . manchmal freilich in einer Weise, die mir nicht sehr willkommen war. Die Besitzer der schönen, weißgetünchten Mauern, auf denen meine Kohle sich austobte, waren nicht sonderlich gut auf mich zu sprechen, und wenn sie mich bei meiner stillen Arbeit erwischten, gab es für mich böse Stunden." Forbeck lächelte zerstreut. „Ich mußte mich früh daran gewöhnen, für meine Kunst zu leiden." Nun schwieg er und arbeitete mit doppeltem Eifer, als wüßte er weiter nichts mehr zu erzählen.

Fräulein von Kleesberg aber schien mit diesem Schlusse nicht einverstanden. „Sie haben uns neugierig gemacht . . . jetzt müssen Sie schon zu Ende erzählen. Es würde mich lebhaft interessieren, von Ihnen zu hören, wie Sie mit Professor Werner bekannt wurden."

Beim Klang dieses Namens wichen die trüben Schatten der Erinnerung von Forbecks Antlitz. „An einem Sommertag war es . . . und an jenem Morgen hatte mich der einzige Schicksalsschlag getroffen, der noch über mich fallen konnte. Der Bürgermeister, der mir niemals besonders gewogen war, hatte sein Haus frisch tünchen lassen, und diese blendend weiße Mauer zog mich unwiderstehlich an. An der Rückwand befand sich ein blindes Fenster, das die Versuchung noch verstärkte . . . denn so oft ich diese leere Nische sah, erwachte in mir die Vorstellung, als läge der Bürgermeister mit breiten Armen auf dem Gesimse, als hätte er den Kopf durch die Mauer gesteckt und könnte ihn nicht wieder zurückziehen, weil sich die weitabstehenden Ohren als zähe Widerhaken erwiesen!"

Kitty lachte; auch Fräulein von Kleesberg schmunzelte, trotz der unruhigen Spannung, die aus ihren erregten Zügen sprach.

„Ich kannte die Gefahr dieser Versuchung, und so oft mich meine Wege in die Nähe des Bürgermeisterhauses führten, leerte ich alle Kohlenstücklein aus meinen Taschen. Auch an jenem Morgen. Aber mein Schicksal ereilte mich doch; denn als ich meine schnatternde Herde an dem Hause vorbeitrieb, gewahrte ich den Meister Zimmermaler, der am Fuß der Mauer seine Farbentiegel aufstellte und wieder davon ging. Das blinde Fenster sollte übermalt werden. Ich hatte ein Gefühl, als würde mir ein Stücklein meines Besitzes gestohlen, wie mit unsichtbarer Gewalt fuhr mir's in die Hände, und ich mußte den Pinsel fassen. Schließlich erschrak ich wohl selbst über das Unheil, das ich angestiftet, und rannte wie ein Verbrecher davon. Ich war auf meiner Flucht noch gar nicht weit gekommen, da erschien bereits der Bürgermeister mit dem mir wohlbekannten Stock auf meiner Fährte. Zu fassen bekam er mich freilich nicht, denn meine jungen Beine waren flinker als die seinen. Aber mit erhobenem Stock drohte er und schrie mir wütend zu: jetzt hätt es ein Ende mit meinem Dienst, und wenn ich mich unterstände, noch einen einzigen Schritt ins Dorf zu setzen, dann sollte ich eine böse Suppe zu kosten bekommen. Da fuhr mir der Schreck in alle Glieder, daß ich mich nicht mehr von der Stelle zu rühren vermochte. Wo ich gestanden, sank ich ins Gras und schluchzte in ratloser Verzweiflung vor mich hin. Die Stunden vergingen, und ich merkte es nicht. Dann plötzlich hörte ich hinter mir einen Schritt. Erschrocken blickte ich auf . . . aber es war nicht der Bürgermeister, auf den mein schuldbeladenes Gewissen geraten hatte, sondern ein Fremder in städtischer Kleidung . . .“

„Werner?“ stammelte Fräulein von Kleesberg.

Forbeck nickte. „Halb furchtsam, halb verwundert sah ich an der vornehmen Männergestalt hinauf, die schweigend vor mir stand. Der breite Hutrand warf einen dunklen Schatten über das ernste, bärtige Gesicht, in dem zwei Augen leuchteten, bei deren Blick mir das Herz zitterte. Niemals in meiner trüben Kindheit hatte ich ein gutes Wort gehört, einen freundlichen Blick empfangen . . . und nun plötzlich, in meiner bittersten Sorge, sah ich zwei Augen auf mich gerichtet in herzlichem Erbarmen.

Dieser Blick ging mir in die Seele, wie der Sonnenschein in eine dunkle Kammer quillt, wenn ein jäher Windstoß gewaltsam die Türe öffnet. Zitternd starrte ich den Fremden an ... ich hatte ein Gefühl, als müßt ich ihn grüßen, nach seinen Händen greifen ... aber ich konnte keinen Finger bewegen. Lange stand er vor mir und sah mich an, ohne ein Wort zu sprechen. Dann ging er auf mich zu ..."

Forbeck verstummte — von der Ulmenallee herüber klang die Stimme Mosers mit kreischendem Hall, dazu eine schrillende Mädchenstimme. Auch Kitty war schon aufmerksam geworden und hatte sich erhoben, während Fräulein von Kleesberg in sich versunken saß. Das Geschrei wurde lauter und die Stimmen mehrten sich.

„Was kann denn nur geschehen sein?" fragte Kitty in wachsender Unruhe. Da sah sie den Diener, der vom Schlosse gelaufen kam. „Fritz? Was ist los?"

„Moser hat am Adlerkäfig die Türe nicht gesperrt, und der Steinadler, den der gnädige Herr vor drei Jahren aus der Bärenwand heruntergeholt, ist ausgeflogen. In der Allee sitzt er auf einer Ulme."

„Ach du lieber Himmel! Wenn Papa das erfährt!" stammelte Kitty. „Kommen Sie, Herr Forbeck, kommen Sie! Der Adler muß wieder eingefangen werden! Oder es gibt einen bösen Tag für uns alle, wenn Papa nach Hause kommt!"

Forbeck hatte schon die Palette aus der Hand geworfen und eilte mit Kitty und Fritz nach der Ulmenallee.

Fräulein von Kleesberg war aus ihrer Verstörtheit erwacht, spähte im ersten Schreck nach allen Seiten in die Luft und fuhr mit beiden Händen nach ihrer Frisur, als wäre der Adler schon über ihr und griffe mit seinen Klauen nach ihren Zöpfen. Dabei schien aber auch in ihr das Gefühl zu erwachen, daß es auf der Welt ein Wesen gäbe, das sie zu beschützen hätte. „Kitty! Kitty!" Und als sie im gleichen Augenblick die Komteß mit Forbeck um die Ecke des Schlosses verschwinden sah, schrie sie in Sorge: „Aber Kinder! Kinder!"

Doch die beiden hörten nicht mehr. Atemlos erreichten sie die Allee und sahen unter einer Ulme vier schreiende Menschen stehen: die Beschließerin, Roberts Stallburschen, die Köchin und den alten Jäger. Mit kalkweißem Gesicht kam ihnen Moser entgegengelaufen.

„Aber Moſer!" jammerte Kitty. „Was haben Sie denn angeſtellt! Papa wird außer ſich ſein, wenn er das hört."

„Auf Ehr und Seligkeit, ich hab kein Schuld net dran!" keuchte der Alte. „Ich weiß mir auch gar net z'denken, wie 's Unglück paſſiert ſein kann! Ich hab den Schlüſſel umbreht ... aber da hör ich mein Namen rufen, und wie ich mich umſchau, ſteht 's Zauner-Lieſerl vorm Tor braußen. 's Lieſerl wird mir bezeugen können ... keine zehn Wörtln hab ich gredt mit ihr ... und ‚Mar' und Joſef, den Vogel ſchau an!' ſchreit 's Madl auf einmal ganz erſchrocken. Und wie ich zum Käfig hinſchau, hab ich gmeint, mich trifft der Schlag! 's Türl ſteht ſperrangelweit offen, und der Abler hupft auf der Allee umeinander. Wie der Teufel bin ich auf'n Käfig zu, und grad zur Zeit hab ich 's Türl noch zubracht, daß net einer von die andern auch noch rausſliegt. Die Joppen hab ich runtergriſſen und bin dem Abler nach ... aber da sangt er 's Fludern an, und richtig kommt er nauf bis auf'n Baum! Da ſchauen S', Konteß, da ſitzt er droben!"

Moſer deutete in das Gezweig der Ulme. In halber Höhe des Baumes ſaß der Abler auf einem Aſt, die Fänge weit geſpreizt, den flachen Kopf zwiſchen die Flügel geduckt. Mit blitzenden Augen ſpähte der Vogel bald zur Sonne hinauf, bald wieder hinunter auf das Häuflein Menſchen, die ratlos durcheinander ſchrieen.

„Ja um Gottes willen, was sang ich denn an?" jammerte Moſer. „Der gnädige Graf jagt mich ja zum Teufel, wenn der Vogel hin iſt!"

„Vor allem ſollen ſich die Leute ruhig verhalten!" ſagte Forbeck. „Jeder Lärm muß den Vogel noch ſcheuer machen, als er ohnehin ſchon iſt."

Kitty befahl mit reſoluter Stimme: „Ruhe!" Schweigen trat ein, aber vom Schloſſe hörte man Fräulein von Kleesbergs angſtvolle Rufe: „Kitty! Kitty!" Das klang immer näher, boch niemand kümmerte ſich barum; alle ſpähten ſie nach dem Abler.

„Der Vogel kennt die Kraft ſeiner Schwingen nicht," ſagte Forbeck zu Kitty, „ſonſt würde er nicht ſo ruhig ſitzen. Er iſt an die Gefangenſchaft gewöhnt. Wenn wir ihn aufſtören, wird er zu Boden ſlattern. Aber ihn bann mit den Händen greifen zu wollen, bas möchte übel ausfallen. Mit einem Netz vielleicht ..."

„Frih! Das große Forellennetz! Nur schnell! Und eine Leiter!" befahl Kitty, und der Diener rannte mit dem Stallburschen davon.

„Mißlingt die Sache, so wird nichts anderes übrig bleiben, als den Vogel durch einen Schuß zu töten. Wenn er über die Parkmauer hinausflattert und ins Dorf gerät . . ."

„Was? Den Adler erschießen?" stotterte Moser. „Net um alle Welt! Mar' und Josef, was möcht der Herr Graf sagen!"

„Herr Forbeck hat recht . . . was Herr Forbeck anordnet, hat zu geschehen!" entschied Kitty mit einer Bestimmtheit, die keinen Widerspruch duldete. „Ich werde die Sache bei Papa verantworten. Schnell, Moser, holen sie ein Gewehr!"

Moser schüttelte den Kopf, doch er wagte kein Wort zu erwidern und ging.

„Kitty! Kitty!" klang die jammernde Stimme Tante Gundis, die mit ausgebreiteten Armen in der Ulmenallee erschien.

„Fräulein von Kleesberg ist in Sorge um Sie," sagte Forbeck und faßte Kittys Hand, „ich glaube auch, es wäre besser, wenn Sie sich entfernen wollten, bis die Sache vorüber ist."

Mit großen Augen sah ihn Kitty an. „Nein! Ich bleibe bei Ihnen . . . ich habe keine Spur von Angst."

In heller Verzweiflung kam Fräulein von Kleesberg herbeigestürzt und umklammerte Kittys Arm. „Fort! Fort! Bist du denn von Sinnen? Was hast du hier zu schaffen?" stammelte sie in der doppelten Angst, die sie um Kitty und um sich selbst empfand. Und als sie nun gar noch den Adler gewahrte, der in verdächtiger Unruhe den Hals streckte, brachte sie vor Schreck kein Wort mehr über die Lippen, und mit Gewalt suchte sie Kitty von der Stelle zu reißen.

„Aber Tante Gundi! Ich bin doch kein Kind mehr! Und es ist doch wahrhaftig keine Gefahr! Herr Forbeck ist ja bei uns! Herr Forbeck . . ."

„Ich bitte, liebes Fräulein, gehen Sie!" fiel Forbeck ein. „Sie sehen doch, in welcher Sorge Fräulein von Kleesberg ist."

„Fort! Fort! Hörst du denn nicht . . . Herr Forbeck bittet dich . . . er selbst . . ."

Einen Augenblick sträubte sich Kitty noch. Dann sagte sie: „Gut, ich gehe. Aber dann haben auch Sie keine Veranlassung, hier zu bleiben. Moser soll nur allein sehen, wie er seine Un-

geschicklichkeit wieder gut macht. Kommen Sie, Herr Forbeck."
Sie streckte die Hand nach ihm.

Da kam der Diener mit dem Netz gelaufen, und der Stallbursche brachte eine hohe Leiter herbeigeschleppt. „Seien Sie
vorsichtig," rief Forbeck dem Burschen zu, der die Leiter schon
aufzurichten versuchte, „stoßen Sie mit der Leiter an keinen Ast!"

Aber die Warnung kam zu spät. Ein ins Schwanken ge-
ratener Zweig streifte den Adler, und der Vogel, dem die Sache
nicht mehr geheuer schien, breitete die Schwingen. Des Fluges
ungewohnt, vermochte er sich aus dem wirren Gezweig der Ulme
nicht hervorzuheben und kam ins Fallen.

„Jesus Maria!" kreischte die Beschließerin. Und die Köchin
schrie: „Der Adler! Konteß, der Adler!" Krachend stürzte die
Leiter zu Boden, die dem Stallburschen im Schreck aus den
Händen geglitten war, Fräulein von Kleesberg stieß einen gellenden Schrei aus, und Kitty sah, als sie das erblaßte Gesichtchen
hob, den taumelnden Vogel dicht über ihrem Kopse. Alle Stimmen schrillten durcheinander; Moser kam durch die Allee gerannt und hob die Waffe; doch es war unmöglich, einen Schuß
auf den Vogel abzugeben, denn die Schwingen des Adlers trafen
schon im Niederschlagen Kittys Arme und seine gespreizten Fänge
zuckten, um an ihrer Schulter einen Halt zu finden. Da warf
sich Forbeck mit ersticktem Laut über Kitty, und während sie
unter dem wuchtigen Stoß zu Boden taumelte, haschte er mit
beiden Händen die eine Schwinge des stürzenden Vogels und
riß ihn seitwärts. Mit wütender Kraft wehrte sich der Adler,
und Forbecks Kopf und Schultern verschwanden unter dem Gewirbel der mächtigen Flügel. Fritz versuchte das Netz über den
Adler zu werfen, trat in die Maschen und stolperte; Moser
schleuderte die Flinte ins Gras und rannte schreiend herbei.
Fräulein von Kleesberg, totenbleich, griff mit den Händen in
die Luft. „Forbeck . . . Herr Forbeck!" Und wie eine Wahn-
sinnige stürzte sie auf den Bedrohten zu. Mit der einen Hand
griff sie nach der Brust des Adlers, mit der anderen faßte sie
seinen Hals. „Um Herrgotts willen! Fräulein! Was machen S'
denn!" kreischte Moser. „Druck, sag ich! Auslassen!" Er
riß das Netz aus den Händen des vor Schreck völlig ratlosen
Dieners und warf es über den mit Schwingen und Fängen
schlagenden Vogel. Für ein paar Augenblicke bildeten die drei
Menschen mit dem Adler einen wirren Knäuel — doch ehe sich

Kitty noch erhoben hatte und aus den Händen der schreienden Mägde sich loszureißen vermochte, lag der Adler schon, vom dichten Netz umschlungen, auf der Erde und unter Mosers Knien.

Mit verstörtem Gesicht flog Kitty auf Forbeck zu. Die Weste war von seiner Brust gerissen, und in Fetzen hing ihm der eine Aermel von der Schulter nieder. „Sind Sie verwundet?"

Forbeck besah seine Hände und griff an seine Arme. „Ich glaube nicht . . ." In all seiner Erschöpfung lächelnd, blickte er zu Kitty auf; aber da sah er Fräulein von Kleesberg und erschral.

An allen Gliedern zitternd, das gepuderte Gesicht von talkiger Blässe, stand sie vor ihm, als begriffe sie nicht, was geschehen wäre, und was sie selbst getan; ihr Kleid war verwüstet, die Zöpfe hingen auf die Schulter, und aus dem enganliegenden Seidenärmel quollen rote Tropfen hervor.

„Tante Gundi!" jammerte Kitty. Und Forbeck stammelte: „Fräulein! Um Gottes willen! Was ist Ihnen geschehen?"

Fräulein von Kleesberg erwachte, blickte mit verstörten Augen an sich hinunter, und als sie die roten Tropfen auf ihrem Arm gewahrte und zwei dünne Blutlinien über ihre Finger schleichen sah, schloß sie ohnmächtig die Augen und sank zu Boden.

In Jammer drängten sich alle um die Bewußtlose, während sich Moser noch immer mit dem Adler balgte, dessen wilde Kraft auch die zusammengeschnürten Maschen des Netzes nicht völlig zu bändigen vermochten.

Forbeck war der erste, der nach allem Schreck die Besinnung wieder fand, und alle fügten sich seinen Anordnungen. Der Stallbursche rannte davon, um den Arzt zu holen, und die Beschließerin eilte voraus ins Schloß, um in Fräulein von Kleesbergs Zimmer alles vorzubereiten. Forbeck und Fritz hoben die Bewußtlose auf und trugen sie ins Haus; dabei stützte Kitty mit zitternden Händen Tante Gundis blutenden Arm, und die Tränen rannen ihr über die blassen Wangen.

Mit harter Mühe gelang es, den schweren Körper der Ohnmächtigen über die Treppe hinaufzubringen und auf das Bett zu heben. Während Kitty und die Beschließerin bei Fräulein von Kleesberg blieben, stieg Forbeck mit dem Diener in den Flur hinunter. Hier mußte es sich Forbeck gefallen lassen, daß ihm

Fritz unter wortreichem Jammer den Staub und Flaum von den Kleidern bürstete und mit Stecknadeln an der Weste und an den Aermeln die klaffenden Risse schloß; Forbeck schien nicht zu sehen, nicht zu hören; als ihn die Hände des Dieners freigaben, trat er auf die Veranda hinaus und sank auf den nächsten Stuhl.

In der Ulmenallee krachte ein Schuß, und Fritz rannte an Forbeck vorüber. Als der Diener nach einer Weile zurückkehrte, berichtete er: „Der Adler mußte erschossen werden, die linke Schwinge war ihm gebrochen. Auch meinte Moser, daß die Risse, die das arme Fräulein bekommen, nicht heilen würden, wenn das Tier am Leben bliebe. Die Leute hier sind furchtbar abergläubisch."

Der Doktor kam, und Forbeck blieb eine Viertelstunde allein. Dann hörte er leichte Schritte im Flur. Eine Blutwelle schoß ihm ins Gesicht, und gewaltsam seine Erregung beherrschend erhob er sich.

Kitty erschien auf der Schwelle. „Ich bin nur schnell heruntergehuscht, um Sie zu beruhigen. Der Doktor meint, daß die Wunden bald wieder heilen werden. An zwei Stellen des Armes sind die scharfen Klauen wohl tief ins Fleisch gedrungen, aber glücklicherweise sind die Wunden nicht ausgerissen." Sie schöpfte Atem. „Mir ist ein Stein vom Herzen gefallen, und auch die arme Gundi ist schon etwas ruhiger. Aber was sagen Sie, Herr Forbeck? Ich begreife noch gar nicht, wie das alles nur so kommen konnte! Vor einer halben Stunde diese glückliche Stille . . . und jetzt . . ."

Forbeck sah zu Boden. Auch Kitty schwieg. Und alle beide überhörten die Schritte, die auf dem Kiesplatz näherkamen.

Wie unter dem Gefühl drückender Schwüle bewegte Kitty die Schultern und streifte die schimmernden Löckchen von der heißen Stirne. „Und was ich am allerwenigsten begreife, das ist Tante Gundi! Sonst diese hilflose Aengstlichkeit . . . und nun plötzlich dieser Mut . . ."

„Fräulein von Kleesberg liebt Sie und war in Sorge . . ."

„In Sorge um mich? Aber ich war ja doch . . ." Kitty verstummte; vor den Stufen der Veranda sah sie den alten Moser stehen, mit dem Hut in der Hand, ein Bild des Jammers und der tiefsten Zerknirschung. „Moser! Moser!"

Der alte Jäger schien den ganzen Vorwurf zu erfassen, der

aus dem Klang seines Namens redete; seine Gestalt wurde immer kleiner, und wie zwei gesenkte Trauerfähnlein hingen ihm die Schnurrbartspitzen über die Mundwinkel.

In Kitty regte sich das Mitleid. „Was machen wir jetzt? Papa darf die Wahrheit nicht erfahren ... um Ihretwillen."

Scheu blickte der Alte auf, Hoffnung und Zweifel in den zwinkernden Zügen. „Sie haben halt ein guts Herzl! Aber da wird sich 's Verheimlichen schwer machen. Der Adler hin, und 's alte Fräulein so schauderhaft zugricht ... Mar' und Josef! Und grad der Bärenwandadler, den der Herr Graf am liebsten ghabt hat, weil er ihn am härtesten kriegt hat! Wenn der Herr Graf hört, daß der Adler hin is, komm ich um mein Dienst! Und meiner Seel, das überleb ich net."

„Seien Sie ruhig, Moser! Was geschehen ist, können wir nicht mehr ändern. Aber Ihnen muß geholfen werden." Kitty faßte den Arm des Alten und flüsterte ihm ins Ohr· „Schieben Sie nur alles auf mich ..."

„Um Gotts willen, Konteß! Net um die ganze Welt!"

„Ich weiß keinen anderen Ausweg. Und mich kann Papa nicht davonjagen. Ich werde ihm schreiben: ich hätte eine Krähe geschossen, hätte sie in den Käfig werfen wollen, und da wäre das Unglück passiert. Ueber alles weitere können wir dann die reine Wahrheit sagen! Still, Moser! Die Sache bleibt unter uns ... da können Sie beruhigt sein! Den Adler wird Papa freilich schwer verschmerzen ... aber passen Sie nur auf, er wird sich auch freuen, wenn er hört, daß ich wenigstens die Krähe getroffen habe. Und weil wir schon lügen müssen, sagen wir gleich, ich hätte sie im Flug geschossen ... dann verzeiht er mir alles!"

Diese Logik schien dem Alten einzuleuchten; er wollte zwar noch einen schüchternen Widerstand versuchen, doch bevor er ein Wort hervorbrachte, erschien Fritz auf der Veranda: „Ich bitte, Konteß, Fräulein von Kleesberg verlangt nach Ihnen!"

„Ja, ja, ich komme!" Kitty wollte ins Haus und blieb bei Forbecks Anblick erschrocken stehen. „Herr Forbeck!" stammelte sie und streckte ihm die beiden Hände hin, die er mit ungestümer Hast ergriff.

Seine Augen brannten und seine Lippen zuckten, als ränge, was ihm das Herz erfüllte, gewaltsam nach Sprache. Doch unter der Türe stand Fritz, auf den Stufen der Veranda der

Jäger — und Forbeck sagte mit erzwungener Ruhe: „Ich danke Ihnen, daß Sie gekommen sind, um mir das günstige Urteil des Doktors mitzuteilen . . ."

„Aber das war doch selbstverständlich."

Die Worte versagten ihnen, und nur ihre Blicke redeten noch.

Im Flur klang die Stimme der Beschließerin, die von der Treppe dem Diener zurief: „Wo bleibt die Konteß? Das arme Fräulein droben ist außer sich vor Unruh."

Ein müdes Lächeln glitt über Kittys Lippen, während sie die zitternden Hände löste. „Tante Gundi . . . Sie verzeihen . . ." Während sie sich zur Türe wandte, tastete sie mit der Hand nach dem Pfosten, als überkäme sie ein Schwindel.

Forbeck stand mit blassem Gesicht und sah das Mädchen verschwinden, wie ein Erwachender die holden Bilder einer traumseligen Nacht im kalten Grau des beginnenden Tages zerrinnen sieht — für immer.

Fritz machte große Augen und folgte kopfschüttelnd seiner jungen Herrin, während Moser fragte: „Ich bitt, Herr Forbeck, soll ich Ihnen vielleicht die Malsachen heim tragen? Jetzt wird ja wohl ausgmalt sein?"

Der Alte redete diese Worte aus seiner ehrlichen Betrübnis heraus; doch Forbeck empfand ihren Doppelsinn wie einen schmerzenden Stich. Ohne zu antworten, ging er an Moser vorüber. Als er zur Staffelei kam, stand er lange in die Betrachtung des Bildes versunken. Dann griff er mit beiden Händen an seine Stirne, deckte hastig das weiße Tuch über die Leinwand und schloß den Malkasten. Einen letzten Blick noch ließ er über den Rasen gleiten, über den leeren Armstuhl und über die Fenster des Schlosses, aus dessen Mauern die hundert Enden der mächtigen Hirschgeweihe hervorstarrten wie die Spitzen gefällter Lanzen.

Langsamen Schrittes ging er der Ulmenallee entgegen. Vor dem Adlerkäfig blieb er stehen. In scheuer Unruh rückten die sechs Vögel auf den Stangen hin und her, lüfteten die Schwingen, hoben und buckten die Köpfe, einer schwang sich gegen das Gitter, daß die Drähte rasselten, und ein anderer ließ sich von der Stange fallen und hüpfte schwerfällig auf dem Boden des Käfigs umher, über den die zerfaserten Reste der Wildleber ausgestreut waren, von Staub und Federn umwickelt.

„Mir scheint, die merken schon, daß der Kamerad fehlt!"

sagte Moser, als er Forbeck einholte, in der einen Hand das verhüllte Bild, in der anderen den Malkasten.

Schweigend wandte sich Forbeck ab und folgte der Allee.

Als sie auf dem Weg zum Dorfe am Zaunerhäuschen
vorüberschritten, stand das seine Lieserl im Garten hinter den
Johannisbeerstauden, machte dem Jäger heimliche Zeichen und
redete mit den Händen. Moser aber drehte in brummendem
Aerger das Gesicht zur Seite. Bis zum Dorfe murmelte er
ununterbrochen vor sich hin, nach der Art bejahrter Leute, die
im Zorn wie in der Freude laut zu denken pflegen.

Schon wollten die beiden in den Hof des Brucknerhauses
treten, als ein junger Bauer von auffälliger Größe, mit einem
Stiernacken und ungeschlachten Gliedern, an ihnen vorüberschritt, eine eiserne Brechstange auf der Schulter.

„Das is der Pointner-Andres, dem 's Zaunerlieserl in
b' Augen sticht!" sagte Moser, der bei Forbeck die Kenntnis
dieses öffentlichen Dorfgeheimnisses vorauszusetzen schien. „Bis
jetzt hab ich allweil gsagt: die zwei taugen net zueinander! Aber
heut! Heut könnt ich ihr den Andres fast vergunnen! Der möcht
ihr die unsirmigen Streich ghörig austreiben! Wissen S', der
Andres is ein guter dummer Kerl . . . aber Spassetteln laßt
er sein net mit ihm machen! Da haut er zu!"

Forbeck hörte nicht und ging an Bruckner, der aus der
Scheune kam, ohne Gruß vorüber. Als er die Giebelstube erreichte, suchte er mit zitternden Händen ein Blatt hervor und
schrieb in fliegender Hast einige Worte nieder.

Bruckner brachte die verhüllte Leinwand und den Malkasten.

„Ich bitte, Bruckner . . . tragen Sie diese Depesche auf die
Post."

„Ja, Herr!" Der Bauer nahm das Blatt. Da gewahrte
er den verstörten Ausdruck in Forbecks Zügen und sah den zer-
setzten Aermel. „Is Ihnen was passiert?"

Forbeck schüttelte den Kopf und winkte ihm zu gehen.
Zögernd verließ Bruckner die Stube; als sich hinter ihm die
Türe geschlossen hatte, sank Forbeck auf einen Stuhl und vergrub
das Gesicht in die Hände.

17.

Graf Egge war in böser Laune. Zwei Triebe waren seit dem Morgen schon gemacht, und er hatte noch keinen Schuß getan. Er schalt über den ,hundsmiserablen' Wind, ließ seinen Aerger an den Treibern und Jägern aus und schien dabei doch einen gelinden Trost in der Tatsache zu finden, daß auch seine ·Söhne leer ausgegangen waren. Willy hatte zwar fünf Patronen ,verpulvert', aber die Gemsgeiße mit ihren beiden Kiblein, die sich in seinem sprudelnden Bericht zu ,kapitalen Böcken' ausgewachsen, waren von seiner feuerflinken Büchse gesund an Leib und Gliedern entlassen worden.

Nun ging es auf Mittag, und es sollte der dritte Bogen beginnen. Die Treiber waren schon abmarschiert, und mit ihnen Tassilo und Franzl, die den Rückwechsel zu besetzen hatten. Robert und Willy warteten auf Schipper, der mit seinem Herrn in flüsterndem Gespräche abseits stand.

„Sieh nur an, wie die beiden die Köpfe zusammenstecken," sagte Robert leise zu seinem Bruder. „Papa scheint seinem Hof- und Staatsrat geheime Ordre zu geben."

Das war nicht weit vom Ziel geschossen. „Den Bertl stell auf den nächsten Stand!" befahl Graf Egge seinem Büchsenspanner. „Der kann allein bleiben. Bei dem bin ich sicher, daß er mir den Anlauf nicht verdirbt. Und du geh mit dem Anderen, damit er mir nicht am End wirklich noch eine Geiß niederbrennt! Wenn er auf einen Bock zu Schuß kommt, in Gottesnamen!" Dieses Zugeständnis löste sich etwas zögernd von Graf Egges Lippen. „Aber nicht zu früh! Das bitt ich mir aus!"

Schipper schien verstanden zu haben und nickte lächelnd.

Graf Egge trat zu seinem Stand, Robert und Willy wünschten ihm ,Weidmanns Heil!' und begannen mit Schipper bergan zu steigen. Als Robert seinen Stand erreichte, flüsterte ihm Schipper zu: „Sind S' gscheit, Herr Graf! Sie wissen schon, was ich mein'!" Robert schien aber nicht in der Stimmung zu sein, um vertrauliche Ratschläge anzunehmen. Gelangweilt zog er die Brauen auf und maß den Jäger mit einem hoheitsvollen Blick.

Auch Willy machte ein verdrießliches Gesicht. Als er sich mit Schipper den kahlen Felsen näherte, brummte er: „Papa hat mir wohl den schlechtesten Staub gegeben? Ja?"

„Gott bewahr! Den besten im ganzen Trieb. Da schießen S' gwiß ein paar gute Böck, passen S' nur auf!"

Noch ehe sie den Stand erreichten, krachte schon der Losschuß auf der Treiberlinie. Willy nahm auf einer Felsstufe Platz, und hinter ihm ließ sich Schipper auf die Knie nieder. Es währte nicht lange, da hörten sie schon in den Latschen das leise Kollern kleiner Steine. „Es kommt was!" zischelte Willy, von heißem Jagdfieber befallen.

„Ja, ja, halten S' Ihnen nur stad!" mahnte Schipper und streckte den Hals.

Auf etwa zweihundert Schritte erschien ein Gemsbock zwischen den schütteren Büschen. Willy wollte mit der Büchse auffahren, doch Schipper hielt seinen Arm gefesselt. „Zeit lassen! Der Bock is ja ganz vertraut. Lassen S' ihn nur her auf hundert Schritt, sonst fehlen S' ihn, und der Herr Graf macht uns ein Spitakel!"

Willy saß in zitternder Ungeduld und hing mit brennenden Augen an dem näherziehenden Wilde. Schipper lächelte, griff in die Joppentasche, zog lautlos sein rotgesprenkeltes Schnupftuch hervor und hielt es wie ein Fähnlein über Willys Kopf. Flink eräugte der Gemsbock das grell leuchtende Warnungssignal und war im nächsten Augenblick mit jagender Flucht hinter den Büschen verschwunden.

„Natürlich, jetzt hab ich das Nachsehen," brummte Willy, während Schipper sich buckte und das rote Tuch zwischen die Knie schob.

„Aber junger Herr! Was haben S' denn gmacht? Warum haben S' denn net gschossen? So ein Bock auslassen! Mar' und Josef!"

Zwischen den beiden entwickelte sich ein mit flüsternder Stimme geführter Disput, den der Hall eines Schusses unterbrach.

Drunten auf dem Hauptstand wurde Graf Egge durch diesen Schuß aus seinem regungslosen Spähen und Lauschen geweckt; und als er hastig das Gesicht gegen die Höhe wandte, auf welcher Robert seinen Stand hatte, sah er den Pulverdampf über die Latschen gleiten und einen verendeten Gemsbock mit schlagenden Läufen über den steilen Grashang niederrollen. Wütend, mit übereinandergepreßten Zähnen, lachte Graf Egge vor sich hin. „Natürlich, jetzt h a t er das Geld! Wenn es für ein Telegramm nicht schon zu spät wär . . . ich möcht ihm einen Strich durch die Rechnung machen! Aber er soll mir nur wieder kommen . . ."

Ueber das weite Latschenfeld herunter klang der Jauchzer eines Treibers. Graf Egge schien die Bedeutung dieses Rufes zu verstehen; ein Ruck ging durch seine Gestalt, seine Hände schlossen sich fester um die Büchse, und die funkelnden Augen hefteten sich auf ein Gehäng, auf dem die Hauptwechsel des Triebes zusammenliefen. Zwischen dem fernen Grün sah er einen rötlichen Schimmer gleiten; mit vorsichtiger Bewegung hob er den Feldstecher, und der Blick, den er durch das Glas warf, steigerte noch seine leidenschaftliche Erregung. Ueber den Büschen sah er die Kronen eines mächtigen Hirschgeweihs erscheinen und wieder verschwinden. Schon hörte er, näher und immer näher, das leise Brechen der Aeste. Er atmete tief und legte die Büchse an die Wange, um schußfertig zu sein, wenn der Hirsch aus der Dickung träte.

Da krachte auf Roberts Stand der zweite Schuß, eine Gemse mit baumelndem Vorderlauf schleppte sich über den Grashang, und vor dem Hauptstand im Dickicht schwankten die Aeste, während die Sprünge eines flüchtenden Wildes hörbar wurden und sich entfernten.

Dunkle Zornröte goß sich über Graf Egges Gesicht, und mit einem Fluch setzte er die Büchse ab. In der Treiberkette erhob sich ein wirres Geschrei, aus dem sich eine einzelne Stimme hallend hervorhob: „Obacht, ruckwärts! Ruckwärts!"

Franzl, der mit Tassilo am Saum eines steilen Lärchenwaldes saß, spitzte bei diesem Ruf die Ohren und flüsterte: „Passen S' auf, Herr Graf!" Im gleichen Augenblick sah er schon, noch außer Schußweite, den flüchtigen Hirsch zwischen den Latschen auftauchen und stammelte: „Heilige Dreifaltigkeit! Der Sechzehnender von gestern! Sie haben ein Glück, so was gibt's ja nimmer!"

Auch Tassilo hatte den Hirsch schon gewahrt und hob die Waffe.

„Jetzt halten S' aber sauber hin! Wenn wieder ein Malör passiert, gibt's den ärgsten Verdruß mit Ihrem Herrn Vater."

Das schien auch Tassilo zu befürchten, und dieser Gedanke machte ihn unruhig. „Nehmen Sie Ihre Büchse," sagte er leise, „und wenn der Hirsch mit meiner Kugel weitergeht, so geben Sie einen Fangschuß ab!"

„Gut! Aber Sie müssen ihn treffen. Sonst komm ich in eine böse Suppen eini, wenn ich schieß!" Dem Jäger zitterte vor Erregung die Hand, mit der er lautlos den Hahn der Büchse spannte.

Steine klapperten im Dickicht, laut krachten die brechenden Aeste, eine stäubende Erdscholle wirbelte in die Luft, und mit zurückgelegtem Geweih, die Vorderläufe eingezogen, sauste der Hirsch aus den Latschen hervor, mit herrlichem Sprung eine tiefe Wasserrinne übersetzend.

Da krachte der Schuß. Tassilo ließ die rauchende Büchse sinken und sah den Hirsch mit jagenden Sprüngen den Saum des Waldes gewinnen. Wohl hatte Franzl seine Waffe an die Wange gerissen, doch es schien, als wollte er sie unschlüssig wieder sinken lassen.

„Aber so schießen Sie doch!" stammelte Tassilo.

Da reckte sich Franzl, und in dem Gesichte, das er an den Kolben der Büchse drückte, spannte sich jeder Zug. Gleitend folgte der blinkende Gewehrlauf dem Weg des Wildes — hallend blitzte der Schuß — mit einer steilen Flucht quittierte der Hirsch den Empfang der tödlichen Kugel und verschwand in einer Senkung des Waldes. Lachend setzte Franzl die Büchse ab. „Der muß liegen, Herr Graf, der hat mein Schuß mitten auf'm Blatt. Aber wo meinen S' denn, daß der Ihrige stecken könnt?"

Tassilo zuckte die Achseln.

Der Jäger wurde unruhig. „Um aller Heiligen willen, Sie werden ihn doch troffen haben?"

„Ich glaube. Wenigstens hab ich Rot gesehen, als mir der Schuß brach."

„Gott sei Dank, da kann's ja so weit net fehlen! Aber setzen S' Ihnen nieder! Wir dürfen vom Stand net weg, eh 's Treiben net aus is."

Sie nahmen ihre Plätze wieder ein, und immer weiter entfernten sich die Rufe der Treiber. Es fiel kein Schuß mehr.

Noch ehe die Treiberwehr sich aufzulösen begann, hatte Graf Egge schon die Büchse auf den Rücken genommen und stapfte mit ungeduldigen Schritten vor seinem Stand umher, als wäre er lange Stunden in grimmiger Kälte gesessen und wollte sich nun die Glieder warm machen. Dabei brannte sein Gesicht in dunkler Röte, und immer wieder fuhr er mit zuckenden Fingern durch die Bartsträhne. Als er Robert über den Berghang herunterkommen sah, drehte er ihm den Rücken.

Robert lächelte und ging auf den Vater zu. „Ich habe zwei gute Böcke, Papa!"

Die Antwort ließ auf sich warten. „Natürlich! Hast sie ja mir vor der Nase weggeschossen."

„Pardou, Papa! Ich war leider allein auf meinem Stand und mußte zweifeln, ob dir die Böcke noch kommen würden. Da trug ich Bedenken, sie unbeschossen durchzulassen. Die Szene, die Tassilo gestern zu genießen bekam, war mir eine Warnung."

Langsam drehte Graf Egge das Gesicht über die Schulter und streifte Robert mit einem wütenden Blick.

„Was hast du, Papa? Ich würde es sehr beklagen, wenn du in meinem weidmännisch korrekten Verhalten Ursache zur Unzufriedenheit fändest."

Ohne zu antworten, verließ Graf Egge den Stand, und als er einen Treiber aus den Latschen hervortreten sah, schrie er ihn mit heiserer Stimme an: „Heut habt ihr wieder einmal getrieben wie die Schweine!" Das war die Einleitung zu einem Ungewitter, das sich unter Blitz und Donner entlud. Von allen Seiten kamen die Treiber herbeigerannt, drückten sich auf ein Häuflein zusammen wie geduldige Schafe und ließen schweigend die Köpfe hängen — sie wußten aus Erfahrung, daß sie mit wortloser Zerknirschung dem Zorn ihres Herrn immer noch flinker entrannen, als mit dem Versuch einer Verteidigung. Schließlich unterbrach sich Graf Egge mitten in seinem mit Flüchen reich gespickten Erguß und fragte: „Was hat denn der da hinten geschossen?"

„Dem Grafen Tassilo muß ein Endstrumm Hirsch kommen sein," sagte einer der Treiber, „aber ich weiß net, ob er ihn hat!"

„Das wär noch schöner!" Mit diesem mystischen Ausspruch, der nach Art der delphischen Orakel eine doppelte Auslegung zuließ, eilte Graf Egge langen Schrittes davon. Schweigend trotteten die Treiber hinter ihm her, Robert blieb zurück und steckte lachend eine Zigarette in Brand, und während Willy hoch im Geröll des Latschenfeldes auftauchte, kam Schipper,

ber für die Laune seines Herrn die richtige Witterung zu haben
schien, mit langen Sätzen über den Berghang heruntergesprungen.

Inzwischen hatten Franzl und Tassilo auf dem Rückwechsel
die Suche nach dem Hirsch begonnen. Sie brauchten nicht weit
zu gehen. Mitten im Sprunge war das Wild zusammenge-
brochen, mit der Kugel im Herzen. „Dort liegt er schon!"
lachte Franzl und begann zu rennen. Doch als er den Hirsch
erreichte, verging ihm das Lachen. Mit blassem Gesichte stand
er, schob den Hut in die Stirn, kraute sich ratlos hinter den
Ohren und stotterte: „Herr Graf, da wird's jetzt was Schöns
geben! Da schauen S' her! Der Hirsch hat bloß mein Schuß.
Der Ihrige is gfehlt gwesen."

Auch Tassilo zeigte ein Gesicht, als wäre ihm diese Entdeckung nicht willkommen.

„Das Personal darf nix Guts abschießen, das is der strengste
Auftrag vom gnädigen Herrn," sagte Franzl, dessen Erregung
mit jeder Sekunde wuchs. „Ein Fangschuß is was anders.
Aber der gnädig Herr is mißtrauisch . . . nix für ungut, Herr
Tassilo, es is Ihr Vater . . . aber der glaubt ja gleich, daß
jetzt ich den Hirsch allein gschossen hab, damit er uns net
w i e d e r durchkommt." Franzl würgte an jedem Wort. „Ich
bitt, Herr Graf . . . jetzt müssen Sie's schon mir zlieb tun
und müssen sagen: Sie haben alle zwei Schuß gmacht . . ."

„Nein, lieber Hornegger, auf solche Dinge kann ich mich
nicht einlassen."

Franzl atmete schwer und ließ den Kopf sinken. „Freilich,
ich kanu's Ihuen net verdenken. Lügen tut keiner gern. Aber
jetzt muß ich's schon raus sagen: bei Ihrem Herrn Vater kommt
keiner net aus mit die graden Weg. Das hab ich schon bitter
schmecken müssen. No also, mein Klampferl hab ich schon droben
am Buckel, jetzt kommt halt noch ein Span dazu!"

„Seien Sie ohne Sorge, Hornegger," sagte Tassilo mit
mühsam bewahrter Ruhe, „ich stehe dafür ein, daß Ihnen jeder
Verdruß erspart bleibt. Wenn mein Vater hört, daß Sie nur
auf meine Weisung geschossen haben . . ."

„Das wird net viel helfen! Natürlich, Ihnen ins Gesicht
wird der Herr Vater sagen: es is alles gut. Aber hinterrucks
krieg ich nachher doch mein Putzer. Er wär ja net 's erstemal . . ."

Franzl verstummte, denn Graf Egge kam mit ungeduldiger
Hast aus der Senkung des Waldes heraufgestiegen; hinter ihm

erschienen die Treiber, und als Graf Egge zu dem Hirsch heran-
trat, rannte auch Schipper zwischen den Bäumen daher,
keuchend und mit verschwitztem Gesicht; seine spähenden Augen
streiften den Hirsch, überflogen die stumme Gruppe und blieben
mit lauerndem Blick an Franzls kreidebleichem Gesichte haften.

Beim Anblick des mächtigen Hirsches mit dem Riesengeweih
bekamen Graf Egges Züge einen Stich ins Gelbliche. Hinter
ihm rief ein alter Treiber: „Herrgott, is das ein Hirsch! So
ein hat der gnädig Herr selber nimmer gschossen, ich weiß net
wie lang!" Graf Egge drehte das Gesicht nach dem Schwätzer;
dann stieß er mit dem Stachel des Bergstockes an die blutende
Wunde des Hirsches und lachte trocken. „Ein schöner Schuß!
Wie gezirkelt!" Er hob die Augen zu Tassilo. „Ich gratuliere
dir!"

Tassilo wollte sprechen, doch sein Vater kehrte ihm den
Rücken zu und schritt davon. Betroffen eilte ihm Schipper nach
und stotterte: „Aber Herr Graf! Der nächste Trieb liegt ja auf
der anderen Seit!"

„Schluß für heute! Ich habe genug!" erklärte Graf Egge,
ohne den Schritt anzuhalten. „Du brich den Hirsch auf und
verdiene dir das Trinkgeld bei benen, die geschossen haben! Ich
finde meinen Weg allein!" Diese letzten Worte klangen so
laut, als wären sie auch noch für andere Ohren gesprochen.

Tassilo warf die Büchse auf den Rücken und wollte dem
Vater folgen. Aber Franzl hielt ihn am Arm zurück und
flüsterte ihm mit bleichen Lippen zu: „Sagen Sie's ihm erst
daheim in der Hütten! Jetzt is er im ärgsten Zorn. Und
wissen S', warum? Mir scheint, den Hirsch hätt er lieber selber
gschossen! Jetzt is die Gschicht doppelt zwider!"

Graf Egge war schon im Schatten des Waldes verschwun-
ben; bald erreichte er einen Pfad, dem er mit ungestümen
Schritten folgte. Manchmal bewegte er die Lippen, als wären
sie durch Trockenheit gespannt, und stieß den Bergstock auf die
Steine, daß es weithin klirrte durch den Wald.

Etwa eine halbe Wegstunde hatte er zurückgelegt; da hörte
er neben dem Pfad ein Rascheln im Gebüsch, aus dem sich
die Gestalt eines schwarzbärtigen Jägers zögernd hervorschob.

„Patscheiber? Du?" Das klang nicht freundlich; Graf Egge
schien diese Begegnung als eine willkommene Gelegenheit zu
begrüßen, um seinen Zorn zu kühlen. „Was hast du hier zu

schaffen? Warum bist du nicht in deinem Bezirk und im Dienst? Oder kommst du mir schon wieder mit der Zumutung, daß ich deinen Gehalt . . ." Graf Egge verstummte, als er das leichenblasse Gesicht des Jägers sah. Eine unbehagliche Ahnung mochte in ihm aufdämmern. „Patscheider?"

Der Jäger ließ einen scheuen Blick über den Weg auf und nieder gleiten. „Ich bitt, Herr Graf," sagte er mit gepreßter Stimme, „bei mir drüben liegt einer."

„Pfui Teufel! Das is zwider!" fuhr es über Graf Egges Lippen.

Eine Weile standen sie schweigend voreinander; dann begann der Jäger flüsternd zu berichten: „Seit zwei Tag hab ich den Kerl schon allweil gspürt. Kein Bissen mehr hab ich gessen und keine Stund mehr gschlafen. Und richtig, heut in der Fruh, grad wie's Tag worden is, bin ich mit ihm zammgrumpelt, net weit von der Grenz. Aber vor ich ihn hab anrufen können, hat er mich schon gsehen und is mit der Büchs aufgfahren. Jetzt hat's gheißen: er oder ich . . . der Herr Graf is mir eingfallen, und . . . und meine Kinder . . . und so hab ich's halt krachen lassen! Mitten in der Brust muß er die Kugel haben . . . er is aufs Gsicht gfallen." Die Stimme des Jägers erlosch.

Graf Egge zauste am Bart. „Verflucht! . . . Wer war's denn?"

„Ich hab ihn net kennt. Er muß über der Grenz daheim sein, in Bernbichl, mein' ich . . . und ein reicher Bauernsohn, er hat ein guts Gwand anghabt!"

„Wo liegt er?"

„Gleich unter der Grenzwand, bei der Salzleck in die Latschen drin."

„Da schau! Gleich bei der Salzleck möchten mir die Lumpen meine Hirsche wegschießen! Aber du bist doch hoffentlich net hin zu ihm, daß man net am End beine Fährten findt?"

„Na, Herr Graf . . . ich hätt ihn auch gar nimmer anschauen können! So was bremselt einem halt doch im Blut. Aber ich bitt, was soll jetzt gschehen? Ich mein', ich geh gleich nunter zum Gricht und mach die Meldung?"

„Bist du verrückt?" fuhr Graf Egge auf. „All diese Laufereien und das Geschrei in der ganzen Gegend! Das könnte mir grad noch abgehen!"

„Aber ich bitt, Herr Graf," stammelte Patscheider, „wenn ich die Sach net zur Anzeig bring, kann ich ja in die ärgste Schlamastik einikommen. Aber wenn ich den rechtlichen Weg geh . . . ich hab ja am End doch net mehr als mein Pflicht erfüllt und in Notwehr ghandelt."

„So? Notwehr? Hat denn der auer gschossen auf dich?"

Patscheider starrte zu Boden und wußte keine Antwort.

„Na also, du Tepp! Ein paar gsunde Monat kannst eingsperrt werden! So sein sind ja unsere Gsetz, daß sich der Jäger vom Lumpen zuerst erschießen lassen soll, vor er sich wehren darf! Nix da! Die Sach muß vertuschelt werden! Wenn das Interesse der Jagd in Frage kommt, muß alles andere zurückstehen." Graf Egge besann sich eine Weile. „Paß auf! Du geh heim zu deinem Weib, und such dir einen Weg, auf dem dir niemand begegnet! Dein Haus liegt einschichtig am Wald, da sieht dich keiner kommen. Und dein Weib wird dir im Notfall bezeugen können, daß du seit gestern mittag zu Hause warst. Um alles andere brauchst du dich nicht zu kümmern. Und heut abends zeig dich im Wirtshaus und sei vergnügt."

„Lustig sein? Das wird sich hart machen, Herr Graf!"

„Probier's nur, es wird schon gehen. Und damit dir's leichter gelingt . . . von heut an bist du um hundertfünfzig Mark im Gehalt aufgebessert."

Patscheider hob die Augen; aber in seinem bleichen Gesicht zuckte keine Miene; er nickte nur vor sich hin, ohne ein Wort des Dankes zu finden.

Hinter einer Biegung des Pfades ließ sich Stimmenklang und das Klirren der Bergstöcke vernehmen. „Fort!" murrte Graf Egge, und Patscheider, der wie aus einem dumpfem Traum erwachte, sprang mit einem hastigen Satz in die Büsche. Rasch verhallten seine Schritte. Graf Egge stand noch eine Weile und schaute brütend vor sich nieder. Ein Schauer des Unbehagens rüttelte ihm die Schultern; wütend stampfte er mit dem Fuß und spuckte aus. „Eine verwünschte Geschichte! Heut kommt mir aber auch alles über den Hals!" Er blickte über den Steig zurück, auf dem die Stimmen immer näher kamen, rückte mit einem zornigen Stoß die Büchse und begann mit langen Schritten auszugreifen.

Nach einigen Minuten tauchte Schipper auf, spähte über den Pfad und schlug, als er seinen Herrn nicht gewahrte, ein flinkeres

Tempo an. Doch er holte ihn nicht mehr ein. Ehe Schipper noch das offene Latschental erreichte, war Graf Egge bereits vor dem ‚Palais Dippel‘ angelangt und trat in die Hütte.

Mit der gewohnten Vorsicht, an der seine kochende Erregung nichts zu ändern vermochte, hängte er die Büchse an den Gewehrrechen. Seine Bergschuhe waren ihm zwar auch noch heilig, aber sie wurden schon etwas derber behandelt, als er sie von den Füßen zerrte, ohne die Riemen zu lösen. Übel kam die Joppe weg; ein paar Nähte krachten, und zu einem Klumpen geballt, flog sie in einen Winkel. Hemdärmelig und in Filzpantoffeln, vorgebeugten Kopfes und mit den Fäusten auf dem Rücken, wanderte Graf Egge in der engen Stube auf und nieder, wie ein gereizter Löwe in seinem Käfig. Nach allem Jagdpech dieses Morgens war ihm die Nachricht, die er soeben hatte hören müssen, bös in die Quere gekommen. Denn am folgenden Morgen hätten die viertägigen Treibjagden in Patscheiders Bezirk beginnen sollen. Damit war es nun aus — man mußte wohl oder übel so lange warten, bis ‚da drüben‘ alles wieder ‚in Ordnung‘ war.

Mit ungeduldigen Schritten trat er zum Fenster. „Gott sei Dank, da kommt er schon!“ murmelte er, als zwischen den Latschen der graue Kopf seines ‚Hof- und Geheimrates‘ auftauchte. Wieder begann er den Marsch durch die Stube, und während er den Plan entwarf, nach welchem Schipper ‚da drüben‘ wirtschaften sollte, stieg mit unbehaglicher Deutlichkeit vor seinen Augen das Bild eines Menschen auf, der zwischen blutbesprengten Büschen kalt und regungslos auf dem Gesichte lag.

Schipper erschien auf der Schwelle. Mit raschem Blick spähte er nach dem Gesicht seines Herrn und sagte: „Es is mir unangenehm, Herr Graf, aber ich muß leider eine recht zwidere Meldung machen.“

„Noch was?“ fuhr Graf Egge auf, als wäre ihm das Maß dessen, was dieser Tag gebracht, schon mehr als genügend.

„Es tut mir leid, daß ich gegen Ihren Herrn Sohn reden muß ... aber es is meine Pflicht, und da geh ich durch dick und dünn. Ich hab den Hirsch drüben aufbrochen ... und da schauen S’ her: die Kugel hab ich im Hirsch gfunden. Und er hat bloß den einzigen Schuß.“ Schipper hielt seinem Herrn auf der flachen Hand eine Bleikugel hin, deren Spitze breitgedrückt war wie der Kopf eines Pilzes.

Graf Egge nahm das Blei. „Was soll denn das heißen? Das ist ja das kleine Kaliber, das der Hornegger schießt? Wie kommt denn die Kugel in den Hirsch?" Das Blut stieg ihm in die Stirne, und die Adern an seinen Schläfen schwollen zu dicken Schnüren an.

„Ich bitt, Herr Graf, nehmen S' die Sach net gar so krumm! Es is ja doch um Gottswillen kein Verbrechen! Der Herr Taffilo wird halt gforchten haben, es gibt noch ein ärgern Spitakl wie gestern, wenn er den Hirsch wieder durchlaßt ... und da wird er halt dem Franzl ein Wink geben haben ..."

„Und der Kerl hat die Frechheit und schießt mir den Hirsch nieder!" schrie Graf Egge, der nun endlich Gelegenheit fand, alles auszuschütten, was an Aerger und Erregung in ihm kochte. „Die vorige Woch schlagt er meinem Staatsbock die Kruck herunter, gestern lügt er mich an, und heut brennt er mir einen Hirsch nieder, wie ich selber keinen geschossen hab, ich weiß nicht wie lang!"

„Aber Herr Graf! Sind S' doch gscheit!" versuchte Schipper zu trösten. „Lassen S' Ihnen doch sagen ..."

„Nichts laß ich mir sagen! Gar nichts! Solche Schweinereien duld ich nicht! Das ist ja doch eine unerhörte Gemeinheit!" Graf Egge schleuderte die Kugel auf den Tisch und ließ einen dröhnenden Faustschlag folgen. „Mit dem Kerl bin ich fertig! Und den anderen, der mein Personal zu solchen Manklereien verleitet ... den staub ich auch noch aus! Natürlich! Der hat Jahr aus und ein mit Spitzbuben zu tun! Da ist ihm nicht wohl unter anständigen Jägern. Aber er soll mir meine Jagd in Ruh lassen! Da versteh ich keinen Spaß!"

Jammernd schlug Schipper die Hände ineinander. „Aber lieber, lieber Herr Graf, ich bitt Ihnen um Gottswillen ..." Er verstummte, denn Taffilo und Franzl betraten die Stube, der eine mit brennendem Gesicht, der andere mit kalkweißen Zügen. Schon vor der Hütte hatten Sie die wetternde Stimme gehört und schienen zu wissen, was ihrer wartete. Schipper, den ein funkelnder Blick aus Franzls Augen traf, zuckte die Achseln und drückte sich zur Tür hinaus.

Wie ein angeschossener Eber fuhr Graf Egge auf Franzl los: „Du unterstehst dich noch, zu mir in die Stube zu kommen?" Dieser Empfang machte den Jäger sprachlos; der Hut zitterte in seinen Händen, und mit einem verstörten Blick suchte er Hilfe bei Taffilo, während Graf Egge weiterschrie: „Oder hast du vergessen, daß es meinem Personal aufs strengste verboten ist, Jagd auf eigene Faust zu treiben? Glaubst du vielleicht, ich bezahle jedes Jahr sechzigtausend Mark für meine Jagd, um d i r ein Privatvergnügen zu machen?"

Taffilo hatte die Büchse auf den Tisch gelegt und trat zwischen seinen Vater und den Jäger. „Ich bitte dich, Papa, mich in Ruhe anzuhören."

„Mit dir hab ich nichts zu verhandeln, du w a r st nie ein Jäger und du w i r st nie einer . . . über Dummheiten, die d u machst, ärgere ich mich schon lange nicht mehr. Hornegger aber hat gegen mein ausdrückliches Verbot gehandelt . . ."

„Nein, Papa!"

„Ja!"

„Nein! Den Jäger trifft absolut keine Schuld. Ich war der Meinung, den Hirsch getroffen zu haben, und befahl dem Jäger einen Fangschuß abzugeben . . ."

„Das geht mich gar nichts an! Mein Personal hat sich an m e i n e Vorschriften zu halten. Und überhaupt . . . einen Jäger, der nicht unterscheiden kann, ob ein Hirsch getroffen ist oder nicht, den kann ich nicht brauchen!" Graf Egge wandte sich an Franzl. „Wir beide sind fertig miteinander. Du kannst gehen! Sofort! Der nächste Monat wird dir ausbezahlt. Dann such dir einen andern Dienst."

Graf Egge lehrte sich ab, stellte sich breitspurig vor das Fenster und stützte die beiden Fäuste auf das Gesims.

Draußen in der Küche erhob sich Schipper schmunzelnd vor der Tür, an der er gelauscht hatte.

Franzl stand mit weißem Gesicht, und Taffilo starrte den Vater an, als hätte er einen Wahnsinnigen vor sich.

„Aber Herr Graf," stammelte der Jäger endlich, „das kann doch net Ihr Ernst sein?"

„Nein, Hornegger," fiel Taffilo mit bebender Stimme ein, „mein Vater hat im Aerger ein Wort gesprochen, das er gerne zurücknehmen wird, wenn er ruhiger geworden."

Graf Egge fuhr mit dem Gesicht herum. „Da kennst du mich schlecht!"

Taffilo trat vor den Vater hin, und ihre Augen kreuzten sich. „Ich wiederhole dir, Papa, daß ich allein der Schuldige bin. Und ich muß dich bitten, mir nicht die Demütigung zu= zufügen, daß der schuldlose Jäger für m e i n Vergehen gestraft wird. Ich ersuche dich . . ."

„Jetzt will ich meine Ruhe haben!" Graf Egge ging zur Türe.

„Vater!" Tassilo wollte dem Vater folgen, doch Franzl hielt ihn am Arm zurück. Das Gesicht des Jägers hatte keinen Tropfen Blut, aber seine Stimme klang ruhig: „Ich bitt, Herr Tassilo, lassen Sie's gut sein! Seit acht Tag wirft mir der Herr Graf allbot den Dienst vor die Füß. In Gottesnamen, jetzt soll's halt einmal ein End haben. Meine Stellung is mir lieb gwesen, aber schließlich hat der Mensch doch ein Ehrgfühl."

Graf Egge hörte diese Worte noch, als er hinaustrat in die Küche und hinter sich die Türe zuwarf. Einen Augenblick zögerte er und schien wieder in die Stube zurückkehren zu wollen, um noch ein Wort in dieser Sache zu sprechen. Aber Schippers Anblick erinnerte ihn an die ‚verfluchte Geschichte da drüben'. Das mußte zuerst erledigt werden — dann war ja noch immer Zeit, um die Suppe, die in der Stube so heiß gekocht worden war, in kühlerem Zustand auszulöffeln.

Mit einer stummen Bewegung winkte Graf Egge seinem Büchsenspanner und verließ mit ihm die Hütte. Sie schritten einer über das Tal hinausgebauten Graskuppe zu, auf der im Schatten moosbehangener Fichten eine plump gezimmerte Holz= bank stand. Schipper, der den Zweck dieses Weges nicht erriet und dem Landfrieden nicht völlig zu trauen schien, studierte mit forschendem Blick das Gesicht seines Herrn. Graf Egges Mienen aber zeigten einen ruhigen Ausdruck — der Blitz, den er in der Stube geschleudert, hatte das Ungewitter seines Grolles einigermaßen beschwichtigt.

Als er die Bank erreichte, ließ er sich seufzend nieder, kraute sich mit beiden Händen im Haar und brummte nach einer Weile: „Ein scheußlicher Tag heut, Schipper!"

„Ja, Herr Graf, heut is alles schief gangen."

„Und hinter allem noch als Trumpf die rote Aß! Auf dem Heimweg hat mich der Patscheider abgefaßt. Der arme Kerl hätte heut am Morgen fast Malör gehabt."

„Mar' und Josef!" murmelte Schipper, der die Bedeutung, die dieses Wort im Sprachgebrauch der Jagdhütte besitzt, zur Genüge kannte. „Die Sach is doch hoffentlich gut ausgangen?"

Zögernd nickte Graf Egge. „Für den Patscheider, ja! Der
a n d e r liegt!"

„Recht so!" lachte Schipper mit vorsichtig gedämpftem
Jubel. „So ein Lumpen nur allweil gleich niederkracken! Das
steigt den andern in b' Nasen. Da is wieder fünf Jahr lang
Ruh im Revier."

„Das Exempel hat wohl auch seine gute Wirkung . . . aber
so was bleibt doch immer eine böse Sache. Und ich bin kein
Freund von Geschrei und Scherereien. Am liebsten wär mir's,
wenn Staub über die Geschichte fiele. Und Patscheider hat als
Jäger seine Pflicht getan, ich will nicht, daß er Unannehmlich-
keiten hat. Da drüben muß sauber gemacht werden, noch heute.
Wenn dann das Laufen und Suchen angeht . . . im Gebirg ist
überall Unglück möglich. Wenn einer vermißt wird, so muß
man ihn deshalb noch lang nicht erschossen haben. Was meinst
du? Kann ich mich auf dich verlassen?"

„Herr Graf . . ." Schipper blies die Backen auf und griff
nach seiner Nase, „da tät ich schon lieber wieder eine Kitzgeiß auf
b' Seit räumen. Aber wenn's der Jagd z'lieb sein m u ß . . .
in Gottesnamen!"

Er setzte sich dicht an die Seite seines Herrn, und flüsternd
steckten sie die Köpfe zusammen. Als sich Schipper nach einer
Weile erhob, sagte Graf Egge: „Sei vorsichtig! Und drüben
geh barfuß, die Bauern kennen deine Nagelfährte."

„Dem Patscheider seine Sachen, mein' ich, nimm ich auch
gleich mit von der Hütten drüben . . . er wird doch wohl ein
anderen Posten im Revier kriegen müssen? Oder nêt?"

„Da hast du recht! Der arme Kerl hätte in der ersten Zeit
ein schlechtes Schlafen da drüben. Ich nehm ihn zu mir und
schicke den Hornegger hinüber."

„Den Franzl?" Schipper machte ein verblüfftes Gesicht.
„Aber Herr Graf . . ."

„Ach so!" brummte Graf Egge, der über dem wichtigen
Thema, das er soeben erledigt, die Szene völlig vergessen hatte,
die vor wenigen Minuten in der Hütte gespielt. Er strich die
Hand über den Scheitel und lachte. „Schon gut! Darüber reden
wir noch! Oder . . . aaah, mir scheint ja, das Kapitel soll gleich
wieder von vorne anfangen?" Diese Vermutung erwachte in
Graf Egge, als er Tassilo gewahrte, der von der Hütte
kam. Ein spöttisches Lächeln zuckte um Graf Egges Lippen;

dann nickte er seinem Büchsenspanner zu: „Mach weiter!"

Wortlos zog Schipper den Hut und schritt der Hütte zu. Als er an Tassilo vorbeiging, schien sich die Sorge, die Graf Egges Vergeßlichkeit in ihm erweckt hatte, wieder zu beschwichtigen. Der Blick, mit welchem Tassilo den Vater suchte, war für den Jäger ein Wetterzeichen, das auf alles andere eher deutete, als auf friedlichen Sonnenschein zwischen Vater und Sohn. Schmunzelnd duckte Schipper den Kopf zwischen die Schultern und zog den grauen Bart durch die Hand. „Der is glaben! Da kracht's wieder! Es hilft dir nix, mein lieber Franzl, heut bist gliefert!" Dieser Gedanke beschäftigte ihn so sehr, daß er eine Felsschrunde übersah — er strauchelte und schlug sich auf dem steinigen Grund die Knie blutig.

Graf Egge rückte tiefer in die Bank, ließ die Füße baumeln und blickte seinem Sohn mit zwinkernden Augen entgegen, halb neugierig, halb gereizt.

Tassilo vermochte vor Erregung kaum zu sprechen. „Ich bitte dich, mit mir in die Hütte zu kommen."

„Was soll ich dort?"

„Diesem armen Burschen sagen, daß du seine Entlassung nur in einem Augenblick der Erregung ausgesprochen . . . und daß du jetzt, nachdem du ruhiger geworden, dieses harte Wort auch gerne wieder zurücknimmst."

„So?" Graf Egge zog die Brauen auf. „Du scheinst wohl zu glauben, daß ich unter Kuratel stehe, weil du so kategorisch über mich verfügst?"

„Ich verfüge nicht über dich . . . ich b i t t e. Und ich kann nicht glauben, daß du einen braven Menschen, der dir lange Jahre treu gedient hat, wegen eines belanglosen Versehens wirklich in so harter Weise bestrafen könntest. Ich bitte dich, komm."

Die Antwort ließ auf sich warten. „Ob das Versehen belanglos ist oder nicht, darüber will ich mit dir nicht streiten. Kümmere du dich um deine Pandekten! Aber was für meine Jagd von Nutzen oder Schaden ist, diese Entscheidung überlasse gefälligst m i r! Und übrigens . . . wenn ich schon an meinem Wort etwas ändern wollte . . . hat denn die Sache gar so große Eile?"

„Ja! Hornegger packt seinen Rucksack und will gehen."

„Er will? Wiegt ihm die Stellung in meinem Dienst so

leicht?" Graf Egge zeigte eine geärgerte Miene. „Gut! Er
soll gehen!"

„Nein, Papa, das kann nicht dein Ernst sein!"

„Ernst oder nicht . . . jetzt gerade soll er gehen! Er soll
nur ein paar Wochen bunsten. Das wird für ihn eine gesunde
Warnung sein."

Auf Tassilos Stirne erschien die gleiche Furche, wie sie
tief gezeichnet zwischen den Brauen seines Vaters lag. „Du
hast da ein Wort gesprochen, das mir unfaßbar ist!" sagte er, sich
mühsam zur Ruhe zwingend. „Die Bitte, m i r eine Kränkung
zu ersparen, hast du überhört, und ich will sie nicht wiederholen.
Mir ist es nur noch um diesen armen Menschen zu tun. Und ich
bitte dich eindringlich, die Folgen der unverdienten Strafe,
die du über Hornegger ausgesprochen, ernster abzuwägen."

„Oho!" fuhr Graf Egge auf; er kreuzte die Arme und bohrte
seinen Falkenblick in Tassilos Augen. „Das ist ja eine nette
Sprache, die du gegen mich anschlägst!"

„Verzeih mir, wenn ich in der Erregung nicht die richtigen
Worte finde. Ich wollte dir nur sagen, daß du dich in Hornegger zu irren scheinst. Bei ihm wird die Sache nicht damit
abgetan sein, daß er . . . um dein Wort zu gebrauchen . . .
ein paar Wochen ‚bunstet‘ und in schwitzender Ungeduld auf
die Stunde wartet, in der dir die Laune kommt, ihn wieder
in Gnaden aufzunehmen. Du gibst ihm heute einen Stoß fürs
ganze Leben. In ihm steckt eine tüchtige Natur, er liebt seine
Stellung nicht nur um des Brotes willen, das sie ihm bietet,
sie ist ihm die Freude, der ganze Inhalt seines Lebens,
und an ihr hängt seine Ehre! Er wird dich mit dem Bewußtsein
verlassen, daß ihm ein schweres Unrecht geschah, und wird doch
beim ersten Schritt ins Dorf den Makel des Davongejagten an
sich empfinden müssen. Jedes Gemunkel der Leute, jedes an-
zügliche Wort und jedes spöttische Lächeln wird ihn treffen
wie ein Stich ins Herz. Und all dieser unverdienten Kränkung
steht er wehrlos gegenüber."

„Du predigst warm für ihn!" fiel Graf Egge mit scharf
klingenden Worten ein. „Du willst ihn wohl d i r erhalten? Für
später? Natürlich! Er hält ja schon jetzt zu dir. Er schießt
für dich, er lügt für dich . . ."

„Vater!" stammelte Tassilo mit bleichen Lippen.

Graf Egge erhob sich; doch als er den Jäger von der Hütte

kommen sah, ließ er sich lächelnd wieder auf die Holzbank nieder. Geraden Weges, Büchse und Bergstock in der Hand und hinter den Schultern den dick angepackten Rucksack, ging Franzl auf seinen Herrn zu. Tassilos Hände begannen zu zittern, als er den Jäger gewahrte; alles überwindend, was er um seiner selbst willen in diesem Augenblick empfinden mußte, faßte er den Arm seines Vaters: „Ich bitte dich, Papa! Ich bitte dich . . ."

Graf Egge rührte sich nicht; die Fäuste auf seine gespreizten Knie gestützt, blickte er zu dem Jäger auf, so ruhig, als wäre in ihm keine Spur von Aerger zurückgeblieben, nur eine Art von Neugier, wie diese Szene sich wohl entwickeln möchte.

In militärischer Haltung stellte sich Franzl vor ihm auf und zog den Hut; sein Gesicht war weiß, aber seine Stimme hatte festen Klang: „Ich meld mich aus'm Dienst, Herr Graf!" Er zögerte. „Und wenn mir der Herr Graf noch ein Wörtl verlauben . . . was der Herr Graf gsagt haben wegen dem Ghalt vom nächsten Monat, das lassen wir gut sein! Ich hab net viel Uebrigs, aber schenken muß ich mir deswegen doch nix lassen. Und wo ich kein Dienst mach, brauch ich kein Ghalt! Nix für ungut, Herr Graf!" Nun schwankte ihm doch die Stimme. „Und bhüt Ihnen Gott!" Ein Zucken kam über sein Gesicht; und das Kinn an die Brust drückend, wandte er sich ab.

Tassilo stand wortlos; Graf Egge aber schlug die Faust auf die Holzbank und schrie: „So schau nur einer den Lümmel an! Jetzt kehrt er gar noch den Hochmut heraus und wirft mir die achtzig Mark vor die Füße!"

Franzl hörte diese Worte noch, und das Wasser schoß ihm in die Augen. Mit hastigen Schritten suchte er den Steig zu erreichen. Als er an der Hütte vorüberkam, trat Schipper aus der Türe, marschfertig für den Weg zur ‚Arbeit', die er ‚da drüben' zu erledigen hatte. Beim Anblick des grauen Kameraden schien es mit Franzls Selbstbeherrschung ein jähes Ende zu haben. „Schipper!" Er hob die Faust. „Für den heutigen Tag, scheint mir, kann ich mich bei dir bedanken?" Mit langen Schritten trat er auf Schipper zu, der den Bergstock wehrend vor sich hinstreckte. „Schau mir in d' Augen, du! Und sag mir einmal ins Gsicht: was muß ich denn im Leben an dir verbrochen haben, daß Tag und Nacht kein Ruh net geben hast, bis ich draußen war bei der Tür?"

Schippers ganze Antwort war ein dünnes Lächeln, und in seinen halbgeschlossenen Augen funkelte ein Blick, so heiß, wie ihn nur die Freude des Hasses kennt.

Franzl sah diesen Blick, und es schoß ihm etwas durch den Kopf — er wußte nicht, was. Aber es jagte ihm einen Schauer über den Rücken. Wie angewurzelt stand er und starrte dem Jäger nach, der gegen den Saum des Latschenfeldes ging und in den Büschen verschwand.

Drüben bei der Holzbank war zwischen Vater und Sohn noch immer kein Wort gefallen. Graf Egge saß mit verschränkten Armen und blickte zum Himmel hinauf, an dem sich schwere Wolken zu sammeln begannen. Und Tassilos Augen waren bei Franzl; als er den Jäger in eine Senkung des Weges niedersteigen sah, rief er ihm mit lauter Stimme zu: „Hornegger!"

„Ja, Herr Tassilo?" klang die unsichere Antwort.

„Erwarten Sie mich bei der ersten Sennhütte, ich komme nach und gehe mit Ihnen."

Verwundert drehte Graf Egge das Gesicht. „Was soll das heißen?"

Aus Tassilos Zügen schien jede Erregung geschwunden, und seine Augen blickten mit ruhigem Ernst, als er sagte: „Du wirst es begreiflich finden, daß ich nicht bleiben kann, während der Jäger geht, der um meinetwillen entlassen wurde. Ich fühle mich verpflichtet, für ihn zu sorgen, und ihm so rasch als möglich eine neue Stellung zu verschaffen."

Graf Egge schaute eine Weile etwas verdutzt darein; dann blies er die Backen auf, schob die Fäuste in die Taschen seiner Lederhose und nickte mit dem Anschein zustimmender Wichtigkeit. „Aaah! Höchst ehrenwert! Unter solchen Umständen müßte ich mir allerdings ein Gewissen daraus machen, dich noch länger halten zu wollen . . . bitte!" Dieses letzte Wort begleitete eine gnädig entlassende Handbewegung.

„Bevor ich gehe, habe ich dir noch von einer Angelegenheit zu sprechen, für deren Erledigung ich mir allerdings eine freundlichere Stunde erhofft hatte, als die jetzige."

Graf Egge lächelte. „Das ist eine Einleitung, die mich neugierig macht."

„Ich gedenke mich zu verheiraten und bitte dich um deine Zustimmung."

In sprachloser Verblüffung blickte Graf Egge zu Tassilo

auf; dann sagte er trocken: „Du bist ja majorenn, und ich
habe keine Veranlassung, dir Hindernisse in den Weg zu legen.
Daß ich von deiner Eröffnung sonderlich gerührt sein würde,
hast du wohl selbst nicht erwartet. Du hast dich mir gegenüber
niemals auf einen Fuß gestellt, auf dem sich eine besondere
Intimität hätte entwickeln können.“

„Das war wohl nicht immer meine Schuld.“

„Laß das! Du hast niemals Anteil an meinen In-
teressen genommen, so wirst du auch nicht verlangen, daß ich
ohne Ursache plötzlich sentimental werde und über die Aussicht,
daß du mich zum Großvater machen willst, vor Vergnügen aus
der Haut fahre. Heirate! Ich ersuche dich nur, den Tag der
Hochzeit nicht gerade in die Zeit der Hirschbrunft zu verlegen.
Da könnte ich schwer abkommen. In allem übrigen hast du
meine Zustimmung, und ich wünsche nur noch in deinem eigenen
Interesse, daß du auch eine gute Wahl getroffen hast.“

„Die beste, um glücklich zu werden.“

„Glücklich?“ Graf Egge zwinkerte mit den Augen, als
hätte dieses Wort für ihn einen zweifelhaften Wert. „Deine
Braut ist reich?“

„Nein. Auf das bescheidene Vermögen, das sie besitzt, wird
sie auf meinen Wunsch verzichten, um die Existenz ihrer Mutter
und Schwester zu sichern.“

Graf Egge zog die Brauen auf und blies den Atem vor sich
hin wie Pfeifenrauch. „Ach sooo? Ein idyllischer Herzensbund,
mit Romantik und Edelmut garniert wie die gebratene Schnepfe
mit bestrichenen Schnitten? Das war von dir zu erwarten!“
Er vergrub die Fäuste wieder in den Taschen. „Aber du bist
ja alt genug, um zu wissen, was du tun willst. Und da du
mich bei deiner Wahl entbehren konntest, wirst du auch bei
allem anderen nicht auf meine Hilfe rechnen. Eine Spekulation
auf meinen Geldbeutel . . . das wäre fehlgeschossen wie heute
auf den Hirsch, zu dem dir der Franzl verhelfen mußte.“

„Ich glaube nicht, daß ich auch nur ein einziges Wort gesprochen habe, das dich zu einer solchen Befürchtung veranlassen
konnte. Du irrst dich in mir.“

„Ich irre mich? Schon wieder? Zuerst in diesem Lapp
von Jäger . . . und jetzt in dir? Um so besser! Aber du hast
recht, ich hätte dich weniger praktisch taxieren sollen. Wie Hornegger vor einer Viertelstunde die achtzig Mark, so hast du mir

ja geſtern die zwölftauſend deiner Apanage vor die Füße geworfen. Aber der Stolz iſt ja von jeher die einzige ſcharfe Patrone geweſen, mit der du zu ſchießen verſtanden. Alſo gut,
ſtell dich auf eigene Füße! Wenn es dir gelingt, alle Anerkennung! Verdienſt du denn wirklich ſo viel?"

„Genügend, um mir auch ohne fremde Hilfe einen behaglichen Hausſtand gründen zu können."

„F r e m d e H i l f e ?" Graf Egge kniff das linke Auge ein
und lächelte, als hätte er einen leiblich guten Scherz gehört.
„Brav! Aber du haſt ja auch noch die freie Verfügung über das
Erbteil deiner Mutter. Was dir im übrigen noch zuſteht, darauf
wirſt du wohl ein paar ausgiebige Jahre warten müſſen. Meine
Geſundheit, die ich der Jagd verdanke, hat eiſernen Halt. Der
Reſt meines irdiſchen Pirſchganges ſoll noch ſeine zwanzig
Jahre dauern . . . und darüber."

„Das wünſche ich dir aus ganzer Seele!" Bei allem Ernſt
klangen dieſe Worte warm und herzlich.

Graf Egge blickte langſam auf, als wäre dieſer Ton an
ſeinem Ohr nicht wirkungslos vorübergegangen. „Danke!" Nach
der Art eines Bauern, dem das Denken einige Mühe verurſacht,
ſtrich er mit beiden Händen das Haar in die Stirn. „Alſo,
du haſt aus Neigung gewählt? Gut! Armut iſt ja ſchließlich
keine Schande, nur ein unwillkommenes Uebel, an welchem
leider unſere beſten und älteſten Namen leiden. Wie heißt die
Familie deiner Braut?"

„Herwegh."

„Herwegh? Herwegh?" Halblaut wiederholte Graf Egge
dieſen Namen; nach einigem Beſinnen ſchüttelte er den Kopf,
und es zuckte um ſeine Naſenflügel. „Hör, Junge . . . die
zwei Silben klingen verdächtig! Oder . . . iſt das öſterreichiſcher
Adel?"

„Nein, Vater. Aber der Name meiner Braut hat guten
Klang und ſollte auch dir nicht unbekannt ſein . . . Anna
Herwegh?"

„Die Sängerin!" Graf Egge ſprang auf, als wäre Feuer
unter der Bank entſtanden. „Biſt du verrückt?"

„Nein." Taſſilos Züge wurden um einen Schatten bleicher,
doch ſeine Geſtalt ſtreckte ſich, und ruhig begegneten ſeine Augen
dem funkelnden Blick des Vaters. „Ich bin bei Vernunft und
geſunden Sinnen."

„Aber dann sage mir doch um Gottes willen: wie kommst du auf die Idee, so etwas heiraten zu wollen?"

„So etwas?" Tassilos Stimme bebte. „Diese beiden Worte genügen nicht, Vater! Anna Herwegh ist eine gefeierte Künstlerin, sie stammt aus guter Familie, und ihr Ruf ist ein tabelloser. Ich liebe sie."

„Liebe, Liebe . . ." schrie Graf Egge, und die Stimme wurde ihm heiser, „laß mich mit diesem Komödiantenwort in Ruhe! Du bist vernarrt, und weil dir die Einkünfte deiner Kanzlei oder deine sogenannten Prinzipien nicht gestatten, diese Person zu deiner Geliebten zu machen . . . deshalb willst du sie heiraten?"

„Vater!"

Schweigen folgte diesem Wort, und Aug in Auge standen die beiden voreinander, Tassilo bleich bis in die Lippen, Graf Egge mit rotem Gesicht und geballten Fäusten.

Ueber das Latschenfeld herüber klangen lachende Stimmen, vom stärker ziehenden Winde getragen, und der klirrende Aufschlag zweier Bergstöcke.

„Rede!" brach Graf Egge das Schweigen. „Denn ich glaube noch immer, daß du dir mit mir einen etwas übel angebrachten Jux erlaubst."

„Nein, Vater, das glaubst du n i c h t. Die Jagd hat dich allerdings immer so sehr in Anspruch genommen, daß dir keine Zeit verblieb, dich viel um die Charakterentwicklung deiner Kinder zu bekümmern. Aber so weit kennst du mich doch wohl, um zu wissen, daß ich mir niemals einen Scherz mit dir erlauben würde. Im übrigen hat mich das beleidigende Wort, das du gesprochen, der Mühe enthoben, meine Wahl noch weiter vor dir zu rechtfertigen."

Graf Egge lachte. Und jählings erlosch auf seinen Zügen jeder Ausdruck von Erregung. „Schluß!" murmelte er vor sich hin und strich mit der Hand durch die Luft. „Tue, was dir beliebt. Es hätte mich ohnehin gewundert, wenn du einmal deinen gewohnten Neigungen nach abwärts untreu geworden wärst!" Er zog mit beiden Händen die Lederhose höher an die Hüften. „Was stehst du noch? Meine Zustimmung hast du ja . . . ich habe sie gegeben und widerrufe sie nicht. Du hast ja heute schon einmal erfahren, daß ich ein voreilig gesprochenes Wort, auch wenn es mich reut, nicht mehr zurücknehme. Mir ist leid um

ben Hornegger ... aber er wollte gehen! Gut! Mir ist
auch leid um bich ... troß allem! Aber bu gehft Wege, die
fich mit ben meinen nicht vertragen ... auch gut! Doch
eines merke bir: zwifchen beinem Haus und bem meinen, ba
geht jetzt bie Jagbgrenze. Da gibt's kein Hinüber und Herüber.
Ober es brennt auf der Pfanne! So! Jetzt werde glücklich!"

Graf Egge setzte fich auf die Bank und ftreckte die Beine.
Seine weiten Hembärmel flatterten im Wind, und facht bewegten fich bie grauen Strähnen feines Bartes.

Mit fchmerzlich ernftem Blick hing Taffilo an dem Ge-
ficht des Vaters. „Du haft einen fchweren Stein auf den
Weg geworfen, auf dem ich mein Glück zu finden hoffe, und beine
Entfcheibung wird für uns beide von bitteren Folgen fein."

„Sorge bich nicht um mich ... an meinem Anteil
werbe ich nicht hart zu tragen haben."

„Um fo fchwerer werden die Folgen diefer Stunde auf
mir liegen ... doppelt fchwer, wenn es beine Abficht wäre,
mir auch ben Verkehr mit meinen Gefchwiftern zu verfagen?"

„Ich habe beutfch gefprochen und glaube doch, daß du diefe
Sprache verftehft. Ober bift bu vielleicht der Meinung, daß du
an beiner Frau nicht fo viel gewinnft, um beine Gefchwifter
entbehren zu können?"

Es zuckte um Taffilos Lippen, und der Klang feiner Stimme
fchärfte fich. „Was ich für mich gewinne, weiß ich. Doch ich
habe in diefem Augenblicke weniger an mich felbft gedacht, als
an meine Gefchwifter ..."

„Schade, daß Robert nicht hier ift," unterbrach Graf Egge
mit trockenem Lachen, „er würde fich für deine gefchwifterliche
Zärtlichkeit gewiß bebanken."

„Ob er fich die Sorge, die ich um ihn empfinde, gefallen
laffen würde oder nicht, das ift feine Sache ... daß aber
meine Sorge nicht unbegründet ift, das weißt du felbft am
beften. Doch ich habe ja auch noch andere Gefchwifter. Und
mit bedrücktem Herzen benke ich in diefer Stunde an Willy und
Kitty, die ben Verkehr mit mir, meine brüderliche Zuneigung
und meinen herzlich gemeinten Rat um fo fchwerer entbehren
bürften, da ihnen ja auch der Vater fehlt ..."

„Ach fo! Darauf läuft's hinaus! Du willft zum Abfchied
noch mit einer Lektion über Pädagogik losfchießen? Ich denke zu
viel an meine Hirfche und Gemsböcke und zu wenig an meine

Kinder? Nicht wahr, das willst du doch wieder einmal sagen? Vielleicht hast du auch recht. Den deutlichsten Beweis, wie schlecht ich meine Kinder zu erziehen verstand, hast du ja selbst in dieser Stunde geliefert. Das soll mir auch eine Warnung sein. Für die Zukunft will ich den Daumen etwas fester aufdrücken. Und du kannst beruhigt sein! Auf den Weg, den du einschlägst, soll sich weder deine Schwester, noch einer deiner Brüder verirren. Dafür sorg ich! Wie sie im übrigen geraten, das muß ich ihrer Natur überlassen. Für die Gouvernante und den Hofmeister sind sie doch wohl schon zu alt. Und hoffentlich hat in i h r e n Adern der gesunde Tropfen Jägerblut, den sie von m i r bekamen, das Uebergewicht über das böse Blut ihrer Mutter, von welchem d u, wie ich merke, etwas zu viel abbekommen hast. Es führt dich auf die gleichen Wege . . ."

„Vater!" fuhr es mit schneidendem Klang über Tassilos bleiche Lippen. „Beleidige mich . . . ich werde dir schweigend und wehrlos gegenüberstehen. Aber du sollst die Mutter nicht vor ihrem Sohn beschimpfen!"

„Ich soll sie für die Erfahrung, die ich mit ihr machen mußte, wohl gar noch heilig sprechen?" Unter zornigem Lachen zerrte Graf Egge mit beiden Händen an seinem Bart. „Das ist zu viel verlangt!"

„Ich entschuldige nicht die Frau, die dich verließ. Aber diese Frau war meine Mutter, und ich hänge mit heißer Liebe an der Erinnerung, die mein Herz ihr bewahrte. Und in dieses Empfinden dulde ich keinen verletzenden Eingriff. Auch nicht von dir!"

„Natürlich! Du hast ja alle Ursache, diese Mutter zu verteidigen, die dich und deine drei Geschwister im Stiche ließ. Damit hat sie wohl ein großes Werk mütterlicher Liebe an euch getan?"

„Nein, Vater, ein schweres Unrecht! Aber sie allein war nicht die Schuldige . . ."

„Eine großartige Weisheit!" fiel Graf Egge mit heiserer Stimme ein. „Sie allein nicht die Schuldige! Natürlich! Sie hat ihre Schuld gar redlich mit einem anderen geteilt."

„Nein, Vater, nicht geteilt! Die größere Schuld hat dieser andere begangen . . . und dieser andere bist du!" Betroffen blickte Graf Egge auf und wollte sprechen; doch wie ein entfesselter Strom, in glühender Erregung, flossen die Worte von Tassilos

bebenden Lippen. „Ja, Vater, du! Als all das Traurige sich
vorbereitete, und als es geschah, war ich ein Knabe. Aber ich
hatte schon Augen, die sehen konnten, Ohren, welche hörten
und verstanden. Und was ich gewahren mußte, was ich ahnte,
ohne es ganz zu erkennen, hat mich ernst gemacht in einer Zeit,
in welcher andere Kinder den lachenden Frohsinn ihrer Jugend
genießen. Es hat über mein Leben einen Schatten geworfen,
der niemals wieder von mir gewichen ist. Und was ich damals nur halb erfaßte, das lernte ich ganz verstehen in all diesen
vergangenen Jahren, in denen du mich und meine Geschwister
der gleichen Vereinsamung und dem Verkehr mit fremden Menschen überlassen hast, wie einst unsere Mutter. Sie war ja,
als du ihr deinen Namen gabst, noch halb ein Kind . . . wie
jetzt meine Schwester Kitty, für die du zwischen Jagd und Jagd
so selten eine Stunde findest, daß sie vom einen- zum andernmal
gewahren kann, um wie viel grauer in der Zwischenzeit dein
Bart geworden. Ich erinnere mich gut aus meiner Knabenzeit,
daß du deinen Jägern lachend und mit Vorliebe zu erzählen
pflegtest, auf welch eine echt weidmännische Hochzeitsreise du
deine junge Frau geführt: zuerst zur Fuchshetze nach England,
dann zu den Elchjagden nach Schweden, dann zur Hirschbrunst
in die Bukowina, wo sie vom Morgen bis zum Abend, während
du deine Pirschgänge machtest, in der öden Jagdhütte die Gesellschaft deines Büchsenspanners teilen und ihm helfen durfte,
deine abgeschossenen Patronen frisch zu laden."

Graf Egge war aufgesprungen. „Hätte sie Sinn für die
Jagd gehabt, so hätte ihr diese Reise besser gefallen als jede
andere . . . denn gerade damals hab ich meine stärksten Hirsche
geschossen!" schrie er mit dunkelrotem Gesicht. „Aber sie hatte
dafür nie einen Funken von Verständnis! Ich habe mir die
redlichste Mühe gegeben, sie zu mir heraufzuziehen. Aber alles
umsonst! Da ist es kein Wunder, wenn mir schließlich die Geduld verging."

„Aber auch kein Wunder, Vater, wenn die junge Frau,
welche Wochen und Monate einsam in Hubertus saß, ferne von
ihren Kindern . . ."

„Kinder! Kinder! Hätt ich vielleicht diesen ganzen schreienden Apparat auf meinen Jagdreisen immer mit mir umher-
schleppen sollen?"

„Gewiß nicht! Aber es frägt sich nur, ob diese Jagdreisen

so wichtig waren, daß um ihretwillen jede Forderung schweigen mußte, die deine Frau und deine Kinder an dich zu stellen hatten."

„Ach was! Forderung! Hätte eure Mutter Sinn für das gehabt, was m i r Freude machte, so hätte sie nicht Trübsal blasen müssen und hätte Zerstreuung in Hülle und Fülle gefunden! Aber natürlich . . . in der Jagdhütte konnte sie nicht schlafen, da hat sie das Heu gekitzelt . . . und der Geruch einer Lederhose war für ihre feine Nase eine Katastrophe! Ist es also m e i n e Schuld, wenn sie allein in Hubertus sitzen mußte? Und was e u c h betrifft? Ihr habt in München euer warmes Nest gehabt, mit Governessen und Hofmeistern und den besten Lehrern, die mich ein Heidengeld gekostet haben. Ich habe meine Schuldigkeit getan, redlich! Aber schließlich existiert man doch auch um seiner selbst willen. Ich lebe und sterbe nun einmal für die Jagd! Damit hat man zu rechnen! Und wenn ich in diesem Punkte Widerspruch erfahre, so sage ich: in erster Linie kommt bei mir die Jagd, dann kommt lange nichts mehr, und d a n n erst alles andere!"

„Ja, Vater! Diese Wahrheit hat niemand schwerer empfunden als unsere Mutter!"

„Mutter! Und immer Mutter! Jetzt hab ich die Geschichte satt!" Mit zuckenden Händen tastete Graf Egge an seiner Brust umher, als hätte er die Joppe an und möchte die Knöpfe schließen. „Aber ich bin ein Narr, daß ich mich von diesem ganzen Krempel so erregen lasse! Fertig! Schluß! Das ist abgetan! Du geh deiner Wege . . . ich warte darauf! Und wenn du in Zukunft an deine Mutter denkst, und es fällt dir dabei zufällig dein Vater ein, so kannst du dir ruhig sagen: das alles liegt h i n t e r ihm! Und wenn ihn an der ganzen Geschichte noch heute etwas ärgert, so ist es nur das einzige, daß er das Geweih, das deine verehrte Mutter ihm aufzusetzen beliebte, nicht in seine Sammlung hängen konnte. Das wäre ein Prachtexemplar gewesen, das alle meine anderen Hirsche geschlagen hätte . . . sogar die aus der Bukowina! Und nun Gott befohlen!" Er wandte sich ab und faßte mit beiden Händen den Stamm der nächsten Fichte, als bedürfte er für den in seinen Fingern arbeitenden Zorn eines festen Spielzeugs.

Tassilo hing mit verstörtem Blick an seinem Vater, und fast versagte ihm die Stimme. „Ich gehe. Doch nicht in Groll. Denn du erbarmst mich, Vater! Was ich aus dir reden höre, ist nicht mehr menschliche Stimme, sondern der Dämon einer Leidenschaft, die ich nicht begreife, obwohl ich ihre Wirkungen sehe. Sie hat das Leben meiner Mutter auf Irrwege und in einen frühen Tod getrieben, sie hat dich gelöst von deinen Kindern, sie hat unser Heim und unsere Jugend vernichtet, hat unser Schicksal dem Spiel des Zufalls überlassen ... und sie wird dich selbst zerstören!"

Mit zornigem Lachen riß Graf Egge von der Fichte zwei Rindenstücke los und zerdrückte sie in seinen Fäusten. Dann trat er langsamen Schrittes auf Tassilo zu, öffnete die Finger und ließ die Splitter fallen. Keuchend ging sein Atem, und seine Lippen bewegten sich, als fänden sie das Wort nicht, das sie sprechen wollten. Tritte, die er in seiner Nähe hörte, machten ihn aufblicken; er sah Willy in die Hütte treten und Robert näher kommen, der mit erstaunten Augen seinen Vater und den Bruder musterte. Noch einmal streifte Graf Egge mit funkelndem Blick das Gesicht seines Sohnes. Trocken lachend wandte er sich ab, winkte Robert mit beiden Händen zu und rief: „Ich gratulier euch, Kinder! Heute habt ihr gute Jagd gemacht! Jedes von euch dreien ist heute reicher um eine halbe Million. Ich habe um einen Erben weniger, und das hat nicht einmal einen Schuß gekostet!"

Robert riß die verblüfften Augen auf und zwirbelte ratlos an seinem Schnurrbart, während der Vater an ihm vorüberschritt. Als Graf Egge zur Hüttentür kam, blickte er über die Schulter zurück und gewahrte, daß Tassilo dem zu den Almen führenden Steige zuschritt. „Da läuft der Narr gar ohne Stecken davon! ... Willy!" Sein Jüngster erschien unter der Türe, mit gerötetem Gesicht und schimmernden Augen, als hätte er im Geheimdepot der Holzerhütte dem Niersteiner allzu durstig zugesprochen. „Bring dem da drüben seinen Bergstock. Nach der Büchse wird er kein Verlangen haben ... er hat auch ausgejagt in meinem Revier!"

Willy sah den Vater an und begriff nicht. „Aber Papa? Was ist denn los?"

„Tu, was ich dir sage!"

Willy faßte einen der Bergstöcke, die neben der Hüttentür lehnten. Da sah er Robert kommen, eilte auf ihn zu und flüsterte: „Bertl? Hast du eine Ahnung, was es da schon wieder gegeben hat?"

Robert zuckte die Achseln und trat in die Hütte.

Eine Weile stand Willy unschlüssig; dann plötzlich rief er mit lauter Stimme: „Tas! Tas!" — und rannte dem Bruder nach. In einer Senkung des Pfades holte er ihn ein und erschrak beim Anblick seines Gesichtes. „Herr du Gerechter! Tas! Was ist denn geschehen?"

Ein müdes Lächeln glitt über Tassilos Lippen. „Was unausbleiblich war . . . ob es nun heute oder morgen geschah! Ich stehe im Begriff, eine Heirat zu schließen, von der ich mein Glück erhoffe. Aber sie findet nicht den Beifall deines Vaters. Deshalb will er um einen Sohn weniger haben!"

„Ach du lieber Himmel . . ." stammelte Willy in hilfloser Bestürzung.

Tassilo nahm den Bergstock. „Aber nicht wahr, Junge, wenn unsere Wege auch nach dem Willen deines Vaters auseinander gehen, wir beide wollen doch gute Brüder bleiben?" Mit herzlichem Blick sah er dem Bruder in die Augen und bot ihm die Hand. „Und wenn du mir eine Liebe erweisen willst, so vergiß nicht, was wir gestern miteinander gesprochen, und was du mir ehrlich in die Hand gelobt hast! Willst du?"

Willy brachte kein Wort heraus; er nickte nur, umklammerte Tassilos Hand und starrte ihm ratlos ins Gesicht.

„Und wenn du mich nötig hast, dann komm zu mir, oder schreib mir eine Zeile, und ich werde dich finden. Und sei gut mit Kitty! Ihr fehlt die Mutter . . . der Vater hat wenig Zeit für sie . . . sei du ihr jetzt der Bruder, den sie braucht."

Da erwachte Willy aus seiner Erstarrung. „Tas! Lieber Tas! Um Herrgotts willen! Ich fasse ja das alles noch gar nicht! Ich bin ja wie mit einem Prügel vor die Stirn geschlagen! Sag mir, ich bitte dich . . . erzähle doch . . ."

Tassilo schüttelte den Kopf. „Laß uns kurzen Abschied halten! Und geh zum Vater! Dein Platz ist bei ihm. Er könnte es dich entgelten lassen, wenn er allzulange auf dich warten müßte." Die Worte erloschen ihm; hastig schlang er den Arm um Willys Hals, küßte den Bruder, riß sich los und eilte mit raschen Schritten talwärts.

18.

Vor der Türe des „Palais Dippel" stand Graf Egge mit gespreizten Beinen und vorgeneigtem Kopf, die Fäuste mit den unruhig arbeitenden Fingern hinter dem Rücken; finsteren Blickes hing er an jener Senkung des Pfades, in welcher Willy verschwunden war. Als er ihn nun wieder erscheinen sah, hellten sich seine Züge ein wenig auf, und zufrieden nickte er vor sich hin: „Na also, da kommt er ja wieder!"

Als Willy den Vater gewahrte, blieb er stehen und versuchte seine Gedanken zu sammeln.

„Komm zu mir, Junge!" rief Graf Egge, und als Willy noch immer zögerte, ging er ihm entgegen. Dicht vor ihm blieb er stehen und sah ihm forschend in das brennende Gesicht. „Der andere sieht mir gleich und schlägt der Mutter nach ... du hast ihre Augen und ihren weichen Mund, aber ich hoffe, du bist im Kern aus meinem Holz! Halte dich nur an mich, und es soll dir nicht schlecht bekommen. Willst du was? Hast du einen Wunsch? Nur heraus damit! Heute kannst du alles von mir verlangen."

Willy schüttelte den Kopf. „Ich danke, Papa ... ich brauche nichts!"

„Na, besinn dich nur, vielleicht fällt dir doch was ein!" Mit einem Lachen, das ihm nicht völlig gelingen wollte, klopfte Graf Egge seinen Sohn auf die Schulter und trat in die Hütte. In der Küche schürte er auf dem Herd ein Feuer an und begann in einer hölzernen Schüssel einen dicken Brei aus Mehl und Wasser zu rühren. Nachdem er den Teig in das heiße Schmalz gegossen hatte, ging er zur Türe, und als er Willy draußen auf der Hausbank sitzen sah, sagte er: „Komm herein, Junge, setz dich zu mir auf den Herd! Da kannst du lernen, wie man einen gesunden Schmarren kocht."

„Ja, Papa!" Willy erhob sich müd und folgte dem Vater; schweigend saß er auf dem Herdrand und starrte die Pfanne an, den Blick seines Vaters vermeidend.

„Erzähl mir, Junge," sagte Graf Egge nach einer Weile, während er mit dem langen Eisenlöffel im brodelnden Schmarren

umherarbeitete, „wie hast du denn drunten unsere kleine Schmalgeiß angetroffen?"

„Ich danke, Papa, gut!" erwiderte Willy mit zerstreuter
Scheu. „Wie lange hast du sie denn nicht mehr gesehen?"

„Ich glaube, seit dem Hahnfalz . . . August, Juli, Juni,
Mai, April . . . fünf Monate."

„Da wirst du große Augen machen! Sie fängt an, sich zu
einem ganz patenten Mädel auszuwachsen."

Graf Egge hob die Pfanne und schüttelte sie. „Was meinst
du, wenn wir die Geiß heraufkommen ließen? Ich tret ihr
meine Stube ab und leg mich zu euch ins Heu hinauf. Und wenn
wir jagen, kann sie bei mir auf dem Stand sitzen."

Willy erschrak vor den Freuden, die seiner Schwester in
Aussicht standen; diese zweifelhaften Genüsse mußte er ihr ersparen, auch um den Preis einer Heuchelei. „Eine famose Idee,
Papa . . . aber . . . weißt du, die Sache hat auch ihren Haken,
ich meine für dich!"

„Wieso?"

„Ein junges Mädel kann doch nicht stillsitzen. Sie würde
dir manchen guten Schuß verderben."

„Du hast recht . . . und da könnte mir doch einmal die
Galle überlaufen. Na also, lassen wir's. Nächste Woche gehen
wir ein paar Tage zu ihr hinunter."

Nun trat wieder Schweigen ein; nur die brennenden Scheite
krachten, und in der Pfanne prasselte das Schmalz. Willy
versank wieder mit bekümmertem Gesicht in die Gedanken an
Tassilo — und sein Vater, der ihn von Zeit zu Zeit mit forschendem Blick überflog, bekam unruhige Hände. Nach einer Weile
legte Graf Egge lächelnd den eisernen Löffel nieder und trat in
die Herrenstube. Lang ausgestreckt lag Robert mit der brennenden
Zigarette auf dem Bett; er wollte sich erheben; doch sein Vater
drückte ihn an der Schulter wieder auf das Kissen nieder.
„Bleib nur liegen!" sagte er, sperrte den Geheimschrank auf und
trat mit dem Schächtelchen, das die Juwelen enthielt, zum
Fenster. Er wählte einen Rubin von selten schönem Schliff
und verwahrte die anderen Steine wieder im Schrank. Als er
in die Küche zurückkehrte, nickte er Willy lachend zu und drückte
ihm den Rubin in die Hand. „Da hast du was! Nimm! Laß
dir einen Ring daraus machen oder eine Nadel . . . was du
willst. Aber zeig mir ein lustiges Gesicht!"

Willy erhob sich und blickte wie ein Träumender auf den Stein, der gleich einem großen erstarrten Blutstropfen auf seiner flachen Hand lag.

„Geh vor die Türe hinaus ins Licht," sagte Graf Egge, „dann siehst du sein Feuer besser."

Willy trat ins Freie; doch er hielt über dem Stein die Hand geschlossen und blickte gegen den Steig. „Ob er die Alm wohl schon erreicht hat?" Hastig schob er den Rubin in die Westentasche und rannte zu der Graskuppe, auf der die Holzbank im Schatten der Fichten stand. Von hier aus konnte er den Steig im Tal auf eine weite Strecke übersehen.

Doch der Pfad war leer . . .

Tassilo hatte die steilen Almgehänge schon hinter sich und näherte sich der ersten Sennhütte. Unter dem vorspringenden Dach saß Franzl auf einem Holzblock, die Büchse über den Knien, die Stirn in beide Hände gedrückt; er hörte die näherkommenden Schritte nicht und blickte erst auf, als ihm Tassilo die Hand auf die Schulter legte; erschrocken erhob er sich und stammelte: „Wahrhaftiger Gott! Jetzt kommen S' wirklich daher! Aber Herr Tassilo! Sie werden ja doch ums Himmels willen net meinetwegen . . ." Er konnte nicht weitersprechen.

„Kommen Sie nur, lieber Hornegger!"

Tassilo ging voran, und Franzl folgte ihm. Ohne weiter ein Wort zu wechseln, schritten sie, jeder mit seinen wirbelnden Gedanken beschäftigt, dem tieferen Bergwald zu.

Noch ehe der Abend kam, erlosch die Sonne unter dem immer dichter ziehenden Gewölk, dessen graue Töne allmählich das letzte Stücklein Blau erstickten. Im Walde bewegte sich kein Zweig, kein Vogel sang.

Drei Stunden waren die beiden gewandert, und vom See herauf tönte schon, leise gedämpft, das Rauschen des Wetterbaches. Da hörte Tassilo hinter sich die klappernden Schritte des Jägers verstummen, und als er sich umblickte, sah er Franzl vor dem Stamm einer alten Buche knien, das entblößte Haupt gesenkt, vor der Brust die gefalteten Hände. Tassilo schien zu empfinden, was dem Jäger, der vor dem ‚Marterl' seines Vaters kniete, in diesem Augenblick das Herz erfüllen mochte; auch er entblößte das Haupt, trat an Franzls Seite und blickte über ihn hinweg auf das bunte Täfelchen, auf den grün gekleideten Mann, den die schlichte Malerei des Bildchens zeigte:

ſtarr ausgeſtreckt, mit einem roten Kreuzlein über der Stirne.

Stille Minuten vergingen. Im Wechſel des unruhigen Windes, der dem nahenden Regen voranging, verſtummte im Tal das Rauſchen des Wetterbaches und wurde wieder lauter. Einmal rollte auch ein dumpfer Hall über die Seeberge hin — in einem Nachen, weit braußen auf dem See, hatte man einen Echoſchuß gelöſt.

Franzl ſchien ſein ſtummes Gebet beendet zu haben, denn er bekreuzte Stirn und Bruſt; doch er erhob ſich nicht, nur die Hände ließ er ſinken; mit naſſen Augen hing er an dem Bild und bewegte langſam die Lippen, als läſe er die Inſchrift des Täfelchens:

‚Hier an dieſer Stelle wurde Anton Hornegger, gräflich Egge-Sonneſelbiſcher Förſter, am heiligen Johannistag erſchoſſen aufgefunden.‘

Ein Zittern überlief die Geſtalt des Jägers, der das Geſicht in die Hände drückte. Vor ſeinen Gedanken ſtand das Bild jenes längſt vergangenen Abends, an dem ſie den Vater auf Stangen getragen brachten, mit der blutenden Wunde auf der Bruſt. Er ſah den verzweifelten Jammer ſeiner Mutter wieder — und wieder regte ſich in ihm jene dunkle Ahnung, die ihn durch all dieſe vergangenen Jahre niemals verlaſſen hatte: daß der Mörder noch unter den Lebenden wäre, und daß ihn eine vergeltende Stunde einſt zur Abrechnung vor die Büchſe des Sohnes führen würde, dem er den Vater erſchoſſen. Es mußte einer ſein, der brunten im Dorfe ſaß — denn ſo weit über die Grenze verirrt ſich kein fremder Wildſchütz — vielleicht war es ſogar einer aus der nächſten Nachbarſchaft des Jägerhauſes, einer, der ſeit Jahren an Franzl mit doppelt freundlichem Gruß vorüberging, im Herzen die heimliche Furcht und den verſteckten Haß. Und nun wird, wie alle anderen im Dorf, auch dieſer eine die Nachricht hören, die ſchon morgen wie ein Lauffeuer von Tür zu Tür fliegen mußte: der Hornegger iſt kein Jäger mehr, er iſt entlaſſen, vom Grafen davongejagt! Wie wird dieſer eine aufatmen, erlöſt von ſeiner jahrelangen Furcht, wie wird er lachen in der Schadenfreude ſeines heimlichen Haſſes . . .

Da erloſch in Franzl plötzlich all dieſes quälende Denken, und wie zum Greifen wirklich ſaß er vor ſeinen Augen einen ſtehen: mit dünnem Lächeln auf den grauen Lippen, in den halb geſchloſſenen Augen einen funkelnden Blick, ſo heiß, wie ihn nur die Freude des befriedigten Haſſes kennt.

Ein Schauer rüttelte die Schultern des Jägers, und ins
Leere starrend, drückte er die Fäuste an seine Stirn.

„Hornegger? Was ist Ihnen?" fragte Tassilo und faßte
eine Hand des Jägers.

Taumelnd erhob sich Franzl. „Schauen S' mich an, Herr
Tassilo ... die Sach macht mich schon völlig verruckt! In
mir steigen Gedanken auf ... ich kann mir ja gar nimmer
helfen! Und da soll ich jetzt nunter ins Ort und soll ..." Die
Stimme versagte ihm fast. „Was wird mein Mutterl sagen!
Mar' und Josef! Mein Mutterl! Den Vater haben s' ihr am
Schragen bracht ... und ich komm so daher! Davongjagt mit
Schimpf und Schaub, als hätt ich 's ärgste Verbrechen an-
gstellt!"

Tassilo hatte Mühe, die Erregung zu beschwichtigen, die so
plötzlich aus dem bedrückten Herzen des Jägers hervorbrach.
Franzl wurde wohl ruhiger, je länger Tassilo zu ihm redete,
und schließlich bat er reumütig: „Sind S' mir net harb, Herr
Graf, daß ich Ihnen solche Unglegenheiten mach!" Aber die
Gedanken, die ihn vor dem Marterl seines Vaters befallen
hatten, wollten nicht mehr von ihm lassen — und als die beiden
auf dem breiter werdenden Wege Seite an Seite zum Wetterbach
niederstiegen, hörte Franzl nur mit halbem Ohr auf Tassilos
Ratschläge und auf seine Zusage, daß er schon in kurzer Zeit
einen guten Posten für ihn zu finden hoffe. Franzl erwachte erst
aus seiner Verlorenheit, als sie zu einer Stelle kamen, von
der man einen Teil des Dorfes überblicken konnte; das erste
Gehöft, das ihm in die Augen fiel, war das Brucknerhaus. Ein
schwerer Atemzug hob seine Brust, er nahm den Hut ab und
nickte trübselig vor sich hin: „Da wird's jetzt schlecht ausschauen ... mit uns zwei!" Doch trotz dieser hoffnungs-
losen Stimmung fuhr ihm eine merkwürdige Eile in die
Beine, als hätte er dort unten einen wirksamen Trost zu
erwarten.

„Ich mein', ich lauf ein bißl voraus," sagte er, „sonst
könnten wir gar z'lang auf ein Schiffl warten müssen!" Und
mit langen Schritten rannte er talwärts.

Als Tassilo bei sinkendem Abend den Wetterbach erreicht
und das frisch gezimmerte Brücklein überschritten hatte, blieb
er in tiefer Bewegung vor der öden Klause stehen. Der Wind
bewegte die knarrende Türe, und wenn sie sich öffnete, gähnte

das Innere wie eine schwarze Höhle. Auf der Marmortafel über der Türe war in der Dämmerung die halb verwitterte Inschrift kaum mehr zu erkennen.

„Hier wohnt das Glück!" flüsterte Tassilo vor sich hin und drückte, zu der Tafel aufblickend, die Wange an seinen Bergstock. Er entblößte nicht das Haupt und faltete nicht die Hände, wie der Jäger dort oben vor der Buche getan — aber auch ihm erfüllte ein schmerzliches Empfinden alle Tiefe seines Herzens. Er stand ja vor dem ‚Marterl' seiner Mutter . . .

Da klang vom Ufer her die rufende Stimme Franzls, der ein Schiff gefunden hatte. Es war das Boot des Fischers, und die beiden Fahrgäste mußten auf engem Platz zwischen triefenden Netzen sitzen. Tassilo befahl dem Schiffer, quer über den See zu fahren, und bezeichnete ihm die Villa, bei der das Boot anlegen sollte. Als die Steintreppe erreicht war, drückte Tassilo die Hand des Jägers und sagte: „Auf dem Heimweg komme ich zu Ihnen. Grüßen Sie mir einstweilen Ihre Mutter!"

„Vergeltsgott, Herr Graf!" stammelte Franzl mit einer Hast, als wäre ihm ein Wunsch erfüllt worden, den er nicht auszusprechen gewagt.

Tassilo eilte über die Stufen hinauf, und von der Villa klang eine Mädchenstimme: „Wer kommt?"

„Ich bin es, Anna!"

Ein leiser Schrei, fliegende Schritte auf dem Kies, dann wieder Stille. Nur das Ruder des Fischers plätscherte, und vor dem Bug des davongleitenden Nachens rauschte das Wasser.

Nach kurzer Fahrt landete das Boot vor dem Seehof. Franzl vergaß beim Aussteigen, dem Fischer Gruß und Dank zu bieten. In seiner ungestümen Eile schien er sogar den Weg zu verfehlen, denn statt den Fußpfad zur Linken einzuschlagen, der nach seinem Häuschen führte, rannte er nach rechts der Straße zu. Vor den Leuten, die ihm begegneten, drehte er das Gesicht auf die Seite und stellte sich, als hätte er ihren Gruß überhört. Immer rascher wurden seine Schritte, je näher er dem Haus des Bruckner kam, und heiße Röte schlug ihm über die erschöpften Züge, als er im dämmerigen Hofraum das Mädchen gewahrte, das bei einer Holzbeuge stand und den Arm mit Scheitern belud.

Franzls Stimme klang gepreßt und heiser: „Guten Abend, Mali!"

Da fielen die Holzscheite, die das Mädchen getragen, prasselnd zu Boden, und Mali, ohne einen Blick auf den Jäger zu werfen, mit weißen Gesichte, rannte der Haustür zu.

„Aber Mali!" stotterte Franzl. „Was hast benn? Ich bin's ja, der Franzl!"

Mali schien nicht zu hören, nicht zu sehen. Noch ehe sie das Haus erreichte, streckte sie schon die Hände nach der Türe. Auf der Schwelle zögerte sie und brehte halb das Gesicht; dann verschwand sie im finsteren Flur, hinter ihr fiel die Türe zu, und brinnen klirrte der eiserne Riegel.

Franzl griff sich wie betäubt an den Kopf und guckte in der Dämmerung umher, als hätte er das rechte Haus verfehlt.

„Ja heilige Mutter . . . was is denn jetzt das?"

Mit langen Sprüngen eilte er durch den Hof, warf den Bergstock auf die Bank und faßte die Türklinke. „Mali! Mali!" rief er und rüttelte an der versperrten Türe. „Ich bitt dich um Gottswillen . . . was hast benn?"

Er lauschte auf Antwort, doch im Hause blieb alles still.

Wieder zerrte er an der Türe. „Mali! So mach doch auf! Ich bin's ja, ich, der Franzl!"

Er legte das Ohr an die Bretter und verhielt den Atem. Von der Küche her vernahm er das Geknister des Herdfeuers und hörte im Flur eine wispernde Kinderstimme, die plötzlich verstummte, als hätte sich eine Hand auf den kleinen, vorwitzigen Mund gedrückt, um ihn zu schließen.

Dem Franzl wirbelte der ganze Verstand. Ein paarmal riß er noch an der Klinke; dann griff er nach seinem Bergstock und taumelte auf die Straße hinaus. Als hinter ihm das Zauntürchen zufiel, sah er sich langsam um und betrachtete die grauen Latten. Er ging und wußte nicht, welchen Weg er nahm. In seinen Ohren begann ein bumpfes Summen — war das in seinem Kopf, oder war es die Kirchenglocke, die den Abendsegen läutete? Auch fallende Tropfen meinte er zu spüren und streckte mechanisch die Hand aus. Richtig, es regnete, und da begann er flinker auszuschreiten. Immer dichter fiel es aus den Wolken, alles in der Runde wurde grau, und hinter dem trüben Schleier verschwanden die Berge.

Von Franzls Kleidern troff das Wasser nieder, und es quietschte in seinen Schuhen. Er ging und ging — und als er einmal aufblickte, sah er, daß er vor dem Parktor von Schloß

Hubertus stand. „Ja wo bin ich denn jetzt hinlaufen?" stammelte er und kehrte seufzend wieder um . . .

In dicken Strömen prasselte der Regen über die Kronen der Ulmen, und auf den Kieswegen des Parkes gurgelten die wachsenden Bächlein. Das sinkende Dunkel verhüllte all dieses endlose Gießen und Triefen.

Es ging schon auf Mitternacht, als Tassilo heimkehrte, in einen dicken Lodenmantel gehüllt, den ihm Franzl geliehen. Er klopfte an ein Fenster, und einige Minuten später öffnete ihm Fritz die Türe, mit erhobener Kerze, halb angekleidet, verwundert und erschrocken: „Um Gottes willen! Sie, Herr Graf! So spät! Und ganz allein! In einer solchen Nacht! Ist denn irgend etwas passiert?"

„Nein!" erwiderte Tassilo ruhig. „Ich komme nur heim, weil ich morgen nach München muß. Sehen Sie zu, daß ich noch eine Tasse Tee bekomme . . . und dann helfen Sie mir packen. Den Wagen für morgen hab ich bereits bestellt."

„Einen fremden?" fragte der Diener verblüfft.

„Ja. Ich will Papas Pferde nicht in Anspruch nehmen, bei diesem Wetter!" Ein bitteres Lächeln zuckte um Tassilos Lippen, während er den triefenden Mantel von den Schultern nahm. „Meine Schwester schläft wohl schon?"

„Jawohl, Herr Graf! Aber denken Sie nur, was heute geschehen ist." Und mit sprudelnden Worten erzählte Fritz, was sich am Vormittag in der Ulmenallee ereignet hatte.

Wortlos hörte Tassilo die Geschichte an; doch als er von der Verwundung vernahm, die das Fräulein von Kleesberg davongetragen, nickte er und murmelte vor sich hin: „Die Adler meines Vaters greifen scharf!"

Fritz deutete diesen Einwurf nach seinem Wortlaut, und um Tassilo zu beruhigen, berichtete er, daß der Doktor die Sache nicht gar so schlimm gefunden und eine rasche Heilung prophezeit hätte. Auch wäre Fräulein von Kleesberg am Abend fieberfrei und ohne Schmerzen gewesen, nur noch ‚ein wenig schreckhaft und verstört'. Aber ‚unsere liebe Konteß', die doch glücklicherweise durch das ‚kuraschierte Zugreifen des Herrn Malers' allem Unheil entronnen wäre, hätte sich die Sache ‚recht zu Herzen genommen' und wäre den ganzen Tag mit blassem Gesicht und verweinten Augen umhergegangen.

Als Fritz seinen wortreichen Bericht geschlossen hatte, stand

Tassilo noch eine Weile schweigend. Dann ging er zur Treppe und sagte flüsternd: „Machen Sie keinen Lärm, damit die Damen in ihrer Ruhe nicht gestört werden." In seinem Zimmer setzte er sich vor den Schreibtisch. Es waren nur wenige Zeilen, die er an Robert richtete, um dem Bruder seine bevorstehende Vermählung mit Anna Herwegh anzuzeigen. Der Brief an Willy wuchs zu acht engbeschriebenen Seiten an.

An Forbeck schrieb er: „Lieber Freund! Es ist mir von Herzen leid, daß ich Hubertus verlassen soll, ohne Ihnen die Hand zu drücken, ohne mich noch einmal an den Fortschritten Ihres Bildes zu erfreuen. Aber mit ihrem schönen Werke hoffe ich im Glaspalast ein erfreuliches Wiedersehen zu feiern. Und was uns beide betrifft, so können Sie selbst unsere Trennung zu einer kurzen machen, wenn Sie mir die Bitte erfüllen wollten, meiner am zweiten September stattfindenden Trauung als mein Zeuge beizuwohnen. Sie waren der erste, dem ich mich anvertraute — seien Sie nun auch der erste, der mir an der Schwelle meines neuen Lebens die Hand zum Glückwunsch reicht. Eine fröhliche Hochzeit kann ich Ihnen freilich nicht in Aussicht stellen. Mein Vater und meine Geschwister werden fehlen. Ein kurzer Satz — und welche Summe von Bitternis schließt sich in diese wenigen Worte! Es ist mir nicht gelungen, diesen dunklen Schatten von meinem sonnigen Glücke abzuwehren. Was ich gefürchtet habe, ohne es glauben zu können, ist eingetroffen — schlimmer, als ich es mir jemals vorgestellt! Ihre schützende Hand hat heute meine Schwester vor dem Griff des Adlers bewahrt, ich aber habe dort oben seine Klaue gespürt. Die Wunde ist häßlich tief gegangen. Sie brennt mich doppelt in dieser Stunde, in der ich mich weniger um mich selbst, als um andere sorge, die ich liebe. Der Adler, der heute ausgeflogen, war nicht der erste, und ich fürchte, er wird nicht der letzte sein. Der Käfig unter den Ulmen steht noch lange nicht leer . . ."

Tassilo legte die Feder nieder und drückte die beiden Hände an seine Stirn. So saß er lange; dann schloß er mit hastigen Zügen den Brief und löschte die Lampe. Er legte sich wohl zur Ruhe, doch er vermochte kein Auge zu schließen.

Draußen rauschte der Regen, es gluckste und gurgelte um die Mauern, und mit klatschenden Schlägen peitschte der Wind die schweren Tropfen an die Fensterscheiben.

Als Fritz gegen acht Uhr morgens das Frühstück brachte, fand er Tassilo schon angekleidet und zur Reise fertig.

„Schläft meine Schwester noch?"

„Nein, Herr Graf, die Komteß sind im Zimmer bei Fräulein von Kleesberg und haben soeben um den Tee geklingelt."

Fritz hatte noch nicht ausgesprochen, als Kitty auf der Schwelle erschien, mit lose geknoteten Haaren, das verhärmte Gesichtchen so weiß wie ihr Morgenkleid. „Tas?" stammelte sie und starrte ihn erschrocken an, während der Diener das Zimmer verließ.

Tassilo brauchte nicht zu sprechen. Kitty sah die gepackten Koffer, die öde Unordnung des Zimmers, die kuvertierten Briefe auf dem Schreibtisch, und las in den Augen des Bruders, was seine unerwartete Heimkehr von der Jagdhütte und diese plötzliche Abreise bedeutete. Mit ersticktem Schrei eilte sie auf ihn zu und klammerte sich an seinen Hals. Er zog sie zum Diwan und suchte sie zu beruhigen. Doch während er erzählte, was er erzählen durfte, ohne ihr kindliches Empfinden zu verletzen und den Vater bloßzustellen — während er sie mit kommenden Zeiten zu trösten suchte und für alles die mildeste Farbe wählte, brach immer wieder der fassungslose Schmerz aus ihr hervor, bald in wirren, abgerissenen Worten, bald mit strömendem Schluchzen. Dann plötzlich sprang sie auf und faßte den Arm des Bruders. „Komm, Tas! Wir wollen zu Anna! Ich muß sie sehen . . . ich muß zu ihr!"

Er zog sie wieder an seine Seite und sagte ihr, daß auch Anna Herwegh mit Mutter und Schwester noch an diesem Morgen die Reise nach München anträte.

„Und ich soll sie niemals wiedersehen? Dich nicht? Und Anna nicht? Nein, Tas, nein . . . das kann und darf Papa nicht von mir verlangen. Ich habe auch meinen Willen, und ich setz ihn durch! Ich halte zu dir, Tas . . . da kann geschehen, was will! Und wenn wir wieder in München sind . . . Papa wird ja ohnehin wieder reisen und jagen, immer jagen . . . da will ich einmal sehen, wer mich abhalten soll, zu euch zu kommen! Früh um acht Uhr komm ich schon und bleibe den ganzen Tag! Ach, wie schön das sein wird . . . euer Glück sehen . . . immer nur euer Glück . . ." In Tränen erloschen ihre Worte, und wieder warf sie sich an den Hals des Bruders.

Er küßte sie auf die Stirne und streichelte ihr schimmerndes Haar.

Nun fuhr sie wieder auf, verstört, mit irrem Blick. „Aber sage mir, Tas, wie hat denn nur Anna die entsetzliche Nachricht aufgenommen? Wie muß ihr dieses Zerwürfnis das Herz bedrücken, all ihr Glück und ihre Freude trüben! Wie muß ihr bange sein in dieser Stunde!"

„Ja, Schwester, bedrückend bange! Doch sie ist nicht ohne Trost. Sie liebt . . ." Dunkle Röte glitt über Tassilos abgespannte Züge, „und Liebe ist eine feste Brücke! Vertraue ihr, und sie trägt dich hinweg über alle Tiefe . . . laß dich führen von ihrer lieben Hand, und immer ist es der rechte Weg, auf den sie dich leitet."

Kittys Hände waren in den Schoß gesunken. Die bleichen Wangen von Tränen überronnen, blickte sie mit großen Augen zu ihrem Bruder auf.

Es klopfte an der Türe, und Kitty erwachte wie aus tiefem Traum. Hastig sprang sie auf und eilte zum Fenster, um ihr verweintes Gesicht zu verbergen.

Fritz und der Stallbursche kamen, um die beiden Koffer zu holen. Tassilo trat zum Schreibtisch und rief den Diener: „Diesen Brief an meinen Bruder Robert soll Moser mit hinauf zur Jagdhütte nehmen. Und diesen anderen, an Herrn Forbeck, bitte ich im Laufe des Vormittags zu besorgen."

Kitty machte eine jähe Bewegung, als sie diesen Namen hörte; und kaum hatten die beiden Diener das Zimmer verlassen, flog sie auf Tassilo zu und stammelte: „Du hast an Herrn Forbeck geschrieben? Warum?"

„Um mich von ihm zu verabschieden. Auch hab ich ihn gebeten, meiner Trauung als Zeuge beizuwohnen."

„Er . . . bei deiner Trauung? Und ich soll fehlen? Ich? Deine Schwester?" In Schluchzen erstickten ihre Worte. Tassilo zog sie an seine Brust. Und da brach es aus ihr heraus: „Ach, Tas, ich bin namenlos unglücklich!" Zitternd schmiegte sie sich in seine Arme, und in einem Sturz von Tränen löste sich ihre stürmische Erregung. Endlich richtete sie sich auf und streifte die Hände über das nasse Gesicht. „Eine Bitte noch, Tas . . . Annas Bild mußt du mir lassen . . . schließ nur den Koffer wieder auf!"

„Es ist nicht eingepackt . . . hier liegt es schon für dich!"

Er öffnete am Schreibtisch eine Lade und reichte ihr das Bild, das sie mit Küssen bedeckte. „Und diesen Brief sollst du mir besorgen, er ist für Willy."

„Für Willy? Ich verstehe ... Papa soll nicht wissen, daß du ihm geschrieben hast! Gib nur her! Und Willy ist für dich, nicht wahr? Wenn er noch schwanken sollte ... sei ohne Sorge ... den bring ich schon herum! Er ist ein leichtsinniges Huhn, aber ein guter Kerl, ich kenne ihn!" Mit zitternden Händen verwahrte sie den Brief in ihrer Tasche. „Und nun komm, Tas! Du mußt dich von Tante Gundi verabschieden. Und wir wollen uns zusammennehmen, damit die Arme nicht merkt, was vorgeht ... die Erregung könnte ihr schaden! Oder weißt du am Ende noch gar nicht, was gestern ..."

„Fritz hat mir alles erzählt."

„Was sagst du, wie Tante Gundi sich benommen hat! Großartig! Geradezu großartig! Weißt du, wenn ich das getan hätte ... das wäre noch begreiflich ... schließlich ist man ja doch nicht umsonst in Hubertus geboren ... und Herr Forbeck war in ernster Gefahr. Aber denke dir: sie! Sie! Ich sehe sie seit gestern mit ganz anderen Augen an! Aber komm, Tas, komm!" Energisch trocknete sie die Wangen, nahm das Bild unter den Arm und zog den Bruder zur Türe. Dabei merkte sie nicht, daß Tassilo sie mit forschendem Blick betrachtete und wie in banger Sorge jeden Zug ihres heißerregten Gesichtes prüfte.

Als sie in den dunkleren Flur hinaustraten, streifte er mit der Hand über die Stirn und schüttelte den Kopf, als wollte er einen Gedanken, der sich ihm aufgedrängt, von sich abwehren.

Fräulein von Kleesberg machte, als Tassilo und Kitty in ihr Zimmer kamen, einen Versuch, sich im Bette aufzurichten; doch es gelang ihr nicht; der dickverbundene Arm, der mit einer Doppelschlinge gefesselt war, lag schwer auf der blauen Seidendecke. Die Frisur war tadellos, die Wangen hatten ihren zarten Puderflaum, die Lippen ihr gleichmäßiges Rot und die Brauen ihre tiefe Schwärze. Aber dieses Verschönerungswerk, das die Kammerfrau in aller Eile an der Patientin geübt hatte, war doch nicht so glücklich geraten wie sonst. Zwischen den zarten Farben lugte die welke Haut mit gelblichen Flecken hervor; das gab dem Gesichte einen müden, trübseligen Ausdruck, den der bittere Zug um die Mundwinkel und der ängstliche Blick der kummervollen Augen noch verschärfte. Wer dieses Gesicht betrachtete, hätte glauben mögen, daß die Gundi Kleesberg nicht nur ein übel verlaufenes Abenteuer, sondern eine ihr ganzes Wesen erschütternde seelische Katastrophe erlebt hätte.

Während Tassilo sich neben dem Bett auf einen Sessel niederließ, huschte Kitty in ihr Zimmer und stellte Annas Bild auf den Ehrenplatz, den die Photographie der Soeur supérieure mit einem dunklen Winkelchen vertauschen mußte, obwohl die unter das würdevolle Konterfei geschriebene Widmung mit den Worten endigte: „Gardez-moi la place que mon amour maternel a meritée dans votre coeur!"

Tiefe, jäh erwachende Empfindungen sind rücksichtslose Gewalttäter, die das Neue umklammern und das Alte verdrängen. Wie lange wird es währen, und auch das Bild der schönen Schwägerin wird den Ehrenplatz wieder räumen müssen?

An die Möglichkeit eines solchen Wechsels schien Kitty in dieser Stunde freilich nicht zu denken. Mit abgöttischer Andacht hingen ihre Blicke an dem Bild, und traumverloren flüsterte sie vor sich hin: „Wie er glücklich sein wird! Ach, wie glücklich!"

Als sie hörte, daß Tassilo sich erhob und von Tante Gundi Abschied nahm, geriet sie einen Moment in jammervolle Verwirrung, schoß im Zimmer umher und griff nach den unmöglichsten Dingen, bevor ihr klar wurde, daß sie einen Mantel umnehmen und die leichten Pantöffelchen mit festeren Schuhen vertauschen wollte.

Tassilo trat ein, zog hinter sich die Türe zu und streckte zum letzten Abschied die Arme nach der Schwester. Lange hielten sie sich umschlungen, wortlos, Wange an Wange gedrückt; endlich löste Tassilo mit sanfter Gewalt Kittys Arme von seinem Hals. „Komm, mein gutes Kerlchen, laß uns vernünftig sein! Und bleibe hier! Es würde uns beiden schwer sein, vor den Leuten drunten ruhig zu erscheinen."

„Nein, Tas, nein, ich bitte dich . . . nur in den Flur hinunter! Ich werde die Zähne übereinander beißen . . . ich bitte dich, Tas . . ."

„So komm!"

Arm in Arm stiegen sie über die Treppe hinunter — und wirklich, Kitty benahm sich wie eine Heldin. So ruhig, als gälte es nur eine Trennung für wenige Tage, schüttelte sie unter der

Flurtüre die Hand des Bruders und sagte: „Glückliche Reise,
Tas, und auf baldiges Wiedersehen!"

Doch als sich der Wagen schon in Gang setzte und Tassilo
sich unter dem Lederdach herausbeugte, um der Schwester noch
einmal mit der Hand zu winken — da streckte sie die Arme
nach ihm, rannte in den Regen hinaus und sprang in den
Wagen.

„Aber Kind . . ."

„Ich bitte dich, Tas, nur bis zum Tor!" Sie taumelte in
dem holpernden Gefährt, kam auf Tassilos Knie zu sitzen, und
als der Kutscher halten wollte, puffte sie ihn mit der Faust in
den Rücken. „Vorwärts! Vorwärts!"

Der Wagen rollte unter den triefenden Ulmen dahin und
machte, als er am Adlerkäfig vorüberkam, die Vögel scheu durch-
einanderflattern. Unter dem schützenden Lederdächlein hielt Kitty
den Bruder umschlungen und lispelte: „Ich sage dir, Tas, läge
nicht jetzt die arme Gundi krank da droben und hätte mich nötig,
ich ginge mit dir . . . mich brächten zehn Pferde nicht mehr aus
dem Wagen!" Da hörte sie auf der Straße das Rollen einer
Kutsche. In Schreck und Erregung fuhr sie auf. „Tas? Hörst
du den Wagen nicht? . . . Wenn es Anna wäre!"

Tassilo sah in der Toröffnung die Köpfe zweier Schimmel
auftauchen. „Ja! Das ist ihr Wagen."

„Anna! Anna! Anna!" schrie Kitty wie von Sinnen, riß
sich aus Tassilos Händen los, sprang aus dem Wagen und
rannte durch alle Pfützen der Straße zu. Draußen hielt die
Kutsche, und als der Schlag sich öffnete und Anna Herwegh den
Fuß auf das Trittbrett setzte, hing ihr Kitty schon am Hals
und schluchzte unter Küssen: „Hab ihn lieb, Anna, hab ihn
lieb . . . mach ihn glücklich . . . ich will dich vergöttern dafür . . ."

Schmerz und Erregung machten sie halb betäubt, sie hörte
stammelnde Worte, ohne sie zu verstehen, sie fühlte Händedrücke,
Umarmungen, Küsse — und als sie endlich ihrer Sinne wieder
mächtig wurde, sah sie die beiden Wagen im Regen davonrollen
und gewahrte Fritz, der neben ihr stand und einen Regenschirm
über ihr Köpfchen hielt, in dessen zerzausten Haaren die Wasser-
perlen glitzerten.

„Ich bitte, Komteß, kommen Sie," mahnte Fritz, „Komteß
werden sich einen Schnupfen zuziehen."

„Einen Schnupfen . . ." wiederholte sie gedankenlos und

starrte ihn an wie ein vorsündflutliches Wundertier. Die Knie
drohten ihr zu brechen, und mit zitternden Händen tastete sie
nach den triefenden Eisenstäben des Torgitters.

Fritz wagte keine weitere Mahnung auszusprechen; geduldig stand er und hielt den Regenschirm. Endlich richtete sich
Kitty auf, nahm den Schirm und trat mit müden Schritten
den Rückweg zum Schlosse an.

Fritz wollte das Tor schließen, doch von der Straße rief eine
Stimme: „Auflassen!"

Zwei Bauern brachten einen großen Handkarren gezogen,
auf dem die beiden von Robert gestreckten Gemsböcke lagen —
und der Sechzehnender, dessen mächtiges Geweih zu beiden
Seiten des Karrens weit herausragte über die mit Rot be-
hangenen Räder.

Ludwig Ganghofers

Gesammelte Schriften

Erste Serie

Ludwig Ganghofers Gesammelte Schriften

Volksausgabe

Erste Serie
in 10 Bänden

Zweiter Band

Stuttgart, Adolf Bonz & Comp.

Druck von A. Bonz' Erben in Stuttgart.

Schloß Hubertus

Roman in 2 Bänden von

Ludwig Ganghofer

Volksausgabe

Zweiter Band

Stuttgart, Adolf Bonz & Comp.

1.

Ueber der langen Kette der Berge hingen die Regenwolken, grau in blau getönt. Doch je weiter es hinausging gegen das Vorland und die Ebene, desto freundlicher wurde der Himmel wieder. Mit sommerlichem Stillvergnügen lächelte die Morgensonne über den Lauf der Isar und über die gute Stadt München herab, machte die Knäufe der Frauentürme funkeln und vergoldete die Dächer.

Unter den wenigen Passanten, die an diesem Morgen der letzten Augustwoche die breite Ludwigsstraße spärlich belebten, fiel die hohe, vornehme Gestalt eines etwa fünfzigjährigen Mannes auf, in grauem Sommerpaletot und schwarzem Filzhut. Das Haar, das in kurzen, glatten Strähnen unter dem Hutrand hervorquoll, hatte noch sein tiefes Braun, während der schmale Vollbart schon eine leichte graue Melierung zeigte. Ein mildes, gedankenvolles Lächeln, wie es starken, im Kampfe mit dem Leben gefesteten Naturen eigen ist, milderte den Ernst der durchgeistigten Züge. Man würde den Künstler in ihm erraten haben, auch wenn er nicht, wie eben jetzt, den Weg zur Akademie genommen hätte.

Weder in den jungen Parkanlagen, welche die Akademie umgeben, noch in dem prunkvollen Treppenhaus begegnete ihm eine Seele. Im obersten Stocke hielt er vor einer Türe, die ein kleines Porzellanschild trug — ‚Professor Georg Werner‘ — und darunter eine mit Reißnägeln befestigte Visitenkarte: ‚Hans Forbeck‘. Das mächtige Atelier, dessen Nordwand ein einziges Riesenfenster bildete, machte trotz seines Umfanges den Eindruck anheimelnder Behaglichkeit. Staffeleien von verschie-

bener Größe standen umher, und eine von ihnen trug Professor
Werners jüngste Arbeit, ein meterbreites Bild, das der Voll-
endung nahe war und bereits seinen Goldrahmen hatte, auf
dem ein kleines Täfelchen den Namen des Künstlers und den
Titel des Bildes nannte: ‚Die lange Straße‘. Ein Meisterwerk
von fesselnder Gedankenfülle! Und wie einfach doch der Vorwurf! Zwischen herbstlich belaubten Waldhügeln und zwischen
Brachfeldern und kahlen Wiesen, hinter denen zuweilen mit
mattem Schimmer der geschlängelte Lauf eines Baches auf-
leuchtet, zieht eine gerade, staubige Pappelallee in fast endlos
scheinende Ferne. Das Zwielicht eines nebeligen Herbsttages, der
sich zu seinem Ende neigt, liegt wie ein Schleier über der Landschaft, und nur am Horizonte glänzt ein helles Licht, als wäre
in jener Ferne reiner Himmel und schöne Sonne. Inmitten der
Straße steht ein bejahrter Mann; er hat ein schweres Bündel,
das er auf dem Rücken getragen, zu Boden gestellt — man sieht
es seiner Haltung an: die Last der weiten Wanderung hat ihn
müde gemacht — und nun deckt er die Hände über die Augen und
späht sehnsüchtig in jene lichte Ferne, in der ihm das Ziel
und die Ruhe winkt.

Werner trat vor die Staffelei und betrachtete das Bild mit
ruhig prüfenden Blicken. Doch als er nach der Palette greifen
wollte, sah er auf dem Maltisch eine Depesche liegen. Er öffnete
sie und las:

‚Ich bitte dich, Werner, komm — dein Hans!‘

Betroffen sah er auf das Blatt nieder und fuhr mit
der Hand über die Stirne. „Was soll das heißen? Wie kann
er bei gesunder Vernunft eine solche Depesche schicken, solch
ein halbes Wort, von dem er sich doch denken muß, daß es mich
besorgt und unruhig macht? Der Junge wird mir doch ums
Himmels willen nicht krank geworden sein? Und liegt nun da
draußen . . . ach, du lieber Gott!“

Im Sturmschritt ging es zum Tor hinaus und nach der
Wohnung, die in der nahen Adalbertstraße lag — das Nötigste
für einige Tage war schnell zusammengerafft — und bevor eine
halbe Stunde vergangen war, saß Werner in einer Droschke
und fuhr zum Bahnhof, um gerade noch rechtzeitig vor Abgang des Zuges einzutreffen.

Nach zweistündiger Fahrt erreichte er die Station, von der
die Sekundärbahn in die Berge abzweigte. Hier mußte er fünf-

zehn Minuten auf den Abgang seines Zuges warten — und das schien für ihn eine schwere Geduldprobe zu sein. Beinahe gleichzeitig kamen zwei Züge. Ein Schwarm von Reisenden, Gebirgstouristen und Landleuten ergoß sich aus dem einen und suchte in dem anderen, nach München gehenden Zuge unterzukommen. Mit zerstreuten Augen streifte Werner dieses wirre, lärmende Getriebe. Plötzlich schärfte er den Blick und musterte einen Herrn, der soeben in ein Coupé erster Klasse steigen wollte. „Richtig, er ist es! . . . Doktor Egge!"

Tassilo erkannte den Professor und streckte ihm die Hand entgegen.

„Doktor! Kommen Sie von Hubertus? Ich bitte, sind Sie da draußen nicht mit Forbeck zusammengetroffen?"

„Gewiß! Und ich habe . . ."

Werner ließ ihn nicht aussprechen. „Was ist denn nur los mit dem Jungen? Was fehlt ihm? Sehen Sie nur die Depesche, die er mir geschickt hat!" Werner zerrte das Blatt aus seiner Tasche.

Tassilo las und blickte betroffen auf.

Eine Glocke läutete, und die Kondukteure schrien: „München! Höchste Zeit!"

Lächelnd gab Tassilo dem Professor die Depesche zurück. „Ich glaube zu wissen, was hinter der Sache steckt. Allerdings sollte ich Ihnen die Ueberraschung nicht verderben . . . aber Sie sind in Sorge. Forbeck hat ein Bild begonnen . . . ich habe den Entwurf gesehen und bin überzeugt, daß die Arbeit Aufsehen machen wird . . . ich merke mich bei Ihnen gleich als Käufer vor. Er ist Feuer und Flamme für diese Arbeit, und da vermute ich, daß er plötzlich ungeduldig wurde und Ihr Urteil nicht mehr erwarten kann. Aber verzeihen Sie . . . mein Zug! Grüßen Sie mir Forbeck! Und auf Wiedersehen!"

Der Zug war schon zur Halle hinausgedampft, und noch immer stand Werner auf dem gleichen Fleck. Aber alle Sorge war aus seinen Zügen gewichen, und in froher Helle blickten seine Augen. Er rückte den Hut und atmete auf. „Gott sei Dank! . . . Ein Bild? . . . Na also, Junge, da bin ich neugierig!"

Gegen fünf Uhr abends erreichte er das von Wolken überlagerte Dorf, stieg beim Seewirt ab und ließ sich von einem Knaben nach Forbecks Wohnung führen. Als er den Bruckner-

hof betrat, kam gerade der Bauer aus der Türe; mit Interesse
betrachtete Werner die stämmige, zähe Gestalt und das bleiche,
vom schwarzen Bart wie von einem düsteren Schatten um-
rahmte Gesicht; Bruckner aber schien diesen prüfenden Blick
mit Unbehagen zu empfinden und fragte nicht sonderlich freundlich: „Was schafft der Herr?"

„Wohnt bei Ihnen Herr Forbeck aus München?"

„Ja, Herr!" nickte der Bauer und schlug einen anderen Ton
an. „Aber er is net daheim. Eine halbe Stund kann's her sein,
da is er, glaub ich, gegen 's Schloß naus gangen. Aber ich bitt,
Herr, kommen S' doch eini ins Haus. Ich führ Ihnen gleich
nauf in sein Stüberl. Da können S' warten auf ihn."

Bruckner gab die Türe frei, und Werner trat in den Flur. —

Der Bauer hatte sich in seiner Vermutung nicht getäuscht;
wenige Minuten früher, ehe Werners Einspänner an Schloß
Hubertus vorübergefahren war, hatte Forbeck den Park betreten,
um sich nach Fräulein von Kleesbergs Befinden zu erkundigen.
Er hörte von Fritz, daß ‚die Sache den günstigsten Verlauf
nähme', und daß die Patientin bereits einen Teil des Nach-
mittages außer Bett zugebracht hätte.

„Ich bitte nur, zu verzeihen," sagte der Diener mit einer
Verbeugung, „daß ich Sie den Damen nicht melden kann.
Fräulein von Kleesberg haben sich schon wieder zur Ruhe be-
geben, und auch Konteß Kitty befinden sich unpäßlich."

Wortlos gab Forbeck zwei Karten ab und trat den Rückweg
an. Er meinte die Ursache von Kittys Unpäßlichkeit erraten zu
können — Tassilos Brief war ihm bestellt worden — und er
sagte sich, daß dieses Zerwürfnis, das sich zwischen Vater und
Sohn vollzogen hatte, auch auf Kitty, die mit so zärtlicher Liebe
an dem Bruder hing, eine erschütternde Wirkung geübt haben
mußte. Er sah in Gedanken ihr bleiches Gesichtchen, ihre verstörten Augen, die Tränen auf ihren Wangen — und ein bedrückendes Schmerzgefühl umklammerte ihm die Seele.

Auch etwas anderes lag noch auf ihm, dumpf und lastend;
das hatte ihn befallen, als er Tassilos Brief gelesen, und wollte
nicht mehr von ihm weichen. Ihm war, als hätte sich vor
dem Weg seines Lebens eine Tiefe aufgetan, über die sich keine
Brücke mehr spannen wollte.

Müden Schrittes folgte er der Ulmenallee. Ein gellender
Vogelschrei weckte ihn aus seinem Brüten. Er stand vor dem

Käfig, in dem die Adler mit heißer Gier die blutige Leber des Sechzehnenders verschlangen. Lange betrachtete er die Vögel. Jeder von ihnen hatte seinen Anteil erhascht und hielt ihn unter den gespreizten Fängen; ein Riß mit dem Schnabel, und ein dicker Knollen bewegte sich unter Würgen langsam durch den Hals hinunter, an dem sich die Federn sträubten. Manchmal hielt der eine und andere der Vögel in seiner Mahlzeit inne, duckte den Kopf zwischen die Flügel und spähte mit funkelndem Blick nach Forbecks Augen.

Eine seltsame Erinnerung befiel ihn — ihm war, als hätte er diesen gleichen Blick vor gar nicht langer Zeit im Gesicht eines Menschen gesehen — diesen scharfen, mißtrauischen Falkenblick! Ein Schauer rann ihm durch das Herz, und aufatmend wandte er sich ab. Raschen Ganges gewann er die Straße. Als er das Brucknerhaus erreichte, sah er Mali, die mit dem Netterl auf den Armen im Hofraum stand, hastig gegen die Scheune gehen — das hatte beinahe den Anschein, als wollte das Mädchen eine Begegnung mit ihm vermeiden. Aber er war nicht in der Stimmung, lange über diese ihm unverständliche Wahrnehmung nachzudenken. Er trat ins Haus; auf der Treppe hielt er betroffen inne und lauschte — es war ihm vorgekommen, als hätte er in seinem Zimmer rasche Tritte gehört. Aber er mußte sich getäuscht haben, denn als er die Stube betrat, war sie leer. Doch fiel es ihm auf, daß sein Bild unverhüllt auf der Staffelei stand — und er hatte doch, als er vor einer Stunde die Arbeit unterbrochen, die Leinwand wie gewöhnlich mit einem Tuche bedeckt, um die frischen Farben gegen den Staub zu schützen; nun lag das Tuch auf einem Sessel, auch die Staffelei stand anders, als hätte sie jemand in das Licht des Fensters gerückt — und am unteren Rand des Bildes war ein weißer Zettel befestigt. Befremdet ging Forbeck auf die Leinwand zu und sah, daß der Zettel in einer ihm wohlbekannten, festen Handschrift zwei Worte trug: ,Goldene Medaille!'

„Werner!" stammelte er, und glühende Röte ergoß sich über seine Züge. Da klang hinter ihm ein frohes Lachen, und als er sich umwandte, stand Werner auf der Schwelle der Schlafkammer, mit strahlenden Augen.

„Hans! Junge! Du hast mir einen Willkomm bereitet, wie ich ihn mir bei allem Vertrauen zu deinem Talent nicht hätte träumen lassen!" Glücklich und lachend zog Werner den Wortlosen an seine Brust und küßte ihn auf beide Wangen.

Forbeck brachte keine Silbe über die zuckenden Lippen, doch seine Augen hatten den Blick eines Trunkenen. Er fühlte, daß diese Zärtlichkeit seines Lehrers für ihn ein Lob bedeutete, wie es kein Wort ihm hätte spenden können.

Draußen wollte schon der Abend sinken, und dennoch wurde es plötzlich heller in der Stube. Die Wolken hatten sich geklüftet, und eine leuchtende Flut von goldenem Sonnenschein ergoß sich über das Tal und seine Häuser.

Werner war vor das Bild getreten. Breitspurig stand er, die Fäuste in die Hüften gestützt, und schüttelte immer wieder den Kopf, als wüßte er seines freudigen Staunens noch nicht Herr zu werden. „Sag mir, Hans, wie hast du es denn nur angestellt, das da fertig zu bringen in diesen lumpigen paar Tagen? Das muß ja aus dir herausgefahren sein wie ein Löwensprung! Und dieser herrliche Gedanke! Wie glücklich du das gefunden hast: diesen Ueberschlag vom letzten Augenblick der Ruhe in den tobenden Sturm! Wie das kämpft miteinander: das weichende Licht in seiner letzten, gesteigerten Schönheit, und die anstürmenden Schatten in ihrer Wucht und Tiefe! Und diese Landschaft! Wo hast du nur diesen gesegneten Fleck Erde entdeckt? Und diese Menschen! Namentlich dieses Pärchen da! Wie du das gemalt hast! Junge! Das ist mehr als ein gelungener Diebstahl an der Natur, das ist eine künstlerische Offenbarung. Ich habe immer große Stücke von dir gehalten, aber was du da geleistet, das hast du in dir aus einer Tiefe herausgeholt, in die ich bei allem Eifer, mit dem ich dich studierte, noch keinen Blick getan. Du hast alle Schule von dir abgeschüttelt und hast dich auf eigene Füße gestellt. Hans! Jetzt bist du wer!" Werner schlug seine Hand auf Forbecks Schulter und sah ihm mit glücklichem Stolz in die Augen; dann fügte er lachend bei: „Um mir das zu sagen, hättest du in deinem Telegramm auch etwas weniger mit den Worten sparen dürfen! Ich habe natürlich in der ersten Verblüffung dein Orakel falsch gedeutet und glaubte schon, daß du krank wärst. Und jetzt diese Freude!" Er lachte wieder.

Forbeck strich mit der Hand über die Stirne, der Glanz seiner Augen erlosch, und wie in schmerzvoller Bitterkeit zuckte es um seine Lippen. Er wollte sprechen, doch Werner ließ ihn nicht zu Worte kommen.

„Aber jetzt diesen Zettel weg!" sagte er und zerknüllte das Blatt, das er an die Leinwand geheftet hatte. „Denn weißt du, Junge, das war nur so für die erste Freude. Jetzt kommt der Ernst an die Reihe. Für mein Urteil ist das Bild auch jetzt schon fertig, aber bis es in den Rahmen taugt, wird es noch ein tüchtiges Stück Arbeit brauchen. Und da sollst du mir keine Zeit verlieren. Unsere italienische Reise schieben wir auf, Italien läuft dir nicht davon. Aber die Stimmung, in der du das begonnen hast . . . die müssen wir halten wie mit Eisen. So etwas verträgt keinen Riß, das will sich ausströmen in einem einzigen Zug. Morgen kutschieren wir mit unserem Schatz nach Hause, und dann gib mal acht, Junge, wie wir beide loslegen wollen: du bei der Arbeit, und ich in der Freude an dem, was ich werden sehe. Das heißt . . ." Werner lachte, „ohne ein paar Hahnenkämpfe wird es zwischen uns nicht abgehen, denn hier . . . und hier . . ." er deutete auf verschiedene Stellen des Bildes, „weißt du, da hab ich so meine Bedenken! Aber diese ganze Mittelgruppe, das ist unglaublich schön! Da sollst du mir keinen Strich mehr ändern! Dieser Jäger! Wie er dasteht in seiner gesunden Kraft! Und dieses Lachen: eine ganze Litanei von Glückseligkeit! Und dieses Mädel erst! Wie bist du denn nur zu diesem Modell gekommen? Du Sonntagskind! Und wie du das gestellt hast! So mitten hinein ins höchste Licht! Dieser letzte Sonnenstrahl, der die süße Gestalt mit seinem Gefunkel umschmeichelt wie ein Verliebter, scheint zu ihr sagen zu wollen: dich hab ich und dich laß ich nimmer! Aber das solltest du auch in einem Schlagwort herausbringen! Hast du für das Bild schon einen Titel gefunden?"

„Ja Werner! Jetzt!"

„Wie soll es heißen?"

„Der letzte Sonnenstrahl!"

„Richtig, Junge! Das trifft den Nagel auf den Kopf! Damit ist alles gesagt!" Werner verstummte und sah betroffen zu Forbeck auf, der die schimmernden Augen auf die leuchtende Mädchengestalt gerichtet hielt. „Hans? Was ist dir?"

Forbeck hörte nicht.

Da glitt ein Lächeln über Werners Lippen. Lange hing er mit herzlichem Blick an Forbecks Zügen; dann umschlang er ihn und fragte leise: „Hans? Wer ist dieses Mädchen?"

Forbecks Lippen zuckten, und die Stimme wollte ihm kaum gehorchen. „Eine Gräfin Egge!"

Werner erblaßte, und mit heiseren Lauten brach es aus ihm heraus: „Hans! Auch du!" Dann faßte er Forbeck an den Schultern und rüttelte ihn. „Hans! Mein guter Hans! So rede doch! So nimm doch diese Sorge von mir!"

„Ich mache dir Kummer, Werner? Vergib mir! Aber das ist über mich hergefallen wie ein Sturm, mit dem Schmerz schon in der ersten Freude."

Eine Weile war Stille. Werner hatte sich abgewandt, als möchte er die Erregung verbergen, die in ihm stürmte. Dann plötzlich faßte er Forbecks Arm. „Komm, Hans! Wir müssen in frische Luft! Wir alle beide!"

Sie verließen das Haus. Es dämmerte schon im Tal, doch über das zerfließende Gewölk her traf noch ein glühender Sonnengruß die Zinnen der Berge und das wellige Geländ der Almen; alle Höhen waren so scharf beleuchtet, daß sie um Meilen nähergerückt erschienen; jede Sennhütte, jeden Pfad und jeden einzelnen Felsblock konnte man deutlich unterscheiden, mit scharfen Linien hob sich jeder Baum aus dem schimmernden Hintergrund, und die kahlen Felswände ragten gleich erstarrten Flammen in das tiefe Blau des mehr und mehr sich klärenden Himmels.

„Sieh nur, Hans," sagte Werner, „wie schön das ist!"

Forbeck hob zerstreut die Augen und nickte.

„Und siehst du die Alm dort, gleich über dem langgestreckten Lärchenwald? Und links von der Hütte diesen blitzenden Streif? Das muß ein Wasserfall sein. Aber sieht es nicht aus, als hätten die Felsen sich gespalten wie im Märchen, um für einen Augenblick die funkelnde Schatzkammer der Zwerge vor einem erstaunten Menschenkind zu öffnen? Und dort, ein Stücklein weiter oben, jener seltsam geformte Felsklotz? Gleicht er nicht täuschend einem goldgekrönten Riesenhaupt, das sich aus den Tiefen der Erde hervorhebt? Ich sag es immer: wer verstehen will, wie die Märchen wachsen, muß in die Berge gehen."

So plauderte Werner mit seinem ruhigen Lächeln weiter, jeden Reiz erfassend, den der herrliche Abend seinen Augen zeigte. Nur manchmal verriet ein besorgter Blick, mit dem er Forbeck streifte, und ein leises Schwanken seiner Stimme, daß diese äußerliche Ruhe mit der Stimmung seines Innern nicht im Einklang stand.

Als sie bei Einbruch der Dunkelheit in die Nähe des See-
hofes kamen, dessen Terrasse mit vergnügten Menschen besetzt
war, sagte Werner: „Komm, Hans, suchen wir uns ein Plätzchen!
In mir beginnt sich das Tier zu rühren. Ich habe heut in
der Eile vergessen, Mittag zu machen."

Sie fanden einen freien Tisch, und mit dem Anschein ernster
Wichtigkeit studierte Werner die Speisekarte. Rings umher wirbelten die lauten Stimmen der Gäste durcheinander, und aus
der Schifferschwemme hörte man Gesang und Gelächter, die
Töne einer Ziehharmonika und den stampfenden Taktschritt tan-
zender Paare. „Was willst du nehmen, Hans? Soll ich dir
die Litanei vorlesen?"

„Ich danke, Werner, ich kann nicht essen."

„Doch, Hans, versuch es nur! Tu es mir zuliebe!" Wieder
vertiefte sich Werner in die Speisekarte. „Aaaah! Renken am
Rost und Rebhuhn mit Rotkraut . . . was sagst du zu dieser
kulinarischen Alliteration? Wir sind zwar keine eingefleischten
Wagnerianer . . . nicht wahr, Hans? . . . aber das sind zwei
Stabreime, die es verdient hätten, von ihm in Musik gesetzt
zu werden." Er haschte die am Tisch vorüberschießende Kellnerin
beim Arm. „Holde Jungfrau . . ."

„Nur net beleidigen!" lachte das Mädchen. „Was schaffen S'
benn?"

Werner bestellte, und als die Kellnerin den Tisch gedeckt
hatte, trug er die Kosten der Unterhaltung. Aber die Mühe,
die er sich gab, um eine heitere Stimmung zu erzwingen, war
von geringem Erfolg begleitet. Schließlich schwiegen sie alle beide.
Dann erhob sich Werner. „Du hast recht, Hans! Dieser vergnügte
Spektakel muß dir wie Schmerz in die Ohren gehen. Komm!"

Ohne ein Wort zu sprechen, folgten sie der spärlich erleuchteten Promenade, die an der langen Zeile der Ufervillen
vorüberführte. Hinter den letzten Häusern stieg der Weg und
endete auf einem über den See hinausgebauten Hügel vor einer
halbkreisförmigen Bank. Hier ließen sie sich nieder.

Es war Nacht geworden, und in tiefer Schwärze lag der
See, nur manchmal auf leis bewegten Wellen die Fensterhelle der
gegenüberliegenden Häuser oder den matten Schein einer Laterne
spiegelnd. Verschwommen tönte der Lärm des Wirtshauses vom
anderen Ufer herüber, und mit monotonem Geplätscher schwankte
das Wasser gegen den Fuß des Hügels.

Forbecks Augen glitten über die Dächer der Villen hinweg und hingen an der finsteren Wellenlinie, mit der sich die fernen Ulmenkronen von Hubertus in den noch grauen, westlichen Himmel zeichneten. Da fühlte er Werners Hand auf der Schulter.

„Sag mir, Hans . . . liebt sie dich wieder?"

Forbeck vermochte nicht gleich zu antworten. „Kann man lieben, ohne zu hoffen?" sagte er mit gepreßter Stimme, die kaum das Gemurmel des Wassers übertönte.

„So habt ihr euch noch nicht ausgesprochen?" klang es mit rascher Frage.

„Nein!"

Werner atmete tief, als wäre ihm eine drückende Sorge von der Seele gefallen.

„Und wenn ich sagte, daß ich hoffe . . . es war wohl auch nur ein Wort, das ich ausgesprochen, ich weiß nicht wie. Liebe begehrt. Das liegt ja wohl in ihrer Natur. Aber hätt ich Ursache, zu hoffen, wirklich zu hoffen . . . es läge nicht auf mir wie ein erdrückendes Gewicht. Sie war wohl immer freundlich zu mir, sogar herzlich. Vielleicht darf ich auch glauben, daß ich ihr nicht gleichgültig bin, daß es mir gelingen könnte, ihre Liebe zu gewinnen und zu verdienen. Was aber dann? Ihr Vater hat dafür gesorgt, daß sie gerade jetzt die Schranke, die zwischen uns beiden liegt, in rauher Wirklichkeit vor Augen sieht."

„Was meinst du damit?" fragte Werner und hörte schweigend zu, als ihm Forbeck von Tassilos Verlobung mit Anna Herwegh erzählte, und von dem Bruch zwischen Vater und Sohn.

„Dieses Zerwürfnis wird ihm den Weg zu seinem Glück erschweren, doch nicht verlegen. Der Mann, wenn ihm eine Vergangenheit genommen und zerstört wurde, kann sich eine neue Zukunft bauen. Aber ein Mädchen! Das mit hundert unlösbaren Banden an seine Familie gekettet ist, an alle Erinnerungen der Kindheit, an jeden Grundsatz, in dem es auferzogen wurde! Ich liebe sie mit jeder Fiber meines Herzens, ich strecke die Arme nach ihr in dürstender Sehnsucht und werde doch bestürzt und ratlos, wenn ich denke, daß sie mir nicht gehören könnte, ohne das Opfer eines ganzen Lebens zu bringen, ohne erfahren zu müssen, was ihr Bruder erfuhr. Ich vergehe in meiner Sehnsucht, aber was liegt an mir! Ich verlange mir

keinen anderen Trost, als nur den einen: daß i h r erspart
bleiben möchte, was auf mich gefallen. Ich muß fort, Werner,
fort! Wenn diese Tage in ihrem Herzen ein wärmeres Gefühl
für mich erweckten . . ." Forbecks Stimme zitterte, „es kann ja
nur erst der Keim einer Empfindung sein, welchen Trennung
und Zeit wieder ersticken werden ohne tieferen Schmerz. Was
mit mir geschehen wird, das frag ich nicht. Aber ich will nicht
die Ursache sein, daß auf i h r e n Lebensweg auch nur ein einziger
Schatten fällt. Sie ist geschaffen für die Sonne!"

„Hans! Das war ein braves Wort! Ein anderer in deiner
Lage möchte wohl anders haudeln, denn es ist schwer, die
schreiende Stimme seiner Sehnsucht zu überhören. Da rennt
man vor seiner treibenden Leidenschaft einher, taumelt blind
hinein in den Rausch des Augenblickes und will dann im Erwachen nicht begreifen, daß man für immer zerstörte und verlor, was man zu gewinnen meinte!" Werner legte den Arm
um Forbecks Schultern. „Ich sage dir, Hans, die Redlichkeit
deines Herzens hat dir böse Dinge erspart!"

„Mir? Ich habe nicht an mich gedacht. Wie bettelarm
wäre meine Liebe, wenn sie nicht einmal die Kraft besäße, mehr
an den Frieden des geliebten Wesens zu denken, als an den
eigenen Hunger. Du würdest mich begreifen, Werner, wenn du
sie gesehen hättest. Sie ist so jung, so schön! Wie eine zarte
Blüte, die ein Frühlingsmorgen eben erst aus ihrer Knospe
weckte! Wenn du ihr in die Augen blickst, so ist dir, als stündest
du vor einem klaren Quell, der das reine Bild der Sonne spiegelt . . . dich dürstet, es sehnt dich nach einem Trunk, und
dennoch vermagst du es nicht über dich, diese stille Reinheit zu
trüben! Ach, Werner! Als ich sie zum ersten Male sah . . .
was ich da empfand! Ich verstand es ja selbst nicht. Ich meinte,
es wäre die trunkene Freude des Künstlers, der plötzlich fühlte,
daß vor seinem gefesselten Können ein Riegel sprang! Wenn
du wüßtest, wie es gekommen ist . . ."

„Nein, Hans, du sollst nicht erzählen! Nicht jetzt! Es
müßte dich nur noch mehr erregen. Und wie soll es gekommen
sein? Wie es immer kommt! Das Spiel, das die brave Mutter
Natur mit ihren sogenannten Mustergeschöpfen treibt, ist immer
das gleiche. Nur den Schauplatz wechselt sie und die Darsteller.
Und wie ihre Laune steht, läßt sie den alten Einfall bald als
Posse mimen und bald als Trauerspiel. Wie Anfang und

Ende dabei zu kommen pflegen ... das kenn ich, Hans ... mehr, als mir lieb ist!"

„Werner?" stammelte Forbeck. „Das hättest du erfahren? An dir selbst?"

„Ich? Nein, Hans! Aber mit meinen fünfzig Jahren hat man Augen, die sich umgesehen haben in der Welt." Werner blickte über den finsteren See hinaus; seine Stimme klang rauh. „Was mich betrifft ... ich habe nur meine Mutter geliebt, meine Kunst ... und dich!"

„Ja, Werner! Mich! Und was ich dir schulde, hab ich nie so drückend empfunden, wie in diesem Augenblick. Du hast mir die Hälfte deines Lebens geschenkt, du hast dir redlich das Anrecht auf mein ungeteiltes Herz erworben. Und wie komm ich zu dir zurück?"

„Rede keine Narretei, mein lieber Junge! Was solltest du mir schulden? Du weißt, wie ich über gewisse Dinge denke. Es liegt als unerschütterliche Ueberzeugung in mir, daß es mit uns Menschen für immer ein Ende hat in dem Augenblick, in dem wir die erkalteten Lider schließen. Wozu noch eine Ewigkeit? Das Leben vergönnt uns Zeit genug, um das zu erfüllen, was der Zweck eines Menschen sein kann. Aber man ist eitel! Es ist unbehaglich, zu denken, daß wir mit all unserer fliegenden Phantasie und unserem bohrenden Intellekt post omnia nicht viel höher stehen sollten als der Hund, den wir füttern, als der Ochse, der den Weg alles Fleisches über unsere Teller nimmt. Man möchte weiter leben, möchte ‚bauern'! Das lehrt den einen glauben und beten, den anderen schaffen! Und dieser dunkle Trieb ist auch in mir. Trotz aller kühlen Einsicht. Ich will nicht vergehen ohne Spur. Hinter mir soll etwas bleiben, was gut und schön ist, nicht nur ein totes Werk meiner Hände, sondern ein Pulsschlag meines Lebens, ein Funke des Feuers, das in mir gebrannt! Ich habe gesucht ... und es war nur mein Glück, daß ich gerade dich gefunden. Ich erkannte dein Gemüt und dein Talent, ich sagte mir: hier ist gute Erde, hier kannst du säen und pflanzen, und was du ihr anvertraust, wird weiterblühen und Früchte tragen, auch wenn du nicht mehr bist!"

„Werner ..."

„Was anderen ihre Seele ist, das bist mir du! Ich gebe dir, was ich habe, weil du mir bist, was ich brauche ... aus keinem anderen Grund. Warum also Dank? Wir beide sind

quitt. Und fühlst du dich im übrigen noch ein bißchen verpflichtet durch die Erbschaft, die ich auf dich gelegt, so richte dich
auf, Hans, sei so stark, wie du redlich bist, nütze dein Leben,
laß Glück oder Schmerzen kommen, wie sie mögen . . . und ehe
dir die Hände sinken, lege den Kern deines Wesens wieder in
das Herz eines anderen. Dann wirst du ‚dauern'!" Werner erhob
sich. „Und jetzt komm! Das alles reden wir heute nicht zu
Ende, weder das eine noch das andere. Wir brauchen Ruhe,
um morgen mit klarem Kopf und hellem Aug unseren Weg zu
suchen. Und paß auf, was ich dir sage! Wenn du nach Hause
kommst, dann brenn dir die Lampe an und setze dich vor dein
Bild. Denn weißt du, dieser erste, dicke Regenguß, der von
rechts in die Kronen der Bäume schlägt, scheint mir denn doch
ein wenig zu schwer in seinem breiten Grau. Da sollte mehr
Durchsicht bleiben, sonst macht dir das ein böses Loch mitten
hinein in die schönste Farbe. Und dann diese Gruppe links im
Vordergrund . . . die Idee ist ja glänzend in ihrem Kontrast
zum Kern der Sache . . . aber auch mitten in dieser wirbelnden Unruhe wären ein paar feste, solide Linien wohltuend. Aber
du wirst ja das alles selbst viel besser sehen als ich. Da hab
ich keine Sorge! Komm nur!"

Forbeck schwieg, und langsam wanderten sie auf dem finsteren
Weg zurück.

Man hatte inzwischen die Laternen ausgelöscht, und auch
an den Villen waren schon alle Fenster dunkel geworden. In
tiefer Stille lag der Seehof mit der veröbeten Terrasse. Nur
aus der offenen Türe fiel noch Licht. Ein großes Boot war halb
an die Lände gezogen, und glucksend schlug das Wasser gegen die
Bretter.

2.

In Fräulein von Kleesbergs Zimmer waren die beiden
Fenster geöffnet. Helle Morgensonne lag auf den Gesimsen, und
ein leuchtender Streif zog sich über den Teppich gegen den Früh-
stückstisch. Tante Gundi saß in einem Fauteuil, den verbundenen
Arm in der Schlinge, den Schoß von einem flaumigen Guanaco-
fell bedeckt, das Graf Egge vor Jahren mit anderen Trophäen

von einer südamerikanischen Jagdreise mit nach Hubertus gebracht hatte. Still blickte sie vor sich hin und ließ sich von Kitty bedienen, die den Tee mit einem Ernst bereitete, als hinge von seinem Geschmack die Genesung der Patientin ab. Kittys Züge waren von müder Blässe, ihre Augen von dunklen Ringen umzogen; aber sie schien vor Fräulein von Kleesberg alle Kunst ihrer Selbstbeherrschung zu üben und brachte es sogar fertig, mit gleichmäßiger Ruhe zu plaudern:

„Das wird ein herrlicher Tag heute. Ich glaube bestimmt, daß dir der Doktor gestatten wird, einige Stunden im Freien zuzubringen. Das wird dich ein wenig zerstreuen, und . . ." Kitty beugte sich über den Tisch, um die Spiritusflamme tiefer unter den summenden Kessel zu rücken, „vielleicht findet sich auch ein bißchen Gesellschaft für dich. Herr Forbeck war gestern zweimal hier, um sich nach deinem Befinden zu erkundigen. Ich meine, wenn er heute wieder kommt, mußt du ihn doch wohl empfangen."

„Meinst du?" fragte Fräulein von Kleesberg mit der Scheu eines Kindes, das einen stillen Wunsch nicht offen auszusprechen wagt.

„Gewiß! Du kannst ihn heute nicht wieder abweisen lassen. Es ist ja begreiflich, wenn er sich sorgt um dich . . ." Kitty verstummte, da sie die Türe gehen hörte.

Fritz erschien und brachte eine Karte.

„Herr Forbeck?" fragte Kitty, über deren Züge eine feine Röte huschte.

„Nein, Konteß, ein mir unbekannter Herr. Er bat, der gnädigen Konteß gemeldet zu werden, und entschuldigte sich wegen der frühen Stunde . . ."

Verwundert nahm Kitty die Karte. Als sie gelesen hatte, blickte sie betroffen auf, schüttelte das Köpfchen wie vor einem schwer verständlichen Rätsel und wandte sich zu Fräulein von Kleesberg. „Das ist aber doch sonderbar! Denke dir, Tante Gundi . . . Professor Georg Werner!"

Fräulein von Kleesberg machte eine so jähe Bewegung, daß die Guanacodecke von ihrem Schoße glitt, und starrte in sprachlosem Schreck zu dem Mädchen auf.

„Aber ich bitte dich, Tante Gundi, so rede doch!" stammelte Kitty in wachsender Erregung. „Was soll ich tun? Ihn abzuweisen . . . daran ist ja doch gar nicht zu denken!" Sie wandte sich an den Diener. „Wo ist er?"

„Ich habe den Herrn in das Billardzimmer geführt."

Ein paar Augenblicke stand Kitty noch ratlos, dann warf sie die Visitenkarte in Tante Gundis Schoß und eilte davon. Wie im Flug ging's über die Treppe hinunter — doch vor der Türe des Billardzimmers stand sie zögernd still und drückte die Hände auf ihre brennenden Wangen.

Als sie eintrat, erhob sich Werner von einer Wandbank. Seine ernsten Augen glitten mit prüfendem Blick über die zierliche Mädchengestalt und blieben an dem schmalen Gesichtchen haften, das von Erregung belebt war und in der breit durch die Fenster quellenden Morgensonne wie von zartem Goldton überhaucht erschien. Auf Werners Lippen erwachte jenes milde Lächeln, und es lag etwas gewinnend Herzliches in der Art, wie er auf Kitty zuging. „Verzeihen Sie die Störung, Komteß, die ein Fremder Ihnen verursacht . . ."

„Sie sind mir kein Fremder!" unterbrach sie, halb noch befangen. „Ihren Namen kennt man, und wir haben in diesen letzten Tagen so viel von Ihnen gesprochen, daß ich mich doppelt freue, Ihre Bekanntschaft zu machen." Sie reichte ihm die Hand, und da verwirrte sie sein Blick aufs neue. „Aber darf ich bitten?" Ihre Hand befreiend ging sie zum Erker und deutete auf einen Fauteuil. Als Werner sich niederließ, spähte sie verstohlen nach seinem Gesicht, und unwillkürlich kamen ihr jene Worte Tassilos in Erinnerung: ‚Denke dir Forbeck um fünfundzwanzig Jahre älter: so sieht Werner aus!' Es war doch seltsam, diese Aehnlichkeit!

„Mein Besuch, dazu noch ein Besuch zu so ungewohnter Stunde mag Sie in Erstaunen versetzt haben?" begann Werner mit zögernden Worten, als fiele es ihm schwer zu sprechen. „Sie haben sich wohl vergebens gefragt, was mich zu Ihnen führt?"

„Ja, Herr Professor, ich habe mir ein bißchen den Kopf zerbrochen," sagte sie lächelnd; doch der heitere Ton, den sie anzuschlagen versuchte, wollte ihr nicht ganz gelingen; trotz der freundlichen Augen, die auf ihr ruhten, fühlte sie eine dunkle Sorge, eine merkwürdige Beklemmung, die ihre Stimme schwanken machte. „Aber welche Ursache Sie auch zu uns führte, ich bin ihr dankbar. Herr Forbeck hat uns so viel von Ihnen erzählt, er hat immer mit so großer Liebe und Verehrung von Ihnen gesprochen . . ."

Es leuchtete in Werners Augen, als er einfiel: „Da muß ich ihn aber doch widerlegen. Er ist eine gerade, offene Natur, und was er spricht, hat Anrecht auf den vollsten Glauben. Nur dieses eine Thema muß ich ausnehmen. Hans überschätzt mich. Aber da wir schon von ihm sprechen ... ich komme in seinem Auftrag, um Ihnen für all die geduldige Mühe zu danken, mit der Sie seine Arbeit unterstützten ..." Kittys Augen öffneten sich weit, und ratlos blickte sie auf Werners Lippen, als würde für sie das Rätsel dieses Besuches immer dunkler — „und um Ihnen zu sagen, wie herzlich er bedauert, daß es ihm leider nicht mehr vergönnt ist, sich persönlich von Ihnen zu verabschieden."

„Verabschieden? Herr Forbeck ... verreist?" stammelte Kitty. „So plötzlich? Und das hat solche Eile, daß er nicht einmal eine Minute mehr findet, um ..." Sie vermochte nicht weiter zu sprechen.

Auch Werner schwieg und sah in tiefer Bewegung zu dem Mädchen auf; diesen erschreckten Zügen stand für sein scharf sehendes Auge ein Bekenntnis aufgeschrieben, das er mit Sorge zu lesen schien.

„Aber ich bitte Sie, Herr Professor, wie ist denn nur das gekommen? So unerwartet?"

„Eine zwingende Ursache, die ihn veranlaßt, so rasch als möglich in München einzutreffen."

„Rasch! Ja, das ist ja alles gut! Aber ..." Kittys Stimmung begann sich in unverhehlten Aerger zu verwandeln, „aber der Zug fährt ja deshalb doch nicht früher. Da wäre noch Zeit genug gewesen ... und er muß ja ohnehin an Hubertus vorüber. Diese e i n e Minute hätte sich doch gewiß noch gefunden. Verzeihen Sie, Herr Professor, daß ich so offen spreche. Ich selbst komme ja dabei gar nicht in Frage ... aber meine Tante, die sich doch gewiß ein klein wenig Dankbarkeit und Rücksicht bei Herrn Forbeck verdiente ..." Kitty verstummte, und bei dem Gedanken, der in ihr erwachte, flog ein jähes Erblassen über ihre Züge. „Er kann nicht kommen? Auch wenn er wollte? Er ist krank? Verwundet? Und das will er vor uns verheimlichen, um uns nicht besorgt zu machen?"

Jetzt war mit dem Rätsellösen die Reihe an Werner. „Hans? Verwundet? Wie kommen Sie auf eine solche Vermutung, Konteß?"

„Aber hat er Ihnen denn nicht erzählt, was geschehen ist? Die unglückselige Geschichte mit dem Adler, der aus dem Käfig entflogen war und wieder eingefangen werden sollte?" Kittys Worte sprudelten in bebender Erregung. „Wäre Herr Forbeck nicht gewesen, es wäre mir übel ergangen ... diesmal ebenso, wie damals beim Wetterbach! Denken Sie ... mit beiden Händen faßte er den Adler! Ich war zu Boden gestürzt ... aber meine Tante wollte Herrn Forbeck zu Hilfe eilen, und dabei hat sie die beiden Griffe in den Arm bekommen. Aber wir glaubten, daß wenigstens Herr Forbeck unverletzt wäre ..."

„Das ist er ja auch! Beruhigen Sie sich ..."

„Nein! Nein! Er verheimlicht es auch vor Ihnen! Und deshalb will er so schnell nach München und ..." Wieder stockte sie, schüttelte das Köpfchen und fuhr mit zitternden Händen über die Wangen. „Aber nein! Er ist ja doch in Hubertus gewesen, gestern, sogar zweimal! Das stimmt ja nicht!" Mit verstörten Augen blickte sie zu Werner auf. „Verzeihen Sie, Herr Professor ... aber mir scheint, ich rede ein bißchen wirr durcheinander. Freilich, es wäre kein Wunder nach allem, was in diesen Tagen geschehen ist!" Das war leise gesprochen, als wäre es nicht für das Ohr des Gastes berechnet gewesen.

Werner meinte den Sinn dieser Worte zu verstehen; neben allem, was die vergangene Minute ihn hatte erkennen lassen, erinnerte er sich auch der Nachricht, die er von Forbeck über Tassilo gehört — und er mochte ahnen, daß der Abschied, zu dem es zwischen Bruder und Schwester gekommen, in dem Herzen des Mädchens noch mit schmerzlicher Wirkung nachzitterte. Er griff nach seinem Hut.

„Ich bitte um Vergebung, Konteß ... ich sehe nun selbst ein, es war unrecht von mir, daß ich meinem jungen Freunde diesen letzten Besuch ..." es lag ihm auf der Zunge: ersparen wollte — doch er korrigierte sich: „daß ich diesen Weg für ihn übernahm. Ich würde das unterlassen haben, wenn ich gewußt hätte, daß Hans der Dame, von der Sie mir sprachen, so sehr verpflichtet ist. Aber nun ist es geschehen, und es war gut gemeint. Ich bitte Sie, nehmen Sie Hans dem berechtigten Unmut Ihrer Tante gegenüber in Schutz und legen Sie alle Schuld auf mich! Und Sie selbst, Konteß ..." seine Stimme schwankte, und es schien ihn Mühe zu kosten, seine Bewegung

zu verbergen, „zürnen Sie ihm nicht allzusehr! Die Notwendigkeit dieser Reise hat sich so plötzlich ergeben, und er hat in dieser
letzten Stunde noch mancherlei zu ordnen. Halten Sie ihm das
zugute, und nehmen Sie seinen Abschied aus m e i n e r Hand
entgegen."

Kitty hatte sich erhoben und reichte Werner die Hand;
doch dem Ausdruck ihrer Züge war es anzumerken, daß sie
mehr auf alles hörte, was in ihrem Innern redete, als auf
die Worte, die an ihr Ohr schlugen.

„Und wenn es der Zufall bringen sollte, daß Ihre Wege
und die seinigen von nun an auseinanderführen, so bewahren
Sie ihm ein freundliches Gedenken. Daß er selbst diese letzten
Tage nicht vergessen wird, dafür ist gesorgt. Er ist Ihnen zu
Dank verpflichtet und fühlt es tief. Die Begegnung mit Ihnen
wurde für ihn zu einem Wendepunkt seines Lebens, sie weckte
die beste Kraft seiner jungen Künstlerseele und gab ihm die
rechte Schaffensfreude für ein Werk, das seinem Namen Ehre
bringen wird. Und wenn Sie in kommender Zeit erfahren
werden: Hans Forbeck hat sich unter den Ersten seiner Kunst
einen Platz erkämpft . . . so dürfen Sie sagen: dabei hab ich
mitgeholfen! Und dieser Gedanke wird Ihnen Freude machen?
Nicht wahr, Konteß?"

Kitty vermochte nicht zu sprechen; sie nickte nur, während
sie auf Werner niedersah, der ihre zitternde Hand an seine Lippen
zog. Als er ging, machte sie ein paar Schritte, wie um ihn zur
Türe zu begleiten. Eine Stuhllehne geriet ihr unter die tastenden Hände, und da blieb sie stehen, so bestürzt, als hätte sich
Unbegreifliches ereignet, das ihre Sinne nicht zu fassen vermochten . . .

Werner verließ das Haus mit hastigen Schritten. Als er
aus dem Schatten der Veranda in die helle Sonne trat, holte
Fritz ihn ein: das ‚gnädige Fräulein‘ ließe den Herrn Professor
bitten. Werner stand in sichtlicher Unruhe. Was konnte ihm
Kitty noch zu sagen haben? Zögernd folgte er dem Diener —
doch als er in das Billardzimmer treten wollte, wies ihn
Fritz zur Treppe.

Sie stiegen hinauf, und der Diener öffnete eine Türe.
Werner trat ein und sah sich einer bejahrten Dame gegenüber,
deren Gesicht er nur unklar zu unterscheiden vermochte, denn
es lag im Schatten der durch die Fenster flutenden Sonne —

ein Gesicht mit den welken Zügen des Alters und den blühenden Farben der Jugend.

„Verzeihen Sie, meine Gnädigste, aber hier scheint ein Irrtum . . .“ Werner verstummte; er hatte den verbundenen Arm bemerkt, den die Dame in einer seidenen Schlinge trug. In erwachender Teilnahme trat er näher und sah ihre Augen auf sich gerichtet wie in Kummer und Angst; ohne Bewegung saß sie im Lehnstuhl. Schon wollte er sprechen, da sagte sie mit zaghafter Stimme: „Sie erkennen mich nicht mehr?“

„Ich vermag mich allerdings nicht zu erinnern . . .“

„Es ist freilich schon lange her! Und ich habe mich nicht zu meinem Vorteil verändert. Ich bin alt geworden. Und häßlich. Wer mich heute sieht, möchte in mir nicht mehr das lustige Mädchen von damals vermuten . . . die närrische Gundi Kleesberg.“

Dieser Name wirkte auf Werner, als wäre ein Blitzstrahl vor ihm niedergefahren. Die Wangen von fahler Blässe überzogen, tastete er nach einer Stütze und sank auf einen Stuhl.

Nun saßen sie wortlos, Auge in Auge. Durch die offenen Fenster tönte gedämpft das Rauschen der Fontäne. Mit wehmütigem Blick hing Werner an diesem gealterten Gesicht, als könnte er unter der Schminke und zwischen der Verwüstung, welche die Jahre angerichtet, noch einen bekannten Zug aus vergangener Zeit entdecken. Doch sie wollten sich nimmer gleichen, diese bemalte Weltheit und das jugendfrische Bild seiner Erinnerung: ein schmucker Lockenkopf mit fröhlichen Augen, mit vorwitzigem Näschen und mit den kirschroten Lippen, nach deren Kuß er einst gedürstet hatte.

Tief atmend strich er mit der Hand über die Augen und sagte leis: „Es wäre besser gewesen für uns beide, wenn uns diese schmerzliche Begegnung erspart geblieben wäre. Hätte ich ahnen können, wen ich in Schloß Hubertus finden würde, ich hätte die Schwelle dieses Hauses nie betreten.“

So hilflos wie ein gescholtenes Kind, ließ Fräulein von Kleesberg das Kinn auf die Brust sinken. „Das war hart, Werner!“

„Ich wollte Sie nicht kränken. Aber ich habe so viele Jahre gebraucht, um ruhig zu werden, daß Sie es mir nicht verdenken dürfen, wenn ich eine Störung dieser Ruhe gern vermieden hätte.“

Eine Pause trat ein. Dann blickte Fräulein von Kleesberg mit scheuen Augen auf: „Sie wußten nicht, daß ich in Hubertus bin?"

„Nein. Der Tod Ihres Vaters und Ihr Eintritt in das Stift war die letzte Nachricht, die mir vor fünfzehn Jahren ein Zufall von Ihnen brachte."

„Ein Zufall nur?" klang es mit müdem Seufzer. „Sie selbst haben niemals den Wunsch empfunden, von der armen Gundi Kleesberg zu hören?"

Werner schwieg; doch es war ein seltsames Lächeln, das über seine Lippen glitt — jenes Lächeln, das seine Freunde an ihm kannten, und von welchem Tassilo gesagt hatte: ‚Eine Kunst, die sich bitter lernt — es mag keine heitere Geschichte gewesen sein, bei deren Ende ihm nichts anderes verblieb, als dieses Lächeln!‘

Fräulein von Kleesberg schien die stumme Sprache dieses Lächelns zu verstehen. Dunkle Röte glühte durch die Schminke ihrer Wangen. „Auch Sie, Werner . . . auch Sie sind einsam geblieben?"

Ruhig blickte er auf. „Einsam? Nein! Ich hatte meine Kunst und sie genügte mir. Ich halte gar wenig von dem, was ich heute gelte in der Welt, denn ich habe die Arbeit immer nur geliebt um ihrer selbst willen. Und dennoch sag ich es vor Ihnen mit einer verzeihlichen Regung von Stolz: aus dem Werner ist etwas geworden, er hat bewiesen, daß er das verächtliche Mißtrauen nicht verdiente, mit dem ihn Ihr Vater von seiner Schwelle wies."

Mit zitternder Hand bedeckte Fräulein von Kleesberg die Augen. „Ach, Werner, man hat uns ein schönes Glück zerstört!"

„Nein Gundi, das taten nicht die anderen. Das haben wir selbst getan."

„Ich! Ich! Ich allein bin die Schuldige! Ich mit meiner Feigheit! Hätt ich Mut gehabt, nur eine einzige Stunde . . . alles wäre gut geworden! Nicht Mut, nein, nur Feigheit war es, als ich mich in deine Arme warf, um in Heimlichkeit zu erzwingen, was ich offen von meinem Vater nicht zu fordern wagte! Feigheit war es, als ich schwieg und schwieg . . . bis ich sprechen m u ß t e! Feigheit, als ich mich jedem Zwang meines Vaters fügte, weil ich im stillen noch immer hoffte, daß er uns seine Einwilligung geben m ü ß t e, wenn . . ." Ihre Stimme erloſch, während ſie troſtlos vor ſich niederſtarrte. „Und ich glaub es noch heute . . . alles, alles wäre noch gut geworden, hätte nur mein Kind gelebt!"

„Meinſt du?" ſagte Werner mit bleichen Lippen. „Ich glaube eher, dein Vater hätte auch in d i e ſ e m Falle Mittel und Wege gefunden, die Sache auf ſeine Art zu erledigen und den Skandal, wie er ſich auszudrücken liebte, aus der Welt zu ſchaffen. Sogenannte brave Leute, die ſich für ein paar hundert Mark einen Koſtgänger an ihrem Tiſch gefallen laſſen, hätten ſich gewiß ohne Mühe gefunden, irgendwo in einem verlorenen Winkel, aus dem keine Stimme bis zu den Ohren der guten Geſellſchaft reicht. Und alles wäre in ſchönſter Ordnung geweſen! Nur das Kind! Aber was liegt auch an ſolch einem armſeligen, unbequemen Geſchöpf! Wenn nur der Skandal vermieden iſt, und der Klatſch zur Ruhe kommt. Nicht wahr? Das Kind da draußen, das kann mißhandelt werden und hungern, verderben an Leib und Seele!"

„Nein, nein!" ſtammelte Fräulein von Kleesberg. „Beſſer tot, als ein ſ o l c h e s Schickſal!"

„Und wär es groß gewachſen und hätte, von der Natur mit einem guten Kern begabt, alles Elend einer ſolchen Kindheit überwunden . . . und ein unglückſeliger Zufall hätte ihm ſeine Herkunft verraten, ohne ihm den Vater oder den Namen der Mutter zu nennen, der bei dem Geſchäft mit den braven Leuten klug verſchwiegen wurde . . . was dann? Es war doch wohl ein Knabe? Oder nicht, Gundi? Der Brief, in dem mir dein Vater damals den Tod des Kindes ‚zur Mitteilung brachte‘, war etwas unklar. Aber was dann?" Schmerzvolle Bitterkeit zitterte in Werners Stimme. „Er hätte an ſeinen Füßen eine Kette durch das Leben geſchleppt und in ſeinem Herzen einen quälenden Stachel getragen. Jeder Gedanke an ſeinen Vater wäre ihm zu einer Verwünſchung geworden, jeder Gedanke an ſeine Mutter . . ."

Werner verſtummte, noch ehe Fräulein von Kleesberg mit flehendem Blick die Haud gegen ſeine Lippen ſtreckte.

Schweigend ſaßen ſie; und während Werner die Hand auf ſeine glühende Stirne drückte, verſank Fräulein von Kleesberg immer tiefer zwiſchen den Lehnen des Fauteuils. Schimmernde Zähren rollten ihr über die Wangen. „Es war hart für mich, daß ich mein Kind verlieren mußte. Ich hab es ſo ſehr geliebt und hab es doch nie geſehen! Und mit ſeinem kleinen

Leben ist ja meine letzte Hoffnung erloschen. Aber ich fühl es jetzt: es ist besser so, wie es ist. Um seinetwillen! Hätt es gelebt, und alles wäre gekommen, wie du sagst ... ach, das arme Kind!"

Alle Bitterkeit schwand aus Werners Zügen, und in seinen Augen erwachte ein warmer Glanz, als fände er in diesem welken, von Tränen und zerflossener Schminke bedeckten Gesichte jetzt, da auf ihm die Sprache des tiefsten Schmerzes geschrieben stand, jene Erinnerung der entschwundenen Jugend wieder, die er vor wenigen Minuten noch umsonst gesucht. „Gundi! Liebe Gundi!" Er zog ihr die Hand von den Augen.

Scheu blickte sie zu ihm auf. „Wie gut du bist! Aber hab keine Sorge, ich will dir nicht vorjammern von mir, von dem bösen, armen und zwecklosen Leben, das meine Feigheit und Schwäche über mich gebracht! Was liegt denn auch viel an mir? Aber um deinetwillen hätt ich mir den Wunsch versagen sollen, dich noch einmal zu sehen. Doch ich wollte nichts anderes, als aus deinem eigenen Munde hören, daß d i r das Leben leichter und schöner wurde, als der armen Gundi Kleesberg. Sag mir das, Werner, und ich bin zufrieden!"

Er streichelte ihre faltige Hand und sagte mit seinem milden Lächeln: „Leicht? ... Nein, Gundi! ... Aber die Arbeit war mir ein Trost."

„N u r die Arbeit?" Ihre nassen Augen öffneten sich weiter, und ihre Stimme wurde leiser. „Nicht auch dein Sohn?"

Es ging über Werners Züge wie ein flüchtiger Schreck; dann sah er mit ruhigem Ernst in ihr heiß erregtes Gesicht. „Diese Frage ist mir unverständlich."

Sie machte eine schüchterne Bewegung mit der Hand, als möchte sie ihn beschwichtigen. „Ich begreife, Werner ... er soll es nicht wissen! Und niemand! Sein Leben soll ohne Kette sein, sein Herz ohne Stachel. Ich habe jedes deiner Worte behalten ... und alles versteh ich. Du versagst deinem eigenen Herzen, was er dir bieten könnte als Sohn ... und gibst ihm als Freund, alles, was ein Vater nur geben kann! Du bist ihm, was du auch u n s e r e m Kind gewesen wärst, wenn es hätte leben dürfen. Ich kenne dich, Werner, ich verstehe dich! Vor mir brauchst du es nicht zu verbergen. Bei mir liegt es unter Schloß und Riegel. Aber sag es mir ... zu meinem Trost, Werner ... sag es mir, daß du eine Freude fandest, ein kurzes

Glück, das dich leichter vergessen ließ, was früher war!"

„Nein Gundi, das kann ich dir nicht sagen!" Seine Stimme hatte ruhigen Klang und dabei doch einen Ton voll herzlicher Wärme. „Denn ich h a b e nicht vergessen. Niemals! Ich habe Betäubung weder gesucht noch gegen meinen Willen gefunden. Du irrst dich! Sollte dir das nicht ein Trost sein, den du lieber hörst?"

Heftig schüttelte sie den Kopf. „Sag es mir, Werner, ich bitte dich!"

„Es ist die Wahrheit: ich habe die Frau, die Forbeck seine Mutter nannte, nie in meinem Leben gesehen. Ich war einsam und suchte nach einem Menschen, den ich lieben konnte. So fand ich diesen armen, verwaisten Jungen, ich erkannte den guten, gesunden Kern in ihm, die überraschende Begabung, und hab ihn erzogen zu einem Kind meines Geistes." Tiefe Röte glitt über Werners Züge. „Ich hätte Freude an ihm erleben können . . . und wie hab ich ihn jetzt gefunden! Warum hast du mich nicht gefragt, was mich heute in dieses Haus geführt? Ich kam, ohne daß er es wußte . . . denn ich wollte ihm den Abschied leichter machen. Errätst du nicht, weshalb? Ich habe mein Können, Denken und Fühlen in ihn gelegt, und zu meiner Freude gleicht er mir in so vielen Dingen . . . aber die Aehnlichkeit in unserem Schicksal hätt ich ihm lieber erspart gewußt! Armer Junge!"

Erschrocken starrte Fräulein von Kleesberg auf Werners Lippen. „Er . . . und Kitty?"

Werner nickte. „Sein Leben wird einsam werden, wie das meine."

Eine Weile saß Fräulein von Kleesberg wie versteinert; dann begann sie in wachsender Erregung zu stammeln: „Ach du allgütiger Himmel! Auch dieses Unglück noch! Wie hat es denn nur geschehen können! Und ich hab es nicht kommen sehen und hab es doch gefürchtet von der ersten Stunde an! Wo hatte ich nur meinen Kopf! Ach, Werner, ich war ja so ganz versunken in mich selbst! Was sein Anblick, was all diese Tage in mir geweckt haben . . . es hat mich ganz verdreht gemacht. So oft ich ihn ansah, war mir, als stünde die vergangene Zeit wieder auf. Und während ich alte Närrin die Augen verdrehte, ist das Unglück über die armen Kinder gekommen? Ach du lieber Gott! Und nun sollen sie elend werden wie wir? Nein, Werner, nein! Jetzt will ich Mut haben! Den Anfang hab ich schon gemacht! Oder weißt du nicht, was geschehen ist? Sieh her, Werner ..." Mühsam versuchte sie den verbundenen Arm zu heben.

In tiefer Bewegung blickte Werner zu ihr auf. Doch nur seine Augen redeten, während seine Lippen so herb geschlossen lagen, als wäre ihm bange vor jedem Wort, das ihm die Erregung dieses Augenblicks entreißen könnte.

„Feig bin ich gewesen, immer feig, solang es nur um mich gegangen ist, um mein eigenes Glück! Aber jetzt ... jetzt will ich Mut haben! Denn sage mir, was du willst ... dein Wort in Ehren ... aber er ist dein Sohn! Solche Aehnlichkeit bringt der Zufall nicht ... und keine Seelenharmonie! Schon jenes erstemal, als ich ihn mit Kitty in dieser verwünschten Klause fand, in der auch das Unglück ihrer armen Mutter begann ... mir war ja, als stündest du selbst vor mir, so wie damals, in deinen jungen Jahren. Und als er zu uns kam, als ich ihn sprechen hörte und bei der Arbeit sah ... ganz wie du, Werner, da hatte ich keinen Zweifel mehr! Und dann in der Ulmenallee bei dieser unglückseligen Menageriegeschichte, als der Adler nach ihm hackte, sah ich nur dich in ihm, und da kam mir der Mut! Ich mußte! Und wär es nicht nur ein Adler gewesen ... ein Tiger ... ich hätt ihn gepackt!" In ihrer leidenschaftlichen Erregung griff sie mit beiden Händen in die Luft und stieß einen leisen Wehruf aus — sie hatte ihres wunden Armes vergessen.

„Gundi?"

„Laß nur, Werner! Jetzt haben wir an Wichtigeres zu denken, als an mich! Sag mir ..."

Im Nebenzimmer ging eine Türe, und erschrocken verstummte Fräulein von Kleesberg. Dann beugte sie das erregte Gesicht gegen Werner und flüsterte: „Sag mir, Werner ... liebt sie ihn? Weißt du das gewiß? Aber was frag ich denn noch! Sie muß ihn lieben ... er gleicht ja dir! Und wenn es in ihr noch schlummern sollte ..." Wieder verstummte sie.

Die Türe wurde geöffnet, und Kitty stand auf der Schwelle; während Fräulein von Kleesberg ihre Sinne mühsam zu sammeln suchte, sah Werner betroffen zu Kitty auf, deren Züge keine Spur jener Erregung mehr gewahren ließen, in welcher Werner sie verlassen hatte. Die Wangen waren zart gerötet, ihre Augen leuchteten in stillem Glanz, und um die Lippen spielte ein verträumtes Lächeln.

„Sie, Herr Professor?" Staunend zog sie die Brauen auf. „Ich dachte Sie schon auf der Fahrt zum Bahnhof? Aber ich hätt es mir denken können, daß Tante Gundi die schöne Gelegenheit, Ihre Bekanntschaft zu machen, beim Rockschoß erwischen würde. Hat sie Ihnen eingestanden, wie sehr sie für Ihre berühmten Bilder schwärmt? Hat sie Ihnen erzählt, daß sie vor Ihrem ‚Spätherbst‘ in der Ausstellung sogar Tränen vergossen hat?"

„Kitty!" stotterte Fräulein von Kleesberg.

„Wirkliche Tränen! Erbsengroß!"

„Das hat sie mir allerdings n i c h t erzählt!" sagte Werner mit seinem milden Lächeln. „Aber sie hat mir so manches gesagt, was mir eine tief innerliche Freude machte. Es ist schwer, für seine geheimsten Gedanken das richtige Verständnis zu finden . . . und Fräulein von Kleesberg hat mich verstanden!" Mit einem Blick voll Wärme wandten sich seine Augen auf die Schweigsame. „Bei meinem künstlerischen Schaffen ist gar viele Bitterkeit so nebenhergelaufen . . . aber eine Stunde wie diese macht manchen Schatten vergessen und läßt mir die Erinnerung an alles Helle und Schöne doppelt wertvoll erscheinen."

„Ja, Tante Gundi ist eine große Kunstkennerin! Aber in der Freude, eine solche gefunden zu haben, scheinen Sie nicht mehr an Ihre knapp gemessene Zeit zu denken. Verzeihen Sie, lieber Herr Professor, aber . . ." Mit wichtiger Miene zog Kitty ihr goldenes Uehrchen aus dem Gürtel, ließ den Deckel aufspringen und hielt das Zifferblatt vor Werners Augen. „Zwanzig Minuten über neun Uhr . . . und um elf Uhr geht der Zug. Mein Bruder Tas ist gestern mit dem gleichen Zug gefahren. Wenn Sie den Anschluß nicht versäumen wollen, haben Sie Eile."

Werner schien etwas aus der Fassung gebracht; verwundert zu Kitty aufblickend erhob er sich. „Ich danke Ihnen, Konteß . . . ja, meine Zeit ist zu Ende!" Er griff nach seinem Hut und sagte zu Fräulein von Kleesberg: „Ich hab es gerne gehört, daß mein ‚Spätherbst‘ Ihre Teilnahme erweckte. Vielleicht ist Ihnen auch der Vorwurf des Bildes nicht unbekannt: ein landschaftliches Motiv aus Ihrer Heimat, aus Franken! Ich habe dort in meiner Jugend schöne Tage verlebt, an die ich auch heute noch mit dankbarer Freude denke, obwohl sie

ein trübes Ende mit Sturm und Regen nahmen. Und besonders diese stille intime Landschaft ... ich habe sie inzwischen
oft gemalt, sie wird immer wieder lebendig unter meiner Haub,
denn es knüpft sich an sie die Erinnerung meiner glücklichsten
Stunde. Und ... wollen Sie mir zum Abschied eine Bitte
erlauben? Mein ‚Spätherbst‘ ist kein Bild für die große Welt,
nur für mich selbst geschaffen und für das Auge des Kenners.
Aber so gut wie Sie, mein gnädiges Fräulein, dürfte wohl
niemand den tiefsten Sinn dieser träumenden Farben verstanden
haben! Darf ich Ihnen das Bildchen schicken?“

Fräulein von Kleesberg brachte kein Wort über die Lippen;
zitternd blickte sie zu Werner auf.

Kitty legte den Arm um ihre Schulter. „Aber Tante Gundi,
so rede doch! Sag: ja!“

„Nein ... wie darf ... das ist ja ein fürstliches Geschenk!“

„Um so besser!“ erklärte Kitty. „Und das weißt du doch:
wenn Könige schenken, gibt es keinen Refus, da nimmt man
und bedankt sich alleruntertänigst! Herr Professor, das Bild
soll einen Platz mit dem besten Licht bekommen! Und Tante
Gundi erhält von mir bei der nächsten unpassenden Gelegenheit
einen Betstuhl beschert, als unentbehrliches Requisit für die vor-
aussichtliche Abgötterei, die sie mit Ihrem ‚Spätherbst‘ treiben
wird.“ Sie wartete nicht, bis Werner die zitternde Haub wieder
freigab, die Fräulein von Kleesberg ihm gereicht hatte, sondern schob ihren Arm unter den seinen und zog ihn zur Türe.
„Nun ist es aber höchste Zeit, oder Sie versäumen noch wirklich
den Zug! Und ... grüßen Sie Herrn Forbeck von mir! Bitte,
sagen Sie ihm, daß er bei mir vollkommen entschuldigt ist!
Jetzt weiß ich, weshalb er so plötzlich reisen muß!“

Erschrocken sah er in ihr glühendes Gesichtchen. „Sie
wissen ...?“

„Jawohl!“ Dazu nickte sie kurz und entschieden. „Und
sagen Sie ihm, daß ich ihm danke dafür! Von ganzem Herzen!
Adieu, Herr Professor! Und glückliche Reise!“

Wortlos verneigte sich Werner und trat in den Flur hinaus.

Kitty drückte hinter ihm die Türe zu und sah wieder auf
die Uhr. „Zehn Minuten ins Dorf, eine Stunde zwanzig zur
Station ... er kommt noch zurecht!“ Sie ging zu Fräulein
von Kleesberg, die vor sich hinstarrte, verstört und dennoch mit
glücklichem Lächeln, wie ein Kind, das am Weihnachtsmorgen

erwacht, im Herzen den Nachklang all der heiligen Freude und
dabei die Furcht, es könnte nur ein Traum gewesen sein, nicht
Wirklichkeit! „Aber Tantchen! Kannst du dich denn noch immer
nicht erholen? So sprich doch! Freude muß man aus sich heraus-
reden, weißt du, dann empfindet man sie doppelt. Und das
kannst du mir glauben ... Werners echt künstlerische Großmut
in allen Ehren ... aber eigentlich hast du diesen wunderbaren
‚Spätherbst‘ doch niemand anderem zu verdanken, als Herrn
Forbeck! Er wird seinem Lehrer erzählt haben, wie groß du
von ihm denkst und wie sehr du ihn verehrst ...“

„Kind! Mein liebes Kind!“ In erregter Hast faßte Fräulein von Kleesberg Kittys Hand. „Komm! Setze dich zu mir!
Ich habe mit dir zu sprechen! Nimm dir einen Stuhl ...“
Trotz dieser Aufforderung gab sie Kittys Hand nicht frei, sondern zog sie zu sich nieder auf die Lehne des Fauteuils. „Sag
mir, aber offen und ehrlich ... weißt du, weshalb uns Herr
Forbeck so plötzlich verläßt?“

„Gewiß! Im ersten Augenblick hat mich die Sache allerdings ganz verblüfft gemacht. Aber es war die reine Gedanken-
losigkeit, daß ich mich nicht gleich auf das einzig Mögliche besann!“ Kittys Züge wurden ernst, und ihre Stimme dämpfte
sich: „Gestern hat ihm Tas geschrieben ... weißt du, Tas
und Forbeck sind Freunde ... und da hat ihn nun Tas um
etwas gebeten, und deshalb muß er heute nach München. Und
ich sage dir, es ist von Herrn Forbeck schön gehandelt, daß er
alles im Stiche läßt, um die Bitte meines Bruders zu erfüllen. Ich teile dir das mit, um dich über Forbecks plötzliche
Abreise zu beruhigen. Aber ich bitte dich, frage mich nicht wegen
Tas! Du wirst es noch früh genug erfahren.“

Fräulein von Kleesberg schien keine Spur von Neugier zu
empfinden, sondern nickte vor sich hin, als wüßte sie bereits, was
sie wissen wollte. In mühsam verhehlter Erregung zog sie das
Mädchen enger an sich. „Und sag mir, Kitty ... glaubst du,
daß er wiederkommen wird?“

„Natürlich, er muß doch sein Bild fertig malen. Und dazu
braucht er doch die Landschaft ... und noch verschiedene andere
Dinge!“

„Ja, Kind, er muß wiederkommen! Und ich sage dir, dieses
Bild wird Aufsehen machen!“

„Ach, du große Kunstkennerin! So viel versteh ich auch!“

„Du hätteſt nur hören ſollen, wie Werner von ſeinem Talent geſprochen! Und was ſeinen Charakter betrifft . . ." Fräulein von Kleesberg wurde immer erregter, und immer haſtiger ſprudelten ihre Worte, „ich will ſchon gar nicht von ſeiner äußeren Erſcheinung ſprechen, obwohl auch das . . . wie ſoll ich nur ſagen . . . Beachtung verdient. Ich kenne deinen Geſchmack nicht . . . aber ich finde ihn ſogar ſchön!"

„Schön?" · Kitty ſtubierte. „Nein, Tante Gundi! Schön, das iſt zu viel geſagt. Aber ſympathiſch! Und weißt bu, namentlich ſeine Augen . . . aber da könnteſt bu recht haben, ſeine Augen ſind wirklich ſchön!"

„Weil der ganze, gute, tüchtige Menſch aus ihnen herausblickt, mit ſeiner feinfühligen Empfänglichkeit für alles Edle und Schöne, mit ſeiner reinen Seele und ſeinem treuen Gemüt!"

„Das iſt aber doch merkwürdig!" ſtaunte Kitty. „Du warſt doch niemals berühmt wegen deiner Menſchenkenntnis. Und da zeigſt bu nun plötzlich eine Beobachtungsgabe für Charaktere, ſo ſcharf und zutreffend . . . ich bin völlig überraſcht!"

Fräulein von Kleesberg ſchien über dieſe Anerkennung in eine Freude zu geraten, für die ſie keine Worte faub. Mit glänzenden Augen zu Kitty aufblickend, ſtreichelte ſie die Haub des Mädchens, als hätte ſie nicht ein unerwartetes Kompliment, ſondern eine heiß erſehnte Botſchaft vernommen.

Dieſes auffällige Mißverhältnis zwiſchen Urſache und Wirkung machte Kitty ſtutzig. „Aber Tante Gundi? Was haſt du benn nur?"

„Ach, Kind, mein liebes, gutes Kind! Das waren ja boch ſo ſchöne Tage! Und ich kann bir gar nicht ſagen, wie ſehr ich mich auf ſeine Rückkehr freue. Und weißt bu . . . wenn es wirklich der Fall ſein könnte, baß er verhindert wäre . . ."

„Verhindert?" Es ſchien, als würde Kitty von Tante Gundis ſeltſamer Erregung angeſteckt. Sie atmete tief, und noch bunkler röteten ſich ihre Wangen, während ſie ganz eigen vor ſich hinlächelte. „Ich habe eine Ahnung, als ſollte ich Herrn Forbeck ſehr bald wiederſehen . . . ſehr bald! Mir ſchwant ſo etwas von einer Ueberraſchung! Tas wird Augen machen!"

Jetzt war an Fräulein von Kleesberg die Reihe, ſtutzig zu werden. „Kitty?" ſtotterte ſie. „Du wirſt boch nicht . . ." Aber da gingen ihr die Worte aus. Haſtig wandte ſie das Geſicht nach dem offenen Fenſter und lauſchte.

Von der Parkmauer war ein dumpf kirrender Ton durch die Bäume bis zum Schloß gedrungen.

Werner hatte das eiserne Torgitter hinter sich zugeworfen und war auf die Straße getreten. Die Augen zu Boden geheftet, auf den Zügen das erregte Spiel seiner wirbelnden Gedanken und Empfindungen, eilte er dem Dorf entgegen. Als er das Brucknerhaus erreichte, sah er vor dem Zauntor schon den Einspänner stehen, den er für neun Uhr bestellt hatte — und Forbeck schien erraten zu haben, welchem Zweck dieser Wagen dienen sollte, denn der Bock war schon mit den Reisetaschen und den zu einem Bündel geschnürten Malgeräten beladen.

Werner eilte in das Haus und über die Treppe hinauf. Die geräumte Giebelstube machte einen öden Eindruck. Auf dem Tisch lag eine große, mit grauem Packpapier umwickelte Rolle — das Bild! Bei Werners Eintritt erhob sich Forbeck mit blassem Gesicht; er trug schon den Ueberrock und hatte Hut und Schirm in der Hand! „Guten Morgen, Werner!" Ein müdes Lächeln glitt über seine Lippen. „Du siehst, ich bin reisefertig. Als der Wagen kam, glaubte ich zu verstehen ..." Seine Stimme bebte. „Du warst in Hubertus?"

„Ja, Hans. Das Schreiben wäre dir eine Qual gewesen, und der persönliche Abschied eine Gefahr ... für euch beide!"

Matte Röte flog über Forbecks Wangen. „Ich danke dir! Es ist besser so! Nur eines ist mir leid. Es wohnt in Hubertus eine ältere Dame, der ich sehr zu Dank verpflichtet bin ..."

„Fräulein von Kleesberg?" Werners Stimme bekam einen seltsam befangenen Klang. „Ich habe mit ihr gesprochen. Du kannst ohne Sorge sein, es geht ihr besser. Und sie läßt dich grüßen." Werners Augen wurden feucht, während sich seine Hand mit schwerem Druck auf Forbecks Schultern legte. „Das ist eine seelengute, prächtige Dame! Bewahre ihr eine herzliche Erinnerung! Und nun komm!"

Vor dem Haus erwartete sie der Bauer zu einem wortreichen Abschied. Auch Mali erschien, mit dem Ketterl auf den Armen; doch als ihr Forbeck die Haud reichte und mit verlorenem Blick an ihrem vergrämten Gesichte hing, fand sie nur ein paar kurze, müde Worte; und wie erleichtert atmete sie auf, als der Wagen davonrollte.

„Aber geh, Mali," sagte der Bauer, „hätt'st mit dem jungen Herrn doch ein bißl freundlicher sein sollen! So viel gut is er

gwesen mit uns! Aber du hast dich ja grad gstellt, als ob du
froh wärst, daß er endlich draußen is zum Haus!"

„Froh?" Zwei Tränen rannen über Malis Wangen. „Das
Wörtl kenn ich nimmer, Lenzi! Aber ich glaub, was du und
ich miteinander z'tragen haben, das tragt sich leichter unter
uns, als vor zwei fremde Augen!" Sie wandte sich ab und trat
ins Haus.

Von der Straße tönte noch das Geholper des Wagens.
Der Kutscher knallte mit der Peitsche und trieb das Roß, um
bei der knappen Zeit den Zug nicht zu versäumen.

Als der Einspänner am Zaunerhäuschen vorüberfuhr, klang
aus einem von welkendem Weinlaub umsponnenen Fensterchen
des oberen Stockes eine lustige Stimme. Das feine Lieserl
hantierte mit ihren Parfumgläsern und sang dazu:

> ‚Und ich lieb dich so fest,
> Wie der Baum seine Aest!
> Wie der Himmel seine Stern,
> Grad so hab ich dich gern!'

Den Jodler summend, hielt sie eines der Gläser gegen die
Sonne; dann griff sie nach einem anderen und sang:

> ‚Und ein bisserl Lieb,
> Und ein bisserl Treu,
> Und ein bisserl Falschheit
> Is allweil dabei!'

Die beiden Strophen gehörten wohl nicht zueinander, aber
sie gingen beim Lieserl nach der gleichen Melodie.

3.

Die Nachricht, daß Graf Egge den Hornegger-Franzl Knall
und Fall davongejagt hätte, machte im Dorf die Runde von
Haus zu Haus — Schipper hatte dafür gesorgt, daß die Sache
nicht verschwiegen blieb. Und da man über die Ursachen dieser
Justifizierung etwas Näheres nicht erfahren konnte, zerbrachen
sich die Fraubasen weiblichen und männlichen Geschlechtes die
Köpfe mit der Frage, durch welches Verschulden Franzl diese

Strafe über sich heraufbeschworen hätte. Die merkwürdigsten Gerüchte kamen in Umlauf, und da sich zu gleicher Zeit auch die Nachricht verbreitete, daß ein reicher Bauernsohn aus einem über der Grenze liegenden Dorfe, der Mühltaler-Sepp von Bernbichl, spurlos verschwunden wäre, brachte man diese beiden Ereignisse miteinander in mysteriösen Zusammenhang. Man wußte, daß der Sepp ‚gegangen' war, man munkelte, daß er so manchen Abstecher über die Grenze herüber in Graf Egges Revier gemacht hätte, und schließlich trug es eine Nachbarin der anderen über den Zaun: der Hornegger-Franzl wäre mit dem Mühltaler-Sepp im Einverständnis gewesen, Graf Egge wäre durch einen Zufall hinter die Geschichte gekommen, und so hätte Franzl sein Bündel schnüren müssen, und der Mühltaler-Sepp wäre entweder verduftet, oder — bei diesem ‚oder' verstummte man und schielte gegen die Berge hinauf.

Das dunkle Gerede gewann noch an Nahrung, als am Vormittag des ersten Septembers ein alter, weißhaariger Bauer, der gebeugt ging wie unter schwerer Last, im Dorf erschien und sich mit auffälliger Scheu nach dem Haus des Hornegger-Franzl erkundigte.

Die kummervollen Augen zu Boden geheftet, wanderte der Alte über die Wiesen. Am Jägerhaus fand er die Türe geschlossen, und erst nach längerem Klopfen öffnete ihm die Horneggerin; sie hatte verweinte Augen und musterte mißtrauisch den Bauer, den sie nicht kannte. Auch der Alte sah mit scheuem Blick zu ihr auf. „Ich hätt ein bißl was z'reden mit dem Herrn Jager. Is er vielleicht daheim?"

„Na! Mein Bub is fort!" erwiderte die Horneggerin mit erregter Hast. „Mit dem kann gar keiner reden! Was wollts denn eigentlich von ihm? Wer sind S' denn?"

Forschend blickte der Alte in das Gesicht des Weibes, als möchte er die Wirkung seines Namens beobachten. „Ich bin der Mühltaler aus Bernbichl."

„So?"

„Haben S' mein Namen noch nie net ghört?"

„Na! Nie net!"

„Und Ihr Herr Sohn hat nie net gredt mit Ihnen, vom meinigen?"

„Na! Nie net! Und mein Bub is net daheim. Bhüt Ihnen Gott!"

Die Horneggerin wollte die Türe schließen, doch der Alte
setzte den Fuß über die Schwelle. „Aber liebe Frau! Lassen S'
doch ein bißl reden mit Ihnen! Sie haben doch auch Ihren
Buben gern und wissen, was das heißt, Vater oder Mutter sein!
Schauen S' mich an, wie ich dasteh in meiner Kümmernis!"
Dicke Tränen kugelten ihm über die furchigen Backen.

„Ja mein Gott, lieber Mann, was haben S' denn?"
stotterte die Horneggerin erschrocken und zog den Alten in den
Flur. Kopfschüttelnd sperrte sie die Haustüre, warf einen besorgten Blick über die Treppe hinauf und ging dem Mühltaler
voran in die Stube.

Hier saßen sie fast eine Stunde — und als der Bauer das
Haus verließ, begleitete ihn die Horneggerin bis zum Zaun.
Ihre Hände zitterten, und ihr Gesicht war weiß wie ein Linnen.
Der Mühltaler sah sie an und seufzte. „Jetzt hab ich nix er-
fahren, und Ihnen hab ich Verdruß und Kummer gmacht!
Müssen S' mir net harb sein! Aber wie mir zutragen worden is,
was d' Leut im Seedorf reden, hab ich mir halt denkt: machst
den Weg, vielleicht hörst doch ein sichers Wörtl über dein Buben!
Müssen S' mir net harb sein!"

Die Horneggerin schüttelte den Kopf. „Ihnen kann ich nix
verübeln . . . ich hab's ja selber spüren müssen, wie so was
tut! Aber d' Leut! Wie nur d' Leut so schlecht sein und solchene
Sachen reden können! Todsroh bin ich, daß mein armer Bub
nix weiß davon. Die ganzen Täg her hab ich mich allweil kümmert, weil er kein Schritt mehr aus'm Haus gmacht hat und
kein Menschen nimmer sehen hat mögen. Und jetzt bin ich froh
drum! Hätt er was erfahren von dem Gred, da hätt's ein Unglück geben, Gott behüt!" Sie nahm ihren Kopf zwischen die
Hände. „Die Leut! Na, die Leut! Zwanzig Jahr lang haben s'
mit angesehen, wie brav und rechtschaffen mein Franzl is . . .
und jetzt, weil er im Unglück is, jetzt springen s' auf ihm rum
mit die gnagelten Schuh und trauen ihm die Schlechtigkeit zu,
daß er Kameradschaft halten könnt mit . . ." Erschrocken
verstummte sie.

Der Mühltaler ließ den Kopf sinken. „Halten S' Ihnen
net zruck, Frau Förstnerin! Ich kann's ja selber net leugnen,
mein Bub is keiner von die Brävern gwesen. Allweil, allweil
hab ich schelten müssen. Aber gern ghabt hab ich ihn halt doch!
Bin ja der Vater! Er is mein einziger gwesen! So was is

hart, Frau Förstnerin! Aber nix für ungut! Und bhüt Ihnen
Gott! Jetzt such ich halt wieder weiter!"

Die Horneggerin blickte dem Bauer nach, der unter mur-
melndem Selbstgespräch mit müden Schritten davonging. Als sie
in das Haus zurückkehrte, klang es über die Treppe herunter:
„Mutter?" Auf der obersten Stufe stand Franzl, in Hemdärmeln und ohne Schuhe. „Wer war denn da?"

„Einer von die Nachbarsleut ... der Pointner-Andres,"
stotterte die Horneggerin.

„Was hat er denn wollen?"

„Unser Baumsäg hat er sich ausgliehen."

„Hat er was gredt ... von mir?"

„Gott bewahr, net ein einzigs Wörtl. Mein lieber Bub, ich
bitt dich um Gotts willen, sei doch endlich gscheit und mach dir
doch 's Herz net gar so schwer! Die andern Leut schauen die
Sach lang net so gfährlich an, wie du dir allweil denkst. Und
wirst sehen: über ein paar Tag kommt der Brief vom Herrn
Grafen Tassilo, und nacher is alles wieder in Ordnung."

Ein schwerer Seufzer war die Antwort, und zögernd suchte
Franzl wieder sein Stübchen auf. Die Horneggerin ging in die
Küche und schürte Feuer an, um für Mittag zu kochen. Aber sie
wollte bei der Arbeit nicht zur Ruhe kommen; am Ende ließ
sie alles stehen und liegen und stieg zu ihrem Buben hinauf.

Es war eine kleine, weißgetünchte Stube, die sie betrat;
das bescheidene Gerät von peinlicher Sauberkeit, die Dielen
weiß gescheuert und mit einem Leinwandläufer belegt; ein Kruzifix, einige Heiligenbilder, vier Farbendrucke, welche Jagd-
szenen darstellten, ein Zapfenbrett mit der Ausrüstung des Jägers
und ein Dutzend Geweihe bildeten den Schmuck der Wände. Am
Fenster stand ein kleiner Werktisch mit einem Schraubstock, vor
welchem Franzl saß; er feilte an einem Gewehrhahn, um ihn
der zu Schaden gekommenen Büchse anzupassen; seine Züge
waren anzusehen wie nach schwerer Krankheit — die Wangen
eingefallen, die Augen von bläulichen Ringen umzogen. Seufzend
öffnete er den Schraubstock und drückte den Hahn über den
Zapfen der Büchse. „Jetzt paßt er! ... 's Büchsl wär wieder
in Ordnung! ... Aber ich?"

Es lag so viel Kummer in diesen beiden Worten, daß der
Horneggerin die Tränen kamen. „Aber Franzl, schau, laß dir
doch sagen ..." Sie zog seinen Kopf an ihre Brust, streichelte

ihm das Haar und kramte wieder aus, was sie ihm an Trost und Aufmunterung in diesen Tagen schon zu dutzendmalen vorgeredet hatte.

Er hörte sie schweigend an und nickte ein paarmal vor sich hin, als wollte er sagen: „Ja, Mutterl, hast recht!" Aber sein Blick war so verstört, als wäre in ihm neben allem Kummer, den die Mutter kannte, noch ein anderer, der sich jeder Mitteilung und jedem Trost verschloß.

Das fiel der Horneggerin auf. Sie unterbrach den sprudelnden Erguß ihres Trostes — und sprach mit scheuen Worten davon, daß drüben über der Grenze in Bernbichl ein Bauernsohn abgängig wäre. „Mühltaler heißt er. Kennst ihn vielleicht?" Als sie gewahrte, wie gleichgültig Franzl den Kopf schüttelte, atmete sie erleichtert auf. „Es heißt, daß er gwildert hätt. Jetzt geht er ab, und da sagen b' Leut, man hätt ihn niedergschossen."

Franzl hob die Augen — bei allem Kummer, der ihn drückte, regte sich in ihm das Jägerblut. „D' Leut sagen's? Natürlich! Nur allweil gleich auf b' Jager loshacken! Der arm Teufel hat vielleicht am Heimweg in der Nacht ein Fehltritt gmacht. Und da heißt's nacher gleich: erschossen! Aber geh, Mutterl, jetzt reden wir gar noch von die anderen Leut ihre Sorgen! Ich mein', wir hätten guug an die unsrigen!"

„Ja, Bub, übergnug! Und was mich allweil am ärgsten druckt ... sag mir's ehrlich: hast mir nix verschwiegen?"

„Ich? Verschwiegen?" stotterte Franzl, während matte Röte über seine hageren Wangen schlich. „Aber Mutterl ..."

„Schau, Bub, ich kenn dich doch! Der Pfarr liest net besser im Meßbuch, als ich in deine Augen. Ich merk dir's an: es druckt dich noch was."

Ein dumpfes Pochen hallte durch das Haus. Aber die Horneggerin hörte nicht. „Red doch um Gotts willen, ich vergeh ja schier vor lauter Sorg!"

Es pochte wieder, und Franzl erhob sich. „Drunt an der Haustür klopft einer."

„Na, ich geh net, eh mir net gsagt hast ..."

„No ja, wenn's dich beruhigen kann ... es is wahr, ich hab dir was verschwiegen." Franzls Lippen zuckten. „Aber mußt dir deswegen kein Sorg net machen. Heut am Abend verzähl ich dir alles. Es is nix Unrechtes ... täuscht hab ich mich halt ... täuscht in einer, auf die ich gschworen hätt!"

„O du grundgütiger Heiland!" jammerte die Horneggerin.
„Zu allem Unglück hin noch ein Winkel traurige Liebsgschichten!
Das is uns grad noch abgangen!" Drunten an der Haustür
wurde wieder geklopft. „Ja, ja, ich komm schon! Dem pressiert's
aber!" Sie drückte die Stirn an die Fensterscheibe und blickte
in den Hof. „Der Patscheider steht drunt! Magst net ein bißl
mit nunter gehn?"

Franzl schüttelte den Kopf.

„Aber geh, der gute Kerl nimmt so viel Anteil! Jetzt is
er schon 's drittmal da! Solltest doch ein bißl biskrieren mit
ihm!"

„Ich kann net, Mutterl, ich k a n n kein Menschen sehn!"

„No also, in Gottsnamen, laß ich mir halt wieder was vor-
tratschen!" Seufzend ging die Horneggerin zur Türe, fuhr mit
der Schürze über die Augen und verließ die Stube.

Als sie drunten die Haustür öffnete, war sie noch zu sehr mit
den Gedanken an ihren Buben beschäftigt, um Patscheiders schlecht
verhehlte Erregung und die flackernde Unruhe seiner Augen
zu gewahren. „Grüß dich Gott!" sagte sie und ging ihm voran
in die Stube.

Patscheider legte seine Büchse auf die Wandbank. „Was
macht er denn?"

In wortreichem Jammer schüttete die Horneggerin ihr be-
kümmertes Herz aus. Der Jäger saß mit bleichem Gesicht und
hörte zu, in seinen Zügen den gespannten Ausdruck eines Menschen, der irgend etwas mit brennender Ungeduld erwartet. Als
die Försterin auf das üble Gerede der Leute zu sprechen kam,
schlossen sich Patscheiders Hände zu zitternden Fäusten. „Ich
hab schon ghört davon," sagte er mit heiserer Stimme, „und
grad jetzt im Wirtshaus hat einer von die Schiffknecht so
ein paar Wörtln fallen lassen! Den hab ich aber hinndruckt an
b' Wand! Der redt so bald kein unguts Wörtl mehr übern
Franzl.— Aber weil wir schon grad dabei sind . . . b' Leut sagen,
daß derselbig Bauer von da drüben heut bei enk da gwesen is?"

Die Försterin nickte.

In dem Gesicht des Jägers verschärfte sich jeder Zug.
„Was hat er denn wollen?"

„Sein Buben sucht er. Und weil ihm zutragen worden is,
was b' Leut übern Franzl reden, hat er gmeint, er könnt bei
uns was erfahren. Wie er 's erste Wörtl gsagt hat von dem

Greb, hab ich freilich gmeint, ich muß ihn anpacken vor lauter Zorn. Aber nacher hat er mich völlig erbarmt! Da schau, auf beim Platz da is er gsessen . . ."

Der Jäger rückte hastig auf die Seite und sah das Brett mit scheuen Augen an.

„Und gwiß wahr, weinen hab ich müssen mit ihm! So ein grundbraver Mann! Es is sein einziger gwesen. So was is hart, Patscheider!"

„Ja, Förstnerin, hart!" Schweißtropfen standen auf der Stirn des Jägers, und zögernd lösten sich die Worte von seinen farblosen Lippen. „Also meint der Bauer, man hätt ihm sein Buben erschossen? Ghört hab ich nix, daß in der Umgegend ein Malör passiert wär. Aber möglich kann's ja sein! Gwildert h a t e r . . . wie b' Leut sagen. Sein Vater erbarmt mich freilich . . ." Patscheiders Stimme schwankte, „aber ich kann mich auch in die Haut von dem Jager einidenken! Recht gut, ja! Wenn's bei so was drauf und dran kommt, muß jeder von uns an Weib und Kinder denken und muß sagen: der ander oder ich. Ich glaub, das hat keine von unsere Weiber gern, wenn man ihr den Mann auf'm Schragen in b' Stuben bringt . . . weil der a n d e r der Gschwinder war!"

Schwer seufzend drückte die Horneggerin die zitternden Hände an die Schläfen und starrte die Türe an, durch die man ihr vor Jahren den Mann hereingetragen hatte, starr und blutig, mit der Kugel des Wildschützen im Herzen.

„Und hat der Jager 's Glück, daß er mit ganzer Haut davonkommt . . . da is er net z'neiden drum. Hundertmal in jeder schlaflosen Nacht kann er sich sagen: es is Pflicht und Notwehr gwesen . . . es frißt ihm halt doch an der Seel und druckt ihn am Hals, daß ihm der Schnaufer schier vergeht!" Patscheider sprang auf. „Aber lassen wir's gut sein! Reden wir lieber vom Franzl! Und ich sag Ihnen, Frau Förstnerin, er sollt sich kein bißl Kummer net machen, weil er fortkommt von uns! Mit unserm Herrn Grafen is ein heiklig Hausen. Ich mit meinem Haufen Kinder . . . ich bin anbunden und muß mir alles gfallen lassen. Aber der Franzl hat ledige Füß. Und einer wie der Franzl macht überall sein Weg. Der Herr Graf wird schon merken, was er verliert an ihm. Ich glaub schier, es reut ihn heut schon, daß er so bißig war. Ein Hamur hat er die ganzen Tag her . . . schauderhaft!

Die jungen Herrn Grafen haben schlechte Zeiten bei ihm in der
Hütten droben. Und der Schipper . . . der Herr Schipper . . .
der kann ihm gleich gar nix mehr recht machen! Den ganzen
Tag schimpft und schreit der Herr Graf mit ihm umeinander . . ."
Patscheider verstummte und sah nach der Türe.

Der Postbote trat in die Stube. „Ein eingschriebenen Brief
hätt ich, Frau Horneggerin!"

Der Försterin fuhr die Aufregung und der Schreck in alle
Glieder. Während sie unterschrieb und dem Boten ein Trinkgeld
reichte, brachte sie kein Wort heraus. Patscheider aber rannte in
den Flur und schrie über die Treppe hinauf: „Franzl! Franzl!
Der Brief is da! Gschwind komm! Der Brief is da!" Als
Franzl auf der Treppe erschien, sprang ihm der Jäger über
die Hälfte der Stufen entgegen. „Der Brief is da!"

„Grüß dich Gott, Patscheider, und Vergeltsgott, daß d' so
viel Anteil nimmst!"

Der Jäger hatte Franzl am Arm gefaßt und zog ihn hinter
sich her in die Stube. Die Horneggerin kam ihnen mit dem
Brief entgegen, und während ihn Franzl mit zitternden Händen
erbrach und zu lesen begann, hingen die beiden mit gespannten
Blicken an seinem Gesicht.

Franzls hagere Wangen waren heiß, als er der Mutter den
Brief reichte. „Da, lies! Das is ein guter Herr, der Graf
Tassilo. So ein gibt's bald nimmer."

Mit beiden Händen griff die Horneggerin zu, und Patscheider
fragte erregt: „Hat er ein Platz für dich?"

Franzl nickte.

„Ein guten?"

„Es wär kein schlechter."

„Gott sei Dank!"

„Aber mir scheint, die Sach hat halt doch ein Haken!"

Nun hatte auch die Horneggerin gelesen und brach vor
Freude in Tränen aus. „So ein Glück! Was sagst, Patscheider!
Den besten Posten hat er! Zweihundert Mark mehr im Jahr!
Und bleiben können wir und müssen unser Heimat net aufgeben
und unser Häusl net verkaufen. An alles hat er denkt, der Herr
Tassilo. Alles bleibt, wie's war . . . bloß ein paar Stündln
hat der Franzl weiter ins Revier."

Patscheider stutzte. „Was? Am End kommt er gar zu dem
reichen Fabrikherrn, der mit seiner Jagd an die unser grenzt?"

„Ja! So ein Glück! Ein andern Herrn halt kriegt er, aber sonst bleibt alles beim alten."

„Wirklich, Mutter? Alles?" Franzls Stimme schwankte. „Hast net gsehen, wie der Patscheider erschrocken is? Es is ihm wahrscheinlich eingfallen, wie der Herr Graf auf denselbigen Jagdherrn z'sprechen is, der ihm vor zwei Jahr die schöne Grenzjagd vor der Nasen wegpacht hat. Die ganze Zeit her war der Verdruß an der Grenz, und allweil hat's Streit geben zwischen unserm Personal und dem von drüben. Und jetzt soll ich auf einmal mit denen da drüben Freund und Bruder sein ... und gegen meine bishergen Kameraden und gegen unsern Herrn Grafen soll ich mich auf b' Füß stellen? Na, Mutter, das bring ich net fertig! Den Posten kann ich net annehmen. Das wirst selber einsehen! Lieber 's Haus verkaufen und fort! In Gottsnamen!"

Patscheider riß Mund und Augen auf, während die Horneggerin wie eine Salzsäule stand. Erst nach einer Weile fand sie die Sprache und stotterte: „Ich will dir nix dreinreden, aber ich bitt dich um Gotts willen, mein lieber Franzl ... was möcht denn der Graf Tassilo dazu sagen! Jetzt hat er sich so bemüht wegen deiner ... und du ..."

„Der Graf Tassilo hat sich seit Jahren schon nimmer um unsere Jagdgschichten kümmert und hat kein Ahnung davon, daß dem Herrn Grafen von alle Jagdnachbarn keiner zwiderer is, als grad derselbig. Wenn ich dem Herrn Tassilo alles verzählen könnt, tät er gwiß selber sagen: Na, Franzl, das geht net! Wenn ich den Posten annimm, es müßt ja rein ausschauen, als ob ich unserem Herrn Grafen im Zorn ein Possen spielen möcht!"

„Aaah, Narretei, Narretei!" platzte Patscheider los. „Ich glaub, er hat sich bei dir kein Rücksicht net verdient!" Mit hastigen Schritten ging er auf Franzl zu und rüttelte ihn an der Schulter. „Greif zu, Franzl! Ueberall is's besser, als bei uns!" Seine Lippen verzerrten sich, und in heißem Feuer brannten seine Augen. „Sei lieber froh, daß dein Laufpaß hast ... wer weiß, was er dir erspart hat mit dem Fußtritt, den er dir geben hat!" Ein heiseres Lachen unterbrach die bebenden Worte. „Lieber davongjagt, als aufbessert im Ghalt! Unserem Grafen seine Gnad is hart zum tragen. Greif zu, sag ich dir! Greif zu!"

Franzl schien nicht zu hören. Mit verlorenem Blick sah er einem Bauer nach, der draußen vor dem Fenster vorüberschritt.

Es war der Bruckner, der von einer Holzarbeit nach Hause kehrte, denn er trug die Axt über der Schulter. Und als hätte er gefühlt, daß unter dem Dach des Jägerhauses zwei brennende Augen auf ihn gerichtet waren, streifte er mit scheuem Blick die Fenster und beschleunigte die Schritte. Als ihm das Haus hinter dichten Büschen des Weges verschwand, atmete er auf. Den Blick zu Boden geheftet und an den Lippen nagend ging er an den Höfen und Menschen vorüber. Zu Hause angelangt, warf er die Axt in einen Winkel des Flurs und wollte in die Stube treten, aus der die lauten Stimmen seiner spielenden Kinder klangen.

Da rief es in der Küche: „Lenzi!"

Er furchte die Stirn, als wüßte er, was der gepreßte Klang dieser Stimme zu bedeuten hätte. Langsam trat er unter die Türe.

Mit einer dampfenden Pfanne stand Mali vor dem Herd, dessen züngelnde Flammen ihr abgehärmtes Gesicht mit grellem Schein übergossen.

„Was willst?"

Mali stellte die Pfanne über den Dreifuß und drückte hinter dem Bruder die Türe zu. „Sag mir, Lenzi . . . seit unser Stadtherr fort is, treibt's dich ja jeden Abend ins Wirtshaus nüber . . . da mußt ja doch schon lang was ghört haben davon, was b' Leut übern Franzl reden?"

Bruckner schwieg.

„Da hättst mir schon aus Vorsicht ein Wörtl davon sagen sollen! Jetzt hab ich's von der Nachbarin hören müssen. Und bagstanden bin ich, daß mich 's Weib nur allweil so angschaut hat! Und was ich hab hören müssen, is mehr, als ich verbeißen kann! Wenn keiner net eintritt für den unschuldigen Menschen, so weiß vielleicht ich den richtigen Weg . . ."

„Aber Mali," stammelte der Bauer, „bist denn verruckt!"

„Meinst vielleicht, ich kann mir net denken, wer das gottvergessene Gred in Umlauf bringt? Meinst vielleicht, ich kann mir net denken, wer den Grafen so lang aufghetzt hat, bis er im Zorn nimmer gwußt hat, was er tut . . . denn daß der Franzl nix Unrechts angstellt hat, dafür leg ich b' Hand ins Feuer! Natürlich, ich kann's ja begreifen, daß der ander keine

ruhige Stuub net gfunden hat, bis er den Franzl net los
gwesen is. Viel Gwissen hat er net ... aber ein bißl was
muß sich ja doch noch rühren in ihm ... und da kann ich
mir denken, was er für Zeiten ghabt hat die ganzen Jahr her:
alle Tag beim Essen neben dem Franzl sitzen müssen, neben ihm
liegen in jeder Nacht ... und allweil das Gsicht vor die Augen
haben, das er am liebsten vergessen möcht! Ich kann mir
denken ..." Mali verstummte und sah den Bruder an, der
mit schlaff hängenden Armen an der Mauer lehnte und in das
flackernde Feuer starrte. Die brennende Erregung ihrer Züge
wandelte sich jählings in den Ausdruck tiefer Schwermut. „Verzeih mir's, Lenzi ... den andern hab ich gmeint, und dich
hab ich troffen! Aber ich hab net gredt um meintwillen, das
kannst mir glauben! Ich sieh's ja ein: mein Glück muß ein
End haben, noch eh's ein Anfang ghabt hat. Hart liegt's mir
freilich auf der Seel, daß der Franzl jetzt glauben muß, ich
hätt mich so verändert gegen ihn, weil er sein Posten verloren
hat. Aber in Gottsnamen, soll er's halt glauben, daß ich so
schlecht bin! Was liegt an mir! Aber er, Lenzi! Das mußt
dir doch selber sagen, daß man den unschuldigen Menschen net
z' Grund gehn lassen kann unterm Schipper seine Händ! Das
siehst doch ein, daß da was gschehen muß! Und unser Herrgott
wird ja doch so viel Verstand haben, daß er mir ein Rat
schickt!" Sie fuhr sich mit den Fäusten über die Augen, trat
zum Herd und faßte den Stiel der Pfanne, aus der mit dickem
Dampf ein verdächtiger Brandgeruch hervorquoll. „Jetzt geh
in b' Stuben zu die Kinder, Lenzi ... ich bring dir 's Essen!"
Langsam richtete der Bauer sich auf und sagte mit erloschener
Stimme: „Mir is der Appetit vergangen!" Er griff nach der
Türklinke und zögerte wieder; dann sagte er über die Schulter:
„Wenn dir was einfallt, was dem Franzl helfen kann ... ich
leg dir kein Hindernis in Weg. Soll's für mich ausfallen,
wie's mag! Mehr als z' Grund gehn kann ich net! Und ich
mein', das is mir eh sicher! Hätt ich gschwiegen und alles
laufen lassen ... es wär besser gwesen! Dir hab ich 's Leben verpaßt, und in mir is, seit ich gredt hab, der Teufel
wieder lebendig worden, den mein guts Weib selig durch so viel
Jahr mit feste Strickln bunden hat! Ich spür's, er frißt mich
auf mit Haut und Haar!"
Schweren Schrittes ging Bruckner aus der Küche; vor

der Stubentüre strich er mit dem Aermel über das Gesicht, als
möchte er von seinen Zügen löschen, was die Augen seiner
Kinder nicht sehen sollten. Als er eintrat, sprangen ihm sein
Bub und das ältere Dirnlein jubelnd entgegen, während das
Netterl, das im Hembchen auf der Erde saß, lallend die Aerm-
lein nach ihm streckte.

4.

An jedem Morgen in diesen vergangenen Tagen hatte
Willy den Vater an das in einer schwachen Minute gegebene Versprechen, an den ‚Besuch bei unserer kleinen Schmalgeiß‘ erinnert. Doch Graf Egge verschob den Abstieg nach Hubertus
von einem Morgen zum Abend, von jedem Abend zum andern
Morgen. Immer wieder hielt ihn ein Gemsbock, den Schipper
mit dem Tubus ausfindig machte, oder ein starker Hirsch, dessen
Wechsel bestätigt wurde. Und Graf Egge zeigte sich um so
hartnäckiger in seiner Ausdauer, je weniger ihm in diesen Tagen
die Gunst des grünen Heiligen lächeln wollte. Jedes Treiben
mißlang, jeder Pirschgang mißglückte. Schipper hatte dabei
einen bösen Stand. Doch je übler Graf Egge mit ihm um-
sprang, desto aufmerksamer bediente er seinen Herrn, schmierte
ihm die Bergschuhe tadelloser als je, behandelte seine Gewehre
wie ein Goldarbeiter den Filigranschmuck und ließ sich buch-
stäblich die Füße krumm in dem Bestreben, das gewandelte
Jagdglück seines Herrn wieder auf bessere Wege zu bringen.
Dennoch wollte sich Graf Egges Laune nicht bessern.

Von Tassilo war während all dieser Tage in der Hütte mit
keiner Silbe gesprochen worden. Ein einzigesmal hatte Willy
versucht, dieses Thema zu berühren, um auf die Stimmung
des Vaters in einem für Tassilo günstigen Sinne zu wirken.
Graf Egge aber war ihm mit zorniger Schärfe ins Wort gefallen: „Davon schweig mir! Oder es hat ein Ende mit unserer
Freundschaft!“ Wütend war er aus der Stube gegangen und
hatte die Türe hinter sich zugeschlagen. Eine Stunde später
aber, als Willy verdrossen hinter der Hütte auf dem Brunnen
saß, kam der Vater und drückte ihm einen kleinen, sorgfältig in
Papier gewickelten Gegenstand in die Hand. „Nimm, Junge, das

schenk ich dir! Es sind meine schönsten!" Und lächelnd blieb er vor Willy stehen, um die Wirkung des Geschenkes zu beobachten.

Es waren zwei Hirschgranen von selten dunkler Färbung; Graf Egge trug sie seit Jahren in der Geldbörse mit sich umher, um sie gleich bei der Hand zu haben, wenn in seinem Jägerherzen die Sehnsucht nach ihrem Anblick erwachte. Willy war von diesem Geschenke mehr verblüfft als freudig überrascht — die beiden Beinstückchen hatten für ihn einen höchst zweifelhaften Wert; doch er wußte, daß dieses Granenpaar in der Schätzung seines Vaters höher stand als ein paar der kostbarsten Edelsteine.

„Aber Papa!" stotterte er halb verlegen und halb gerührt. „Das kann ich wahrhaftig nicht annehmen! Ich weiß doch, wie schwer du dich von diesen Granen trennst!"

„Ja, Junge, es ist das Beste, was ich schenken kann. Aber nimm sie nur! Dir geb ich sie gerne, denn dich hab ich lieb!" Mit beiden Händen griff er in Willys Haar und zog ihm sachte den Kopf hin und her. „Vergiß das dumme Wort von vorhin, aber tu mir auch den Gefallen und laß diese andere Geschichte begraben sein. Ich hab's hinuntergewürgt und will jetzt Ruhe haben. Mach du mir Freude, und alles ist ausgeglichen." Er küßte den Sohn auf beide Wangen, nickte ihm lächelnd zu und trat in die Hütte.

Ein wenig konsterniert über diesen ungewohnten Zärtlichkeitsausbruch, blickte Willy dem Vater nach und steckte die Granen zu dem Rubin in die Westentasche. Er machte auch weiterhin keinen Versuch mehr, von ‚dieser anderen Geschichte‘ zu sprechen. Im stillen aber schmiedete er allerlei Pläne. Als er dabei den Bruder ins Vertrauen ziehen wollte, erfuhr er eine kühle Abweisung. „Ich mische mich nicht in die Angelegenheiten anderer," sagte Robert, „und rate dir, das gleiche zu tun. Ueberhaupt, was kümmert dich dieser Narr? Laß ihn doch seiner Wege gehen und sei froh, daß du selbst beim Vater schön Kind bist!" Willy erwiderte gereizt, und die Sache endete zwischen ihnen mit verletzenden Worten.

Nun baute Willy seine ganze Hoffnung auf die Hilfe Kittys. Was ihm selbst nicht gelungen war: den Vater vorerst nur zu einer ruhigen Aussprache über alles zu bringen, was zwischen ihm und Tassilo an jenem Abend vorgefallen war — das mußte der Schwester gelingen. Willy sah ja doch, daß der Vater auch in der übelsten Laune dieser Tage einen freundlicheren Ton anschlug, sobald die Sprache auf die ‚kleine Schmalgeiß‘ kam — und den Verlust des Adlers hatte er ihr so rasch verziehen, daß Moser, der Kittys Brief gebracht hatte und das Märchen von der im Flug geschossenen Krähe erzählte, mit einem gelinden ‚Wischer‘ davonkam. So ließ nun Willy keinen Tag vergehen, ohne dem Vater die Sehnsucht, die Kitty nach ihm empfände, in den wärmsten Farben zu schildern.

„Ja, Junge, ja,“ pflegte die Antwort zu lauten, „nur heute noch diesen letzten Trieb und morgen die Frühbirsch. Dann gehen wir!“

Am Vormittag des ersten September kam Graf Egge vom Pirschgang in die Hütte zurück, mit Zorn geladen wie eine Kartätsche. Auf einen ‚Kapitalbock‘ hatte ihm die Patrone versagt, und der zweite Schuß, den er im Aerger der flüchtig gewordenen Gemse nachgeschickt, war ihm ,zu kurz‘ geraten und hatte den Bock weidwund getroffen. Willy suchte den Vater zu beschwichtigen. Das wollte ihm beinahe gelingen — aber da kam Schipper, der die Unglückspatrone geladen hatte, mit Robert von der Pirsche zurück und brachte zu allem Unheil noch die Meldung, daß seinem Schützen ein Doublé auf einen Zehner- und Sechserhirsch gelungen wäre. Nun ging das Gewitter wieder los, und über das gebeugte Haupt des Büchsenspanners prasselte eine Litanei von Schimpfworten nieder. Schipper wartete das Ende dieses Ergusses nicht ab, sondern packte wortlos seine Büchse und rannte davon, um den angeschossenen Bock zu suchen.

„Natürlich, jetzt kann er rennen!“ schrie Graf Egge hinter ihm her. „Aber wenn er den Bock nicht bringt, soll ihn der Teufel holen, der schon lang auf ihn wartet! Ich möchte nur wissen, für was ich den Kerl eigentlich bezahle? Meine verläßlichen Leute beißt er mir hinaus, und er selber ist ein Jäger, daß Gott erbarm! Nicht einmal eine Patrone kann er laden! Der Kerl ist ja rein nur zu gebrauchen, wenn es eine Schweinerei zu vertuscheln gilt! Dieser Aasgräber!“

Während Graf Egge mit solchen Sentenzen und mit dem krachenden Hall seiner Faustschläge die Stube erfüllte, hatte sich Robert auf den Heuboden verzogen, um den durch die Pirsche versäumten Schlummer nachzuholen. Willy fungierte unterdessen bei dem Vater als Beschwichtigungsrat. Doch als sich

Graf Egge über Schipper müde gescholten hatte, kam Roberts Doublé an die Reihe. Einen Sechserhirsch niederbrennen — das wäre doch unerhört! Als ob er an dem Zehner nicht genug gehabt hätte! „Aber natürlich! So maßlos, wie am Spieltisch, gerade so treibt er es auf der Jagd. Aber eh ich mir von ihm mein Revier ruinieren lasse, schieb ich denn doch einen Riegel vor!"

Der Klang dieser Worte drang durch die Decke zum Heuboben hinauf, ohne Robert in seinem beginnenden Schlummer zu stören.

An dieses zweite Kapitel seines Zornes fügte Graf Egge eine Jeremiade über das Jagdpech dieser letzten Tage und schloß mit der Versicherung: „Da könnte man wahrhaftig abergläubisch werden! Es ist ja gerade, als ob ein Fluch auf meiner Büchse läge, seit . . ." Die nähere Zeitbestimmung verschluckte er.

„Du hast recht, Papa," fiel Willy ein, diese Wendung zugunsten seiner Pläne benützend, „du bist wirklich in einem ganz schauberösen Pech! Das läßt sich mit Gewalt nicht ändern. Das beste Mittel ist immer, ein paar Tage aussetzen." In wachsendem Eifer legte Willy den Arm um den Hals des Vaters. „Ich meine, es wäre das beste, uns augenblicklich auf die Socken zu machen. Du gehst deinem Pech aus dem Weg, und unserer kleinen Geiß machst du eine Freude. Wir beide wollen dir brunten die Langeweile schon vertreiben! Jeden Nachmittag schießen wir auf Tontauben, und unsere kleine Geiß üben wir auf den laufenden Hirsch ein. Ich wette, sie slidt ihm eins aufs Blatt! Sie müßte deine Tochter nicht sein!"

Graf Egge lächelte und faßte den Sohn an dem Haarschopf, der ihm in die Stirne hing. „Ja, Bub, recht hast!" sagte er in seinem breitesten Dialekt. „Mach dich fertig und fahr in die Schuh! Weck den da droben! Oder wenn ihm von der Pirsch die Knie schnackeln, soll er liegen bleiben! Ich geh mit d i r und brauch keinen anderen! Und durchs Hochholz nunter mach ich eine Pirsch mit dir. Da brunten stehen um die Mittagszeit die guten Hirsch gern umeinander. Nimm deine Büchs . . . ich laß die meinig in der Hütt, damit ich nicht in Versuchung komm, wenn wirklich ein Hirsch vor uns aufspringt . . . ich will d i r eine Freud machen, und drum geh ich lieber mit dem Stecken, denn ich kenn mich!" Lachend holte er Willys Bergschuhe unter dem Ofen hervor und stellte sie ihm vor die Füße.

Als Willy für die Wanderung fertig war, kletterte er hastig auf den Heuboden und weckte den Bruder.

Doch Graf Egge wollte sich nicht gedulden, bis Robert mit seiner umständlichen Toilette zu Ende käme. Mit dem Gewehr in der Hand faßte er Willy am Fuß der Leiter ab. „Komm nur, da hab ich schon deine Büchse. Der ander wird den Weg auch allein finden.“

Von der Hand des Vaters fortgezogen, stolperte Willy über die Schwelle und nahm, da er sich zu bücken vergaß, noch eine schmerzliche Erinnerung an das ‚Palais Dippel‘ mit auf den Weg.

Bei der Wanderung durch das Latschenfeld und über die Almgehänge war Graf Egge in gemütlichster Laune, erzählte allerlei lustige Jagdgeschichten, amüsierte sich auf Kosten Roberts und schilderte mit drolliger Ironie das bestürzte Gesicht, das Schipper machen würde, wenn er von der Nachsuche zurückkäme und die Hütte leer fände. Doch mit dem ersten Schritt in den schattendunklen Hochwald verwandelte sich seine gesprächige Laune in schweigsamen Ernst. Er selbst lud Willys Büchse, nachdem er zuvor die beiden Patrouen einer genauen Musterung unterzogen hatte.

„So! Und jetzt nimm deine Tapper in acht und halt die Gucker offen!“

Lautlos pirschten sie über den weichen Moosgrund, voran Graf Egge, der in dem pfadlosen Wald jeden Baum zu kennen schien. Als sie eine lehmige Furche überschritten, deutete er zu Boden und flüsterte: „Da spürt sich einer ganz frisch . . . ein guter! Mach die Büchs fertig . . . ich weiß in der Näh einen Platz, da liegen sie gern!“ Immer leiser wurde seine Stimme, während er Willy für den Fall, daß sie den Hirsch anträfen, ein Dutzend Verhaltungsmaßregeln vordozierte. „Und vor allem: schieß nicht zu hitzig, laß dir Zeit, fahr langsam von unten auf, und wenn du Rot vor dem Korn hast, zieh ruhig ab!“

Vorsichtig pirschten sie weiter und überstiegen einen moosigen Grat. Kaum hatten sie die Höhe erreicht, da buckte sich Graf Egge und lispelte: „Dort liegt er! Siehst ihn?“

Willy spannte den Hahn und hob die Büchse. Aber der Hirsch hatte schon das Haupt aufgeworfen und sprang aus dem Lager. Willy verlor die Ruhe nicht, sondern zielte mit Beobachtung all der guten Lehren, die er soeben gehört. Schon sah er ‚Rot vor bem Korn' unb wollte brücken — aber ba fuhren plötzlich zwei Hände nach seiner Büchse.

„Gib her ... bu triffst ihn ja boch nicht!" Mit biesen Worten entriß ihm ber Vater bie Waffe, unb ehe sich Willy von seiner Verblüffung erholen konnte, krachte schon ber Schuß.

Im Feuer brach ber Hirsch zusammen. Mit einem Jauchzer ließ Graf Egge bie rauchenbe Büchse sinken, schwang sein mürbes Hütlein unb lachte: „Ja, Bub, recht hast ghabt! Droben hab ich meinem Pech bavonlaufen müssen, bamit ich ba herunten mein Glück wieberfinb!"

„So?" schmollte Willy. „Ich war ber Meinung, bu wolltest m i r ein Vergnügen machen."

„Richtig!" Graf Egge lachte. „Es ist mir in bie Hände gesahren, ich weiß nicht wie. Aber sei nicht böse ... ein anbermal also! Aber komm, jetzt sollst bu wenigstens lernen, wie man einen Hirsch weibgerecht aufbricht!"

Willy sanb ein zweifelhaftes Vergnügen an bieser blutigen Lektion, boch er wollte bem Vater bie Laune nicht verberben unb wollte ihn bei gutem Humor nach Hubertus bringen. So fügte er sich. Fast eine Stunbe bauerte ber Unterricht. Als sie ben Hirsch mit Fichtenwebeln bebeckt unb am Moos bie Hände gesäubert hatten, blickte Graf Egge, ba sie sich schon zum Nieberstieg anschicken wollten, lauschenb burch ben Walb hinauf.

Man hörte Steine rollen, einen Bergstock klirren, unb mit langen Sätzen kam Schipper burch ben Walb heruntergesprungen. Bleich, atemlos unb mit schweißüberronnenem Gesicht blieb er vor seinem Herrn stehen unb zog ben Hut.

„Was willst bu? Ach so ... bu hast wohl ben Schuß gehört? Du bist prompt am Fleck! Das gesällt mir!"

„Da liegt er ja ... ich gratulier, Herr Graf!" Mühsam rang ber Jäger nach Atem. „Ohne ben Schuß hätt ich ein schweres Suchen nach Ihnen ghabt! Ich bring gute Botschaft! Ihren Gamsbock hab ich gfunben! Aber bas is noch lang net 's wichtigste! Wie ich auf'm Heimweg unterm Schneelahner vorbeikomm, steht ein Rehbock broben. Am ersten Blick schon hat mir 's Gwichtl so gspassig in b' Augen blitzt, unb wie ich 's Spektiv aufzieh, hab ich gmeint, ich muß aus ber Haut sahren! So eine Abnormität haben S' noch keine in Ihrer Sammlung, fünf Stangen hat ber Bock broben!"

„Alle Wetter!" stotterte Graf Egge, während dunkle Röte seine Züge überfloß.

„Und den Bock schießen S', da garantier ich!"

Zitternde Erregung befiel den Grafen. „Ich dank dir, Schipper! Schau dich um Leute um, die den Hirsch heimliefern, ich steig einstweilen hinauf zur Hütte!"

„Aber Papa!" fiel Willy mit der Miene eines schwer Gekränkten ein. „Den Hirsch, auf den du mich geführt, hast du mir weggeschossen . . . ich hab ihn dir ja von Herzen gegönnt . . . aber so halte mir doch wenigstens dein anderes Versprechen. Der Bock läuft dir ja nicht davon. Aber ich und . . ."

„Das verstehst du nicht . . ."

„Ich bitte dich, Papa, laß den Bock und komm mit mir hinunter nach Hubertus! Tu es m i r zuliebe, ich bitte dich!"

„Ja, Junge, alles andere, aber . . ."

„Papa, ich b i t t e dich!"

Graf Egge wurde ungeduldig. „Einen s o l c h e n Bock k a n n ich nicht auslassen! So viel Jäger solltest du doch wirklich sein, um das begreifen zu können! Jetzt bin ich wieder im Glück . . . in zwei Pirschen hab ich ihn! Und dann komm ich, darauf hast du mein Wort! Also sei zufrieden, geh gemütlich nach Hause und grüß mir einstweilen die kleine Geiß! Morgen abends bin ich bei dir. Auf Wiedersehen!" Ohne Willys Antwort abzuwarten, faßte er den Bergstock mitsamt der Büchse seines Sohnes und stieg durch den Wald hinauf, während Schipper davoneilte, um auf den nächsten Almen ein paar Leute zu requirieren.

Mit großen Augen sah Willy dem Vater nach. Es war nicht Aerger, was er empfand — ein seltsames Schmerzempfinden erfüllte ihm das Herz, und die Kehle war ihm wie zugeschnürt. „Was hab ich denn nur?" murmelte er vor sich hin und strich mit der Hand über die Stirne. Eine Weile noch saß er auf die grünen Reiser nieder, unter denen der Hirsch so gut verborgen lag, daß nur ein paar Enden des Geweihes hervorragten; dann rückte er den Hut und suchte den Heimweg. Lange irrte er im Wald umher, bis es ihm gelang, den talwärts führenden Pfad zu finden. Dabei war er müde geworden, und während des Niederstieges rastete er häufig — auch bei der Buche mit dem Marterl. Während er im Schatten der Aeste saß, von denen lautlos die welken Blätter niederfielen, beschlich ihn ein eigentümliches Unbehagen. „Ach, Unsinn!" murrte er und erhob sich. „Ich weiß doch, wie er ist . . . und er wird auch nicht mehr anders!"

Mittag war vorüber, als er das Dorf erreichte. Verdrossen dankte er den Leuten, die ihn grüßten. Am Zauverhäuschen ging er vorüber, ohne zu merken, wo er sich befand. Doch als er die Ecke des Gärtchens erreichte, fühlte er einen leichten Schlag an der Wange. Verwundert blickte er auf, sah eine rote Nelke an sich herunterfallen und hörte hinter den Johannisbeerstauden des Gärtchens ein leises Kichern. Er lächelte und wollte auf den Zaun zutreten. Aber da war ihm plötzlich, als stünde sein Bruder Tassilo vor ihm und sähe ihn mit freundlich ernsten Augen an, wie vor Tagen, dort oben in der Bergschlucht.

„Wort halten!" nickte er vor sich hin, schleuderte mit dem Fuß die Nelke in den Straßengraben und ging seiner Wege. Doch als er an die Parkmauer kam, blieb er stehen und sah sich um. „Eigentlich war das von mir eine überflüssige Flegelei," dachte er. „Ich hätt ihr ja ein paar harmlose Worte sagen und dann ruhig gehen können. Aber na . . . jetzt hat die Geschichte ein Ende! Das wird lachen, wenn ich ihm das erzähle."

Beim Eintritt in die Ulmenallee klang ihm vom Adlerkäfig ein wildes Geflatter entgegen. Doch er achtete nicht weiter darauf; auch sah er am Ausgang der Allee seine Schwester erscheinen, die ihm entgegeneilte, als hätte sie um sein Kommen gewußt und ihn mit Ungeduld erwartet. In leidenschaftlichem Ungestüm warf sie sich an seinen Hals und küßte ihn; dann fragte sie zögernd: „Wo ist Papa?"

„Droben! Er will morgen abend kommen. Das heißt, wer's glaubt! Ich nicht!"

„Morgen abend?" wiederholte Kitty erregt. „Aber sag mir, was ist zwischen ihm und Robert vorgefallen?"

„Warum? Wie kannst du wissen . . ."

„Robert ist vor einer halben Stunde nach Hause gekommen wie ein beleidigter Olympier, hat sich umgekleidet und ist ohne ein Wort davongeritten."

„Papa hat ihn etwas unfair behandelt. Mich hat er zwar auch gehörig aufsitzen lassen, aber das alles ist Nebensache! Weißt du schon, was mit Tas los ist?"

„Alles!" sagte Kitty mit heißen Wangen. „Und sag es mir lieber gleich: bist du f ü r ihn oder g e g e n ihn?"

`„Für ihn, natürlich!"

Kitty belohnte ihn mit einem Kuß. „Das hab ich von dir erwartet. Aber nun komm ins Haus! Das hat mir einen Brief für dich übergeben. Den mußt du augenblicklich lesen. Und dann sprechen wir weiter. Fünf Minuten laß ich dir Zeit, um dich umzukleiden. Komm!" Mit ungeduldiger Hast zog sie ihn gegen die Veranda.

„Wie geht es Tante Gundi?"

„Besser, Gott sei Dank! Sie trägt zwar den Arm noch im Verband, aber sie ist heute schon mit mir ausgefahren und hat herunten diniert. Jetzt ruht sie ein wenig, und später wirst du sie ja sehen können. Aber eines sag ich dir, Willy . . . diese üblichen Scherze mit Tante Gundi müssen ein Ende haben! Ich dulde absolut nicht mehr, daß sie auch nur im geringsten verletzt wird. Sie ist eine goldene Person!" All das erklärte Kitty mit einer so leidenschaftlichen Energie, daß der Bruder sie verwundert betrachtete. Aber sie ließ ihm keine Zeit zu einer Frage. „Komm nur! Komm!" Im Korridor rief sie den Diener und befahl, ihrem Bruder das Diner in seinem Zimmer nachzuservieren; dann flog sie über die Treppe hinauf.

Die fünf Minuten waren noch nicht vergangen, als sie schon an Willys Türe pochte. „Kann man eintreten?"

„Nur los!" klang die Antwort. „Aber viel umsehen darfst du dich nicht."

Diese Warnung hatte ihre guten Gründe, denn in dem Zimmer herrschte eine greuliche Unordnung; vor dem übel zugerichteten Waschtisch lagen alle Stücke des Jagdgewandes auf dem Boden umher, der eine Bergschuh stand mitten im Zimmer, der andere unter dem Tisch, auf dem Bett lag der Uniformsrock über dem Bergstock, aus dem offen stehenden Kleiderschrank hing ein niedergefallenes Beinkleid auf die Dielen heraus, in der halb aufgezogenen Lade einer Kommode war die frische Wäsche durcheinander geworfen, und auf der Marmorplatte des Nachttisches bildeten Zigarrentasche, Jagdmesser, Uhr und Börse ein Stilleben mit dem silbernen Leuchter, in dessen Schale der Rubin und die beiden Hirschgranen lagen.

Hinter dem Tisch saß Willy in blauer Soldatenhose und weißem Seidenhemd auf dem Sofa und hielt seine verspätete Mahlzeit.

Kitty hatte, als sie das Zimmer betrat, einen gelinden

Schauder zu überwinden. „Ach du lieber Gott! Willy!"

„Na, falle nur nicht in Ohnmacht!" meinte der Bruder, ohne seine Auseinandersetzung mit dem Hirschbraten zu unterbrechen. „Fritz wird ja wieder Ordnung machen. Komm her und schieß los!"

Sie reichte dem Bruder Tassilos Brief, und während Willy zu lesen begann, beobachtete sie mit gespanntem Blick sein Gesicht; er schien gerührt zu sein, und tiefe, ehrliche Bewegung sprach aus seiner Stimme, als er, den Brief zusammenfaltend, sagte: „Unser Tas ist doch ein herzensguter Kerl!"

„Darf ich lesen?" fragte Kitty und streckte die Hand nach dem Brief.

Willy wurde verlegen; er schüttelte den Kopf und schob den Brief in die Hosentasche. „Nein, Maus! Tas hat da über verschiedene Dinge geschrieben, die nur mich allein betreffen . . . und . . . das interessiert dich doch wirklich nicht!" Um über die Sache hinwegzugleiten, fragte er, wie Tassilo von der Jagdhütte zurückgekommen wäre, und was die Schwester über den ‚Krach mit Papa' erfahren hätte.

In heißem Eifer erzählte Kitty von Tassilos Abreise, von jenem Nachmittag, an dem sie das ‚große Geheimnis' erfahren, und von ihrem Besuch bei Fräulein Herwegh. Mit heller Begeisterung schilderte sie Annas Liebreiz und ihr bezauberndes Wesen. „Tas muß wahnsinnig glücklich werden!"

„Ich gönn ihm sein Glück von ganzem Herzen. Und er hat recht, daß er dafür durch dick und dünn geht. Glück, weißt du, das ist eine schöne Sache . . . besonders, wenn es das echte ist, die wahre Blume! Freilich, der arme Kerl wird auch die Dornen spüren. Aus dem Gerede der Leute wird er sich verteufelt wenig machen . . . aber der Bruch mit Papa wird ihm doch wie ein Stein auf der Seele liegen!" Willy griff nach der Obstschale und knackte eine Krachmandel auf. „Papa hat ja so seine Eigenheiten! Aber Kind ist Kind . . . und Tas hängt an ihm, wie wir alle . . . Robert vielleicht ausgenommen, der sich an Papa nur erinnert, wenn er Ursache hat, ihn zu schröpfen." Die zweite Mandel krachte. „Und wenn es einen Menschen gibt, der an dem Bruch zwischen Tas und Papa eine heimliche Freude hat, so ist es Robert! Aber ich denke, wir beide, du und ich, wir wollen ihm einen Strich durch die abscheuliche Rechnung machen. Wir halten zusammen, Maus!"

„Ja! Und feſt!" Sie klammerte ſich an ſeinen Arm. „Und
das wollen wir ſofort beweiſen!"

„Was meinſt du damit?"

„Du haſt wohl keine Ahnung, wann Tas und Anna ſich
trauen laſſen?"

„Nein, davon hat er mir keine Silbe geſchrieben."

„Ich aber weiß es!" flüſterte ſie mit blaſſem Geſichtchen.
„Er hat es auch vor mir verheimlicht . . . und ich kann mir
denken, weshalb. Er meint wohl, wenn ich es wüßte, ich würde
an dem Tage verrückt werden vor Aufregung und Kummer.
Aber es ſchoß mir gleich ein Verdacht durch den Kopf, als ich
erfuhr, daß Herr Forbeck ſo plötzlich abreiſen mußte . . ."

„Herr Forbeck? Wer iſt das?"

Purpurne Röte huſchte über Kittys Wangen. „Ich kann
dir das im Augenblick nicht ſo genau erklären . . . aber damit
du wenigſtens das Nötigſte weißt: Herr Forbeck iſt ein junger
Künſtler aus München . . . ſ e h r begabt! Der eine g l ä n -
z e n d e Zukunft hat! Tas und Forbeck ſind intime Freunde . . .
und Tas ſagte mir, daß er ihn gebeten hätte, ſein Trauzeuge
zu ſein. Und als er nun ſo plötzlich abreiſte . . ."

„Wer? Tas?"

„Aber nein doch! Herr Forbeck! Ganz plötzlich! Und er
hatte doch ſonſt gar keine Urſache, abzureiſen . . . ganz im
Gegenteil! Und da fuhr es mir gleich durch den Kopf, wie alles
zuſammenhängt. In meiner Aufregung . . . ich wußte ja doch,
daß ich von Tas ſelbſt die Wahrheit nicht erfahren würde . . .
in meiner Aufregung hab ich heimlich nach München tele-
graphiert."

„An wen?"

„An meine Schneiderin! Die kommt immer hinter alles!
Und ich habe mich in ihrer Spürnaſe nicht getäuſcht! Da, lies
das Telegramm, das ich geſtern abends von ihr bekommen
habe!" Mit zitternden Händen brachte Kitty aus ihrem Kleid
das zerknüllte Blatt hervor.

Willy las: ‚Uebermorgen mittags ein Uhr in der Frauenkirche.' Erſchrocken ſprang er auf. „Uebermorgen? Aber das
iſt ja ſchon morgen!"

„Morgen! Ja! Was ſagſt du!" Auch Kitty erhob ſich;
ſie ſchlang den Arm um Willys Hals und ſtammelte: „Und das
ſiehſt du doch ein . . . das dürfen wir nicht geſchehen laſſen,

daß unser lieber, guter Tas in dieser heiligen Stunde allein steht? Das wäre für ihn nicht nur ein tiefer Schmerz, auch eine Demütigung vor den Verwandten seiner Braut!"

„Ja, Maus, recht hast du! Das ist eine wahrhaft geniale Idee! Ich reise! Noch heute nacht! Ich freue mich närrisch auf das Gesicht, welches Tas machen wird! Und dir, das versprech ich, dir schick ich ein ellenlanges Telegramm."

„Das kannst du dir sparen," erklärte Kitty, „ich fahre mit!"

„Du? Nein, Maus, das ist Unsinn!"

„Ich muß zu ihm, ich muß, ich muß!" Wie in heller Verzweiflung umklammerte Kitty den Bruder.

Etwas ratlos streichelte er ihr das Haar und die Wangen. „So sei doch vernünftig, kleine Maus! Das geht nicht! Wenn Papa hinter die Geschichte kommt ... ich vertrage einen Puff, aber du? Nein, Maus! Eine solche Verantwortung kann und darf ich nicht auf mich nehmen!"

„So übernehme ich sie selbst! Ich verantworte alles! Alles!" Energisch richtete sie sich auf und erklärte mit jener Sophistik, wie sie heiß erregten Mädchenköpfen geläufig ist: „Ich weiß wohl, daß ich einen solchen Schritt nicht unternehmen sollte, ohne Papas Erlaubnis einzuholen. Aber wo ist Papa? In der Hütte droben, wie immer, immer, immer! Es ist doch also nicht meine Schuld, wenn ich Papa nicht fragen kann! Wäre er mit dir heruntergekommen ... und nach fünf langen Monaten für seine Hirsche und Gemsböcke ein einziger Tag für mich, das ist doch wahrhaftig nicht zu viel verlangt ... wäre er heute gekommen, so würde ich offen und ehrlich mit ihm gesprochen haben und hätte ihm so lange mit Bitten zugesetzt, bis er Ja gesagt hätte!"

Mit belustigter Miene sah Willy die Schwester an, schob die Hände in die Hosentaschen und wiegte sich auf den Hacken. „Du kannst ja Tante Gundi fragen!"

Bei diesem Einwurf geriet Kitty ein wenig aus der Fassung. „Tante Gundi? Ach, laß doch die Arme in Ruh! Soll ich ihr zu allen Schmerzen auch noch meine Sorgen aufladen? Und das kannst du glauben: sie würde mir nicht die geringste Schwierigkeit in den Weg legen. Aber ich will sicher gehen. Und deshalb frag ich nicht! Ich muß nach München, Willy, ich muß! Davon bringt mich niemand ab!" Ihre Wangen brannten und ihre Augen leuchteten. „Willy! Nimm mich mit! Sieh nur, wie ich bitte!"

Diesem Blick, diesem Klang ihrer Stimme gegenüber hatte er nicht mehr das Herz, ihr ein neues Nein zu sagen. Lachend zog er sie an sich, und küßte sie auf das Ohrläppchen. „Ich sehe, es hängt dir das Herz an dieser Reise ... na also ..."

Mit ersticktem Freudenschrei umarmte sie ihn.

„Machen wir also in Gottesnamen den fidelen Streich in Kompagnie! Papa wird uns zwar eine böse Suppe dafür auszulöffeln geben ... ganz besonders gesalzen für m e i n e Wenigkeit! Aber wenn er sich ärgert, ich wasche meine Hände in Unschuld! Hätte er sein Versprechen gehalten und wäre mit mir herunter gekommen, statt dem verwünschten Rehbock nachzulaufen, so wäre das alles nicht passiert! Die erste Schuld hat e r! Aber komm, jetzt wollen wir Kriegsrat halten."

Sie setzten sich Arm in Arm auf das Sofa und sprachen flüsternd miteinander, wie zwei Kinder, die eine Weihnachtsüberraschung für ihre Eltern vorbereiten. Sie beschlossen, den ersten Lokalzug zu benützen, der früh um sechs Uhr von der Station abging — da hatten sie Anschluß an den um elf Uhr in München eintreffenden Zug und konnten Tassilos Wohnung noch zeitig genug erreichen. „Punkt halb fünf Uhr müssen wir hier verduften," sagte Willy. „Ich bleibe die Nacht über wach, damit ich nicht verschlafe, und lege mich lieber jetzt ein paar Stunden aufs Ohr. Gegen Abend kannst du mich wecken. Dann geh ich ins Dorf, bestelle einen Wagen und soupiere auch gleich beim Seewirt. Ich will eine Begegnung mit Vertl vermeiden, und dir rate ich ebenfalls, dich vor ihm unsichtbar zu machen. Sag nur: du hast Kopfweh ... und sperr dich in dein Zimmer ein! Da kannst du dann in aller Ruhe packen. Ich schmuggle dir meinen Handkoffer hinüber ... der wird wohl genügen ... große Toilette brauchst du ja nicht zu machen, denn wie ich vermute, werden sich die beiden im Reisekostüm trauen lassen. Ich für mich nehme gar nichts mit ... neue Lackstiefel und Handschuhe kann ich mir in München auf der Fahrt zu Tas irgendwo kaufen. Aber jetzt kommt ein Punkt, über den ich etwas ratlos bin: das Hochzeitsgeschenk! Und geben m ü s s e n wir doch etwas."

„Ich weiß schon, was!"

„Na, da bin ich neugierig."

Kittys Augen blitzten vor Freude, als sie dem Bruder ins Ohr flüsterte: „Mamas Perlenkollier!"

Willy erschrak. „Aber Maus! Diese Perlen sind ein Vermögen wert! Papa wird einen unerhörten Spektakel schlagen . . ."

Stolz richtete seine Schwester das Köpfchen auf. „Die Perlen sind m e i n Eigentum! Und ich weiß sehr gut, was ich tue! Hätte Mama diesen Tag erlebt, so hätte sie selbst diese Perlen um Annas Hals gelegt!"

Willy tätschelte ihr die Wange. „Maus! Du bist ein famoser Kerl! Das wird über deine Idee vor Wonne zerfließen. Somit wären wir über alles im reinen! Mach nur du in der Aufregung keine Dummheiten. Und in der Nacht schlaf tüchtig, damit du am Morgen frisch bist. Punkt vier Uhr klopf ich an deine Tür! Und jetzt drück dich . . . ich möchte mich niederlegen!"

Kitty erhob sich. „So gib mir noch deine Hand darauf, daß alles fest und abgemacht ist!"

„Abgemacht!"

Er reichte ihr die Hand, und Kitty drückte sie mit so feierlichem Ernst, als gält es einen Staatsakt von der Bedeutung des Rütlischwures.

Einige Minuten später schmuggelte Willy den Lederkoffer in Kittys Zimmer; dann kehrte er zurück und warf sich mit der brennenden Zigarre aufs Bett. Er brauchte nicht lange, um den Schlaf zu finden; aus seinen Fingern fiel die qualmende Zigarre nieder und brannte ein handgroßes Loch in den Teppich.

Er erwachte nicht, als Kitty gegen sechs Uhr in das Zimmer trat. Um ihn zu wecken, huschte sie zum Bett und wollte seinen Arm fassen. Aber beim Anblick seines Gesichtes erschrak sie: die geschlossenen Lider waren von durchsichtiger Bläue, die Züge blutleer und von welker Zerfallenheit, wie das Gesicht eines Schwerkranken in der Erschöpfung nach heftigem Fieber.

„Willy!"

Der angstvolle Ruf weckte ihn. Hastig fuhr er auf und sah die Schwester mit großen, heiß glänzenden Augen an, als vermöchte er seine schlaftrunkenen Sinne nicht völlig zu ermuntern.

„Was ist dir?" stammelte sie. „War dir nicht wohl im Schlaf?"

„Ach so . . . du? Was meinst du?"

„Bist du krank?"

„Jch? Unſinn! Mir iſt pudelwohl!" Lachend ſprang er
vom Bett, aber da mußte er plötzlich huſten, lange und heftig.

„Willy! Ja was haſt du denn nur?" ſtotterte Kitty und
brachte ihm das Glas Waſſer, nach dem er mit einer Geſte
verlangte.

Er leerte das Glas und drückte die Hand auf die Bruſt.
„Jch muß mich im Erwachen überſchluckt haben, weißt du, ich
habe das öfters, aber na, nun iſt es ja wieder vorüber." Er
ſtellte das Glas auf den Tiſch und atmete tief.

Beſorgt ſah ihm Kitty in das Geſicht, deſſen Wangen ſich
wieder zu röten begannen. „Jſt dir auch wirklich wohl?
Ganz?"

„Vollkommen!"

„Gott ſei Dank! Jch kann dir nicht ſagen, wie ich erſchrocken bin!"

„Ach, geh, das iſt ja komiſch! Laß mich doch mit ſolchen
übertriebenen Geſchichten in Ruhe!" brummte er und ſchob die
Schweſter zur Türe hinaus. Dann trat er vor den Spiegel und
betrachtete ſein Geſicht, aufmerkſam, mit einer Art von ſentimen-
talem Ernſt. Aber dieſe grübleriſche Stimmung hielt nicht lange
an. „Das iſt ja komiſch!" wiederholte er lächelnd, und begann
ſich für den Weg zum Seewirt fertig zu machen; dazu pfiff er
einen luſtigen Marſch.

So ſchmuck wie aus dem Ei geſchält und in beſter Laune verließ er das Haus und ſchlenderte durch die Allee. Als er ſich dem
Adlerkäfig näherte, ſah er dünnen Staub aus dem Drahtgitter
hervorquellen; rings um den Käfig war der Boden mit kleinen
Federn angeſtreut, und weißer Flaum flog überall umher. „Mir
ſcheint, ſie haben wieder gerauft miteinander!" meinte Willy;
doch als er näher trat, ſah er fünf von den Adlern einträchtig
in einem Winkel ſitzen, während der ſechſte mit dem Hals in den
verbogenen Drähten einer ſchadhaften Stelle des Gitters hing;
der Vogel mußte ſich ſchon halb zu Tode gezappelt haben, denn
ſein Gefieder war zerſchlagen und abgeſchunden und nur noch
ein wenig zuckten die Schwingen und Fänge.

„Moſer! Moſer!" ſchrie Willy erſchrocken.

Der Alte kam aus der Zwirchkammer herbeigeſchoſſen. „Was
is, Herr Graf?"

„Schnell! Den Schlüſſel zum Adlerkäfig! Einer der Vögel
hängt im Gitter!"

Jammernd holte Moser seinen Schlüsselbund; doch als er kam, saub er den Adler bereits verendet.

Dem Alten war das Weinen nahe. „Mein Gott, mein Gott . . . der zweite jetzt! Was wird der gnädig Herr sagen! Da gnad mir unser lieber Himmelvater! Aber, Herr Graf . . ." Scheu blickte er zu Willy auf; die Hände zitterten ihm, und seine schlotternden Backen waren weiß. „Ich kann mir gar net fürstellen, wie so was nur hat passieren können! Die Gschicht is mir schon völlig unheimlich! Das geht nimmer zu mit rechte Ding! Passen S' auf, Herr Graf, das muß was bedeuten! Und gar nix Gutes!"

„Ach, Sie alter Narr!" schalt Willy ärgerlich. „Ich will Ihnen sagen, was es bedeutet: daß Sie immer andere Dinge im Kopf haben, statt für die Vögel zu sorgen, die Ihnen von Papa anvertraut sind, wie Kinder einem Vater! Hätten Sie den Käfig überwacht und Ihre Pflicht getan, so ginge nicht einer nach dem andern zugrunde. Das hat es zu bedeuten!"

Während Moser wortlos neben dem verendeten Adler zurückblieb und sich in tiefer Zerknirschung den Kahlkopf kraute, bummelte Willy dem Parktor und der Straße zu.

5.

Der Abend war lau und milde — einer von jenen lieben Abenden des Hochgebirges, die man nicht schildern kann, nur genießen. Kein Lufthauch regt sich, kein Blatt an den Bäumen. Die Geräusche des Lebens und die Stimmen der Bäche klingen gedämpft und dennoch klar, der wolkenlose Himmel ist von einer mattleuchtenden Bläue, ein wenig ins Grünliche spielend. Die Zinnen der Berge haben weißes Licht, doch die zu Tal sinkenden Wälder sind in blau verschwommene Schatten gehüllt, aus denen sich hier und dort die bunten Farben einer welkenden Laubkrone hervorheben, so weich und sanft, daß der Blick unersättlich an diesen zarten Tönen hängt wie an einem zauberhaften Reiz. Das Tal mit seinen Gärten, Häusern und Wiesen liegt von schleierfeinem Duft überflossen — halb ist es dünner Nebel, der aus dem See hervorquoll, halb bläulicher Rauch, der aus den Dächern stieg und sich allmählich in den unbewegten

Lüften sein zerteilte. Sie atmet sich so gut, diese eigenartig
würzige Abendluft — es ist, als würde das Blut mit jedem
Atemzug leichter, es prickelt so eigenartig in allen Nerven,
man wandert, ohne seinen Körper oder eine Beschwerde des
Schrittes zu fühlen, und ein süßes gedankenloses Wohlbehagen,
die Freudigkeit eines traumhaften Genießens überkommt alle
Sinne . . .

In solcher Stimmung schlenderte Willy, der bei dem ersten
Schritt auf die Straße die Tragödie des Adlerkäfigs schon
wieder vergessen hatte, dem Dorf entgegen. Alle zwanzig Schritte
blieb er stehen, drückte die Fäuste auf seine Brust und atmete tief,
wie ein Dürstender nach erquickendem Trunk. Einmal lachte
er vor sich hin und griff mit den Händen in die Luft, als
möchte er das Behagen dieser Stunde festhalten oder eine erträumte Freude haschen, nach der ihn verlangte in der belebenden,
jeden Nerv und jeden Blutstropfen durchglühenden Stimmung dieses Abends.

Da tauchte an einer Biegung der Straße das seine Lieserl
auf. Die Kleine schien in trübseliger Laune zu sein, denn sie
ließ das kokett frisierte Köpfchen hängen. Die rechte Hand hielt
sie in die Hüfte gestützt, und mit der linken schlenkerte sie in
müdem Phlegma eine gehenkelte Blechkanne, die erraten ließ,
daß das Lieserl zum Mooshofer wanderte, von dem die Bau-
nerin ihren täglichen Bedarf von Milch bezog.

Willys Schritte machten das Mädchen aufblicken. Dunkle
Röte schoß über Lieserls Wangen. Dann aber verzog sie
schmollend das Mäulchen, warf mit dem Stolz einer beleidigten
Dame das hübsche Köpfchen auf, und dem Gegner das Feld
überlassend, schlug sie sich seitwärts in die Büsche.

Dieser zürnende Fluchtversuch schien Willy zu erheitern. Mit
ein paar flinken Sprüngen holte er die Ausreißerin ein und haschte
sie lachend am Kleid. „Na, na, na! Das sieht ja wirklich so aus,
als wäre man beleidigt! Hör mal an, Kleine, das ist ja komisch!"

Lieserl versuchte mit zornigem Ungestüm ihr Röcklein zu
befreien.

Willy hielt fest. „Na, na, na, nur nicht gar so hitzig! Also
wirklich beleidigt? Wirklich?" Dabei faßte er Lieserl um die
Hüfte. „So sag mir doch, du niedlicher Käfer, was hab ich dir
denn eigentlich getan?"

„Da können der Herr Graf noch fragen!" stieß das Lieserl

in einem Hochdeutsch hervor, deſſen geſpreizter Wortlaut ſich
bei dieſer zornigen Schärfe doppelt drollig anhörte. „Laſſen
Sie mich aus, Herr Graf! Ich bin Gott ſei Dank keine ſolchene,
Herr Graf, die man das einemal abbuſſeln kann und das
anderemal beleidigen wie . . .“ Sie fand den geſuchten Vergleich nicht; in Tränen ausbrechend ließ ſie die Blechkanne fallen
und ſchlug die Hände vor das Geſicht.

„Aber Lieſerl!“ ſtotterte Willy erſchrocken und gab die
Weinende frei.

Das Mädchen machte ein paar taumelnde Schritte, ſank auf
eine Steinplatte und ſchluchzte wie vom Bock geſtoßen.

Ein Mädchen weinen zu ſehen — dazu noch ein ſo ſchmuckes
Mädchen wie das ſeine Lieſerl — das ging über Willys Kräfte.
Er dachte in dieſem Augenblick an nichts anderes, als nur an
dieſe Tränen, die er fließen ſah, die ihn rührten und ihm zugleich auch ſchmeichelten. Und es waren ſo hübſche Tränen! Und
die Wangen, über die ſie niederrollten, waren ſo rund und
friſch! Und der Mund, über den ſie floſſen, ſo weich und rot —
und bei jeder neuen Träne ſchienen die feuchten Lippen noch
heißer zu glühen.

„Aber Lieſerl!“ ſtammelte Willy, während er ſich auf die
Steinplatte niederließ und den Arm um den Hals des Mädchens
ſchlang. „So ſei doch nicht kindiſch, ich bitte dich! Hör doch
zu weinen auf! Ich habe dir doch wahrhaftig nichts zu leid
getan . . . ganz im Gegenteil! Und wenn ich dich kränkte,
ohne daß ich es wußte . . . ſag mir, was ich tun ſoll, und
ich will gerne alles wieder gut machen!“

Lieſerl verſuchte die Tränen zu ſtillen und klagte, all ihr
Hochdeutſch plötzlich vergeſſend: „Na, Herr Graf, da is nix mehr
gut z’machen! Heut haben S’ mich in ’s Herz troffen, und ſo
was tut halt weh! Sie wiſſen ja gar net, wie gut ich Ihnen
gweſen bin . . .“ Willy quittierte dieſe kurz gefaßte Liebes-
erklärung, indem er das Mädchen feſt an ſeine Bruſt drückte;
Lieſerl ſträubte ſich nicht, doch allen Ernſtes wiederholte ſie:
„Na, das wiſſen S’ net! Ich glaub, ich hätt mein Leben für
Ihnen hergeben können! Die ganzen Täg hab ich allweil an
Ihnen denken müſſen, und ich hab mir ſchier b’ Augen aus-
gſchaut auf die Berg nauf!“

„Wirklich?“ Willys Rührung wuchs. „Du liebes, liebes
Kerlchen du!“

„Von der Fruh bis auf d' Nacht hab ich kein Blick von der Straß verwendt, damit ich's nur ja net verpaß, wenn S' heimkommen. Und heut z'Mittag . . . gleich hab ich Ihnen gsehen und bin naus grumpelt ins Gartl, hab 's schönste Nagerl abgrissen und hab's Ihnen zugworfen . . . und Sie . . . Sie . . .“ Lieserls Tränen kamen wieder ins Rollen. „Das arme Nagerl haben S' mit 'm Fuß davongstössen, als tät Ihnen grausen vor dem Blümerl und . . . vor mir!“

„Aber Schatz! So sei doch vernünftig! Beruhige dich! Das alles stimmt ja gar nicht . . . du hast falsch gesehen!“ tröstete Willy und küßte Lieserl auf die von Tränen nassen Lippen. „Dein niedlicher Gruß hat mir eine riesige Freude gemacht!“ Um dieser Versicherung mehr Nachdruck zu verleihen, küßte er das Mädchen auf beide Augen. „Und wie kannst du nur auf den unglaublichen Einfall kommen, daß ich die Nelle mit dem Fuß fortgestoßen hätte? Das war ja nur ein unglücklicher Zufall. Wie ich die Blume haschen wollte, bin ich gestolpert.“ Er herzte und drückte die Weinende, recht wie ein Verliebter, der in Wärme kommt. „Geh, du Närrlein, du liebes! Welche Ursache hätt ich denn gehabt, dich zu kränken! Ich hab dich ja lieb und . . .“ Er küßte und küßte.

Lieserl sträubte sich gegen keine dieser Liebkosungen, sondern schmiegte sich immer enger in Willys Arme. Dabei aber weinte sie immer fort, als wäre der Zustand dieser zerfließenden Kümmernis für sie ein wahres Behagen. Obwohl sie nun eines weiteren Trostes gar nicht mehr bedürftig schien, erschöpfte Willy doch den ganzen Wortschatz seiner schmeichelnden Zärtlichkeit, um diese emsig fließenden Tränenbächlein zum Versiegen zu bringen. „Ich bitte dich, Schatz, hör doch zu weinen auf! Ich kann das nicht länger sehen! Wenn ich nur wüßte, wie ich dich beruhigen könnte!“ Da fiel ihm der Rubin ein, den er beim Verlassen seines Zimmers mit den beiden Hirschgranen in die Hosentasche geschoben. „Gib mal acht, Schatz . . . ich hab was für dich!“ Hastig holte er den Stein hervor und hielt ihn zwischen zwei Fingern vor Lieserls Augen; trotz der sinkenden Dämmerung glühte der Rubin, als wäre in seinem Innern ein Funke roten Sonnenlichtes eingeschlossen. „Sieh her, Lieserl, den Stein da schenk ich dir . . . und wenn du willst, so laß ich ihn für dich zu einer Nadel fassen oder in einen Ring. Aber ich bitte dich, hör zu weinen auf!“

Mit einem halb erschrockenen, halb gierigen Blick starrte Lieserl das funkelnde Kleinod an. Und als ihr Willy den Rubin in die Hand drückte, schloß sie über dem Stein die Finger zu einer Faust und sah dabei doch zweifelnd zu Willy auf, als könnte sie noch immer nicht an die Wahrheit dieses Geschenkes glauben.

„Na also, bekomm ich keinen Dank? Der Stein ist mehr wert, als dein Vater in einem ganzen Jahr verdient.“

Mit dem Rubin in der krampfhaft geschlossenen Faust warf Lieserl die Arme um Willys Hals und küßte ihn, daß ihm der Atem verging.

Da schollen weich gedämpfte Klänge durch den stillen Wald — im Dorfe läutete man den Abendsegen.

„Mar' und Josef!“ stotterte das Mädchen. „Betläuten! Jetzt hab ich mich aber schön versäumt! Da muß ich mich tummeln, oder ich krieg wieder ein ordentlichen Spitakel von mein Herrn Vatern!“ Leise kichernd streifte sie Willy mit einem funkelnden Blick ihrer schwarzen Augen, und die Faust mit dem Rubin in die Tasche ihres Röckleins grabend, raffte sie mit der anderen Hand die Blechkanne von der Erde und wollte Reißaus nehmen. Doch Willy haschte die Fliehende, riß sie wie ein Berauschter an seine Brust, bedeckte ihr Gesicht mit Küssen und flüsterte ihr ins Ohr: „Ich komm an dein Fenster!“

Mit Wangen, so rot wie blühender Mohn, duckte Lieserl das Gesicht. „Aber! Warten S', Sie Schlimmer Sie!“ schmollte sie kichernd, wand sich aus seinen Armen und huschte davon.

Mit dem Hochgefühl eines Siegers nach heißer Entscheidungsschlacht blickte Willy dem Mädchen nach. Als aber das flatternde Röcklein hinter den Buchenbüschen des Straßenrains verschwunden war, schien ein Gefühl in ihm zu erwachen, das, nach seinem immer länger werdenden Gesichte zu schließen, mit einem moralischen Katzenjammer eine unleugbare Aehnlichkeit besaß. „Natürlich,“ brummte er vor sich hin und schob die Mütze in den Nacken, „da wäre mein heißer Schimmel glücklich wieder mit all meinen guten Vorsätzen durchgegangen!“ Eine Weile überlegte er; dann zuckte er lachend die Achseln. „Na also, diesen letzten Unsinn noch, und dann Schluß! Von morgen ab will ich vernünftig werden!“

Er eilte, von seinem moralischen Entschlusse sichtlich getröstet, auf die Straße zurück, um den Weg zum Seewirt einzuschlagen. Als er bei grauer Dämmerung an Meister Zauners Häuschen vorüberkam, musterte er unter leisem Schmunzeln ein Fensterlein des oberen Stockes, zu dessen Brüstung sich das dichte Weinspalier emporhob gleich einer grünen, festgefügten Leiter. Eine Chansonettenweise summend, schlenderte er weiter — und wie sehr sich auf dem Wege bis zum Seehof seine Stimmung noch zum Besseren wandelte, verriet die Ordre, mit der er auf der laut belebten Terrasse die Kellnerin begrüßte: „Flink, Mädl! Eine Flasche Monopol ins Eis! Dann reden wir weiter!"

In rosiger Laune nahm er das ausgiebige Souper — Seelachs, Paprikahuhn und Omelette aux confitures — steckte die Zigarre in Brand, legte behaglich die Beine über einen Stuhl und vertiefte sich in die Sektbulle. Träumend blies er die Rauchringe vor sich hin, schmachtete die funkelnden Sterne an oder blickte unter lyrischen Regungen auf den stillen See hinaus, über dessen schwarze Flut sich die Reflexe der erleuchteten Villenfenster gleich langen Feuerstreifen einherzogen. In immer kürzeren Zwischenräumen leerte er den schlanken Kelch, füllte ihn wieder und stieß die Flasche zurück in den rasselnden Eiskübel.

Dieses Geräusch weckte immer wieder die Aufmerksamkeit der Gäste, und wenn sie nach dem stillvergnügten Zecher blickten, redete offenes Wohlgefallen aus ihren Augen. Die schmucke, schlanke Jünglingsgestalt in der knappen, kleidsamen Uniform, das hübsche, liebenswürdige, von Wein und Träumen erwärmte Gesicht, diese lächelnde Verlorenheit und diese glückselige, um keine Umgebung sich bekümmernde Nonchalance — das sah sich an wie ein Urbild gesunder und fröhlicher Jugend, die sich sorglos einem Stündlein irdischen Genusses ergibt und in der gehobenen Stimmung, die aus vollem Herzen und aus vollem Becher quoll, das erträumte Bild des kommenden Lebens mit all seinen Freuden als ein leuchtendes Luftschloß in die Wolken baut.

„Glückliche Jugend!" flüsterte ein bejahrter Herr vor sich hin, der den Heimweg antrat und trotz des lauen Abends den Ueberrock bis zum Hals zuknöpfte; mit einem Blick voll gutmütigen Neides streifte er Willy, der die zweite Flasche aus dem Eiskübel hob . . .

Die Terrasse leerte sich immer mehr; immer stiller und träumerischer wurde die schöne Nacht. Auch in der Schifferschwemme waren die Klänge der Ziehharmonika längst ver-

stummt. Als vorletzter Gast verließ der alte Mooshofer das
Wirtshaus; er hatte schwer geladen — und so breit auch die
Straße war, sie wäre ihm fast zu eng geworden; unter halblautem
Gebrumm und mit dem Hut in der Hand taumelte der berauschte
Bauer im Zickzack auf dem vom Sternenschein nur matt erleuchteten Wege dahin; häufig geriet er bis dicht an den Rand
der Schlucht, in deren Tiefe der Seebach rauschte; doch es erwies
sich an ihm die Wahrheit des Sprichwortes, daß Kinder und
Betrunkene einen starken Schutzengel haben; oft galt es nur
einen letzten Schritt, und der Mooshofer wäre niemals wieder
aus seinem Rausch erwacht — aber immer im rechten Augenblick
schwankte das Gewicht seines taumelnden Körpers wieder ein-
wärts gegen die Straße. Vor Meister Zauners Häuschen tat er
einen Plumps in den ungefährlichen Straßengraben, richtete
sich brummend auf und torkelte weiter.

An dem einsamen Häuschen waren noch zwei Fenster erleuchtet: in Lieserls Kämmerchen brannte eine Kerze vor dem
Spiegel, und in der ebenerdigen Wohnstube die Hängelampe
über dem Tisch. Hier saß die Zaunerin auf der Ofenbank,
während der Meister beim Fenster stand, mit den Fäusten hinter
dem Rücken — den roten Gesichtern der beiden war es anzumerken, daß sie einen heißen Kampf miteinander ausgefochten
hatten.

Nun schwiegen sie, aber der Waffenstillstand währte nicht
lange. Energisch wandte sich Zauner zu seinem Weib und
drohte mit dem Finger. „Gib nur acht, du! Von heut an steck
ich andere Kerzen auf, damit dir einmal ein Lichtl aufgeht in
deinem bumpern Hirnkastl! Und wenn ich dahinterkomm, daß
du als Mutter deine Pflicht und Schuldigkeit net tust . . . da
kracht's aber ordentlich!"

„Jetzt laß mir doch endlich mein Ruh! So eine Remasuri
machen! Wegen nix und wieder nix!"

„So? Wegen nix! Meinst vielleicht, ich kenn unser Lieserl
net? Den ganzen Abend allweil hab ich's gmerkt, daß mit dem
Madl was los is! Sie hat was im Sinn. Und nix Guts net,
da möcht ich schwören drauf! Aber ich tu meine Pflicht als
Vater, ich halt meine Augen offen!"

„Meintwegen!" murrte die Zaunerin. „Kanust dir ja
Zündhölzeln einispreizen, damit dir nur ja nix auskommt! Aber
jetzt will ich mein Ruh haben, ich möcht mich endlich schlafen

legen!" Mit diesen Worten trat sie auf den Tisch zu und blies die Lampe aus, ein Gewaltstreich, der den Meister Zauner sprachlos machte. Auf einem Umweg tastete sich die Zaunerin in den Flur und stieg über die finstere Treppe hinauf. Sie wollte noch zu einem kleinen Plausch in die Kammer ihrer Tochter treten, doch die Türe war von innen versperrt.

„Lieserl?"

„Ja, Mutter?" klang es in der Kammer.

„Geh, mach ein bißl auf!"

„Ich lieg schon! Gut Nacht!"

„Gut Nacht, Schatzerl! Laß dir was Guts träumen!" Mit diesem Segenswunsch wollte die Zaunerin ih.e Schlafstube aufsuchen; aber da gewahrte sie den Lichtschein, der durch die Ritzen der Türe quoll, und wurde neugierig. Sie bückte sich, lugte durch das Schlüsselloch und sah, daß ihr feines Lieserl vor dem Spiegel saß und sich frisierte, als ging es zur Kirche oder zum Tanz. Schmunzelnd richtete sich die Meisterin auf, schlich auf den Zehen in ihre Stube, und während sie ihren grauen Schopf der Schlafhaube anvertraute, monologisierte sie im stillen: „Schau, schau, jetzt hat er am End doch recht? Sie muß was im Köpfl haben! No also, in Gottsnamen! Warum soll man ihr ein unschuldigs Spassetterl net vergönnen? 's Madl is ja gscheit, 's Madl wird schon selber wissen, was verlaubt is und was net! Man is ja nur einmal jung!" Sie ließ sich in die Federn fallen, streckte sich, legte die Hände auf die Bettdecke und gähnte. Es währte nicht lang, und die Zaunerin schnarchte.

Drunten ging der Meister noch überall im Haus umher, versperrte die Küchentüre, die Zimmertüre und zuletzt die Haustüre; alle Schlüssel zog er ab und schob sie in die Tasche. „So," brummte er, als er an Lieserls Kammer vorüber kam, „jetzt stieg nur aus, du Stieglitz, du leichtsinniger! Heut hab ich dir den Käfig ordentlich versichert!"

Er trat in die Schlafstube, öffnete das in den Garten führende Fenster und suchte sein Bett, ohne daß die Meisterin erwachte. Mit offenen Augen lag er neben dem schnarchenden Weib, wälzte seine Vatersorgen durch Kopf und Herz, überlegte, wie er sein ‚narrisches' Lieserl auf ‚verstandsame' Wege bringen könnte, und sann auf ein Mittel, durch das sich der Eigensinn seiner Tochter brechen und ihr Herz sich für den braven Pointner-Andres gewinnen ließe.

Eine Stunde verging dem Zauner bei solchen Gedanken; die Turmglocke hatte schon Mitternacht geschlagen, als auch bei ihm das Bedürfnis nach Schlaf sich fühlbar machte. Da hörte er drunten vor dem Hause ein sachtes Geräusch. Lauschend richtete er sich auf; deutlich vernahm er aus dem Garten das Knarren eines Brettes und nach kurzer Weile ein leises Klirren, als wäre ein Steinchen gegen eine Fensterscheibe geflogen.

„Richtig! Da kommt er schon! Aber wart, dem will ich heimleuchten!"

Der Wechsel flüsternder Stimmen und ein gedämpftes Kichern ließ sich vernehmen, während sich Meister Zauner in aller Gemütsruhe anzukleiden begann; er konnte sich Zeit lassen, denn er hatte ja wohlweislich dafür gesorgt, daß Lieserls etwaige Absicht, für einen heimlichen Plausch zur Hausbank hinunter zu schleichen, auf Hindernisse stoßen würde. Eben wollte er in die Joppe schlüpfen, als er ein Rascheln an der Mauer vernahm. „Da hört sich aber doch alles auf! Jetzt kraxelt er gar am Spalier in b' Höh!" murmelte der Zauner in erwachendem Zorn und sprang zum Fenster. Draußen an der Mauer ließ sich jählings ein Brechen von Aesten und Staketen hören, ein erstickter Schrei und der dumpfe Aufschlag eines schweren Körpers; der Zauner überhörte diesen Lärm, denn in kochendem Aerger hatte er zu schelten begonnen: „Was is denn das da draußen in der Nacht? Himmel Kreuz Teufel noch einmal! So was möcht ich mir doch verbitten!" Er fuhr mit dem Kopf zum Fenster hinaus; aber der Garten lag still und finster unter ihm; kein Geräusch in den Büschen, auf der Straße kein enteilender Schritt, kein Laut an Lieserls dunklem Fenster.

„Ja Teufel! Is er am End gar schon herin im Haus?" stotterte der Meister und machte Licht.

Die Zaunerin war erwacht und riß erschrocken die verschlafenen Augen auf. „Was is denn? Um Gotts willen! Was is denn schon wieder?"

„Du red nur gar nix, du mit deiner saubern Tochter! Aber wart, jetzt komm ich ihr mit der Richtung!" Die flackernde Kerze in der Hand, eilte der Zauner auf die Treppe hinaus und rüttelte an Lieserls verschlossener Kammertüre. „Wird aufgmacht oder net?" Drinnen ließ sich kein Laut vernehmen. „Aufgmacht, sag ich, oder ich mach mir selber auf!" Er wartete den Erfolg dieser Drohung nicht ab, sondern warf sich mit dem ganzen Gewicht seines Körpers gegen die Türe. Die Bretter krachten und der Riegel sprang. Auf der gewaltsam eröffneten Schwelle stand der Zauner mit erhobener Kerze und leuchtete in die Kammer. Lieserl war allein; in ihrem besten Gewand und kokett frisiert lehnte sie neben dem offenen Fenster an der Mauer, mit leichenblassem Gesicht und wie gelähmt an allen Gliedern. „Du gottvergessns Madl du . . ." so wollte der Zauner seine Moralpredigt beginnen.

Aber Lieserl wankte ihm entgegen mit verstörtem Blick. „Ein Unglück, Vater! Ein Unglück!"

„Ja freilich! Du! Ein Unglück bist für Vater und Mutter! Aber komm mir nur mit keiner Ausred! Als ob ich's net selber ghört hätt . . ." Der scheltende Fluß seiner Worte stockte plötzlich; er schien zu erkennen, daß aus dem entsetzten Gesicht seiner Tochter noch etwas Schlimmeres redete, als nur die Angst eines auf übler Heimlichkeit ertappten Mädchens.

„Vater! Vater! Vater!" Lieserl klammerte sich zitternd an seine Hand. „Der arme, liebe Herr Graf . ."

„Graf? Was Graf?" stotterte Meister Zauner.

„Der junge Herr Graf! An mein Fenster is er kommen . . . ich kann nix dafür, ich hab ihm halt gfallen, und er hat sich's net wehren lassen . . . und wie er am Fenster war . . ." Die Stimme des Mädchens versagte fast. „Ich weiß net, was er ghabt hat . . . aber auf einmal hat er husten müssen, und 's Köpfl is ihm auf d' Seiten gfallen, als tät ihm schwindlig werden. Mit alle zwei Arm hab ich noch griffen nach ihm, aber ich hab ihn nimmer halten können! Vater! Jesus Maria, Vater! Ich fürcht, es is ihm was gschehen!"

Der Zauner hatte keinen Tropfen Blut mehr im Gesicht und starrte seine Tochter an wie ein Gespenst. All die väterliche Entrüstung, mit der er die Kammertüre gesprengt hatte, war ihm jählings untergegangen in namenlosem Entsetzen. „Mar' und Josef! Wenn da was gschehen is! Bei mir! Wenn das der gnädig Herr erfahrt!" Die Knie wurden ihm schwach; er schob den Leuchter auf das Spiegeltischchen, wankte zum Fenster, beugte sich weit über die Brüstung hinaus und rief mit gepreßter Stimme in den Garten hinunter: „Herr Graf? . . . Herr Graf? . . . Aber ich bitt, so geben S' doch an! . . . Is Ihnen was? Herr Graf? . . . Herr Graf?"

Im Garten ließ sich kein Laut vernehmen.

Halb angekleidet erschien die Zaunerin auf der Schwelle und stotterte: „Ja was sind denn jetzt das für Gschichten mitten in der Nacht . . .“ Erschrocken verstummte sie, als sie das Mädchen in dieser zitternden Angst neben dem Spiegeltischchen auf einem Schemel lauern sah. „Lieserl? Hat dir der Vater was tan? Hat er dich gschlagen?“ kreischte die Meisterin und eilte auf das Mädchen zu, um das ‚arme Hascherl‘ an die schützende Mutterbrust zu ziehen. Aber da schrie sie plötzlich auf, als hätte man ihr einen Dolch ins Herz gestoßen: „Jesus Maria! Lieserl! So ein Rabenvater, der die eigene Tochter blutig schlagt! Wegen nix und wieder nix!“

„Blutig?“ stammelte Lieserl; ein jäher Schauer rüttelte ihre Gestalt, als sie an ihrer Brust und am rechten Arm die großen, roten Flecken gewahrte.

Schreiend rang die Zaunerin die Hände, während der Meister am Fenster in einen erstickten Schreckensruf ausbrach: „Alle Heiligen im Himmel! Da drunten liegt er und tut kein Rührer nimmer!“ Wie ein Wahnsinniger packte er den Leuchter und stürzte zur Kammer hinaus.

Nun dämmerte auch in der Zaunerin eine Ahnung auf, daß sich die Dinge doch anders verhalten müßten, als sie in ihrer ersten, blinden Mutterangst vermutet hatte. Wohl brachte Lieserl nur ein paar abgerissene Worte hervor, aber sie sagten genug, um die Zaunerin in helle Verzweiflung zu versetzen. „O du mein lieber, lieber, lieber Herrgott!“ schluchzte sie und tastete in der finster gewordenen Kammer nach einer Stütze. „Ja was is denn jetzt das! Jetzt hätt mein Lieserl Gräfin werden können, und jetzt muß so ein Unglück dazwischen kommen! O du lieber, lieber Herrgott! Aber komm doch, Lieserl komm! Vielleicht is ihm doch net gar so viel passiert! Vielleicht wird er wieder frisch und gsund, der liebe, gute, süße Mensch! Wär d a s ein Glück! Wär d a s ein Glück!“ Mit beiden Händen zog sie das wortlose, heftig zitternde Mädchen zur Kammer hinaus und über die Treppe hinunter, auf deren letzter Stufe die Kerze flackerte, die der Zauner zurückgelassen, als er die Haustür aufgerissen hatte.

Jammernd nahm die Meisterin den Leuchter; doch als sie in die Nacht hinaustreten wollte, kam ihr der Zauner schon entgegen, wankend unter der Last, die er auf seinen Armen trug. Lieserl taumelte gegen die Mauer, als würde ihr übel, und ihre

Mutter erhob ein Wehgeschrei, als hätte sie um den eigenen Sohn zu klagen.

„Sei still, Weib!" keuchte der Meister. „Nur still um Gottswillen, daß uns kein Mensch net hört! Es muß verheimlicht werden, dem gnädigen Herrn Grafen z'lieb!" Schwer atmend, mit einem Blick voll unruhiger Besorgnis, streifte er das kalkweiße Gesicht, das an seiner Schulter lag. „Es wird ja doch um Gottswillen so weit net fehlen!" Er trat in den Flur. „Weib! Zieh mir den Schlüssel aus'm Sack und sperr die Stubentür auf."

Die Zaunerin tat in wortloser Hast, was der Mann ihr befahl; sie öffnete die Türe, eilte in Lieserls Kammer hinauf und brachte zwei geblumte Kissen; dann hielt sie betend und weinend den Leuchter, während der Meister in der Stube den regungslosen Körper, von dem die Glieder kraftlos niederhingen, auf das Sofa bettete. Lieserl war neben der Türe stehen geblieben und drückte sich in den Winkel, den der Geschirrkasten mit der Mauer bildete; sie hatte die zitternden Finger an den Lippen, kaute an den Nägeln und blickte verstört nach dem blassen Gesicht, das in die weichen Kissen halb versunken lag. Willys Züge waren nicht entstellt, nur bleich wie ein Linnen; doch die Lippen, auf denen ein mattes, gutmütiges Lächeln wie erstarrt erschien, waren rot, tief rot — und rote Tropfen hingen am Kinn, rote Tropfen am Bärtchen. Er atmete mit Anstrengung, in kurzen Stößen, von denen jeder sich anhörte wie ein Seufzer. Die Augen standen offen — sie hatten fieberhaften Glanz, und ihr Blick war ins Leere gerichtet.

Meister Zauner, der vor dem Sofa kniete, schob den Arm unter die Kissen. „Herr Graf! Mein lieber, guter Herr Graf! Was is Ihnen denn? Wo haben S' denn Schmerzen? Können S' denn net ein bißl reden?"

Willy schien zu hören, zu verstehen. Ein Zittern lief ihm über die Arme, kaum merklich bewegten sich seine Lippen, und wie ein leiser Hauch klangen die Worte: „Bitte . . . meiner Schwester . . . sagen lassen . . ." In einem langen Seufzer erlosch ihm die Sprache, die Lider fielen ihm halb über die Augen, und von den Mundwinkeln sickerten zwei dünne, rote Fäden über den Hals.

„Lieserl! Den Doktor!" stammelte Meister Zauner. „Nur

gschwind den Doktor! Tummel dich, Lieserl! Lauf, was d' laufen kannst!"

Wortlos nickte das Mädchen, fuhr mit allen Fingern in den am Türgerüst hängenden Weihbrunnkessel, besprengte das Gesicht, schlug mit zitternder Hand das Zeichen des Kreuzes und stürzte davon. Auf der finsteren, einsamen Straße brach sie in krampfhaftes Schluchzen aus und hielt die Hände betend gefaltet, während sie rannte und rannte, daß ihr der Atem verging.

6.

Ueber dem Park von Schloß Hubertus schlummerte die schöne Nacht. Im Adlerkäfig herrschte friedliche Stille. Auch die Fontäne schien entschlafen und plauderte nur noch leise wie im Traum.

Ohne Lichtschein lag das Haus inmitten dieses schweigsamen Dunkels. Unter seinem Dache fanden in dieser Nacht zwei Augen keinen Schlaf, und in heißer Erwartung pochte ein junges Herz dem Morgen entgegen. Stunde um Stunde lag Kitty wachend in ihren Kissen, ohne sich zu regen.

Als es drei Uhr schlug, erhob sie sich lautlos und begann sich für die Reise anzukleiden. Der gepackte Koffer, mit Regenschirm und Staubmantel, stand schon seit dem Abend neben der Tür — und auf dem Tische, für den ersten suchenden Blick berechnet, lag ein Brief an Tante Gundi. Nach einem halben Stündchen war Kitty reisefertig. Sie löschte das Licht und setzte sich in Hut und Mantel an das offene Fenster. Diese dreißig Minuten sieberhaften Wartens wurden ihr länger, als ihr die ganze Nacht erschienen war. Endlich klangen die vier ersehnten Schläge, und Kitty huschte zur Türe; mit jedem Augenblick hoffte sie Willys leisen Schritt zu hören; doch Minute um Minute verrann, und draußen im Korridor blieb alles still. „Er hat verschlafen!" dachte sie endlich und schlich in das Zimmer des Bruders. „Willy! Willy!" rief sie leise in den dunklen Raum. Kein Laut gab Antwort. In erwachender Sorge tastete sie sich zum Bett, um den Siebenschläfer aufzurütteln — doch ihre Hände griffen in leere Kissen. Erschrocken machte sie Licht. Das Zimmer war leer. Eine dunkle, ziellose Angst legte sich

bedrückend auf Kittys Herz; aber das währte nur wenige Augenblicke. Es fiel ihr ein, wie energisch Willy sich am vergangenen
Abend, bevor er in die Bitte der Schwester eingewilligt, ihrem
Plan widersetzt hatte — und nun mußte sie denken, daß sein
so ehrlich scheinendes Versprechen nur eine Ausflucht war: er
wollte die Schwester beruhigen, um ungestört seine erste Absicht
auszuführen und noch in der Nacht die Reise nach München
anzutreten — allein!

„Abscheulich!" stammelte Kitty im ersten Zorn und stand
eine Weile ratlos. Dann nickte sie entschlossen vor sich hin und
löschte das Licht. „Er soll sich verrechnet haben!" Mit lautloser
Hast lehrte sie in ihr Zimmer zurück und griff nach dem Lederkoffer, an dem sie so schwer zu tragen hatte, daß ihre Kräfte
schon versagen wollten, noch ehe sie die Ulmenallee erreicht hatte.

Der Morgen begann zu dämmern, und leise zwitscherten
die Meisen und Finken. Auch im Adlerkäfig war es schon
lebendig; emsig putzten die fünf Raubvögel ihr Gefieder. Als
Kitty mit dunkelrotem Gesicht und schwer atmend unter der
Last des Koffers an dem Käfig vorüberkam, streckten die Adler
ihre Hälse.

Ein glücklicher Zufall führte auf der Straße einen Holzknecht
daher, der seiner Arbeit nachging. Auf Kittys Bitte trug er
den Koffer bis zum Mooshof. Hier mußte sie lange rufen und
an die Fenster pochen. Endlich erschien der Mooshofer, der sein
Räuschlein erst zur Hälfte ausgeschlafen hatte. Es währte eine
Weile, bis er begriff, was die ,gnä Konteß' von ihm verlangte.
Ein Schimmel wurde vor das Bernerwägelchen gespannt, und
während sich Kitty auf das Sitzbrett schwang, tönte von den
Bergen herab, aus weiter, hoher Ferne, der verwehte Hall eines
Schusses. Kitty überhörte den verschwommenen Laut, denn all
ihre Aufmerksamkeit war mit dem Schimmel beschäftigt, der
einen mehr als zweifelhaften Trab entwickelte. Im Verlaufe
der Fahrt hatte sie Mühe, den Mooshofer, dem immer wieder die
Augen zufielen, munter zu erhalten. Schließlich nahm sie selbst
die Zügel zur Hand und schwang die Peitsche. Aber der Schimmel
hatte eine geduldige Haut und ließ sich nicht in seiner Gemütsruhe stören.

Die Station war noch lange nicht in Sicht, da hörte man
schon die Lokomotive zum Abschied pfeifen.

Vier Stunden bis zum nächsten Zug! Und seine Ankunft

in München: drei Uhr nachmittags! In heller Verzweiflung debattierte Kitty mit dem Stationsvorstand, dessen von ‚strengen Vorschriften‘ umpanzertes Herz sich endlich erweichte. Auf einer Draisine ließ er Kitty bis zur Kreuzungsstation der Hauptbahn befördern, damit sie einen Zug erreichen könnte, der kurz vor ein Uhr in München eintreffen mußte.

Die Sache glückte. Kitty nahm ein Coupé erster Klasse für sich allein und ließ die Türe versperren. Der Konbukteur machte große Augen, als er in München das Coupé wieder aufschloß und an Stelle des staubgrauen Falters, der zwei Stunden früher hier untergeschlüpft war, einen schneeweißen Schmetterling ausfliegen sah.

Kittys Erscheinung erregte Aufsehen. Im Sturmschritt eilte sie zum Ausgang und rief nach einer Droschke. „Zur Frauenkirche! So schnell, als möglich!“ Sie sprang in den Wagen, schlug die Türe hinter sich zu und fiel erschöpft in die Kissen.

Als sie halb wieder zur Besinnung kam, galt ihr erster Blick der Uhr. „Ach du lieber Gott! Zwanzig Minuten nach ein Uhr!“ jammerte sie und trommelte an das vordere Fenster des Wagens. „Schneller! Schneller!“

Mit heißen Blicken eilten ihre Augen dem Wagen voran. Nun kam die letzte Häuserecke, und in der Tiefe einer schmalen, zum Domplatz führenden Gasse tauchten die altersgrauen, gewaltigen Türme der Frauenkirche auf. „Endlich! Endlich!“ stammelte Kitty und nahm für den Kutscher ein Geldstück aus der Börse. Die Ungeduld kam ihr in die Füße, und in dem schaukelnden Wagen von einer Wand an die andere taumelnd, streckte sie bald rechts, bald links das Köpfchen zum Fenster hinaus. Nun lenkte die Droschke auf den Domplatz ein, und kaum hatte Kitty einen Blick nach dem Portal der Kirche geworfen, da erschrak sie, daß ihr alles Blut aus den Wangen wich.

Die Trauung mußte schon vorüber sein, denn eine Reihe von fünf Kutschen fuhr in raschem Trabe gegen die innere Stadt davon. Ein letzter Wagen hielt noch vor der Türe des Domes, und neben dem offenen Wagenschlag standen zwei Männer, die sich mit einem Händedruck von einander verabschiedeten. Der ältere verschwand um die Ecke der Kirche — es war Professor Werner. Der jüngere gab dem Kutscher eine Weisung und wollte den Wagen besteigen. Da hörte er plötzlich seinen Namen rufen und zuckte beim Klang dieser Stimme zusammen. „Herr Forbeck!“

Als er sich wandte, sah er Kitty aus der Droschke springen. Von den Falten des weißen Kreppkleides umflattert, die leichten, weiten Aermel des duftigen Schwanenpelzes aufgebläht gleich einem schimmernden Flügelpaar, so kam sie mit hochroten Wangen auf ihn zugeeilt und streckte ihm die Hände entgegen.

Das Wort erstarb ihm auf den Lippen, doch seine Augen hingen an ihr, leuchtend, mit trinkendem Blick.

Nun standen sie voreinander, die Hände verschlungen, jedes verloren in den Anblick des anderen.

Kitty fand zuerst die Sprache. „Gott sei Dank!" Das klang so freudig, als wäre jählings alle Erregung, Unruh und Erschöpfung von ihr gewichen.

„Konteß Kitty!" stammelte er. „Sie! Und allein! Wie kommen Sie nach München?"

„Das können Sie fragen? Und stehen vor mir in Frack und weißer Binde! Ja glauben Sie denn, ich hätt es über mich gebracht, meinen Tas heut ohne seine Schwester zu lassen?"

„Aber die Trauung ist ja schon vorüber!"

„Das merk ich! Und kränke mich namenlos!" Es zuckte wohl bei dieser Beteuerung um den rosigen Mund, aber der leuchtende Glanz der Augen harmonierte nicht völlig mit dem klagenden Stoßseufzer. „Wohin sind die anderen Wagen gefahren?"

„Die anderen? Zu Frau Herwegh."

„So kommen Sie! Schnell! Ich fahre mit Ihnen!" In erregter Hast eilte sie auf den geschlossenen Wagen zu, der einsam vor dem Portal der Kirche zurückgeblieben war. Forbeck zögerte einen Augenblick; aber Kitty drängte zur Eile: „Schnell! Nur schnell!" Bleich bis in die Lippen trat Forbeck zur Kutsche und stieg ein. Kitty zog die Falten ihres Kleides an sich und rückte in die Ecke, um Platz für ihn zu machen.

„Aber ich bitte . . ." stammelte er und nahm ihr gegenüber den Rücksitz ein. Schaukelnd rollte die Kutsche über das Pflaster.

„Erzählen Sie! Wie war es in der Kirche?"

„Eine stille, kurze Feier, doch schön und ergreifend!" erwiderte er leise, ohne die Augen zu erheben. „Wir zehn Menschen ganz allein in diesem gewaltigen, ernsten Bau! Dieses Schweigen des riesigen Raumes . . . und dann dieses flüsternde Echo, als der Geistliche sprach . . . es war wie ein heiliges Geheimnis! Ich hatte ein Gefühl, als fähe ich vor meinen Augen ein Wunder werden ..."

„Ein Wunder?"

„Gibt es denn ein Wunder, das schöner wäre, als das reine Glück zweier Menschen, die von der Natur für einander geschaffen wurden wie das Licht für den Tag, wie die Blume für den Frühling? Sie hätten das sehen müssen: wie sie die Ringe tauschten und ihre Hände sich verschlangen, als wollten sie sich nimmer, nimmer lassen. Wie ihre Augen ineinander tauchten ... es war ein Bild des verkörperten Glückes, das Bild zweier Menschen, die eins geworden für das Leben!"

„Wie schön!" Tief atmend ließ Kitty das Köpfchen in die Wagenecke sinken, ihre Augen blickten träumend ins Leere, und ein sehnsüchtiges Lächeln spielte um die halbgeöffneten Lippen. Nach einer Weile fuhr sie, wie erwachend, mit beiden Händen an die Wangen. „Und das hab ich versäumen müssen! Willy! Willy! Aber nein ... ich will ihm alles verzeihen, alles! Dem heutigen Tag zuliebe! Nun bin ich ja da! Wie ich mich freue auf Tas und Anna! Ich will mich sattsehen an ihrem Glück! Sattsehen!"

„Sie hoffen Ihren Bruder noch hier zu finden?" stammelte Forbeck erschrocken. „Sie wissen nicht ..."

„Was?"

„Das junge Paar ist von der Trauung weg zur Bahn gefahren."

In hellem Entsetzen schlug Kitty die Hände zusammen.

„Sie reisen an den Rhein und fahren heute bis Stuttgart mit dem Zug um zwei Uhr zehn." Als Forbeck die ratlose Bestürzung sah, die aus Kittys Augen und Zügen redete, zerrte er die Uhr hervor und stotterte: „Es wäre möglich ..."

Alle beide sprangen sie auf, Kitty fuhr mit dem Köpfchen zu dem einen Fenster hinaus, Forbeck riß das andere auf, und so schrien sie dem Kutscher zu: „Zum Bahnhof! Schnell! Nur schnell!"

Bei der jähen Schwenkung, die der Wagen machte, fiel Kitty auf die Polster zurück. Ein paar Augenblicke war sie sprachlos; dann preßte sie die zitternden Hände an ihre Schläfe und jammerte: „Wir müssen zurechtkommen! Wir müssen! Ich kann doch diese ganze unglaubliche Reise nicht gemacht und Papas Unwetter über mich heraufbeschworen haben, ohne Tas und Anna zu sehen! Aber dieser Wagen ist ja die reine Schnecke! Der Mensch fährt, daß man verzweifeln möchte!"

„Ich bitte, Konteß, beruhigen Sie sich!" tröstete Forbeck, mit der Uhr in der Hand. „Wir haben noch zwanzig Minuten Zeit! Und ich will . . ." Er öffnete die Coupétüre; den einen Fuß im Wagen, den anderen auf dem Trittbrett, debattierte er mit dem Kutscher. Ein knallender Peitschenschlag, die Pferde fielen in Galopp, und bei dem energischen Ruck, den der Wagen machte, drohte Forbeck den Halt zu verlieren. Mit leisem Aufschrei wollte Kitty seinen Arm haschen; aber die Gefahr war schon vorüber; Forbeck hatte sich mit flinkem Griff geholfen, schloß den Wagenschlag und drückte sich in seine Ecke.

„Gott sei Dank! Das hätte aber übel ausfallen können!" stammelte Kitty in Verwirrung.

Er schüttelte den Kopf. „Verzeihen Sie!" sagte er leise, hielt die Augen gesenkt und nagte an der zuckenden Lippe.

Nun schwiegen sie und während der jagende Wagen über das Pflaster gaukelte, sahen sie zum Fenster hinaus, jedes nach einer anderen Seite. Dann fragte Kitty, ohne den Blick vom Fenster zu wenden: „Wer hat Tas und Anna zur Bahn begleitet? Willy? Oder sind sie allein gefahren?"

Forbeck nickte. „Allein."

„Und Willy? Wo ist Willy?"

Forbeck verstand die Frage nicht.

„Willy! Mein Bruder Willy! Sie müssen ihn doch heute kennen gelernt haben! Bei der Trauung!"

„Nein, Konteß! Ihr Herr Bruder war bei der Trauung nicht zugegen."

Kitty erschrak, daß ihre Wangen sich verfärbten. „Aber das ist ja ganz unmöglich!" stammelte sie. „Er ist doch eigens hierhergefahren, damit Tas am heutigen Tag nicht allein wäre! Wenn er also nicht bei der Trauung war, so ist er auch gar nicht nach München gekommen. Aber er ist doch von Hause fort. Das begreif ich nicht! Es wird ihm doch, um des Himmels willen . . ."

Sie sprach die Befürchtung nicht aus, die mit Bangen in ihr lebendig wurde; aber Forbeck konnte all die Sorge und ziellose Angst, die sie erfüllte, von ihrem verstörten Gesichtchen lesen, und die Erkenntnis, daß er durch seine Mitteilung die willenlose Ursache dieses Kummers geworden, machte ihn noch bestürzter, als Kitty selbst es war.

Mit fliegenden Worten erzählte sie von der Verabredung, die sie am verwichenen Abend mit Willy getroffen, von seinem vermeintlichen Wortbruch, von ihrer Vermutung, daß er in der Nacht gefahren wäre, allein, um ihr den Unwillen des Vaters zu ersparen. „Und nun ist er nicht hier! Und ist nicht zu Hause! Ja wie soll ich denn das begreifen? Ach du mein lieber Gott!"

Forbeck suchte sie zu beruhigen; dabei empfand er aber doch selbst eine ungewisse Sorge, so daß er kaum zu sprechen vermochte. Das bemerkte Kitty, und während diese Wahrnehmung ihre Unruhe noch wachsen machte, begann sie doch auch, als müßte sie nun Forbeck beruhigen, nach einer Möglichkeit zu suchen, die Willys Verbleiben in befriedigender Weise erklären konnte. Vielleicht hatte er in der Eile einen falschen Zug benützt und die Versäumnis nicht wieder einholen können? Vielleicht hatte sich der Kutscher in der Nacht verirrt und seinen Passagier Gott weiß wohin geführt? „Da machen wir uns alle beide das Herz schwer," sagte sie, sich zur Ruhe zwingend, „und mein lieber Bruder Leichtfuß sitzt, der Himmel mag wissen wo, und ist kreuzfidel! Wenn ich heute abends wieder zu Hause bin, wird sich ja hoffentlich alles aufklären! Geben Sie nur acht, wir beide wollen miteinander noch lachen über die Sorge, die wir uns gemacht haben. Ich werde Ihnen natürlich alles haarklein erzählen, was mit Willy los war. Wann kommen Sie wieder nach Hubertus? Morgen? Sie dürfen Ihr Bild nicht zu lange warten lassen. Nun haben Sie ja meinem Bruder Tas den Freundschaftsdienst geleistet, um den er Sie gebeten hatte, nun sind Sie ja wieder Herr Ihrer Zeit? Wann kommen Sie?"

Erschrocken blickte Forbeck zu ihr auf; er schien sprechen zu wollen, doch seine zitternden Lippen gehorchten nicht; aber aus seinen bleichen Zügen redete all die ratlose Pein, die ihm das Herz bedrückte, und die schmerzvolle Schwermut seiner Augen sprach verständlicher, als alle Worte es vermocht hätten.

Mit großen Augen hing Kitty an seinem Gesicht, wie befallen von einem ihr ganzes Wesen verstörenden Schreck. „Herr Forbeck?" stammelte sie. „Was ist Ihnen? Warum geben Sie keine Antwort? Sie sind doch nur gegangen, weil . . . weil Tas Sie darum gebeten?" Nun wurde sie beinahe heftig. „Aber so sagen Sie doch Ja! Oder ich weiß wahrhaftig nicht mehr, was ich denken soll!"

Er versuchte zu lächeln und wollte sich zu einer Ausflucht zwingen; doch er konnte nicht lügen; übermannt von seinem Gefühl, und von Kittys angstvollem Blick um den letzten Rest seiner Fassung gebracht, schlug er die Hände vor das Gesicht.

Kitty machte eine Bewegung, als wollte sie Forbecks Hände niederziehen; doch wie gelähmt fielen ihr die Arme in den Schoß. Bestürzt, an allen Gliedern zitternd, saß sie in die Ecke des schaukelnden Wagens gedrückt und blickte ins Leere, während ein Wirbel von Bildern und Erinnerungen an ihr vorüberflog: ihre erste Begegnung mit Forbeck, das unerwartete Wiedersehen in Hubertus, die stillen Vormittage im sonnigen Park; sie hörte jedes seiner Worte wieder und erinnerte sich eines jeden Blickes, den sie mit ihm getauscht; sie fühlte wieder jenen seltsamen Schreck, der sie bei Werners Besuch überfallen; wie einen brennenden Schmerz empfand sie den Blick seiner ernsten, bekümmerten Augen und hörte aus dem bewegten Klang seiner Stimme, was die Worte verschwiegen.

Erschauernd schmiegte sie das Köpfchen in die Polster, ihre Augen umflorten sich, und um ihre Lippen zuckte es wie Lachen und Weinen; mit einem Blick, der aus Tränen leuchtete, streifte sie Forbecks verhülltes Gesicht, und glühende Röte floß ihr über die Wangen.

Sie hatte verstanden.

Der Wagen machte eine jähe Kurve und hielt. Lachend öffnete der Kutscher den Schlag: „So bin ich aber schon lang nimmer gfahren ... drei Schandarm haben mich aufgschrieben!" Er nahm die Peitsche unter den Arm und rieb sich vergnügt die Hände.

Die beiden im Wagen erwachten, als hätte eine derbe Faust sie aus Träumen aufgerüttelt. Forbeck warf einen Blick nach der Bahnuhr über dem Portal und stammelte: „Noch fünf Minuten. Wir müssen den Zug noch im Bahnhof finden!" Er sprang aus dem Wagen und reichte Kitty die Hand. Dankend nickte sie, stieg aus und eilte hastig über die Stufen des Portals hinauf. Als sie die riesige, von durcheinanderirrenden Menschen, von Geschrei und rollendem Getös belebte Bahnhalle betrat, blieb sie stehen und blickte zu Forbeck auf; wohl glühten ihre Wangen wie zwei dunkle Rosen, doch keine Spur von Scheu und Verwirrung war an ihr zu bemerken. „Nicht wahr," sagte sie mit einem Ernst, der ihrem lieblichen Gesicht einen neuen, reiz-

vollen Zug verließ, „nicht wahr, wir sprechen zu Tas und Anna
kein Wort wegen Willy! Das ist nicht die Stunde, um ihnen
Verdruß oder Sorge zu machen. Und was mich betrifft . . . da
muß ich eben lügen, wenn ich Tas nicht die Freude an mir
verderben will. Und seien Sie mir nicht böse, Herr Forbeck . . .
ich belästige Sie wohl sehr . . . aber bitte, sehen Sie doch einmal auf dem Fahrplan nach, welchen Zug ich zur Heimreise
benützen könnte? Ich bitte!"

Ohne seine Antwort abzuwarten, eilte sie davon; ein
Schaffner, den sie mit erregter Frage am Aermel faßte, führte
sie zu dem Geleise, auf dem der Kurierzug stand. Die Leute,
welche Verwandte oder Freunde zur Bahn geleitet hatten, traten
schon von den Wagen zurück, und die Kondukteure schlossen bereits die Coupétüren, während Kitty halb atemlos, mit spähenden Augen am Zug entlang eilte, von allen Blicken mit Neugier und Wohlgefallen gemustert. In einem schon geschlossenen
Wagen erster Klasse gewahrte sie den Bruder.

„Tas! Mein lieber Tas!" schrie sie, von heißer Erregung
befallen, riß mit zitternden Händen die Coupétür auf und sprang
in den Wagen.

Tassilo und Anna waren über Kittys unerwartetes Erscheinen so betroffen, daß sie sprachlos saßen. Und ehe Tassilo
noch Worte fand, hing Kitty schon an seinem Halse, lachend
und schluchzend, unter Küssen und stammelnden Glückwünschen.
Und sie gab den Bruder nur frei, um all diese stürmische Zärtlichkeit bei Anna zu wiederholen. Dann sank sie erschöpft auf
die Polster und schmiegte das brennende, von Tränen über-
strömte und in Erregung zuckende Gesichtchen an Annas Schulter.

„Aber Kind! Kind!" stammelte Tassilo. „Was hast du da
für einen Streich gemacht!"

Kitty fuhr sich mit der Hand über die Augen. „Streich?
Na also, in Gottesnamen, so w a r es ein Streich! Aber glaubst
du denn wirklich, ich hätt es über mich gebracht, heute n i c h t zu
kommen? Euer Glück n i c h t zu sehen? Hätt ich den ersten
Zug nicht versäumt, so hätt ich euch zum Altar begleitet! Aber
ich bin ja zu Tode froh, daß ich euch wenigstens jetzt noch ge-
funden habe!" Wieder schmiegte sie sich an die junge Frau.
„Jetzt wird Tas ein Kapitel über mich loslassen, gib nur acht!
Er macht schon die richtigen Augen dazu! Aber du, Anna?
Nicht wahr? Du freust dich mit mir?"

Mit zärtlichem Ungestüm umschlang die junge Frau das Mädchen und flüsterte ihr ins Ohr: „Ich danke dir! Im stillen hab ich es gehofft, all diese Tage her, und nun hast du es wahr gemacht! Ich danke dir!"

So leis diese Worte gesprochen waren, Tassilo hatte sie verstanden; und bei aller Sorge, die ihn um Kitty zu erfüllen schien, leuchtete ein heller Strahl aus seinem Blick. Er nahm das Köpfchen der Schwester in beide Hände und küßte sie auf die Augen. „Mein kleiner Spatz, du bist ein lieber, lieber Kerl! Aber das hättest du doch nicht tun sollen! Ich kann mir doch unmöglich denken, daß Papa . . ." Seine Stimme schwankte.

„Ob er weiß, meinst du? Natürlich nicht! Sonst säß ich hinter Schloß und Riegel, statt hier bei euch! Aber mach dir nur deshalb keine Sorge, auch nicht die geringste. Mit Papa komm ich schon wieder auf gleich."

Tassilo seufzte. „Aber mit wem bist du gereist? Ums Himmels willen doch nicht allein?"

„Ich? Allein? Gott bewahre! Tante Gundi war natürlich einverstanden, jawohl! Sie hat mir die Beschließerin mitgegeben."

„Wo ist sie?" fragte Tassilo, in dem ein Zweifel zu erwachen schien.

„Ist sie nicht da?" Mit gut gespieltem Erstaunen blickte Kitty zur Coupétür. „Na, da mag der liebe Herrgott wissen, wo sie herumwimmelt. Ich bin natürlich wie ein Windhund vorausgerannt, und du weißt ja, die Arme hat alte Beine." Tassilos forschender Blick schien ihr unbehaglich zu werden, und um über das bedenkliche Thema hinwegzukommen, warf sie sich wieder an Annas Hals. „Und wie schön du bist! Ich kann mich nicht satt sehen an dir! Und wie ich mich freue an eurem Glück! Das ist heute ein Tag für mich . . ." ihre Wangen glühten, ihre Augen glänzten wie in seliger Trunkenheit, und alles zitterte an ihr, „was ich fühle, weißt du, dafür hab ich ja gar kein Wort!" Lachend und weinend preßte sie die Hände auf die Brust. „Mir ist, als wäre in mir da drinnen alles aus den Fugen gegangen! Das ist so schön, so süß, so groß . . . es hat ja fast nimmer Platz in mir! Ich möchte schreien, gerade hinausschreien!" Da fühlte sie die Perlen unter ihren Fingern und stammelte erschrocken: „Ach du Allmächtiger! Jetzt hätt ich aber fast vergessen . . ." Mit zitternden Händen löste sie

die Perlenschnur.. „Nimm, Anna, nimm! Das hab ich dir mitgebracht! Es war das Beste, was ich hatte, denn diese Perlen
hat meine Mutter getragen! Hätte sie diesen Tag erlebt, ich
weiß, sie selbst hätte diese Perlen um deinen Hals gelegt.
Nimm, Anna! Das gibt dir meine Mutter! Das wird dir
Glück bringen! Dir und meinem Tas!"

Während Tassilo in tiefer Bewegung den Arm um die
Schultern der Schwester schlang, legte Kitty das schimmernde
Geschmeide um Annas Nacken.

Da wurde die Coupétüre zugeschlagen. „Fertig!" rief eine
laute Stimme, und ein gellender Pfiff durchschrillte die weite
Halle. Erschrocken, mit leisem Schrei blickte Kitty auf; doch ehe
der Zug noch ins Rollen kam, hatte Tassilo das Fenster nieder-
gestoßen und die Türe wieder geöffnet. „Schnell! Nur schnell!"
stammelte er, riß Kitty aus Annas Armen, sprang auf den
Perron und hob die Schwester aus dem Wagen, wobei er sie
zum Abschied küßte. Zwei Kondukteure kamen von verschiedenen
Seiten gelaufen. Leute drängten sich herbei, und Köpfe tauchten
aus allen Wagenfenstern. Um all diese Dinge kümmerte sich
Tassilo nicht. Mit der einen Hand hielt er die Griffstange des
langsam sich in Gang setzenden Wagens umklammert, mit der
anderen hielt er die Schwester fest. „Wo ist Rosa?" Er meinte
die Beschließerin. „Wo ist Rosa? Ich lasse dich nicht allein!"

„Aber Tas! Um Gottes willen! So beruhige dich doch!"
stotterte Kitty. „Dort ist sie ja!"

„Wo?"

„Dort! Dort!" Sie deutete nach irgend einer Richtung und
rief: „Rosa! Rosa! Natürlich ... jetzt läuft sie nach der
falschen Seite."

Die Kondukteure schrien mit roten Gesichtern auf Tassilo
ein; der eine wollte die Wagentüre schließen und der andere
Tassilos Hand von der Stange lösen. Die Leute begannen sich
in die Debatte zu mischen, und hinter ihnen tauchte die rote
Mütze eines Bahnbeamten auf, während Forbeck mit stoßenden
Ellbogen die dichtgedrängte Gruppe zu durchbrechen suchte.

„Aber Tas! Aber Tas!" jammerte Kitty. „So steige doch
ein! Was kümmerst du dich um mich! Deine Frau ist im
Wagen ..."

Mit blassem Gesicht war Anna in der Tür erschienen und
griff in heller Angst mit beiden Händen nach Tassilos Arm.

„Zurück, Anna! Zurück! Oder du fällst!" stammelte Tas-
filo, und um die junge Frau vor dem drohenden Sturz zu
bewahren, gab er die Hand der Schwester frei und schwang sich
auf das Trittbrett. Die Kondukteure brängten ihn in das Coupé,
der eine schlug, am rollenden Wagen hängend, die Türe zu,
und der andere schloß die Messingklappe. Der Beamte mit
der roten Mütze wollte seinen dienstlichen Groll entladen, aber
Forbeck trat ihm entgegen und wußte ihn mit ein paar leise
gesprochenen Worten zu beruhigen.

Kittys Augen schwammen in Tränen, als sie dem rascher
und rascher gleitenden Zuge nachblickte, auf dessen Trittbrettern
die beiden Schaffner nach verschiedenen Seiten von Wagen zu
Wagen kletterten. Zögernd war Forbeck an ihre Seite getreten. Sie streifte ihn mit unsicherem Blick, und als sie nun
den Zug hinter den äußersten Säulen der Halle verschwinden
sah, flüsterte sie vor sich hin: „Da reisen sie jetzt . . . und
mit ihnen das Glück . . . weil sie den Mut hatten, ihr Glück
zu erkämpfen!"

Es zuckte um Forbecks Lippen, als wäre dieses Wort wie
ein Stich in seine Seele gegangen. „Mut?" sagte er mit bebender Stimme. „Für jeden Menschen, dessen Herz nach Glück
verlangt, ist der Mut eine billige Sache. Aber ich meine, wer
Mut zeigen und ein Glück erkämpfen will, braucht dazu noch ein
besseres Recht als nur das Recht seiner Sehnsucht. Ihr Bruder
h a t t e dieses Recht. Er nahm, indem er mit doppelt reichen
Händen gab . . . und opferte, um zu gewinnen."

Mit großen Augen hing Kitty an Forbecks erregtem Gesicht und schüttelte das Köpfchen: „Das ist mir zu hoch, das
versteh ich nicht!" Sie sah die flammende Röte, die ihm über
Stirn und Wangen schlug, und wurde verlegen. „Ich habe Sie
doch hoffentlich nicht verletzt? Was ich gesagt habe, war
doch wahrhaftig kein Vorwurf für S i e . . . eher für mich!"
Sie senkte die Augen, zog den Schwanenpelz enger um die
Schultern und begann mit zögernden Schritten am Geleise entlang zu gehen. Wortlos ging Forbeck neben ihr her; und da
sagte sie nach einer Weile, ganz leise: „Bitte, so erklären Sie
mir doch, wie Sie das gemeint haben?"

„Denken Sie: Ihr Bruder wäre nicht gewesen, was er
ist . . ." die Stimme wollte ihm kaum gehorchen, „der Träger
eines adeligen Namens, reich, in unabhängiger Stellung, die

er seiner eigenen Kraft verdankte, ein ganzer, fertiger Mann, der seine Zukunft in festen Händen hält ... sondern ein junger Mensch ohne Namen, ohne Vermögen, vielleicht auch ohne Familie, mit der Heimat auf der Straße. Und denken Sie: eine grausame Laune des Schicksals hätte es gewollt, daß er sein Herz an ein Mädchen verlor, von dem alles ihn schied, was nur immer in der Meinung der Welt als eine Schranke gilt. Glauben Sie, Ihr Bruder hätte auch dann den Mut gehabt, zu kämpfen und sein Glück zu erzwingen?"

„Gewiß! Dann erst recht!"

Forbeck blickte auf, und ein edler Ernst verschönte seine müden Züge. „Nein, Konteß! Vielleicht, wenn doppelter Ehrgeiz ihn beseelt hätte und nur halbe Liebe! Aber sicher nicht, wenn seine Neigung von jener Art gewesen wäre, die jede Lebensfaser bewegt wie eine rein klingende Saite, das ganze Wesen eines Menschen erfüllt und ihn erhebt, auch wenn sie seine letzte Hoffnung zerdrückt. Wie hätte er das lachende Spiel mißbrauchen können, mit dem sich Jugend zu Jugend findet? Oder Nutzen ziehen aus der weichen Stimmung einiger schöner Stunden, die ein freundlicher Zufall den beiden schenkte? Hätte er den Schimmer von Neigung, den vielleicht im Herzen jenes Mädchens irgend etwas für ihn erweckte ... nehmen wir an, er wäre Künstler, wenn auch erst nur ein Schüler in seiner Kunst ... vielleicht also war es der romantische Nimbus, mit dem ein Mädchenauge so gerne den Künstler umkleidet sieht ... und da hätte er diesen Funken von Neigung mit einem stürmischen Hauch seiner Leidenschaft zum Feuer anfachen sollen, das auflodert, um wieder zu erlöschen, wenn die Ernüchterung kommt? Er hätte versuchen sollen, im ersten Rausch die Geliebte an sich zu reißen? Hätte sie mit glühenden Worten bereden sollen, ihm ihren Namen und ihre gesellschaftliche Stellung zu opfern, die sorglose, jeden Wunsch erfüllende Behaglichkeit im reichen, elterlichen Hause und die Liebe ihres Vaters, der einer solchen Verbindung seine Zusage niemals erteilt hätte? Und was hätte er ihr zum Tausch für all diese Opfer bieten können? Den seligen Taumel einer kurzen Zeit ... und hinter diesen rosigen Wochen eine Reihe von Jahren, voll von all jenem bitteren Kampf und quälenden Zwiespalt, der die beginnende Laufbahn eines jeden ernsthaft strebenden Künstlers erfüllt! Und es führt ja nicht jeder Kampf zum Siege. Wenn

ihm vor der Zeit die Kraft versagte, wenn in diesem aufreiben-
den Kampf sein Talent in Stücke fiele, wenn das einzige unter-
ginge, was er der Geliebten als besten Dank für alle Opfer
gerne geboten hätte: den Stolz auf den künstlerischen Namen
und das Können ihres Mannes, den Glauben an ihn, die
Hoffnung auf eine Zukunft in Ruhm und Ehre . . . was dann?
Ueber die Geliebte die Möglichkeit eines s o l c h e n Glückes herauf-
zubeschwören . . . nein, Konteß, das ist nicht ‚Mut der Liebe‘,
das wäre der Mut eines Diebes!“ Forbeck zitterte, und tiefe
Blässe bedeckte sein Gesicht.

Das Köpfchen gesenkt, die Wangen in heißer Glut und alle
Züge gespannt in lauschender Erregung, war Kitty neben Forbeck hergegangen; nun, da er verstummte, hob sie den Blick,
wie aus einem Traum erwachend. „Ja, Herr Forbeck! Jetzt
versteh ich! Alles!“ Ihre Stimme schwankte. „Aber dann?
So sprechen Sie doch weiter! Was dann? Das ist doch kein
Ende? Ich will wissen, was mit i h m geschieht?“

„Sein Leben wird hart sein, doch nicht häßlich.“ Er vermied ihre Augen. „Liebe ist ein Glück, auch wenn sie einsam
bleibt. Und er hat den Trost seiner Arbeit, seiner Kunst. Und
vielleicht erfüllt sie ihm doch e i n e Hoffnung seines Lebens
und trägt ihn auf stolze Höhe, so daß er nach Jahren von sich
sagen kann: ich habe den Kampf nicht gescheut, in dem nur ich
allein verlieren konnte, und ich hatte den Mut auch für den
steilsten Weg . . . und in all diesen Jahren der Wandlung ist
in mir nur eines sich gleich geblieben . . .“

Er sprach nicht zu Ende; doch es schien, als hätte Kitty die
fehlenden Worte erraten; sie nickte vor sich hin und sagte in
heißer Erregung: „So wird es kommen . . . mit ihm! Das
weiß ich. Was soll aber mit i h r geschehen? Wenn ich auch
das noch wissen will, das ist doch verzeihliche Neugier? Also?
Sie haben doch selbst den Fall gesetzt, daß sie ihm gut war . . .
wenn Sie auch angenommen, daß es nur so ein kleines, winziges Feuerchen wäre?“

„Die Zeit wird es löschen. Sie wird vergessen.“

„Vergessen? So? Das wäre allerdings bequem! Da hätte
die Geschichte freilich ein Ende!“

Die Bahnuhr schlug die halbe Stunde, und hell tönend
schwammen die beiden Klänge durch die weite Halle.

Erschrocken blickte Forbeck auf. „Verzeihen Sie, Konteß,

ich habe vergessen ... Sie schickten mich doch, um nach dem
Fahrplan zu sehen. Wir müssen eilen, wenn Sie noch zurecht
kommen wollen. Da drüben, ganz am Ende der Halle, steht
Ihr Zug, er geht in wenigen Minuten."

„Ich weiß, zwei Uhr achtunddreißig," sagte Kitty und
beschleunigte ihren Gang.

„Sie wissen?"

„Natürlich! Aber was sehen Sie mich so an? Ich dachte
mir, Sie hätten es ohnehin schon gemerkt, daß es nur ein Vorwand war, als ich Sie wegschickte. Ich hoffe, Sie nehmen mir
das nicht übel. Aber es schoß mir so durch den Kopf: wenn
Tas uns beide miteinander sähe, das gäbe Veranlassung zu
allerlei unbequemen Fragen, und da wäre doch jetzt nicht die
Zeit gewesen, um das alles aufzuklären.. Nicht wahr?" Sie
blieb stehen, sah mit herzlichem Blick zu Forbeck auf und bot
ihm die Hand. „So! Jetzt ist alles klar zwischen uns. Jetzt
flink, oder wir versäumen den Zug!"

Rasch durcheilten sie die ganze Breite der Halle, und da
hörten sie wieder diesen wirren Lärm, der durch all die ver-
gangenen Minuten für ihre Ohren stumm gewesen. Das zweite
Zeichen war schon gegeben, als sie den Zug erreichten. Der
Schaffner, mit welchem Kitty vor einer Stunde in München
angekommen war, begleitete auch den Zug, mit dem sie die
Rückreise antrat; er erkannte sie und lief, um ein Coupé erster
Klasse zu öffnen.

Forbeck war in nervöser Erregung. „Es wird Nacht, bis
Sie in Hubertus ankommen, und es macht mir Sorge, daß Sie
allein reisen ..."

Sie schüttelte das Köpfchen und lächelte halb erfreut, halb
verlegen. „Ich muß allein reisen, gerade jetzt. Und was
sollte mir zustoßen? Fünf Stunden sitz ich ruhig im Coupé,
dann nehm ich mir einen Einspänner und kutschiere gemütlich
nach Hause. Draußen kennen mich die Leute, da bin ich
sicher."

Forbeck schien nicht beruhigt. „Wenn Sie gestatten wollten,
daß ich in einem andern Coupé ..."

„Nein! Das am allerwenigsten!" fiel Kitty hastig ein.
„Das wäre ja noch unbehaglicher! Ich muß allein reisen.
Und keine Sorge um mich, ich komme wohlbehalten zu Hause an!
Daß ich mich fürchte ... ich hoffe, das glauben Sie wirklich

nicht? Aber ich danke Ihnen!" Sie wollte ihm die Hand reichen, doch der Schaffner mahnte: "Höchste Zeit, gnädiges Fräulein!"

Kitty zögerte noch einen Augenblick, verwirrt und zitternd; dann stieg sie so hastig in den Wagen, daß diese jähe Trennung fast den Anschein einer Flucht gewann. Forbeck benützte diesen Moment, um dem Kondukteur ein Goldstück in die Hand zu drücken: "Bitte, nehmen Sie sich der jungen Dame an und sorgen Sie dafür, daß sie ungestört bleibt!"

Der Schaffner machte eine tiefe Reverenz und schloß mit auserlesener Vorsicht die Coupétüre.

In der einen Hand den Hut, mit der andern an der Uhrkette nestelnd, stand Forbeck wortlos vor dem Wagen, wie angewurzelt; Kitty saß dicht bei der Türe, die Hände im Schoß, das Köpfchen an den Fensterrahmen gelehnt; ein verwirrtes Lächeln zitterte um ihren Mund, und ihre Wangen zuckten wie vor nahen Tränen; wenn Forbeck zu ihr aufsah, nickte sie ihm schweigend zu, und dann blickte jedes wieder nach einer anderen Seite: Kitty im Coupé umher, Forbeck an der Wagenreihe auf und nieder. Als das letzte Zeichen gegeben wurde, sagte er: "Darf ich Sie bitten, Fräulein von Kleesberg zu grüßen und ihr zu sagen, daß ich die viele Freundlichkeit, die sie mir erwiesen, niemals vergessen werde!"

"Ja, Herr Forbeck, das sag ich ihr! Und das wird ihr Freude machen. Tante Gundi hat Sie sehr lieb gewonnen, sehr! Und für Ihren Gruß wird sie sich persönlich bei Ihnen bedanken, sobald wir nach München kommen, in drei, vier Wochen . . ."

Der Pfiff der Lokomotive und ein rasselnd durch die Wagenreihe zuckender Stoß unterbrachen ihre Worte. In jäher Bestürzung sprang sie auf und streckte die Hand aus dem Fenster. "Herr Forbeck!" Das klang wie in verzehrender Angst. "Auf Wiedersehen!"

Er brachte kein Wort heraus, als er hastig ihre Hand erfaßte; Kittys Finger klammerten sich um die seinen, und während er neben dem rollenden Zug einherging, hingen seine dürstenden Blicke an ihrem verstörten Gesicht.

Die Wagen bekamen es eilig, und die beiden Hände mußten sich lassen.

Mit schwimmenden Augen starrte Forbeck dem verschwindenden Zuge nach.

„Der letzte Sonnenstrahl!" — —

Fast zu Tod erschöpft nach der schlaflosen Nacht und nach all den tiefen, ihr ganzes Wesen erschütternden Erregungen dieses Tages, fiel Kitty, als die Bahnhalle ihrem Blick entschwand, in die Kissen zurück. Mit schlaff hängenden Armen, das Köpfchen zurückgesunken, saß sie regungslos, nur vom schwingenden Wagen sacht gerüttelt, und starrte dem in Fetzen zerflatternden Dampfe nach, der vor dem Fenster vorüberhuschte. Doch während tiefe Erschöpfung aus jedem ihrer Züge redete, umspielte ihren Mund ein träumendes Lächeln.

Doch es verschwand, als der Gedanke an Willy mit beklemmender Sorge in ihr aufzuckte. „Willy hängt doch an Tas und auch an mir?" so mußte sie denken. „Ganz abgesehen von der Unart gegen mich ... es ist unfaßbar, daß er die Freude, Tas am heutigen Tag zu sehen, irgend einem leichtsinnigen Streich geopfert haben könnte! Er ist ja im Grund seines Herzens doch wirklich ein guter, lieber Kerl! Weshalb dann aber kam er nicht? Was hat ihn zurückgehalten? Was muß ihm geschehen sein?"

Ihre Sorge wuchs und wuchs. Doch wie vor einem drohenden Ungewitter die Sonnenstrahlen noch hell durch alle Klüfte der Wolken brechen, so mischten sich in den Wirbel ihrer Sorge die Gedanken an das Glück des neuvermählten Paares und die Gedanken an ein anderes Glück, das nebelhaft verschwommen vor ihren zagenden Träumen stand und dennoch leuchtete und winkte.

Dann wieder erlosch die Helle hinter finsterem Schatten, und jede neue Befürchtung, die sich ihr aufdrängte, jede neue Vorstellung irgend eines möglichen Unfalles legte ihr einen Stein auf die Seele. Mit eisiger Hand umklammerte die Angst ihr Herz. Doch kein Gedanke, auch nicht die schlimmste ihrer bösen Ahnungen, konnte sie vermuten lassen, was dieser Tag über Schloß Hubertus gebracht hatte.

7.

„Tut mir leid, aber der Herr is net daheim!" So hatte, als Lieserl in der Nacht am Doktorhaus die Glocke gezogen, die Haushälterin des Arztes aus dem Fenster gerufen. „Um neune am Abend hat er in die Färleiten müssen." Das war ein einsam gelegener Bauernhof, zwei Stunden vom Seedorf entfernt. „Aber wenn der Herr heimkommt, schick ich ihn gleich. Wer is benn krank bei dir?"

Lieserl, die an allen Gliedern zitternd in den finsteren Winkel der Haustür gedrückt stand, wollte schon den ganzen Jammer ihres Herzens entladen; aber da fiel ihr zur rechten Zeit noch das Wort des Vaters ein: es muß vertuschelt werden, dem gnädigen Herrn Grafen zulieb. Und mit erstickter Stimme gab sie zur Antwort: „Der Mutter is net gut!"

„Es wird net so arg sein! Sie soll sich derweil ein Tee machen. In der Fruh kommt der Herr Dokter schon."

Das Fenster klirrte; und das Lieserl trat den Heimweg an. Ihre Tränen waren versiegt, und ihre Angst verwandelte sich in dumpfe Erschlaffung. Sie hatte ein Gefühl im Kopf, als hätte sie einen betäubenden Schlag auf die Stirn erhalten. Und wie Blei lag es ihr in den Knien. Schließlich begann sie aber doch wieder zu laufen, denn die tiefe Finsternis machte sie gruseln; dazu hatte sie immer die Empfindung, als striche ihr jemand mit eiskalter Hand über das Gesicht, und das eintönige Rauschen, das neben der Straße aus der tiefen Schlucht der Ache klang, weckte in ihr die Vorstellung einer Gespensterstimme.

Als sie das Zaunerhäuschen erreichte, sah sie an den ebenerdigen Fenstern alle Läden geschlossen, durch die kein Schimmer eines Lichtes drang. Sie hörte ersticktes Schluchzen und gewahrte auf der Hausbank einen schwarzen Klumpen; der matte Schein einer weißen Schürze sagte ihr, daß es die Mutter war. Vor Erschöpfung taumelnd, umklammerte Lieserl den Arm der Mutter und lallte, daß sie den Doktor nicht zu Hause gefunden.

„Lieserl! O mein Gott, Lieserl!" schluchzte die Zaunerin in herzbrechendem Jammer; mit beiden Armen umschlang sie die Tochter und zog sie auf ihren Schoß. „So ein Glück hätt dir

zustehn können! Und so ein Unglück muß kommen über uns!
O du mein arms, verlassens Kindl! So ein Unglück! Da
hätt jetzt auch kein Dokter nimmer gholfen!"

„Mar' und Josef! ... Mutter?"

„Den Blutsturz hat er ghabt. Und kaum, daß du draußen
gwesen bist, hat er den zweiten kriegt. Und aus und gar is
gwesen mit ihm!"

„Jesus Maria!" kreischte das Mädchen und verbarg unter
Zittern das Gesicht am Hals der Mutter.

So saßen sie und weinten miteinander. Endlich versuchte
die Zaunerin das Mädchen aufzurichten. „Komm, Lieserl, ich
führ dich in d' Stuben! Schau dir ihn an, dein armen Schatz,
wie er daliegt, so lieb und schön!"

Im Flur, auf der untersten Treppenstufe, stand ein Leuchter
mit brennender Kerze. Die Stubentüre war halb geöffnet, und
man sah den Tisch mit der Hänglampe darüber, die einen
hellen Lichtkreis über die Dielen warf. Auf einem Sessel mitten
in der Stube stand eine irdene Schüssel mit rotgefärbtem Wasser,
in dem ein blutsleckiger Lappen schwamm. Gebrochen, mit lässigem
Gesicht, saß der Zaunerwastl auf der Ofenbank; als die Meisterin
und das Lieserl über die Schwelle geschlichen kamen, zuckte es
in seinen Fäusten, und mit irrem Blick streifte er das Sofa,
auf dem der Tote lag: in der schmucken Uniform mit den
blinkenden Knöpfen, das seitlich geneigte Haupt in die Kissen
versunken.

Wären über den erloschenen Augen die Lider geschlossen
gewesen, man hätte den still Ruhenden für einen Schläfer gehalten. Der farbige Halbschatten des roten Lampenschirmes verschleierte die Blässe des Todes mit einem Anschein von Leben.
Wirr hingen die leicht gekräuselten Haarbüschel über die Stirne,
als hätte eine kosende Hand in ihnen gewühlt. Das hübsche,
junge Gesicht, das sorgfältig vom Blut gereinigt war, zeigte
jenen gutmütigen, fast knabenhaften Ausdruck, der dem Lebenden
im Geplauder mit der Schwester eigen gewesen.

Vom Arm der Mutter umschlungen, stand Lieserl vor dem
Toten, mit aufgerissenen Augen, von einem Schauer gerüttelt,
daß ihr die Zähne klapperten.

„Schau, Lieserl, da liegt er!" schluchzte die Zaunerin. „So
geh doch, gib ihm 's letzte Busserl, beim armen Schatz! Und
druck ihm seine lieben Aeugerln zu!"

Meister Zauner wurde unruhig.

Von der Mutter geschoben, näherte sich Lieserl dem Sofa und streckte die zitternden Hände; doch als ihre Finger die Lider des Toten berührten, wich sie zurück und schlug die Hände vor das Gesicht: „Mutter! Ich fürcht mich vor ihm!"

Da sprang der Zauner auf, mit krebsrotem Gesicht und geballten Fäusten. „Naus!" schrie er in einem Zorn, daß ihm der Schaum vor die Mundwinkel trat. „Naus zur Stuben! Du! So lang er glebt hat, hast dich net gforchten? Gelt? Da hast scharwenzeln und lokwettieren können und b' Fenster sperrangelweit aufreißen! Und jetzt tät dir grausen vor ihm? Naus, sag ich, naus zur Stuben, du Fratz, du gottvergessener ... oder ich vergreif mich an dir!"

Lieserl, die Arme über den Kopf schlagend, floh aus der Stube; zum erstenmal im Leben fürchtete sie den Zorn ihres Vaters.

„O du grundgütiger Heiland!" kreischte die Zaunerin. „Was is denn jetzt das für ein Mann! So was von Gmütlosigkeit is mir ja meiner Lebtag noch net unterkommen! Dem Mann, dem is ja Tod und Leben nimmer heilig! Lieserl! Mein arms Lieserl!" Sie wollte ihrem mißhandelten Kinde folgen.

„Du bleibst!" keuchte der Zauner. „Mit dir hab ich z'reden!" Er faßte das Weib am Arm und warf die Türe zu.

Lieserl hatte im Flur die brennende Kerze aufgerafft und rannte, wie von einem Gespenst gejagt, über die Treppe hinauf in ihr Stübchen. Zitternd schob sie den Riegel vor, schloß in scheuer Hast das Fenster, das noch immer offen stand, und trug den Leuchter zum Spiegeltisch. Ihr Blick fiel in das Glas, und sie sah die roten Flecken an ihrer Brust und am Aermel. Von Grauen befallen riß sie das Leibchen herunter; eine Hafte verfing sich am Nacken in ihrem Haar, und das verursachte ihr solchen Schreck, daß sie in blinder Angst immer zerrte, bis ihre Zöpfe sich lösten. Schwer atmend riß sie die Tür wieder auf, schleuderte das Leibchen in den dunklen Flur hinaus und schlenkerte die Finger, wie ein zu Tod erschrecktes Kind, das sich im Spiel mit dem Feuer die Hände verbrannte. In Rock und Schuhen, das Gesicht von Angst und Erschöpfung entstellt, warf sie sich über das Bett; es war aufgedeckt und frisch überzogen, wie vor hohem Feiertag; nur die Kissen fehlten.

Lautloses Schluchzen erschütterte ihren Körper, während

sie den Kopf in das flaumige Oberbett vergraben hielt. So hörte sie auch keinen Laut, obwohl man aus der Stube herauf den dumpfen Klang der wechselnden Stimmen vernehmen konnte. Das währte eine Weile, dann schwiegen die Stimmen. Tritte polterten im Flur, und die Haustür knarrte. Ueber die Fenster des Stübchens zuckte ein unruhiger Schein, als ginge man mit einer Laterne im Hof umher und gegen die Straße. Eine halbe Stunde herrschte tiefe Stille da brunten — dann wurde die Haustür geschlossen und müde Tritte schlurften über die Treppe herauf.

Die Zaunerin kam in das Stübchen geschlichen, ein Bild des Jammers; aber der laute Schmerz schien bei ihr sein Ende gefunden zu haben; wortlos schüttelte sie immerzu den Kopf, schlug die Hände ineinander und fiel neben dem Bett auf einen Sessel. Nach einer Weile strich sie scheu mit der Hand über die entblößte Schulter des Mädchens und stotterte: „Geh, Lieserl, mußt dich nimmer fürchten! Schau, er is schon aus'm Haus!"

Das Mädchen fuhr auf, stierte die Mutter an und verbarg das Gesicht wieder in den Federn.

„Der Vater hat gmeint, es könnt dem gnädigen Herrn Grafen lieber sein, wenn b' Leut sagen: 's Unglück is auf der Straßen gschehen ... lieber, als wenn 's Gschrei umeinander ging: er is am Zaunerlieserl ihrem Fenster ausgrutscht! Und schau, es wär auch besser für dich, wenn die Sach vermankelt wird. Es is ja gwiß die größte Ehr gwesen, daß der junge Herr Graf seine gnädigen Augen zu dir erhoben hat. Aber schau, b' Leut fassen so was oft gspaßig auf. Und da könntst ein Treff kriegen für dein Leben lang. Aber jetzt muß ich's schon raussagen: an dich hat eigentlich der Vater gar net denkt. Nur allweil an gnädigen Herrn Grafen! Und drum hat er jetzt den armen Kerl nuntertragen in Seebachgraben und hat ihn hinglegt, als ob er in der Nacht über b' Straßen naustreten wär und hätt sich derfallen. Und jetzt is er fort, der Vater, und is nauf zum gnädigen Herrn Grafen in b' Jagdhütten. Dem muß er freilich alles offen sagen, wie's gwesen is, damit man keine Untersuchung aufkommen laßt. O mein Gott, mein Gott, was wird der gnädig Herr Graf für Augen machen!"

Seufzend blies die Zaunerin die Backen auf, und ihre Zähren begannen wieder zu fließen. Nach einer stummen Jammerpause erhob sie sich und drückte stöhnend die Fäuste in den breiten Rücken. „Jetzt muß ich wieder nunter und muß drunten sauber machen. Der Vater hat mir's auf b' Seel bunden, wie er fort is! Und wenn ich net tu, was er mir gschafft hat ... ich glaub, der is imstand und schlagt mich zum Krüppel. So is er noch nie net gwesen, wie heut, so ganz aus'm Häusl! Aber ich weiß ja, wie er an allem hängt, was zur Herrschaft ghört. Und wenn ich dran denk, was er jetzt für ein Weg hat ... o du mein lieber Herrgott! Da kann er mich schier noch dauern! Na! Na! Was über uns für Sachen kommen!" Mit schwerem Seufzer humpelte sie zur Tür und kehrte auf der Schwelle wieder um. „Geh, Lieserl, magst dich net lieber ordentlich niederlegen? Es kommt ja der Tag schon bald, und ein paar Stünderln Ruh mußt ja doch haben, sonst kann dir's morgen jeder Mensch vom Gsichtl ablesen, daß was passiert is! Geh, sei gscheit ... und wart, ich hol dir dem Vater seine Kopfpolster ummi ... der braucht s' heut nacht so wie so net!"

Sie verschwand und erschien nach einer Minute wieder, unter jedem Arm ein bauschiges Kissen. Mit umständlicher Sorgfalt machte sie das Bett zurecht und entkleidete Lieserl, die stumm und willenlos alles mit sich geschehen ließ. „So, mein arms Hascherl, so! Tu dich nur recht schön einihuscheln in b' Federn! Schau, völlig zittern und frieren tust, so is dir der Schreck in alle Glieder gfahren, du mein arms Herzl du! Und bhüt dich Gott derweil! Wann ich drunten fertig bin komm ich schon wieder und setz mich her zu dir. Und 's Licht laß ich brennen, gelt? Daß dich net fürchten tust."

Zärtlich streichelte die Zaunerin die blasse Wange ihres Kindes, zerdrückte mit der Faust eine Träne, die an ihrem kummervollen Mutterauge hing, und humpelte seufzend aus der Stube.

Schauernd schmiegte sich Lieserl in die Kissen und zog das Deckbett über die Ohren. Trotzdem hörte sie allerlei dumpfe Geräusche, die aus dem Unterstock herauf drangen: das Gehen der Türen, die schlurfenden Pantoffelschritte in Flur und Küche, das Gerappel eines Schaffes, im Hof die polternden Stöße des Brunnenschwengels und das Geplätscher des Wassers.

Vor den Fenstern des Stübchens graute schon der fahle Schein des erwachenden Morgens, als die Zaunerin wieder erschien, mit nasser Schürze und mit Händen, die von der Kälte

des Wassers gerötet waren. Der süße, allmächtige Trost, den
in allem Leid die Arbeit bietet, schien sich auch an ihr erwiesen
zu haben; sie war beruhigt und gefaßt. „So, Lieserl, jetzt bin
ich wieder da!" sagte sie mit breitem, schwermütigem Klageton.
„Das is für mich eine traurige Arbeit gwesen. Aber jetzt is
drunten alles wieder in Ordnung, jetzt kann ins Haus kommen,
wer mag, und keiner wird merken, daß da was gschehen is. Und
wir zwei, schau, wir müssen halt jetzt auch gscheit sein! Und
ganz in der Still müssen wir den harten Schlag überwinden,
der uns troffen hat. Vor die Leut heißt's Obacht geben! Wir
zwei unter uns, wir können ja doch allweil drüber reden, was
für ein Glück uns zugstanden wär, wenn net 's Unglück sein
Strich durch alles gmacht hätt."

Mit diesem Reden ‚unter uns' machte die Zaunerin gleich
den Anfang, rekapitulierte in gedämpftem Schmerze allen Jammer dieser Nacht und erörterte unter Seufzern jede Hoffnung,
die das ‚arge Unglück' so jäh vernichtet hatte. „Jetzt freilich, jetzt weiß ich, was dir allweil burchs Köpfl gangen is, wenn
die letzten Tag her so heimlich tan hast gegen dein Mutterl und
allweil gsagt hast: Wenn's mir nausgeht, da werden b' Leut
aber Augen machen! Jetzt, ja, jetzt täten b' Leut freilich Augen
machen, wenn s' alles wüßten! Schau, mein liebs Kindl, ich
will dir ja gwiß kein Vorwurf machen . . . aber hättst mehr
Vertrauen zu deiner Mutter ghabt, wer weiß, wie alles gangen
wär? Aber so red doch endlich einmal ein einzigs Wörtl! Es
macht mir ja völlig Angst, wenn ich dich allweil so liegen
sehen muß, als wär dir b' Sprach vergangen. So geh, so verzähl doch ein bißl was! Schau, es könnt mich trösten, wenn
ich wüßt, wie alles kommen is."

Lieserl, die noch immer kein Wort gesprochen hatte, schüttelte
heftig den Kopf und vergrub das Gesicht in die Kissen. Aber die
schmerzvolle Neugier der Zaunerin war nun einmal erwacht und
gab nimmer Ruhe, bis sie gestillt wurde. Lieserl mußte erzählen, ob sie wollte oder nicht; halb aus den Kissen sich aufrichtend, begann sie zögernd ihre Bekenntnisse.

Es wuchs der Tag vor den Fenstern — und wie das Licht
da draußen in alle finsteren Winkel des Tales drang, so schlich
sich auch ein verklärender Strahl in Lieserls dunkle Liebes-
geschichte. Sie schien es selbst gar nicht zu merken, daß sie
mehr als einmal recht bedenklich von der Wahrheit abirrte. Die

Verstörtheit ihres hübschen Grübchengesichtes begann sich zu
mildern, und während ihre dunklen Kirschenaugen in schwär-
merischem Kummer blickten, verwandelte sich Lieserl vor der
Mutter und vor dem eigenen guten Glauben zur makellosen,
des tiefsten Mitleids würdigen Heldin eines sentimentalen Ro-
mans, der die Zaunerin zu hellen Tränen rührte.

Mitten im Berichte des vorletzten Kapitels, das im abendlichen Walde spielte und eines Kniefalles mit heißen Liebes-
schwüren des unglücklichen Helden ausführlich Erwähnung tat,
ließ sich Lieserl ihr Röcklein von der Mutter reichen und holte
aus der Tasche ein zusammengeknüpftes Tüchlein hervor. Ueber
der Bettdecke löste sie den festgezogenen Knoten und hielt der
Mutter auf flacher Hand den funkelnden Rubin entgegen, der in
dem Tüchlein verborgen war. „Da schau, Mutterl, den kostbaren Edelstein, der mehr wert is, als unser Häusl und alles
miteinander . . ." das war nun freilich wieder eine poetische
Uebertreibung, aber sie fand den sprachlos staunenden Glauben
der Zaunerin . . . „den Edelstein, den hat er mir gestern im
Holz draußen gschenkt, wie er mir gschworen hat, daß er
mich lieber hätt als alles auf der Welt!" Tränen erstickten
ihre Stimme.

„Na! Na! So was! Der gute, liebe, süße Mensch!" Vor
Rührung, Schmerz und freudiger Ueberraschung einem Wein-
krampf nahe, warf sich die Zaunerin an die Brust ihres Kindes. „Der muß dich freilich gern ghabt haben! Der schon!
Aber das sag ich dir, Lieserl: das Steinerl näh ich dir in ein
Sackerl ein, und das Sackerl mußt an deim Halserl tragen wie
ein heiligs Ammalett, zum ewigen Gedenken bis zu deiner
seligen Todesstund!"

Tod! Das üble Wort jagte einen Schauer über Lieserls
Nacken. „Ich bitt dich, so red doch net allweil vom Sterben!"
greinte sie und wand sich aus den Armen der Mutter.

Die Zaunerin überhörte diese Worte und fuhr sich mit
beiden Händen in die grauen Haare. „Na! Na! Du mein
arms unschuldigs Kindl du! Was dir für ein Glück verloren gangen is! Der hätt dich gheirat Lieserl! Da schwör
ich drauf. Und das kann ich ja gar net ausdenken: du,
Frau Gräfin! Und ich als Gräfin-Mutter! Und jetzt is alles
aus! Mit was denn haben wir uns versündigt, daß der liebe
Gott im Zorn so eine harte Straf über uns arme, unschuldige

Gschöpfer schickt? Und wer kann wissen, ob 's Unglück schon
ein End hat?" In der Zaunerin rührte sich der Pessimismus
der leidenden Menschennatur, und drohende Bilder stiegen vor
ihrem sorgenden Mutterherzen auf. „Ich fürcht, die Sach kann
net verheimlicht bleiben. Ich fürcht, es kommt was auf! Mar'
und Josef! Jetzt graust mir schon, wenn ich drandenk, was
da für Sachen rauswachsen können! Und wer muß nacher
den Schaden leiden? Du, Lieserl! Du! Allweil der Unschuldig!
Das is die Grechtigkeit auf der Welt! Gott behüt uns vor
so was!" Die Zaunerin schlug ein Kreuz — und dazu hatte sie
just den rechten Augenblick gewählt, denn mit sanften Klängen
begrüßte das Morgengeläut der Kirchenglocke den erwachenden
Tag.

· Lieserl schien von der Angst der Mutter angesteckt und
stotterte wie ein verschüchtertes Kind: „Aber Mutter? Was
soll mir denn gschehen können? Ich bin ja doch völlig unschuldig!"

„Einsperren können s' dich freilich net. Aber b' Leut,
Lieserl! Die schlechten Leut! Wär alles gut nausgangen, 's ganze
Dorf wär ja zersprungen vor lauter Neid. Aber jetzt, weil
alles schief gangen is, jetzt werden s' ihr Gspött und ihr bos-
hafte Gaudi haben, daß man sich in Erdboden verkriechen möcht!
Verschandeln werden dich b' Leut, kein guts Haar mehr werden s'
lassen an beiner Ehr . . . und hängen bleibt's an dir!
Hängen! Paß nur auf! Das geht dir nach dein ganz Leben
lang! Herrichten werden dich b' Leut, daß dich keiner mehr
anschaut, gar keiner auf der ganzen Welt! Und sitzen bleibst
mir mit all beiner Schönheit! Ich sag dir, Lieserl, ich weiß
net, was ich brum gäb, wenn jetzt gschwind einer da wär, der
mit dir vom Fleck weg zum Pfarrer ging!"

„Aber Mutter!" stammelte das Mädchen, dem die finster-
sehende Logik der Zaunerin mit Schrecken einzuleuchten schien.
„Wo soll denn jetzt gschwind einer herkommen?"

Die Phantasie der besorgten Mutterliebe machte über allen
Jammer hinweg einen wahren Löwensprung: „Der Pointner-
Andres!"

Als Lieserl diesen Namen hörte, fuhr sie aus den Kissen
auf und spie zur Erde.

„Du! Lieserl! Ich sag dir's: tu dich net versündigen!
Oder willst am End bein Glück noch ganz verklampern?" jam-

merte die Zaunerin. „Vielleicht mußt es noch büßen, daß den armen, braven Buben die ganze Zeit her so schlecht behandelt hast. Ich hab dir's aber allweil gsagt: halt dir den Andres warm! Er is net der schlechteste. Den schönsten Hof hat er im ganzen Ort ... und der Steinbruch, der zum Hof ghört, is die reinste Goldgruben. Aber ich hoff, es is noch nix verspielt. Der Andres ist ja völlig narrisch vor lauter Lieb zu dir. Da tät's dich nur ein einzigs Wörtl kosten, und alles wär in der schönsten Ordnung. Meiner Seel ... wenn ich wüßt, wo ich den Andres find, auf der Stell tät ich reden mit ihm!" Die Zaunerin sprang auf, als möchte sie diese löbliche Absicht schon zur Wahrheit machen.

„Mutter! Um Gottes willen net! Nur grad das einzig net!" stotterte Lieserl zu Tod erschrocken, während sie den Arm der Mutter zu haschen suchte. „Lieber sterben auf der Stell, als so eine Schlechtigkeit ..."

„Schlechtigkeit? Was Schlechtigkeit?" Das Wort schien die Zaunerin zu reizen. „Dein ganz Leben ruinieren und Sorg und Jammer über b' Mutter bringen, die sich 's Herz abikümmert um dich ... das wird wohl Schlechtigkeit gnug sein!" Warnend erhob sie den Finger. „Sei gscheit, Lieserl, ich sag d.. »! Aber willst es drauf ankommen lassen, daß dich der Andres auch nimmer mag? Daß b' in der letzten Not am End noch ein nehmen mußt, den die Miserabligst im Ort net anrühren möcht mit'm Stecken? Ah na! Da is schon b' Mutter noch da! Jetzt grad auf der Stell schau ich, daß ich den Andres find! Jetzt grad auf der Stell wird gredt mit ihm! Und dir, Lieserl, bir sag ich: sei gscheit!" In erregter Hast trocknete die Zaunerin ihre Hände an der Schürze, als wären sie noch feucht vom Wasser, mit dem sie drunten gewirtschaftet hatte — und die Tochter mit einem letzten warnenden Blick bedenkend, eilte sie zur Stube hinaus.

„Mutter! Mutter!" kreischte Lieserl wie in einem Anfall von Wahnwitz und sprang aus dem Bett. „So was tu ich net! Um alle Welt net! Lieber sterben! Pfui Teufel, Mutter! Mir graust!" Sie riß die Türe auf und wollte der Zaunerin folgen, die schon in ihrer Schlafkammer verschwunden war. Da sah sie auf den Dielen des Flurs das blutige Leibchen liegen — von kaltem Grauen geschüttelt, taumelte sie zurück und warf, als hätte sie ein Gespenst gesehen, die Tür ins Schloß.

Wenige Minuten später eilte die Zaunerin aus dem Haus, einen Henkelkorb am Arm und mit einem wollenen Umschlagtuch über dem Kopf.

Es war noch früh am Morgen; aber das Leben des Dorfes erwachte schon. Blauer Rauch stieg aus den Schornsteinen, von den zerstreuten Höfen hörte man Geräusch und laute Stimmen, die Hunde schlugen an, auf der Straße rasselte ein Leiterwagen, und aus dem Park von Schloß Hubertus, dessen Baumkronen von grauem Nebel umsponnen waren, klang von Zeit zu Zeit ein gellender Adlerschrei.

Die Zaunerin hatte es eilig. Sie achtete der schweren Nässe nicht, die sie mit dem Rocksaum von den weißbetauten Gräsern streifte.

Schwer atmend erreichte sie das Pointnerhaus, ein stattliches Gebäude in weitläufigem Hofraum. Beim Brunnen stand eine Magd, und freundlich rief die Zaunerin über die Staketen: „Guten Morgen, Franzi! Zeitig bist auf!"

„Guten Morgen, Zaunerin!" Die Magd lachte. „Wär net schlecht, wenn ich b' Sonn verschlafen möcht!"

„Ja, ja, ein fleißigs Haus, der Pointnerhof! Der Bauer is wohl auch schon lang bei der Arbeit?"

„Da hast recht! Der Alt is am Feld draußen, und der Jung schafft schon seit in der Fruh um fünfe im Steinbruch."

„So? So? Bhüt dich Gott!"

Die Zaunerin eilte weiter. Ihr Weg ging durch ein Laubgehölz, dessen Blätter sich schon gelblich zu färben begannen. Ein mit Quadersteinen beladener Wagen kam ihr entgegen, sie hörte einen Sprengschuß und vernahm das dumpfe Getös des fallenden Gesteins.

Die Bäume lichteten sich, und vor der Zaunerin dehnte sich in weitem Halbkreis der tief in den Berghang eingewühlte Steinbruch. Ueber der kahlen Wand verzog sich der Pulverdampf des letzten Sprengschusses, während am Fuß der Felsen, zwischen klotzigen Trümmern, drei Arbeiter mit klingenden Hammerschlägen schon wieder die neuen Sprenglöcher in das Gestein meißelten. Mitten im weiten Schotterfeld standen zwei Wagen, der eine schon mit Steinen befrachtet, während der andere soeben beladen wurde; vier Männer waren hier bei der Arbeit, unter ihnen der Pointner-Andres. Er hielt die Schulter gegen einen eisernen Hebel gestemmt und wälzte einen schweren Stein auf den ächzenden Wagen hinauf. Als die Zaunerin sich näherte, rollte der Block mit Gepolter an seinen Platz. Andres wischte mit dem Hemdärmel den Schweiß von der Stirn; nun gewahrte er das Weib, ließ den Arm fallen und sperrte die Augen auf.

„Guten Morgen, Andres! Fleißig?" nickte die Zaunerin freundlich und ging vorüber.

Sie kannte ihren Mann und brauchte nicht das Gesicht zu drehen, um zu wissen, daß er ihr folgen würde. Kaum hatte sie den Steinbruch hinter sich und war in den Wald getreten, da kam ihr der Pointner-Andres mit schweren Schritten nachgetappt, verlegen und erregt wie ein hungriges Kind, das die Mutter mit gefülltem Korb vom Bäcker kommen sieht.

„He! Meisterin! Wohin denn so zeitlich?"

Die Zaunerin blieb stehen und hatte eine Ausrede flink bei der Hand. Ein paar Reden wurden gewechselt, und mit einer scheuen Frage nach Lieserls Befinden brachte der Pointner-Andres selbst das Gespräch auf jenen Weg, um den es der Zaunerin zu tun war.

„Geh, du! Fragen kannst auch noch!" schmollte sie und sah den Burschen an, als wäre sie ihm aus irgend einer Ursache bitterböse und könnte ihm doch nicht gram sein.

Schon diese dunkle Einleitung brachte den Pointner-Andres aus seiner ohnehin recht zweifelhaften Ruhe. „Ja was hast denn?" stotterte er. „Was machst denn für Augen?"

„Geh du! Wenn ich dich net so gern hätt, möcht ich dir am liebsten b' Ohrwascheln aus'm Kopf reißen vor lauter Zorn! Ja, dir! Du bist mir einer! Mein liebs, bravs Madl so schikanieren! Da hört sich doch alles auf!"

Dem Andres versagte vor Verblüffung die Sprache. Seine klobigen Fäuste zitterten, mit offenem Mund und großen Augen starrte er die Zaunerin an, und Röte und Blässe wechselten auf seinem breiten, ungeschlachten Gesicht. „Ja was denn? Ich hab doch meiner Lebtag dem Lieserl noch kein unguts Wörtl net geben? Das weiß ja 's ganze Dorf, wie gern ich 's Lieserl hab! Lachen mich doch b' Leut schon allweil drum aus! Und 's Lieserl is so viel unfreundlich zu mir. Und allweil sagt's mir ins Gsicht, daß ihr keiner auf der Welt so zwider wär . . . wie ich." Andres strich mit den Händen über das Haar und seufzte schwer.

„Du? Zwider? Dem Lieserl?" Die Zaunerin stellte den
Korb zu Boden und schlug wie in ratlosem Staunen die Hände
zusammen. „Ja bist denn du mit Blindheit gschlagen? Da
muß ich aber doch einmal aussi mit der Sprach!" Das ging so
weiter wie ein klapperndes Mühlwerk — und ohne sich nur
eine einzige Kunstpause zu gönnen, spielte die Zaunerin ihre
nicht übel ausgesonnene Komödie zu Ende. Jeder andere Mensch
wäre freilich stutzig geworden über die konfuse Hast ihrer Bekenntnisse, über die absonderlichen Sprünge ihrer Logik und
über diese befremdende Erregung, die aus ihren übernächtigen
Zügen sprach. Aber der Pointner-Andres war blind — trotz
seiner gesunden Augen. Er war ja gewiß kein großes Geistes-
kind, aber auch nicht dumm — nur eben verliebter, als für
ihn gut war. Um die heißen Kohlen in seinem Herzen zu
heller Flamme anzublasen, hätte es gar nicht dieses langen
Märchens von der unverstandenen Liebe bedurft, vom Trotz eines
Mädchenherzens, von Lieserls gebleichten Wangen und ihren
schlaflosen Nächten, von den heißen Tränen, bei denen die
Zaunerin ihr armes Kind überraschte, von Lieserls Geständnis
am Busen der Mutter und von des Mädchens verzeihlichem
Groll über den Pointner-Andres, ‚der halt gar net Ernst machen
und kein offens Wörtl net reden will!' Hätte die Zaunerin
statt dieser langen Geschichte nur kurzweg gesagt: „Komm, Andres, zum Lieserl!" — sie hätte die gleiche Wirkung eben
so sicher erzielt, nur um vieles rascher.

Der großmächtige Mensch zitterte an allen Gliedern, und
seine Augen glänzten. „Komm, Mutter, komm!" In diesen
drei Worten lag alles, was er zu sagen hatte, sein taumeln-
des Glück, sein fester Entschluß — das ganze Schicksal seines
Lebens. Und so lange Schritte machte er, daß ihm die Meisterin
kaum zu folgen vermochte. Und wie er den Kopf trug, wie
sein Gesicht strahlte und seine schwere Gestalt sich reckte!

Weniger hoffnungsfreudig war das Gesicht der Zaunerin
anzusehen; unruhig huschten ihre Blicke nach allen Seiten, und
als die Straße erreicht war, streifte sie mit scheuen Augen den
Rand der Seebachschlucht, aus deren schattiger Tiefe dünne
Wasserdünste sich emporkräuselten in die sonnige Morgenluft.

Die Beklemmung, von der die Zaunerin befallen war,
schien sich einigermaßen zu lösen, als sie vor dem Pointner-
Andres das Staketentürchen öffnete. Mit wichtigtuender Ge-

heimniskrämerei führte sie den Burschen ins Haus und ließ ihn in die Stube treten, deren Dielen frisch gescheuert waren und noch feuchte Flecken hatten.

Während Andres mit unbehilflicher Verlegenheit auf dem Sofa Platz nahm, stolperte die Zaunerin über die Stiege hinauf. Beim Eintritt in Lieserls Stübchen nickte sie befriedigt vor sich hin, als sie die Kammer geordnet und das Mädchen auf einem Sessel sitzen sah, zierlich frisiert und mit Sorgfalt gekleidet.

„Gut geht's, Herzerl! Er is schon da!"

Lieserl schluckte, und ihr farbloses Gesicht verzerrte sich, als hätte man ihr eine gallenbittere Medizin gereicht.

Wispernd sprach die Zaunerin auf ihre Tochter ein; doch Lieserl schien nicht zu hören; in sich zusammengekauert, saß sie auf dem hölzernen Stuhl, hielt die Hände an ihre Schläfe gepreßt und starrte ins Leere. Die Mutter wurde ungeduldig. „Du Narr! So komm doch! Drunten hockt er und wartet!" Sie wollte die Tochter am Arm fassen, aber Lieserl schüttelte die Mutter von sich ab, flüchtete in eine Ecke des Stübchens und stammelte: „Net um alles in der Welt! Ich geh net nunter in b' Stuben!"

Ueber diese Schwierigkeit kam die Zaunerin flink hinweg. „So wart halt ein bißl, ich hol ihn rauf." Drunten auf der Stubenschwelle brauchte sie nur mit dem Finger zu winken, und der Andres folgte ihr. Als sie den Flur des oberen Stockes erreichten, sah der im elterlichen Haus an strenge Ordnung gewöhnte Bursch auf den Dielen das Leibchen liegen, für das die Zaunerin kein Auge hatte. Er hob es auf und legte es über das Stiegengeländer — auf dem Boden blieb ein matter bräunlicher Fleck zurück, als hätte durch lange Zeit ein rostiges Eisen auf dem Brett gelegen. Die Zaunerin klinkte inzwischen die Türe auf und rief in das Stübchen: „Da schau, Lieserl ... da schau, wer da is!" Kichernd stieß sie den Burschen über die Schwelle.

Mit leichenblassem Gesicht stand Lieserl an die Mauer gelehnt. „Aber Mutter!" stotterte sie und schlug den Arm über die Augen.

„No also, jetzt red!" sagte die Zaunerin zum Pointner-Andres. Doch Andres stand wie angewurzelt und wußte nicht, was er tun oder sagen sollte. „Wenn dir 's Glück die Red

verschlagt," meinte die Zaunerin, „so mach halt kurzen Prozeß
und gib ihr ein Busfel, ein richtigs!" Sie versetzte dem Andres
einen Puff in den Rücken, und um dem schwerfälligen Freier diesen ‚kurzen Prozeß' zu erleichtern, ließ sie ihn mit der Braut allein.

Draußen vor der Türe aber blieb sie stehen und wollte
das Ohr an die Bretter drücken. Da hörte sie das Knarren
der Haustür und Schritte im Flur. Unwillig eilte sie über
die Stiege hinunter, und als sie den Doktor sah, erschrak sie,
daß sie den Gruß nicht über die Lippen brachte. Aber die
ersten Worte des Arztes ließen sie die Ausflucht erraten, die
das Lieserl in der Nacht gebraucht hatte. Nun fand sie flink
ihre Sprache wieder, drückte die Hände auf den umfangreichen
Leib und schilderte die ‚grausamen Schmerzen', von denen sie in
der Nacht geplagt worden wäre.

Der Doktor fühlte der Zaunerin den Puls, ließ sich ihre
Zunge zeigen und schien den ‚bösen Anfall' nicht sonderlich
ernst zu nehmen.

Als er am Tische saß, und der Kranken die schmerz-
stillenden Tropfen verschrieb, kamen Schritte über die Treppe
herunter, und auf der Schwelle erschien ein Paar: Lieserl,
bleich und mit scheuem Blick — der junge Pointner mit lachendem Gesicht.

Da konnte nun der Doktor Zeuge des ‚ehrsamen Verspruches'
sein, zu dem das Zauner-Lieserl ihre weiße, zitternde Hand
in die braune schwielige Riesenfaust des Pointner-Andres legte.

Während die Zaunerin vor Freude in die Schürze weinte
und der alte Doktor dem jungen Paar seine Glückwünsche sagte,
ging draußen vor den Fenstern ein Fischer vorüber; er hielt
die Forellengerte unter dem Arm und spießte einen Köder
an die Angel; dann verließ er die Straße und betrat einen
schmalen Steig, der in die Seebachschlucht hinunterführte.

8.

Der Zauner-Wastl, der auf seinem Weg zur Jagdhütte
mit Einbruch des hellen Tages die Almen erreichte, mochte
wohl alles andere eher denken, als daß ihm um diese Morgenstunde der Schwiegersohn ins Haus gekommen. Erschöpft und

keuchend ließ er sich am Wegrain zu kurzer Rast auf einen Baumstock nieder und drückte die Fäuste auf seine schwer arbeitende Brust, während er die sorgenvollen Blicke über den steilen, stundenlangen Weg emporgleiten ließ, den er noch zurückzulegen hatte. Auf dem offenen Almfeld sah er ein altes, gebücktes Bäuerlein in langem Sonntagsrocke bergwärts steigen; er kannte diesen Bauer nicht, und bei all den martervollen Gedanken und Sorgen, die den Zauner-Wastl erfüllten, ging ihm doch die neugierige Frage durch den Kopf: Wer kann das sein? Was will der fremde Bauer da droben? Es sieht fast aus, als ginge er den gleichen Weg — da hinauf zur Jagdhütte?

Die Jagdhütte! Dieses Wort ließ den Zauner-Wastl wieder an die eigenen Sorgen denken. Wie sollte er vor den gnädigen Herrn Grafen hintreten? Was sollte er sagen, um den Vater, der seinen Sohn verloren, nicht schon mit dem ersten Wort bis tief ins Herz zu treffen? Er nahm den Kopf in die Hände. Und während er darüber nachsann, wie er seine Unglücksbotschaft einleiten könnte, vernahm er aus der fernen Höhe einen rollenden Hall . . .

Es war das Echo eines Schusses. Und diesen Schuß hatte Graf Egge abgegeben. Und das Wild, dem der Schuß gegolten, war der ,abnorme' Rehbock, dem zuliebe Graf Egge am verwichenen Morgen den Abstieg nach Hubertus unterbrochen hatte.

Schipper, der das seltene Wild ausgespürt und seinen Herrn auf dem glücklich geratenen Pirschgang begleitet hatte, gratulierte lachend, als der Rehbock im Feuer stürzte. „No also, da liegt er! Wünsch Glück, Herr Graf! Aber hab ich's net gsagt: Sie bleiben net umsonst heroben! Ich glaub, es hat sich rentiert, daß Sie den Herrn Grafen Willy alleinig heimgschickt haben! Wären S' mit ihm gangen, so hätten S' jetzt den Bock net. Schauen S' ihn nur einmal an, was der für ein Gwichtl hat!"

Es hätte bei Graf Egge dieser Aufforderung gar nicht bedurft. In der Hand die rauchende Büchse, eilte er auf seine Beute zu. Als er das verendete Wild erreichte und das seltene, wertvolle Gehörn in nächster Nähe sah, schwang er im ersten Ungestüm seiner Jägerfreude den verwitterten Filzhut wie ein junger Hüterbub, dem ein Glück vom Himmel herunter ins Herz gefallen. So groß war die Freude Graf Egges, daß er seinen Jäger mit keiner Hand an den Rehbock rühren ließ, sondern selbst das Messer nahm, um das weidmännische Handwerk zu üben, den Bock ‚aufzubrechen‘ und ihn mit verschränkten Läufen in die Tragriemen einzuschnüren. Und es fehlte nicht viel, so hätte Graf Egge seine Beute auch noch auf den Rücken genommen; erst nach längerer Debatte gönnte er dem Jäger die ‚Ehre‘, den Bock zur Jagdhütte tragen zu dürfen. „Aber ich geh hinter dir drein, Schritt um Schritt,“ sagte er, „sonst gschieht mir am End mit dem Gwichtl so eine Zauberei, wie selbigsmal mit der Gamskruck.“

Schipper, der gerade den Rehbock auf die Schulter schwang, hielt es für das beste, diese Bemerkung zu überhören.

Mit einem Büschel Moos säuberte Graf Egge seine Hände, wischte sie noch ein paarmal über die Rückseite der Lederhose, steckte sein Pfeiflein in Brand und folgte dem Jäger. Da hatte er nun, während er hinter Schipper herging, immer das schöne Geweih vor Augen; mit schmunzelndem Vergnügen stellte er das Gehörn in Gedanken neben die wertvollsten Stücke seiner Sammlung und fand, daß keine seiner älteren Trophäen den Vergleich mit dieser jüngsten auszuhalten vermöchte.

„Aber du, das sag ich dir,“ unterbrach er plötzlich das Schweigen, „gleich auf der Stell, wie wir in d’ Hütten kommen, wird das Gwichtl runtergesägt und ausgesotten. Das kriegt kein anderer mehr in d’ Händ, das nimm ich heut selber mit nunter.“

„Aber wollen S’ heut denn wirklich heim?“ fragte Schipper, über alle Anzüglichkeit, die in Graf Egges Worten steckte, harmlos hinweggleitend. „Schauen S’, Herr Graf, ’s Jagdpech is vorbei und ’s Glück is wieder einzogen. Das sollten S’ doch ausnutzen.“

„Eigentlich hast du recht!“ meinte Graf Egge; aber dann schüttelte er den Kopf. „Ich muß hinunter. Ich hab’s meinem Buben in die Hand zugesagt. Jetzt hab ich den Bock, jetzt halt ich auch mein Versprechen.“

„No ja! Den Herrn Grafen Willy, den haben S’ halt gern! Da muß alles andre zruckstehn!“

Eine halbe Stunde waren sie gewandert, als der Graf — er wollte sich zum Räumen der ausgebrannten Pfeife einen Zweig zurechtschneiden — den Abgang seines Messers bemerkte. „Jetzt hab ich den Gnicker am Schußplatz liegen lassen! Herrgott, er wird doch net hin sein!“

„Ich kehr gleich um!"

„Nix da! Z'erst trag du nur den Bock in b' Hütten!"
Graf Egge kniff das linke Auge zu. „Vor allem will ich mein
Gwichtl gut aufghoben wissen. Sicher is sicher!"

Schipper mochte nun doch die moralische Verpflichtung
fühlen, dieser immer wiederkehrenden Stichelei ein Wort der
Abwehr entgegenzuhalten. „Aber Herr Graf! Der Franzl is
ja nimmer da!" Kaum aber hatte er das ausgesprochen, da
schien er schon zu merken, daß er eine Unvorsichtigkeit begangen hatte.

Ein Schatten ging über Graf Egges Gesicht, und langsam
nahm er die erkaltete Pfeife aus dem Mund. „Du! Laß du
den Franzl in Ruh! Im ersten Zorn über andere Dinge bin
ich gegen den armen Kerl zu hart gewesen. Das ist vorbei
und nicht mehr zu ändern. Aber du laß ihn in Ruh! Du
Feiner!" Länger hielt Graf Egges Ernst nicht an; er schmunzelte
schon wieder und kehrte vom Hochdeutsch, das er gestreift hatte,
zum Dialekt zurück. „Und jetzt, du Gauner, paß auf, jetzt
sag ich dir was . . . weil ich heut schon so gut aufgelegt bin,
wie ich selten war . . . jetzt sag ich dir's ins Gsicht: der Lump,
der selbigsmal die Krucken abgschlagen hat, der bist d u gwesen!
Ja, du! Und daß ich mir weiter aus der Sach nix mach,
dafür kannst dich bei der Krucken bedanken! Denn die Kruck is
so schön gwesen . . . meiner Seel . . ." Graf Egge strich mit
der Pfeifenspitze über den Schnurrbart und lachte, „wärst d u
der Jagdherr gwesen und ich der Jäger . . . ich glaub, ich
hätt die Kruck selber abgschlagen! Daß ich so was begreif,
das is die einzige Entschuldigung für dich. Und heut der
abnorme Bock dazu . . . die Gschicht is erledigt. In Zukunft
schau ich dir besser auf b' Finger."

Schipper zeigte das Lächeln eines Gekränkten, der keine
Galle hat. „Der gnädig Herr Graf belieben seine Spassetteln
z' machen . . . das muß ich mir gfallen lassen! In Gottsnamen!"
Das Klirren eines Bergstockes ließ ihn talwärts blicken. „Herr
Graf, da kommt der Patscheider."

„Der kommt grad recht! Leg den Bock ab und such mir
den Gnicker!"

Schweigend gehorchte Schipper und eilte davon.

Wenige Minuten später tauchte Patscheider aus den Latschen
auf; der steile Weg hatte sein müdes, bleiches Gesicht nicht

zu röten vermocht. Er zog den Hut. „Guten Morgen, Herr
Graf! Ein Schuß hab ich ghört . . . is er von Ihnen gwesen?
Ah ja, da liegt ja schon der Bock! Ich gratulier!"

„Den schau dir ein bißl an!" sagte Graf Egge mit breitem
Behagen. „Was der für ein Gwichtl hat."

Pflichtschuldigst bewunderte Patscheider das schöne Gehörn,
und als ihm Graf Egge die ganze Jagdgeschichte mit umständlicher Genauigkeit erzählte, hörte der Jäger aufmerksam
zu und schien es aus irgend einem Grunde gerne zu bemerken,
daß sein Herr in guter Laune war.

Sie traten den Heimweg an, und nun ging Graf Egge
voraus; er schien um das Gehörn des Bockes, den Patscheider
trug, keine Sorge mehr zu haben.

Ein paar hundert Schritte waren sie gegangen; da blickte
sich der Jäger vorsichtig um, und als er den Pfad hinter sich
leer wußte, holte er seinen Herrn mit raschen Schritten ein
und sagte halblaut: „Was Neues wüßt ich, Herr Graf!"

„Schieß los!"

„Dem Franzl is ein Posten anboten worden, mit zweihundert Mark mehr im Jahr, als er bei uns ghabt hat. Und
wissen S', wo? Bei dem Fabrikherrn drüben, der Ihnen die
Grenzjagd weggsteigert hat."

Graf Egges Stirn war dunkelrot, und seine Augen funkelten. „Der Franzl hat angenommen?"

„Gott bewahr! Abgschlagen hat er!"

„Woher weißt du das?" fragte Graf Egge verblüfft.

Patscheider machte ein Gesicht, als brächte ihn diese Frage
in Verlegenheit. „Jetzt muß ich schon ehrlich raus mit der
Sprach. Es is vielleicht net recht, daß ich mit dem Franzl
noch verkehr, seit er bei uns gschafft worden is . . . aber schauen S',
Herr Graf, wir sind so viele Jahr lang gute Freund gwesen,
und erbarmt hat er mich auch, der arme Kerl! So hab ich
ihn halt gestern ein bißl heimgsucht. Und wie's der Zufall
will . . . grad wie ich dort war, is der Brief kommen." Patscheider verschwieg, daß der Brief vom Grafen Tassilo war.
Alles andere aber erzählte er, Wort für Wort, wie die Geschichte mit dem Brief im Stübchen der Horneggerin sich abgespielt hatte. „Seine Mutter hat gweint vor lauter Freud
und hat ihm zugredt. Und offen gstanden: ich selber hab auch
gmeint, er müßt zugreifen! Was will er denn machen?

Er kann doch net briwatisieren! Und in der Not greift einer bald nach allem. Aber der Franzl? Kasweiß is er gwesen im Gsicht. Aber Na hat er gsagt! Lieber sterben, hat er gsagt! Schau, hat er gsagt, wenn ich den Posten annimm, es müßt ja rein ausschauen, hat er gsagt, als ob ich unserm Herrn Grafen im Zorn ein Possen spielen möcht."

Es arbeitete in Graf Egges Zügen. „Warum erzählst du mir das?"

„Ich hab halt gmeint, es freut Ihnen, wenn S' hören, wie der Franzl noch allweil zu Ihnen halt?"

Graf Egge legte die Hand auf die Schulter des Jägers. „Ja, Patscheider! Und ich danke dir!" Er wandte sich ab, ging hastig davon und wühlte mit zuckender Hand in seinem Bart.

Schon tauchte das Dach der Jagdhütte über einen Rasenbuckel hervor, als die beiden das breite Kiesbett eines ausgetrockneten Wildbaches zu durchschreiten hatten. Graf Egge bekam scharfe Steinchen in die Schuhe, und das schmerzte ihn bei jedem Tritt. Als er an das Ufer des Baches gestiegen war, winkte er dem Jäger vorauszugehen, und ließ sich nieder, um die Schuhe abzustreifen. Das Uebel war schon behoben — doch immer noch blieb er sitzen, ließ die Arme über die Knie hängen und blickte hinunter in das ferne Tal.

Kräftig zog der Wind über die sonnbeglänzten Gehänge empor und trug verschwommene Klänge aus der Tiefe herauf — das Geläut der Kirchenglocke. Die Zeit der Messe war vorüber, bis Mittag waren noch lange Stunden — warum läutete man da brunten?

Graf Egge erhob sich. „Vorwärts! Und heim! Ich hab's ihm versprochen!" Er schwang den Bergstock über die Schulter und machte lange Schritte.

Als er vor dem ,Palais Dippel' anlangte, sah er rechts neben der offenen Türe den Rehbock liegen und links auf der Hausbank ein altes gebeugtes Bäuerlein sitzen, im langen Sonntagsrock und mit vergrämtem Gesicht.

Bei Graf Egges Anblick schien den Alten eine ratlose Erregung zu befallen; scheu blickte er nach allen Seiten, erhob sich mit zitternden Knien, nahm respektvoll das Hütlein ab und strich das Haar in die Stirne. „Recht guten Morgen, gnädiger Herr Graf!" Seine Stimme klang, als wäre ihm die Kehle zugeschnürt.

Mißtrauisch betrachtete Graf Egge den Bauer vom Kopf
bis zu den Füßen, und seine Brauen furchten sich. „Wer bist
du? Was willst du? Kommst du vielleicht wegen Wildschaden?
Da kehr nur gleich wieder um! Heuer bezahl ich keinen Knopf
mehr. Dreizehntausend Mark hab ich heuer schon geblecht.
Das wird mir auf die Dauer zu dumm! Jahraus jahrein
steckt die Gemeinde den schauderhaften Jagdzins ein ... und
hinther kommt dann noch jeder von euch und will mich schröpfen
bis auf den letzten Blutstropfen. Wildschaden, Wildschaden,
Wildschaden ... das nimmt ja kein Ende mehr. Was ich an
Wildschaden bezahlen soll, das ist ja bald zehnmal mehr, als all
meine Hirsche fressen könnten, wenn jeder von ihnen zehn
Mäuler hätt! Aber ich kenne den Schwindel! Ich weiß, wie's
gemacht wird. Jeder von euch spekuliert auf den Wildschaden,
wie der Jud auf die schlechte Ernte. Die miserabelsten Aecker,
die am Wald liegen, stehen dreifach im Preis, weil sie sicheren
Wildschaden tragen. Da wird kein Mist aufs Feld gefahren,
verschimmelter Haber und sauler Klee wird ausgesät, schanden-
halber ein paar Händ voll ... und wenn der Acker leer bleibt,
heißt es: die Hirsch sind dagewesen, jetzt soll der Jagdherr
schwitzen! In der Nacht holt so ein Lump die Kartoffel aus
seinem Feld, drückt mit einem gestohlenen Hirschlauf den ganzen
Boden voll Fährten an ... und in aller Gottesfrüh schreit
der Kerl nach der Kommission! Heiratet ein Bauer seine Tochter aus ... wer bezahlt die Aussteuer? Der Jagdherr! Sogar ins Testament wird der Wildschaden gesetzt, wie das sichere
Geld im Kasten! Was meine Hirsche fressen, ist wertlos für
euch ... aber was ich dafür bezahle, ist euer bester Verdienst!
Ja, Bauer! Euer bester Verdienst! Was wäre denn in dem verlorenen Bergwinkel daheraußen euer Dorf ohne mich und meine
Jagd? Ein Bettelnest voll Hungerleider. Meine Jagd ist ein
Luxus, gut ... aber ich bezahl ihn auch teuer genug. Sechzigtausend Mark kostet mich die Jagd jedes Jahr. Und wohin
verschwindet der Haufen Geld? In euren Säckel! Das Dorf
ist reich geworden an meiner Jagd. Aber alles hat seine
Grenze. Ich laß mir nicht die Haut über die Ohren ziehen.
Endlich wird mir die Geschichte zu dumm!"

Graf Egge, der über diese Frage nicht aus ungerechtem
Aerger, sondern aus wohlbegründeter Erfahrung sprach, hatte
sich in so heißen Zorn hineingeredet, daß ihm der Bart zit-

terte. Er lehnte Gewehr und Bergstock an die Hüttenwand, lüftete die Joppe und wandte sich wieder an den Bauer, der diesen heißen Guß von Worten mit geduldigem Schweigen über sich hatte ergehen lassen.

„So red! Wo liegt dein Feld? Wahrscheinlich wieder Kartoffel? Und wieviel Schaden verlangst du? Na also, heraus mit der Sprache! Du scheinst mir ein ehrlicher Kerl zu sein, und ich seh dir's am Gesicht an, daß du wirklichen Schaden hast. In solchem Fall hab ich mich noch nie geweigert, die Tasche aufzuknöpfen. Also, wieviel verlangst du?"

Mit kummervollem Blick sah der Bauer auf und schüttelte den weißen Kopf. „Belieben, gnädiger Herr Graf ... ich komm ja gar net wegen Wildschaden!" Wieder strich er mit der Hand über das Haar. „Ich komm wegen ganz was anders ... belieben gnädiger Herr Graf!"

Graf Egge sah den Alten verwundert an. „Was willst du?"

Der Bauer schluckte, und seine Augen begannen zu schwimmen. „Mein Buben ... belieben, gnädiger Herr Graf, mein Buben tät ich halt suchen."

„Das versteh ich nicht. Sprich etwas deutlicher und ..." Mitten im Wort verstummte Graf Egge; während er den Bauer betrachtete, trat er langsam ein paar Schritte zurück, und zwischen seinen Brauen erschien eine tiefe Furche; dann fragte er hastig: „Wer bist du?"

„Wenn der gnädig Herr Graf erlauben ... ich wär halt der Mühltaler aus Bernbichl."

Im Küchenraum der Jagdhütte klapperte eine Pfanne, die zu Boden gefallen war. Ueber Graf Egges Züge ging ein Zucken des Unbehagens, nur flüchtig — doch dem Blick des Alten war diese Bewegung nicht entgangen; und heftig zitterte der Hut, den er zwischen den Fingern drehte. „Der Mühltaler aus Bernbichl!" wiederholte er mit erloschener Stimme. „Der gnädig Herr Graf haben mein Namen gwiß schon ghört?"

„Nein!" Graf Egge schien sich in diesem Augenblick nicht an das Gerede zu erinnern, das in den letzten Tagen aus dem Seedorf seinen Weg auch ins Palais Dippel gefunden hatte. „Ich höre deinen Namen zum erstenmal."

„So? So? Freilich, wenn's der gnädig Herr Graf sagen, da muß man's glauben!" Langsam nickte der Bauer vor sich

hin; dann hob er die umflorten Augen. „Aber . . . aber ein
Buben hab ich ghabt . . . belieben, gnädiger Herr Graf . . .
ben haben S' aber doch gwiß schon gsehen, mein Buben?"

„Nein!"

„So? So? Aber einer von Ihnere Jager . . . der, mein',
ich, der müßt ihn doch gsehen haben. Und drum tät ich halt
fragen . . . belieben, gnädiger Herr Graf . . . ob ich net doch
ein Wörtl hören könnt? Bloß ein einzigs Wörtl!" Dem Alten
kollerten zwei dicke Zähren über die bleichen Backen. „Die
ganzen Tag her such ich schon allweil . . . und er is mir
hart worden, der Weg da rauf . . . aber ein Vater, mein
Gott, was tut ein Vater net alles?"

Graf Egge bewegte die Schultern unter der Joppe, als
möchte er sich eines Gefühls erwehren, das ihn wider Willen
befiel. „Ich werde nicht klug aus deinem Gerede. Dir ist im
Gebirg ein Bub verunglückt? Und du suchst ihn?"

„Verunglückt?" Der Bauer starrte zu Boden. „No ja . . .
wenn der gnädig Herr Graf belieben . . . muß ich halt sagen:
verunglückt. Es soll auch gwiß kein Mensch ein anders Wörtl
von mir hören! Aber finden möcht ich mein Buben halt! So
viel druckt's mich, daß er net einmal seine christliche Ruhstatt
haben soll."

„Das ist traurig für dich, und du tust mir leid, Alter!
Aber ich begreife nicht, weshalb du zu m i r kommst? Was
soll ich denn von deinem Buben wissen?"

„Nur ein einzigs Wörtl . . . belieben, gnädiger Herr
Graf . . . nur ein einzigs! Er is ja keiner von die Brävern
gwesen . . . traurig guug, daß ich selber so was sagen muß,
ich, der Vater . . . und vielleicht bin ich selber schuld dran,
ich, der Vater, weil ich z'gut gwesen bin, und weil ich's ihm
net ernstlich hab wehren können, wann er diemal in der Nacht
davongschlichen is, mit'm Bürl unter der Joppen. Aber wann
ihn die härteste Straf auch troffen hat . . . und härter noch
sein Vatern . . . das hat er doch net verdient, daß er wo drin-
liegen sollt, wo ihn kein christlicher Gruß und kein Vaterunser
net findt!" Die Stimme des Alten erstickte in Tränen. „Drum
tät ich halt recht schön bitten . . . nur ein einzigs Wörtl,
belieben, gnädiger Herr Graf . . . daß ich mein Buben find."

Graf Egge begann ungeduldig zu werden; doch bekämpfte er
seine wachsende Erregung. „Ich achte deinen Schmerz und

will nicht hart sein gegen dich. Aber du redest mir da einen
Verdacht ins Gesicht, den ich mir entschieden verbitten muß.
Sei vernünftig, Alter, und geh deiner Wege! Ich weiß nichts
von deinem Buben."

Der Bauer griff mit zitternden Händen nach Graf Egges
Joppe. „Er is mein einziger gwesen . . . belieben, gnädiger
Herr Graf . . ."

„Laß deine Hände von mir! Ich habe dir schon gesagt . . ."
Da klangen Schritte auf dem nahen Steig. Graf Egge sah den
Zauner-Wastl auf die Hütte zukommen und fand in diesem un-
erwarteten Besuch eine willkommene Ausrede. „Du tust mir
leid, Alter, aber ich kann dir nicht helfen. Ich weiß nichts von
deinem Buben. Aber ich will meine Leute beauftragen, daß sie
Nachfrage halten. Jetzt muß ich dich leider fortschicken. Da
kommt einer, mit dem ich wichtige Dinge zu besprechen habe!"
Er wandte sich von dem Alten ab, der noch immer die zitternden
Hände streckte, einen flehenden Blick in den nassen Augen.
„Grüß dich Gott, Wastl!" rief Graf Egge mit etwas unsicherer
Stimme. „Gut, daß du endlich kommst! Nur gleich herein
in die Stube!" Da sah er den Ausdruck ratloser Angst in
Meister Zauners Gesicht; er stutzte und eine Frage schien sich
auf seine Lippen zu drängen; mit raschem Blick aber streifte
er den alten Bauer, schüttelte den Kopf und trat in die Hütte.

Auf dem Herd der Küchenstube, neben dem flackernden
Feuer, saß Patscheider, regungslos, die Fäuste auf den Knien.
Er hörte den Grafen in die Stube treten und hörte einen
anderen kommen, der an der Hüttenschwelle den Kot von seinen
Schuhen stieß. Dann klang aus der Herrenstube die laute
Stimme des Grafen und ein Gestammel des anderen; Graf
Egges Stimme dämpfte sich, sie verstummte, und nur noch
ein unverständliches Gemurmel des anderen war zu vernehmen.
Da drinnen mochten Dinge verhandelt werden, die jedes fremde
Ohr zu scheuen hatten. In Patscheider schien sich keine Spur
von Neugier zu regen; er lauschte wohl — doch nicht gegen die
Herrenstube, sondern gegen die Türe, die ins Freie führte. Da
draußen aber ließ sich kein Schritt vernehmen, der sich ent-
fernte — nur manchmal ein müder Seufzer und ein leises
Aechzen der Bank.

Je länger dieses halbe Schweigen währte, desto mehr wuchs
die quälende Unruhe, die aus den Zügen des Jägers sprach.

Endlich erhob er sich und wollte nach der Pfanne greifen; da hörte er aus der Herrenstube einen röchelnden Schrei, das Gepolter eines fallenden Sessels und einen dumpfen Schlag, als wäre ein Mensch zu Boden gefallen. Erschrocken zögerte der Jäger ein paar Augenblicke, dann sprang er auf die Türe zu. Er hatte sie noch nicht erreicht, als sie von innen aufgerissen wurde und Graf Egge mit verzerrtem Gesicht und verstörtem Blick über die Schwelle taumelte; er atmete wie ein Erstickender und streckte die Arme nach der Türe; doch bei dem ersten Schritt, den er ins Freie tat, stand er wie gelähmt und starrte den Bauer an, der sich zitternd von der Hausbank erhob.

Das Gesicht von Tränen überronnen, stammelte der Alte: „Nur ein einzigs Wörtl . . . belieben, gnädiger Herr Graf, schauen S' mich an, wie ich dasteh . . . ein Vater, der sein Buben sucht . . ."

Graf Egge machte mit der Hand eine Bewegung, als müßte er eine Stütze suchen. Und tief gebeugt, wie unter drückender Last, wankte er in die Hütte zurück.

„Herr Graf!" stotterte Patscheider. „Um Gotteswillen, was is Ihnen denn?"

Ohne zu antworten, trat Graf Egge in die Stube und drückte hinter sich die Türe zu.

Im Ofenwinkel stand der Zauner-Wastl, kreidebleich. Er wagte sich nicht zu rühren, als Graf Egge auf die Holzbank fiel, die Arme über den Tisch warf und das Gesicht vergrub.

Einmal rückte Meister Zauner kaum merklich von der Stelle, und dabei streifte sein Ellbogen die Ofenkante. Graf Egge fuhr auf; seine trockenen Augen waren rot gerändert, wie von einer Entzündung; mit funkelnden Blicken maß er den stummen Gast hinter dem Ofen, und an seinen Schläfen schwollen die Adern; dann plötzlich griff er an seine Stirn, als müßte er sich auf irgend etwas besinnen, und erhob sich mühsam; nach Atem ringend, riß er den Hemdkragen auf und machte einen Gang durch die Stube. Vor dem Zauner blieb er stehen und sagte mit zerdrückter Stimme: „Ich danke dir! Es war gut so, wie du es gemacht hast. Ich weiß, dich trifft keine Schuld an der Sache. Du bist ein treuer Kerl und hängst an mir. Jetzt aber geh! Ich bleibe, bis sie mich holen. Gar

lange wird's ja nicht dauern! . . . Was stehst du noch? Geh!"
Dieses letzte Wort klang hart und scharf.

Der Zauner-Wastl machte eine ungelenke Verbeugung,
schluckte schwer und schlich zur Stube hinaus.

Graf Egge ging zur Bank, mit heißen Augen ins Leere
blickend. Da hörte er draußen den Meister Zauner sagen:
„Bhüt Gott miteinander!" Und eine müde Greisenstimme antwortete: „Bhüt Ihnen Gott!"

„Patscheider!" schrie Graf Egge, und seine Hände schlossen
sich zu zuckenden Fäusten.

Der Jäger kam in die Stube.

„Schaff mir den Menschen fort . . . den da draußen!"
keuchte Graf Egge. „Seine Nähe bringt mich um!"

Ein mattes Lächeln glitt über Patscheiders bleiche Lippen.
Er nickte und ging.

Vor der Hüttentür fand er den Bauer auf der Bank,
zwischen den Knien einen kurzen Stecken, den die zitternden
Hände umklammert hielten.

„Mühltaler . . ." Dem Jäger schwankte die Stimme. „Mit
dem Herrn Grafen is jetzt kein Reden net. Sind S' halt gscheit
und gehen S' fort, in Gottsnamen."

Der Alte schüttelte den Kopf.

Mit hastigem Blick überflog Patscheider das Stubenfenster,
faßte den Arm des Bauern und zischelte: „Bloß übers Eck da
nüber! Legen S' Ihnen in b' Latschen eini, daß Ihnen keiner
sieht. Nachher komm ich und sag Ihnen was!" Rasch, als
möchte er der Antwort des Bauern entkommen, sprang er in
die Hütte und blieb vor dem versinkenden Herdfeuer lauschend
stehen. Nach einer Weile hörte er schwere Schritte, die sich
entfernten. Nun trat er in die Stube. „Jetzt is er fort."

Graf Egge atmete auf. Mit starrem Gesicht, wie ein
Träumender, ging er in der Stube umher, drückte den Hut
über das zerwühlte Haar und suchte die Büchse. Sie stand noch
vor der Hütte draußen, und Patscheider brachte sie ihm. Mechanisch öffnete Graf Egge — wie er es vor jedem Pirschgang
gewohnt war — den Doppellauf der Waffe, um nachzusehen,
ob sie richtig geladen wäre. Er nickte. Und taumelte zur Stube
hinaus.

„Wohin, Herr Graf?" fragte der Jäger in mühsam verhehlter Unruhe.

„Heim!" Es zuckte um Graf Egges Mund wie das Lächeln eines Irrsinnigen. „Ich hab's ihm ja versprochen! Das muß ich halten!"

„Die Tür, Herr Graf!"

Die Warnung kam zu spät. Mit rotem Fleck auf der bleichen Stirne, wortlos, ohne den üblichen Fluch, bückte sich Graf Egge, um den Hut aufzuheben, der ihm vom Kopf gefallen war. Mit zitternder Hand drückte er den mürben Filz wieder übers Haar und ging. Sein Schritt war müd und schleppend.

Patscheider blieb vor der Türe stehen, bis er seinen Herrn im Latschenfelde verschwinden sah. Dann trug er den vor der Hütte liegenden Rehbock in die Küche, löschte auf dem Herd das Feuer und eilte davon. Nach ein paar hundert Schritten, zwischen dichtem Latschengebüsch, blieb er stehen und räusperte sich. Langsam schob sich der Bauer aus den Büschen hervor; er richtete sich auf und hing mit bangem Blick an dem Gesicht des Jägers, als wüßte er schon, was er hören sollte, und trüge doch immer noch einen Funken Hoffnung in seinem Herzen. Patscheider vermied den Blick des Alten. „Mühltaler . . . ich muß enk alles sagen, ob ich will oder net. Aber ich bitt um Gottswillen, verraten S' mich net, machen S' mein Familli net unglücklich!"

Der Bauer nahm den Hut ab und strich mit schwerer Hand über den Scheitel. „Jetzt weiß ich alles! . . . Mein armer Bub! . . . Herr Gott, gib ihm die ewige Ruh!" Er bekreuzte sich.

Patscheider starrte in die grünen Büsche. „Es muß gsagt sein, damit S' net am End den Verdacht auf ein andern haben: ich selber hab Ihren Buben am Gwissen."

„Du? So? Du bist es gwesen?" Von der Seite sah der Bauer an dem Jäger hinauf, scheu, mit zuckenden Lippen. „Hat's denn sein müssen?"

Patscheider zuckte die Achseln. „Er hat anglegt auf mich. Und ich hab doch mein Dienst und hab Weib und Kinder. In so eim Augenblick denkt halt jeder z'erst an die eigene Haut."

Der Bauer nickte vor sich hin. „Freilich, da hat's halt sein müssen! Aber allweil hab ich's gsagt, und er hat net hören mögen! Jetzt muß er büßen. Und der Vater mit!" Langsam hob er die nassen Augen. „Schau, Jäger, ich kann

dir kein unguts Wörtl sagen. Dich hat doch wenigstens noch
der Vater erbarmt! Und wie ich gmerkt hab, tragst die Sach
halt doch ein bißl hart. Mensch is Mensch ... das is halt
doch was anders als ein Gamsbock."

„Ja, Mühltaler!"

Eine Weile standen sie schweigend voreinander. Dann seufzte
der Bauer und fuhr mit dem Aermel über die Augen. „Jetzt
sag mir's halt ... wo liegt er denn?"

„Net weit von der Grenz."

„Hilfst mir ihn nübertragen?"

Patscheider zögerte mit der Antwort. „Das gibt ein harts
Stückl für uns alle zwei: der Vater ... und ich, der Jager!
Und gut zum Anschaun wird er auch nimmer sein. Aber in
Gottesnamen ... daß er doch ein christlichs Begräbnis kriegt!
Unser Herrgott wird ihm ja sonst verziehen haben. Ja, Mühl-
taler, da bin ich fest überzeugt. Unser Herrgott is ein guter
Mann."

„Das is noch 's einzig, was ich hoff! Wenn ich mein
Buben da drüben auch nimmer finden tät, das wär mir noch
's ärgst von allem." Mit schwimmenden Augen blickte der
Alte zum Himmel auf, an dem die weißen Wolken ihre blauen
Wege gingen. „Jetzt komm halt! Marschieren wir miteinan-
der: ich, der Vater ... und du, der Jager!"

„Ja, Mühltaler! Ein seltsamers Paar wird net oft mit-
einand marschiert sein."

Eine gute Strecke waren sie schon gegangen, als der Alte
vor sich hinmurmelte: „Und net ein einzigs Wörtl hätt er
mir gsagt, der gnädig Herr Graf!"

„Weil er nix weiß davon. Ich hab kein Meldung gmacht."

„So? Kein Meldung? ... Bist der richtige Jager, der
auf seim Herrn nix sitzen laßt!"

Patscheider verhielt den Schritt, zog mit raschem Griff
den Bauer in den Schatten eines Latschenbusches und murmelte:
„Da drunten geht er grad über d' Lichtung. Wenn er um-
schaut, muß er mich sehen ... und wenn er mich sieht, bin
ich um mein Dienst."

Die Sorge des Jägers war unbegründet.

Graf Egge ging seiner Wege, ohne sich umzublicken. Als
er den Saum der Almen erreichte, setzte sich zu Füßen einer
Felswand auf das rauhe Geröll, legte die Büchse über den

Schoß und starrte über die sonnbeglänzten Almfelder hinunter gegen den Wald, aus dem sich der vom Seedorf kommende Pfad gleich einer feinen, weißen Linie hervorschlängelte — hier mußte er sie von weitem schon gewahren, wenn sie kamen, um ihn heimzuholen.

9.

Mit sprachlosem Schreck hatte Fräulein von Kleesberg am Morgen die Nachricht von Kittys Verschwinden aufgenommen. Die Lektüre des Briefes, der in Kittys Zimmer gefunden wurde, beschwichtigte ihre angstvolle Sorge und brachte ihr wieder einen neuen Sturm von Erregung. Doch was nun in ihrem Kopf und Herzen durcheinander wirbelte, schien alles andere eher zu sein, als Kummer und Bestürzung. Es sprach aus ihrem brennenden Gesicht eine geheime, ungestüme Freude. Und dabei lieferte sie eine Konfusion um die andere. Beim Frühstück goß sie den Tee in die Zuckerdose, statt in die Tasse, gebrauchte den wunden Arm und legte den gesunden in die seidene Schlinge. Unter nutzlosen Versuchen, sich den Anschein der Ruhe zu geben, redete sie der Beschließerin so wirre und unglaubliche Dinge vor, daß die gute Person immer wieder den Kopf schüttelte und das alte Fräulein mit bedenklicher Sorge betrachtete. Nach dem Frühstück ließ sie den Lehnstuhl an das offene Fenster rücken; hier saß sie und träumte vor sich hin; bald lachte sie, bald kamen ihr wieder die Tränen. Immer von neuem las sie Kittys Brief, und wenn sie gelesen hatte, nickte sie stillvergnügt vor sich hin: „Natürlich, das begreif ich ja! Sie mußte nach München! Ob sie wollte oder nicht! Sie mußte! Zu Tas! So? Wirklich? Zu Tas? Natürlich! Nur zu Tas!"

Sie lachte wieder; doch mitten in diesem Lachen wurde sie von jähem Schreck befallen; sie hatte an Graf Egge gedacht. Ein kaltes Gruseln lief ihr über den Rücken. Aber der Gedanke, daß Graf Egge vorerst noch weit da droben saß in seiner Jagdhütte, ermutigte sie wieder. Und schließlich — Willy mußte alle Schuld an diesem Streich auf sich nehmen; er hatte leichteres Spiel beim Vater und konnte sagen, daß er die Schwester zu dieser Reise beredet hätte. Nein, die nächste Sorge war nicht

Graf Egge, sondern Robert! Sie grübelte sich eine nicht übel
ersundene Geschichte aus, von einer Landpartie, die Kitty mit
Willy unternommen hätte. Aber sie sollte keine Gelegenheit
finden, diese Geschichte an den Mann zu bringen. Robert war
früh am Morgen in den Sattel gestiegen und mit dem Stallburschen davongeritten. Und als er gegen neun Uhr nach Hubertus zurückkehrte — da kam auch ein anderer in das väterliche
Haus zurück, auf fremden Füßen.

Der Fischer hatte in der Seebachklamm den ‚Verunglückten'
gefunden; auf seinen Armen brachte er den Toten in das
Schloß getragen, umringt von einem Schwarm erregter Menschen.
Die Weiber jammerten, die Männer schrien miteinander. Unter
ihnen befand sich auch der Pointner-Andres, den das Geschrei,
das auf der Straße entstanden war, aus dem Zaunerhäuschen
gerufen hatte. Mitleidig betrachtete er den Toten; aber sein
junges Glück war so groß, daß in seinem übervollen Herzen
das Erbarmen nur ein bescheidenes Plätzchen fand. Bis zum
Parktor lief er mit dem Schwarm, dann plötzlich, als vermißte er jemanden, sah er sich nach allen Seiten um und
eilte mit langen Schritten zurück nach dem Zaunerhäuschen.

Als der wirre Menschenhauf in der Ulmenallee an dem
Käfig vorüberkam, wurden die Adler scheu und tobten hinter
dem Gitter. Der alte Moser, der den Vögeln das Futter
bringen wollte, war von den Bewohnern des Schlosses der
erste, der hören und sehen mußte, was geschehen war. Er ließ
die blutige Schüssel fallen und schlug die Hände über dem
Kopf zusammen. „Jesus Maria! So ein Unglück! Aber gleich
hab ich's gsagt, wie der Adler hin worden is: das bedeut nix
Guts! Jesus, Jesus Maria! Mein armer Herr Graf!"

Er eilte den Leuten voran und traf auf der Veranda mit
Robert zusammen. Fritz und der Stallbursche kamen gelaufen,
und im Oberstock des Schlosses wurde ein Fenster aufgerissen.
Nach einigen Augenblicken ratloser Bestürzung hatte Robert rasch
seine Fassung wieder gefunden und gab mit so ruhiger Energie
seine Befehle, als gält' es einen Verwundeten-Transport auf
dem Manöverfeld zu leiten. Er wies die Leute zurück, schickte
seinen Stallburschen um den Arzt, obwohl er sah, daß hier
nichts mehr zu helfen war, und legte selbst Hand mit an, um
den stillen Bruder in seine Stube hinaufzutragen. Oben auf
der Treppe kam ihnen Fräulein von Kleesberg entgegen-

gestürzt. Beim Anblick des Toten fiel sie ohnmächtig zu Boden.

Als sie wieder zum Bewußtsein kam, lag sie in ihrem Bett, und vor ihr saß der Doktor. Sie war vom Schreck so betäubt, daß sie nur zur Hälfte verstand, was man ihr sagte. Robert, hieß es, wäre bereits mit dem Fischer zu Berg gestiegen, um Graf Egge zu holen und ihn schonend auf das Unabänderliche vorzubereiten. Von Hilfe war keine Rede mehr, denn nach allen Anzeichen müßte der Tod schon vor langen Stunden eingetreten sein. Der Doktor wußte sich die Sache nicht völlig zu erklären und schrieb die Katastrophe einer schweren inneren Verletzung zu, da er an dem Körper des Verunglückten nur unbedeutende Schrammen und auf der Stirne einen blauen Fleck gefunden hatte, den er als das Ueberbleibsel einer harmlosen Beule erkannte. Doch meinte er über die äußerliche Ursache des unglücklichen Sturzes klar zu sehen; denn es war schon bekannt geworden, daß Graf Willy am vergangenen Abend beim Seewirt schwer gekneipt hatte, bis spät in die Nacht. Drei Flaschen Monopol — das läßt einen Fehltritt begreifen.

In trostlosen Jammer aufgelöst, schluchzte Fräulein von Kleesberg vor sich hin, bis ihr der Gedanke an Kitty mit lähmendem Schreck durch die Sinne fuhr. ‚Willy begleitet mich, also mach dir keine Sorge, Tantchen!' So hatte Kitty geschrieben. Und nun lag Willy da drüben, still und kalt. Was war aus Kitty geworden? Fräulein von Kleesberg umklammerte in heller Verzweiflung den Arm des Doktors und flehte ihn an um Rat und Hilfe. Er suchte sie mit allen nur erdenklichen Möglichkeiten zu beruhigen; Fritz und Moser wurden ins Vertrauen gezogen und dann ins Dorf geschickt, um Nachfrage bei jedem Bauer zu halten, der ein Fuhrwerk besaß.

Gegen zwölf Uhr kam Fritz mit der Nachricht gerannt, daß der alte Mooshofer früh am Morgen das gnädige Fräulein zur Bahn gebracht hätte. Diese Entdeckung genügte nicht, um Fräulein von Kleesberg über Kittys Schicksal zu beruhigen. Träne um Träne kollerte ihr über die zerfallenen, ungeschminkten Wangen, als sie dem Diener ein Telegramm an Professor Werner diktierte.

Und nun diese endlosen Stunden angstvollen Wartens! Erst gegen fünf Uhr abends kam die Antwort, die Fräulein von Kleesberg bei allem Jammer, der sie erfüllte, mit einem Freudenschrei empfing.

Wenige Minuten später traf, von Robert begleitet, Graf Egge in Schloß Hubertus ein. Wie er es sonst bei der Heimkehr gewohnt war, hängte er im Flur die Büchse an das Zapfenbrett. Sein Gesicht war von kalkiger Blässe und schien gealtert. „Wo liegt er?"

„In seinem Zimmer," sagte Robert. „Aber willst du dich nicht vorher umkleiden?"

Der Vater streifte ihn mit einem Blick, wie man etwas Fremdes, Unbegreifliches betrachtet. Dann stieg er langsam, mit schweren Knien, über die Treppe hinauf; seine genagelten Bergschuhe klappten auf den roten Marmorstufen wie müde Hammerschläge. Für Fräulein von Kleesberg, die sich ihm zitternd näherte, hatte er keinen Blick. Schwer atmend blieb er vor Willys Zimmer stehen und stützte sich eine Weile an die Mauer. Dann öffnete er die Türe.

Das Zimmer war ausgeräumt und das Bett in die Mitte gerückt. Hell fiel durch die beiden Fenster das rötliche Abendlicht über die mit der Uniform bekleidete Gestalt und über das wächserne Gesicht des Toten. Die gefalteten Hände umschlossen ein kleines, elfenbeinernes Kruzifix und ein Sträußchen getrockneter Edelweißblüten, die der alte Moser unter Tränen gespendet hatte. An den Kanten des Bettes brannten vier dicke Wachskerzen auf hohen, silbernen Leuchtern.

Ein röchelnder Laut rang sich aus Graf Egges Brust; wie von einem Keulenschlag getroffen, brach er in die Knie und warf sich über den Leichnam. „Mein Bub! Mein guter Bub!" Er schluchzte wie ein Kind.

Als er nach einer Weile das nasse Gesicht hob, um die Züge des Toten zu betrachten, sah er auf der wachsbleichen Stirne den bläulichen Fleck; mit langsamer Hand, wie ein Träumender, griff er an die eigene Stirn und befühlte die Beule, die er sich beim Verlassen der Jagdhütte an der niederen Tür geholt hatte. Ein Zittern befiel ihn, und sein Mund verzerrte sich.

Da legte sich sanft eine Hand auf seine Schulter. „Papa . . ."

Mit jähem Ruck erhob sich Graf Egge, und wie in Zorn funkelten seine rot geränderten Augen, als sie an Robert auf und nieder glitten, der mit würdevoller Gefaßtheit vor dem Vater stand. Leise weinend, das Gesicht mit dem Taschentuch bedeckt, lehnte Fräulein von Kleesberg am unteren Ende des Bettes.

„Laßt mich allein!" Graf Egges Stimme klang rauh und heiser. „Ich brauche niemand."

„Wenn du befiehlst . . ." sagte Robert und reichte Fräulein von Kleesberg den Arm. „Kommen Sie, Gundi!"

Sie verließen das Zimmer und hörten, daß innen an der Türe der Riegel vorgeschoben wurde.

Wie von einem drückenden Alp erlöst, atmete Fräulein von Kleesberg auf, als Robert ihren Arm freigab, ohne nach Kitty zu fragen. Er ging ins Billardzimmer und ließ sich Papier und Schreibzeug in den Erker bringen, um die Todesanzeige aufzusetzen, die mit der letzten Post an die Druckerei nach München abgehen sollte. Während er saß und schrieb, eilte Fräulein von Kleesberg in schwarzem Mantel und dicht verschleiert aus dem Haus und durch die Ulmenallee zum Parktor; hier wartete sie, bis ihr der heimlich bestellte Wagen nachkam, der sie zur Bahn bringen sollte.

Die Dämmerung sank und legte sich wie dunkler Flor um die stillen Mauern von Hubertus und über alle Wipfel des Parkes.

Es war neun Uhr geworden, als der Wagen von der Bahn zurückkam; Fritz, der ihn kommen hörte, erschien mit einer Lampe auf der Veranda.

Auf Kittys verstörten Zügen und in ihren verweinten Augen stand es zu lesen, wie sie die Unglücksbotschaft aufgenommen hatte. Sie war so schwach, so zerschlagen an allen Gliedern, daß sie taumelte und im Flur auf einen Sessel fiel. Der Diener reichte ihr zwei Depeschen, die vor einer Stunde gekommen waren.

„Wo ist der Herr?" fragte Fräulein von Kleesberg in stammelnder Scheu, während Kitty mit zitternden Händen ein Telegramm öffnete.

„Noch immer oben," flüsterte Fritz, „die Tür ist noch immer versperrt. Auch der Herr Pfarrer war hier und mußte wieder fortgehen."

„Und Robert?"

„Graf Robert sind mit Hochwürden ins Dorf gegangen, um vor Postschluß die nötigsten Depeschen noch aufzugeben."

Fräulein von Kleesberg hatte den Mantel abgeworfen,

trat zu Kitty und legte den Arm um ihre Schultern.

Mit ersticktem Seufzer hob Kitty das bleiche, vergrämte Gesichtchen und reichte Fräulein von Kleesberg das offene Telegramm. „Mein armer Tas ... er sorgt sich um mich und ahnt nicht, welche Antwort ich ihm schicken muß.“

Die Depesche war in Augsburg aufgegeben und lautete: ‚Erbitte umgehende Drahtantwort nach Stuttgart, ob du wohlbehalten zu Hause eingetr~ffen. Tausend Küsse. Tassilo. Hotel Marquard.‘ Während Fräulein von Kleesberg las, machte ein heißschluchzender Laut sie aufblicken.

Kitty hielt die zweite Depesche an ihre zuckenden Lippen gepreßt, und ein Strom von Tränen ging über ihre blassen Wangen. Nun sprang sie auf, verbarg in verstörter Hast den Zettel an ihrer Brust, streckte wankend die Arme ins Leere und schluchzte: „Lieber, guter Fritz ... ich bitte, bitte ... wo ist Papa? Ich will zu Papa!“ Die Knie drohten ihr zu brechen, und Fritz und Fräulein von Kleesberg mußten sie stützen.

Droben fanden sie die Türe verschlossen. „Papa! Papa!“ schluchzte Kitty und warf sich gegen die Bretter.

In der Stube klangen schwere Tritte, und die Türe wurde geöffnet. Im Schatten der flackernden Kerzen stand Graf Egge auf der Schwelle; in den wirr von den Schläfen abstehenden Haarbüscheln und in den zerzausten Strähnen des Bartes zitterte ein matter Schein, und rote Lichtlinien umsäumten die nackten Knie.

Aufschreiend warf sich Kitty an den Hals des Vaters. Er fragte nicht, weshalb sie so spät erst käme, und hatte keinen Blick für das weiße, festliche Kleid, das sie trug. Mit leidenschaftlicher Zärtlichkeit umklammerte er die Tochter, daß sie stöhnte unter dem Druck seiner Arme, und zog sie zum Bett. „Schau nur, kleine Geiß ... schau nur, wie er da liegt vor mir ... mein armer, guter Bub!“ Er ließ sich auf den Bettrand sinken und zog die Tochter auf seinen Schoß. Wange an Wange, Graf Egge mit fahlem, steinernem Gesicht und ohne Tränen, Kitty unter strömendem Schluchzen, so saßen sie fast eine Stunde in wortlosem Schmerz. Das war ihr Wiedersehen nach fünf langen Monaten.

Vor der offenstehenden Tür ließen sich flüsternde Stimmen vernehmen, und Robert trat in das Zimmer; er trug einen breiten Florstreifen um den Aermel. Kitty wankte ihm entgegen und streckte die Arme, um den Bruder zu umschlingen. Doch peinlich betroffen faßte Robert die Schwester am Handgelenk: „Bist du von Sinnen? In diesem Kleid? Das mag für den Zweck deiner Reise gepaßt haben. Aber wie kannst du vor Papa in diesem Kleid erscheinen? Heute? Und hier?"

Kitty starrte ihn an; ihre Tränen versiegten, und an allen Gliedern zitternd ließ sie die verstörten Blicke an sich hinuntergleiten.

Graf Egge hatte sich erhoben. „Was soll das heißen?"

Robert schien verlegen zu werden. „Verzeih, Papa! Es ist mir wider Willen über die Lippen gekommen. Ich selbst hatte eben erst von der Sache gehört und . . . ich bin ja auch überzeugt, daß Kitty in bester Absicht handelte, nur eben in mädchenhafter Unüberlegtheit. Aber es ist wohl besser, wir sprechen nicht davon. Nicht heute. Und nicht h i e r." Mit einem Blick vornehmer Trauer streifte er das Lager des Toten.

Bleich und schwer atmend richtete Kitty sich auf. „Du sollst nicht beschönigen, was ich getan habe." Sie wandte sich an den Vater, und da brachen ihr wieder die Tränen aus den Augen. „Vergib mir, Papa, wenn ich dir Kummer mache. Aber ich muß es dir sagen: ich war heute in München. Bei Tas." Graf Egge schwieg, und kein Zug bewegte sich in seinem Gesicht; nur seine Lippen preßten sich übereinander, daß sie weiß wurden. Verstört, mit schwimmenden Augen blickte Kitty zu ihm auf. „Ich wußte, daß ich ein Unrecht an dir beging, aber ich konnte nicht anders. Wie an dir, Papa, so hängt mein Herz auch an ihm. Ich hätte sterben müssen, wenn ich ihn heut nicht hätte sehen sollen."

Graf Egges Augen erweiterten sich. „Heute? Warum gerade heute?"

Wortlos bewegte Kitty die Hand. Mit einem verzweifelten Blick irrten ihre Augen über das Totenbett und blieben am Vater hängen.

„Warum?"

„Das . . . das k a n n ich dir nicht sagen . . . heute nicht . . ."

Graf Egge schien verstanden zu haben. Und unter dem Druck seiner Faust, die um die Kante des Bettes geklammert lag, knirschte das Holz.

„Papa!" schrie Kitty aus gemartertem Herzen und taumelte mit gestreckten Armen auf den Vater zu.

Robert hielt sie zurück. „Hast du denn keinen Schimmer von Zartgefühl? So sieh Papa doch an: was du ihm angetan hast!"

„Du!" fuhr es mit keuchendem Laut über Graf Egges Lippen. „Laß du mir die arme Geiß in Ruh!" Er legte den Arm um Kitty und wurde ruhiger. „Es war unrecht, was du getan, aber ich begreif es!" Da sah er Fräulein von Kleesberg unter der Türe stehen, zitternd und mit nassen Wangen. „Gundi! Kommen Sie! Bringen Sie das Mädel zu Bett, sie kann sich ja kaum mehr aufrecht halten."

Hastig kam Fräulein von Kleesberg herbei, faßte Graf Egges Hand und machte einen Versuch, ihrem teilnahmsvollen Schmerze Ausdruck zu geben. Doch er schüttelte den Kopf und sagte rauh: „Lassen Sie das! Ich weiß, Sie sind ihm gut gewesen. Da braucht's keine Worte. Sorgen Sie sich lieber um die arme Geiß!"

Kitty klammerte die Arme um den Hals des Vaters und drückte das Gesicht an seine Brust. Ein paarmal strich er mit der Hand über ihr schimmerndes Haar, dann schob er sie Fräulein von Kleesberg zu, welche die Schluchzende aus dem Zimmer führte.

Graf Egge wandte sich zu dem Toten. Während er das stille, wächserne Gesicht mit brennenden Augen betrachtete, nickte er langsam vor sich hin. „Du auf dem kalten Bett! Und der andere . . ." Stöhnend drückte er die Fäuste an die Stirn und sank auf die Knie. Mit gefalteten Händen, wie ein Bauer vor dem Gnadenbild, sprach er ein lautes Gebet, dann küßte er den Toten auf beide Wangen und auf den Mund. Als er sich erhob, sah er Robert zu Füßen des Bettes stehen, in einer Haltung, wie die Ehrenwache vor dem Paradebett eines Fürsten. „Ach so? Du bist auch noch einer . . . der dritte?" Es zuckte um Graf Egges Mund, und seine Hand fuhr in den Bart. „Was machst denn du heute nacht? In Hubertus wird keine Bank gelegt, da wirst du wohl schlafen müssen."

„Vater!" fuhr Robert auf; doch in der nächsten Sekunde hatte er seine Empörung schon überwunden. „Ich ehre deinen Schmerz um den Toten, auch wenn er dich ungerecht macht gegen die Lebenden."

„So?" Graf Egge verließ das Zimmer. Auf der untersten Treppenstufe streifte er die Bergschuhe von den Füßen und rief mit müder Stimme den Diener. „Wo ist Moser?" Der Jäger, der auf der finsteren Veranda saß, kam gelaufen, und Graf Egge sagte: „Geh ins Dorf! Der Pfarrer mit seinem Kaplan soll kommen. Ich will, daß sie droben wachen und für meinen Buben beten." Mit nackten Füßen ging er über den Flur und öffnete die Tür der Kruckenstube. „Fritz! Meine Lampe!"

Es wurde still in Schloß Hubertus; nur die Ankunft der beiden Geistlichen unterbrach für einige Minuten die dumpfe Ruhe. Fast alle Fenster blieben die ganze Nacht hindurch erleuchtet.

In Fräulein von Kleesbergs Zimmer brannten zwei Lampen und vier Kerzen; sie konnte nicht hell genug haben; wohl hatte sie den Versuch gemacht, zu schlafen, doch sie fand keinen Schlummer und erhob sich wieder. So oft sie an Kittys Tür lauschte, hörte sie leises Weinen; erst lange nach Mitternacht wurde es still da drinnen, und nun machte sich Fräulein von Kleesberg wieder Sorgen über dieses Schweigen; leis öffnete sie die Türe.

Die beiden Kerzen, die das Zimmer erleuchteten, waren zu kleinen Stümpchen niedergebrannt und warfen ihre unruhig flackernde Helle über das Bett. Matt schimmernd ringelten sich die gelösten Haare um das lilienweiße Gesichtchen, von dem der Schlaf den Ausdruck der Erschöpfung und des Kummers nicht ganz zu löschen vermochte. Sacht bewegten sich die zarten Spitzen des Nachtgewandes über dem unruhig atmenden Busen, manchmal rührten sich die halboffenen Lippen wie im Traumgespräch und ein leises Zucken lief über die schlanken weißen Hände, die schwer auf der Seidendecke lagen.

Fräulein von Kleesberg war bei diesem Anblick so gerührt, daß ihr die Tränen kamen. Als sie mit zärtlicher Vorsicht die Decke, die sich ein wenig verschoben hatte, zurechtlegen wollte, gewahrte sie einen Zettel, der Kittys Händen, als der Schlaf gekommen, entfallen war — eine Depesche aus München, die Bitte eines ‚tief Besorgten' um ‚gelegentliche' Nachricht, ob Konteß Kitty die Heimreise ohne ‚störenden Zwischenfall' überstanden hätte. Fräulein von Kleesberg schien für einen Augenblick zu vergessen, was der vergangene Tag über Schloß Hubertus gebracht hatte; ein glückliches Leuchten war in ihren

Augen, als sie die Depesche zu einem Streifen faltete, den sie achtsam unter Kittys Hände schob.

Die Schlummernde erwachte nicht, doch ihre Finger empfanden die Berührung und schlossen sich um das Blatt.

Lautlos deckte Fräulein von Kleesberg die Messinghütchen über die Kerzen und schlich aus dem dunkel gewordenen Zimmer.

Die Nacht verging.

Als Fritz am folgenden Morgen in die Kruckenstube trat, fand er die Lampe ausgebrannt und das Bett unberührt. Graf Egge saß vor dem offenen Eisenschrank im Lehnstuhl und stellte die Ebenholzkästchen seiner Steinsammlung, mit deren Musterung er sich einen Teil der Nacht vertrieben hatte, in die Fächer zurück. Schwer seufzend schloß er den Schrank, zog den Schlüssel ab und preßte die Fäuste an seine Stirn.

„Gut, daß du kommst! Ich wollte dich eben rufen. Sag mir . . . was muß denn jetzt eigentlich alles geschehen?"

„Erlaucht können ohne Sorge sein. Graf Robert haben alles Nötige bereits angeordnet. Die Depeschen sind gestern noch abgegangen, und Graf Robert sind die halbe Nacht aufgewesen, um die Adressenliste für die Parte zu schreiben. Der Bursche ist früh um vier Uhr mit der Liste nach München gefahren und wird abends mitbringen, was Graf Robert für morgen bestellt haben. Mit dem Herrn Pfarrer ist auch schon alles besprochen. Das Leichenbegängnis wird morgen früh um neun Uhr stattfinden. Den Konduft besorgt eine Münchener Gesellschaft, auch die Musik und ein Doppelquartett sind aus München verschrieben . . ."

„Hör auf!" keuchte Graf Egge und verzog den Mund, als hätte er einen gallenbitteren Trunk getan. Mühsam erhob er sich, ging durch das Zimmer und lachte heiser vor sich hin. „Und diesen ganzen Pflanz hat Robert gemacht? Und so flink? Respekt! Er behält den Kopf oben, wo andere den Verstand verlieren möchten." Mit den Fäusten hinter dem Rücken blieb er vor der Mauer stehen und starrte die dicht nebeneinander hängenden Gemsgehörne an.

„Darf ich Erlaucht das Frühstück bringen?"

„Laß mich in Ruhe, mir ist der Appetit für lange vergangen."

„Aber Erlaucht sollten doch andere Kleider . . ."

„Die schwarzen? Gelt? Na, also, meinetwegen! Bring sie!"

Eine halbe Stunde später stieg Graf Egge in altmodischem Salonrock, an dem die Ärmel zu kurz waren und die Nähte zu platzen drohten, über die Treppe hinauf. Er hörte Lärm und Hammerschläge.

Im Totenzimmer war ein halb Dutzend Menschen beschäftigt, um die Wände mit schwarzem Tuch auszuschlagen und das auf Stufen erhöhte Paradebett mit einer Mauer von Blumen zu umgeben. Der Zaunerwastl hatte die Oberleitung und betätigte seine vielseitigen Talente. Scheuer Kummer sprach aus seinem übernächtigen Gesicht, seine Haltung war müd gebeugt, und als er den Grafen auf der Schwelle erscheinen sah, versank ihm der Kopf noch tiefer zwischen den Schultern.

Graf Egge ließ wortlos die Blicke durch das Zimmer und über die Menschen gleiten, zog die Hand durch den Bart und machte wieder Kehrt.

Meister Zauner schlich ihm nach und holte ihn bei der Treppe ein. „Ich bitt, gnädiger Herr Graf . . . da hab ich noch was gfunden!" flüsterte er und nahm aus der Westentasche einen winzigen, in einen Fetzen Zeitungspapier gewickelten Gegenstand hervor. „Das muß ihm aus der Taschen gfallen sein."

Graf Egge nahm den Fund und nickte. Als er in der Druckenstube wieder im Lehnstuhl saß, wickelte er mit zitternden Händen das Papierchen auf; es enthielt die beiden Hirschgranen. Lange hielt er sie auf der flachen Hand, und das Wasser stieg ihm in die Augen, während er sie betrachtete. Seufzend griff er in die Tasche, zog die Börse hervor und verwahrte die Granen. Nun hatten sie wieder den alten Platz gefunden. Nach einer Weile hob er das zerknüllte Papier vom Boden auf und untersuchte es noch einmal, ob es nicht auch noch etwas anderes enthielte. Dabei überhörte er ein leises Klopfen und blickte erst auf, als die Türe ging.

Schipper trat in die Stube, mit demütiger Trauermiene, und während er den Hut zwischen den Händen drehte, klagte er: „O mein Gott, lieber Herr Graf, was sind denn jetzt da für Sachen passiert! Gestern hab ich mir gar net denken können, was denn eigentlich los is . . . und wie ich jetzt grad den Bock runterbring . . . was hab ich da für Sachen hören müssen! O mein Gott, Herr Graf, wie S i e mich erbarmen, das kann ich gar net sagen! Und der liebe, gute Mensch!"

Graf Egge war aufgesprungen, und seine Stirn brannte, als hätte er einen Schlag ins Gesicht erhalten. Mit zuckenden Fäusten tat er einen Schritt gegen den Jäger und schrie: „Hinaus! Du! Hinaus!"

„Aber Herr Graf!" stotterte Schipper verblüfft.

„Hinaus! Du bist schuld, daß ich geblieben bin! Wär ich mit ihm herunter gegangen, es wäre nicht geschehen. Und ich w o l l t e gehen, aber du, du hast mich gehalten! Geh mir aus den Augen, oder ich vergreife mich an dir! Aasgräber! Mörder! Aus meinen Augen! Hinaus!"

Diesem Ausbruch sinnlosen Zornes gegenüber hielt es Schipper für geraten, einen schleunigen Rückzug anzutreten. Als er die Veranda erreichte, setzte er den Hut auf, blickte langsam über die Schulter und pfiff leise vor sich hin; dann suchte er die Zwirchkammer auf, wo seine Büchse und sein Bergstock in einer Ecke standen. Der alte Moser, der auf den blutigen Steinfliesen kniete und dem Rehbock das abnorme Gehörn absägte, schien an Schippers Gesicht zu merken, daß nicht alles im Geleise war, und fragte: „Was hast denn?"

„Laß mich in Ruh!" Wütend warf Schipper die Büchse hinter die Schulter und stapfte davon. Er machte einen Umweg um das Schloß und blies die Backen auf, als er die Straße erreichte.

In Meister Zauners Gärtlein sah er das seine Lieserl mit dem Pointner-Andres umhergehen; das Mädchen schnitt mit einer Schere die letzten Blumen ab und legte sie in ein Körbchen, das ihr der Andres nachtrug. „Grüß dich Gott, Lieserl!" rief Schipper über den Zaun. „Machst auch ein Kranz für b' Herrschaft?"

„Ja, aber es schaut schon schlecht aus mit die Blumen."

„Freilich, die schöne Zeit is vorbei!" Mit dieser philosophischen Anmerkung ging Schipper seiner Wege. Als ihn die Straße am Brucknerhaus vorüber führte, wurden seine Schritte langsamer. Er musterte die Fenster, kniff die Augen ein und lächelte. „Mir scheint, es halt nimmer lang mit uns zwei?" murmelte er und blickte über die Straße zurück gegen den Park von Hubertus. „Da muß ich beizeiten ans Nestbauen denken!" Er rückte den Hut und trat in den Hof des Bruckner, dessen Bübchen mit dem älteren Schwesterchen vor dem Brunnen spielte. „He, du, Kleiner, is deine Mali-Mahm daheim?"

„Na, sie is zum Seewirt um Blumen gangen, für ein Grabkranz. Aber der Vater is daheim."

„So? Der Vater?" Lächelnd ging Schipper auf das Haus zu, guckte durch ein Fenster in die Stube und klopfte an die Scheibe.

In der gleichen Minute ging die Horneggerin, die vom Krämer kam, auf der Straße vorüber. Dunkel schoß ihr das Blut ins Gesicht, als sie den Jäger gewahrte, und raschen Ganges suchte sie den Heimweg, um ihrem Franzl die merkwürdige Nachricht zu bringen: der Schipper klopft bei der Mali ans Fenster!

Auf dem Ländeplatz begegnete ihr eine Magd des Seewirts mit einem riesigen Kranz aus Eibenzweigen und weißen Nelken.

Das war der erste Kranz, der sich in Hubertus einstellte. Fritz trug ihn in die Kruckenstube, aus der man Graf Egges erregte Stimme hörte; als der Diener eintrat, verstummte sie. Graf Egge stand neben dem Lehnstuhl, in welchem Kitty saß, schwarz gekleidet, die zitternden Hände im Schoß, mit verweinten Augen. Zwischen Vater und Tochter schien eine ernste Szene gespielt zu haben. Graf Egge furchte beim Anblick des Kranzes die Brauen, Kitty erhob sich, betrachtete die Blumen in tiefer Bewegung und entfernte ein paar welk gewordene Blüten. „Wer hat ihn geschickt?"

„Der Seewirt, gnädiges Fräulein."

„Sagen Sie, daß wir herzlich danken lassen."

Fritz nickte und wandte sich an seinen Herrn. „Ich bitte, Erlaucht, was soll ich den Leuten geben, wenn sie Blumen bringen?"

„Geben? Ach so, das wird als Geschäft betrachtet? Ich soll mich quälen lassen und dafür auch noch bezahlen? Gib zwanzig Pfennig!"

Matte Röte huschte über Kittys Wangen, während sie stammelte: „Aber Papa . . ."

„Also dreißig! Das ist mehr als genug. Der da drüben . . ." er winkte mit dem Kopf gegen das Billardzimmer, „der das Trauerroß auf meine Kosten spielt, steigt mir mit dem Oktoberfestrummel, den er für morgen inszeniert hat, ohnehin bis über die Knie in den Geldbeutel. Jetzt weiter mit dem Gras! Und bring mir von dem Zeug nichts mehr in die Stube."

Kitty flüsterte dem Diener ein paar Worte zu, und als

sie mit dem Vater wieder allein war, ging sie müde zum
Lehnstuhl zurück.

Schweigend, unter wühlender Erregung, wanderte Graf Egge
im Zimmer auf und ab; dann blieb er vor Kitty stehen und
sagte: „Jetzt kein Wort mehr davon! Daß du ihm die Depesche schicktest, war in der Ordnung . . . der da drüben hat
ja mein Unglück auch unsrem Schuster und Schneider angezeigt.
Aber es war unrecht von dir, daß du meinen Schmerz um den
Einen zu Gunsten des Anderen benutzen wolltest. Ich habe dich
lieb . . . aber da wirst auch d'u nichts ändern. Er selbst hat
sich gelöst von mir, so mag er seiner Wege gehen. Ich weiß,
es ist hart für dich, mit ihm zu brechen. Aber ich bin dein
Vater, und mein Recht an dich ist das ältere. Und ich brauche
dich. Zärtlichkeit, das weißt du, ist nie meine Sache gewesen.
Aber Vater bleibt Vater . . . und ich bin arm geworden. Der
eine hat mich verlassen, den andern hat mir Gott und meine
eigene Schuld genommen . . . und der da drüben . . . der zählt
ja nicht. Meine Jagd und du, das ist der Rest." Seine
Stimme klang rauh, und heftig zitterten die Hände, die er auf
Kittys Schultern legte. „Meine Jagd halt ich fest, so lang ich
noch gesunde Fäuste und sehende Augen habe! . . . Und du?
Gelt, kleine Geiß, du hängst an mir?"

Mit verstörten Augen blickte Kitty zum Vater auf.

Wie in Ungeduld rüttelte Graf Egge ihre Schultern. „Sei
nicht so stumm! Ich glaube ja, daß du mein gutes Kind bist,
daß du nicht dem Anderen recht und deinem Vater unrecht
geben kannst. Aber ich will es hören, ich brauche Trost! Sag
es mir, kleine Geiß, daß ich dir mehr bin als er! Ich will
es hören! So rede doch!" Ein heiserer Laut unterbrach den
erregten Klang seiner Stimme. „Rede, wenn ich nicht glauben
soll, daß du i h m zuliebe gegen deinen Vater stehen könntest!
Oder willst du verteidigen, was er getan? Wärest du am Ende
gar noch fähig, dir ein Beispiel an ihm zu nehmen und mir
den Rücken zu kehren, wie er . . . und mich noch einsamer zu
machen, als ich es jetzt schon bin? . . . Geiß?" Wieder rüttelte
er ihre Schultern, und sein Atem ging schwer. „Hörst du denn
nicht? Oder muß ich dich b i t t e n um ein Wort? Dein Vater?"

Kitty erhob sich, das holde Gesichtchen entstellt von dem
schmerzvollen Kampf ihres Herzens. Sie fühlte, daß es sich
in diesem Augenblick für sie noch um anderes handelte, als

nur um eine Aeußerung kindlicher Liebe, die der Vater von ihr zu hören verlangte. Seine Frage war gestellt, als hätte er unbewußt einen Blick in ihre tiefste Seele getan und hätte erraten, was in diesem jungen Herzen lebendig geworden war und nach seinem Recht begehrte. Wollte sie nicht untreu werden an sich selbst, ihre Gesinnung für den Bruder nicht verleugnen und den Weg nicht sperren, auf dem ihre träumende Sehnsucht dem eigenen Glück entgegenflog, so durfte sie nicht lügen; sie mußte offen sprechen und den unvermeidlichen Kampf mit dem Vater schon in dieser Stunde beginnen.

Bleich, aber mit entschlossenem Mute richtete sie sich auf; und was sie am verwichenen Abend, auf dieser einsamen Fahrt, zwischen banger Sorge und seligen Träumen sich ausgesonnen hatte, um für den Bruder und zugleich für das eigene Glück zu kämpfen — das alles stieg wie glühende Flut aus ihrem Herzen empor und drängte nach Worten. Doch als sie die Augen hob und diese von Gram durchwühlten Züge sah, diese von der schlaflosen Kummernacht entzündeten Lider und diesen brennenden, fast angstvollen Blick, der nach einem Wort des Trostes und der Liebe dürstete — da erstickte in ihr das Erbarmen alles andere Gefühl. Erloschen war, was sie vor einer Sekunde noch empfunden und gedacht; vergessen alle Bitterkeit, die jenes verletzende Wort: ‚Meine Jagd und du!‘ in ihre Seele gegossen hatte; sie war nicht mehr die Schwester, die mit zärtlicher Treue an dem Bruder hing, nicht mehr das Mädchen, dem die erwachte Liebe jede Fiber des jungen Herzens füllte — es blieb nur das Kind zurück, das den Vater in Leid und Jammer sah. Sie streckte die Arme, und unter heißem Schluchzen warf sie sich an die Brust des Vaters und umklammerte seinen Hals.

Graf Egge wurde weich; er brachte es fast zu einem Lächeln, während er Kitty umschlungen hielt und ihr Haar streichelte. „Ich danke dir, Geißlein!“ sprach er ihr mit rauhem Geflüster ins Ohr. „Du bist ein lieber, guter Kerl! Du hängst noch an mir, und ich will's vergelten! Ich hab vielleicht auch an dir ein Versäumnis begangen, aber ich will alles wieder gut machen und will dir ein rechter Vater sein. Du sollst von jetzt an immer um mich sein. Gib nur acht, wie schön sich das machen wird! Im Winter sollst du mit mir reisen, und im Frühjahr laß ich für uns beide in meinem besten Revier eine neue Hütte bauen, mit einem netten Stübchen für dich, mit jeder

Bequemlichkeit, die du haben willst. Und in der Hütte soll eigens für dich gekocht werden. Und schießen sollst du lernen und sollst mir ein Jäger werden, vor dem ich selber den Hut abziehe. Das wird dir Freude machen, gelt? Und dann wirst du munter und glücklich sein . . . und lachen, immer lachen . . . damit ich den armen, lieben Kerl ein wenig leichter verschmerze, der jetzt da droben liegt und kein Lachen mehr hat für seinen armen Vater." Zwei Zähren rollten ihm über den Schnurrbart, und fester schlangen sich seine Arme um die Tochter. Da fühlte er, wie ihr Körper zuckte und zitterte. „Aber Geißlein? Was hast du?" Er faßte sie am Kinn und hob ihr Gesicht; aus diesem trostlos verlorenen Blick redete alles andere zu ihm, nur nicht die Wirkung, die er sich von seinen zärtlichen Verheißungen versprochen hatte. Seine Brauen furchten sich, und ein unruhiges Spiel erwachte in den Falten, die seine Augen umringten. „An was denkst du? Hast du nicht gehört, was ich sagte, oder . . . es macht dir wohl keine Freude, wie ich mich sorge für dich?"

„Gewiß, Papa!" erwiderte sie tonlos. „Ich werde alles tun, was du willst."

„So?" Das klang hart und trocken. „Du scheinst müde zu sein? Setz dich!" Mit energischem Griff drehte Graf Egge den Lehnstuhl. Wortlos blieb er eine Weile vor Kitty stehen und betrachtete in wachsendem Mißtrauen ihr blasses, verstörtes Gesicht. Nervös die Finger bewegend, wandte er sich ab und wanderte ein paarmal durch die Stube. Plötzlich nahm er eines der schönsten Gemsgehörne von der Wand, legte den Arm um Kittys Schultern und hielt ihr die Krucke vor die Augen. „Schau einmal an," sagte er mit einem Ton, in dem sich das Bestreben verriet, Kitty aus ihrer starren Verlorenheit zu wecken, „den hab ich auf vierhundert Gänge im Feuer niedergelegt. Es war der beste Schuß, den ich je getan habe. Und die Kruck ist schön, gelt?"

„Ja, Papa, sehr schön!"

Die müde Antwort gefiel ihm nicht. Mit funkelndem Blick streifte er das bleiche Gesicht des Mädchens, trug das Gehörn an seinen Platz zurück und nahm in kochender Unruh die Wanderung durch das Zimmer wieder auf. Mit der Zunge fing er den Schnurrbart zwischen die Zähne, und während er an den Haaren nagte, trieben seine Fäuste hinter dem Rücken ein zuckendes Spiel. Dann plötzlich verhielt er den Schritt, faßte den Knauf des Lehnstuhls, und in Zorn brach es aus ihm heraus: „Zeig mir ein anderes Gesicht! Ich seh dir's an, daß du mehr an ihn denkst, als an mich und den armen Kerl da droben! Aber du hast mir ja doch gesagt, daß er sein Glück gefunden hat . . . auch ohne mich! Also gut! So tröste dich damit, daß er glücklich ist. Er hat ja, was er wollte!"

Wie ein Krampf ging es über Kittys Schultern und Arme; doch ihre Lippen fanden keinen Laut.

Unter keuchendem Atemzug preßte Graf Egge die Fäuste auf seine Brust; er ging zum Fenster und wischte über die Scheibe, als wäre sie mit Tau beschlagen; eine Weile stand er vor dem Bett und strich die Decke glatt; dann packte er wütend einen der in Reih und Glied stehenden Bergschuhe, musterte das Beschläg, blies den Staub vom Leder und roch an dem Schuh. „Natürlich! Die sind wieder nicht geschmiert worden, Gott weiß wie lange! Ein Lumpenpack! Und das bezahlt man noch!" Er schleuderte den Schuh in einen Winkel und warf sich auf das Bett; nach ein paar lautlosen Minuten sprang er wieder auf. „Reden kannst du nicht . . . und diese stumme Mette riegelt mir das Blut durcheinander. So laß mich lieber allein und geh zur Kleesberg!"

Schweigend erhob sich Kitty und wankte zur Türe.

„Geiß?"

Sie wandte das Gesicht.

Einen Augenblick zögerte Graf Egge, dann ging er zum eisernen Schrank und suchte in seinen Taschen nach dem Schlüssel. „Komm her, armer Kerl! Du sollst was haben!" Er hatte schon das Schloß geöffnet, als Kitty wie eine Verzweifelte auf ihn zugeflogen kam und mit zitternden Händen seinen Arm umklammerte. Sprechen konnte sie nicht; sie starrte nur angstvoll in sein Gesicht und schüttelte den Kopf.

Er sah sie mit großen Augen an, zuerst verblüfft und dann beleidigt. „Ach so? Du willst nichts? Auch gut!" Mit heiserem Lachen zog er den Schlüssel ab und schob ihn in die Tasche. „So geh!"

Sie verließ das Zimmer und schleppte sich die Treppe hinauf. Als sie ihr Stübchen erreichte, sank sie vor dem Tisch auf die Knie, vergrub das Gesicht in den Armen und brach in Schluchzen aus.

Fräulein von Kleesberg kam aus dem anstoßenden Zimmer herbeigestürzt. „Ach du guter Himmel! Kind! Mein armes, liebes Kind!" Sie hob die Schluchzende an ihre Brust, stammelte, weinte und suchte zu trösten. Eine Weile ließ Kitty diese konfuse Zärtlichkeit, die ihr wohl tat, über sich ergehen; dann trocknete sie die Augen und löste sich aus Tante Gundis Armen. Aus der Kommode holte sie eine gehäkelte Börse hervor, durch deren dünne Seidenmaschen die Goldstücke glänzten, und stieg in den Flur hinunter.

„Hier ist Geld, Fritz, geben Sie nur reichlich, aber Papa soll es nicht wissen!" flüsterte sie, während sie dem Diener die Börse in die Hand drückte. „Und wenn Depeschen für mich gebracht werden . . ." die Stimme versagte ihr, „nicht wahr, Fritz, ich bekomme sie gleich?"

„Sofort, gnädiges Fräulein."

An der Truckenstube wurde die Türe aufgerissen, und Graf Egge erschien auf der Schwelle. Wortlos stand er und wartete, bis Kitty auf der Treppe verschwand; dann winkte er den Diener zu sich. „Was wollte sie?"

„Die gnädige Konteß haben gefragt, ob nicht Depeschen für sie gekommen wären," stotterte Fritz, die Hand mit der Börse hinter dem Rücken.

Auf Graf Egges Stirn vertieften sich die Furchen. „Wenn Depeschen kommen, werden sie m i r gebracht! Alle! Gleichviel, welche Adresse sie haben." Er trat in das Zimmer zurück und schlug die Türe zu.

Einige Stunden später erhielt er die Meldung, daß ‚droben' alles in Ordnung wäre.

„So? Jetzt soll ich ihn also wieder haben dürfen? Sehr gnädig von euch!"

Er stieg die Treppe hinauf, doch schon nach wenigen Minuten kehrte er wieder zurück, steinerne Ruhe im fahlen Gesicht. Was er gefunden, dieses stilvolle Trauergemach, dieses Treibhaus mit dem Gewirr der schwül duftenden Blumen, und dieser aufgeputzte Tod — das alles hatte ihn fremd berührt und seinen Schmerz ernüchtert.

Beim Eintritt in die Truckenstube sah Graf Egge auf dem Lehnstuhl das abnorme Gehörn des Rehbockes liegen. Der alte Moser hatte gehofft, seinem Herrn mit dem Anblick dieser Trophäe einen Trost zu bringen; doch er hatte sich übel verrechnet. In aufwallendem Zorn faßte Graf Egge das Geweih, zerbrach mit einem Druck seiner Faust die Hirnschale und schleuderte die Stücke unter das Bett.

Der Tag verging, und die Kränze und Telegramme kamen in ununterbrochener Folge. Gegen Abend kehrte Roberts Bursche aus München zurück, mit einem Berg von Schachteln und Paketen. Während Robert, mit der Zigarette zwischen den Zähnen, die Auspackung überwachte, trug Fritz wieder ein Dutzend Depeschen in die Kruckenstube. Graf Egge überflog die Adressen und gab die Telegramme, die an ihn selbst gerichtet waren, dem Diener zurück. „Für Robert!" Drei Depeschen behielt er und las die erste. „Professor Werner?" Er schüttelte den Kopf und öffnete die zweite. „Hans Forbeck?" Ohne sich weiter um den Inhalt der beiden Blätter zu kümmern, reichte er sie dem Diener. „Für meine Tochter!" Als er die letzte Depesche geöffnet hielt, befiel ein Zittern seine Hände, und mit heftiger Geste winkte er dem Diener, zu gehen. Nun las er, seine Augen wurden feucht, und es überkam ihn wie Schwäche. Schwer atmend ließ er sich in den Lehnstuhl fallen und starrte vor sich hin. „Er hat ihn lieb gehabt!" murmelte er und wollte wieder lesen. Doch ungestüm, als möchte er die weiche Regung, die ihn wider Willen erfaßt hatte, gewaltsam von sich abschütteln, sprang er auf. „Wir sind zu Ende miteinander, er und ich!" Mit zuckenden Händen zerriß er die Depesche, warf die zu einem Knäuel geballten Fetzen in einen Winkel und öffnete die Türe.

„Robert!" Laut hallte der Ruf im Flur.

„Ja, Papa?" klang aus dem Billardzimmer die Antwort.

Graf Egge ging der Stimme nach; als er die Schwelle betrat, schlug ihm dunkle Röte über das Gesicht. Der Raum war anzusehen wie die Verkaufshalle eines Bestattungsgeschäftes. Offene Schachteln, ein Wust von Packleinen und Seidenpapier, Wachsfackeln, ein Bahrtuch mit gesticktem Wappen und langen Silberfransen, kunstvoll gebundene Kränze mit langen Atlasschleifen, ein Sammetkissen mit Helm und Degen, Halbbuketts aus Palmzweigen und seltenen Blumen — das alles lag kunterbunt durcheinander, auf der Erde, auf dem Billard, auf den Stühlen.

Robert legte die Zigarette weg und trat auf den Vater zu. „Verzeih, Papa ... ich fühle, das ist ein peinlicher Anblick für dich. Aber wir müssen auch in einem so traurigen Fall unserem Rang und Namen Rechnung tragen ... und ich habe diese schmerzlichen Pflichten mir aufgeladen, um dich damit zu verschonen."

Graf Egge schien nicht zu hören; von einer der mit Gold bedruckten Kranzschleifen leuchtete ihm ein Wort entgegen, das ihn näher zog. Er faßte das Doppelband und las: „Dem heißgeliebten, unvergeßlichen Sohn — von seinem tiefgebeugten Vater." Er ließ die Schleife fallen. „Moser!" rief er in bebendem Zorn dem alten Jäger zu, der eben eine neue Schachtel öffnete. „Weg mit dem Schwindel und ins Feuer damit."

„Aber Papa!" stammelte Robert.

Ein kalter Blick des Vaters maß ihn vom Kopf bis zu den Füßen. „Aeußere du deinen Schmerz, wie dir beliebt. Was aber meine Trauer zu sagen hat, das bitte ich mir zu überlassen!" Graf Egge ging zur Türe und kehrte sich auf der Schwelle wieder um. „Was ich sagen wollte ... Herr Doktor Egge hat sich für morgen mit dem Frühzug angemeldet. Ich halte diesen Besuch für überflüssig! Du wirst ihn vor dem Parktor erwarten und ihm bedeuten, daß ich mir die zwecklose Unbehaglichkeit einer solchen Begegnung gerade morgen erspart wissen möchte. Die Form überlaß ich dir!" Es zuckte wie Hohn um Graf Egges Lippen. „Daß du diese Mission mit promptem Erfolg erledigen wirst, daran zweifle ich nicht!" Ohne Roberts Antwort abzuwarten, verließ er das Zimmer, kehrte in die Kruckenstube zurück und stieß den Riegel vor.

10.

Die herbstlichen Frühnebel, die einen schönen Tag versprachen, verzogen sich langsam über den Wipfeln des Parkes, als um die neunte Morgenstunde alle Glocken des Kirchturmes zu läuten begannen. Der Platz vor dem Schlosse war schwarz von Menschen; aus dem Dorf und allen benachbarten Ortschaften waren sie zusammengeströmt, und die guten Leute rissen Mund und Augen auf, als sie den feierlichen Prunk des Konduktes unter den getragenen Klängen des Trauermarsches sich entwickeln sahen. Wägenden Blickes musterten die Bauern die

Pferde mit den nickenden Federbüschen, während die Neugier der Frauen und Mädchen den uniformierten Fackelträgern und den in schwarze Seide gekleideten Pagen galt. Hinter dem Sarge gingen Graf Egge und Robert; Kitty und Fräulein von Kleesberg blieben, der landesüblichen Sitte gemäß, dem Leichenbegängnis fern; Verwandte waren nicht erschienen; so schritten dicht hinter dem ersten Paar die vier Offiziere, die Willys Regiment als Deputation geschickt hatte; an die Honoratioren schloß sich der Schwarm der Dorfbewohner an. Unbekümmert um Choral und Trauermarsch, beteten sie nach ihrer Gewohnheit mit lauten Stimmen und hatten dabei für alles ein Auge, besonders für den Adlerkäfig, an dem der Zug vorüber mußte. Eng aneinander gedrückt saßen die fünf Vögel auf der höchsten Stange und drehten unruhig die Köpfe mit den blitzenden Augen.

Graf Egge ging gebeugten Hauptes, mit kalter Ruhe in den Zügen, und blickte verloren vor sich hin. Nur einmal — als der Kondukt das Zaunerhäuschen erreichte — hob er langsam das Gesicht und ließ einen finsteren Blick über das welkende Weinspalier der Mauer gleiten. Hinter einem Fenster gewahrte er ein bleiches Mädchengesicht, halb verdeckt von der weißen Mullgardine.

Im Gottesacker gab es eine lange Feier; nach der Grabrede des Geistlichen sprach einer der Offiziere, und dann fielen die Sänger ein: ‚Es ist bestimmt in Gottes Rat . . .‘

Graf Egge schien nicht zu sehen, nicht zu hören; wie aus dumpfem Traum geweckt, blickte er auf, als ihm der Geistliche die kleine Schaufel reichte, schon mit Erde gefüllt; er streckte die zitternde Hand, und polternd fiel die Scholle über den Sarg. Dann nahm die Schaufel ihren Weg durch all die hundert Hände. Als die Bauern sahen, daß die Offiziere und Herrenleute, wenn sie die Schaufel weiterreichten, auf den Grafen zutraten und ihm die Hand drückten, befolgten sie dieses Beispiel mit würdevoller Umständlichkeit — und Graf Egge bekam blaue Finger von all der Teilnahme, die sich mit derben Fäusten an ihn herandrängte.

Hinter dem Rücken der Bauern, die sich vor dem Grafen hin und her schoben, kam einer scheu und abgewandten Gesichtes zum Grab geschlichen, faßte mit der Hand ein Bröcklein Erde, ließ es in die Grube fallen und wollte wieder gehen.

Doch Graf Egge gewahrte ihn. „Franzl!“ rief er mit

schwankender Stimme. „So komm doch her! Gib mir auch
die Hand!“

Es schüttelte den Jäger, als hätte ein Krampf seine
Schultern befallen. Mit hängendem Kopf, den Hut an die
Brust gedrückt und das verkümmerte Gesicht von dicken Zähren
überflossen, kam er näher. Als Graf Egge diese Tränen sah,
diesen tiefen, ehrlichen Schmerz, ging ihm seine kalte Ruhe in
heißer Rührung unter, und er begann zu weinen. Robert, der
von dieser unerwarteten Schwäche seines Vaters peinlich berührt
schien, zischelte dem Geistlichen ein paar Worte zu, worauf der
Hochwürdige Herr den Jäger beiseite schob und den Arm des
Grafen nahm. „Kommen Sie mit mir in die Kirche, Erlaucht,
bei Gott ist Trost, nicht bei Menschen.“

Graf Egge schien den Zusammenhang der Dinge und Worte
nur halb zu erfassen; mit nassen Augen sah er bald den Jäger,
bald den Geistlichen an, nickte gedankenlos vor sich hin und
ließ sich in die Sakristei führen.

Die Glocken läuteten zum Totenamt, und während das Grab
geschlossen und der Hügel mit den hundert Kränzen bedeckt wurde,
füllten sich alle Bäule der Kirche.

In einem Winkel neben dem Portal stand der Seewirt
und wartete, bis sich der Gottesacker geleert hatte; dann drückte
er den Hut übers Haar und eilte davon.

Wenige Minuten später kam vom Seehof ein geschlossener
Landauer gefahren und hielt vor der Kirchenmauer. Der Seewirt, der neben dem Kutscher auf dem Bocke saß, sprang herunter und öffnete den Schlag.

Taffilo stieg aus. Er schien seine Bewegung gewaltsam
niederzukämpfen, doch sie redete aus jedem Zug seines bleichen,
entstellten Gesichtes.

Der Seewirt führte ihn. Als Taffilo zwischen den Grab-
steinen und eisernen Kreuzen den blumigen Hügel sah, stockte sein
Schritt. Mit stummem Blick bat er den Begleiter, daß er zurück-
bleiben möchte.

Nun stand er einsam vor dem frischen Grab, von Schmerz
erschüttert, und hielt das Gesicht mit zitternden Händen bedeckt.
In der Kirche klangen rauschende Orgeltöne und die Stimmen
des Chorgesanges; aus einem offen stehenden Fenster quoll der
Duft des Weihrauchs, und über den Scheiben zitterte ein fahler
Widerschein der brennenden Kerzen . . .

Es wurde schon zur Wandlung geläutet, als Tassilo den
Friedhof verließ, an seiner Brust einen kleinen Zweig mit
welkenden Blumen bergend; er hatte ihn von Kittys Kranz gebrochen.

Vor dem Wagen reichte er dem Seewirt die Hand. „Ich
danke Ihnen . . .“ Die Stimme brach ihm. Er stieg ein und
sagte heiser: „Den Brief an meine Schwester besorgen Sie
selbst, nicht wahr?“

„Jawohl, Herr Graf.“

„Jetzt, noch ehe die Messe zu Ende ist?“

„Sofort, Herr Graf.“

Tassilo nickte einen wortlosen Dank, gab dem Kutscher ein
Zeichen und drückte sich in die Ecke; die Augen waren ihm naß
geworden.

Der Seewirt schloß die Wagentüre und stand mit dem Hut in
der Hand, während die Kutsche davonrollte. Kopfschüttelnd bedeckte er sich, zog aus der Tasche den Brief hervor, den Tassilo
im Seehof geschrieben hatte, und betrachtete ihn mit bedenklichen
Augen. Es war dem Seewirt nicht ganz geheuer bei dieser
Heimlichkeit, die er nicht begriff. Soviel merkte er aber wohl,
daß es zwischen Vater und Sohn nicht sauber war, und daß
er da ein Geschäft übernommen hatte, von dem Graf Egge nichts
erfahren sollte. Das war eine böse Geschichte! Ein Wort Graf
Egges, und der Seewirt saß auf der Straße — aber hinter dem
Vater kommt der Sohn, und das hoffte der Seewirt noch zu
erleben. Er durfte es auch mit dem Sohn nicht verderben.
Also vorwärts!

Er setzte sich in flinken Gang, um seinen Weg so rasch als
möglich zu erledigen und vor Schluß der Messe wieder in der
Kirche einzutreffen. Diese Hoffnung täuschte ihn; denn als er
den Brief besorgt hatte und den Park von Schloß Hubertus verließ, fand er Ursache, sich mit einem hurtigen Sprung hinter das
Gebüsch zu retten.

Das Seelenamt war schon zu Ende, und Graf Egge kam mit
Robert und den Offizieren die Straße einhergegangen. Schweigend traten sie in den Park, und je mehr sie sich dem Schlosse
näherten, desto längere Schritte machte Graf Egge, so daß Robert
und die Offiziere hinter ihm zurückblieben. Als er den Flur
betrat, warf er den Zylinder in einen Winkel und riß den
schwarzen Rock herunter. „Moser! Bring mir mein Jagdzeug,

die Schuhe Modell 64! Flink!" Er trat in die Knechtenstube.

Moser sprang, daß ihm der Kopf rot wurde. Nach zwei Minuten hatte er alles beisammen: Joppe, Flanellhemd, Lederhose, Wadenstutzen und Schuhe. Während er seinem Herrn beim Umkleiden behilflich war, wollte er seinem Jammer Ausdruck geben.

„Schweig!" fuhr ihn Graf Egge an. Als er sich bückte, um mit den nackten Füßen in die Schuhe zu schlüpfen, fiel sein Blick unter das Bett. Er wurde unruhig und kaute am Schnurrbart. Dann sagte er plötzlich: „Da drunten liegt was . . . her damit!"

Moser kroch unter das Bett. „Jesus Maria, das schöne Gwichtl!" Mit kreideblassem Gesicht brachte er seinem Herrn die beiden Hälften des entzweigebrochenen Geweihes und stotterte: „Ja wie kann denn das Unglück nur gscheh'n sein? Meiner Seel, Herr Graf, ich hab das Gwichtl mit keiner Hand net angrührt!"

Graf Egge griff zögernd nach den beiden Stücken und betrachtete sie. „Was kann das arme Geweih dafür?" Er reichte dem Büchsenspanner die Stangen. „Da! Flick mir die Schale wieder zusammen! Aber gib dir Mühe, daß man den Schaden nicht merkt. Und dann male mir ein schwarzes Kreuz darauf und häng mir das Geweih dort über mein Bett!" Diese Entscheidung schien sein gepreßtes Gemüt erleichtert zu haben. Er fuhr aufatmend in die Joppe. „Den Hut und die Büchse!" Doch ehe Moser zur Türe kam, fragte Graf Egge: „Warum kommt die kleine Geiß nicht herunter zu mir? Oder weiß sie nicht, daß ich schon zu Hause bin?" Der Jäger stotterte ein paar Worte, aber Graf Egge hörte nicht, sondern starrte vor sich hin und strich mit schwerer Hand das Haar in die Stirne. „Die arme Schmalgeiß! Sie muß eine böse Stunde gehabt haben, so allein zu Hause, ich kann mir's denken!" Mit grobem Ellbogen schob er den Jäger beiseite und verließ die Stube.

Im Flur hörte er aus dem Speisesaal, in welchem zum Dejeuner gedeckt wurde, das Klirren der Teller und aus dem Billardzimmer die Stimmen Roberts und der Gäste. Einen Augenblick zögerte er, als käme ihm die Pflicht des Hausherrn zum Bewußtsein; doch mit einem Laut des Widerwillens verzog er das Gesicht und stieg über die Treppe hinauf.

„Grüß dich Gott, Geißlein! Da bin ich wieder!" sagte er

mit schwermütiger Breite, als er in Kittys Zimmer trat. „Das ist eine bittere Stund gewesen für uns alle beide, für dich daheim und für mich da draußen. Aber das hat a u ch noch überstanden sein müssen. Es ist mir hart geworden, und . . . warum siehst du mich denn so merkwürdig an?"

Kitty stand neben dem Tisch, auf eine Stuhllehne gestützt, mit dem Rücken gegen das Fenster; in dem vom Schatten grau verschleierten Gesicht brannten die Augen, die starr am Vater hingen.

Dieser Empfang verdroß ihn, und das klang aus seiner Stimme. „Ach so? Vielleicht, weil ich schon wieder in der Ledernen stecke? Ich hätte wohl bei dir bleiben sollen? Das stimmt! Aber sei nicht böse . . . ich halt es hier nicht aus! Die Mauern liegen auf mir, das Dach erstickt mich . . . und ich rieche immer diese verwünschten Kerzen! Das halt ich nicht aus! Ich muß hinauf! Muß die Büchse in der Hand spüren, wenn ich Trost finden will! Muß Berge sehen! Wild!" Da gewahrte er den Brief in Kittys Hand. „Was hast du da?"

Wortlos reichte sie ihm das Blatt.

Er nahm, und das Blut schoß ihm dunkel in die Stirn, als er die Schrift erkannte. Mit finsterem Blick überflog er die Tochter, trat zum Fenster und las.

Man sah es der Schrift des Briefes an, daß er in einer Minute der furchtbarsten Erregung geschrieben war. Er lautete: ,Meine gute Schwester! Draußen läutet man für den armen Jungen die Glocken, und ich sitze hier im Seehof und versuche zu schreiben. Du sollst doch wissen, daß ich kam. Ich bin überzeugt, daß du in Unkenntnis von allem bist, was heute vorgefallen, und schreibe nur, damit du dich nicht um meinetwillen noch sorgst. Daß ich auf deine Unglücksbotschaft meine Reise sofort abgebrochen habe, konntest du wohl denken. Wie mich das Entsetzliche getroffen hat, dafür hab ich kein Wort. Und wozu das Klagen? Es wird dir ja nicht anders ums Herz sein, als mir. Anna wollte mich begleiten, sie sah ja, wie mich das Unglück verstörte, und sie wollte mit mir kommen, auch auf die Gefahr hin, sich versteckt halten und eine demütigende Rolle spielen zu müssen. Aber das litt ich nicht und kam allein. Bei Gott, ich habe dabei nur an dich gedacht und an den Vater, an seinen Kummer — Willy war ja sein Liebling — und an meine Pflicht, euch beiden in diesen traurigen Tagen eine Stütze zu sein. Wie

hätte ich denken können, daß es mir sogar verwehrt werden
sollte, den Bruder auf seinem letzten Weg zu begleiten und
dich zu sehen! Um so tiefer hat mich das getroffen. Ich will
gegen Papa nicht klagen, aber es war nicht gut, daß er Robert
schickte. So hab ich zwei Brüder an einem Tag verloren!
Robert hat mich so tief verwundet, daß ich von ihm gelöst bin
für all mein Leben. — Da kommt der Seewirt und ich muß
schließen. Wie ein Dieb soll ich mich an das Grab des Bruders
schleichen, während Papa in der Messe ist. Und ich soll fort,
ohne dich gesehen zu haben! Ohne dich in meine Arme zu
schließen, deine Augen zu küssen! Und wie soll das nun weiter-
kommen? Alles über mich, in Gottesnamen, wenn nur die Sorge
um dich in meinem Herzen schweigen möchte! Jetzt darf ich
dir auch nicht mehr sagen: wenn du meiner bedarfst, so komm
zu mir! Nur denken darf ich an dich, für dich alles Glück erhoffen, das du verdienst, du Liebe, Gute du! und in Gedanken
dich an mein Herz drücken, dich küssen, wie jetzt. — Dein Tas.'
Der Brief hatte noch eine Nachschrift: 'Verbrenne dieses Blatt.'

Es zuckte und wühlte in Graf Egges Zügen, als er gelesen hatte. Eine Weile starrte er zum Fenster hinaus auf die
sonnigen Laubkronen. Dann trat er in das Zimmer zurück, legte
das Blatt auf den Tisch und sagte rauh: "Natürlich! Wer auf
der einen Seite ein Loch gräbt, muß auf der anderen Seite den
Hügel aufwerfen. Dir gibt er doppelt als Bruder, was er als
Sohn den Vater entbehren ließ. Du hättest seine Nachschrift
befolgen sollen . . . es wäre besser gewesen!"

Kitty stand regungslos; ihre Augen waren ohne Tränen,
doch ihre Stimme klang wie von Schluchzen erstickt: "Ich tat
es nicht, weil ich wollte, daß du lesen solltest."

"Wozu das? Willst du vielleicht diese Gelegenheit wieder
benützen, um gegen mich den Sturmbock deiner schwesterlichen
Zärtlichkeit für ihn einzulegen, wie gestern?"

"Nein, Papa." Fahle Blässe hatte Kittys Gesicht überzogen.
"Ich wollte an dich nur eine Frage stellen . . . du mußt mir
sagen, was ich nicht glauben kann . . . mußt mir sagen, ob
es mit deinem Willen geschah, was Robert tat?"

"Ich muß? So? Und wenn es so wäre? Was willst du
sagen dagegen?"

"Nichts, Papa!" Kittys Stimme klang tonlos, und ihre
Augen hingen mit einem Blick unsäglicher Trauer am Vater.

„Nichts . . . oder mehr, als gut wäre für dich und mich!" Sie
rang nach Atem. „Es kann zwischen dir und mir nicht unge-
sprochen bleiben . . . weder d a s . . . noch alles andere! Nur
heute nicht! Das wäre unmenschlich!" Mit zitternden Händen
griff sie an ihre Schläfe. „Ich bin ja doch dein Kind . . . und
du bist mein Vater . . ."

Die Brauen furchend, trat Graf Egge von Kitty zurück.
„So? Das fällt dir also doch auch noch ein? Viel ist es freilich
nicht, was nach aller Zärtlichkeit für den anderen noch übrig
bleibt für m i ch. Das hab ich schon gestern gemerkt; da hättest
du also auch heute ganz ohne Scheu davon sprechen können.
Uebrigens scheint mir, als hätt ich schon mehr als genug gehört! Und meine Antwort darauf . . ." Ein Blick in Kittys
Augen ließ ihn verstummen. Er zerrte die Hände durch den
Bart und ging mit den klappenden Nagelschuhen ein paarmal
im Zimmer auf und ab. Sich gewaltsam beherrschend, blieb
er vor Kitty stehen. „Vielleicht hast du recht! Das ist heute
nicht der richtige Tag . . . aus verschiedenen Gründen nicht.
Ehe wir beide miteinander ins Klare kommen sollen, brauchen
wir Zeit, um ruhiger zu werden." Je länger er Kitty betrachtete, desto mehr verloren seine Worte den gereizten Klang.
„Das wird sich leichter machen, wenn wir weiten Weg zwischen
uns legen. Ich gehe in meine Hütte hinauf, und du . . . versteh mich nicht falsch, das ist nichts anderes, als vernünftige
Ueberlegung . . . Onkel Benno in Eggeberg erwartet dich ohnehin mit Ende des Monats, er wird sich nur freuen, wenn du
ein paar Wochen früher kommst. Dort hast du Zeit, um über
alles ruhig nachzudenken . . . und dann wähle zwischen dem
andern und mir. Ich hoffe, du wirst das Rechte finden!" Er
legte die Hand auf ihre Schulter. „Du sollst mir bleiben, Geiß!
Aber ich will dich g a n z haben! Halbheiten vertrag ich nicht.
Und jetzt genug! Wenn du willst, kannst du schon morgen reisen.
Ich sitze dann auch ruhiger in meiner Hütte droben. Auch steht
die Hirschbrunst vor der Tür, und da hätte ich ohnehin keine Zeit
für dich. Wo ist die Kleesberg? Ich will die Sache mit ihr
gleich in Ordnung bringen . . ."

„Diese Mühe können sich Erlaucht sparen!" klang Tante
Gundis gereizte Stimme aus der halb offenen Türe des Neben-
zimmers. Eine Schleppe rauschte, und Fräulein von Kleesberg
erschien auf der Schwelle. „Ich habe bereits gehört!"

Dieser Ton, die Empörung, die aus Tante Gundis Haltung sprach, ihr in Erregung brennendes Gesicht und ihre strafenden Augen schienen Graf Egges Verwunderung zu wecken. Er war gewohnt, Fräulein von Kleesberg in seiner Nähe die Rolle des zitternden Kaninchens spielen zu sehen. Nun diese plötzliche Wandlung! Kopfschüttelnd betrachtete er sie. „Oho! Was ist denn mit Ihnen los? Sie haben ja Feuer unter dem Dachstuhl, scheint mir! Was ist Ihnen denn über die Leber gelaufen?"

„Meiner Sprache fehlt es zwar an den höchst gewählten Bildern, wie sie Erlaucht zu gebrauchen belieben. Aber wenn Sie mir eine Unterredung unter vier Augen gewähren wollen, so hoffe ich doch für die Ursache meiner mehr als begründeten Erregung recht bezeichnende Worte zu finden."

Graf Egges Erstaunen wuchs noch immer. „Ach so? Sie sind gegen mich geladen? Und wie ich merke, bis an den Hals! Nur losgeschossen. Ich habe kein Geheimnis mit Ihnen. Sie können auch hier sprechen."

„Ich bedaure, daß mir die Gegenwart dieses armen Kindes eine Rücksicht auferlegt, deren Notwendigkeit Erlaucht allerdings nicht zu empfinden scheinen ... wie ich nach Ton und Inhalt des Gespräches vermute, dessen unfreiwillige Zeugin ich leider wurde." Fräulein von Kleesbergs Stimme bebte. „Ich, Erlaucht, ich weiß, was und wie ich mit Ihrer Tochter zu sprechen habe ... ich bin nur ihre mütterliche Freundin ... aber ich glaube, um so besser würde mein Herz das Richtige finden, wenn sie mir gegenüberstünde als mein leibliches Kind!"

Kitty wankte auf Fräulein von Kleesberg zu und legte unter flehendem Blick die Hand auf ihren Arm.

Nun schien Graf Egge zu verstehen. Seine Augen wurden klein, und dick schwollen ihm die Adern an Hals und Schläfen. „Moderieren Sie sich etwas, meine Beste! Ich spreche zu meinen Kindern, wie es mir beliebt. Wenn Sie den unwiderstehlichen Trieb zu einer Vorlesung verspüren, so reden Sie sich lieber selbst ein wenig ins Gewissen! Wenn sich das Mädel heute nicht klar ist über den Platz, an den meine Tochter gehört, und nicht übel Lust hat, mit diesem Muster von Sohn gemeinschaftliche Sache gegen den Vater zu machen, so liegt die halbe Schuld an Ihnen!"

Fräulein von Kleesberg wollte sprechen, aber sie kam nicht zu Wort.

„Auf die Mühe, dem Mädel die Pflichten eines Kindes zu predigen, scheinen Sie nicht sonderlich viel Zeit verwendet zu haben. Daß das so kommen wird, hätt ich mir übrigens schon denken können, als mir mein Bruder diesen genialen Vorschlag mit Ihnen machte. Die Historie Ihrer Jugend war für Sie gerade nicht die beste Empfehlung . . . Sie wissen, was ich meine. Und jetzt hab ich die Bescherung! Und habe dazu mitgeholfen! Ich hätte mir von Anfang sagen müssen, daß Sie viel eher die geeignete Person wären, um in dem Kind das Blut der Mutter zu wecken, statt Respekt und Liebe für den Vater. Und ich rate Ihnen in unserem beiderseitigen Interesse, in Eggeberg nachzuholen, was Sie in Hubertus versäumt haben. Gottbefohlen!" Mit klappernden Schritten, von denen jeder die Spur der genagelten Sohle auf den Dielen zurückließ, ging Graf Egge aus dem Zimmer und warf hinter sich die Türe zu.

Die Wangen von kalkiger Blässe überzogen, taumelte Fräulein von Kleesberg auf einen Sessel und bedeckte das Gesicht mit den Händen. Wortlos kniete Kitty an ihrer Seite nieder und legte die Arme um ihren Hals. Bei dieser Berührung erwachte Tante Gundi aus ihrer Betäubung und brach in Schluchzen aus: „Das ist zu viel! Ich bleibe keine Minute mehr! Und wenn ich betteln und hungern müßte . . . ich gehe auf und davon! Eh ich bei einem solchen Menschen bleibe . . . lieber zurück ins Stift, in diese Hölle! Ich bleibe nicht länger . . ." Da begegnete ihr Blick den Augen Kittys, und alle Empörung war verflogen; nur Schmerz und Erbarmen blieben zurück, und während sie das Mädchen in heißer Zärtlichkeit umschlang, stammelte sie unter Tränen: „Ach du mein liebes, gutes Kind! Wie kann ich nur all das dumme Zeug durcheinander reden! Nein! Nein! Ich bleibe! Und wenn er mit Fäusten auf mich schlägt . . . ich bleibe! Wen hättest du denn noch, wenn auch ich mich vertreiben ließe! Ich, ich habe mein Glück verscherzt und habe mir mein Leben zerstören lassen, weil ich keinen Menschen hatte, der zu mir gestanden wäre in meinem Kummer und Zweifel. Aber du! Du hast mich! Und du verdienst dein Glück! Und daß du es finden sollst, dafür will ich sorgen! Das schwör ich dir! Und da sollen hundert Väter über mich kommen! Ich halte stand! Und ich weiß, was ich tue!"

Kitty schien nicht zu hören. Sie hielt das blasse Gesicht an Fräulein von Kleesbergs Schulter gedrückt. Dann hob sie

langsam die Augen. „Sage mir, Tante Gundi . . . was meinte
Papa, als er von meiner Mutter sprach? Es war in seinen
Worten ein Ton, der mir das Herz zerriß. Was wollte er sagen
damit?"

Fräulein von Kleesberg erschrak, daß ihr im ersten Augenblick die Sprache versagte. Dann stotterte sie einen Schwall von
Ausreden. Aber Kitty schüttelte den Kopf. „Sag es mir, ich
bitte dich! Es läßt mir keine Ruhe mehr. Ich hab es gefühlt . . .
er hat übel geredet von meiner Mutter. Hat er ein Recht dazu?
Ich bitte dich, sag es mir!"

Während Fräulein von Kleesberg ratlos nach Worten suchte,
ging Graf Egge unter dem Fenster vorüber, den Bergstock in der
Hand, die Büchse auf dem Rücken.

Mit finsteren Blicken musterte er den weißen Kiesgrund,
der zerwühlt war von den hundert Füßen, die am Morgen hier
umhergetreten. Welke Blumen, die von den Kränzen abgefallen,
lagen umhergestreut, und am steinernen Rand des Spring-
brunnens war eine Stelle dick mit rotem Wachs betropft. Graf
Egge machte lange Schritte. Als er die Ulmenallee erreichte,
kam ihm Robert nachgeeilt. „Aber um des Himmels willen!
Papa! Du wirst doch jetzt nicht auf die Hütte gehen!"

Graf Egge blickte von der Seite zu ihm auf. „Willst du
mich daran hindern?" Dabei griff er an die Joppentasche, ob
er die Patronen nicht vergessen hätte.

„Aber ich bitte dich, was soll ich denn unseren Gästen sagen?
Du bringst mich den Herrn Kameraden gegenüber in eine so
peinliche Situation . . ."

„Und sonst hast du keinen Schmerz? Na, dann steht es ja
nicht so schlecht um dich! Sag ihnen, was du willst! Ich bin
überzeugt, daß du ihnen gegenüber die wohlschmeckendste Ausrede ebenso leicht finden wirst, wie du heute früh vor dem
Gitter da draußen das bitterste Wort gefunden hast."

Robert starrte den Vater an, mehr verblüfft als beleidigt.
„Ich möchte dich doch ersuchen, Papa . . ."

„Schweig! Ich mache dir keinen Vorwurf. Die größte
Niederträchtigkeit bei der Geschichte hab ich selbst begangen, weil
ich dich schickte. Und was ich weiter noch sagen will: über den
Rest deines Urlaubs kannst du ohne Rücksicht auf mich verfügen.
Den schuldigen Abschied nehm ich als empfangen an. Du wirst
ja wohl auch so bald nicht von dir hören lassen? Da du über

beine Apanage hinaus um Geld nicht mehr zu kommen brauchst, wüßte ich nicht, was du mir sonst zu schreiben hättest. Abieu!" Graf Egge nahm den Bergstock unter den Arm, zog mit beiden Händen die Lederhose höher an den Leib und schritt davon.

Als er das Adlerhaus erreichte, blieb er stehen, musterte die fünf Vögel und nickte vor sich hin. „Es wird leer. Ich muß für Nachschub sorgen." Langsam blickte er dabei über die Schulter nach Schloß Hubertus zurück. Nun schritt er weiter, die Arme über Lauf und Schaft der Büchse gelegt, und starrte grübelnd vor sich hin. „Sie wird sich besinnen und zu m i r halten!" schloß er murmelnd seine Gedanken, während er hinter sich das eiserne Torgitter zuwarf. „Ich such ihr einen Mann, und das Paar soll mir Leben und Kinder ins Haus bringen! Sie hat Rasse . . . das wird Buben geben!"

Um nicht am Zaunerhäuschen vorüber zu müssen, machte er einen Umweg durch den Wald und suchte auf versteckten Fußpfaden den Friedhof auf. „Gott sei Dank!" murrte er in den Bart, als er den Gottesacker leer sah. Hastig trat er ein und suchte zwischen den rostenden Eisenkreuzen das frische Grab.

Leises Gesumme umschwebte den bunten Hügel; der starke Duft dieser tausend Blumen hatte die Bienen herbeigelockt, die auf den herbstlichen Wiesen nur noch spärliche Ernte fanden.

Während Graf Egge auf beiden Knien lag, mit verschlungenen Händen, betrat der Mesner den Friedhof und verschwand in der Kirche.

Es war Mittag, und die Glocke begann zu läuten.

11.

Im Häuschen der Horneggerin saß Franzl am blau gedeckten Tisch, und seine Mutter brachte die Brotsuppe in die Stube getragen. Sie wollte gerade die rauchende Schüssel auf den Tisch stellen, als sie im Hof das Zauntürchen gehen hörte. Hastig warf sie einen Blick durch das Fenster und hätte im ersten Schreck beinahe die Suppe fallen lassen. Erst wurde sie kreibebleich, dann dunkelrot bis unter die grauen Haare. „Jesus Maria! Bub! Da kommt der Herr Graf!" Während Franzl aufsuhr, als hätte der Blitz vor ihm in die Schüssel geschlagen, griff die Horneggerin an ihre Frifur, riß die Küchenschürze herunter und ftotterte: „Mar' und Jofef! Wie fchau ich denn aus! Halb anzogen! Und jetzt kommt der Herr Graf! Ja was tu ich denn?" Sie wollte in die Kammer fpringen, aber die Knie verfagten ihr. Und da ging auch fchon die Stubentür auf, und Graf Egge erfchien auf der Schwelle.

Den Bergftock hatte er im Flur gelaffen. Einen wortlofen Gruß nickend, ftellte er die Büchfe an die Mauer, nahm den Hut ab und warf ihn auf das Fenfterbrett. Schweigend fah er den Jäger an, dem die Erregung alle Glieder zu lähmen fchien, betrachtete die alte Frau, die fcheu und zitternd hinter dem Ofen ftand, und während feine gebeugte Geftalt fich langfam ftreckte, ließ er den Blick über alle Wände und Geräte des Stübchens gleiten. Tief atmend drückte er die beiden Fäufte auf die Bruft, als wäre zwifchen diefen engen, niederen Mauern ein wohltuendes Gefühl der Erleichterung über ihn gekommen. Nun ging er mit breiten Schritten auf den Jäger zu und bot ihm die Hand. „Grüß dich Gott, Franzl! Ich feh es ein, ich hab dir unrecht getan. Das will ich wieder gut machen. Schlag ein und truz nicht! Sei wieder mein Jäger, mein befter, wie du es immer warft! Ich muß doch e i n e n Menfchen haben, von dem ich weiß, er hängt an mir! Schlag ein, Alter!"

Während die Horneggerin im Ofenwinkel unter Tränen die Augen auffchlug, als wäre dem lieben Herrgott ein rechtes Wunder gelungen, bot Franzl einen Anblick, als hätte er ein paar tiefe Krüge über den Durft getrunken; er machte wohl den Verfuch, in militärifcher Haltung vor feinem Herrn zu ftehen, aber es zog ihm den Kopf in den Nacken, und dabei würgte er nur immer das eine Wort heraus: „Aber Herr Graf, aber Herr Graf . . . aber Herr Graf . . ."

„Jetzt mach mir keine Gefchichten, fondern fchlag ein! Oder foll ich dir die Hand vielleicht eine halbe Stund lang herhalten?"

Da griff der Jäger mit beiden Händen zu, und der Druck fiel fo kräftig aus, daß Graf Egge die Zähne übereinander biß.

„So! Und jetzt fetz dich zur Schüffel und iß! Wenn du fertig bift, packen wir auf und marfchieren." Graf Egge fchob den Jäger zur Bank und wandte fich an die Horneggerin, wobei feine Sprache zu vollem Dialekt wurde. „Geben S' mir ein Löffel her, Mutterl! Ich halt gleich mit. Zwei Tag lang hab ich kein

Bissen nimmer nunter bracht. Jetzt krachen mir alle Rippen!
Ein Löffel her!"

„Aber gern! Aber gern! Es is mir ja die größte Ehr!"
stotterte die Försterin, die vor Freude und Verwirrung nicht
mehr wußte, was sie beginnen sollte. „Ja mein Gott,
lieber Herr Graf, ja wenn ich nur auf so was gfaßt
gwesen wär! Da hätt ich ja aufkocht, ich weiß net was!
Und grad heut, o du mein lieber Himmel, grad heut muß ich
so ein grings Mittagessen haben . . . die Brotsuppen da und . . .
ich trau mir's gar net sagen . . . und Tirolerknödel mit Selch-
kraut! D' Suppen, mein' ich, wär net übel . . . aber die Knödel,
Herr Graf, die Knödel halt . . . so viel sinnieren hab ich müssen,
derweil ich kocht hab . . . und da hab ich halt die Knödel ein
bißl überhops gmacht! Wenn s' Ihnen nur net drucken! Jesus
Maria! Das wär mir 's ärgste!"

„Ich kann mir was ärgers denken!" Unter müdem Lächeln
schob sich Graf Egge hinter den Tisch. „Wenn nur alles andere
so leicht nunter ging, wie gschmalzene Knödel! Machen S'
weiter, Mutterl, geben S' den Löffel her!"

„Jesses ja! Ein Löffel! Wo hab ich denn mein Kopf!"
Die Horneggerin rannte in die Kammer hinaus.

„Habt Ihr schon gebetet?" fragte Graf Egge, während er
die Füße unter den Tisch streckte.

Franzl brachte keinen Laut heraus und nickte nur.

Graf Egge lehnte sich an die Wand zurück, verschlang die
Hände über dem Gurt der Lederhose, sprach halblaut ein Vaterunser und bekreuzte sich; dann griff er über den Tisch, faßte den
Löffel der Horneggerin, wischte ihn am Zipfel des blauen Tisch-
tuches ab und fuhr in die Schüssel. „Schieß los, Franzl!"

Als die Försterin kam, mit dem silbernen Patenlöffel ihres
Buben und einem blitzblanken Hirschhornbesteck, das sie vor
Jahren auf dem Münchener Oktoberfest im Glückshafen gewonnen
hatte, war die Suppenschüssel schon halb geleert. „Packen S'
wieder ein, Mutterl!" sagte Graf Egge und behielt den Zinnlöffel.

Mit Zittern und Bangen trug die Horneggerin das Kraut
und die Knödel auf; doch das derbe Gericht erwarb sich in so
ausgiebigem Maß die Gnade des Gastes, daß Franzl und seine
Mutter zu kurz kamen. Da fand die Försterin unter scheuem
Lächeln sogar den Mut zu der Bemerkung: „Mir scheint doch,
Herr Graf, sie schmecken Ihnen? Oder net."

„Nnno, prämieren tät ich Ihnen grad net für so ein Exemplar . . . aber der Hunger treibt Bratwürst nunter. Ich hab harte Fasten hinter mir."

„O mein Gott, gelt, haben S' vor lauter Kümmernis nix mehr essen können?" Die Augen der Horneggerin füllten sich wieder mit Tränen. „O du lieber Himmel, das kenn ich ja, wie so was is! Wie ich mein Unglück ghabt hab . . . ich weiß gar net, wie lang 's dauert hat, bis ich wieder ein Löffel hab anschauen können. So was dreht einem ja einwendig alles um und um! Na! Na! Und wie so ein Unglück nur kommen kann! Gestern noch 's lachende Leben und heut der stille Tod! Da wär's ja kein Wunder, wenn der Mensch zittert vor jeder Stund, und wenn er ‚Gott sei Dank' sagt hinter jedem Tag, der glimpflich vorbei gangen is!"

Eine Weile noch hörte Graf Egge den herzlich gemeinten Jammer der alten Frau geduldig an, dann legte er plötzlich die Gabel nieder, würgte den letzten Bissen hinunter und erhob sich. „Mach fertig, Franzl, ich wart im Hof!" Er reichte der Horneggerin, die erschrocken verstummt war, die Hand über den Tisch. „Vergeltsgott, Mutter!"

„Um Gottswillen! Herr Graf!" stammelte sie. „Ich hab Ihuen doch hoffentlich net den Appetit vertrieben . . . mit meiner balketen Rederei?"

Er schüttelte den Kopf, griff nach seiner Büchse und verließ die Stube.

Franzl, der während der ganzen Mahlzeit wie ein Träumender hinter dem Tisch gesessen und mechanisch einen Bissen nach dem andern geschluckt hatte, schob sich in Hast und Erregung aus der Bank hervor. Da nahm die Horneggerin unter Schluchzen und Lachen sein Gesicht zwischen die Hände. „Bub! Was sagst denn jetzt! Gestern hast mich in deiner Kümmernis noch erbarmt, daß ich mir 's Herz hätt rausreißen können . . . und heut is alles wieder gut!"

Franzl nickte; dabei aber sprach aus seinen nassen Augen etwas, das mit dieser Zustimmung nicht völlig harmonieren wollte. Er umschlang die Mutter und schmiegte die Wange an ihr graues Haar. So standen sie eine Weile, bis Franzl aufatmend sagte: „Jetzt mußt mich aber auslassen, Mutterl! 's Warten hat er net gern!" Er fuhr sich mit dem Aermel über die Augen und rannte zur Stube hinaus. Eine Minute später

kam er die Treppe herunter, fertig für den Berggang. Die
Mutter wollte ihm die Stirne mit Weihwasser besprengen, aber
bei Franzls Eile gingen die heiligen Tropfen daneben.

Graf Egge trommelte schon mit dem Fuß und rief: „Vorwärts! Vorwärts!"

Mit langen Schritten wanderte das Paar davon und verschwand hinter den Hecken.

Nun erst, als die Horneggerin allein war, kam bei ihr die
Erregung zu vollem Ausbruch. Schluchzend fiel sie neben dem
Tisch auf die Knie, verschlang über der Holzbank die zitternden
Hände und fing zu beten an: „Vater unser, der du bist im
Himmel ... o du guter Mann, du hast halt wieder gholfen
in der Not ... geheiligt werde dein Name, zukomme uns dein
Reich ... gelt, Bub, das hab ich halt wieder runterbet vom
Himmel! ... gib uns heut unser tägliches Brot ... wer hätt
sich denn so was denken können, daß so ein stolzer Herr von
selber kommt ... und vergib uns unsere Schulden ... daß
er sein Unrecht einsieht ... wie auch wir vergeben unseren
Schuldigern ... und wie gütig als er gredt hat mit meim
Buben ... führe uns nicht in Versuchung, sondern erlöse uns
vom Uebel ... und alles, alles hat er wieder recht gmacht, in
alle Ewigkeit Amen! Gegrüßeist du Maria voll der Gnaden ...
Franzl, Franzl, das mußt ihm aber jetzt vergelten ... der
Herr ist mit dir, du bist gebenedeit unter den Weibern ..."

So ging dieser Wirbel von Gebet und Gestammel immer
weiter, unter fließenden Zähren, unter Lachen und Schluchzen.

Inzwischen hatten Graf Egge und Franzl die Wiesen überschritten und näherten sich den dichter stehenden Häusern des
Dorfes. Da klang hinter ihnen ein Gewinsel, Gebell und Geheul, das sich näherte und immer lauter wurde. Franzl verhielt betroffen den Schritt und drehte das Gesicht: „Um Gottswillen, Herr Graf, da schauen S'! Was kommt denn da daher?"

Mit Springen und Stürzen, Ueberschlagen und Kollern
näherte sich ein lebendig scheinender Knäuel von flatternden
Leinwandfetzen und lang nachschleifenden Bändern, die sich durcheinander ringelten wie kämpfende Schlangen. Je näher das
seltsame Ungeheuer kam, desto deutlicher ließen sich die wirbelnden Füße, der zuckende Kopf und die schlagende Rute des Hundes
erkennen, der als heulender Kern in dieser absonderlichen Schale
steckte.

„Jesus Maria! Herr Graf! Das is ja heilig unser Hirsch=
mann! Der is dem Tierarzt durchbrennt, hat heimgsucht und is
auf unser Fährten kommen!" Hastig legte Franzl den Bergstock
und die Büchse ab und rannte dem Hund entgegen. „Hirsch=
manndl! Hirschmanndl! Da komm her! Ja Hirschmanndl! Was
is denn mit dir? Ja wo kommst denn her?"

Wie der Hund in seinem zerzausten Spitalgewand nun
herangeschossen kam, wie er in winselnder Freude an dem Jäger
emporzuspringen versuchte, sich in die schlagenden Fetzen ver=
wickelte, laut heulend stürzte und fröhlich bellend wieder auf=
sprang, wie Franzl ihn haschen wollte und dabei nur die flat=
ternde Bandage zu fassen bekam, aus der sich der Huud unter
Geheul und Gezappel vollends hervorkugelte, wie der Jäger
nun selbst zu Boden taumelte, und der befreite Hund mit unge=
stümer Lieblosung über ihn herfiel — das war ein so drolliger
Anblick, daß Graf Egge lachen mußte. Aber dieses Lachen schien
ihn zu schmerzen, denn er preßte die Hand an den Hinterkopf.

Auch Franzl lachte. Die lärmende Freude des treuen
Tieres rührte ihn fast zu Tränen und ließ ihn des stillen
Kummers vergessen, den auch die Aussöhnung mit seinem Jagd=
herrn nicht hatte beschwichtigen können. Auf der Erde sitzend
hielt er mit beiden Armen den zappelnden Huud umschlungen
und blickte lachend, mit nassen Augen, zu Graf Egge auf:
„Jetzt, Herr Graf, jetzt sind wir wieder alle beinander!"

„Alle? Da fehlt aber noch viel, scheint mir!" Dem Grafen
war das Lachen vergangen. Nun erkannte der Hund auch ihn,
riß sich aus den Armen des Jägers und kam gesprungen. Mit
zerstreuter Freundlichkeit tätschelte ihm Graf Egge den Kopf;
dabei wurde das Tier ruhig und zog den Schweif ein.

In Franzl erwachte die Sorge, ob der Hund auch wirklich
völlig geheilt wäre; doch Hirschmann ersparte dem Jäger die
nähere Untersuchung; denn als Graf Egge sich in Gang setzte,
übersprang der Hund eine Planke und sauste wie verrückt auf
den Wiesen umher; dabei schüttelte er immer wieder das Fell,
drehte sich im Kreise und schnappte mit den Zähnen nach
seinen Flanken.

„Der is freilich gsund!" meinte Franzl. „Aber d' Haut
muß ihn spannen! Es hängt ihm ja vom Verband noch 's ganze
Fell voller Pech."

Während die beiden das Dorf durchschritten, drehte sich das

Gespräch nur um den Hund, der bald vor, bald hinter ihnen seine vergnügten Sprünge machte. Die Leute, die ihnen begegneten, grüßten scheu und blickten dem Paar mit großen Augen nach. Immer huschte, wenn Franzl auf solch einen Gruß dankte, eine dunkle Röte über sein schmal gewordenes Gesicht. So kamen sie zum Ländeplatz. Der Seewirt, der auf der Veranda mit einem Touristen plauderte, gab sich den Anschein, als hätte er den Grafen nicht gesehen, und wollte rasch ins Zimmer treten. Aber Graf Egge rief ihn an. Da kam er gesprungen und zog die Mütze bis zu den Knien.

„Seewirt!" Graf Egge hatte die Hand auf Franzls Schulter gelegt. „Ich habe leider hören müssen, daß im Dorf ganz unqualifizierbare Redereien über den Hornegger umhergetragen werden. Das ist ein böswilliger Quatsch! Hornegger hat sich im Dienst nicht das Geringste zu schulden kommen lassen. Wenn ich in grundlosem Zorn eine Uebereilung begangen habe, so liegt die Schuld nur an m i r! Ich sage Ihnen das, damit Sie es unter die Leute bringen. Verstanden? Und jetzt mein Schiff!"

Während der Seewirt davoneilte, wechselten Röte und Blässe auf dem Gesicht des Jägers. „Aber Herr Graf! Was machen S' denn jetzt da für Gschichten! Das is doch z'viel, Herr Graf!"

„Halt den Schnabel, du dummer Kerl, du guter! Ich hab dir einen Treff ins Blut gegeben, jetzt will ich dir auch das rechte Pflaster auflegen. Was ich dem Seewirt gesagt habe, wird umlaufen im Dorf wie ein Windspiel. Und die Leute, die uns heute miteinander gesehen haben, werden auch ihren Metzen Korn auf deine Mühle schütten. Schau nur, da drüben steht schon wieder einer und reißt Maul und Augen auf!"

Als der Bauer, der inmitten der Straße stand, die Aufmerksamkeit der beiden Jäger auf sich gerichtet sah, wandte er sich hastig ab und ging seiner Wege. Es war der Bruckner. Bevor er um die Ecke bog, warf er noch einen scheuen Blick über die Schulter; dann glitten seine Augen über die Berge hinauf, als wäre dort oben für ihn ein Gegenstand der Sorge.

Franzl war merkwürdig still geworden. Während der ganzen Fahrt über den See sprach er keine Silbe und starrte mit so schwermütigem Blick vor sich hin, als hätten die Ereignisse der vergangenen Stunde seinen drückenden Kummer um kein Härchen erleichtert.

Neben dem Wetterbach stiegen sie aus. Franzl, den das

eigene Schweigen zu brücken begann, versuchte zu plaudern; doch
er schwieg wieder, als er merkte, daß sein Herr nicht hörte. Tiefe
Erregung wühlte in Graf Egges Zügen. Während sie nah an
der Klause vorübergingen, hielt er das Gesicht abgewandt; aber
als sie den Wildbach überschritten hatten und über einen steilen
Hang emporgestiegen waren, blieb er stehen und blickte mit
funkelnden Augen zurück. Ueber die welkenden Kronen der
Ahornbäume ragte das Dächlein der Klause hervor. „Wenn
sie alle gegen mich stehen . . . kann es mich wundern? Sie
sind die Kinder dieser Mutter!" murmelte Graf Egge, ohne sich
um die Gegenwart des Jägers zu kümmern. Hell leuchtete ihm
in der Sonne die Marmortafel mit ihrer Inschrift entgegen.
„Hier wohnt das Glück!" Ein häßliches Lächeln zuckte um seine
Lippen, und mit zornigem Griff faßte er die Büchse. Der
Schuß krachte, und von der Kugel getroffen, stürzten die Trümmer der zersplitterten Marmortafel mit dumpfem Klatsch zu
Boden.

„Aber Herr Graf!" stotterte Franzl. „Um Gottswillen,
was treiben S' denn?"

Ohne Antwort zu geben, warf Graf Egge die Büchse über
den Rücken und stieg bergan.

Weiter sprachen sie kein Wort mehr. Nach dreistündiger
Wanderung erreichten sie die Almen. Die weiten, gelblichen
Grasgehänge dehnten sich still und öde — während der letzten
Tage hatten die Sennerinnen mit ihren Herden die im See-
tal liegenden Niederalmen bezogen.

Es streckten sich schon die Schatten des Abends, als der Weg
der beiden Jäger zu Ende ging und hinter dem Latschenwald
das silbergraue Schindeldach der Dippelhütte hervortauchte. Bei
der letzten Biegung des Pfades blieb Graf Egge plötzlich stehen,
und in aufbrausendem Zorn klang seine Stimme: „Was will das
Weibsbild in meiner Hütte? Das sieht ihm gleich, diesem gott-
verlassenen Kerl, daß er auch noch karessiert in meiner Stube!
Und heute!"

Franzl, den die Gedanken an die bevorstehende Begegnung
mit Schipper beschäftigt hatten, blickte auf. „Was is denn, Herr
Graf?"

„Hast du die Dirn nicht gesehen, die aus der Hütte kam?"

Der Jäger schüttelte den Kopf.

„Sie muß ein schlechtes Gewissen haben. Ich hab es deut-

lich gesehen, daß sie vor uns erschrocken ist. Und warum nimmt
sie Reißaus? Warum macht sie den Umweg durch die Latschen,
über den Steig da droben? Lauf zurück und schneid ihr den
Weg ab! Ich will wissen, wer es war, und was sie in meiner
Hütte zu suchen hatte."

Die Büchse in der Hand, lief Franzl über den Pfad zurück.
Eine weiße Schürze schimmerte zwischen den Latschen. Er machte
noch ein paar lautlose Sprünge — und nun standen sie plötzlich voreinander, alle beide zu Tod erschrocken, mit blassen Gesichtern.

„Mali . . . du!"

Das Mädchen zitterte an allen Gliedern.

Und Franzl griff an seinen Hals. „Der Herr Graf . . .
gsehen hat er dich, und . . . und wissen möcht er . . ."

Heiße Röte flog über Malis Wangen, und wie Freude brach
es aus ihren Augen: „Der Herr Graf und du? Ja Franzl!
Ich bitt dich um Gottswillen, red doch, bist denn wieder im
Dienst? Und is denn . . ." Ihre Worte verwirrten sich, während
sie die Augen senkte und an der Schürze nestelte. „Und is
denn alles wieder . . . in der Ordnung?"

Er starrte sie betroffen an. Ihre Freude hatte zu deutlich
gesprochen, um nicht verstanden zu werden. Aber nach allem,
was er sich in der Verstörtheit dieser trüben Tage als Lösung
jenes Rätsels ausgegrübelt hatte, das ihm Malis verwandeltes
Benehmen aufgegeben, mußte jetzt ein Gedanke in ihm erwachen, der ihn mit neuer Bitterkeit erfüllte. „Ob ich wieder
mein Dienst hab? Warum willst es denn grad von m i r erfahren? Das hättst ja doch grad so gut vom nämlichen hören
können, der dir selbigsmal so gschwind hat sagen lassen, daß ich
gschaßt worden bin. Bis gestern hab ich noch allweil studiert,
wie's denn eigentlich möglich war, daß die Katz der Maus voran-
gsprungen is? Aber gestern is mir ein Lichtl aufgangen . . .
seit ich ghört hab, was für ein Bsuch bei dir zugsprochen hat!
Und d e r, gelt, der hat 's Türl bei dir schön offen gfunden?
Freilich, der hat ja sein sicheren Posten!"

Aus Malis Gesicht war alle Farbe gewichen; und dennoch
atmete sie auf, als wäre ihr eine Sorge von der Seele gefallen.

Dem Jäger wurde die Stimme heiser. „Und gar net
schenierst dich? Gar net? Daß d' Leut oft wendisch sind, wie
der Kapaziner im Wetterhäusl, das weiß ich ja, aber . . . von

dir, Mali ... von dir hätt ich so was doch net denkt! Meiner
Lebtag net!" Bei all der gerechten Entrüstung, die er zu
empfinden glaubte, trieb ihn doch sein Herz, dem häßlichen
Raben ein wenig von seiner Schwärze zu nehmen. „Gelt, dein
Bruder wird dir's halt eingeben haben, du sollst den Verstand
ein bißl reden lassen?"

„Mein Bruder? Na, Franzl!" unterbrach ihn Mali tonlos
und mit scheuer Hast. „Mein Bruder hat nix z'schaffen mit der
Sach! Ich bin schon selber so gscheit gwesen. Der Mensch muß
doch ein bißl praktisch sein ... natürlich ... ich hab halt
denkt ..."

„Denkt hast? So? Denkt?" In ratlosem Zwiespalt
zwischen Zorn und Kümmernis rieb Franzl den Hut hin und
her. „Und da hast dich am End gar verspeggaliert! Jetzt hab
ich ja wieder mein Posten! Und wie mich gsehen hast mit der
Büchs ... man könnt ja schier glauben, es hätt dich gfreut?"
Er kam dem Rätsel dieser Freude gegenüber auf einen Gedanken,
der ihn lachen machte. „Willst am End gar wieder umsatteln?
Viel bild ich mir freilich net ein auf mich ... aber es könnt
schon sein, daß dir's lieber wär: der Posten und ich, als der
Posten und der ander dazu!"

Mit angstvollen Augen starrte ihn das Mädel an.

Franzl lachte noch immer, lachte, daß ihm die dicken Tränen
über die Backen liefen. „Da hättst aber n o ch ein bißl gscheiter
sein sollen! Und ein bißl zuwarten! Gelt? Da könnt jetzt
alles wieder ... wie hast gsagt? ... ja, in der Ordnung
sein! Aber viel Zutrauen mußt nimmer ghabt haben zu meiner
Reputazion! Sonst hättst dich net gar so tummelt, daß dem
andern sein Bfuch wieder heimgibst! Und sein hast dir 's richtige
Stündl ausgsucht ... wo er allein in der Hütten war und der
arme Herr Graf beim Gräbnis drunt ..." Erschrocken griff
sich Franzl an die Stirn und stotterte: „Mar' und Josef! In
meiner Narretei vergiß ich ja ganz, warum ich dasteh!" Er
richtete sich auf. „Was hab benn i ch da z'reden? Mich geht
ja die ganze Gschicht nix an! Der Herr Graf möcht wissen,
was du in seiner Hütten suchst und ..." da schwankte ihm wieder
die Stimme, „und was benn du mit'm Schipper z'schaffen hast?"

„Nix! Nix! Gar nix! Unser Herrgott soll mich strafen,
wenn's net wahr is!" lallte Mali und griff mit beiden Händen
nach dem Kopf, als hätte sie Sorge um ihren armen gemarterten

Verstand. Und es war ihr anzusehen, wie schwer sie die Ausrede fand, nach der sie suchte: „Rasten hab ich müssen,
ein bißl rasten halt! Sonst hab ich nix gsucht in der Hütten!
Bloß rasten hab ich müssen!"

„Rasten? So? Was war's denn für ein Weg, der dich gar
so müd gmacht hat?"

„Bei der Sennerin bin ich gwesen . . ."

„Die hat ja schon abtrieben."

Mit ratlosem Blick sah Mali über die stillen Almen hinaus;
dann schlug sie den Arm über die Stirne, stolperte über den
Grasrain auf den Jägersteig und ging davon.

„Komm gut heim! Gelt! Dein Weg wird finster!" rief ihr
Franzl mit zerdrückter Stimme nach. „Oder soll ich dir leicht
den Schipper schicken, daß er dich führt?"

Mali griff nach einem Latschenzweig, der sich über den Pfad
streckte und wandte das Gesicht; es war entstellt, und die Augen
schwammen. „Franzl! Nimm dich vor'm Schipper in acht!
Der will dir net gut!" Und aufschluchzend, ganz von Sinnen,
stürzte sie davon.

Franzl stand wie betäubt; da hörte er einen gellenden
Fingerpfiff. „Jesses na!" Er begann zu rennen.

Graf Egge empfing ihn mit mürrischem Blick. „Was ist
denn mit dir? Da wart ich mir die Seel heraus! Wo bleibst
du so lang?"

„Gredt halt . . . gredt hab ich mit ihr . . ." keuchte der
Jäger atemlos, „ich bitt um Entschuldigung . . ."

Bei Graf Egge schien sich der Zorn über die weiße Schürze
schon gelegt zu haben; er nahm die Wanderung wieder auf
und fragte zerstreut: „Wer war es?"

Der Name wollte kaum über Franzls Lippen: „Die
Bruckner-Mali."

„So? Die ist wieder im Dorf? Ihr Bruder, sagt Moser,
wär früher nicht sauber gewesen? Wie kommt das Mädel jetzt
in meine Hütte?"

„Rasten hat's müssen . . . bloß ein bißl rasten! Sonst nix,
Herr Graf!"

„Rasten? Die soll sich ein andermal auf den Kuhsteig setzen,
nicht auf meine Bank!" Damit war die Sache erledigt —
wenigstens für Graf Egge.

12.

Es dämmerte noch nicht, aber auf dem Herd der Dippelhütte brannte bereits ein Feuer. Neben den züngelnden Flammen stand schon die eiserne Pfanne und das Holzgeschirr mit
dem Schmarrenteig. Doch mit den Fäusten in den Taschen
der Lederhose saß Schipper auf dem Herdrand und schien vergessen zu haben, daß er kochen wollte. An der Lippe beißend,
in den grauen Zügen den Ausdruck grübelnder Wut, sah er
mit unruhigen Augen vor sich hin. Da klangen Schritte. Schipper
hob lauschend den Kopf und erkannte diesen schweren Schritt.
Mit einem Fluch sprang er auf und murmelte erschrocken: „Ja
is denn der gar kein Mensch net! Jetzt kommt er gar h e u t
noch rauf!" Er strich mit der Haud über das Gesicht und
eilte zur Türe.

Graf Egge stand vor ihm.

Wie in freudiger Ueberraschung schlug Schipper die Hände
zusammen. „Ja grüß Ihnen Gott, Herr Graf! Ja weil S'
nur wieder heroben sind in der Hütten! Aber seit Mittag is
mir's schon allweil fürgangen, daß ich heut noch die Freud
hab . . ." Da gewahrte Schipper, daß sein Herr nicht allein
war, und das Wort blieb ihm in der Kehle stecken.

„Was hockst du in der Hütte?" fuhr ihn Graf Egge an.
„Warum hast du nicht Dienst gemacht?"

Schipper war noch immer sprachlos; Franzls Anblick hatte
auf ihn gewirkt wie die Erscheinung eines Gespenstes.

„Hörst du nicht?"

„Aber ich bitt, Herr Graf, ich hab halt auf Ihuen gwart,
weil ich mir denkt hab, Sie kommen."

„Das Denken überlaß du mir, und du mach deinen Schuß.
Hol deine Büchse und pack dein Zeug in den Rucksack! Alles!
Und dann marschier! Von heut an übernimmst du Patscheiders
Bezirk. Ich habe in meiner Hütte für dich keinen Platz
mehr."

Schipper zitterte vor Wut, und sein Gesicht spielte alle
Farben; aber er schien zu merken, daß die Stunde nicht geeignet
war, um gegen dieses unerwartete Versetzungsdekret eine Vorstellung zu erheben. Sich mühsam bezwingend, sagte er mit

Ruhe: „Wie der Herr Graf befehlen! Dem verwahrlosten Bezirk da drüben wird meine scharfe Aufsicht net übel anschlagen. Und der gnädig Herr Graf wird ja wissen, was er will . . ."

„Vor allem will ich Ruhe haben, und da kann ich nicht vor Augen brauchen, was mir die Galle aufriegelt." Graf Egge trat in die Hütte.

Schipper wollte ihm folgen, doch er kehrte wieder um und trat auf Franzl zu. „Grüß dich Gott, Hornegger! Hat der Herr Graf doch ein Einsehen ghabt? Es is mir lieb, daß du wieder da bist!" Er streckte ihm die Hand hin. „Wir zwei haben uns oft net recht verstanden miteinander. Aber jetzt red ich mir's grad einmal vom Herzen weg. Die Eifersüchtelei hin und her, das hat kein Sinn bei uns. Es wär doch gscheiter, wir täten als gute Kameraden einer zum andern halten. So geh, schlag ein!"

Franzl rührte keinen Finger und sah mit bohrendem Blick in Schippers Augen.

„Oho! Was hast denn?" Schipper lachte. „Warum schaust mich denn an, wie der Teufel die arme Seel?"

„Hornegger!" klang es aus der Stube, und Franzl ging zu seinem Herrn, um den Kammerdienst anzutreten, aus welchem Schipper entlassen war.

Als Graf Egge die Herrenstube betreten hatte, war es sein erstes gewesen, das Geheimarchiv aufzusperren, als möchte er sich überzeugen, ob sich hier alles in Ordnung befände. Friedlich und unversehrt ruhte das schöne Gemsgehörn neben dem Sammetetui mit den Edelsteinen, von denen nur ein einziger fehlte — ein Rubin. Mürrisch hatte Graf Egge den Schlüssel wieder abgezogen. Und nun saß er auf dem Bett, und während ihm Franzl die Schuhriemen lösen mußte, hielt er den Hund auf seinem Schoß und zupfte ihm die Harztropfen aus dem Fell, die vom Verband zurückgeblieben waren.

Nach einer Weile kam Schipper und meldete sich ‚fertig zum Marsch‘.

Sein Herr entließ ihn wortlos. Als die Schritte des entthronten Büchsenspanners vor der Hütte verklangen, erhob sich Graf Egge und sagte zu Franzl, der eben die Hänglampe anzündete: „So! Jetzt is die Luft sauber! Komm, Alter, jetzt kochen wir unseren Schmarren!"

Die Vorbereitungen, die auf dem Herd bereits getroffen

waren, erleichterten die Sache. Während das Schmalz in der Pfanne prasselte, besprachen sie die Pirschpläne für den kommenden Tag — das heißt, Graf Egge besprach sie; Franzl, der wie verloren umherging, Holz brachte und Wasser zum Feuer setzte, kam über ein paar pflichtschuldige Wörtchen nicht hinaus und erklärte sich mit allen Vorschlägen einverstanden, die sein Herr ausgrübelte. Plötzlich, mitten in der Rede, brach Graf Egge ab, deutete mit dem eisernen Pfannenlöffel nach der Ecke des Herdes und sagte mit schwankender Stimme: „Schau, Franzl, an dem Fleckl, da is er noch gsessen am letzten Abend!"

Es folgte eine stille Mahlzeit.

Während dann Graf Egge in der Stube die Zither stimmte und Franzl in der Küche das Geschirr spülte, kam Patscheider von seinem Reviergang zurück. Für die Freude über das Wiedersehen mit Franzl hatte der Jäger nur ein paar knappe Worte; aber wie sie gemeint waren, das sprach ihm aus den Augen — zum erstenmal lachte er wieder seit langen Tagen. Nach dem Rapport teilte er sich mit Franzl in die Arbeit, und dabei sprachen sie flüsternd von dem ‚Unglück brunten‘ und vom ‚armen Herrn‘. Während dieses Gespräches erwachte in Patscheider ein Gedanke, der ihn um so unruhiger machte, je länger er ihn verschwieg. Endlich platzte er damit heraus: „Sag, Franzl, du hast ja doch jetzt deine Stell wieder . . . tätst mir harb sein, wenn ich mich um den Posten bewerben möcht, den man d i r anboten hat?"

Betroffen blickte Franzl auf. Er kannte den Jäger gut genug, um zu wissen, daß hinter der Sache alles andere eher steckte, als Eigennutz. „Michel, um Gottswillen, ja sag nur, was is denn . . ."

Patscheider wehrte mit der Hand. „Frag net! Bei so was tut 's Reden net gut!"

Das war aber schon zu viel gesagt. Das Gerede im Dorf, Patscheiders verändertes Wesen und dazu seine letzten Worte — der Zusammenhang dieser Dinge weckte in Franzl eine Ahnung, die ihm den Herzschlag stocken machte. „Michl! Jesus Maria!"

„Tätst mir harb sein?"

Franzl schüttelte den Kopf. Ohne ein weiteres Wort erhob sich Patscheider, klopfte an die Tür der Herrenstube und trat ein.

Graf Egge stimmte noch immer an seiner Elegiezither; der

Klang der Akkorde war ihm noch nicht rein genug. Eine Saite schraubend, sah er auf.

„Ich bitt, Herr Graf," sagte Patscheider verlegen, „ich hätt gern ein bißl nach meine Leut gschaut. Wenn S' nix dagegen hätten . . . morgen am Abend vor der Pirschzeit wär ich wieder heroben?"

„Geh nur!" Graf Egge schlug einen Akkord an und neigte das Ohr gegen die Saiten. „Und sag dem Hornegger, er kann sich schlafen legen."

Franzl nahm diese Botschaft als Befehl, und nachdem er hinter Patscheider die Hüttentür verriegelt hatte, kletterte er auf den Heuboden.

Schlaflos lag er in der Finsternis unter den Dachsparren und quälte sich mit seinen wirren Gedanken, während aus der Herrenstube herauf die weich getragenen Klänge der Zither tönten.

Graf Egge spielte an diesem Abend nur ernste Stücke. An Koschats ‚Verlassen, verlassen' reihte sich ‚Mutterseelenallein' mit meisterhaft ausgeführten Flageolettönen, und ein schwermütiges Zwischenspiel in A-moll leitete über in das Tiroler Volkslied:

‚Wenn ich zu meinem Kinde geh . . .'

Bei diesem Liede mußte Graf Egge während des Spiels den Kopf zurückbeugen, damit die Tränen, die ihm über die Wangen rollten, nicht in die Saiten fielen; die Zither ist ein wehleidiges Instrument, und Feuchtigkeit verträgt sie nicht. Beim Schlußakkord seufzte Graf Egge so schwer, daß Hirschmann, der hinter dem Ofen lag, den Kopf erhob und seinen Herrn aufmerksam betrachtete . . .

Wieder klang die Zither. Dem Schlummerlosen auf dem Heuboden redeten diese zärtlichen Klänge ins Herz. Er setzte sich auf, drückte den Kopf in die Hände und grübelte. Aber immer tauchten zwei Bilder gleichzeitig in ihm auf, eines ein Widerspruch zum anderen; jeder Gedanke, dem er folgte, führte ihn nach Irrwegen zu einem großen Loch, vor dem er ratlos stand und wieder den Rückweg suchte; und in seinen eigenen Kummer mischte sich auch noch das Erbarmen mit dem ‚armen Herrn da brunten', und die Sorge, die er sich um Patscheider machte.

Der hatte auf seinem Heimweg in der dunklen Nacht ein übles Wandern; auf den Almen ging es noch leidlich, da leuch-

teten doch die Sterne ein wenig; aber im schwarzen Wald, da
setzte es Beulen und blutige Risse.

Mitternacht hatte geschlagen, als Patscheider das Dorf erreichte; in den Höfen, an denen er vorüberkam, bellten die
Hunde, und dumpf rauschte die Ache in der Nachtstille. Langgezogene Nebelstreifen schwebten aus dem Seetal heraus, um-
hüllten den Kirchturm und senkten sich über den Friedhof und
die Wiesen. Alle Häuser lagen schon dunkel, nur aus der Stube
des Brucknerhauses leuchtete noch ein trüber Lichtschimmer; und
der Jäger sah, als er vorbeiwanderte, einen Schatten über
die Fenster irren.

Diesen Schatten warf der Bauer, der mit nackten Füßen
in der Stube auf und ab ging; die Schwarzwälderuhr tickte, und
mit glostendem Räuber brannte eine dünne Talgkerze auf dem
Tisch, hinter welchem Mali im Herrgottswinkel saß, mit verweinten Augen, den Kopf an die Wand gelehnt. Auf dem Leder-
sofa, das nach Forbecks Abreise aus dem Giebelzimmer den
Umzug in die Stube gemacht hatte, schlummerte das kleine
Netterl, und für Mali lag auf der Erde eine Matratze mit rot
geblumtem Kissen und wollener Decke.

Unter schwerem Atemzug, der eine harte Gedankenarbeit ab-
zuschließen schien, blieb Bruckner vor der Schwester stehen.
„Ich studier mir 's Hirnkastl aus, aber ich find nix Bessers.
Bleibst bei mir im Haus, so is 's Unglück fertig. Das mußt
doch selber einsehen, nach dem, was heut am Berg droben
passiert is! Oder net?"

Mali nickte.

„Daß ich dich net gern fortlaß, kannst dir doch denken."
Mit kummervollem Blick streifte der Bauer das schlafende Kind.
„Aber jetzt geht's schon nimmer anders, jetzt muß ich schon
allein mit'm Schädel durch b' Wand. Und am besten, du gehst
gleich morgen in der Fruh. Dein Kuser schick ich dir mit'm
Boten nach. Is dir's recht so?"

Mali schob sich hinter dem Tisch hervor, ging zum Sofa
und streifte mit der Hand über das Haar des Kindes. „Magst
mir 's Netterl net mitgeben? 's Kind is graten in meiner Sorg.
Und b' Schwester hätt die größte Freud."

Er schüttelte heftig den Kopf. „D' Schwester hat selber
kleine Mäuler guug. Und wenn ich net einmal mehr meine
Kinder beinand haben sollt, was hätt ich denn noch? Ich gib

keins her! Der Bub und 's Madl spüren's net feindlich,
wenn s' dich nimmer haben, die sind schon übers Gröbste naus,
und fürs Netterl ... ein paar Tag lang hilft mir b' Nachbarin
aus, und nacher muß ich mich halt um ein richtigs Weibsbild
umschauen ... soll's kosten, was 's mag! Lieber schind ich mich,
daß mir 's Blut bei die Nägel rausspritzt! ... Aber jetzt leg
dich schlafen! Die halbe Nacht ist eh schon wieder beim Teufel!"

Trotz dieser Mahnung gingen noch lange Stunden vorüber, ehe hinter den Fenstern des Brucknerhauses das Licht
erlosch.

Der folgende Tag, ein Sonntag, brachte das ganze Dorf in
Aufregung. Aber dieses Getratsch und Gerede, das nach dem
Hochamt aus der Kirche in alle Häuser getragen wurde, hatte
nichts mit der Tatsache zu schaffen, daß am frühen Morgen die
Bruckner=Mali mit einem kleinen weißen Bündel und rot ge-
ränderten Augen zum Dorf hinaus gewandert war. Was diese
allgemeine Aufregung verursachte, war die nach der Predigt von
der Kanzel erfolgte Verkündigung: ‚Zum heiligen Bund der
Ehe haben sich versprochen der ehr- und tugendhafte Jüngling
Andreas Pointner und die ehr- und tugendsame Jungfrau
Elisabeth Zauner, beide allhier.'

Auch Patscheider, der gegen zwölf Uhr mittags vor dem
Seehof aus einem Einspänner stieg und ein Schiff verlangte,
bekam die große Neuigkeit zu hören. Er zuckte nur die Achseln
und sprang in den Kahn. Als er beim Wetterbach landete,
begann er mit treibendem Marsch bergan zu steigen und traf,
wie er es seinem Herrn zugesagt hatte, noch vor der ‚guten
Zeit' im Palais Dippel ein. Graf Egge stand vor der Hütte,
schon zum Pirschgang fertig; mit der Büchse auf dem Rücken,
las er einen Brief, dessen zerrissenes Kuvert auf der Erde lag.
Moser, der mit dem Hut in der Hand vor Graf Egge stand,
schien diesen Brief soeben gebracht zu haben. Auch Franzl war
schon für den Jagdweg gerüstet; er saß auf der Hüttenbank und
sah, als Patscheider kam, mit fragendem Blick zu ihm auf; der
Jäger nickte und trat in die Hütte.

Graf Egge hatte zu Ende gelesen und schien in Erregung
mit einem Entschluß zu kämpfen; dann plötzlich wandte er sich
zu Moser und fuhr ihn an: „Was kommst du auch gerade jetzt
mit dem Brief daher? Ich kann doch jetzt nicht schreiben, ich
versäume ja die Pirsch!" Wieder überlegte er; aber diese Un-

entschlossenheit währte nicht lange; er schob den Brief in die Joppentasche. „In Gottesnamen! Bring ihr halt die Antwort mündlich. Ich bin damit einverstanden, daß die Damen übermorgen reisen, aber . . ." Er biß am Schnurrbart und suchte nach Worten. „Sie sollen sich in München nicht länger als nötig aufhalten. Im Palais ist alles versperrt und verriegelt, und der Kampfergeruch könnte ihnen Kopfweh machen. Es ist besser, sie bleiben über Mittag in einem Hotel und fahren gleich nach Tisch mit dem Kurierzug weiter. Das erspart ihnen auch überflüssige Besuche." Es zuckte um Graf Egges Augen. „Von Eggeberg sollen sie mir eine Depesche schicken, daß sie glücklich angekommen sind. Ich schreibe dann schon . . . wenn ich Zeit habe. Und meiner Tochter kannst du sagen, es hätte mich ehrlich gefreut, daß sie morgen noch zu mir heraufkommen wollte. Aber das darf ich ihr nicht zumuten. Diese paar Tage sind m i r in die Knie gegangen . . . um wie viel elender muß das arme Mädel sein. Sie soll sich schonen für die Reise. Und ich laß ihr gute Fahrt wünschen! R e c h t gute Fahrt! Und glückliche Ankunft in Eggeberg. Und einen guten Winter. Sag ihr das! Ich schreibe schon bald. Und vielleicht komm ich nach der Brunft, bevor ich reise, auf einen Sprung nach Eggeberg. Mein Bruder hat freilich eine Jagd, daß Gott erbarm! Aber dem Mädel zu lieb! Sag ihr das!" Er rückte den Hut. „Hornegger, komm!" Graf Egge folgte dem Steig und fragte, als Franzl ihn einholte: „Wo, meinst du, daß der Bock steht?"

Drei Stunden später, als es dämmerte, brachte Franzl die von seinem Herrn erlegte Gemse zur Dippelhütte getragen. Aber die Laune, in der Graf Egge nach Hause kam, war eine andere, als sie sonst nach einem glücklichen Schuß zu sein pflegte. Auf der Pirsche hatte er den Augenblick, in dem er Feuer geben konnte, kaum erwarten wollen; als ihm aber die Beute zu Füßen gelegen, hatte er das Gehörn ohne Freude betrachtet; und auf dem Heimweg besprach er nicht, wie sonst, mit eingehender Umständlichkeit den Verlauf der Jagd, sondern war von mürrischer Schweigsamkeit.

Nach der Mahlzeit gab es eine böse Szene zwischen ihm und Patscheider, der seinen Dienst kündigte. Graf Egge schrie, daß die Fenster klirrten.

Franzl ging zum Brunnen, um nicht wider Willen hören zu müssen, was in der Stube verhandelt wurde. Es währte faſt eine Stunde, bis in der Hütte wieder Ruhe war. Als Franzl in die Herdſtube zurückkehrte, packte Patſcheider mit zitternden Händen ſeinen Rucſack, während in der Herrenſtube die Saiten klangen.

„Gott ſei Dank, Franzl, jetzt hab ich's überſtanden! Mein Packl trag ich freilich mit fort. Aber jetzt kann ich doch wieder mit Ruh an Weib und Kinder denken.“

„Aber Michl! Was is denn? Warum packſt denn jetzt?“

„Fort ſoll ich, gleich auf der Stell, hat er gſagt. Heut hat er's m i r gmacht, wie ſelbigsmal d i r! Statt daß er ein Einſehen ghabt hätt mit meiner armen Seel. Statt daß er ſelber froh gweſen wär über den Ausweg, den mein Erbarmen mit dem armen Teufel von Vater . . .“ Patſcheider verſchluckte den Reſt des Satzes. „Aber da hab ich mich nimmer halten können. Und alles hab ich ihm grabaus ins Gſicht gſagt, was ich die ganze Zeit her in mich nunterdruckt hab. Alles! Alles!“

„Ja Michl, um Gottswillen, biſt denn noch gſcheit?“ ſtammelte Franzl. „Das weißt ja doch, daß er aufgregt is und hart im Holz! Und ſchau nur an, Michl, jetzt hat ihn das fürchtige Unglück troffen. So was dreht doch ein Menſchen um und um! Wie kannſt ihm denn da was übelnehmen? Ja Michl! Ja Michl!“

Patſcheider kratzte ſich den Kopf. „Vielleicht haſt recht, vielleicht hätt ich mir 's Maul verriegeln ſollen. Aber ich hab mich nimmer halten können. Es is mir auffigrumpelt. Er hat mir ja Sachen ins Gſicht gſagt . . .“ Der Zorn erwachte wieder in ihm. „Himmelkreuzteufel, ich hab ja rein glaubt . . .“

In der Stube ſchwieg die Zither, und Graf Egge rief mit heiſerer Stimme: „Wird da draußen bald Ruh werden!“ Dann klangen die Saiten wieder.

Die beiden Jäger ſprachen kein Wort mehr. Als Patſcheider den Bergſack auf den Rücken gehoben hatte, winkte er ſeinem Kameraden. Schweigend gingen ſie in der Nacht eine Strecke miteinander. Dann umklammerte Patſcheider Franzls Hand. „Bhüt dich Gott, Franzl! Und ich ſag dir Vergeltsgott, weil mir verlaubt haſt, daß ich mich um den Poſten umſchau. Daß ich d i c h net vergiß, da kannſt Gift drauf nehmen! Alles auder laß ich hinter mir . . . Kreuz drüber und fertig . . . aber dir, Franzl, dir bleib ich der Alte! Bhüt dich Gott, Kamerad!“

Er riß ihn an sich, küßte ihn ab wie ein zärtlich gewordener Bär und stolperte in die Nacht hinaus.

Franzl hatte kein Wort gefunden; doch als Patscheiders Schritte schon verhallten, rief er ihm nach: „Bhüt dich Gott, Michl! Laß dir's gut gehn, gelt!" Während er in die Hütte zurückkehrte, blieb er immer wieder stehen und blickte durch die Finsternis gegen das Tal hinunter. In der Jägerstube setzte er sich auf den Herd und starrte in die verglimmenden Kohlen. Seufzend erhob er sich endlich und suchte seine Liegerstatt im Heu.

Es waren unfreundliche Zeiten, die nun im Palais Dippel Einzug hielten. Graf Egges Laune wurde mürrischer von Tag zu Tag, und die rührseligen Stimmungen, die in der ersten Zeit noch ab und zu seine gallige Verbitterung für kurze Stunden lösten, wurden immer seltener. Jeder Mißerfolg auf der Jagd war die Veranlassung zum Ausbruch eines maßlosen Zornes. Kein Tag verging, ohne daß sich Franzl das ‚Unglück' seines Herrn in eindringliche Erinnerung rufen mußte, um seine geduldige Ruhe bewahren zu können; dabei lagen die Sorgen seines Herzens wie ein drückender Stein auf ihm. Und sein Beruf war ihm keine Freude mehr; immer bedenklicher schüttelte er den Kopf zu der Art und Weise seines Herrn.

Wie Graf Egge jetzt die Jagd betrieb, das war eine Hetze ohne Atemholen; am Morgen die Pirsche; untertags eine Treibjagd, am Abend wieder die Pirsche; was ihm dabei vor die Büchse kam, wurde niedergebrannt. Immer kürzer wurden die Fristen, die er in der Hütte verbrachte. Und in der Nacht ein dumpfer, schwerer Schlaf nach den erschöpfenden Strapazen des Tages. Am Morgen ging es wieder mit so blinder Hast zum Tempel hinaus, daß auf Graf Egges Stirn die Beule in Permanenz erklärt war. Keine Beute befriedigte ihn, kein Erfolg vermochte ihn zu sättigen. Es war nicht mehr die Jagd, was er suchte, nur noch die fieberhafte Erregung vor dem Schuß.

Eines Nachmittags, während der Gemspirsche, sahen sie zwei Adler über einer Felswand kreisen. Das brachte eine neue, willkommene Erregung. Graf Egge schoß die erste Gemsgeiße nieder, die ihm über den Weg sprang; sie wurde auf der Zinne der Wand als Köder ausgelegt, und während Franzl die Wache bezog, übersiedelte Graf Egge in Schippers Hütte.

Nach Verlauf einer Woche konnte Franzl seinem Herrn

die Meldung bringen, daß die Adler den Köder angenommen
hätten und regelmäßig einfielen.

„Wenn S' Ihnen jetzt die Müh net verdrießen lassen, Herr
Graf, die schießen S' alle zwei!"

Graf Egge besann sich, dann schüttelte er den Kopf.
„Schießen? Ich will m e h r davon haben! Die wirst du mir
füttern über den Winter. Vielleicht bleiben sie und horsten.
Dann hol ich mir die Jungen aus dem Nest. Das füllt mir
den Käfig wieder und bringt eine Abwechslung. Ich muß wieder
einmal was anderes haben, etwas, das mir das Blut von unten
herauf aufriegelt. Das ewige Gepulver wächst mir schon bald
zum Hals heraus."

Im Widerspruch zu diesem Geständnis machte jeder folgende
Tag ein paar Patronen leer. Während der Hirschbrunst gönnte
sich Graf Egge täglich kaum ein paar Stunden Ruhe; es war
Vollmondzeit, und so benützte er auch die Nächte zum Ansitz,
ohne sich viel um die rheumatischen Schmerzen zu kümmern,
die sich zur Abwechslung im l i n k e n Knie zu rühren begannen,
das bisher von diesem Uebel noch immer verschont geblieben
war. Er erinnerte sich der halben Unterhose, die er im Sommer
erspart hatte, und es setzte ein böses Wetter, als das wollene
Bein nicht gleich gefunden wurde. Aber diesmal wollte die
Wärme der Wolle so flink nicht helfen. Graf Egges Gang wurde
immer mühsamer, sein Gesicht bekam eine gelbliche Färbung,
und seine Augen fielen tief in die Höhlen. Aber solange auf
den Almen und im Bergwald noch ein Brunftschrei zu hören
war, gönnte er sich keine Ruhe. Im Verlaufe von drei Wochen
brachte er neunzehn Hirsche auf die Decke. Den letzten erlegte
er am Morgen des sechzehnten Oktobers, obwohl mit dem Tage
vorher schon die Schußzeit zu Ende gegangen war. Vom aufge-
brochenen Hirsch hinweg trat er den Abstieg an und ließ, in
Schloß Hubertus angekommen, den Doktor holen. Dieser riet ihm
eine Luftveränderung, den Besuch eines milden Klimas — und
unverzüglich befolgte Graf Egge diesen Rat; doch schien er dabei die Himmelsgegenden zu verwechseln, denn er reiste am
folgenden Morgen zu den Elchjagden nach Finnland ab. Zu
seiner Bedienung und Pflege nahm er Schipper mit, der in
der Brunftzeit wieder zu hohen Gnaden gekommen war, da er
seinen Herrn auf zehn Hirsche zu Schuß gebracht hatte.

Franzl atmete auf; sein erstes war es, daß er sich im Palais

Dippel einen Tag und eine Nacht ins Heu vergrub, um in einem bleiernen Schlaf seine zerriebenen Knochen rasten zu lassen. Als er erwachte und vor die stille Hütte trat, lag ein schimmernder Herbstmorgen über den Bergen, deren höchste Zinnen schon die erste Schneekappe trugen. Franzl kam sich vor wie eine aus dem Fegfeuer erlöste Seele; in dieser einsamen Ruhe fühlte er sich selbst wieder, empfand, daß er lebte. Nach dem Frühstück, das ihm seit langen Wochen zum erstenmal wieder mundete, nahm er seine Büchse und wanderte den ganzen Tag in seinem Bezirk umher; er ruhte im rauschenden Wald, rastete auf sonnbeschienenen Gehängen, sah mit träumenden Augen die ragenden Wände an und beobachtete, wie das versprengte Wild sich wieder zu sammeln begann. Und die Freude an seinem Beruf, die ihm in den letzten Wochen fast verloren gegangen war, begann in seiner Seele wieder warm zu werden. Und noch etwas anderes fand er in dieser lächelnden Stille, bei diesem erquickenden Aufatmen: der wirre Sorgenknoten seines Herzens löste sich spielend, wie von selbst. Jetzt zum erstenmal konnte er ruhig überdenken, was er mit Mali erlebt hatte, und da wurde der schwarze Rabe, als der ihm das Mädchen erschienen war, immer weißer und weißer. Wohl fand er die Sache jetzt nicht weniger unbegreiflich, als früher. Aber der Gedanke an die offene Herzlichkeit, mit der ihm Mali vor jenem bösen Abend begegnet war, die Erinnerung an ihr vergrämtes Gesicht und an den angstvollen Klang der Stimme, mit der sie ihm jene Warnung vor Schipper zugerufen hatte — das waren stärkere Trümpfe, als die verriegelte Haustür und der Besuch des Mädchens in der Dippelhütte. Hinter der Sache mußte etwas stecken, was er nicht erraten, nicht ahnen konnte. Und um darüber ins klare zu kommen, wußte er keinen besseren Weg, als mit einer offenen Frage vor das Mädchen hinzutreten.

Getröstet und von neuer Hoffnung erfüllt, kehrte Franzl mit diesem Entschluß am Abend ins Palais Dippel zurück. Er fand in dieser Nacht einen Schlaf mit seligen Träumen. Am folgenden Tage hielt ihn noch die Pflicht auf den Bergen fest: mit Hilfe zweier Holzknechte mußte er einen Spießhirsch, den Graf Egge am letzten Tage niedergebrannt hatte, als Köder für die beiden Adler auf die Höhe der Felswand schaffen. Um zwei Uhr mittags kehrte er von dieser Arbeit zurück, schloß am Palais Dippel die Fensterläden, versperrte die Türe, und nun

·rannte er wie ein Narr, um noch vor Einbruch der Dämmerung das Dorf zu erreichen.

Als er am Seehof vorübersauste, wurde in der Wirtsstube schon die Lampe angezündet; doch über der Straße lag noch ein fahles Zwielicht, und noch ehe Franzl den Zaun des Brucknerhauses erreichte, konnte er schon die Gestalt des Mädchens gewahren, das langsam im Hof umherwanderte und das in eine graue Kotze gewickelte Netterl auf den Armen trug. Das Herz schlug ihm wie ein Hammer. Doch als er in den Hof trat, riß er Mund und Augen auf und starrte die ihm fremde, grobknochige Person an. „Ja um Gottswillen, wer bist denn du?"

„'s Kindsmadl bin ich, beim Bruckner."

„Kindsmadl? Zu was braucht denn der Bruckner fremde Leut im Haus? Is ja doch b' Schwester da!"

„Ja bist denn du außer der Welt daheim? Weißt denn gar nix? D' Mali is ja schon lang nimmer im Ort!"

Franzl verfärbte sich.

„Die is zu ihrer Schwester naus ins Unterland. Ja! Jetzt bin ich da!"

Franzl stand eine Weile auf den vorgestreckten Bergstock gestützt. „Da wünsch ich gut Nacht!" Und langsam, immer den Kopf schüttelnd, ging er der Straße zu.

„Mir scheint, bei dem rappelt's!" brummte die Magd.

Vor dem Zaun blieb Franzl noch einmal stehen, blickte über den Hof zurück, schob den Hut in die Stirne und rieb den Nacken. „Jetzt is a l l e s verriegelt ... aus und gar! Jetzt mach ein Schnapper, mein Herzl, daß dich wieder verfangst!"

Schon am folgenden Morgen stieg er wieder zur Dippelhütte hinauf, obwohl er für diesen Tag zur Hochzeit des seinen Lieserls und des Pointner-Andres geladen war. Seine Mutter hatte ihm zugeredet, die ‚Gaudi' mitzumachen, denn sie hatte gehofft, daß Franzls gedrückte Stimmung sich beim Klang der Geigen und Klarinetten aufheitern möcht'. Am Abend aber dankte sie dem lieben Herrgott mit aufgehobenen Händen, daß ihr Bub ‚nicht dabei' war — denn der Hochzeitsjubel hatte ein sonderbares Ende genommen.

Die Braut, die neben dem Ehering einen Reif mit funkelndem Rubin am Finger trug und gleich einer ‚städtischen Hochzeiterin' in ein weißes Atlaskleid mit langer Schleppe gekleidet war, tanzte so fleißig mit den zur Hochzeit geladenen Burschen und besonders mit dem jungen Postpraktikanten, daß der Bräutigam unruhig wurde. Meister Zauner wollte vermitteln; er zog sein Töchterlein beiseite und flüsterte ihr ein paar einbringliche Worte ins Ohr.

„Jetzt bin ich Frau, versteht der Herr Vater?" antwortete das seine Lieserl. „Jetzt tu ich, was ich mag! Ein bißl was muß ich doch haben davon, daß ich mich aufgeopfert hab!" Und lachend trat sie mit dem Postpraktikanten zu einem Walzer an.

Immer eifriger sprach der Bräutigam in seiner wachsenden Unruhe dem Weinglas zu. Einmal griff er über den Tisch und zupfte die Zaunerin am Aermel: „Was sagen S', Frau Schwiegermutter . . . mein Lieserl schaut sich heut net arg viel um auf mich! Das verdrießt mich aber recht!"

„Aber so laß ihr doch heut noch das bißl Vergnügen!" lautete die ärgerliche Antwort. „Sie ghört ja nacher 's ganze Leben lang dein!"

Der Bräutigam nickte und saß wieder geduldig, von diesem Trost beruhigt, auf seinem einsamen Platz. Als aber Stunde um Stunde verging, ohne daß Lieserl den Tanzsaal verließ, erhob er sich endlich, suchte sein Bräutlein auf und sagte gekränkt: „Ja Weiberl, was is denn? Schaust dich denn gar nimmer um auf mich? Und ich bin doch heut die Hauptperson!"

Lieserl gab eine Antwort, die den Pointner-Andres erblassen machte. Er legte seine Bärenfaust mit eisernem Griff um das schlanke rosige Handgelenk der Braut, zog sie trotz ihres Sträubens zur Hochzeitstafel und hielt sie an seiner Seite fest. Die Zaunerin ereiferte sich über diese ‚ungehobelte Gwalttätigkeit', Meister Wastl zog sich schwermütig mit seiner Weinflasche in das Extrastübchen zurück, um die Sache nicht länger mit ansehen zu müssen, und das seine Lieserl weinte vor Zorn. Als der Postpraktikant, dem sie die nächste Quadrille zugesagt hatte, sein Recht zu fordern kam, sagte der Bräutigam: „Nix da! Jetzt bleibt mein Lieserl bei mir!" Es gab einen Wortwechsel, ein paar Bursche faßten die Situation unter dem Gelächter der ganzen Hochzeitsgesellschaft in drastisch wirkende Schnaderhüpfl, der Bräutigam warf einem der Sänger das Weinglas ins Gesicht, und die Folge war eine blutige Keilerei. Bei d i e s e m Tanz war der Pointner-Andres der Begünstigte; er machte bei der Säuberung des Tanzlokales so gründliche

Arbeit, daß nur die Musikanten noch zurückblieben. Sie mußten
einen Marsch anstimmen, und unter schmetternden Klängen ließ
sich der sieghafte Bräutigam, sein junges Weib mit festem Griff
an der Hand führend, das Geleit nach Hause geben.

***

13.

Am Allerseelentag fiel der erste Schnee über die Dächer
des Dorfes, während er auf den Bergen schon tischhoch lag.

Franzl hatte dort oben von Tag zu Tag ein übleres
Wandern. Trotzdem blieb er bis Ende Dezember in der Dippelhütte, um den Flug der Adler zu überwachen. Mitte November
hatte er aus Siebenbürgen von Graf Egge die telegraphische
Anfrage erhalten: ‚Sind sie noch da?‘ Und vier Wochen später
war eine ähnlich lautende Frage aus dem Banat gekommen,
wohin Graf Egge zu den Bärenjagden gereist war.

Am Tage vor Weihnachten suchte Franzl unter wirbelndem
Schneegestöber den Heimweg ins Dorf.

Einen der Feiertage benützte er, um dem alten Moser einen
Besuch abzustatten. Im Park von Hubertus herrschte tiefe Stille,
und nur schmal ausgetretene Fußwege führten durch den hohen
Schnee; am Schloß waren alle Fensterläden geschlossen und
die Hirschgeweihe von der Mauer abgenommen; der Teich war
zugefroren, die Fontäne abgedreht und das Rohr mit Stroh
umwickelt; der Adlerkäfig in der Ulmenallee stand leer, und
in dicken Klumpen hing der Schnee am Drahtgitter — die
Sommergäste des Käfigs hatten das Winterquartier in der
Remise bezogen.

Nun kam auch im Dorf für Franzl eine Reihe von harten
Wochen. Die Ueberwachung der Wildfütterung, die Zurichtung
der Marderfallen und das Legen der Fuchseisen hielt ihn jeden
Tag vom Morgen bis zum Abend auf den Beinen. Wohl waren
für Patscheider und Schipper zwei neue Jäger in Dienst getreten, aber sie mußten erst in das Revier eingewiesen werden,
bevor ihnen Franzl einen Teil der Arbeit übertragen konnte.
Jede zweite Woche stieg er durch den zähen, tiefen Schnee zum
Palais Dippel hinauf, um den Adlern frische Kirrung zu legen
— und die Wahrnehmung, daß der gelegte Köder regelmäßig

verschwand, ließ ihn immer aufatmen; denn Moser hatte mit
Ende Januar den Auftrag erhalten, regelmäßige Berichte an
Graf Egge zu senden, der vom Banat an die untere Donau
übergesiedelt war, um bis zum Aufgang der Auerhahnbalz auf
Wasserwild zu jagen.

Noch in jedem vergangenen Winter hatte Franzl die gleichen
Strapazen gesund und lachend übertaucht. In diesem Winter
aber wurde sein Gesicht so schmal, seine Gestalt so hager, daß die
Horneggerin mit Sorgen kein Ende fand.

Die letzte Märzwoche brachte einen brausenden Föhnsturm,
der dem kalten Winter einen heißen Schreck in das Eisherz
jagte. Ueberall im Tal schüttelten die Bäume den weißen Pelz
von ihren Zweigen, auf allen sonnseitigen Gehängen der Berge
schmolz der Schnee, und das Hochwild verließ — für den
Jäger das erste Frühlingszeichen — die Futterplätze, um die
ergrünenden Almen aufzusuchen.

Franzl schlug sein Quartier wieder in der Dippelhütte auf.
Die Horneggerin sah ihn gerne ziehen, denn sie klammerte sich
an die Hoffnung, es möchte ihrem Buben da droben in der
Luft seiner geliebten Berge ein wenig wohler ums Herz werden.

Aber seine Schwermut blieb die gleiche, obwohl ihm die
Arbeit, die es nun zu leisten gab, keine Zeit zu zwecklosem Grübeln
vergönnte. Während er dem neuen Kameraden, der mit ihm
das Heulager in der Dippelhütte teilte, den Schutzdienst im Bezirk überließ, war er vom ersten Morgengrauen bis zum sinkenden Abend auf den Füßen, um hoch im Gewänd den Kirrungs-
platz der Adler zu überwachen und tief im Bergwald die Balzplätze der Auerhähne aufzusuchen.

Am Abend des Palmsonntages, der in die dritte Aprilwoche
fiel, schickte ihm Moser ein Brieflein des Inhaltes: ‚Morgen
kommt der gnädig Herr Graf, er will dich gleich haben, hat
er bellagrafiert. Um zehne kommt er, also schau, daß bei der
Hand bist, sonst gibt's Spitakl — dein lieber Moser.‘ Franzl
trat sofort den Heimweg an und stellte sich rechtzeitig in Hubertus
ein. Das Schloß hatte bereits seine Frühlingstoilette gemacht:
die Geweihe hingen an der Mauer, die Fontäne plätscherte,
die Rosenstämmchen waren schon aufgebunden, und in der Ulmenallee, deren Bäume von einem zartgrünen Schimmer überhaucht
waren, saßen die fünf Adler hinter dem Gitter. Einer der
Vögel trauerte; den Kopf zwischen die Schultern geduckt, saß

er auf der Stange und blähte das Gefieder auf, als wäre ihm
nicht mehr behaglich, in seiner Haut. Moser, der gerade die
Fütterung erledigte, redete mit Franzl ein langes und breites
über die Sache.

„Ich kann mir gar net denken, was der Vogel hat? Die
Gschicht is rein wie verhext. Ich bin gwiß net abergläubisch,
ich bin einer von die Aufklarten. Aber da gschieht wieder was
im Haus! Und nix Guts net! Wirst sehen . . .“ Moser verstummte, denn er hörte von der Straße her das Rollen eines
Wagens.

Mit raschem Trab, dessen Hufschlag der weiche Kiesgrund
dämpfte, kamen die Pferde durch die Ulmenallee. Den Schoß
von einer rot eingefaßten Pantherdecke überbreitet, saß Graf
Egge allein in der offenen Kalesche; er trug einen dunkelgrünen
Jagdanzug mit Lederknöpfen, einen neuen, grauen Havelock
und dazu seinen alten verwitterten Filzhut, auf dem die Reiher-
federn in dickem Büschel nickten.

Franzl, über dessen Stirn eine dunkle Röte schlug, als er
Schipper nicht gewahrte, eilte dem Wagen entgegen. „Grüß Gott,
Herr Graf, und Weidmanns Heil bei uns daheim!“ Fast brachte
er die letzten Worte nicht mehr über die Lippen — so heftig erschrak er, als er in der Nähe das Gesicht seines Herrn sah; es
hatte eine fahlgelbe Färbung, wie verregnetes Heu, der Mund
war bitter verzerrt, jede Furche schärfer geschnitten, und die
tiefliegenden Augen hatten fieberhaften Glanz.

Graf Egge stieg mit gebeugtem Rücken und etwas steifem
Fuß aus dem Wagen; er dankte für den Gruß des Jägers nicht;
sein erstes Wort war die Frage: „Was machen die Adler?“

„Sie horsten bei uns.“

Langsam streckte sich Graf Egges Gestalt, und in Erregung spannten sich seine schlaffen Züge. Er legte die Hand
auf Franzls Schulter, atmete tief und nickte lächelnd. Ohne
ein Wort zu sprechen, ließ er sich von Fritz und Moser begrüßen
und trat ins Schloß. Zuerst öffnete er die Türe der Kruden-
stube und warf einen Blick über die Wände; dann ging er in
das Speisezimmer, wo zum Frühstück für ihn gedeckt war.
Neben dem Kuvert lag die in den letzten Tagen eingetroffene
Post.

„Hornegger soll kommen!“ befahl Graf Egge, als Fritz
zu servieren begann.

Franzl mußte am Tisch Platz nehmen und die Revier-
geschichte des Winters erzählen. Graf Egge unterbrach zuweilen
diesen Bericht mit einer Frage; dazu aß er einige Bissen und
öffnete die Briefe. Unter ihnen war ein Nachzügler der schwarzen
Rechnungen: eine Forderung für ‚Kranzschleifen mit Gold-
druck‘.

Graf Egges Gesicht verzerrte sich, und in bebendem Zorn
schleuderte er das zerknüllte Blatt unter den Tisch. „Das nimmt
ja kein Ende mehr! Ich will Ruhe haben! Ruhe!“ Er drückte die
Fäuste an seinen Kopf und sagte nach einer Weile zu Franzl,
der erschrocken verstummt war: „Erzähle weiter! Wann hast
du die Hütte bezogen?“

„Am vierten April, Herr Graf! Und da hab ich mir
gleich denkt, daß die Adler horsten müssen. Denn ’s Weiberl is
verschwunden gwesen, und die ganze Zeit her hab ich nur allweil ’s kleinere Manndl streichen sehen. Seit drei Tag aber
sind s’ wieder alle zwei am Flug. Es müssen die Jungen schon
ausgfallen sein.“

Diese Meldung schien Graf Egges Erregung zu beschwichtigen. „Wo liegt der Horst?“

„Den hab ich noch net gfunden, Herr Graf,“ gab Franzl
etwas kleinlaut zur Antwort.

„Was? Den Horst nicht gefunden?“ Es gewitterte wieder
auf Graf Egges Stirne.

„Ich bitt, Herr Graf ... das können S’ Ihnen doch
denken, daß ich mir kein Müh net verdrießen hab lassen.
D’ Füß hab ich mir schier abgrennt ... aber es is wie verhext,
ich kann den Horst net finden!“

„Da muß ich wohl selber die Augen aufmachen! Und
wenn ich den Horst nicht finde, so findet ihn Schipper, das
weiß ich!“

Franzl hatte keine Antwort mehr, und Graf Egge sprach
nicht weiter, da er auf einem der noch uneröffneten Briefe die
Handschrift der Adresse erkannt hatte. Hastig öffnete er und las:

‚Schloß Eggeberg, den 16. April.

Verehrte Erlaucht!

Es ist uns wohl seit acht Wochen nicht mehr die Freude
zuteil geworden, über Erlaucht Aufenthalt und Befinden eine
Nachricht zu erhalten. Da jedoch mit den nächsten Tagen die

Eröffnung der Auerhahnjagd bevorsteht, darf ich wohl vermuten, daß diese Zeilen Erlaucht sicher in Hubertus finden werden. All diese letzten Tage her habe ich das Schreiben immer geschoben, da ich Bedenken trug, Erlaucht in Ihrem Jagdvergnügen durch eine Familiensorge zu stören. Aber die Pflichten meiner Stellung zwingen mich nun doch, Erlaucht die offene Mitteilung zu machen, daß sich Konteß Kittys schwermütige Stimmung während der beiden letzten Monate in besorgniserregender Weise verschlimmert hat. Da wir dem hiesigen Dorfarzte nicht genügendes Vertrauen schenkten, sah sich Graf Benno veranlaßt, eine medizinische Kapazität aus Würzburg zu berufen. Ich kann nun Erlaucht allerdings zur Beruhigung mitteilen, daß der Professor in Konteß Kittys Zustand ein akutes Leiden nicht zu erkennen vermochte. Doch konstatierte er eine durch schwere Gemütserschütterung verursachte seelische Depression, die zu einer ernstlichen Gemütskrankheit führen könnte, wenn sie nicht bald durch eine in reicher Abwechslung gebotene Zerstreuung und Aufheiterung behoben würde. Eine solche Kur vermag nun freilich das stille und gleichmäßige Leben auf Eggeberg nicht zu bieten. Ich hielt es für meine Pflicht, diesen Einwand zu erheben und an den Herrn Professor die Frage zu stellen, ob nicht etwa von einer Reise — vielleicht von einer Reise nach dem Süden — eine heilsame Wirkung für das arme Kind zu erhoffen wäre. Mit diesem Vorschlag war der Professor völlig d'accord und erklärte, daß sich von einer solchen Reise — er brachte Sorrent oder Capri in Vorschlag — der beste Erfolg erwarten ließe. Und nun bitte ich Erlaucht, in dieser Sache eine für Konteß Kitty günstige und möglichst rasche Entscheidung zu treffen. Hätten Erlaucht für den von Monat zu Monat verschobenen Besuch in Eggeberg doch endlich Zeit gefunden, so würde das blasse Gesichtchen des armen Kindes gewiß so eindringlich zum Herzen des Vaters gesprochen haben, daß Erlaucht selbst die Notwendigkeit eines raschen Eingreifens erkannt hätten. Indem ich hoffe, daß diese Zeilen Erlaucht bei wünschenswertem Wohlsein und in bester Jagdlaune finden möchten, grüße ich als

Erlaucht ergebenste

Gundi Kleesberg.'

Graf Egge ließ den Brief sinken und sah zur Zimmerdecke, an der die ausgestopften Adler hingen. Sorge und Aerger sprachen in sonderbarer Mischung aus dem unruhigen Spiel seiner Züge. Die Stirn in wulstige Falten gelegt, erhob er sich und wanderte, als hätte er Franzls Anwesenheit vergessen, mit langen Schritten um den Tisch. Vor einem Fenster blieb er stehen und drückte die Hand an den Hinterkopf, als hätte er Schmerzen im Genick. „Die arme Geiß! Wenn ich nur könnte ... ich wäre morgen bei ihr! Aber ..." Schwer seufzend zog er die Finger durch den Bart und wandte sich zu dem Jäger. „Seit wann, sagst du, streichen die beiden Adler wieder?"

„Seit drei Tag, Herr Graf."

„Dann sind schon die Jungen im Horst! Die könnten flügg sein, bevor ich wieder heim käme!" Ueberlegend sah Graf Egge durch das Fenster gegen die Berge und schüttelte den Kopf. „Ich kann nicht! Mit dem besten Willen nicht!" Er ging zum Tisch, ließ sich das Schreibzeug bringen, riß von Tante Gundis Brief das letzte unbeschriebene Blatt ab und kritzelte die Depesche: ‚Gundi Kleesberg, Schloß Eggeberg. Willige in alles, da sehr in Sorge um arme Geiß. Reisen Sie sofort und senden Sie wöchentlich ausführliche Nachricht. Gruß und Kuß für Kitty. Wäre selbst gekommen, doch leider bringend abgehalten. Reisegeld telegraphisch angewiesen — Egge.' Bedächtig überlas er das Geschriebene, strich ein paar überflüssige Worte, und schrieb die telegraphische Anweisung an das Münchener Bankhaus. „Hornegger! Hier ist Geld! Trag mir die beiden Depeschen auf die Post! Eil dich! Bis du zurückkommst, bin ich fertig für den Berg. Und bin ich einmal droben, so wird der Horst bald gefunden sein. Also weiter!"

Franzl machte lange Füße. Als er durch die Ulmenallee rannte, erschien im Parktor ein rasselnder Leiterwagen, beladen mit sieben riesigen Elchgeweihen und vier großen Kisten, in denen sich die von Graf Egge auf der Winterreise erbeuteten Bärenfelle und Vogelbälge befanden. Neben dem Kutscher, auf einem über die Leitern gelegten Brett, saß Schipper in der durch die lange Reise übel mitgenommenen Büchsenspanner-Livree, das Lederfutteral mit Graf Egges Lieblingsbüchse über den Knien. Als er den Jäger gewahrte, machte er die grauen Augen klein und verzog den Mund.

Wie eine Flamme schlug es über Franzls Gesicht, dann er-

blaßte er wieder. Zögernd griff er an den Hut, nickte einen
stummen Gruß und ging vorüber.

Als er im Postbureau vor dem Schalter stand, hinter dem
der junge Beamte die Worte der beiden Depeschen zählte, kam
der Pointner-Andres, mit einem dickgesiegelten Geldbrief in
der klobigen Hand, die Kleider bedeckt vom Staub des Stein-
bruches.

„Grüß Gott, Andres!" sagte Franzl zerstreut. „Hast auch
was zum Fortschicken?"

„Ja, da schau her, wieder ein Schüppel voll Advokaten-
gelder! Noch allweil Hochzeitskösten! Der Spaß, Brüderl, der
is teuer gwesen! Und ich mein' schier, er kostet mich noch mehr
als Geld!"

„Drei Mark! vierzig!" sagte der Beamte.

Franzl bezahlte und sah den jungen Bauer an, der mit
seltsam gereizter Stimme gesprochen hatte. „Was is denn,
Andres, hast ein Verdruß ghabt?"

„Ich? Ein Verdruß? Gott bewahr!" Der Pointner-Andres
lachte gezwungen. „Ich sitz ja drin im Glück, wie der Kuchel-
schwab in der Zuckerbüx! Hab Haus und Hof und die allerschönste
Bäuerin dazu! Ja, die allerschönste! Hab ich net recht, Herr
Praktikant?"

Der Beamte hinter dem Schalter zuckte die Achseln und
brummte ein paar unverständliche Worte.

„So reden S' doch, Herr Praktikant, schenieren S' Ihnen
net! Die Augen des Pointner-Andres funkelten, und seine
Stimme wurde heiser. „Sie müssen doch wissen, wie bsonders
schön mein Lieserl is! Wie b' Leut sagen, kommen S' ja oft
guug auf Bsuch zu mir ins Haus. Schad, daß ich nie daheim
bin ... es tät mich recht freuen, wenn wir zwei einmal
zammttreffen möchten!"

Der Praktikant fuhr auf: „Ich verbitte mir diese Redereien!
Hier ist Bureau und Amtsstunde! Geben Sie Ihren Brief her!"

Der Pointner-Andres warf den Brief auf das Zahlbrett
und lachte.

„Bhüt dich Gott, Andres!" wollte Franzl sagen, aber es
verschlug ihm die Rede. Den Kopf schüttelnd ging er seiner
Wege.

In Schloß Hubertus fand er den ganzen Flur mit den halb-
ausgepackten Kisten verstellt. Moser sortierte die Vogelbälge,

beren bunte Federn den Boden des Flurs wie mit einem Chaos
leuchtender Farben bedeckten, und Graf Egge, schon für die
Bergfahrt gerüstet und mit der Büchse auf dem Rücken, diktierte
dem Diener die Adressen der Präparatoren, an die man die
Bälge zum Ausstopfen schicken sollte. Solange Graf Egge noch
beschäftigt war, durfte Franzl die Elchgeweihe und Bärenfelle
bewundern und die farbenreichen Bälge der Reiher, Pelikane,
Singschwäne, Wildenten, Taucher und Falken bestaunen. Dann
sagte sein Herr: „Jetzt komm! Mir brennt die Ungeduld in
allen Knochen. Ich muß die Adler heute noch streichen sehen."

Einige Minuten später wanderten sie durch die Ulmenallee
davon. Als sie auf die Straße traten, legte Graf Egge die
Hand auf Franzls Schulter. „Du bleibst bei mir auf der Hütte!
Der andere soll nur wieder seinen Bezirk übernehmen . . . der
Kerl hat mich während der Reise grün und blau geärgert und
hat mir das Geld aus der Tasche gezogen wie ein Sizilianer!"

Eine Weile folgten sie der Straße, dann lenkte Graf Egge
in die Wiesen ein und suchte auf einem Umweg die Kirche.
Fast eine Viertelstunde blieb er im Friedhof, während Franzl
vor dem Gitter warten mußte.

Als die beiden ihren Weg wieder aufnahmen, rannte mit
erregter Hast eine derbknochige Dirne an ihnen vorüber.

Es war die Magd des Bruckner-Lenzi. Sie lief, daß ihre
Röcke flatterten; und als sie die Wohnung des Doktors erreichte,
riß sie an der Glocke, daß der Hall das ganze Haus durchschrillte.

Der alte Herr öffnete selbst die Türe. „Was gibt's?"

„Ich bitt schön, der Herr Dokter soll zum Bruckner kommen,
aber gleich! Unser Büberl hat's im Hals, das arme Hascherl
kriegt schon gar kein Luft nimmer."

„Ach du lieber Himmel!" murmelte der Arzt. „Schon wieder ein Fall!" Er eilte in die Stube, kam mit Hut und Ledertasche zurück und folgte der Magd. Ohne weitere Frage mußte
er, zu welcher Krankheit er gerufen wurde.

Seit Wochen ging im Dorf ein böses Gespenst von Haus zu
Haus, der grausame Würgengel der Kinder — und seit dem
Fasching war der Friedhof schon um sieben kleine Gräber reicher
geworden.

Als der Doktor eine Stunde später das Haus des Bruckner
verließ, begleitete ihn der Bauer bis zur Straße. Lenzi ging
gebeugt wie ein Greis, sein Gesicht war nur noch Haut und

Knochen, die Sorgen des Winters hatten ihm die Haare grau bestäubt, und seine Augen blickten unstet und kummervoll.

„Ich komme nach Tisch und am Abend wieder," sagte der Arzt, „befolgen Sie nur einstweilen ganz genau, was ich verordnet habe. Und vor allem: die Magd mit den beiden anderen Kindern muß hinauf ins Giebelzimmer, sie dürfen mit dem kranken Kind in keine Berührung kommen."

„Ja um Gottswillen . . ." Nur mühsam brachte der Bauer Wort um Wort heraus. „Steht's denn schon so schlecht, Herr Dokter? Is am End gar kein Hoffnung nimmer?"

„Solange man lebt, ist noch immer Hoffnung. Beruhigen Sie sich, Bruckner! Vielleicht bringen wir das Kind noch durch. Aber ich kann Ihnen den Vorwurf nicht ersparen, daß Sie ein wenig spät zu mir geschickt haben!"

Dem Bauer zog es den Kopf zwischen die Schultern, als hätten sich plötzlich in seinem Nacken alle Sehnen verkürzt. „Wie 's Büberl gestern zum klagen angfangt hat, is mir's freilich gleich durch'n Kopf gschossen: es wird doch ums Himmels willen net schon b' Halsbräune sein! Aber no, wie der Mensch halt is . . . ich hab mir wieder denkt: ah, Gott bewahr, der Hascher wird sich halt ein bißl verkühlt haben, und drum kachezt er halt! Und allweil gleich zum Dokter schicken . . . ich muß eh jeden Pfennig zweimal umdrehn . . . und b' Rechnung von meiner Resi selig bin ich eh noch allweil schuldig . . . nix für ungut, Herr Dokter!"

„Aber Bruckner! Hab ich Sie denn schon einmal gemahnt?" sagte der Doktor mit freundlichem Vorwurf. „Das hat Zeit, bis der Ostersonntag auf den Montag fällt."

Mit wortlosem Dank umklammerte der Bauer die Hand des Arztes.

„Vor allem besorgen Sie für das Kind eine verläßliche Pflegerin! Ihre Magd hat für die zwei anderen Kinder zu sorgen und darf die Krankenstube mit keinem Schritt betreten. Wie wär's denn mit Ihrer Schwester? Lassen Sie die Mali kommen! Das Mädel ist verläßlich und hat zur Kinderpflege eine gute, glückliche Hand. Das haben Sie am Netterl gesehen! Wenn Ihre Schwester wieder käme, das wäre der beste Ausweg."

Heftig schüttelte Bruckner den Kopf. „Na, Herr Dokter! So lieb mir's wär, aber . . ." Die Stimme versagte ihm.

Er suchte nach einer Ausrede. „D' Mali is in Horgau draußen beim Schwager ... der hat 's Haus voll Arbeit ... der kann b' Schwester net graten jetzt, um gar kein Preis net!"

„So? Na, vielleicht läßt sich darüber noch reden. Jetzt muß ich fort. Nach Tisch komm ich wieder. Und vorerst bleiben Sie selbst bei dem Kind, nicht wahr?"

Der Bauer nickte. „Kein Schritt geh ich vom Bettl!"

Der Doktor ging vom Bruckner weg zur Post und schickte ein Telegramm ab: ‚Amalie Bruckner, Horgau. Kommen Sie unverzüglich. Ein Kind Ihres Bruders schwer erkrankt. Brauche Sie zur Pflege. Doktor Eisler.'

Die Depesche tat ihre Wirkung. Schon am Abend des zweiten Tages kam Mali mit dem Botenwagen vor das Brucknerhaus gefahren. Auch i h r war es anzusehen, daß sie einen traurigen Winter hinter sich hatte. Mit sorgenvollem Blick überflog sie das Haus des Bruders, und es beängstigte sie, daß niemand in der Tür erschien, als der Wagen hielt und ihr Koffer abgeladen wurde. Doch als sie den Hof betrat, kam ein Mann in Hemdärmeln und mit blauer Leinenschürze aus dem Haus, in den Händen einen Zollstab, den er zusammenklappte — es war der Meister Schreiner.

Durch Malis Herz fuhr ein Gedanke, der sie zittern machte. Sie wollte eine Frage stellen, aber die Stimme gehorchte ihr nicht.

Der Meister grüßte das Mädchen. „Kommst dein Brudern trösten, gelt? Ja, so was is traurig. Grad hab ich Maß gnommen ... das kleine Schluckerl braucht keine großen Bretter."

„Jesus Maria!" stammelte Mali erblassend. Sie ließ ihr kleines Bündel fallen und rannte ins Haus.

Das graue Zwielicht des Abends lag in der Stube. Die anstoßende Kammer stand offen, und der matte zuckende Kerzenschein, der aus der offenen Türe fiel, beleuchtete den Bauer; er saß neben dem Tisch auf der Holzbank, die Fäuste über den Knien. Als die Flurtür aufgerissen wurde, hob er langsam das entstellte Gesicht. „Du? So? Du bist da?" Der unerwartete Anblick der Schwester rüttelte ihn nicht auf aus seinem dumpfen Schmerz. Mühsam hob er den Arm und deutete: „Da, in der Kammer ... schau, was drinliegt! Meine Resi hat sich Gsellschaft gholt für da drüben. Sie wird halt denken: bei dem da brunt is kein Bleiben nimmer. Und recht hat f'!" Er wollte lachen, aber es klang wie würgendes Schluchzen. „Wo mein Fuß hintritt, da steht ja 's Gras ab ... da wachst ja sieben Jahr kein Halmerl nimmer ... da geht alles z' Grund!"

Das Gesicht von Tränen überronnen, hatte sich Mali an die Seite des Bruders gesetzt. „Du armer Teufel du!" Ein anderes Wort des Trostes fand sie nicht, aber sie legte den Arm um seinen Hals, zog den Kopf des Bruders an ihre Brust und streichelte ihm das ergraute Haar.

Es wurde immer dunkler in der Stube, und immer heller strahlten in der offenen Kammer die tanzenden Kerzen-flammen.

Die ganze Nacht hindurch, bis zum hellen Morgen, wachten sie miteinander.

Am folgenden Tag — es war der Gründonnerstag — hatte Mali einen Weg um den anderen zu machen; denn die Be-erdigung sollte noch am Abend stattfinden, damit die Kar-freitagsfeier nicht gestört würde.

Gegen fünf Uhr kam der Geistliche mit dem Mesner, und eine Viertelstunde später war alles erledigt. Die paar Nachbars-leute, die dem kleinen Sarg das Geleit gegeben hatten, wurden von Mali zum üblichen ‚Gsturitrunk' geladen; er wurde beim Seewirt in der Schifferschwemme abgehalten; es gab Bier und Branntwein, Brot und Käse. Die ‚Schmausleut' nahmen nur einen der Tische ein; an den anderen Tischen saßen die zechenden Schiffer und Holzknechte, die bei Zitherklang und vollen Krügen sich wenig um den Tod kümmerten, der in der stillen Ecke nach alter Sitte begossen wurde. Aber je tiefer der Abend sank, je mehr die aus den Pfeifen qualmenden Wölklein die Stube ver-schleierten und die trüb brennende Hänglampe verhüllten, desto lebendiger wurde es auch am ‚Gsturitisch': die Männer sprachen laut durcheinander, vom Viehhandel und von der Aussaat, und die Weiber erinnerten sich der schönen ‚Grafenleich' vom vergangenen Herbst und riefen sich jedes Detail des feierlichen Pompes ins Gedächtnis zurück. „Ja, so ein Graf, wenn er stirbt, der hat's halt gut!"

Wortlos saßen der Bruckner-Lenzi und seine Schwester in-mitten dieses lärmenden Geschwatzes. Mit dumpfer Verloren-heit leerte der Bauer ein Glas um das andere, und immer ängst-licher betrachtete Mali den Bruder. Als die paar Stunden, die sie schicklicherweise am ‚Gsturitisch' verbringen mußte, endlich vorüber waren, zupfte sie den Bruder am Aermel und flüsterte ihm herzlich zu: „Geh, Lenzi, komm, geh mit heim!"

Er streifte die Schwester mit irrem Blick und schob sie mit dem Ellbogen von sich. „Laß mich sitzen! Ich muß aufgießen! Oder es bringt mich um!"

„Um Gotteswillen, Lenzi, schau, ich bitt dich, sei doch gscheit! Geh, komm mit heim zu deine Kinder!"

„Laß mich sitzen! Jetzt muß ich schon was haben, was mir 's roglige Blut in Ruh bringt! Sausen oder wildern! Büchs rühr ich keine mehr an, ich hab's verschworen ... da bleibt mir nur der Schnaps noch übrig."

Mali schwieg, denn der Bruckner war laut geworden, und die Schmausleute begannen aufzuhorchen. Mit kalkweißem Gesicht erhob sie sich, reichte jedem Gast zum Abschied die Hand und sagte mit erloschener Stimme zum Bruder: „Kommst bald nach, Lenzi, gelt?"

Als sie ins Freie trat, schlug ihr ein schwüler Windstoß ins Gesicht und faßte ihre Röcke. Aus dem nachtschwarzen Seekessel quoll dumpfes Sausen und Gebrumm heraus — ein Föhnsturm!

Schon wollte Mali die Lände überschreiten, als sie das Gepolter eines ans Ufer stoßenden Nachens hörte und im Dunkel eine Mannsgestalt mit Büchse und Bergstock aus dem Boot steigen sah. Erschrocken drückte sie sich in den finsteren Schatten der nächsten Schiffhütte. Aber da hörte sie die Stimme des Jägers, der mit dem Schiffer sprach, und erkannte, daß sie sich umsonst geängstigt hatte; es war Graf Egge, der allein von der Jagdhütte nach Hubertus zurückkehrte.

Hastig eilte Mali über die Lände hinweg. Noch ehe sie das Haus des Bruders erreichte, fiel der Sturm mit voller Gewalt über das Tal. Man hörte die Schindeln klappern, die von den Dächern flogen, in den Kronen der knospenden Bäume brachen die morschen Aeste, und in das Gesaus und Heulen des Windes mischte sich das Schlagen der Türen, das Gepolter fallender Bretter und das Gerassel der losen Fensterläden.

Am Bruckerhaus waren alle Scheiben dunkel, auch das große Fenster der Giebelstube. Mali trat in den Flur und konnte, gegen einen Windstoß ankämpfend, nur mühsam die Haustür wieder schließen. Unter dem tobenden Lärm, der die Wände umfuhr, hörte sie aus der Giebelstube herunter das

Weinen eines Kindes und die scheltende Stimme der Magd. Sie eilte über die Treppe hinauf und trat in die dunkle Stube.

„Aber Mahl, was bleibst denn mit die armen Kinder da in der Finsternis? Warum machst denn kein Licht net?"

„No ja, wenn mich die Kinder net dazu kommen lassen!" brummte die Magd. „'s Netterl geht mir net vom Arm, und b' Hanni macht in einer Tour solchene Gschichten mit ihrer Wehleidigkeit . . . und ich sag, es fehlt ihr nix!"

Weinend war Hannerl auf Mali zugegangen und hängte sich an die Röcke des Mädchens. „Mir tut's so weh, Malimahm, mir tut's so weh da drin."

„Wo denn, Schatzerl, wo tut's dir denn weh?"

„Da drin!"

Mali, die im Dunkel der Stube nicht genau zu sehen vermochte, griff erschrocken mit beiden Händen zu und fühlte, daß das Kind die Fingerchen am Halse hatte. „Mar' und Josef!" stammelte sie. Ein paar Augenblicke stand sie wie gelähmt. Dann kreischte sie: „Schaff das Kind ins Bett! Nur gschwind! Und gib mir 's Netterl her! 's Netterl!" In verzweifelter Angst riß sie das jüngste Kind vom Arm der Magd und stürzte zur Stube hinaus, über die Treppe hinunter und ins Freie. Das Köpfchen des Kindes mit der losgerissenen Schürze verhüllend, rannte sie durch den tobenden Sturm dem nachbarlichen Gehöft entgegen. Mit der Faust schlug sie an die Haustür und schrie: „Nachbarin! Nachbarin!"

Eine alte Bäuerin öffnete. „Ja Mahl, was is denn?"

„Um Tausendgottswillen tu ich bitten, Nachbarin, nimm mein Netterl ins Haus! Bei uns daheim is kein Bleiben nimmer! Jetzt fangt's beim Hannerl an . . ." In Schluchzen erstickte Malis Stimme. Ohne die Antwort der Bäuerin abzuwarten, drückte sie ihr das Kind in die Arme und rannte wieder davon, in das Haus ihres Bruders zurück.

Immer tosender wuchs der Sturm, und krachend stürzte im Garten des Bruckner-Lenzi ein Apfelbaum, dessen Stamm seit Jahren hohl und faul gewesen.

14.

Im Rauschen des Sturmes schlugen und klapperten in der finsteren Parkallee die Aeste der Ulmen aneinander — wie die Stangen kämpfender Hirsche, meinte Graf Egge, als er das eiserne Gitter hinter sich zuwarf.

Fritz machte große Augen, da er seinen Herrn bei sinkender Nacht so unerwartet im Schloß erscheinen sah; und ein Blick in Graf Egges Gesicht belehrte den Diener, daß die Laune seines Herrn keine freundliche war. Fritz bekam die Ursache dieses Mißvergnügens auch zu hören: seit drei Tagen hatte Graf Egge mit vier Jägern vom Morgen bis zum Abend in seinem Gemsrevier alle Wände abgesucht, ohne den Adlerhorst zu finden.

Mit jedem resultatlos verbrachten Tag war seine brennende Erregung gewachsen und hatte den Jägern üble Stunden bereitet. Aber trotz der leidenschaftlichen Erwartung, mit welcher er der Entdeckung des Horstes entgegenzitterte, war es ihm doch gegen das christliche Gemüt gegangen, den Karfreitag in der Jagdhütte zu verbringen. Vor diesem einzigen Feiertag des Jahres hatte der sonderbare Christ, der in diesem ‚ewigen Jäger‘ steckte, einen an Aberglauben streifenden, scheuen Respekt. So war Graf Egge mit der Absicht, im Morgengrau des Karsamstages wieder zur Hütte aufzusteigen, nach Hubertus heimgekehrt. Inzwischen mußten seine Leute da droben weitersuchen. Was hatte sich Graf Egge auch um Christenpflicht und Seelenheil seiner Jäger zu kümmern? Er bezahlte sie und konnte verlangen, daß sie ihren Dienst machten.

Heulende Windstöße umsausten das Schloß, während Fritz mit erhobener Lampe im Flur umherleuchtete und Graf Egge die unter die Trophäen eingereihten Elchgeweihe musterte; sie hatten nur mühsam noch Platz gefunden.

Graf Egge ließ sich die Lampe in die Kruckenstube tragen. Auf die Frage des Dieners, was Erlaucht zu soupieren wünsche, sagte er: „Milchsuppe . . . einen Schmarren bringt ihr' ja nicht fertig. Und morgen mittag Fisch. Sonst nichts! Ich faste.“

Eine halbe Stunde später saß er im Speisezimmer. Gespensterhaft bewegten sich in der aufsteigenden Lampenwärme die an der Decke hängenden Adler, während draußen der Föhn sturm das Haus umtobte und ungestüm an allen Fenstern rüttelte, als wollte er Einlaß begehren für den nahenden Frühling.

Graf Egge hatte das Gedeck beiseite geschoben und löffelte die Milchsuppe aus der Schüssel. Er war mit seinem Mahl noch nicht zu Ende gekommen, als Moser eine Depesche brachte — von Tante Gundi: „Soeben wohlbehalten in Genua eingetroffen, dampfen nachmittags mit ‚Bismarck‘ nach Neapel und sind morgen abends in Capri. Haben herrliches Frühlingswetter, Konteß Kitty sichtlich erquickt. Grüße in ihrem Namen. Gundi.“

Verdrossen betrachtete Graf Egge das Blatt. Irgend etwas an der Sache schien ihm gegen den Strich zu gehen. „Frühlingswetter?“ brummte er und legte die Depesche fort. „Unsinn! Wäre sie zu mir gekommen! Schmarren und Bergluft hätten ihr besser geholfen, als das blaue Gesäusel da drunten.“ Er steckte seine kurze Pfeife in Brand und las die Depesche wieder. „Die Alte, natürlich ... das ist wieder etwas für ihren romantischen Haubenstock ... die wird in Wonne schwimmen ... auf meine Kosten!“ Seufzend erhob er sich. „Und dieser Unsinn, mit dem kranken Mädel die Reise so zu überstürzen ... als hätte sie auf Capri weiß Gott was zu finden ... die Gesundheit über Nacht ... wie ein Wunder!“ Mißmutig setzte er sich in einem dunklen Winkel auf die gepolsterte Wandbank und sog an der Pfeife. Aber sie schien ihm nicht zu schmecken. Er stand wieder auf, ging im Zimmer umher, ließ den Blick über alle Wände irren und bewegte mit einem Gefühl des Unbehagens die Schultern unter der Joppe. Er fühlte sich einsam.

Während Moser den Tisch räumte, preßte Graf Egge stöhnend, als hätte ihm eine rasche Bewegung Schmerzen verursacht, die Faust in den Rücken. „Zum Teufel auch! Was ist denn nur mit meinen Knochen los?“

„Ja mein Gott, Herr Graf,“ sagte Moser vorwurfsvoll, „es wär ja kein Wunder! Den ganzen Winter eine Strapaz um die ander, nach der weiten Heimreis gleich wieder am Berg auffi ... Sie muten Ihnen halt ein bißl z'viel zu für Ihr Alter.“

„Alter! Ach was! Geschwätz! Ich hoffe noch meine zwanzig Jahr zu jagen! Und wenn ich steif und krumm werde! Dann laß ich mich t r a g e n auf die Jagd! Wenn nur meine Augen aushalten! Die Hand ist Nebensache ... wackelt beim Zielen

das Korn aus dem Hirsch heraus, so kann's auch wieder hinein-
wackeln! Das Aug ist die Hauptsache!. Und meine Augen sind
gut! Die haben noch Fallenblick! ... Aber müd bin ich!"

Die ganze Nacht hindurch tobte der Föhnsturm. Doch als
der Morgen graute, begann das Rauschen des Windes langsam
zu verstummen. Bei lachender Sonne und blauem Himmel stieg
ein linder Frühlingstag von den Bergen nieder. Die Felsen-
zinnen, auf denen der Schnee noch nicht geschmolzen war, schimmerten wie frischer Silberguß, das tiefe Grün der Fichtenwälder
schien erneut in seiner Farbe, an den Hecken im Dorf und an allen
Laubbäumen waren die Knospen gesprungen, und die warme
Luft war erfüllt von würzigem Geruch, als hätte der Föhn
den Blumenduft des Südens über die Berge in das Tal getragen.

Im Gottesacker tönten die großen Holzklappern, die an
Stelle der verstummten Glocken zur Karfreitagsfeier riefen. Fest-
lich gekleidet wanderten die Leute zur Kirche — unter den
Bauern auch Graf Egge im schwarzen Rock, mit der altmodischen
Angströhre. Er wohnte der Messe bei und blieb dann in seinem
Kirchstuhl sitzen, bis sich der Friedhof geleert hatte — er wollte
ohne Zeugen sein, wenn er das Grab seines Sohnes besuchte.

Auf dem Umweg über die Wiesen kehrte er nach Hubertus
zurück, vertauschte den schwarzen Rock gegen sein Jagdgewand
und setzte sich in der Truckenstube vor den eisernen Schrank,
um die Edelsteine, die er von der Reise mitgebracht hatte, in
seine Sammlung einzureihen. Als er in eines der Fächer griff,
geriet ihm eine Münze zwischen die Finger; er zog sie hervor
und betrachtete sie; es war ein Taler, ein gewöhnlicher Taler,
ohne irgend welchen Wert für den Sammler; dennoch schien die
Münze für Graf Egge besonderen Wert zu besitzen; er lächelte,
nickte in Gedanken vor sich hin und legte den Taler wieder in
das Fach zurück. Während er dann Lade um Lade aufzog und die
Etuis mit den funkelnden Steinen auf dem eisernen Klapptisch
vor sich ausbreitete, ging draußen vor dem Fenster der alte
Büchsenspanner vorüber, der den Adlern das Futter zum
Käfig trug.

Moser duckte sich, um von seinem Herrn nicht gesehen zu
werden. Als er den Käfig erreichte, öffnete er das Futtertürchen
und warf den Inhalt der Schüssel durch das Gitter. Vier Adler
hüpften mit geöffneten Schwingen von den Stangen herunter
und rauften sich gierig um die blutigen Brocken — der fünfte

blieb regungslos mit aufgeblähtem Gefieder in seinem Winkel sitzen und hielt wie im Schlaf die gelben Liber über die Augen gezogen.

Kummervoll betrachtete Moser den kranken Vogel und schüttelte den Kopf. „Der Adler macht's nimmer lang ... jetzt muß ich reden, oder es bleibt auf mir sitzen!"

Er wollte schon den Rückweg antreten, als er hörte, daß ein Wagen vor dem Parktor hielt. Das eiserne Gitter klirrte, und ein Offizier, in den umgehängten Mantel gewickelt, kam hastigen Schrittes durch die Ulmenallee gegangen.

Moser machte große Augen. „Meiner Seel, das is ja unser Graf Robert!" Er stellte die blutige Schüssel nieder und säuberte die Hände an der Lederhose. „Ja grüß Ihnen Gott, Herr Graf! Wie kommen denn Sie heut zu uns da raus? Na, die Freud, die der gnädig Herr haben wird!"

Zerstreut blickte Robert auf. Sein Gesicht war bleich und welk wie nach einer durchwachten Nacht. Er übersah die Hand, die ihm der alte Jäger bot, nickte einen wortlosen Gruß und schritt vorüber. Auf der Veranda nahm er den Mantel ab. Als er im Flur die spiegelblanke Büchse und den verwitterten Filzhut seines Vaters am Gewehrrechen hängen sah, atmete er wie erleichtert auf. Mit zitternden Händen schnallte er den Säbel ab und hängte ihn neben die Büchse; dann ging er auf die Tür der Kruckenstube zu und pochte.

„Hereiu!"

Graf Egge machte bei Roberts Anblick einen Ruck, daß sich der Lehnstuhl drehte. Der Klapptisch des eisernen Schrankes zitterte, und die Hunderte von bunten Edelsteinen, die vor Graf Egge in Reihen geordnet lagen, blitzten und funkelten bei dieser Bewegung in gesteigertem Feuer.

„Du?"

Der harte Klang dieses Wortes und der mißtrauische Blick, mit dem der Vater den Sohn vom Kopf bis zu den Füßen musterte, ließ erraten, daß sich Graf Egge von diesem unerwarteten Besuche wenig Gutes versprach.

Robert hatte die Türe zugedrückt, und ein paar Augenblicke herrschte Stille im Zimmer. Graf Egge lehnte sich in den Sessel zurück und zog die Hand durch den Bart.

„Guten Tag, Papa!" Mit diesem Gruß, der etwas unsicher klang, ging Robert auf den Vater zu und küßte ihm die Wange. Da gewahrte er die Verwüstung, die der Winter in diesem Gesichte angerichtet hatte, und fragte erschrocken: „Papa? Bist du nicht wohl?"

„Ich? Warum?"

„Ich fürchte, diese Jagdreise hat dich über deine Kräfte angestrengt. Du siehst leidend aus, und ich mache mir ernste Sorge."

Graf Egge lachte trocken und machte eine abweisende Bewegung mit der Hand. „Fürs erste: ich b i n nicht krank. Ganz im Gegenteil! Ich hoffe noch sehr lange zu leben . . . länger vielleicht, als manchem lieb ist. Und zweitens: die Sentimentalität kannst du dir sparen! Sage mir lieber gleich offen heraus, weshalb du gekommen bist? Dein Besuch hat doch wohl seinen bestimmten Zweck? Oder nicht?" Er begann die mit verblichenem Sammet überspannten Platten, auf denen die blitzenden Steine in kleinen Vertiefungen dicht nebeneinander lagen, mit etwas auffälliger Hast in die eisernen Schubfächer einzuräumen. „Unter anderen Umständen wäre es allerdings nicht sonderlich überraschend, wenn ein Sohn, der den Vater ein halb Jahr lang nicht gesehen hat, sich einmal von dem Wohlbefinden seines alten Herrn zu überzeugen wünscht. Aber eine solche Gemütswallung darf ich wohl bei dir nicht voraussetzen? Also? Warum kommst du? Was willst du?"

Robert stand mit geschlossenen Fäusten und nagte an den bleichen Lippen.

Graf Egge legte eine Platte mit Saphiren in den Schrank und hob das Gesicht. „Hast du meine Frage nicht gehört? Was suchst du bei mir?"

„Hilfe!"

Das Wort klang wie ein erstickter Schrei.

Graf Egge erhob sich, steinerne Härte in den Zügen, im zwinkernden Auge das Gefunkel des aufsteigenden Zorns. „Du hast wieder gespielt? Und verloren? Und die Summe scheint ihr Gewicht zu haben? Schon gut, zu antworten brauchst du nicht . . . man sieht dir's an, daß dir das Wasser bis an den Hals geht! Du stehst ja vor mir wie der menschgewordene Katzenjammer. Ich kann mir's auch denken . . . es muß eine sehr unbehagliche Sache sein: Geld verlieren, das man nicht besitzt. Da wünsch ich dir, daß du offene Taschen bei deinen guten Freunden findest. Denn daß du den Weg zu mir umsonst gemacht hast, das brauch ich dir wohl nicht erst zu sagen.

Nein, Herr Sohn, damit hat's ein Eude bei mir. Das hab ich dir
schon im Sommer gesagt. Aber wenn du vielleicht zur Jagd
bleiben willst . . . die Auerhähne salzen bereits . . . da kannst
du mir wieder ein paar Hähne vor der Nase wegschießen, wie
damals die beiden Gemsböcke."

„Ich bitte dich, Papa, rede nicht so mit mir! Ich sehe
ja ein, wie sehr ich im Unrecht bin. Aber meine Unvorsichtigkeit
hat mich nun einmal in diese furchtbare Lage gebracht. Es
steht alles für mich auf dem Spiel, mein Name, meine
Ehre . . ."

„Und dein Leben! Natürlich, ich kenne ja diese Litanei zur
Genüge. Aber ich hab es endlich satt, dazu immer das klingende
Amen sagen zu müssen. Hilf dir, wie du kannst! Ich lasse
dich fallen."

„Vater!"

„Ich lasse dich fallen! Unerbittlich!" Mit zorniger Wucht
betonte Graf Egge jede Silbe. „Und wenn du mir etwa drohen
willst, daß dir nichts anderes mehr übrig bleibt als die Kugel,
so sag ich dir: du bist den Schuß Pulver nicht wert, ohne
den sich die Sache nicht erledigen läßt."

Das Gesicht von fahler Blässe überronnen, klammerte Robert die zitternden Hände um die Stuhllehne. „Vater! Was
aus dir redet gegen mich . . . das ist mehr als Aerger und
Zorn . . . das ist Haß!"

„Ja, Robert! Haß!" Langsam den Körper vorbeugend,
mit brennenden Flecken auf den Wangen, stützte Graf Egge
die schwere Faust auf den eisernen Tisch. „Bis heute hab ich es
nicht gewußt . . . jetzt hat es mir dein eigenes Wort gesagt.
Haß! All meine Kinder lieb ich . . . auch den einen, der sich
von mir gelöst und mich in der letzten Stunde beleidigt hat bis
ins innerste Leben. Aber bei allem Zorn, den ich gegen ihn
trage, hat er mir Zeit seines Lebens Achtung abgezwungen durch
den redlichen Ernst seines Willens, durch seine Begabung und
seine sichere Kraft. Und wenn ich ihn immer gefrozzelt habe
in meiner lümmelhaften Manier . . . weißt du, was es war?
Nichts anderes, als der Aerger meiner Erkenntnis, daß der Bub
mehr ist, als sein Vater . . . wenn auch ein Jäger, daß Gott
erbarm! Und hol mich der Teufel, ich hätt ihm auch diese
verwünschte Heirat noch verzeihen können . . . ich hab es ja
diesen Winter von aller Welt zu hören bekommen, welch ein

blaues Wunder dieses Frauenzimmer sein soll! Und eine Künstlerin! Ich verstehe zwar von Kunst so viel, wie die Kuh vom Zitherspiel ... aber es muß am Ende doch was Rechtes dahinterstecken, sonst würde nicht alle Welt dazu ihren Kratzfuß machen. Weiß Gott, ich hätt ihm diese Heirat vielleicht verzeihen können ... aber er hat mir in jener letzten Stunde Dinge über meine Jagd ins Gesicht gesagt, über die ich auch nicht hinwegkomme in meiner Todesstunde ... Gott soll sie mir unberufen noch lang ersparen!"

Graf Egge, der diese Worte mit versinkendem Klang vor sich hingeredet hatte, hob das Gesicht, und seine Stimme bekam wieder ihre schneidende Schärfe: „Ja, Robert! All meine Kinder hab ich geliebt ... dich aber hasse ich, als wäre in dir kein Tropfen meines Blutes. Ich rechne dir nicht deinen Leichtsinn an, nicht deine bodenlose Verschwendungssucht, die mir Tausende und Tausende aus dem Sack gerissen ... bei alledem trag ich wohl selbst einen Teil der Schuld. Jetzt seh ich es ein, ich habe mich zu wenig um euch gekümmert. Aber die anderen sind geraten aus eigenem Kern ... du hast dich ausgewachsen, so, wie du vor mir stehst! Deine Brüder haben mich verlassen, der eine im Tod, der andere im Leben ... zur Hälfte auch schon die kleine Geiß ... nur du bist mir geblieben! Du hast immer bei mir ausgehalten! Hast immer meine Partei genommen! Jede meiner Launen hast du ertragen! Jede meiner Roheiten hast du eingesteckt, ohne mit einer Miene zu zucken. Aus kindlicher Liebe vielleicht? Aus Respekt vor dem Vater? Gott bewahre! Nur, weil der alte Herr für dich das tiefe Brünnlein war, aus dem du schöpfen konntest, wie der Bauer aus seinem Jauchentümpel. Wenn ich heute verlassen stehe von den Kindern, die mir lieb gewesen ... ich selbst trage die meiste Schuld, das fühl ich jetzt ... aber du hast mitgeholfen! Jene gottverwünschte Szene vor der Hütte da droben mit deinem Bruder wäre nicht so gekommen und nicht so verlaufen, hättest nicht du mich Jahr um Jahr gegen ihn gereizt mit kalter Berechnung! Und hätt ich nicht in jenen schwarzen Tagen, in denen mein lieber Bub da droben in seinem Zimmer lag, den kochenden Zorn über dich in mir umhergetragen, ich hätte der armen Geiß nicht so harte Worte gegeben, daß sie vor mir stand, erschrocken und bis zur Stummheit verschüchtert, während mich bürstete nach einem Wort ihrer Liebe. Und was meinem Gefühl

für dich den Rest gegeben hat ... weißt du das? Aber du
hast dich ja selbst nicht gesehen, wie du vor der Leiche deines
Bruders standest! Herzlos, kalt und unbewegt wie eine ge-
schminkte Wachsfigur. Mit deiner Nähe und mit all dem schwarz-
geränderten Schwindel, den du in Szene setztest, hast du mir
meinen Schmerz um den armen Buben besudelt und abgestumpft!
Seit damals bin ich fertig mit dir! Und wenn ich dich ansehe,
bedaure ich nur eines noch: die Uniform, die du trägst! Das ist
ein Rock, der hinter seinem Futter einen Mann und Menschen
haben will ... und du bist keins von beiden!"

Graf Egge fuhr mit dem Aermel über den Mund und zerrte
keuchend die Joppe zurecht. „Gott sei Dank! Jetzt hab ich es
mir endlich von der Leber geredet! Nun geh deiner Wege,
ich will Ruhe haben!" Er fiel in den Lehnstuhl und preßte die
Hand in den Nacken.

Robert stand mit verzerrtem Gesicht. „Ich habe dich
schweigend angehört und habe auch jetzt auf alle die unquali-
fizierbaren Dinge, die ich zu hören bekam, kein Wort zu erwidern." Seine Stimme klang tonlos, aber mit gemessener
Ruhe, wie bei einem dienstlichen Rapport. „Du hast für mich
einen Strich durch den Namen Vater gemacht ... so hab ich
auch als Sohn keine Forderung mehr an dich zu stellen, weder
jetzt noch später. Ich bedaure sogar, daß meine gegenwärtige
Lage mich zwingt, die Ausfolgung meines mütterlichen Erb-
teils von dir verlangen zu müssen."

„Ich habe mit dem Geld deiner Mutter nichts zu schaffen!"
fuhr Graf Egge auf. „Es liegt für euch in der Bank."

„Zur Ausfolgung des mir zukommenden Anteils bedarf
es deiner Zustimmung. Es ist das ohnehin nur eine versäumte
Formalität, da ich bei meinem Alter das Verfügungsrecht über
mein Eigentum nach dem Gesetz bereits besitze. Ich wiederhole
meine Forderung."

„Und ich verweigere sie. Diese dreimalhunderttausend Mark
möchten zwischen deinen Fingern flinke Füße bekommen."

„Wohl möglich! Denn mehr als die Hälfte dieser Summe
muß ich zwischen heute und zwei Tagen im Klub erlegen, um
die Spielschuld der heutigen Nacht zu begleichen. Du siehst
also, daß ich gezwungen bin, meine Forderung abermals zu
wiederholen. Und ich ersuche um deine Antwort."

Graf Egges Gesicht färbte sich dunkelrot. „Meine Ant-

wort?" schrie er, daß die Fensterscheiben klirrten. „Meine Antwort ist die Kuratel, die ich über dich verhängen lasse! Dann
tu, was du willst! Entweder zieh den Rock des Königs aus,
in den du nicht mehr gehörst, oder mache mit dir . . ." Graf
Egge verstummte und horchte gegen die Türe.

Draußen im Flur ließ sich lauter Lärm vernehmen, und
klappernde Schritte näherten sich, während die Stimme des
alten Büchsenspanners kreischte: „Herr Graf! Herr Graf! Herr
Graf!"

Die Türe wurde aufgerissen, und Moser stolperte in die
Stube: „Herr Graf! Der Schipper is da! Draußen hockt er
und hat kein Schnaufer nimmer . . . so is er grennt! Den
Horst hat er gfunden! Den Horst, Herr Graf! Den Horst!"

„Gott sei Dank! Das kommt mir wie eine Erlösung!
Schipper! Schipper!" Graf Egge eilte zur Türe hinaus, und
Moser humpelte schwatzend hinter ihm her.

Robert starrte dem Vater nach und stand wie betäubt. Mit
zitternder Hand zog er sein Tuch hervor, dessen starkes Parfüm
die ganze Stube durchhauchte und den Fettgeruch der geschmierten
Schuhe verschwinden ließ. Schwer auf die Stuhllehne gestützt,
wischte er mit dem Tuch über die Stirne, auf der ihm der kalte
Schweiß in dünnen Tropfen stand. Mit so verlorenem Blick,
als wären alle Gedanken in ihm erloschen, sah er auf den
eisernen Klapptisch nieder; hier lag noch eine Tablette mit
etwa fünfzig Rubinen, nach der Größe geordnet, vom winzigen Stein, dessen Wert nur in der kunstvollen Facettierung
bestand, bis zu einem in schiefen Rauten geschliffenen Stück von
Walnußgröße. Ohne zu wissen, was er tat, griff Robert nach
der Tablette und starrte gedankenlos die Steine an, die in
blutrotem Feuer leuchteten.

„Schipper! Schipper!" klang draußen im Flur die Stimme
Graf Egges.

Der Jäger saß auf einer Bank der Veranda, bleich und
erschöpft, nach Atem ringend; er hatte den Weg von seinem
Bezirk nach Hubertus in kaum zwei Stunden zurückgelegt.

„Schipper!" Graf Egge erschien auf der Schwelle, vor
Erregung zitternd. „Du hast ihn gefunden? Wirklich?"

Der Jäger konnte nicht sprechen; er nickte nur.

„Aber zum Teufel, so rede doch! Wo liegt der Horst?"

Nur mühsam brachte Schipper ein Wort um das andere

heraus. „Droben ... hinter der Hochalm ... in der Hangenden Wand!“

„Ja ist denn das möglich? Ich hab doch die Wand mit dem Glas an die hundertmal abgesucht!“

„Der Horst liegt so versteckt ... wenn ich den Adler heut in der Fruh net zufällig einistreichen sieh, findt ihn kein Mensch net!“

„Brav, Schipper! Du hast mir eine Freude gebracht, auf die ich warte seit einem halben Jahr. Ich will dir deine Botschaft gut bezahlen ...“ Graf Egge verstummte; ein Gedanke, der ihn vor Schreck erblassen machte, war ihm durch den Kopf gefahren. „Herrgott! Der offene Kasten ...“ stammelte er, „meine Steine!“ Er eilte in das Haus zurück, als gält es einen Brand zu löschen.

Als er die Tür der Kruckenstube erreichte, sah er Robert vor dem eisernen Klapptisch und die Tablette mit den Rubinen in seiner Hand. „Richtig!“ Mit so hastigen Sprüngen, daß seine Joppe flatterte, stürzte er auf Robert zu und schlug ihm mit eisernem Griff die Faust um das Handgelenk. „Laß du meine Steine in Ruh!“ Der große Rubin kollerte über den Sammet und rollte zu Boden. Während Graf Egge sich bückte, um ihn aufzuheben, taumelte Robert mit aschfahlem Gesicht zurück.

„Vater! ... Bist du von Sinnen?“

Mit verdrossenem Blick hob Graf Egge die Augen; er schien zu fühlen, daß er in seinem Mißtrauen zu weit gegangen war; doch er suchte nach keinem einlenkenden Wort, sondern zuckte nur die Schultern, blies den Staub von dem Rubin und legte ihn wieder in die Vertiefung der Tablette.

Robert machte einen Schritt gegen den Vater und sagte mit erloschener Stimme. „Jeden anderen würde ich nach diesem Auftritt vor meine Pistole fordern ... und ich wäre meiner Kugel sicher. Dir aber bin ich, was ich jetzt bedaure, mein Leben schuldig ... das schlägt mir leider die Waffe aus der Hand. Aber zwischen uns beiden ist alles erledigt!“

Er verbeugte sich wie vor einem Fremden und ging zur Türe.

Graf Egge lachte heiser. „Willst du nicht doch noch ein klein wenig mit dir reden lassen ... nur über Geschäfte. Ich lege der Auszahlung deines mütterlichen Erbteiles kein Hindernis mehr in den Weg, und wenn du dich einen Augenblick gedulden willst, so kannst du die Vollmacht . . ."

„Ich muß ersuchen, diese Angelegenheit durch deinen Anwalt zu erledigen."

„Auch gut! Und was deinen Pflichtteil an meinem eigenen Besitz betrifft . . ."

„Ich verzichte!"

„Aaaah? Wirklich? Eine Million . . . und du verzichtest?" lachte Graf Egge in Zorn und Hohn. „Da bin ich nur neugierig, wie lange der Stolz deiner gekränkten Ehre bei dir anhalten wird . . . länger wohl kaum, als bis die andere Hälfte deines Mütterlichen a u c h verspielt ist?"

Robert konnte diese letzten Worte nicht mehr hören, er hatte die Kruckenstube bereits verlassen.

Mit zwinkernden Augen sah Graf Egge die Türe an, als erschiene ihm dieser Abschied noch immer nicht völlig glaubhaft; aber die Türe blieb geschlossen, und draußen im Flur verhallten Roberts Schritte. Die Tablette mit den Rubinen zitterte in Graf Egges Händen; er legte sie in den Schrank zurück, stieß die Lade zu und lauschte gegen die Türe. „Richtig, er geht!" Ein paarmal wanderte er, mit den Fäusten hinter dem Rücken, in der Stube auf und ab, blieb vor dem eisernen Schranke stehen, starrte mürrisch zu Boden und brummte: „Das war zu grob von mir!" Nun zuckte er wieder die Schultern. „Aber länger als nötig hätt ich ihn der Versuchung doch nicht aussetzen mögen!" Er ging zur Türe und rief in den Flur hinaus: „Fritz! Papier und Tinte!"

Mit hastigem Gekritzel schrieb er seinem Anwalt die Ordre zur ,Ausfolgung von 300 000 (mit Worten dreimalhunderttausend) Mark an Robert Graf Egge-Sennefeld' — und siegelte den Brief.

„Fritz, laß einspannen und fahre mit diesem Brief zur Bahn. Er soll mit dem nächsten Zug abgehen, expreß! Weiter!"

„Sofort, Erlaucht! Soll Moser bei Tisch servieren?"

„Laß mich in Ruhe! Mich hungert nicht!" Graf Egge ging in den Flur, nahm Hut und Büchse, schulterte den Bergstock und trat auf die Veranda. „Komm, Schipper! Hinauf! Und flink! Ich muß den Horst heute noch sehen! Ich muß!"

Während sie Seite an Seite durch die Ulmenallee dahinschritten, begann der Büchsenspanner seinen ausführlichen Bericht über die Lage des Horstes, den die Adler so geschützt und sicher in die unwegsame Felswand eingebaut hatten, daß sich Graf Egge wohl oder übel mit dem Abschuß des alten Paares begnügen müßte, da das Ausheben der Jungen ein Ding der Unmöglichkeit wäre.

„Unmöglich?" Graf Egge lachte. „Der Horst soll liegen, wie·er mag ... ich muß hinauf!"

Sie verließen den Park und hörten den dumpfen Klatsch nicht mehr, der sich hinter ihnen vernehmen ließ.

Im Adlerkäfig war der kranke Vogel von der Stange gefallen.

15.

Den reinen Himmel und die noch halb mit Schnee bedeckten Felszinnen in leuchtenden Schimmer tauchend, sank die Sonne hinter die Berge, als Graf Egge vom raschen fünfstündigen Marsch erschöpft, mit Schipper die ‚Haugeude Wand' erreichte.

Sie verdiente mit Recht ihren Namen; breit und massig stieg sie aus dem mit Zirbelkiefern durchsetzten Latschenfeld bis zu einer Höhe von etwa hundertzwanzig Meter empor, im Anstieg die kahlen Steinplatten nach auswärts wölbend, so daß die Kuppe der Felswand über ihren Fuß hinausragte.

„So, Herr Graf, jetzt suchen S' einmal den Horst!"

Graf Egge setzte sich auf einen moosigen Steinblock, schob den Hut in den Nacken und spähte gegen die Höhe der Felsen. Eine stumme Weile verrann; endlich schüttelte er ungeduldig den Kopf. „Das ist ja rein wie verhext ... zeig ihn mir!"

„Hab ich's net gsagt? Wenn ich net zufällig den Adler einstreichen sieh, wird der Horst seiner Lebtag net gfunden. Schauen S' nauf, Herr Graf, schier in der Mitten von der Wand, sechzg oder siebzg Meter in der Höh, da hängt ein grünes Fleckl ... sehen Sie's?"

„Richtig!"

„Und unten dran ... sehen S' den kurzen, grauen Strich?"

„Stimmt!"

„Das ist der Horst!" Schipper reichte seinem Herru das Fernrohr.

Kaum hatte Graf Egge einen Blick durch das Glas geworfen, als er in brennender Erregung aufsprang. „Richtig, der Horst! Und mit zwei Jungen! Ich habe die Köpfe gesehen!" Er schob das Fernrohr zusammen und blickte wieder zur Höhe. Je länger er die Wand betrachtete, desto länger wurde sein Gesicht, desto bedenklicher seine Miene. „Ja, Schipper, da spuckt's mit dem Ausheben! Aber ich muß hinauf! Ich muß! Und wenn es um den Hals geht!"

Den Weg zum Horst mit einer Klettertour über die Felsen zu suchen — dieses Mittel überlegte Graf Egge gar nicht; bei der überhängenden Struktur der Wand war die Möglichkeit, den Horst klimmend zu erreichen, völlig ausgeschlossen. Also von oben nach unten — am Seil? So hatte Graf Egge schon einmal einen Horst ausgehoben. Freilich, damals hatte das Seil nur den Zweck gehabt, ihn beim Einstieg in die Wand vor dem Sturz zu sichern. Aber hier? Wenn er sich, auf einem Prügel reitend, am Tau von der überhängenden Kuppe niederseilen ließe, würde er frei in der Luft schweben, ein Dutzend Meter vom Horst entfernt. Würde es ihm gelingen, sich so in Schwung zu setzen, daß er das Astwerk des Horstes mit den Händen erfassen und festen Fuß im Felsloch gewinnen könnte? Würde das Seil, auch doppelt genommen, die Reibung dieses langen Geschaukels ertragen?

Zu jedem neuen Gedanken schüttelte Graf Egge den Kopf; er nahm den Hut ab, kraute sich in nervöser Unruh hinter den Ohren, begann wieder zu überlegen und sagte schließlich: „Da bleibt nur ein einziger Weg . . . die Leiter!"

Schipper mußte lachen. „Aber Herr Graf! Siebzig Meter Leitern! Das kann doch net Ihr Ernst sein! So ein Einfall!"

Graf Egge wurde dunkelrot im Gesicht. „Die Verantwortung für meine Einfälle überläß du mir! Pack zusammen und spring hinunter ins Dorf . . ."

Er konnte nicht weitersprechen; denn Schipper hatte ihn am Arm gefaßt und in das dichte Gezweig eines Latschenbusches zurückgerissen. „Der Adler . . ." zischelte er, „der Adler kommt!"

Gleich einem huschenden Schatten, mit regungslos ausgebreiteten Schwingen, kam der riesige Vogel hoch in den schimmernden Lüften über das Almental einhergeschossen, einen schwarzen Klumpen in den Fängen. Ueber der Felswand machte er eine jähe Schwenkung, einen Augenblick leuchtete, von der

Sonne beschienen, sein Gefieder gleich mattem Gold, dann stürzte er wie ein Pfeil aus den Lüften und verschwand im Horst. Keuchend tappte Graf Egge nach seiner Büchse. Doch bevor er den Hahn noch spannen und die Waffe heben konnte, hatte sich der Adler schon aus dem Horst geschwungen, warf sich mit sausendem Fall über die Felswand nieder, huschte zwischen den Zirbelkiefern dicht über die Latschen hinweg und hob sich außer Schußweite in die Lüfte.

Bleich vor Erregung, blickte Graf Egge dem entschwindenden Vogel nach. „Wart, Brüderl, morgen wachsen wir zamm miteinander! Z'erst die Alten und dann die Jungen . . . alles schön der Ordnung nach!" Er wandte sich an den Jäger. „Jetzt aber flink, und nunter ins Ort! Geh zum Zimmermann . . . er soll zusammentrommeln, was sich auf Zimmermannsarbeit versteht. Vier Leitern will ich haben, jede von zwanzig Meter Länge, die erste fest und schwer, die anderen immer leichter . . . die Stangen aus grünem Fichtenholz und die Sprossen von Eschen. Die Enden der Stangen sollen mit einem Falz ineinander passen und Seitenschienen bekommen, an denen man sie hier oben miteinander verschrauben kann. Verstehst du, wie ich es meine?"

„Jawohl, Herr Graf!"

„Und Sonntag früh will ich die Leitern haben. Man soll noch heute mit der Arbeit beginnen und Tag und Nacht durcharbeiten. Du bleib dabei und überwach mir das Holz, das sie nehmen . . . an dem Holz hängt mein Hals."

Schipper machte sich wegfertig. „Alles wird pünktlich bsorgt, Herr Graf. Und Weidmannsheil für morgen! Vielleicht kriegen S' die Alten alle zwei!" Er eilte davon.

Graf Egge wählte für den kommenden Tag, der den ‚Alten' gelten sollte, in den Latschen ein Versteck, das ihn gut verbarg und ihm doch einen bequemen Ausschuß nach allen Seiten gewährte. Dann trat er den Weg zu der eine Stunde entfernten Dippelhütte an.

In der Nähe des Jagdhauses traf er in der grauen Dämmerung mit Franzl zusammen, der kleinlaut meldete, daß er den Horst noch immer nicht gefunden hätte.

„Du blinder Heß!" brummte Graf Egge. „Wenn ich auf dich allein angewiesen wäre, hätt ich das Nachsehen. Den Horst hat der Schipper gefunden!"

Franzl schwieg; aber er schluckte hörbar, als hätte er im Hals einen Bissen stecken, der nicht hinunter wollte.

„Koch mir den Schmarren," sagte Graf Egge, als er in die Hütte trat, „ich bin zu müd, um mich selber an den Herd zu stellen. Weiß der Teufel, was das ist! Sonst hat mich eine fünfzehnstündige Pirsch nicht müd gemacht! Und jetzt robelt mir ein Katzensprung, wie ich ihn heut hinter mir hab, alle Knochen im Leib durcheinander!"

Am anderen Morgen, gegen drei Uhr, weckte Franzl seinen Herrn.

Graf Egge sprang vom Bett, als hätte der siebenstündige Schlaf auch die letzte Spur dieser bleiernen Ermüdung von seinen Gliedern gelöst. Aus seinem ersten Worte sprach schon die brennende Erregung, die der Gedanke an die bevorstehende Jagd in ihm entzündete. Während er das Frühstück hinunterschlang, gab er dem Jäger die Weisung: „Daß du mir heute den ganzen Tag nicht in die Nähe der Hangenden Wand kommst. Und laß dich so wenig als möglich auf den Almen blicken, damit du mir nicht die Adler vergrämst, wenn sie zustreichen. Geh lieber hinunter in den Wald und sieh nach den Auerhähnen! Die will ich mir holen, wenn ich den Horst geräumt habe." Noch am letzten Bissen kauend, nahm er die Büchse und eilte aus der Stube.

Die Sterne wollten schon erlöschen, als Franzl die Hütte verließ. Im Lauschritt umkreiste er das weite Almfeld, um vor dem ersten Morgengrau den tiefer liegenden Bergwald zu erreichen. Auf dem offenen Gehänge hoben sich schon die grauen Steine erkennbar aus dem finsteren Rasen, doch im Walde, zwischen den hochragenden Fichten lag noch tiefe Nacht. Ein Käuzlein strich mit klagendem Schrei über die Bäume, in deren schwarzem Schatten Franzl den Weg zu den Balzplätzen suchte. Allmählich begann es im Walde grau zu werden, durch eine Lücke der Bäume schimmerte schon ein lichter Streif des östlichen Himmels, und bald vernahm der Jäger in der Morgenstille den leis klippenden Falzgesang des ersten Hahnes. Nicht weit davon balzten zwei andere Hähne. Im Bogen umging der Jäger den Platz, um die verliebten Sänger nicht zu stören, und wanderte, bis er bei vollem Erwachen der Morgendämmerung das Herz des Hahnenreviers erreichte.

Am Saum einer kleinen Blöße, die mit jungen Lärchen und

dichten Heidelbeerbüschen bewachsen war, ließ sich Franzl zu
Füßen einer alten Fichte nieder, legte die Büchse über den Schoß
und lauschte. Fünf Hähne sangen mit heißem Eifer um ihn
her, und in das Quintett dieses seltsamen Minneliedes mischte
sich der Schlag und das Gezwitscher der erwachenden Drosseln
und Meisen. Mit rosigem Schimmer fiel der Morgen über
den Wald, eine ferne Felswand leuchtete wie reines Gold, und
farbige Bänder schwammen über den Himmel hin. Bald zuckten,
wie brennende Pfeile, die ersten Strahlen der Sonne über die
Wipfel, in abertausend Tautropfen begann ein blitzendes Gefunkel, und als hätte der erwachende Wald tief aufgeatmet, so
strich mit sachtem Hauch der frische Morgenwind durch alle
Bäume.

Mit stillen Augen blickte Franzl rings umher, und die
wundersame Schönheit dieses Frühlingsmorgens schlich ihm
wie ein erquickender Trost in das bedrückte Herz. Ein Gefühl
hoffender Lebensfreude erwachte in ihm, er preßte die Fäuste auf
seine Brust, als würden ihm plötzlich alle Rippen zu eng — und
dabei mußte er an Graf Egge denken, der jetzt geduckt und
fröstelnd zwischen den feuchten Latschen saß und für nichts
anderes Sinn und Auge hatte, als für den Horst in der Wand.

„Meiner Seel, ich möcht net tauschen!"

Breit flutete ein goldiger Sonnenstrahl über die Blöße und
rückte immer weiter, bis er den Jäger erreichte. Mit schwirren-
dem Flügelschlag fielen drei Auerhennen in das Heidekraut, und
immer neue strichen aus dem Wald hervor, als hätte sich hier
die ganze Weiblichkeit des Hahnenreviers zum Frühstück Stell-
dichein gegeben. Der Balzgesang der Hähne, der schon ausgesetzt hatte, begann von neuem; aber all die Stimmen der
jüngeren Hähne wurden übertönt von dem hitzigen Gesang des
alten Platzhahnes; nahe dem Jäger saß er auf einer Buche und
gaukelte bei seinem Lied auf dem dürren Aste hin und her; dann
plötzlich schwang er sich in das Heidekraut und tanzte mit ge-
fächertem Stoß und zitternden Schwingen zwischen den leise
glucksenden Hennen seinen Hochzeitsreigen. Lautlos kamen die
jüngeren Hähne der Reihe nach zugeflogen, die einen, um unter
dem eifersüchtigen Zorn des gestrengen Platzherrn einen Teil
ihrer Federn zu lassen, die anderen, um sich verstohlen zu den
Hennen zu gesellen, die sich aus der Nähe des alten Hahnes verloren. Mit wehmütigem Lächeln sah Franzl diesem lustigen

Minnetreiben des Waldes zu. „Alles liebt in der Welt, jedes Mannbl hat seine Freud am Weiberl! Kruzitürken! Wenn ich's nur auch so gut haben könnt!" Er seufzte. „Was wird jetzt b' Mali wohl draußen machen im Unterland?"

Er schlang die Arme um seine Knie und träumte in den erwachenden Tag hinein. Die Bilder, die vor seinem sehnsüchtigen Herzen gaukelten, waren freilich himmelweit verschieden von der Wirklichkeit. In ihres Bruders Haus lag Mali auf den Knien vor dem Bettchen des kranken Dirnleins, das in Schmerzen um sein erlöschendes Leben kämpfte — und Franzls Träume sahen das Mädchen weit draußen ‚im Unterland', wie es in der Morgensonne unter der Haustür lehnte und gegen Süden blickte, wo die Berge der Heimat blauten.

Lächelnd schloß er die Augen und lehnte den Kopf an den Stamm der Fichte. Mit linder Wärme umschmeichelte ihm die Frühlingssonne das Antlitz, und ohne daß er es merkte, holte sich der in der Nacht versäumte Schlummer sein Recht.

Etwa eine Stunde hatte er geschlafen, als ihn der Hall eines Schusses weckte. Das Echo kam von der Hangenden Wand.

„Jetzt hat er ein Adler! Gott sei Dank!"

Mit lärmendem Geflatter hob sich das Auerwild aus dem Heidekraut, als Franzl die Blöße überschritt.

Rastlos stieg er bis zum Abend im Wald umher und hörte, als schon die Dämmerung einbrach und aus dem Tal herauf die Glocken der Auferstehung klangen, wieder einen Schuß von der Haugeuben Wand.

Bei sinkender Nacht erreichte er die Dippelhütte, in deren Herrenstube die Lampe brannte. An dem hölzernen Nagel neben der Hüttentüre hing ein Adler.

Graf Egge lag auf dem Bett, als Franzl in die Stube trat.

„Ich gratulier, gnädiger Herr! Hab ihn schon hängen sehen draußen. Aber wo is denn der ander?"

Mühsam, als wären ihm alle Gelenke erstarrt, richtete sich Graf Egge auf und brummte: „Das Weibchen hab ich am Abend gefehlt. Geflucht hab ich wie ein Türk . . . aber das ist ja gegangen wie der Blitz: hinein in den Horst und wieder davon. Schon nachmittags um zwei Uhr hab ich gemeint, ich halt das Stillsitzen nimmer aus, immer mit der Büchs im Anschlag . . . aber ich hab's mit Gewalt erzwungen . . . und richtig, wie der Adler absegelt vom Horst, sind mir alle Knochen so steif gewesen, daß ich mit dem Schuß zu kurz gekommen bin. Und jetzt bin ich wie zerschlagen am ganzen Leib! Komm her und zieh mir die Hose herunter. Dann mach die Lampe aus! Gegessen hab ich schon!" Er ließ die Füße schwer vom Bett fallen und drückte stöhnend die Hand an seine Stirn.

„Soll ich net ein kalten Umschlag bringen?"

„Laß mich in Ruhe!" Mit krumm gezogenem Rücken schob sich Graf Egge unter die wollene Decke. „Na, ich hoffe, die Geschichte morgen wird mir das verstockte Blut wieder aufmischen!"

Der Jäger drehte die Lampe ab und verließ die Stube. —

Früh am Morgen brachte Schipper die Meldung: „Alles in Ordnung! Bis in zwei Stund kommen d' Leut und bringen, was der Herr Graf bstellt haben!"

In erregter Haft wurde das Frühstück genommen und der Weg zur Haugenden Wand angetreten. Schipper ging neben Graf Egge und sah ein paarmal mit spöttischem Blick auf Franzl zurück, der hinten nachtraben durfte. Als sie das weite Almfeld überschritten hatten und den Fuß der Felswand erreichten, hörten sie schon das Geschrei der Leute, die durch den Wald heraufkamen. Sechzehn stämmige Holzknechte trugen die vier mächtigen Leitern aus weißem Holz, vier andere schleppten sich mit dicken Seilrollen.

„Was schreit ihr denn wie die Jochgeier? Hier wird das Maul gehalten!" rief ihnen Graf Egge entgegen.

Die Leute bekamen rote Köpfe, aber sie sprachen kein Wort mehr. Mit bedenklichen Augen betrachtete Franzl die Leitern, blickte prüfend an der hohen Wand hinauf und schüttelte den Kopf.

Graf Egge hatte den Hut in den Nacken zurückgeschoben, denn die unvermeidliche Beule brannte unter dem Schweißband. Er stellte die Büchse an einen Baum, zog die Joppe aus und übernahm das Kommando.

In gerader Linie unter dem Horst, senkrecht zur Felswand, wurden die vier Leitern auf dem Latschenfeld der Länge nach aneinander gelegt. Die Enden der Stangen wurden zusammengefalzt und mit den die Fugen stützenden Schienen fest verschraubt, so daß die vier Stücke zu einer einzigen riesigen Leiter verbunden waren. Während Franzl, dem die ganze Sache nicht recht geheuer erschien, an der Leiter entlang ging und die Stangen, jede Sprosse und alle Verschraubungen einer peinlichen Prüfung unterzog, stiegen zwölf Holzknechte mit Seilen

auf einem Umweg zur Zinne der Felswand empor. Eine Stunde
verging, bis sie auf dem überhängenden Grat als winzige Figürchen erschienen. Von zwei Stellen, zur Rechten und zur
Linken des Horstes, wurden die Seile niedergelassen — wie endlose, sich unruhig bewegende Schlangen kamen sie durch die
Luft herabgekrochen. Aus dem Horste rieselte weißlicher Staub
über die Felsen, und die jungen Adler begannen zu schreien.

„Aha, mir scheint, die merken schon, daß die G'schicht um
ihren Kragen geht!" sagte Schipper mit Gelächter.

Die Seile erreichten den Boden, und mit einem Dutzend
fester Knoten wickelte sie Franzl um das obere Ende der Leiter.
Mit Pflöcken und Seilen wurde der Fuß der Leiter festgelegt,
so daß er nicht mehr von der Stelle rücken konnte. Dann rief Graf
Egge durch die hohlen Hände das Kommando zur Höhe: „Auf!"

Die Seile spannten sich, und langsam begann der Kopf
der Leiter sich zu heben. Hohl und gedämpft klangen von der
Höhe der Felswand die eintönigen Rufe herab, mit denen die
Holzknechte jeden Zug und Ruck begleiteten. Immer höher
schwankte die Leiter, deren schwere Stangen sich ächzend bogen
wie dünne Gerten. „Herr Graf," stammelte Franzl, „die langen
Hölzer haben ein unsinniges Gwicht! Passen S' auf, die Leiter
halt den Druck net aus!"

„Wart es ab!" murrte Graf Egge. „Und wenn die da
brechen, laß ich andere machen! Ich muß hinauf!" Mit gespannten Blicken verfolgte er die Bewegung der riesigen Leiter,
die sich fast schon zu einem Halbkreis gebogen hatte. Doch die
Stangen hielten aus, langsam begannen sie sich wieder zu
strecken, und bald war das Ende der Leiter schon so hoch gestiegen, daß der oberste Teil so winzig und zierlich anzusehen war
wie ein Kinderspielzeug. Nun standen die Stangen senkrecht
und neigten sich, als die Seile nachgelassen wurden, schwankend
gegen die Felswand. Dicht unter dem Horste legte sich die
letzte Sprosse an das Gestein.

„Gott sei Dank! Dasmal hab ich's aber gnau troffen!"
jubelte Graf Egge, dem vor ungeduldiger Erwartung die Hände
zitterten. Die ‚Geschichte' schien ihm wirklich das ‚verstockte
Blut aufzumischen'. Es war an ihm keine Spur mehr von der
Erschöpfung der letzten Tage zu bemerken. Die Erregung schien
seinen Körper verjüngt zu haben, und als er jetzt die Hemdärmel
bis zu den Schultern aufstülpte, schwollen ihm die Adern und

Sehnen wie dicke Striemen aus dem hageren Fleisch der Arme.

In der Mitte der Leiter hatte man, bevor sie aufgezogen wurde, zwei lange Seile befestigt; diese wurden nun nach rechts und links gespannt, so daß die Leiter, in ihrer Lage festgehalten, nicht mehr seitwärts ausweichen und nicht stürzen konnte.

"Fertig!" sagte Graf Egge, band sich die Leine um den Leib, mit der er die jungen Abler fesseln und vom Horste herunterlassen wollte, und trat zur Leiter.

Da faßte ihn Franzl am Arm. "Ich bitt, Herr Graf . . . die Sach gfallt mir gar net . . . und wenn S' schon glauben, es muß sein, lassen S' lieber mich naufsteigen!"

Lachend musterte Graf Egge den Jäger vom Kopf bis zu den Füßen. "Du bist wohl verrückt? Seit einem halben Jahr wart ich auf diesen Tag, und jetzt soll ich die Freude d i r lassen?"

"Freud? Aber Herr Graf! Wie kann denn so was eine Freud sein! Lassen S' Ihnen doch im guten zureden! Wenn S' die Abler schon lebendig haben müssen, ich hol f' Ihnen ja runter . . . oder wenn's schief geht, was liegt denn an mir? Ich bin ja bloß der Jager und bin ein lediger Mensch. Aber Sie sind der Herr Graf und haben Kinder!"

"Aber Franzl, jetzt hör einmal auf mit dem Weibsbilbergreb!" fiel Schipper ein. "Wenn du Angst hast . . . der Herr Graf hat keine!"

Franzl streifte den grauen Kameraden nur mit einem Blick und wandte sich wortlos ab; doch als er seinen Herrn den Fuß auf die erste Sprosse stellen sah, streckte er wieder die Hände nach ihm. "Sind S' doch gscheit, Herr Graf! Lassen S' Ihnen wenigstens anseilen! Die Leiter muß ja schauberhaft schwanken unter Ihrem Gewicht . . . sie wirft Ihnen ja naus in b' Luft wie nix! Lassen S' Ihnen doch anseilen!"

"Meinetwegen! Damit ich endlich Ruhe habe!" brummte Graf Egge und rief in die Höhe: "Seil herunter!"

Mit einer Doppelschlinge legte Franzl das Tau, das über die Felsen niederkam, um die Brust seines Herrn. Dabei erwachte in ihm eine neue Sorge. "Wenn nur der andere Abler net kommt . . . die Jungen schreien ja, daß er's hören muß, wenn er in der Näh is!"

"Er soll nur kommen!" Lachend fühlte Graf Egge an die Hüftentasche, in der das Messer steckte. "Dann mach ich es ihm, wie dem vor sieben Jahren, und stoß ihm den Guicker

in den Hals, wenn er auf mich haßt! ... Also fertig!" Er
spuckte in die Hände und griff nach der Leiter. „Halt! Jetzt
hätt ich fast vergessen ..." Bedächtig ließ er sich auf beide
Knie nieder und sprach mit lauter Stimme ein Vaterunser.
„Und jetzt hinauf!"

Während Graf Egge mit vorsichtiger Ruhe, um die Leiter
nicht schwanken zu machen, langsam emporzusteigen begann,
rannte Franzl eine Strecke von der Felswand zurück und rief
in die Höhe: „Leut da droben! Aufpassen jetzt! Aufpassen!
's Seil darf kein Augenblick net locker hängen! So oft ich den
Hut schwenk, muß langsam anzogen werden! Habts verstanden?"

„Jaaaa!" klang von oben die Antwort herunter.

Dann war. Stille. Schipper stand mit zwei Holzknechten
beim Fuß der Leiter. Franzl ließ keinen Blick von seinem
Herrn und regulierte durch die Zeichen, die er mit dem Hut
machte, die Spannung des Notseils. Je drei Holzknechte zogen
zur Rechten und Linken die in der Mitte der Leiter festge-
machten Taue an, um das Schwanken der Stangen zu verhindern. Aber das wollte ihnen nicht gelingen. Je höher Graf
Egge stieg, desto heftiger schaukelte die Leiter, so daß ihr Ende
lose an der Felswand hin und her zu klatschen begann.

Bei diesem Anblick verlor Franzl seine Ruhe wieder und
rief in heller Sorge: „Es geht net, Herr Graf! Kehren S'
um, sag ich! Kehreu S' um!"

Graf Egge machte nur ein abwehrendes Zeichen mit der
Hand und hing dann regungslos an die Sprossen geklammert,
bis die Stangen wieder in Ruhe kamen. Nun stieg er weiter;
doch je mehr er sich der Mitte der Leiter näherte, desto mehr
verstärkte sich diese pendelnde Bewegung; die Leiter ging auf
und nieder wie eine sausende Schaukel und die Euden der
Stangen schlugen so weit von der Felswand zurück, daß die
Leiter im Aufschwung beinahe senkrecht zu stehen kam. Mit
aller Kraft mußte sich Graf Egge an die Sprossen klammern,
um nicht in die Luft geworfen zu werden.

Bleich wie eine Mauer, stammelte Franzl: „Ja um
Gottswillen! Das is ja nimmer Kuraschi, das is ja Ueber-
mut." Und mit gellender Stimme schrie er: „Herr Graf!
Kehren S' um, sag ich! Da muß ja was gschehen! Ja hören S'
denn net! Kreuz Teufel, jetzt fang ich aber an, wild z' werden!
Runter, Herr Graf! Auf der Stell gehen S' runter! Und wenn

S' schon nimmer an Ihnen selber denken, so denken S' doch an Ihuere Kinder! Kehren S' um, Herr Graf! Kehren S' um!"

Graf Egge hörte nicht.

„Recht hat er, der Franzl!" brummte einer der Holzknechte am Fuß der Leiter. „Das heißt ja Gott versuchen!"

Graf Egge hing regungslos an die schwingende Leiter geklammert und drückte, um nicht vom Schwindel befallen zu werden, das Gesicht in die Arme. Daun stieg er wieder, hielt abermals inne, kletterte von neuem — und endlich konnte Schipper mit spöttischem Lächeln über die Schulter zu Franzl zurückrufen: „No also, Herr von Angstmeier, jetzt is er ja droben! Hätt er dir gfolgt, so könut er sich jetzt auslachen lassen vom ganzen Ort."

Franzl erwiderte keine Silbe.

Da schollen laute Rufe von der Zinne der Felswand, ein Schatten huschte über die Latschen, und wie ein aus den Lüften fallender Keil stieß der Adler auf Graf Egge nieder. Schipper und die Holzknechte schrien wirr durcheinander; sie sahen, wie Graf Egge zur Abwehr den Arm erhob, und sahen das Aufblitzen des Messers. Aber der Stich ging fehl. Mit einem weißen Leinwandfetzen in den Klauen machte der Adler eine Schwenkung und wollte den Stoß wiederholen. Da krachte inmitten des kreischenden Geschreis ein Schuß — und während unter dem Rollen des Echos der Adler als lebloser Klumpen zu Boden stürzte, ließ Franzl, dessen Gesicht so weiß war wie Kalk, die rauchende Büchse sinken. Die Holzknechte jauchzten, und während Schipper wortlos mit den Augen zwinkerte, klang vom Horst herunter die Stimme Graf Egges: „Brav Horuegger! Das hat geklappt."

Franzl atmete auf; er hörte aus diesen Worten nichts anderes, als daß sein Herr ohne Schaden davongekommen.

Die Leute wollten nicht wieder schweigen; alle schwatzten und schrien durcheinander, während sie mit gespannten Blicken jede Bewegung Graf Egges verfolgten. Niemand dachte mehr an eine Gefahr; das Ausnehmen der Jungen war ja nun ein Kinderspiel — und hatte die Leiter beim Anstieg ausgehalten, so hielt sie wohl auch beim Abstieg fest.

Franzl stand schweigend abseits und gab den Leuten auf der Zinne mit seinem Hut die Zeichen. Da sah er, daß Graf Egge, der auf den letzten Sprossen der ruhig gewordenen Leiter staub, mit dem Arm umhertastete, als käme er nicht mehr weiter.

„Was is denn, Herr Graf?"

„Der Horst hängt über!" klang die Antwort herunter. „Ich finde keinen Weg in das Steinloch." Dann gleich wieder folgten die Worte: „Ja, es geht! Jetzt hab ich einen Schlupf!"

Unten sahen sie, wie Graf Egge mit beiden Händen in jenen kleinen grauen Strich hineingriff — in das wirr verschlungene Astwerk des Horstes. Da rieselte wieder jener weißliche Staub über die Felsen nieder, und während im Horst die jungen Adler schrien, als wären sie lebendig an den Spieß gesteckt, zog Graf Egge hastig den Kopf zurück und griff nach seinem Gesicht.

„Um Gottswillen, Herr Graf," schrie Franzl, „was haben S' denn?"

Keine Antwort kam; unten sahen sie nur, daß sich Graf Egge mit den Händen an seinen Augen zu schaffen machte.

„Herr Graf! Herr Graf! Aber ums Himmelswillen, so geben S' doch an!"

Wieder keine Antwort; doch mit tastenden Füßen, den einen Arm über die Augen gedrückt, begann Graf Egge langsam über die Sprossen niederzusteigen. Die Leute am Fuß der Leiter waren plötzlich stumm geworden und starrten betroffen in die Höhe.

Franzl, dem eine dunkle Angst die Kehle zuschnürte, rief mit heiserer Stimme den Leuten in der Höhe die Weisung zu, daß sie das Notseil vorsichtig nachlassen sollten, immer in Fühlung mit dem Körper, an dem es befestigt war.

Schneller und schneller glitt Graf Egge über die Sprossen nieder, ohne darauf zu achten, daß die Leiter immer heftiger zu schaukeln begann. Er hatte die Hälfte der Sprossen noch nicht zurückgelegt, da krachten plötzlich die Stangen und splitterten entzwei wie spröde Glasstäbe. Ein Schrei von allen Lippen, und während die Stücke der gebrochenen Leiter gegen die Felswand schlugen, baumelte Graf Egge am Seil. Noch immer hielt er mit der einen Hand die Augen bedeckt; mit der anderen tastete er über seinem Kopfe nach dem Tau, das sich im langsamen Niedersenken mit dem schwebenden Körper immer rascher zu drehen begann.

Unter wirrem Geschrei streckten sich zwanzig Hände nach Graf Egge; bevor er noch mit den Füßen die Erde berührte,

fing ihn Franzl mit beiden Armen auf und führte den Taumelnden, den Schipper mit einem Messerschnitt vom Seil gelöst
hatte, zu einem Steinblock. Der Griff des Adlers hatte dem
Grafen das Hemd vom Nacken bis zum Gürtel entzwei gerissen,
über den halb entblößten Rücken zogen sich zwei bläuliche
Striemen, die das Tau in die Haut gedrückt hatte, und
Haar, Gesicht und Schultern waren von weißlichem Unrat
bedeckt.

„Wasser! Lauf einer nach Wasser!" keuchte Graf Egge,
während er mit zuckenden Händen an den Augen rieb. „Wie
ich am Horst in die Prügel gegriffen habe, ist mir ein ganzer
Karren voll Adlerlosung ins Gesicht gefallen! Das Zeug brennt
wie Feuer!" Er stöhnte vor Schmerz. „Wasser! Wasser!"

Schipper und ein paar Holzknechte waren schon zu dem in
der Talsohle rinnenden Wildbach gerannt, um mit ihren Hüten
Wasser zu schöpfen.

Franzl zog seinem Herrn die Hände vom Gesicht und stammelte: „So tun S' doch um Gottswillen net allweil reiben,
Herr Graf! Das is ja schlechter als alles! Und Wasser kommt
ja gleich!"

Graf Egge versuchte aufzublicken, aber er konnte die Augen
nicht öffnen. „Bist du's, Franzl? Ich dank dir für das Seil
und für den prächtigen Schuß!"

„Nix zu danken, Herr Graf! Aber meiner Seel, ein zweits-
mal möcht ich den Schuß nimmer machen! Die Kugel muß
ja keine drei Schuh neben Ihnen vorbeigflogen sein. Wie ich
das fertig bracht hab, das weiß der liebe Herrgott . . . ich
selber net! Aber reden wir nix mehr drüber! Jetzt müssen wir
froh sein, daß die Sach noch so glimpflich abgangen is. Gegen
den Wehdam in Ihre Augen wird ja 's kalte Wasser hoffentlich
helfen . . . da kommen b' Leut schon mit die ganzen Hüt voll!"

„Schnell! Nur schnell!" stöhnte Graf Egge. „Ich halt es
nimmer aus vor Schmerz!"

Hastig zerrte Franzl das Taschentuch aus Graf Egges Joppe,
tauchte es in den ersten triefenden Hut, der ihm geboten wurde,
und wusch seinem Herrn den weißen Unrat vom Gesicht. Aber
der brennende Schmerz in Graf Egges Augen wollte sich nicht
kühlen und stillen lassen. Die Augenränder entzündeten sich, und
die Lider schwollen zu dicken, roten Wülsten an, die sich nicht
mehr heben ließen.

„Führt mich in die Hütte!" stieß Graf Egge zwischen den übereinander gebissenen Zähnen hervor. „Und einer soll nach dem Doktor laufen!"

„Nix, Herr Graf, jetzt is's aus mit der Hütten! Jetzt müssen S' heim!" erklärte Franzl mit bebender Stimme. „Bis man den alten Herrn Dokter da auffi bringt, das tät ja bis morgen in der Früh dauern! Und Ihnen muß h e u t noch gholfen werden!" Er wandte sich an die Holzknechte. „Du Kasper, spring voraus und schau, daß gleich ein Schiffl und der Dokter bei der Hand is ... du, Sepp, nimm dem Herrn Grafen seine Büchs und die meinig ... und die anderen sollen Ordnung machen bei der Wand!" Er schlang Graf Egges Arm in den seinen. „Kommen S', Herr Graf, lassen S' Ihnen führen! Ich bring Ihnen schon nunter! Da fehlt nix!"

„Ja, der Franzl hat recht!" fiel Schipper ein. „Geben S' her, Herr Graf, ich pack den andern Arm!"

„Du! Rühr mich nicht an!" keuchte Graf Egge und sprang auf. „Den Horst hast d u gefunden ... wie damals den abnormen Bock! Fort von mir!" Stöhnend griff er nach seinen Augen. „Führe mich, Franzl."

„Ja, Herr Graf, kommen S'! Und passen S' auf, da liegt ein Trumm Stein im Weg."

Trotz dieser Warnung stolperte Graf Egge, und Franzl hatte Mühe, ihn aufrecht zu erhalten.

Schipper sah den beiden mit kleinen Augen nach; dann zuckte er die Achseln, suchte den Adler aus den Latschen hervor, riß ihm die beiden schönsten Flaumfedern aus und steckte sie auf seinen Hut. Ein Holzknecht bot ihm zwanzig Mark dafür; um dreißig wollte sie Schipper geben, aber das war dem Knecht zu viel.

Während die Leute unter endlosem Geschwatz bei der Wand die Arbeit begannen, eilte Sepp mit den beiden Gewehren davon. Am Waldsaum holte er Franzl und den Grafen ein; sie standen am Bach; Franzl tauchte das Tuch ins Wasser und band es seinem Herrn über die Augen; dann nahm er ihn wieder am Arm und führte ihn.

Der Heimweg gestaltete sich schlimmer, als Franzl gedacht hatte. Bei jedem Wasser, zu dem sie kamen, wurde der nasse Bund gewechselt, aber der Brand, den Graf Egge in seinen verschwollenen Augen fühlte, steigerte sich von Minute zu

Minute; bei aller Selbſtbeherrſchung konnte er den Schmerz nicht mehr verbeißen; immer wieder krampfte er die Fäuſte ein und ſchrie durch die verbiſſenen Zähne.

Sechs volle Stunden brauchten ſie, bis ſie die Klauſe beim Wetterbach erreichten, wo der Doktor ſchon mit dem Holzknecht wartete.

Graf Egge mußte ſich vor der Eremitage auf die Bank ſetzen — dabei ruhten ſeine zitternden Füße auf den Trümmern der Marmorplatte.

Die Unterſuchung des Arztes währte lange. Schließlich ſeufzte er und ſchüttelte den Kopf. „Hier kann ich nichts machen, Erlaucht . . . es dämmert ſchon . . . wir müſſen ſehen, daß wir Sie ſo raſch als möglich nach Hauſe bringen! Aber ich will Ihnen wenigſtens die Schmerzen lindern.“ Er nahm ein kleines Fläſchchen mit Cocaïnlöſung aus ſeiner Ledertaſche und ließ einige Tropfen zwiſchen die verſchwollenen Lider fließen.

Erleichtert atmete Graf Egge auf und ließ ſich den kalten Bund wieder um die Augen legen. „Franzl, wo biſt du?“ fragte er und ſtreckte die Hand. Und als er die Finger des Jägers fühlte, ſagte er: „Ich danke dir! Dieſen Weg vergeß ich dir nimmer! Aber jetzt tu mir den einen Gefallen und ſteig wieder hinauf und hüte mir meine Auerhähne . . . wenn der andere da droben merkt, daß die Balzplätze ohne Aufſicht ſind, iſt er imſtande und ſchießt mir den ſchönſten Hahn weg, um den Stoß zu verkitſchen. Und ſchick mir meinen Adler herunter. Der von heute gehört dir! Uebermorgen komm ich wieder hinauf!“ Als Graf Egge das ſagte, zuckte es ſeltſam über das Geſicht des Doktors. „Dann ſchieß ich meine Hähne.“

„Bhüt Gott, Herr Graf! Schauen S' nur, daß Ihnen bald wieder beſſer wird! Droben halt ich derweil ſchon alles in Ordnung! Aber . . . jetzt möcht ich um was bitten, Herr Graf!“

„Sprich nur! Was willſt du haben?“

„Die jungen Adler droben im Horſt müſſen ja verhungern jetzt, ſeit die Alten weg ſind . . . Raubvögel ſind ſ' freilich, aber das is ja deswegen doch net notwendig, daß die armen Biecher zwei, drei Wochen lang die ſchauderhafteſte Marter leiden müſſen! Wenn's Ihnen recht is, Herr Graf, laß ich mich morgen mit der Büchs von der Wand abſeilen und gib den armen Teufeln den Gnadenſchuß. Ich tät recht ſchön bitten, daß mir's der Herr Graf erlaubt.“

Graf Egge antwortete nicht; nur mit einer unmutigen Handbewegung stimmte er zu. Dann erhob er sich mühsam und ließ sich vom Doktor zum Boot führen.

16.

Am Morgen des Ostertages hatte Fräulein von Klees-berg in Amalfi eine Depesche nach Hubertus abgeschickt: ‚Gestern von Sorrent hier eingetroffen, machen heute Partie nach Ravello. Konteß Kittys Befinden erfreulich gebessert‘.

Bei strahlendem Frühlingswetter waren sie in einer mit drei Pferden bespannten Kalesche vom Albergo de' Cappuccini abgefahren. Zwischen Lärm und Leben rollte der Wagen über die Piazza, an der Kathedrale vorüber und am Hafen entlang. Bei einer Wendung der Straße tauchten plötzlich, wie ein schim-merndes Märchenbild, die weißen Häuser von Atrani auf.

Fräulein von Kleesberg, deren seidener Staubmantel flatterte von der raschen Fahrt, hielt mit beiden Händen Kittys Hand umschlossen und stammelte immer wieder: „Wie schön! Wie schön!“

Kitty schien nicht zu hören. Die schlanke, etwas voller ge-wordene Gestalt von den schmiegsamen Falten eines schwarzen Kreppkleides umflossen, lag sie stumm und verträumt in den Fond des Wagens gelehnt. Sie hatte den Schleier über das Hütchen zurückgelegt, und die kleinen, schimmernden Löckchen umzitterten mit unruhigem Spiel das schmale, von einem Zug des Leidens durchgeistigte Gesicht. Tiefatmend bewegte sie leise die Schultern, als möchte sie, liebkost von allem Glanz und aller Wärme dieses wunderblühenden Frühlingsmorgens, die Er-innerung an den kalten, trostlosen Winter von sich abwerfen, den sie auf Schloß Eggeberg hatte verleben müssen.

Unwillkürlich stieg vor ihren Gedanken das Bild jener Ein-samkeit auf, wie sie es zu hundertmalen gesehen, wenn sie am Fenster stand: die kahlen Bäume des Schloßhügels, die plumpen Dächer der zahlreichen Wirtschaftsgebäude mit ihren knarrenden Windfahnen, die öden Weinberge mit den zu Stößen geschichteten Rebstöcken, der vereiste Fluß im Tal, und über dem kalten, winterlichen Wald der graue Himmel mit seinen schwerfällig ziehenden Schneewolken. Wie harmonisch stimmte dieses trübe Bild der Landschaft zu allem, was immer in ihrer Seele vorging, wenn sie an die Unglückstage von Hubertus dachte, an den Vater, der über den Elchhirschen und Bären seines nach einem Trost verlangenden Kindes vergaß, an die Mutter, deren Leidensgang und Schicksal sie nun kannte, an Tassilo und Anna, von deren Glück und Liebe sie geschieden war durch den Zorn des Vaters! Doch inmitten all dieser bedrückenden Bilder klang in ihrem verschlossenen Herzen, wie ein schwermütiges und dennoch sehnsuchtsvolles Lied, immer wieder die Erinnerung an jenen einen, an den sie nicht denken sollte, nicht denken durfte. So flossen ihr die stillen Tage dahin, deren gleichförmigen Lauf nur zwei bedeutsame Ereignisse unterbrachen. Wenige Tage nach Schluß der Kunstausstellung im Münchener Glaspalast traf Werners ‚Spätherbst‘ in Eggeberg ein und versetzte Fräulein von Kleesberg für mehrere Wochen in den Zustand unzurechnungsfähiger Ekstase. Und dann war es im Januar, an einem Sonntag. Graf Benno hielt das Mittagsschläfchen im Lehnstuhl, die Gräfin strickte an einem Wollkittelchen für das Kind eines Arbeiters, Kitty hatte sich mit einem Buch in den Erker zurückgezogen, und Fräulein von Kleesberg vertiefte sich in das einzige Blatt, welches Graf Benno neben seinen forst- und landwirtschaftlichen Journalen hielt: in die Berliner Kreuzzeitung. Für Politik interessierte sich Tante Gundi nicht, um so mehr aber für die Rubrik ‚Theater und Kunst‘. Mitten in der Lektüre stieß sie plötzlich einen leisen Schrei aus, sprang auf und rauschte aus dem Zimmer. Onkel Benno drehte sich im Lehnstuhl von einer Seite auf die andere, und Gräfin Resi machte, ohne die langen Stricknadeln ruhen zu lassen, eine reservierte Bemerkung über diese ‚abstrusen Manieren‘. Da kam die Jungfer: Fräulein von Kleesberg ließe die gnädige Konteß für einen Augenblick bitten. Mit einem Gefühl seltsamer Bangigkeit eilte Kitty in Tante Gundis Zimmer.

Unter allen Anzeichen einer fieberhaften Erregung zog Fräulein von Kleesberg das Mädchen zum Tisch, auf dem die Kreuzzeitung aufgeschlagen war, und deutete mit zitternder Hand auf eine Stelle: „Hier lies einmal ... lies, mein Kind, lies, was hier gedruckt steht!"

Es war die Nachricht, daß Hans Forbeck für sein großes, ‚der letzte Sonnenstrahl‘ betiteltes Gemälde, das der ausge-

sprochene Liebling aller Besucher der Berliner Jahresaus-
stellung wäre, die goldene Medaille erhalten hatte.

Brennende Röte flog über Kittys schmächtige Wangen.
Schwer atmend blickte sie ins Leere, dann schlug sie die Hände vor
das Gesicht, stürzte neben Tante Gundi auf die Knie und brach
in Schluchzen aus. Mit einem Schwall zärtlicher Worte
hob Fräulein von Kleesberg die Weinende auf. Aber Kitty, als
wäre ihr jedes Wort und jede Frage eine quälende Marter,
riß sich aus Tante Gundis Armen und flüchtete sich in ihr
einsames Stübchen.

Von diesem Tag an entfaltete Fräulein von Kleesberg
eine geheimnisvolle Tätigkeit. Briefe gingen und Briefe kamen,
welche Tante Gundi, deren Erregtheit sich von Woche zu Woche
steigerte, ängstlich vor Kitty zu verbergen suchte. Von dieser Zeit
an begann auch Fräulein von Kleesberg immer häufiger, unter
Seufzern und Kopfschütteln, von dem ‚bedenklichen Aussehen
des armen Kindes‘ zu sprechen. Onkel Benno und die Gräfin
suchten die Besorgte zu beruhigen, und auch Kitty versicherte
immer wieder, daß sie sich wohl fühle, und daß ihr nicht das
geringste fehle. Aber mit jedem Tag entdeckte Fräulein von
Kleesberg an dem ‚armen Kind‘ ein neues Anzeichen, das auf
eine bevorstehende schwere Krankheit zu deuten schien. Hoch
und teuer beschwor sie immer wieder, daß es ihre heilige Pflicht
wäre, dem ‚drohenden Unglück‘ vorzubeugen. Schließlich gelang es ihr wirklich, auch Onkel Benno und die Gräfin mit
ihrer Sorge anzustecken. Dem ruhigen Naturell dieser beiden
war jede übertriebene Aengstlichkeit fremd, aber sie konnten sich
der Wahrnehmung nicht verschließen, daß Kittys Gesichtchen —
obwohl gerade in diesen Wochen ihre Gestalt sich sichtlich entwickelte — von Tag zu Tag schmächtiger und blässer wurde, ihr
Wesen immer stiller, verlorener und gedrückter. Diesem seltsamen Widerspruch im ‚Habitus der Patientin‘ stand auch der
alte, gutmütige Dorfarzt ratlos gegenüber, und er zog sich
diplomatisch aus der Klemme, indem er eine Luftveränderung als
dringend notwendig und die Berufung einer medizinischen Au-
torität als ‚empfehlenswert‘ bezeichnete. Fräulein von Kleesberg ließ es sich nicht nehmen, den Herrn Professor persönlich
von der Bahn abzuholen. Als sie mit ihm auf Schloß Eggeberg
eintraf, zeigte ihr Gesicht bei aller Erregung eine gar zuver-
sichtliche Miene, als hätte sie dem Professor Kittys Leidens-

geſchichte bereits geſchildert und von ihm einen Rat gehört,
der all ihre Sorgen ſchweigen machte. Und mit ſeelenvergnügter
Zuſtimmung nickte ſie zu dem mit leiſem Lächeln abgegebenen
Votum des Profeſſors: ſofortige Luftveränderung, längerer
Aufenthalt im ſüdlichen Italien. Die ganze Nacht hindurch ſaß
Fräulein von Kleesberg über dem Brief an Graf Egge, und
als das zuſtimmende Telegramm aus Hubertus eintraf, be-
trieb ſie das Packen der Koffer mit einer Haſt, die das ganze
Schloß rebellierte.

Die Reiſe begann. Doch ſonderbar! All dieſe Wochen
her hatte ſich Tante Gundi in zärtlicher Sorge für Kitty und in
ängſtlichen, für das Wohl des ‚armen, kranken Kindes‘ bedachten
Maßregeln erſchöpft; über dieſe ‚aus Geſundheitsrückſichten‘
unternommene Reiſe ſchien ſie aber eine ganz merkwürdige An-
ſicht zu haben. Die Fahrt entwickelte ſich zu einer wahren
Hetzjagd: zuerſt in e i n e r Eiſenbahntour bis Genua, nach einer
verzweifelten Nachtruhe im Hotel wurde die Reiſe mit dem
Dampfer fortgeſetzt, und obwohl die Fahrt ſo ſtürmiſch war, daß
Tante Gundi einen Anfall von Seekrankheit bekam, nach dem
ihr ſelbſt ein paar Tage der Ruhe bringend nötig geweſen wären,
wurde doch in Neapel kaum eine Stunde nach der Ankunft ſchon
wieder der nach Capri gehende Dampfer beſtiegen.

Bei der Landung an der Marina grande befand ſich Fräulein
von Kleesberg in einer ſo zitternden Aufregung, daß ſogar Kitty,
die bisher dieſe ganze Hetze ſtill und geduldig ertragen hatte,
aufmerkſam wurde und in Sorge fragte: „Aber Tante Gundi?
Was haſt du nur?“

Fräulein von Kleesberg ſchüttelte den Kopf. „Ich freue
mich, Kind, ich freue mich nur!“ Als ſie im Wagen ſaßen und
über die herrliche Bergſtraße emporfuhren, drückte Tante Gundi
immer wieder Kittys Arm an ihre Bruſt und beteuerte: „Hier
ſollſt du mir geſund werden, du mein armes Herzchen! Ganz
geſund! Das ſchwör ich!“ Und dabei blickte ſie mit ſo er-
wartungsvollen Augen über die Straße voraus und nach allen
Seiten, als müßte ſich mit jedem nächſten Moment irgend ein
wunderſames Ereignis vollziehen. Dieſe hochgeſpannte, traum-
hafte Stimmung hielt an, bis Tante Gundi im Hotel Quiſi-
ſana in die Federn ſank. Doch am folgenden Morgen, als
Fräulein von Kleesberg von einem frühzeitig unternommenen
Ausgang zu Kitty zurückkehrte, war dieſe roſige Laune jählings

in ihr graues Widerspiel verwandelt. Sie schalt über den ‚wahnsinnigen‘ Professor, der sie und das ‚arme Kind‘ in diesen ‚von unangenehmen Menschen wimmelnden, meerumschlossenen steinernen Spucknapf‘ verbannt hätte. Von jedem Lüftchen behauptete sie, daß es den sicheren Tod brächte — und als die linde Sonne kam, jammerte sie, daß man ‚zerschmelzen müsse in dieser afrikanischen Glut!‘ Am liebsten wäre sie gleich wieder abgereist — und erst nach langem Zureden vermochte Kitty einen Ruhetag zu erwirken.

Dieses gleiche seltsame Spiel wiederholte Fräulein von Kleesberg bei der Ankunft in Sorrent: zuerst himmelhoch jauchzend, dann plötzlich zu Tode betrübt. Zwischen diesen beiden Phasen lag eine von Tante Gundi allein und geheim unternommene Wagenfahrt zur Cocumella, einer zwischen blühenden Orangengärten idyllisch gelegenen Künstlerherberge. Als sie zurückkehrte, stürzte sie atemlos in Kittys Zimmer und beteuerte: „Sei mir nicht böse . . . aber hier halt ich es nicht aus! Keinen Tag! Diese engen, trostlosen Mauergassen, dieser Schmutz, dieses Geschrei . . . das ist ja, um zu verzweifeln! Ich hab es aber doch immer gesagt: Capri, Sorrent . . . das ist ja ein ganz unglaublicher Einfall! Hätte man auf mich gehört, wir wären direkt nach Ravello gegangen! Direkt!“

Kitty konnte sich zwar nicht erinnern, daß Fräulein von Kleesberg jemals einen solchen Vorschlag gemacht hätte; aber sie ergab sich in Geduld und ließ sich am folgenden Morgen wieder in den Wagen packen.

Todmüde trafen sie am Abend in Amalfi ein und gingen bald zur Ruhe, um sich — wie Tante Gundi sagte — ‚tüchtig auszuschlafen für den großen Tag‘. Diese mystische Bezeichnung erklärte sie nicht näher. Doch eine Stunde später, als Kitty schon in den weißen Kissen ruhte, kam Tante Gundi noch einmal zur Türe hereingeschlichen, umarmte Kitty mit stürmischer Zärtlichkeit und stammelte in tränenreicher Rührung: „Morgen, mein liebes Kind! Morgen! Morgen!“

Die Nacht verging. Ein paarmal erwachte Kitty aus unruhigen Träumen, und dann hörte sie aus der Tiefe herauf das Rauschen des Meeres, das dumpfe Geklatsch, mit dem die Wellen an die steinernen Dämme schlugen, und manchmal den verschwommenen Ruf eines Hafenwächters.

Durch das offene Fensterchen leuchteten aus dem tiefen

Stahlblau des Himmels ein paar Sterne herein, die heftig funkelten. Allmählich dämpfte sich ihr Feuer, der blaue Grund begann sich zu lichten, und der Morgen kam, strahlend in Schönheit, mit Glanz und Duft ...

Da fuhren sie nun, während Amalfi und das Meer in der Tiefe langsam entschwanden, über diese herrlichste aller Straßen empor; Fräulein von Kleesberg in neugespannter Erwartung, wie von einem Freudentaumel befallen. Kitty versunken in genießendes Staunen und in ihre stillen Gedanken.

Langsam stieg der Weg hinauf zwischen den niederen Mauern der üppigen Zitronengärten, eröffnete für wenige Augenblicke eine wundersame Fernsicht über die im Duft des Morgens blauende Küste von Salerno und lenkte mit flimmenden Serpentinen in das stundenlange Tal von Atrani ein. Der Straße zu Füßen lagen wie ein grüner, waldiger See die ununterbrochen aneinander gereihten Orangenhaine, deren Bäume zugleich mit den roten Früchten die weißen Blüten trugen, das weite Tal mit süßen Düften erfüllend. Verstohlen lugten aus dem Grün die Dächer einzelner Villen hervor; und über den höchsten Häusern, die nur noch wie winzige weiße Punkte anzusehen waren, schob sich ein Felsenhügel hinter dem anderen hervor, immer ärmer an Grün, immer matter an Farbe, bis auf den kahlen Schrofen, mit denen der Mont'Angelo seine wuchtige Zinne in den Himmel streckt, nur noch die beiden Kontraste sich zeigten: grelles Sonnenlicht und dunkel verschwommener Schatten.

Im Wagen, der bei sachtem Trab der Pferde über die sanfte Steigung der Straße emporrollte, war seit dem begeisterten Entzücken, in welches Fräulein von Kleesberg beim Anblick von Atrani ausgebrochen, keine Silbe mehr laut geworden. Kitty blickte mit stillen, trinkenden Augen über das schöne Tal, und in Tante Gundi schienen, je mehr man sich der Höhe von Ravello näherte, Gedanken um Gedanken zu erwachen, die ihre Sinne von der Landschaft abzogen und wieder jenen Zustand der Unruh in ihr erweckten, der sie während all dieser Reisetage bei jeder Ankunft an einem neuen Orte befallen hatte.

Aus solcher Stimmung fuhr sie einmal auf, wie aus bedrückendem Traum, und atmete tief; da empfand sie wieder den Wohlgeruch, der alle Lüfte füllte. „Ach, dieser Duft! Orangenblüten und Myrte!" In plötzlicher Zärtlichkeit legte sie den

Arm um Kittys Schultern. „Denke nur, ich habe immer die Vorstellung, als wär ich in der Kirche und hätte ein geschmücktes Bräutlein vor den Altar zu führen."

Es zuckte mit schmerzlichem Lächeln um Kittys Lippen.

Der Wagen bog in die letzte, steile Serpentine ein, auf deren Höhe sich schon der Campanile von Ravello und die brüchigen Zinnen des maurischen Tores zeigten. Neben der Straße hoben sich die Trümmer einer alten, aus gewaltigen Blöcken gefügten Festungsmauer aus der Erde, und hinter diesen Klötzen erschien eine Ruine mit geborstener Kuppel; hundertfältiges Schlinggewächs rankte sich überall um das verwitterte Gemäuer, und mit leuchtenden Farben hingen die Blumen zwischen dem Grün.

Fräulein von Kleesberg ließ die feuchten Blicke über Tal und Höhe gleiten. „Wie schön! Das alles hat Gott doch nur geschaffen, damit sich die Menschen im Glück ihres Lebens freuen möchten! Aber das wollen die Menschen nicht erkennen! Da zerstört der eine das Glück, das ihn der Himmel finden ließ, und der andere hat nicht den Mut, nach dem Geschenk zu greifen, das Gott ihm bietet, und macht sich freudlos für all sein Leben!"

Die vor Bewegung bebende Stimme, mit der diese Worte gesprochen waren, ließ Kitty aufblicken. „Tante Gundi?"

„Ja, Kind, ja! Sieh mich nur an! Mich altes, zweckloses Geschöpf! Auch ich war einmal jung wie du! Auch zu mir kam das Glück gegangen, lächelnd und mit treuem Blick! Aber ich war zu feig, um es festzuhalten! Und ich hätte doch, um meinem ganzen Leben Inhalt und Wert zu geben, nur ein einziges Wort zu sprechen gehabt . . . ein Wort, wie es dein Bruder Tas zu seinem Vater sprach!"

Jähe Blässe rann über Kittys Gesicht.

„Und nun sieh mich an, Kind! Sieh mich an! Mich mit meinen Runzeln unter der Schminke, die ein vergrämtes Gesicht bedeckt, aus welchem alles redet, was über ein Frauenherz nur kommen kann an Schmerz und Reue. Sieh mich an und nimm dir eine Warnung an mir! Du bist so jung, so schön und so herzensgut! Du verdienst das Glück . . . und wer weiß, ob es dir nicht schon begegnet bei deinem nächsten Schritt! Und wenn es vor dir steht und lächelt dich an mit treuen Augen . . . sei nicht feige, Kind! Greif zu mit beiden

Händen! Sage dir, daß das wahre Glück des Lebens alles
andere aufwiegt, Name, Stellung, Besitz, alles, alles! Sieh
nur mich an, Kind! Wie glücklich hätte ich werden können!
Und bei aller Reue, mit der ich um mein eigenes Leben jammere,
liegt noch wie ein schwerer Stein der Vorwurf auf mir, daß
ich durch meine Feigheit auch einen anderen für das ganze Leben
einsam machte, einen guten, herrlichen Menschen! Ach, ich bin
ja viel zu bescheiden, um glauben zu können, daß ich ihm
mehr geworden wäre als eine stille, brave Frau, die ihm mit
rastloser Sorge ein freundliches Haus geschaffen hätte ... während
er, der Gottbegnadete, in seiner Kunst eine Stufe um die andere
erstieg, bis zur Höhe des Ruhmes! Und wie glücklich, wie stolz
wär ich gewesen in meinem stillen Winkelchen ... und hätte mit
Liebe und Verehrung zu ihm aufgeblickt ... zu ihm, den alle
Welt bewundert, alle Welt verehrt und liebt!"

Mit bebenden Händen, von einer Ahnung durchzuckt, umklammerte Kitty Tante Gundis Arm und stammelte: „Werner?"

Fräulein von Kleesberg bedeckte das Gesicht.

Da hielt der Wagen mitten auf der Piazza von Ravello.
Aus der Kathedrale, deren Bronzetüren offen standen, tönte
Gesang und das Lied einer Orgel.

Fräulein von Kleesberg blickte erschrocken auf.

„Hotel Palumbo?" klang eine dünne Tenorstimme; ein
alter Mann, der eine schwarze Sammetjacke trug und auch
sonst mit einem verbummelten Maler alle Aehnlichkeit besaß,
trat an den Wagenschlag und war den Damen beim Aussteigen behilflich. Bei aller Erregung, in der sich Fräulein von
Kleesberg befand, hatte sie doch einen erstaunten Blick für die
auffallende Reinlichkeit, die im Hofraum und Foyer der Pension
Palumbo herrschte; dieses Wunder klärte sich auf, als die Padrona erschien, um die Damen zu begrüßen — es war eine
Deutsche. Sie führte ihre Gäste in einen Seitentrakt des Hauses;
alle Wendungen der Treppe waren durch geschmackvoll drapierte
Vorhänge abgeschlossen, und der Korridor mit seinen klaren
Fenstern spiegelte von Reinlichkeit. An einem Zimmer, in dem
ein Mädchen Ordnung machte, stand die Tür offen — und Fräulein von Kleesberg geriet in zitternden Aufruhr, als sie in
dem Raum verschiedene Malgeräte gewahrte, eine Staffelei und
mehrere mit Leinwand überspannte Rahmen.

„Nur schnell, Kind, schnell! Eile dich!" stammelte sie,

als die Padrona für Kitty ein kleines, allerliebstes Zimmerchen
öffnete, mit Möbeln aus ungebeiztem Olivenholz und mit
Gardinen aus schneeweißem Leinenplüsch. „Eile dich! Ich werde
in fünf Minuten fertig sein!" Sie faßte den Arm der Padrona.
„Kommen Sie, liebe Frau, ich bitte, kommen Sie, ich habe mit
Ihnen zu sprechen."

Kitty hatte ihr Zimmer betreten; mit seltsam verträumten
Augen blickte sie über die Wände und alle Möbel; der kleine
freundliche Raum heimelte sie an und erinnerte sie an ihr
Stübchen in Hubertus. Am offenen Fenster, durch das der
Blick über grünes Rebengelände niederglitt in das Tal von
Minori und auf das ferne Meer, ließ sie sich in einen Lehnstuhl
sinken und drückte die Hände über die glühenden Wangen; sie
hörte nicht den leisen Wechsel der beiden aus dem Nebenzimmer
klingenden Frauenstimmen und merkte nicht, daß ein junges
Mädchen mit frischer Schürze und weißem Häubchen das Zimmer
betrat, einen Krug mit Wasser brachte und beinahe lautlos
den Waschtisch ordnete. Sie saß in ziellose Gedanken versunken,
befangen von einer Stimmung, deren rätselhafte Eigenart sie
sich selbst nicht zu erklären wußte. Ihr Atem flog, und das
Herz schlug ihr wie ein Hämmerlein. Sie wußte auch nicht,
wie lange sie so saß — und dann ging die Türe auf, und Tante
Gundi stand vor ihr, in brennender Erregung, mit den überstürzten
Worten: „Ja was hast du denn getrieben die ganze Zeit! Eine
Viertelstunde fast! Ach du lieber Himmel! Da soll sie nun
fertig sein ... und sitzt noch immer in Hut und Mantel!"
Mit beiden Händen griff Fräulein von Kleesberg zu, um Kitty
bei der Toilette behilflich zu sein. „Nur schnell, Kind! Nur
schnell! Wir haben keine Zeit zu verlieren! Wir müssen zum
Palazzo Rufalo! Das ist das erste! Das Wichtigste! Alles andere
findet sich dann von selbst! Komm nur! Komm! Nur schnell!"
Mit erregter Hast bediente sie Kitty, löste aus einer Blumen-
vase drei herrliche Thearosen und wollte mit ihnen den Gürtel
des Mädchens schmücken.

Kitty wehrte sanft. „Du weißt ja ... ich trage keine
Blumen."

„Doch, Kind! Nimm sie nur! Heute!" Wie sonderbar Fräulein von Kleesberg dieses Wort betonte! „Heute! Ich dulde
nicht, daß du so gehst ... in diesem unfreundlichen Schwarz!
Nimm die Rosen! Ich bitte dich!" Sie setzte ihren Willen

durch. Und dann musterte sie das Mädchen, rückte den Hut, nestelte am Schleier, strich die Falten der Robe glatt und bezeigte eine Sorge, als stünde Kitty vor der Fahrt zu ihrem ersten Hofball. Die letzte Prüfung fiel zu ihrer vollsten Zufriedenheit aus. „So, jetzt gefällst du mir! Und nun komm!" In einem Anfall überschwenglicher Rührung streckte sie die Arme, um Kitty an sich zu ziehen. „Aber nein! Nein! Ich könnte dir die Rosen zerdrücken! Komm nur, komm!" Sie rauschte zur Türe, mit einer Hast, als wäre jede Minute kostbar.

Betroffen schüttelte Kitty das Köpfchen. „Aber Tante Gundi? Ich begreife dich nicht! Was ist denn nur mit dir?"

„Komm nur! Komm!" Fräulein von Kleesberg faßte Kitty an der Hand und zog sie in den Flur hinaus. „Kümmere dich nicht um mich! Ich bin ja völlig verrückt, völlig aufgelöst vor Freude! Es ist ja so schön hier, so unglaublich schön, und ... und alles andere ... du ahnst ja nicht ..." Sie verstummte erschrocken, als hätte sie zu viel gesagt. „Komm nur!" drängte sie mit bebenden Worten. „Komm! Komm!"

Vor dem Hotel erwartete sie der Cicerone mit dem schwarzen Sammetslaus. Er zog den grauen Schlapphut. „Primieramento," begann er mit seiner quieksenden Tenorstimme, „condurrò le signore alla bella vista nel giardino degli Afflitti ..."

„No, signore," fiel Fräulein von Kleesberg hastig ein, „prima di tutto al palazzo Rufalo."

Der Cicerone machte zu dieser Eigenmächtigkeit eine nachsichtsvolle Miene und zuckte die Achseln. „Come Le piace." Doch als sie die Ecke der Kathedrale erreichten, dozierte er nach seiner Gewohnheit: „Ed ora entriamo nel santo duomo. Fu costrutto nel secolo undicesimo ..."

Tante Gundi wurde ungeduldig. „Che importa a me del vostro duomo! Cerchiamo il palazzo Rufalo!"

„Come Le piace!" Der Cicerone war gekränkt.

„Das ist ja unglaublich mit diesem Menschen!" schalt Tante Gundi hinter ihm her; Kitty suchte sie zu beruhigen, aber Fräulein von Kleesberg ereiferte sich immer mehr. „Jede Minute ist kostbar, und da verbröselt uns dieses Ungeheuer die Zeit mit seinen eingepaukten Redensarten ..."

Sie kamen zu einer hohen grauen Mauer, an der sich einzelne sarazenische Arabesken zeigten, die der Verwitterung ent-

gangen waren. Ueber den Kamm der Mauer ragte ein Ge-
wirr von Zypressenwipfeln und Baumkronen hervor, zwischen
deren dichtem Grün sich ab und zu ein von Laub verschleiertes
Gemäuer zeigte, eine graue Zinne, ein Turm mit maurischer
Galerie und schwarz gähnenden Rundfenstern — es war ein
Bild, aus dem es wie ein Geheimnis winkte.

Ein dunkler Torweg wurde durchschritten, und der Cicerone
hielt vor einer kleinen eisernen Pforte. „Eccolo, il Suo palazzo
Rufalo!" Er deutete auf einen Glockenzug, legte die Hände hinter
den Rücken und sagte trocken: „Si campanella".

Fräulein von Kleesberg atmete tief, streifte Kittys Züge
mit verwirrtem Blick und faßte den Draht. Dumpf, mit einem
greisenhaften Klang, hallte der Glockenton durch den stillen
Garten. Schlurfende Tritte näherten sich der Pforte; als sie
geöffnet wurde, knarrte sie in den alten Angeln. Der Pförtner,
ein stiller mürrischer Greis, übernahm die Führung der Damen,
während der Cicerone im Gäßchen zurückblieb.

Eine kühle, feuchte, von schwerem Blumengeruch erfüllte
Luft wehte den Eintretenden entgegen. Das dichte Laubwerk,
das den schmalen Pfad zu beiden Seiten begleitete, gewährte
kaum einen Durchblick; plötzlich erweiterte sich der Pfad, und
überschattet von alten Baumriesen, deren Stämme mit dichtem
Schlingwerk behangen waren, erhob sich die Ruine der maurischen Torhalle, mit der schön geschwungenen Kuppel. Ein
Hauch von Schwermut wehte aus den grauen, durch Raub und
Alter alles Schmuckes beraubten Steinen; sie hatten glanzvolle
Zeiten gesehen, all diese Pracht und Macht war untergegangen
— sie allein noch standen, wie ein trauerndes Denkmal über
Gräbern. Und diesen gleichen melancholischen Charakter zeigte
der tiefschattige Garten, der sich an die Halle schloß: zwischen
ernsten, schwärzlichen Zypressen und scharf duftenden Pfeffer-
bäumen lagen kleine Beete mit feurig blühenden Orchideen,
überall lugten aus verwilderten Rosenbüschen verblichene Mar-
morreste hervor, zertrümmerte Statuen, gestürzte Säulen; leise
murmelten die versteckten Brunnen, zuweilen ließ sich ein süßer
Vogelschlag vernehmen, und der sachte Windhauch, der durch die
Laubengänge strich, spielte mit den Rosenblättern, die zerstreut
auf allen Wegen lagen und gleich winzigen Schifflein auf den
kleinen, stillen Teichen schwammen. Es lag wie träumende
Märchenstimmung unter diesen Bäumen, in dieser Luft. Und

nun wieder erhob sich graues Gemäuer, und klingend hallten die
Schritte auf den Steinfliesen des Torweges, der in das Allerheiligste dieser Ruinen führt, in den maurischen Säulenhof.

Vom Garten kommend, betritt man die mittlere der drei
Loggien, die, einen düsteren, kellertiefen Hof umschließend, sich
leicht und lustig übereinander bauen. An den kahlen Wänden
hängen nur noch einzelne Reste der Marmorbekleidung, doch
beinahe unversehrt sind die schlanken, doppelreihigen Alabaster-
säulchen erhalten, mit den graziös geschwungenen und zart
ornamentierten Bogen darüber; hier und dort noch eine Spur
der erloschenen Farbe und Vergoldung.

Kittys Wangen brannten und ihre Augen glänzten; sie
empfand die hinreißende Macht der Erinnerung, die aus diesen
stummen Steinen redet. Zurückversetzt in längst entschwundene
Zeiten, sah sie Bilder um Bilder vor ihrer träumenden Seele
sich beleben. Schwerter klirrten und zarte Schleier flatterten,
hallender Hufschlag tönte und die Laute klang. So deutlich vernahm sie die Saiten, als klängen sie wahrhaftig an ihr Ohr —
aber nein, das war ja kein Traum mehr, keine Täuschung ihrer
Sinne — sie hörte die Saiten wirklich! Aus einem offenen
Fenster des Palazzo tönte, mit seltener Kunst gespielt, eine
Mandoline, von einer Guitarre begleitet. Und Kitty erkannte
die Weise. Es war eine Barkarole, die sie in Sorrent hatte
singen hören, ein zärtliches Lied, das ihr mit schmeicheln-
dem Locken tief in das Herz gegriffen:

> ‚Vieni, diletta,
> Vieni al mar,
> Vieni, t'aspetta
> Il marinar!‘

Und wieder — in dieser märchenhaften Umgebung mit gesteigertem Gefühl — empfand sie die heiße, verlangende Sehnsucht, die ihr aus den süßen Worten dieses Liedes am verwichenen Abend in die Seele gefallen. Hastig wandte sie sich
ab, um ihre nassen Augen vor Tante Gundi und dem alten
Pförtner zu verbergen — und als möchte sie dem Zauber entrinnen, der sie in der geheimnisvollen Schattenstille dieser
Mauern überkommen hatte, flüchtete sie hinaus in die helle
Sonne.

Zwischen lichten Blumen plauderte ein Springbrunnen, und

eine Marmortreppe führte zu einer Terrasse, die von Lauben-
gängen und Balustraden durchzogen, sich hinausbaute über die
steil abfallenden Weinberge und einen Rundblick über den weiten
Golf von Salerno bot.

Die Hände auf den Busen pressend, mit einem Zug des
tiefsten Schmerzes um die zuckenden Lippen, trat Kitty unter
eines dieser Laubdächer, umspielt von flimmernden Sonnen-
lichtern und farbigen Blätterschatten. Plötzlich verhielt sie den
Fuß, von jähem Schreck befallen; alles Blut wallte ihr zum
Herzen und strömte ihr wieder mit stürmischer Glut in die
Wangen; nach Atem ringend, fuhr sie mit zitternder Hand über
die Augen, als müßte, was sie sah, in der nächsten Sekunde verschwinden wie eine Täuschung ihrer Sinne.

Inmitten des Laubenganges, in dessen malerisch wirkender
Tiefe eine lauschige Nische in die Felswand gehauen war, stand
eine Staffelei, deren Leinwand die Farben eines frisch be-
gonnenen Bildes zeigte. Hatte den jungen Künstler schon bei
den ersten Linien seines Werkes die Ermüdung überfallen?
Er saß auf einer Marmorbank, die Palette in der ruhenden Hand,
und starrte träumend ins Leere. Da vernahm er einen stammelnden Laut und blickte auf. Es war Hans Forbeck. Seine
Gestalt war gereift in diesem halben Jahr und hatte breitere
Schultern bekommen; dichter sproßte der dunkle Bart, und die
südliche Sonne hatte das ernste Antlitz leicht gebräunt.

Bei Kittys Anblick erblaßte er, und die Palette entfiel
seiner Hand. So standen sie voreinander, Aug in Auge; doch
nicht lange währte dieser erstarrende Schreck, dieser lähmende
Zweifel an der Wahrheit. Wohl blieben ihre Lippen stumm,
doch es sprachen ihre Herzen, es redete ihre Sehnsucht, die in
all dieser langen Trennung gewachsen war mit jedem vergrämten Tag und jeder ruhelosen Nacht. Mit ersticktem Freudenschrei die Arme breitend, flogen sie aufeinander zu, hielten sich
umschlungen und hingen Mund an Mund in einem dürstenden
Kuß, der nimmer enden wollte.

Bei der Marmortreppe stand Fräulein von Kleesberg,
lachend und weinend, und fuhr sich mit dem schon alle Farben
spielenden Tüchlein immer wieder über die Augen und
Wangen.

Da klang hinter einer mit Blüten übersäten Rosenhecke
eine Männerstimme: „Hans!"

Forbeck und Kitty hörten nicht; alles um sie her war ihnen untergegangen in der berauschenden Freude ihres jungen, wie vom Himmel gefallenen Glückes. Doch Fräulein von Kleesberg begann an allen Gliedern zu zittern, als sie diese Stimme erkannte.

„Hans! Komm doch einen Augenblick!"

Eine Weile war Stille, dann knirschte hinter der Rosenhecke ein Tritt im Sand. Nun kam Leben in Fräulein von Kleesberg. Mit gestreckten Armen, als hätte sie das erste Glück der Liebenden vor einer Störung zu behüten, eilte sie auf die Hecke zu. Da stand Professor Werner vor ihr, sprachlos vor Ueberraschung.

„Werner!" stammelte sie unter Lachen und Tränen. Weiter fand sie keinen Gruß, kein Wort. Mit beiden Händen faßte sie ihn am Arm und zog ihn so weit auf den Weg heraus, daß er das junge Paar gewahren mußte. Und als ihm, mehr in Schreck als in Freude, ein ersticktes Wort über die Lippen glitt, zog sie ihn wieder hinter die Hecke zurück, sah zu ihm auf mit stolzer Freude und stammelte: „Dieses Glück, Werner . . . dieses junge Glück hab ich geschaffen, ich, die Gundi Kleesberg! Als es mein Glück galt, war ich feig . . . aber für diese beiden armen Kinder hab ich Mut gehabt! Und nicht nur Mut! Es war ja doch auch meine Pflicht. Ich habe ja doch an Kitty die Stelle einer Mutter zu vertreten! Und als ich sah, wie sie in diesem langen, traurigen Winter hinschwand von einem Tag zum anderen, wie sie sich in Liebe und Sehnsucht nach ihm verzehrte . . . da sagte ich mir: jetzt mußt du! Und da hab ich diesen Gewaltstreich begangen und bin euch nachgereist und hab euch gesucht . . . in Capri, in Sorrent, in Amalfi . . . bis ich euch fand! Und jetzt, Werner, jetzt fühle ich doppelte Freude in mir . . . diese schöne selige Stunde hat ja nicht nur dieses mutterlose von Kummer und Sehnsucht kranke Kind gesund und glücklich gemacht . . . sie hat das Glück auch deinem Sohn gebracht!" Tränen stürzten ihr über die Wangen. „Deinem Sohn!"

Werner war diesem heiß erregten Stammeln gegenüber nicht zu Wort gekommen; kopfschüttelnd, wie in banger Sorge, hatte er sie angehört. Bei diesem letzten Wort aber schien er plötzlich wie verwandelt — und er widersprach auch nicht, wie damals in Hubertus. Mit tiefer Bewegung blickte er in Gundis

Augen, nahm ihre Hand und drückte einen langen Kuß auf
ihre zitternden Finger.

„Und keine Sorge, Werner! Hab nur keine Sorge um die
Kinder! Diese erste Stunde hab ich erzwingen müssen ... jetzt
laß sie nur getrost den Weg ihres Glückes weiter gehen! An
ihm, das weiß ich, an ihm wird es nicht fehlen ... er müßte
dein Sohn nicht sein! Er ist wie du: treu, redlich und stark!
Er wird sie glücklich machen, stolz im Glück und reich an Ehre!“

„Ja, Gundi, das wird er!“ Werners Augen leuchteten.

„Und sie? Gib acht, Werner, ich kenne sie! Sie ist ja
nicht, wie i ch gewesen bin ... sie wird den Mut ihres Glückes
haben ... ihres r e i n e n Glückes ... sie ist Fleisch und
Blut ihres Bruders Tas!“ Mit beiden Händen, ohne die
Dornen zu scheuen, drückte Fräulein von Kleesberg das Ranken-
gewirr der Hecke auseinander. „Sieh nur, Werner, sieh, wie sie
den Arm um ihn geschlungen hält! Sie wird nimmer von ihm
lassen! Nimmer!“

Lind und flüsternd hauchte der vom Meer emporziehende
Wind durch das zitternde Laubwerk. Leise schwankten die
schlanken Wipfel der Zypressen, die Brunnen murmelten, und
während lautlos die Rosenblätter fielen, tönten aus dem grauen
Tor des Säulenhofes die zärtlichen Klänge der Barkarole.

17.

Im Süden blühten die Rosen; doch auf den Bergen um
Hubertus kämpfte der Föhn, der nach den Ostertagen einge-
fallen war, den brausenden Frühlingskampf gegen die letzten
Schneemassen, die noch schwer auf allen Zinnen der Felsen lagen.

Im tieferen Bergwald aber, in dem nur vereinzelte Schnee-
flecke, wie verlorene Posten des fliehenden Winters, zwischen
Felsblöcken und in schattigen Mulden ausgedauert hatten, brach
schon das lichtgrüne Laub aus allen Buchenknospen.

,Buchlaub raus,
Hahnfalz aus!‘

So sagt ein alter Jägerspruch. Und Franzl, der an jedem
Morgen die Balzplätze abwanderte, gewahrte mit Sorge, wie

ein Auerhahn nach dem anderen sein Liebeslied mit immer bedenklicherem Phlegma sang.

„Wenn er jetzt net bald kommt, der Graf, wird's schlecht ausschauen mit die Hahnen!"

Aber die Tage der Osterwoche vergingen, ohne daß Graf Egge in der Dippelhütte erschien.

In zorniger Ungeduld dachte er wohl an seine Auerhähne, während er Tag um Tag mit dem Bund um die Augen in der verdunkelten Kruckenstube saß — aber der ‚Leinwandriegel', der ihm wider das Bergsteigen gelegt war, hatte dauerhaften Halt. An jedem neuen Morgen empfing Graf Egge den Doktor mit einem Ungewitter. All diesem maßlosen Zorn gegenüber verhielt sich der alte Arzt merkwürdig still und hatte nur immer den einen Trost: „Geduld, liebe Erlaucht! Geduld!" Zuerst mit scheuem Zögern, dann immer eindringlicher, hatte der Arzt den Vorschlag gemacht, einen Spezialisten aus München zum Konsilium zu berufen.

„Unsinn!" hatte Graf Egge gemurrt. „Lassen Sie mich mit diesen städtischen Quacksalbern in Ruhe! Ich habe Vertrauen zu Ihnen! Sie werden mir meine Lichter schon wieder sauberputzen!"

Eine ähnliche Abfertigung wurde Fritz zu teil, als er fragte: „Soll man nicht der gnädigen Kanteß und den jungen Herren Grafen von Erlauchts Unpäßlichkeit Mitteilung machen?"

„Daß du dich nicht unterstehst!" lautete die Antwort. „Die arme Geiß soll die schöne Zeit da drunten ungestört genießen, damit sie mir gesund an Leib und Seele nach Hubertus heimkehrt! Sonst braucht sich niemand um mich zu kümmern. Wenn du dich unterstehst, eine Zeile nach München zu schreiben, werf ich dich aus dem Haus."

Die Pflege des Kranken hatte der alte Moser übernommen, die ‚Weibsbilder' vertrug Graf Egge nicht in seiner Nähe. Mit Moser konnte er auch von der Jagd schwatzen, von dem ‚verwünschten Nest' in der Hangenden Wand und von den Auerhähnen. Diese Gespräche füllten fast den ganzen Tag. Wurde Graf Egge dieses platonischen Jagens müde, so ließ er sich irgend eines der an der Wand hängenden Gemsgehörne reichen, befühlte die Schale und das gekrümmte Horn mit pedantischer Aufmerksamkeit, maß mit der Handspanne die Länge und Weite der Haken und riet dann, in welchem Jahr und auf welchem

Berg der Bock geschossen wäre. Fast immer traf er das Richtige. Oder er schickte Moser aus der Stube und öffnete, im Lehnstuhl ruhend, den eisernen Schrank. Eine Lade um die andere zog er auf, legte die Sammettabletten vor sich aus und ließ die tastenden Finger über die Steine gleiten. Bevor er den Schrank nicht geschlossen und den Schlüssel abgezogen hatte, durfte Moser die Stube nicht betreten.

So saß er wieder einmal vor dem offenen Schrank — es war am Abend vor dem weißen Sonntag — und zählte die Steine. Da hörte er das Geläut der Kirchenglocken, und die Klänge schienen ihn unbehaglich zu berühren.

„Moser!"

Der alte Büchsenspanner erschien auf der Schwelle.

„Bleib bei der Türe stehen! Ich will nur fragen ... wem wird denn da geläutet?"

„Ein Kindl tragen s' auffi."

„Wem hat das Kind gehört?"

„Dem Bruckner-Lenzi. Jetzt hat der arm Teufel in vierzehn Täg schon 's zweite verloren! An der Halsbräune! Jaaa, ich sag's allweil: der Hals und b' Augen, das sind zwei heiklige Sachen ... der Hals bei die Kinder und b' Augen bei uns alte Leut!"

„Schafskopf!" brummte Graf Egge und griff an seine Binde. „Der Bruckner-Lenzi? Von dem du immer sagtest, daß er gegangen wäre?"

„Ja, Herr Graf! Und ich hab mich auch net täuscht seinerzeit. Aber jetzt, mein' ich, is er sauber. Jetzt geht er nimmer."

„So? ... Setz dich wieder hinaus und mach die Türe zu! Fest, daß ich es höre! ... Mich scheniert die Zugluft."

Graf Egge tastete an den Steinen umher und begann zu zählen.

Nach einer Weile verstummte das Geläut. —

An diesem Abend wurde in der Schifferschwemme des Seehofs wieder ein ‚Gsturitrunk' gehalten. Und wieder blieb, während die Gäste laut durcheinander schwatzten, der Bruckner-Lenzi stumm und mit gläsernen Augen hinter der Flasche sitzen. Mali mahnte ihn auch nicht mehr an den Heimweg; als zum Ave Maria geläutet wurde, erhob sie sich wortlos und ging.

Schon wollte sie den stillen Hof des Bruders betreten, als über den Zaun die Stimme der Nachbarin klang: „Mali? Bist du's?"

„Ja, Nachbarin!"

„Geh, komm ein bißl eini! 's Netterl verlangt so viel nach dir!"

Kein Wunder, daß Mali erschrak. „Um Gottswillen! 's Kindl wird doch frisch sein?"

„Aber freilich! Schaut aus wie 's Leben und macht Spektakel wie zehn junge Teuferln. Aber allweil verlangt's nach dir."

Mali empfand die Anhänglichkeit des Kindes wie einen warmen Trost in all ihrem Kummer. Dennoch zögerte sie mit der Antwort. „Ich möcht schon, aber ich trau mich net recht, ich könnt vom Halsgift was im Gwand haben."

„Ich gib dir von mir ein Rock und ein Janker."

Diesen Vorschlag nahm Mali an; eine Viertelstunde später saß sie in der Kammer bei dem Kinde, das mit seinen glänzenden Augen aussah, als hätte ihm die Verbannung aus dem Vaterhause so wohl getan, wie einem Stadtkind die Sommerfrische.

Es ging auf die neunte Abendstunde, als Mali das Kind in Schlaf gesungen hatte und von der Nachbarin Abschied nahm. Immer wieder drückte sie die Hände des alten Weibleins. „Tausendmal Vergeltsgott! Meiner Seel, Nachbarin, was dem guten Kind z'lieb tan hast, vergiß ich dir meiner Lebtag net!"

„Aber geh, was redst denn! Mach lieber, daß b' heimkommst! Ich mein', du kannst den Schlaf jetzt brauchen!"

„Ja, Nachbarin, heut brauch ich b' Ruh. Aber morgen in aller Fruh wird 's ganze Haus aufgwaschen, Türen und Fenster aufgrissen und alles ausgräuchert. Ehnder trag ich das Kind net heim! Und unser Herrgott wird mithelfen! Es muß doch wieder einmal Tag werden bei uns!"

Als Mali den Hof des Bruders betrat, sah sie Lichtschein an den Fenstern der Stube.

„Gott sei Dank . . . er is schon daheim! Da kann er doch kein Rausch net haben!"

Sie bekreuzte sich vor Freude über dieses gute Anzeichen. Doch als sie die Stubentür öffnete, erschrak sie, daß ihr das Blut wie zu Eis wurde.

Der Bauer stand am Tisch, hatte den Hut auf dem Kopf, einen Bergsack hinter den Schultern, und wischte mit einem schmutzigen Lappen den Rost von einer alten Büchse.

„Lenzi!"

Er wandte das verwüstete Gesicht. „Der Schnaps will net helfen ... so probier ich halt 's anber wieder."

„Lenzi! Um Gottswillen!" Eine namenlose Angst schrie aus diesen erstickten Worten.

Er zuckte die Achseln. „Unb ich muß boch für b' Leichen-kosten sorgen ... ber Dokter mag warten, aber ber Pfarr pressiert." Er schleuderte ben Lappen in einen Winkel.

Wie eine Verzweifelte stürzte Mali auf ihn zu unb um-klammerte seinen Arm. „Ja, Lenzi! Hat bich benn unser Herr-gott ganz verlassen!"

„Verlassen? Ah nah! Ich mein' sogar, er hätt sich in bie letzten acht Täg ganz bsonbers um mich kümmert! Fleißig treibt er 's Engelmachen! Respekt vor seiner Arbeit!" Heiser lachenb suchte Bruckner bie Schwester von sich abzuschütteln. „Mein Ruh laß mir! Unb ben Weg frei, sag ich!"

Mali versuchte mit bem Aufgebot all ihrer Kraft ben Bruber von ber Türe wegzuzerren unb ihm bas Gewehr zu entreißen.

Bruckner lachte. „Hab kein Sorg ... ich geh bem beinigen net ins Gäu! Ich such mein alten Spezi wieber auf ... ber laßt ja mit sich reben, hat er gsagt." Er stieß bie Schwester von sich unb riß bie Türe auf. Ein rauschenber Luftstrom fuhr in bie Stube unb löschte bie Kerze.

„Lenzi!" keuchte bas Mäbchen. Im finsteren Flur, in ben ber Föhn burch bie offene Haustür brauste, holte sie ben Bruber ein, klammerte sich an ihn, stürzte auf bie Knie unb ließ sich schleifen. „Lenzi! Lenzi! Denk an bas Marterl broben bei ber Buch! Denk, was beiner armen Resi gschworen hast! Um aller Heiligen willen ... Lenzi ... Lenzi ..."

Von ber Faust bes Bauern zurückgeschleubert, taumelte sie gegen bie Wanb. Stöhnenb raffte sie sich auf, rannte in bie Finsternis hinaus unb schrie ben Namen bes Brubers. Der rauschenbe Föhn verschlang ben gellenben Laut ...

Hinter eine Hecke geduckt, mit ber Büchse in ber Hanb, eilte Bruckner über bie Wiesen, erreichte ben Steg, ber bie Seebachklamm überbrückte, unb gewann ben Walb. Im schwarzen Schatten ber Bäume schöpfte er Atem unb lub bie Büchse. Dann stieg er bergwärts burch bie Finsternis.

Je höher er kam, besto schwächer wurbe bas Wehen, bas burch bie Wipfel ging. Zwei Stunden war er gestiegen, als er mitten im Hochwalb eine Blöße erreichte. Es war eine Kohl-

stätte. Drei Meiler dampften, und vor einer Rindenhütte lag
ein Gluthaufen, der die Stätte mit rotem Schein überstrahlte.
Bruckner lehnte die Büchse an einen Stamm, ging auf einen
Meiler zu, griff mit beiden Händen in den auf der Erde liegenden Kohlstaub und schwärzte das Gesicht. Dann stieg er weiter.

Es ging auf die zweite Morgenstunde, als er das Steinfeld
erreichte, in dessen Mitte, wie ein schwarzer Klumpen, die
Diensthütte Schippers lag. Roter Herdschein blinkte aus dem
kleinen Fenster.

„Schau, zeitlich is er auf . . . leicht geht er aufs Hahn-
verlusen?"

Die aus dem Fenster fallende Helle beleuchtete den Rauch,
der über das Schindeldach niederwallte und sich zu Boden
schlug — ein Zeichen, daß der Morgen schweren Nebel bringen
würde.

Neben dem flackernden Feuer saß Schipper auf dem Herd,
schon völlig angekleidet, aber noch mit nackten Füßen. Während
der fertige Schmarren in der vom Feuer genommenen Pfanne
dampfte, überwachte der Jäger die blecherne Kaffeemaschine,
aus der sich ein dünnes Rieseln vernehmen ließ; als es verstummte, erhob sich Schipper, streckte gähnend alle Glieder, nahm
eine irdene Schale vom Geschirrahmen und füllte sie mit
schwarzem Kaffee. Nun setzte er sich wieder, schlug die Beine
übereinander, blies die rauchende Brühe und kostete.

Da wurde, ohne daß sich ein Schritt vor der Hütte hatte
hören lassen, die Türe aufgestoßen, und auf der Schwelle stand
eine Mannsgestalt mit geschwärztem Gesicht, die Büchse in der
Hand. Im ersten Schreck ließ Schipper die Blechschale fallen,
daß ihm die heiße Brühe die Lederhose übergoß — und sein
graues Gesicht wurde so weiß wie Kalk.

Langsam näherte sich der Wildschütz und sagte mit lachendem Hohn: „Wenn's jetzt ein andrer wär als ich . . . der
hätt dir bei deiner Kuraschi den Vortl gschwind abgwonnen."

Von seinem Schreck sich erholend, riß Schipper die Augen
auf; er kannte diese Stimme. „Aaaah! Da schau! Der Lenzi!"
Schipper hob die Blechschale von der Erde. „Das is wahrhaftiger
Gott mein Kaffee net wert!" Trotz der Ruhe, mit der er diese
Bemerkung machte, schien er sich doch nicht sonderlich behaglich
zu fühlen. „Wie mir scheint, bist ohne Fruhstuck von daheim
fort? Magst mithalten? Grad hab ich kocht!"

Bruckner stand wortlos; heiß funkelnd, wie der Blick eines Fieberkranken, hingen seine Augen an dem Jäger.

Der fuhr mit dem Löffel in die Pfanne. „Was stehst denn wie der Hackstock? So red doch! An was denkst denn?"

„An alles, was ich d i r verdank!" klang es dumpf von den geschwärzten Lippen des Bauern. „An alles, was ich schleppen muß! An meiner armen Resi ihr unguts Leben! Und an den Fluch, den ich auf meine unschuldigen Kinder grufen hab! Und wieder frag ich mich, wie schon hundertmal: ob ich denn alles, was mich druckt, mit R e c h t am Buckl trag?"

„Mach's wie ich . . . trag's halt leichter!"

„Ob ich 's Recht net h ä t t dazu . . . wer kann's denn wissen?" Bruckner richtete sich auf. „Zwei Büchsen haben kracht, zwei Kugeln sind gflogen am selbigen Johannistag, und e i n e bloß hat den Förster troffen. Ob's die deinig war, oder die meinig, das weiß unser Herrgott ganz allein."

„Ah, na! Das weiß ich auch! Gschossen haben wir freilich alle zwei, wie er uns angrufen hat. Aber troffen hast ihn d u!" erklärte Schipper mit aller Seelenruhe, während ihm der Schmarren, an dem er kaute, zwischen den Zähnen krachte. „M i r is der Schuß überhaupt nur so in der Aufregung brochen, und b' Kugel is kerzengrad auffigfahren in b' Luft . . . da kann ich heut noch schwören drauf. Das hab ich auch deiner Schwester gsagt, wie s' mich im Herbst mit ihrem Bsuch beehrt hat." Ein häßliches Lächeln verzerrte seine grauen Lippen. „Lenzi, das war ein dummes Stückl, daß deiner Schwester alles verzählt hast. Paß auf, die macht dir noch Ungelegenheiten. Wie sich das Madl bei mir für'n Franzl ins Zeug glegt hat . . . o jegerl! Schier derbarmt hat s' mich! Und ich wär noch der gute Kerl gwesen und hätts Madl gheirat . . . daß die dumme Gschicht in der Familli bleibt."

Dem Bauer zuckte die Faust, als befiele ihn die Lust, dem Jäger an den Hals zu springen.

Schipper griff mit dem Löffel fleißig in die Pfanne; dabei aber ließ er keinen Blick von der Hand, in welcher Bruckner die Büchse hielt. „Ja, meiner Seel, ich wär der gute Kerl gwesen! Aber 's Madl hat's mit'm Franzl . . . da kannst nix machen. No, jetzt wird s' ja zfrieden sein, jetzt hat er ja wieder sein Dienst. Aber lassen wir die alten Gschichten in Fried . . . reden wir lieber vom Allerneuesten." Er deutete mit dem Löffel auf

Bruckners Büchse. „Is das noch allweil die alte Spritzen? Gut ausschauen tut s' net! Is wohl lang im feuchten Winkel glegen, gelt?" Er lachte. „Jetzt hat's dich aber doch wieder einmal griffen? Geht's dir vielleicht knapp zamm? Mußt dir Geld machen?"

Der Bauer atmete schwer. „Könnt schon sein, daß ich Geld brauch . . . der Wasen im Kirchhof hat sein Preis."

„Ah ja, richtig, ich hab ja ghört, was für ein Kreuz mit deine Kinder hast. Tust mich derbarmen!" Schipper wischte mit dem Aermel den Mund ab und setzte einen festen Schluck schwarzen Kaffee auf den Schmarren. „Ja, so was is traurig!"

Diese Aeußerung des Mitleids wirkte auf Bruckner, als hätte ihn ein Peitschenhieb ins Gesicht getroffen. Mit zuckender Faust packte er die Schulter des Jägers.

„Oho! Was hast denn?"

Eine Weile stand der Bauer wortlos und bohrte seinen brennenden Blick in die Augen des Jägers; dann wandte er sich ab, spie in das Feuer und ging zur Türe.

Schmunzelnd an der Lippe nagend, sah ihm Schipper nach.

Bruckner faßte die Klinke und drehte das Gesicht. „Gar so gnau mußt es doch net wissen, wer von uns zwei den Förstner am Gwissen hat! Sonst wärst als Jager net der Lump und tätst mich mit der Büchs umsteigen lassen in beim Revier! Aber daß ich mir Geld mach mit deiner Hilf . . . ah na! Ich hab ja noch zwei Küh im Stall und ein Hemmed am Leib! Wenn also ein Schuß hörst in der Fruh, kannst suchen untertags . . . 's Wildbret laß ich dir liegen! Es hat mich heut in der Nacht aus'm Haus trieben, weil ich was haben muß fürs Blut . . . wie Feuer hab ich's in mir . . . und kühl muß ich's machen . . . und drum rat ich dir im guten: steig mir net nach! Du!" Dem Bauer brach die Stimme mit heiserm Laut. „Selbigsmal am Johannistag kann ich auch gfehlt haben! Kommt mir aber heut ein Jager übern Lauf, gar einer, der sich anschaut wie du . . . so fliegt ein Kügerl, das sein richtigs Fleckl findt!"

„Aber Lenzi! Geh, geh, geh! Ich mein', du hast z'viel Vaterunser gnottelt in die letzten Täg . . . so was macht ein wirblet!"

Bruckner antwortete nicht gleich. „Ja! Kunnt schon wahr sein, daß ich 's richtige Beten, das ein Menschen aufricht in der Not, schon lang verlernt hab. Wenn aber d u noch ein richtigs Vaterunser fertig bringst, so bet zu unserm Herrgott, Schipper! Bet zu ihm, daß er mir mein Netterl laßt! Müßt ich 's letzte auch noch verlieren, so weiß ich, wo der Schaden liegt, an dem alles z'grund geht in meim Haus! Nachher weiß ich auch, was ich tu . . . nachher mach ich saubern Tisch in mir und geh zum Gricht. Den Weg, den mach ich freilich net allein!" Der Bauer öffnete die Türe. Und rauschend flackerte das Herdfeuer. „Bet, Schipper, daß mich 's Netterl anlacht, wann ich heimkomm aus'm Berg!"

Der Jäger saß auf dem Herd, als wäre ein Sturz eiskalten Wassers über ihn niedergegangen. Als vor der Hütte der schwere Tritt verhallte, sprang er auf und lauschte in die Nacht hinaus. Er konnte die Richtung, nach der sich Bruckners Schritte entfernten, genau erkennen. „Ah, den schau an! Solchene Gedanken hat er? Wart, Brüderl, da leg ich dir ein Riegel vor!" Mit beiden Händen griff er an seinen Kopf und kehrte zum Herd zurück. Es zuckte und wühlte in seinem Gesicht, während er saß und grübelte. Endlich sprang er auf und drohte mit erhobener Faust gegen die Türe. „Paß auf! Ich schick dir ein zweiten Johannistag übers Gnack! Ich will mir Ruh schaffen . . . vor d i r und vor dem a n d e r e n!"

Er stülpte den Hut über den grauen Kopf, stopfte mit zitternden Händen die Bergschuhe in den Rucksack und nahm die Büchse. Scheit um Scheit warf er in die Herdflamme und öffnete sperrangelweit die Türe. Der Feuerschein sollte hinausleuchten über das Steinfeld und den Bruckner glauben machen, daß die Hütte nicht verlassen stünde.

Dicht an den Pfosten gedrückt — damit sein Schatten in der auf dem Steinfeld liegenden Feuerhelle nicht bemerkbar würde — schlich Schipper zur Türe hinaus und eilte, jeden Felsblock als Deckung nützend, durch die lautlose Nacht einer tiefer liegenden Mulde zu. Im Schutz dieser Bodensenke rannte er mit langen Sprüngen dem Latschental entgegen, das zur Hangenden Wand führte. Als er die Felswand erreichte, warf er sich zu Boden, um Atem zu schöpfen und die Schuhe anzulegen. Es war die Stelle, an der Graf Egge die Leiter hatte aufziehen lassen; unsichtbar und still hing der Horst in der finsteren Höhe; doch der Wind, der mit leisem Geraschel über die Felsen niederstrich, hatte matten Aasgeruch.

Sacht plauderte eine versunkene Quelle, vom finsteren Wald
herüber tönte das gedämpfte Gemurmel des Baches, und auf
einer fernen Höhe, deren Felszinnen sich schwarz in den stern-
scheinigen Himmel hoben, begann ein Spielhahn seinen Falzgesang — ein Zeichen, daß der Morgen nahe war. Lustig
grugelte der Hahn ein Gesetzlein um das andere — dann plötzlich verstummte er.

Schipper sprang auf und blickte jener Höhe zu. „Freunderl!
Du hast laute Füß da droben . . . der Hahn hat dich gmerkt!"

Er nahm die Büchse in die Hand und begann zu rennen;
nun brauchte er den Hall seiner Schritte nicht mehr zu scheuen.

Am östlichen Himmel wollten schon die Sterne erlöschen, als
Schipper das Latschenfeld vor der Dippelhütte erreichte. Er
sah das rotleuchtende Fensterchen der Herdstube und atmete
auf. „Gott sei Dank! Ich triff ihn noch daheim! Jetzt geht
alles gut!" Er rannte wieder.

Da erlosch die Fensterhelle, und in der stillen Nacht klang
das leise Geräusch der Hüttentür, die geöffnet und wieder geschlossen wurde.

Franzl suchte den Weg zu den Balzplätzen der Auerhähne.
Eine Strecke war er dem durch die Latschen führenden Steige
gefolgt, als er zwischen dem finsteren Gezweig eine schwarze
Gestalt vor sich auftauchen sah.

„Halt!" Und mit jähem Ruck hatte Franzl die Büchse an
die Wange gerissen. „Wer bist?"

„Oehö! Nur langsam! Ich bin's!" sagte Schipper und
lachte heiser. „Schnell bist fertig mit der Büchs!"

Franzl ließ die Waffe sinken. „Unsereiner muß auf der
Hut sein! Uebrigens . . ." das klang nicht freundlich, „was
suchst denn du in meim Bezirk? Und was schnaufst denn so?"

„Grennt bin ich wie der Teufel! Franzl, heut gibt's heillige
Arbeit! Ich hab zwei Lumpen in meim Revier!"

Franzl schwieg und bohrte den Blick in das vom Dunkel
verschleierte Gesicht des anderen. Die Geschichte kam ihm etwas
verdächtig vor — weil er sich im stillen sagte, daß er selbst
in einem solchen Fall nicht um Hilfe gerannt wäre und die
Wildschützen ungestört im Revier hätte umherlaufen lassen.

„Aber, Franzl! Hast denn net verstanden? Zwei Lumpen
hab ich im Revier!"

Franzl warf die Büchse hinter den Rücken. „So komm

halt!" Mit treibenden Schritten nahm er die Richtung gegen
die Hangende Wand. Schipper hielt sich wortlos hinter ihm.

Der Himmel wurde bleich; doch halb verhüllte ihn der
schwere Nebel, der aus allen Gründen rauchte, um zu kreisendem
Gewölk ineinander zu fließen.

Und Gedanken, so grau wie diese Nebel, wirbelten durch
Franzls Kopf. Immer stand ihm das Gesicht Patscheiders vor
den Augen, mit jenem verschlossenen Zug und jenem finsteren
Blick. Und immer flüsterte eine Mädchenstimme: „Nimm dich
vor'm Schipper in acht!"

Unwillkürlich verhielt er den Schritt und blickte über die
Schulter; doch in der trüben Morgendämmerung sah er das
Gesicht des andern nur wie einen grau verwaschenen Fleck.

Da lachte Schipper. „Richtig, jetzt schaut er sich wirklich
einmal um auf mich!" Das klang wie Hohn. „Du bist mir
ein merkwürdiger Jager! Fragt mit keiner Silben, wo ich
d' Lumpen gmerkt hab, und wie wir's machen müssen, daß
uns das saubere Paarl übern Weg lauft!"

„Was ich wissen muß, wirst mir ja sagen . . . ohne daß
ich frag!"

„Um eins in der Fruh bin ich fort von der Hütten, weil
ich droben am Schneelahner den Spielhahn gern verlust hätt.
Wie ich naufsteig über d' Lahneralm, is mir's schon allweil
gwesen, als hätt ich ein Rauch in der Nasen . . . und richtig,
wie ich zur Sennhütten komm, merk ich Licht hinterm Fenster-
laden. Ja Teufel, denk ich mir, wer sitzt denn jetzt da in der
Hütten drin? Im Augenblick hab ich b' Schuh heruntenghabt,
schleich mich auf b' Hütten zu und guck durch d' Ladenklums
in b' Almstuben eini. Was sagst: sitzen net zwei so gott-
verfluchte Lumpen drin, jeder mit der Büchs über die Knie!
Einer war ein bißl ein junger, und der ander so ein mittel-
jahriger, ein Mordstrumm Lackel mit kohlschwarzem Bart, ein
bißl angrawelt . . . ich hab s' net kennt, sie müssen über der
Grenz daheim sein . . . und da hocken s' am Feuer und reden
in aller Gmütlichkeit miteinander aus, wie s' am besten die
Pirsch übern Schneelahner machen könnten."

„Und du bist davongrennt! Ja, Schipper, wo hast denn dein
Verstand ghabt!" Alle Gedanken der letzten Minuten waren
in Franzl ausgelöscht, und nur noch der Jäger war in ihm
lebendig. „Ja is dir denn mit gar kein Gedanken net ein-

gfallen, daß dein Büchs in b' Händ nimmst und einispringst zur
Tür! Die hättst ja alle zwei im Sack ghabt! Meiner Seel, da
wär mir keiner mehr auskommen!"

„Mit'm Maul is bald einer gfangt! Aber einer gegen
zwei . . . so was macht sich hart! Und daß ich b' Wahrheit
sag . . . ich hab die zwei noch was reden hören miteinander,
das hat mich ganz verdreht gmacht! Und da war mein einzigs
Deuten: da mußt den Franzl holen! Meiner Seel, Franzl,
ich trau mir's schier gar net z'sagen, was ich ghört hab!"

Franzl blieb wie angewurzelt stehen. „Red!" wollte er
sagen; doch seine Lippen bewegten sich ohne Laut. Was hatte
er? Furcht war ihm fremd gewesen all sein Leben lang — und
dennoch schnürte ihm jetzt ein beklemmendes Gefühl den Hals
zusammen.

„Was ich dir sagen muß, is hart für dich zum hören."
Das klang wie kameradschaftliches Erbarmen. „Aber es muß
gsagt sein!" Schipper hob das Gesicht, und unter dem Hutrand
funkelten seine Augen. „Wie ich so einiilus in b' Hütten, hör
ich, wie der jünger meint: wenn auf'm Schneelahner nix
z' machen wär, könnten s' ja die Pirsch bis in dein Bezirk
nüber machen . . . du, meint er, wärst ja bei die Falzpläh
brunt. Aber da hat der ander den Kopf gschüttelt und
hat 's Gsicht zum Feuer dreht. Und da lacht der jünger so
gspaßig und stupst den andern mit'm Ellbogen an und sagt:
,Gelt, Brüderl, das wär z'wider, wenn dir heut der Franzl in
Weg laufen tät . . . am Johannistag den Vater und am
weißen Sonntag sein Buben . . . so was wär ein bißl z'viel
auf e i n Gwissen aufii!"

Mit ersticktem Laut riß Franzl die Büchse von der Schulter,
stürzte auf Schipper zu und faßte ihn an der Brust. „Auf
Ehr und Seligkeit, Schipper . . . is das wahr?"

„Auf Ehr und Seligkeit!" Keine Miene zuckte in dem
grauen Gesicht, und ruhig blickten die kleinen Augen.

Da löste sich Franzls Hand von der Brust des anderen.
„Jetzt sag ich dir Vergeltsgott, daß d' mich gholt hast! Ja,
Schipper, d e r ghört m e i n!" Tief atmend hob er die geballte
Faust. „Heut soll mein Vater b' Ruh finden! Heut fallt
er . . . der ander!" Er raffte den Bergstock auf. „Komm!"

Schipper blieb noch ein paar Augenblicke stehen: ein
Frösteln, das ihn plötzlich befiel, zog ihm den Kopf in den Nacken.

Sie sprachen kein Wort mehr. Als sie, mit schweißüberronnenen Gesichtern, aus dem Latschental hervortraten, lag der Nebel so dicht über allem Gehäng, daß sie im Schutze dieses grauen Schleiers ungedeckt gegen die Höhe steigen konnten; sie hatten die Schuhe abgelegt und stiegen mit nackten Füßen. Kaum auf zwanzig Schritte vermochten sie zu sehen. Doch immer näher klang, wie ein wegweisender Ruf, vom Grat des Schneelahners der lustige Falzgesang des Spielhahns.

Da fiel in der von Dunst umwobenen Höhe ein Schuß, dessen Echo im Nebel erstickte. Der Spielhahn schwieg.

„Dem Hahn hat's golten!" zischelte Schipper. „Franzl, jetzt ghört er uns!" In seinem stammelnden Eifer merkte Schipper nicht, daß er nur von einem sprach; aber auch Franzl hatte dafür kein Ohr. „Jetzt muß er uns in b' Händ laufen! Gradaus über b' Wänd kann der Lump ja doch net runter! Er muß auf'm Wechsel gehn, entweder nach links oder nach rechts. Nimm du die linke Seit, Franzl, ich nimm die rechte . . . so haben wir ihn in der Mitt! Und sei gscheit, Franzl . . . wenn's drauf ankommt, wart net lang! Lieber der ander, als du!"

Franzl antwortete nicht; seine brennenden Blicke bohrten sich in den grauen Dunst, der die Höhe verschleiert hielt. Dann nickte er und stieg, sich zur Linken wendend, mit lautlosen Schritten in die Felsen ein.

Schipper huschte nach der anderen Seite davon. Als er um die Ecke war, öffnete er die Büchse, zog die beiden Patronen hervor, musterte sie genau und schob sie wieder in den Doppellauf. „Für alle Fäll . . . ich will endlich mein Ruh haben!"

Auch Franzl hatte, als er den Einstieg des Wechsels erreichte, den Schritt verhalten, um seinen Atem zur Ruhe kommen zu lassen. Dabei nahm er den Hut ab, drückte ihn an die Brust und murmelte ein Vaterunser. Er wußte, daß der Weg, den er betreten, ein Gang auf Leben und Tod war.

Ein Windstoß fuhr über das Gehäng hernieder und jagte die Nebelfetzen, während die Dämmerung sich in Tag verwandelte.

18.

Immer schärfer zog der Morgenwind über die Berge gegen das Seetal. Immer dichter trieb er die Nebel zusammen und ballte sie zu schweren Wolken, die sich von den Almen niedersenkten gegen die Wälder. Schwerfällig lösten sie sich aus dem grünen Meer der Wipfel, schwammen über das Tal und schlossen sich über ihm zu einer grauen Decke.

Im Seedorf regte sich zu dieser frühen Stunde noch kaum das erste Geräusch des erwachenden Tages. Es war ja Sonntag, und da konnten sich die von der Woche Müden einen längeren Schlaf vergönnen. An den Häusern standen die Türen noch geschlossen.

Nur am Brucknerhause gähnte schon der Flur in den grauen Morgen hinein. Und neben der offenen Tür saß Mali auf der Bank, mit übernächtigem, von Angst entstelltem Gesicht, den Kopf an die Mauer gelehnt, die Hände wie gebrochen im Schoß.

Ihre Sinne schienen taub für das Leben, das sich immer lauter in den Nachbarhäusern regte, und sie hörte die Glocken nicht, die zum Hochamt riefen; doch jeden Bauer, der hinter den Hecken auftauchte, verschlang ihr Blick mit banger Erwartung. Aber es kamen nur die Kirchgänger im langen Sonntagsrock, lachend und plaudernd — keiner wollte kommen in der verwitterten Joppe, stumm, mit bleichem Gesicht und scheuem Blick.

Immer öder wurde die Straße. Eine Weile lag sie leer; dann kam der Doktor Eisler mit zwei fremden Herren; ihnen folgte ein Diener, der eine mit Leder bezogene Kassette trug.

Sie gingen am Brucknerhaus vorüber und nahmen den Weg nach Schloß Hubertus. In der Ulmenallee blieben sie eine Weile vor dem Adlerkäfig stehen, dessen vier Insassen unruhig von einer Stange zur anderen hüpften.

Fritz, der von diesem Besuche schon zu wissen schien, empfing die Gäste auf der Veranda, flüsterte mit dem Dorfarzt und führte die beiden fremden Herren ins Billardzimmer.

Doktor Eisler ging allein zur Krückenstube. Vor der Türe zögerte er und blies die Backen auf, als wäre ihm schwül. Dann drückte er auf die Klinke.

Nur ein mattes Zwielicht fiel, während die Türe sich

öffnete und wieder schloß, in die verfinsterte Stube. Moser erhob sich von seinem Sessel, und Graf Egge bewegte sich im Lehnstuhl.

„Doktor? Sie?"

„Ja, Erlaucht! Guten Morgen!"

„Na also! Endlich!" Graf Egge wollte sich aufrichten, doch er ließ sich wieder auf die Kissen zurücksinken, die seinen Rücken stützten. „Ich konnte Ihren Besuch heute kaum erwarten! Es geht aufwärts, Doktor! Jede Spur von Schmerz ist wie weggeblasen. Jetzt machen Sie aber auch vorwärts, damit ich bald zu meinen Auerhähnen komme. Die beste Zeit ist ohnehin versäumt, und ich muß mich heuer mit der Hälfte der Hähne begnügen, die ich sonst geschossen habe! ... Verwünschtes Nest!"

Der Arzt hatte dem Büchsenspanner ein paar Worte zugeflüstert und ging, während Moser auf den Zehen zum Fenster schlich, auf Graf Egge zu. „Der Schmerz hat also nachgelassen?"

„Er ist weg ... vollständig!"

„Das wird die Untersuchung sehr erleichtern. Und um gleich mit der Türe ins Haus zu fallen ... ich habe eine Bitte, Erlaucht. Gestern abend bekam ich den Besuch zweier Kollegen, und ... offen gestanden, es wäre mir lieb, wenn Erlaucht mir gestatten wollten, daß ich meine Freunde zur Untersuchung beiziehe."

Graf Egge wurde unruhig; dann sagte er trocken: „Reden wir ehrlich miteinander ... zwei so alte Hasen wie wir brauchen sich keine Kindereien vorzumachen. Diese sogenannten Freunde, das sind wohl Ihre zwei Münchener Wundertiere, von denen Sie mir immer vorgeredet haben ... und die haben Sie jetzt auf eigene Faust bestellt?"

„Ja, Erlaucht! Zu Ihrem Besten, wie ich hoffe," die Stimme des Doktors schwankte, „und zu meiner Beruhigung!"

„Na also, in Gottes Namen! Auch das noch! Ich fange an mürb zu werden! Wenn Ihre beiden Katheberbonzen dazu beitragen, mich flinker aus diesem langweiligen Blindekuhspiel zu erlösen, so will ich Ihnen für diese Eigenmächtigkeit noch dankbar sein. In Gottes Namen also, schicken Sie nach Hause, sie sollen kommen!"

„Die Herren befinden sich bereits hier im Schlosse."

„Hui!" Graf Egge lachte müd. „Das klappt ja aufeinander wie der Montag auf den Sonntag. Also gut! Her mit ihnen! Hoffentlich braucht die Geschichte keine weiteren Vorbereitungen?"

„Nein, Erlaucht können hier im Lehnstuhl bleiben, ich werde nur die Binde abnehmen."

Geräuschlos hatte Moser während dieses Gespräches die Bretterverschalung von der Fensternische entfernt, den dicken Teppich beseitigt, mit dem die Scheiben verhängt waren, und die Läden geöffnet.

Hell brach der Tag in die Stube und umflutete mit seinem Licht den Kranken, der regungslos im Lehnstuhl ruhte, während der Arzt ihm die Binde löste.

Graf Egges Rücken war gekrümmt, seine Gestalt in sich versunken, Haar und Bart wirr durcheinander gezaust. Die gefurchten Züge hatten eine welke, gelbliche Farbe; über die halbe Stirn und die Hälfte der Wangen zog sich, soweit der Verband das Gesicht bedeckt hatte, ein bläulichweißer Streif.

Als die Binde fiel, bewegte Graf Egge blinzelnd die noch etwas geröteten, leicht verschwollenen Lider; dann hob er langsam die Hände, strich mit den Fingern über die Augen und atmete auf. „Endlich!"

Ein flüchtiges Rot huschte über die Stirn des Arztes und hastig fragte er: „Haben Sie einen Schimmer vor dem Blick? Können Sie sehen, Erlaucht?"

„Aber Doktor!" Graf Egge drehte das Gesicht hin und her; dabei blieben die Augen unbewegt — sie waren trocken, ohne Glanz und grau umflort. „Wie soll ich denn sehen können in dieser ägyptischen Finsternis? Machen Sie doch erst die Fenster hell!"

Moser stand wie versteinert vor Entsetzen. Und Doktor Eisler sagte mit schwankender Stimme: „Wenn Erlaucht gestatten, werde ich die Kollegen rufen." Er verließ die Stube.

Graf Egge hörte die Türe gehen und wandte sich im Lehnstuhl. „Das ist doch komisch!" murmelte er, während er das Gesicht mit den starren Augen nach allen Seiten drehte. „Wie hat er denn das gemacht . . . mit der Türe? Oder haben sie den Flur da draußen a u c h verhängt? . . . Moser! So nimm doch endlich das Zeug da vom Fenster weg!"

Dem Alten kugelten die Tränen über den Schnurrbart.

Graf Egge wurde ungeduldig. „Das Fenster auf! Die

Quacksalber können mich doch nicht in dieser Finsternis untersuchen. Mach das Feuster hell!"

„Aber ich bitt, Herr Graf," stammelte Moser in ratlosem
Jammer, „ich hab ja die Läden schon lang aufgmacht, es is ja
hellichter Tag in der Stub!"

Ein jähes Erblassen rann über Graf Egges Züge. „Du bist
wohl verrückt," lallte er tonlos, „oder betrunken?" Mit zitternden Fingern fühlte er an seine Augen und stammelte:
„Das ist ja Unsinn! . . . Das ist ja Unsinn!" Ein dutzendmal
wiederholte er dieses Wort. Da hörte er Schritte im Flur und
gedämpftes Gespräch; die Züge vor Erregung wie gelähmt,
wandte er das Gesicht nach der Richtung dieses Geräusches. Er
vernahm, daß die Türe geöffnet wurde — und mit grauen-
haftem Schreck zuckte es über sein Gesicht.

Kaum hatte Doktor Eisler die Namen der beiden Herren
genannt, als Graf Egge mit heiserer Stimme fragte: „Sagen Sie
mir, ich bitte . . . Sie sind ja doch durch die Türe herein-
getreten? Es muß doch Licht in die Stube gefallen sein?
Und dieser Narr da hinter mir sagt, daß das Feuster hell wäre?
Ist das wahr?"

Man suchte ihn zu beruhigen; doch aus all den freundlichen Worten hörte er als einzige Antwort auf seine Frage
das Ja heraus.

„Wahr!" Keuchend sprang er auf, krampfte die Hände
in seine Brust und schrie mit der Qual eines Gemarterten: „Aber
ich sehe ja nichts . . . ich sehe nichts!" Er taumelte, vier
Hände griffen nach ihm, und zitternd an allen Gliedern fiel
er in den Stuhl zurück.

Er sprach kein Wort mehr; schwer atmend saß er zwischen
den Kissen und ließ alles mit sich geschehen; er netzte nur
manchmal mit der Zunge die heißen, ausgetrockneten Lippen.
und immer wieder rann ihm ein heftiges Zittern durch die
Hände, die auf den Armlehnen des Sessels lagen.

Ueber eine Stunde währte die Untersuchung. Und ihr Ergebnis lautete: unheilbar erblindet. Man suchte das grausame
Votum in schonende Worte zu kleiden; doch Graf Egge schnitt
alle tröstenden Umschweife mit der scharf klingenden Frage ab:
„Wollen Sie mir kurz die Wahrheit sagen? . . . Blind?"

„Blind!"

„Und k e i n e Rettung mehr?"

„Keine!"

Graf Egges Arme streckten sich, und langsam schlossen sich seine Fäuste. Dann wieder fragte er: „Wäre eine Heilung möglich gewesen ... wenn ich früher der Berufung eines Konsiliums zugestimmt hätte?"

„Nein, Herr Graf! Unser Collega stand, als er Ihre Behandlung übernahm, bereits einem vollendeten Prozeß gegenüber. Die mit gärenden Aasteilchen vermischten Exkremente der Raubvögel enthielten eine ätzende Säure, die innerhalb weniger Stunden die Augen zerstört haben muß."

„Ist noch eine weitere Behandlung nötig?"

„Nein, Herr Graf! Die Entzündung der Lider ist zurückgegangen ... etwas anderes war nicht zu erreichen."

„Moser! Stütze mich!" Graf Egge richtete sich auf und verneigte sich. „Ich danke den Herren! Mein Hausarzt wird alles weitere ordnen!" Er streckte die zitternde Hand. „Ich danke Ihnen!"

Wortlos empfing er die Händedrücke der Herren und blieb aufrecht stehen, bis er hörte, daß die Türe geschlossen wurde; dann fiel er stöhnend in den Sessel zurück und schlug die Hände vor das Gesicht.

Moser stand hinter dem Lehnstuhl und wagte sich nicht zu rühren.

Vom Dorfe scholl das Geläut der Glocken. Graf Egge ließ schwer die Hände fallen. „Warum läutet man?"

„Die Kirch muß aus sein ... man läutet zum Wettersegen."

„Also Morgen noch? ... Und draußen scheint wohl die Sonne?"

„Nein, Herr Graf! Der Tag is trüb, alles hängt voll Wolken ..." dem Alten versagte die Stimme, „es wird bald schütten, mein' ich."

Wieder war Stille in der Stube; nur die fernen Glocken tönten.

Dann plötzlich hob Graf Egge das Gesicht und stammelte: „Moser! Reiß mich am Bart!"

„Aber um Gottswillen, Herr Graf ..."

„Tu es!" befahl Graf Egge mit gereizter Schärfe.

Moser gehorchte.

„Richtig! Ich spür es! Alles ist wahr! Ich wache! Und

vor meinen Augen bleibt es schwarz! Moser! Moser!" Das
klang wie Schluchzen; doch keine Träne netzte die starren,
glanzlosen Augen. „Moser! Jetzt sind meine Lichter hin ...
jetzt hat's ein Ende mit der Jagd!"

Da war es auch mit Mosers Selbstbeherrschung vorüber.
„Mar' und Josef! Mar' und Josef! So ein Unglück!"

„Was tu ich jetzt? Wofür leb ich noch? Ich soll keinen
Berg mehr sehen? Keinen Wald und keinen Baum! Keinen
Hirsch in der Brunst! Keinen Gemsbock im Gewänd! Keinen
falzenden Hahn auf seinem Ast, wenn er den schönen Morgen
ansingt, und wenn ihm die Rosen leuchten! Nichts mehr!
Nichts! Moser! Daran sterb ich! Das ertrag ich keine Woche!
Keinen Tag! Lieber eine Kugel in den Kopf!" Graf Egge
wankte keuchend gegen die Mauer und tastete mit den Händen.

Stotternd suchte ihn Moser zu beruhigen und zog ihn
wieder auf den Lehnstuhl zurück.

Mit gebeugtem Rücken, zitternd an allen Gliedern, saß
Graf Egge zwischen den Kissen und bohrte die Nägel in das
mürbe Leder der Armlehne. Schwer atmend, mit erloschener
Stimme, begann er zu sprechen: „Alles schwarz vor den
Augen! Und das immer so! Einen Tag um den andern! Das
vermag ich nicht auszudenken! Es ist unmöglich! Es muß
noch Hilfe geben! Es muß. Diese gelehrten Pfuscher haben
in hundert und hundert Fällen schon einen Menschen aufgegeben ... und dann hat ihm ein Hausmittel geholfen, ein
altes Weib! Moser! Moser! Es muß auch für mich noch
eine Hilfe geben! Ich will meinen Kugel haben, wie der alte
Tobias! Moser!" Mit beiden Händen umklammerte Graf Egge
den Arm des Büchsenspanners. „Moser! Da fällt mir etwas
ein! Bei Schloß Eggeberg ... mein ganzes Leben hab ich
an den Menschen nicht mehr gedacht, und jetzt auf einmal weiß
ich seinen Namen ... Haneeter hat er geheißen ... und ich
seh ihn vor mir, ganz deutlich, mit dem blauen Kittel und der
langen Schippe! Moser! Bei Schloß Eggeberg hat in meiner
Jugend ein Schäfer gelebt ... der war berühmt in der ganzen
Gegend, der hatte für alles ein Mittel!" Lallend schlug er
die Hände ineinander und hob das Gesicht mit den starren Augen
gegen die Stubendecke. „Herr Gott im Himmel, gib mir, daß
mein Haneeter noch lebt!" Wieder tappte er nach dem Arm
des Büchsenspanners. „Moser! Man muß hinaufschicken zur

Hütte! Schipper soll kommen! Nein! Der nicht! Der hat den
verfluchten Horst gefunden . . . und damals im Herbst den abnormen Bock! Der hat meine Augen auf dem Gewissen . . .
und all mein Unglück! Den Hornegger laß kommen! Meinen
braven Franzl! Der soll mir den Haneeter herschaffen. Auf den
Franzl kann ich mich verlassen! Der spart noch am Reisegeld
und läuft sich für mich die Füße krumm! Er soll nach Eggeberg fahren . . . er soll mir den Haneeter schaffen . . . oder
einen anderen, der mir hilft! Hörst du, Moser?"

„Ja, Herr Graf, ja, ja!"

„Der Franzl, das weiß ich, der Franzl findet einen, der
mir helfen kann! Sieh nur, Moser, ich bin ja schon bescheiden,
ich verlange ja nicht das g a n z e Licht meiner Augen wieder!
Nur auf fünfzig Schritte will ich sehen können, nur auf hundert,
nur so weit, als die Kugel trägt! Ich lebe ja nimmer, wenn ich
nicht jagen kann! Ich lebe nimmer . . ."

Mit zuckenden Händen griff er in seinen Bart, zerrte und
wühlte an seiner Brust und versank immer tiefer in die Kissen.
Der Schweiß, der ihm aus der Stirne gebrochen war, sickerte
ihm über die starren Augen.

„Moser! Das Fenster auf! Ich brauche Luft! Luft!"

Als die Scheiben klirrten und der frische Hauch des Morgens
in die Stube strich, atmete Graf Egge tief; dann saß er still,
mit brütenden Gedanken unter der gefurchten Stirne, manchmal in raunendem Selbstgespräch die trockenen Lippen bewegend.

Da klang ein gellender Vogelschrei durch die Bäume.

Graf Egge hob das Gesicht; ein irres Lächeln glitt über
seine welken Lippen, und die schlaffen Züge spannten sich.
Klatschend schlug er die Hände auf die Armlehnen, hob sich
mit jähem Ruck aus dem Sessel und rief: „Moser! Wir halten
Jagd! Bring mir die Büchse!"

Der Alte schlug vor Schreck die Hände über dem Kopf
zusammen. „Aber um Gottswillen! Herr Graf! Wo denken S'
denn hin?"

„Bring mir die Büchse! Ich will vor der langen Nacht
meine letzte Jagd noch haben! Adlerjagd!" In bebender
Erregung schrie er dieses Wort vor sich hin. „Dieser verwünschten Brut hab ich mein Unglück zu danken! Ich will
nicht, daß sie mir Tag um Tag ihren Spott in die Ohren
schreien, während ich mit blinden Augen sitze. Sie sollen nicht

leben in meiner Nähe ... diesen Tag nicht überleben! Meine Augen sind hin! Aber man schießt nicht mit den Augen allein, ich habe noch meine Hand! Bring mir die Büchse! Die Büchse!"

Diesem maßlosen Ausbruch gegenüber wagte Moser keine Widerrede; bestürzt den Kopf schüttelnd, eilte er davon und brachte das Gewehr und die Ledertasche mit den Patronen. Als ihn Graf Egge in die Stube zurückkehren hörte, streckte er schon die Arme; es zuckte in seinem Gesicht, während er die Hände um Schaft und Lauf der Büchse klammerte.

„Herr Graf!" stotterte Moser in ratloser Sorge. „Ich bitt Ihnen ums Himmelswillen, nehmen S' doch Vernunft an!"

„Führe mich!" befahl Graf Egge. „Und Fritz soll den Sessel zum Käfig tragen, nach der Straßenseite, damit die Kugeln gegen die Berge fliegen, nicht ins Dorf. Vorwärts! Führe mich!"

Fritz, der im Flur von Moser schon gehört hatte, auf welchen ‚Einfall' der ‚arme blinde Narr' geraten wäre, erschien auf der Schwelle. Sie machten einen Versuch, ihrem Herrn diese ‚Jagd' noch in Güte auszureden. Aber an Graf Egges Schläfen begannen die Adern zu schwellen — und da taten sie ihm den Willen.

Langsam führten sie ihn durch den Flur, über die Veranda, an der plätschernden Fontäne vorüber.

In der Ulmenallee, zwischen Käfig und Parktor, wartete der Sessel. Graf Egge ließ sich nieder und legte die Büchse über den Schoß; seine Knie zitterten.

„Moser? Hab ich hier freien Ausschuß bis zu den Adlern?"

„Ja, Herr Graf!"

„Hängt mir kein Ast in die Schußbahn?"

„Nein, Herr Graf!"

„Wie weit?"

„Gute hundert Schritt!"

Graf Egge nickte. „So stell dich hinter mich und hilf mir zielen." Er suchte die Patronen, die ihm Moser in die Joppentasche gesteckt hatte, und lud die Büchse. Das alles tat er stumm, mit jenen bedächtigen, zögernden Bewegungen, wie sie den Blinden eigen sind. Dabei glühte die Erregung auf seinem zerfallenen Gesicht.

Seitwärts zwischen den Bäumen stand Fritz mit der Beschließerin und der Köchin; die Leute waren bleich und verstört, flüsterten miteinander und redeten durch Zeichen mit Moser, in dem der Zorn und das Mitleid miteinander rauften; bei allem Erbarmen, das er mit seinem Herrn empfand, ging ihm doch die „Jagd', zu welcher er da helfen mußte, wider das alte Jägerherz.

Tief Atem schöpfend hob Graf Egge die Büchse und preßte den Kolben an die Wange. „Hab ich die Richtung?"

„Mehr nach rechts, Herr Graf!" Moser visierte über die Schulter seines Herrn. „Ein bißl höher ... noch ein bißl, jetzt, mein' ich, könnt's recht sein!"

Der Schuß krachte, und mit vorgebeugtem Gesicht lauschte Graf Egge.

Die Adler saßen ruhig auf ihrer Stange und streckten nur die Hälse.

„Z' kurz haben S' gschossen!"

Der zweite Schuß ging über die Köpfe der Vögel hinweg; doch der dritte traf. Ein Adler stürzte von der Stange und wälzte sich mit schlagenden Schwingen auf dem Boden des Käfigs. Als Graf Egge das Geflatter hörte, lachte er heiser. „Liegt schon einer?"

Moser schwieg.

Immer rascher folgten die Schüsse, immer heißer brannten Graf Egges Züge, und rote Aederchen erschienen im glanzlosen Weiß seiner starren Augäpfel. Rasselnd ging sein Atem, und immer unsicherer hielt er die Büchse. Noch einundzwanzig Kugeln mußte er durch das Gitter jagen, bis es im Käfig still wurde.

„Fertig?"

„Ja, Herr Graf! Und Gott sei Dank, daß alles vorbei is!" murrte Moser. „Jetzt muß ich's schon ehrlich raussagen: das is ein Stückl Arbeit gwesen, bei dem mir graust hat!"

Langsam nahm Graf Egge die leeren Patronen der beiden letzten Schüsse aus der Büchse, klappte den Lauf wieder zu und stellte die Waffe zwischen die Knie. „Ich will die Strecke sehen. Bring mir die Adler und gib mir einen nach dem andern in die Hand."

Moser ging zum Käfig, und da er den Schlüssel nicht zur Hand hatte, drückte er mit der Schulter das Türchen des Käfigs ein. Er hatte an den vier riesigen Vögeln schwer zu schleppen; einer der Adler bewegte noch matt die Zunge im offenen Schnabel, während sein Kopf und die Schwingen auf der Erde schleiften; hinter Mosers Schritten blieb eine rote Fährte.

Graf Egge verzog die Lippen, als ihm Moser den ersten Adler reichte. „Sie riechen wie das verwünschte Nest da broben!" Seine Erschöpfung gewaltsam überwindend, wog er den Vogel mit freier Hand und nannte die Zahl der Pfunde, auf die er ihn schätzte. So tat er beim zweiten und beim dritten. Als er den vierten Adler faßte, regte sich in dem Tier ein letzter Funke der noch nicht völlig erloschenen Lebensgeister; es streckte den hängenden Fuß und krampfte die Klauen ein. Mit leisem Schmerzenslaut schüttelte Graf Egge die Hand und ließ den Vogel fallen. „Willst du noch greifen?" Er lächelte müd.

Moser, der die leeren Patronen von der Erde auflas, hatte dieses Vorfalles nicht geachtet. Als er sich aufrichtete, sah er seinen Herrn regungslos im Lehnstuhl sitzen, die zitternden Hände um den Lauf der Büchse gelegt.

Starr waren die umflorten Augen gegen das Gewölk der Berge gerichtet, und die welken Lippen raunten: „Meine letzte Jagd!" Wankend erhob sich Graf Egge. „Moser! Führ mich ins Haus!"

Während der Büchsenspanner seinen Herrn am linken Arm faßte und ihn Schrittlein für Schrittlein gegen die Veranda führte, sickerte an Graf Egges rechter Hand ein roter Tropfen vom Gelenk über den Daumen.

Als sie zur Fontäne kamen, verhielt Graf Egge plötzlich den Fuß, und in seinem erschöpften Gesicht zeigte sich der Ausdruck eines quälenden Gefühls. „Herr du mein Gott im Himmel! Moser! Was mir jetzt einfällt!" Seine Stimme schwankte. „Mein Kind da brunten . . . die arme, liebe Geiß!"

Diese Worte hatten einen Klang, daß dem alten Jäger die Zähren in die Augen schossen.

Als sie in die Truckenstube kamen, mußte Fritz, der den Lehnstuhl brachte, um das Schreibzeug laufen, und Graf Egge diktierte ihm eine Depesche: „Bitte Rückreise anzutreten, bin leidend." Er besann sich und schüttelte den Kopf. „Nein, nicht so! Das muß ihr Sorge machen. Sie erfährt es ja noch früh genug! Nimm ein anderes Blatt und schreibe: Komm heim, liebe Geiß, habe Sehnsucht nach dir!" Er lauschte dem Gekritzel der Feder. „Hast du?"

„Ja, Erlaucht!"

„So schreib es noch zweimal ab. Das eine nach Capri,

Quisisana, das andere nach Sorrent, Tramontano, das dritte nach Amalfi ... und dann lauf zur Post! Tummel dich, Fritz! Tummel dich!"

Seufzend ließ sich Graf Egge in die Kissen des Lehnstuhls fallen und schloß die geröteten Lider.

Einige Minuten später trat Fritz den Weg in das Dorf an, um die Depeschen aufzugeben. Es war um die sonntägliche Poststunde; dennoch fand er den Schalter geschlossen und mußte die Telegramme dem Seewirt übergeben, der in hellem Aerger zu schelten begann:

„Was? Der Schalter schon wieder zu? Da hört sich doch alles auf! Aber ich sag's schon die ganze Zeit her: das tut kein gut nimmer mit'm Praktikanten! Sein Dienst versäumt er, sein ganzen Ghalt verjuxt er, im halben Monat laßt er sich von mir schon allweil Vorschuß geben ... und da wird ein Ringerl und Ketterl und Banderl ums auer kauft! Ich will schon nix sagen von dem schiechen Greb unter die Leut ... mich geht die Sach nix an ... aber sein Dienst soll er in der Ordnung machen! Und wenn das net bald anders wird ... entweder ich laß ein gsalzenen Bericht ans Oberpostamt abmarschieren, oder ich red mit'm Pointner-Andres, daß er einmal ein End macht! ... Ich laß ihn gleich suchen, Herr Fritz, daß die Telegrammer noch fortkommen vor Mittag. Aber sagen S' mir, was macht denn der gnädig Herr Graf? Geht's noch allweil net besser mit'm Gschau?"

Fritz, der sich nicht für berechtigt hielt, aus dem Unglück seines Herrn eine Neuigkeit für das Dorf herauszuschlagen, zuckte die Achseln und verabschiedete sich. Als er die Lände überschritten hatte, gewahrte er auf der Straße vor dem Brucknerhaus eine erregte Gruppe von Menschen. Erschrocken eilte er auf die Lärmenden zu. Inmitten der wirr durcheinander schreienden Burschen und Weiber stand ein junger Jäger mit bleichem Gesicht und verstörten Augen. Unter zornigen Flüchen suchte er sich aus den Händen loszureißen, die ihn an der Joppe und an den Armen gefaßt hielten. „Herr Fritz! Herr Fritz!" keuchte er, als er den Diener gewahrte. Mit gewaltsamer Anstrengung wand er sich aus dem Knäuel der Leute hervor und schleuderte mit zorniger Wucht ein Mädchen zurück, das schreiend, wie eine Verzweifelte, an seinen Arm geklammert hing und nicht von ihm lassen wollte.

„Um Gottes willen!" stammelte Fritz. „Was ist benn?"

Der Jäger faßte den Diener am Rock und zog ihn im Sturmschritt mit sich fort. „So ein Tag, wie der heutig! Grausen könnt einem! Kommen S', Herr Fritz! Zum Grafen!" Da krampften sich wieder zwei zuckende Hände um seinen Arm und eine tonlose Mädchenstimme lallte hinter ihm ein Wort, das unter Tränen erstickte. Der Jäger geriet in Wut. „Ja Himmel und Teufel, was will denn das narrische Weibsbild allweil!" Ein zorniger Schwung seines Armes befreite ihn und machte das Mädchen taumeln.

Schreiend kamen die Leute gelaufen, allen anderen voran eine alte Bäuerin. Sie trug das weinende Retterl auf dem Arm und jammerte: „Mali! Aber Mali! Was treibst benn? Bist denn ganz um dein Verstand?"

Mali hörte nicht. Sie war in die Knie gebrochen, raffte sich wieder auf, wankte hinter dem Jäger her und streckte die Hände nach ihm.

„Aber so reden Sie doch!" stotterte Fritz. „Was ist denn geschehen?"

„Die Lumpen, die gottverfluchten! Von unsere Jager haben s' ein erschossen! Am Schneelahner broben liegt er, mit der Kugel in der Brust."

Ein marldurchbringender Schrei gellte in die Lüfte; dann stand das Mädchen wie gelähmt, die Augen starr aufgerissen.

„Mali! Jesus Maria!" kreischte die alte Nachbarin. Erschrocken umringten die Leute das Mädchen und schrien mit wirrem Lärm.

Mali erwachte aus ihrer Erstarrung, und ihre Augen glitten mit stumpfem Blick über die Gesichter. Dann plötzlich, wie in ausbrechendem Irrsinn, begann sie mit den Armen nach allen Seiten zu schlagen. „Johannistag!" schrie sie, die Stimme von Schluchzen zerbrochen. „Johannistag!" Mit beiden Fäusten schlug und stieß sie, um sich freien Weg zu schaffen — und verfolgt von den kreischenden Weibern und Burschen, die Schultern umringelt von den gelösten Zöpfen, rannte sie über den Weg hinaus, der gegen die Berge führte.

Als sie den Wald erreichte, war der schreiende Trupp noch dicht hinter ihr. Doch als der steinige Bergpfad begann, über den das Mädchen emporrannte, als wäre der steile Weg die ebene Straße — da blieben die anderen immer weiter hinter

ihr zurück. Immer schwächer klangen in der Tiefe des Waldes
die lärmenden Stimmen, bis sie untergingen im dumpfen
Rauschen des Wildbaches, an dessen Ufer der Pfad zur Höhe
stieg. Wie ein gehetztes Wild, ringend um jeden Atemzug, eilte
Mali durch den Bergwald empor und den Almen zu. Zwischen
Schluchzen lallte sie die abgerissenen Worte des Gebetes, mit
dem ihre Seele in aller Angst zum Himmel schrie. Sie stürzte,
raffte sich wieder auf, trat in ihre Kleider und riß den Rocksaum
in Fetzen. Noch ehe sie zu den Almen kam, geriet sie in den
Nebel, der alle Bäume grau verschleierte. Vom Tal herauf klang
das Geläut der Mittagsglocke, bald gedämpft, bald wieder mit
wachsendem Ton. Unruhig sprang der Wind umher, ballte,
wenn er talwärts zog, die Nebel noch dichter zusammen und
peitschte sie wieder, wenn er bergwärts fuhr, als dünne, jagende
Schleier über das Gehäng empor.

Um das offene Almfeld brodelten die weißen Dämpfe, wie
der Rauch um eine Brandstatt wirbelt. Immer heftiger setzte
Windstoß um Windstoß ein — und wenn dieses Brausen durch
die wogenden Massen des Gewölkes ging, bekam zuweilen das
Grau der Höhe einen so verlorenen Schimmer, als läge
irgendwo dort oben die Quelle des Lichtes, der schöne Tag.

Als das Sausen des Windes einmal verstummte, ging ein
dumpfes Dröhnen durch die Lüfte. In den höchsten Wänden
hatte sich eine Lawine gelöst, die den letzten Schnee des Winters
von den steilen Felsen niederwarf in tiefe Schluchten. Und als
hätte den kämpfenden Lenz in der Freude seines Sieges die
Lust zu jauchzen überkommen, so setzte der Frühlingssturm mit
tosendem Brausen ein, peitschte die grauen Nebel und riß über
den Latschenfeldern das treibende Gewölk entzwei. Ein Stücklein des blauen Himmels erschien, eine leuchtende, von finsteren
Wolkenschatten umflatterte Felswand, und ihr zu Füßen das
Steinfeld mit der Jägerhütte, deren weißes Schindeldach im
Glanz der Sonne wie Silber funkelte.

Nur wenige Augenblicke währte dieses schimmernde Bild.
Dann floß das wirbelnde Gewölk wieder ineinander, es rauschte
und brauste der Föhn — und ein erstickter Laut, wie ein
kraftloser Schrei um Hilfe, scholl durch die grauen Nebel, die
der Wind an der Jägerhütte vorüberpeitschte.

Die Tür der Hütte stand offen, und an der Blockwand
lehnte eine Büchse, mit kotigem Schaft. In der dunklen Stube

kein Feuerschein, kein Laut. Nur hinter der Hütte das Geplätscher des Brunnens. Auf dem hölzernen Trog, über dessen
Rand das Wasser niedertroff, saß ein Jäger; sein Gesicht war
bleich und verstört, das Hemd an der Brust und die nackten
Knie mit Blut besudelt.

Ein Laut, der aus den grau verschleierten Latschen tönte,
machte ihn aufblicken. War das der Wehlaut eines zu Tod
verwundeten Tieres? Oder die Stimme eines Menschen?

Mühsam, als wären ihm alle Glieder gebrochen, erhob
sich der Jäger und spähte in den treibenden Nebel.

Von dem Steig, der aus den Latschen gegen die Hütte
führte, ließ sich Geräusch vernehmen, und im wirbelnden Grau
erschien eine verschwommene Gestalt. Sie schien zu taumeln;
nun stürzte sie und raffte sich stöhnend wieder auf.

Da eilte ihr der Jäger entgegen.

„Jesus Maria!" fuhr es ihm über die Lippen, wie in
namenlosem Schreck und dennoch in heißer Freude. „Mali!
Mali!".

Zitternd stand sie, atemlos und bis zur Ohnmacht entkräftet, mit entstelltem Gesicht, und starrte ihn an wie ein
unfaßbares Wunder, das vor ihren Augen den Tod in Leben
verwandelte.

„Franzl!"

Sie streckte die Arme und taumelte auf den Jäger zu,
lachend und keuchend, schluchzend und lallend. Mit beiden Händen fuhr sie ihm ins Gesicht, als ginge vor ihren Augen alles
unter und als wüßte sie nicht mehr, wohin sie griff. Sie
wollte seinen Namen nennen und schrie nur einen heiseren
Laut — wollte ihn küssen und biß ihn in die Wange, in den
Bart, in das Kinn.

„Mali! Jesus Maria!" Da fühlte Franzl, daß sich die
Arme lösten, die seinen Hals umklammert hatten. Er wollte
sie noch umschlingen, aber da glitt sie schon an ihm nieder
und stürzte wie entseelt zu Boden.

Schreiend warf er sich auf die Knie, riß die Ohnmächtige an
seine Brust, bedeckte ihr Gesicht mit Küssen, schrie ihren Namen,
rüttelte den regungslosen Körper und küßte wieder den bleichen
Mund und die geschlossenen Augen.

Sie wollte nicht erwachen.

Schluchzend trug er sie zum Brunnen, schöpfte Wasser mit

der Hand und wusch ihr das Gesicht, immer wieder ihren Namen schreiend.

Sie wollte nicht hören, wollte nicht erwachen.

Ein brausender Windstoß teilte das Gewölk, und breit leuchtete ein Sonnenstrahl über das Felsgehäng, über die Hütte und über die beiden Menschen hin. Dann schlossen sich die jagenden Nebel wieder, und alle Höhe war grau verschleiert.

Aus der Tiefe des Latschenfeldes tönte ein langgezogener Ruf — und Franzl gab Antwort mit gellendem Schrei.

Zwischen den Latschen klirrte der Stachel eines Bergstockes im Geröll, und lärmende Stimmen kamen näher.

19.

Am gleichen Morgen, an dem der Draht Graf Egges spät erwachte Sehnsucht nach Amalfi, Sorrent und Capri meldete, trafen Kitty und Fräulein von Kleesberg mit Hans Forbeck und Professor Werner in München ein.

Bei der Einfahrt in den Bahnhof beugte sich Kitty weit aus dem Coupé und stammelte in heißer Freude: „Tas und Anna sind da, sie erwarten uns! Mein guter, guter Tas! Hans! Was sagst du! So sieh doch an: Tas und Anna sind da!" Wieder fuhr sie mit dem Köpfchen aus dem Fenster und rief, die Stimme von Tränen erstickt: „Tas! Anna!"

Tassilo grüßte mit der Haud, und Anna winkte mit dem weißen Tuch; sie standen Seite an Seite, ein schönes, stolzes Paar — wer diese beiden sah, mußte fühlen: das sind glückliche Menschen.

Der Zug war noch im Gang, als Kitty schon mit dem Griff ihres Regenschirmes die Klappe der Coupétür öffnete. Vor Freude schluchzend flog sie dem Bruder an den Hals. Er nahm ihr zuckendes Gesichtchen zwischen die Hände und sagte lächelnd: „Nun sieh mir in die Augen . . . und lies die Antwort auf beinen Brief aus Ravello! Ich wünsche dir Glück, mein lieber Spatz! Du hast gut gewählt!" Und zur Bekräftigung dieses Wortes wandte er sich an Forbeck, zog ihn in seine Arme und küßte ihn auf die Wange.

„Tas! Tas! Mein guter, guter Tas! Wie lieb du bist! Wie

herzensgut!" Und von dem Bruder flog Kitty in seligem Sturm auf Anna zu.

Tassilo begrüßte Fräulein von Kleesberg. Tiefe Bewegung sprach aus dem Klang seiner Stimme, und es war ein seltsamer Blick, mit dem er sich von Tante Gundi zu Werner wandte. Wortlos bot er ihm die beiden Hände. Auch Werner sprach nicht, doch seine Röte glitt über sein ernstes Gesicht, als er Tassilos Händedruck erwiderte.

Vor dem Bahnhof wartete die Equipage, in der die Damen Platz nahmen. Die Herren folgten in einem Mietwagen; wohl gab sich der Kutscher alle Mühe, sich hinter dem voraneilenden Gefährt zu halten; doch als er vor dem Ziel die Pferde parierte, hatten Kitty und Gräfin Anna bereits die im ersten Stock gelegene Wohnung betreten; nur Tante Gundi stand noch auf der Treppe und kämpfte mit ihrem versagenden Atem.

Forbeck eilte über die Stufen hinauf und reichte Fräulein von Kleesberg den Arm.

Diesen Augenblick benützte Werner, um an Tassilo die flüsternde Frage zu richten: „Wann haben Sie meinen Brief erhalten?"

„Zugleich mit dem Brief meiner Schwester. Wie tief mich sein unerwarteter Inhalt bewegte, vermag ich Ihnen nicht zu sagen. Ich kann Ihnen auch die Gründe nachfühlen, die Sie veranlaßten, dieses sorgsam gehütete Geheimnis Ihres Lebens vor m i r zu eröffnen, und ich danke Ihnen für diesen Beweis Ihres Vertrauens. Dennoch kann ich Ihnen einen Vorwurf nicht ersparen! Werner! Mein lieber Freund . . ." Tassilo legte die Hand auf Werners Schulter und lächelte: „Haben Sie mich so wenig kennen gelernt, um in mir einen Menschen von törichtem Vorurteil vermuten zu dürfen?"

„Aber Doktor," stammelte Werner, „wie können Sie nur auf einen solchen Gedanken kommen?"

„Sie haben ihn mir aufgezwungen durch Ihre Sorge, daß mir der Bräutigam meiner Schwester minder willkommen sein könnte, weil sein Vater nicht jener in Sumpf und Elend untergegangene Trunkenbold ist, dessen Namen er trägt und zu Glanz erhebt, sondern ein edler, makelloser Mann, den ich als gottbegnadeten Künstler verehre und als seltenen Menschen liebe. Blut von I h r e m Blut, Werner . . . das ist mir eine neue Sicherheit für das Glück meiner Schwester."

In tiefer Bewegung faßte Werner Taſſilos Hand. „Ich danke Ihnen für dieſes Wort. Und nur noch eines ſagen Sie mir: billigen Sie mein Verhalten gegen Haus ... und daß ich mein Schweigen ihm gegenüber für immer bewahren will?"

„Ja, Werner! Ich verſtehe die Gründe, die Sie Ihrem Sohn ein Opfer bringen ließen, wie es nur die tiefe uneigennützige Liebe eines Vaters zu bringen vermochte. Hans liebt Sie als ſeinen geiſtigen Vater, er dankt Ihnen alles, ſeinen Charakter, ſeine Bildung, ſein reiches Können. Soll er das Recht, Sie auch ſeinen Vater nennen zu dürfen, ſoll er den Wert eines Wortes mit dem Umſturz ſeiner ganzen innerlichen Welt bezahlen, mit einer ſchiefen Stellung vor der Welt? Nein, Werner, Sie müſſen ſchweigen, und nicht nur ihm zuliebe ... auch aus Barmherzigkeit für eine andere! Wie ſtünde ſie vor ihrem Sohn? Bedrückt von Scham und mit der jammervollen Erkenntnis ihres verlorenen Lebens, deſſen Tragik hart an jene Grenze ſtreift, an der die Lächerlichkeit beginnt."

Schwer atmend nickte Werner.

Während dieſes Geſpräches waren ſie über die Treppe hinaufgeſtiegen. Aus dem offenen Korridor klang Tante Gundis Stimme — ſie dankte ihrem ‚lieben Hans‘ für ſeinen ‚freundlichen Ritterdienſt‘.

Taſſilo blieb ſtehen und fragte leis: „Sie hat keine Ahnung?"

„Keine! Daß er mein Sohn iſt, erriet ſie auf den erſten Blick. Ich wollte es leugnen, aber es half mir nichts. Aus meiner Jugend beſitz ich noch ein Bild von mir, das ich ängſtlich vor Haus verwahre — es gleicht ihm beinahe Zug um Zug. Sie mußte ihn erkennen. Mehr aber kann ſie nicht ahnen. Wie hätte ſie jemals denken können, daß der eigene Vater ſie belog! Daß er, um ſie ganz von dem ‚obſkuren Tagdieb‘ loszureißen, der kranken, mit dem Fieber kämpfenden Tochter dieſes herzloſe Märchen von dem Tod ihres Kindes vorlog? Ich habe doch auch an dieſe Lüge geglaubt! Und noch heute wär ich ein einſamer Menſch, wenn ich damals in all meinem Zorn und Schmerz nicht auch die Sehnſucht empfunden hätte, wenigſtens das einzige zu ſuchen, das nach dem kurzen Rauſch meines vernichteten Glückes noch übrig war: dieſes kleine Grab! Aber das wollte ſich nicht finden laſſen — und dennoch glaubte ich noch immer an jene Lüge. Ich habe jahrelang gebraucht, bis der erste Zweifel in mir erwachte, bis ich die Wahrheit ahnte, und bis die halb erloschenen Spuren, denen ich hartnäckig folgte, mich finden ließen, was ich mit brennendem Herzen suchte: mein Kind! Und wie ich meinen armen Jungen fand! Ich wollte, daß ich dieses Bild vergessen könnte!" Werner deckte die Hand über die Augen.

Da klangen Stimmen aus dem offenen Flur, rasche Tritte, das Rauschen eines Kleides — und Arm in Arm erschienen Kitty und Forbeck unter der Türe, ein Bild glückseliger Jugend.

Während Werner mit leuchtenden Augen an dem jungen Paare hing, streifte Tassilo zärtlich die Hand über das Haar der Schwester.

Im Speisezimmer, dessen Tisch zum Frühstück gedeckt und mit Blumen festlich geschmückt war, standen sie Gräfin Anna und Fräulein von Kleesberg. Aber da wollte nun Kitty, die das Heim ihres Bruders an diesem Morgen zum erstenmal betrat, vor allem sehen, ,wie das Glück wohnt!'

Es wohnte traulich — in Räumen, deren Schmuck ein Zeugnis gab von vornehmem Kunstsinn und auserlesenem Geschmack. Kitty vermochte sich kaum satt zu sehen und faßte ihr Entzücken in das Urteil: „Aber das ist ja keine Wohnung, die man eingerichtet hat . . . das kommt mir vor, als wär es gewachsen, ganz von selbst, wie ein Baum wächst, oder eine Blume mit Blättern, Blüte und Duft! Ihr beide müßt so wohnen! Ich kann es mir gar nicht anders vorstellen." Im Gegensatz zu diesem Urteil vermißte sie in Gräfin Annas Boudoir das Allerwichtigste. „Aber Anna? Wo ist dein Flügel?"

„Der steht, wo sein Platz ist," fiel Tassilo lächelnd ein, „in meinem Zimmer! Komm nur! Da sollst du auch noch was anderes sehen." Er tauschte mit Forbeck einen Blick und öffnete die Türe des anstoßenden Gemaches.

Kaum hatte Kitty die Schwelle überschritten, als sie einen Schrei der freudigsten Ueberraschung ausstieß. An der Wand, im vollen Licht der beiden Fenster, hing ein großes Gemälde; aus dem schimmernden Farbenzauber dieser Leinwand leuchtete eine weiße Mädchengestalt hervor; die Schatten des nahenden Sturmes umdrohten sie, doch sicher und lächelnd, von goldigem Sonnenlicht überzittert, ruhte sie auf den starken Mannesarmen, die sie fahrlos über den schwankenden Steg des Wildbachs trugen.

„Hans! Hans!" stammelte Kitty. „Unser Bild! Unsere goldene Medaille!" Sie umklammerte den Arm des Geliebten. „Und das hast du mir verschwiegen! Oder hast du selbst nicht gewußt . . ." Ihre Augen suchten den Bruder. „Das? Wie kamst du zu diesem Bild?"

„Durch gütige Vermittlung der Post. Einige Tage nach Schluß der Berliner Ausstellung wurde mir das Bild ins Haus geschickt, und wieder einige Tage später traf ein Brief aus Capri ein, von einem gewissen Haus Forbeck, der sich bei mir noch entschuldigte, daß sein Hochzeitsgeschenk den fünfmonatlichen Umweg über Berlin genommen hätte."

„Hans!" jubelte Kitty. „Das war eine Idee, die belohnt sein will!"

Forbeck konnte eine Weile nicht sprechen, denn die Lippen waren ihm heiß geschlossen; dann sagte er: „Ich hätt es nicht ertragen, dein Bild in fremden Händen zu wissen. Hier hat es seinen besten Platz gefunden."

Kitty zog den Geliebten vor sein Werk, und stumm an seine Schulter gelehnt, trank sie mit glänzenden Augen den schönen Zauber dieser Farben. Immer heißer glühten ihre Wangen. Und zitternd, in einem seligen Sturm ihres Herzens, blickte sie zu Forbeck auf und schlang die Arme um seinen Hals. „Hans! Ich bin stolz auf den Namen, den ich tragen werde!" Dann flog sie auf Gräfin Anna zu. „Eine Bitte, Anna! Die mußt du mir erfüllen!" Tränen rollten ihr über die Wangen. „Sing mir das Lied vom Jasminenstrauch."

Gräfin Anna öffnete den Flügel. Eine Flut von Tönen rauschte durch den Raum, und die herrliche Stimme klang:

‚Grün ist der Jasminenstrauch
Abends eingeschlafen.
Als ihn mit des Morgens Hauch
Sonnenlichter trafen,
Ist er schneeweiß aufgewacht.
Was geschah nur über Nacht?
Seht, so geht es Bäumen,
Die im Frühling träumen.'

Als Gräfin Anna die schlanken weißen Hände in den Schoß sinken ließ, war es lange still im Zimmer. Nur ein leiser Nachhall der verklungenen Töne durchzitterte noch den Raum — —

Und einige Stunden später der polternde Lärm und das wirre Getriebe des Bahnhofes, das Pfeifen der Lokomotive, und das dumpfe Geroll der Räder, die sich unter den gleitenden Wagen drehten, immer schneller und schneller.

Kitty und Fräulein von Kleesberg reisten nach Hubertus. Wohl hatte Tante Gundi, die ‚das Aeußerste‘ gerne noch verschoben hätte, eine ‚Ruhepause‘ von einigen Tagen gewünscht; aber Kitty mußte die sofortige Weiterreise durchzusetzen — sie wollte ihr Glück entschieden wissen, und Tassilo, wie Forbeck und Werner, hatten ihr beigestimmt. Eine Depesche meldete nach Hubertus, daß die Damen mit dem letzten Zug eintreffen würden, und daß der Wagen sie bei der Station erwarten sollte.

Für Kitty wurde diese Reise zu einem jagenden Traume. Sie kam sich vor wie ein Kind, dem eine flüsternde Stimme wundersame Märchen erzählt. Und dazu sah sie farbig schimmernde Bilder vor den geschlossenen Augen. Wie sonderbar! Daß sie an Märchen denken konnte! Jetzt, vor dieser Begegnung mit dem Vater! Aber war nicht alles, was sie in diesen Tagen erlebt hatte, das echte, rechte Märchen? Der Flug dieser Heimreise? Das süße Wunder von Ravello? Ihre Liebe und ihr Glück?

Tief atmend blickte sie den von Wolken umlagerten Bergen entgegen, die näher und näher rückten und mit jeder Minute wuchsen. Diese Wolken, die sich so dunkel hervorwälzten über die noch mit Schnee gesprenkelten Gipfel, trugen schweren Regen in sich, vielleicht ein Ungewitter.

Im Coupé brannte die Lampe schon, und draußen sank die Dämmerung. Die schwermütigen Torfmoore hatten gelblichen Schein; in tiefer Schwärze stiegen die Bergwälder auf, und durch das blaugraue Gewölk, wenn die treibenden Massen sich zuweilen lüfteten, leuchtete ein Fetzen Himmel gleich einer rot brennenden Fackel.

In Kittys Seele erwachte eine beklemmende Erinnerung. Ein ähnlicher Abend war es gewesen, als sie von der versäumten Hochzeit ihres Bruders nach Hause fuhr!

Tiefer und tiefer sank die Dämmerung; dann ein Pfiff der Lokomotive, und das Ziel war erreicht. Vor dem Bahnhof stand die Kalesche. Der Kutscher war einsilbig und musterte die Damen mit scheuem Blick.

Es wurde finster, bis der Wagen durch das Parktor von

Hubertus lenkte. In der Tiefe der Allee stand eine funkelnde Säule: die von den Laternen der Veranda beleuchtete Fontäne. Im Adlerkäfig kein Laut, nicht das leiseste Geflatter. „Seltsam!" murmelte Kitty. „Wie still sie heute sind!"

Der Wagen hielt, und Fritz, mit der Lampe in der Hand, trat zum Schlag. Er sprach nicht, sein Gesicht war blaß, und die zitternde Lampe flirrte. Verwundert sah ihn Kitty an und wollte sprechen. Aber da gewahrte sie noch einen anderen. Auf den Stufen der Veranda stand der Pfarrer.

„Hochwürden?" stammelte Kitty.

„Man hat mich gerufen, um Sie zu empfangen, gnädiges Fräulein!"

Der merkwürdige Ton dieser Worte nahm ihr die Sprache.

„Kommen Sie, mein gutes Kind! Ich will Ihnen Stütze sein beim Eintritt in das väterliche Haus, auf das der Herr in unerforschlichem Ratschluß seine schwere Hand gelegt."

Kitty taumelte, als der Pfarrer sie führte. Im Billardzimmer hatte sie ein Gefühl, als versänken die Wände. Dazu hörte sie immer Worte, Worte! Es war schon ausgesprochen, das Furchtbare — und sie konnte es nicht fassen. Dann streckte sie mit schluchzendem Laut die Hände und stürzte aus dem Zimmer, durch den Flur — zur Kruckenstube!

Eine Hängelampe erleuchtete die getünchten Mauern, auf benen sich die Gemsgehörne durch ihre Schatten verdoppelten. Die Beine von einer Wildschur umwickelt, saß Graf Egge im Lehnstuhl, das graue Haupt mit dem steinernen Gesicht und den toten Augen ein wenig zurückgeneigt.

Kein Laut kam über Kittys Lippen, einen Schritt nur tat sie und stand wieder wie gelähmt.

Kaum merklich bewegte sich Graf Egge; seine Finger zogen sich ein, und zwischen den schmal sich öffnenden Lippen blinkten die Zähne.

„Geißlein?" Das klang wie aus weiter Ferne.

Da schrie sie, als hätte man ihr einen glühenden Stahl ins Herz gebohrt, stürzte auf den Vater zu, umschlang ihn, brach in die Knie und drückte schluchzend das Gesicht in seinen Schoß.

Ein Schüttern ging durch den Körper des Blinden; mit beiden Händen tappte er, bis er das zuckende Haupt seines Kindes fand.

„Sei gut, Geißlein! Sei gut! Mach keinen Unsinn! Es ist nun einmal so! Ich hab ausgejagt! Das ist nimmer zu

ändern! . . . Hoffentlich hat dir's der Pfarrer löffelweise ein-
gegeben."

Sie schluchzte.

Er streichelte ihr mit zitternben Händen das weiche Haar
und befühlte ihre kleinen Ohren. „Eine harte Sache, Geißlein!
Die Lichter hin! Alles schwarz vor den Augen! Kein Berg und
kein Wald! Nimmer Grün und nimmer Blau! Nur Schwarz!
Und d i ch lieb ich a u ch . . . und soll dich nimmer sehen!
Und es sehnt mich doch nach deinem Anblick! Hat dir die Sonne
da drunten wohlgetan? Bist du gesund geworden? Hast du rote
Wangen? Laß mir die Kleesberg kommen . . . die soll mir
sagen . . ." Er verstummte; wie in Schmerz verzog er
die Lippen, während er den rechten Arm streckte und die
Finger bewegte, als empfände er eine Spannung an der
Hand.

Kitty fuhr auf; doch sie konnte den Anblick nicht ertragen —
diese welken Züge, diese starren, vorgequollenen Augen mit dem
roten Kreis um jeden Apfel! Stöhnend barg sie wieder das
Gesicht. Alles zu Ende! Auch ihr Glück, ihre Liebe! Alles vernichtet, versunken! Sie war gekommen, um mit dem Vater zu
ringen um ihr Glück — wenn es sein müßte, ihn zu verlassen! Und da lag sie zu seinen Füßen, an ihn geschmiedet mit
allen Banden einer Kindesseele! Nur noch die Liebe zu i h m,
aller Jammer, alles Mitleid und Erbarmen, das ihr das Herz
zerriß! Alles andere zu Ende . . . das ganze, schöne, selige
Märchen, verklungen und versunken! Nur dieser Blinde noch,
nur diese starren, toten Augen, die trocken waren, ohne Glanz
und ohne Tränen — — —

Es pochte an die Fenster — schwere Tropfen schlugen gegen
die Scheiben. Draußen verstummte der Wind, das Rauschen der
Bäume schwieg. Ein leises Klatschen nur — bald am Fenster,
bald auf dem Kiesweg, bald im jungen Laub. Dann ein Sausen,
das von weit her tönte und im nächsten Augenblick schon alle
Mauern von Hubertus umringte, ein helles Geprassel, wachsend
zu einem dröhnenden Geknatter. Die Fenster wurden weiß, es
trommelte auf dem Dach und brauste durch alle Wipfel des
Parkes nieder auf die Erde. Der echte, wilde, zügellose Frühlings-
regen der Berge, der alle faulen Zweige von den Bäumen
schlägt, die Täler und Höhen säubert, den letzten Schnee er-
säuft und die Felsen befruchtet!

Ein fahler Blitz, ein matt verrollender Donner, dann wieder Finsternis, und Ströme über Ströme.

Bäche rannen auf allen Straßen des Dorfes, der See überstieg die Ufer, und in das Geprassel des Regens mischte sich immer mächtiger das Rauschen der Ache und der schwellenden Wildbäche.

An allen Häusern waren die Fenster hell, und über die roten Scheiben huschten die schwarzen Schatten der Weiber, die mit Lumpen alle Lücken der Fensterrahmen verstopften. Und hinter den Flurtüren das Geschrei der Mägde, die das eingedrungene Wasser von den Dielen schöpften.

Ein einziges Haus nur öd und finster. Das Brucknerhaus. Und doch belebt: die beiden Kühe brüllten im dunklen Stall und zerrten an den Ketten — sie hungerten.

Im Seehof kreischender Stimmenlärm; die Schifferschwemme mit Gästen angefüllt; doch kein Lied, kein Zitherklang; nur das Gewirr der lauten, erregten Stimmen; und die erleuchteten Fenster von Qualm verschleiert.

Auf der gedeckten Terrasse stand der Seewirt; die Fensterhelle warf seinen Schatten lang auf die überschwemmte Lände hinaus.

Jetzt Stimmen vom Waldsaum her, und das Geplätscher watender Schritte. Vier Holzknechte betraten die Terrasse, schüttelten die triefenden Wettermäntel und schleuderten das Wasser von den schwammigen Hüten.

„Was is denn?" fragte der Seewirt. „Gschieht in der Nacht noch was?"

„Nix mehr! Die Bscherung droben muß liegen bleiben, hat der Schandari gsagt, bis morgen die Grichtsleut alles gsehen haben. Aber das arme Madl werden s' in der Nacht noch runterbringen . . . wie der Regen angfangt hat, sind s' mit der Tragbahr in der Almhütt untergstanden."

Die Holzknechte suchten ins Trockene zu kommen. Als die Tür der Schwemme geöffnet wurde, quoll der dicke Pfeifenqualm heraus.

Der Seewirt faßte einen der Knechte am Lodenzipfel. „Geh, Stessel, mach den Sprung noch zur Förstnerin naus! Sie weiß schon lang, daß ihrem Buben nix gschehen is, aber das arme Weibl tut wie verruckt. Geh, mach das Katzensprüngl naus zu ihr! Ich zahl dir ein Krug Bier."

„Meintwegen!" Der Knecht stapfte durch die Pfützen und verschwand im Grau des strömenden Regens.

Stunde um Stunde verrann. Um Mitternacht machte der Seewirt Kehraus in der Schwemme. Laut schwatzend torkelten die Letzten nach Hause.

Der Regen war dünner geworden und ging in feines Geriesel über; das hatte keinen Laut mehr; und das Rauschen der Bäche wurde eintönig.

Hoch oben im Bergwald gaukelten die Lichter zweier Fackeln; sie verschwanden, um auf dem tieferen Gehäng wieder aufzublitzen.

Durch die hängende Wolkendecke stahl sich das erste Grau; aus den Wäldern dampften bleiche Nebel und schwebten unruhig hin und her, jedem Wechsel des Windes folgend. Ein starker Geruch von zerriebenem Laub und aufgewühlter Erde füllte die Luft. Es tropfte von den Bäumen; die hatten ihre Blättchen in dieser Nacht zu Blättern ausgeschoben; ein junger Apfelbaum, der hinter dem Zaun eines stillen, öden Gehöftes stand, hatte weißen Blütenschimmer. Und eine Drossel schlug. Das war der erste Laut dieses Morgens; dann klirrende Schritte auf dem Steig, der vom Waldhang gegen die Lände führte.

Zwei Holzknechte erschienen unter den triefenden Bäumen; der eine schob mit dem Bergstock das Fallholz und die losen Steine aus dem Weg, der andere trug die Büchse eines Jägers; ihnen folgten zwei Männer mit einer Reisigbahre: die Stangen am Fußende trug ein alter Bauer, während die Traghölzer zu Häupten der Bahre in Franzls Händen lagen. Sein Gang war mühsam, und seine Arme zitterten; die drei anderen hatten sich von Stunde zu Stunde abgelöst; nur Franzl hatte immer den Kopf geschüttelt, wenn einer der Knechte ihm die Stangen aus den Händen nehmen wollte. Das triefende Gewand klebte an seinem Körper, und über das erschöpfte Gesicht rannen ihm dicke Tropfen — Regenwasser, Tränen und Schweiß. Tastend suchte sein Schritt den Weg, während seine Augen an dem Mädchen hingen, das auf dem durchnäßten Reisig der Bahre gebettet lag, mit Franzls Wettermantel unter dem Kopf, mit zerschnittenem Mieder und gelöstem Haar. Malis Augen standen offen und hatten flackernden Glanz; bald schrie sie mit heiseren Lauten, bald wieder raunte sie ein Gewirr sinnloser Worte vor sich hin; dabei zupften ihre Finger in zuckender Unruh an den Haaren der triefenden Lodenkotze, die den Körper der Fieberkranken bis zur Brust umhüllte.

Die Bahrenträger schritten am Seehof vorbei, in dem noch alles schlummerte, am stillen Brucknerhaus vorüber und den Wiesen zu.

Auf dem Sträßlein vor dem Försterhäuschen stand die alte Horneggerin. „Franzl!" schrie sie. Und rannte.

Beim Anblick der Mutter war es mit Franzls Beherrschung zu Ende. „Da schau, Mutter! Da schau her! Mutter, Mutter, wenn mir das Madl stirbt, so kannst mich gleich mit eingraben!"

Alle Freude der Horneggerin, daß sie ihren Buben heil nach Hause kehren sah, verwandelte sich beim Anblick seines Schmerzes in hellen Jammer. „Jesus Maria!" Sie eilte den Trägern voraus, um Zaun und Tür vor ihnen zu öffnen. „Nur eini da, Leut! Mein Bett soll s' haben, und wenn ich am Boden liegen müßt!"

Als Franzl die Fiebernde in die Kammer trug, schlug sie mit den Händen um sich und schrie.

Der Doktor kam, und die Horneggerin schob ihren Buben zur Tür hinaus. In der Stube fiel er auf die Ofenbank, und seine Knie begannen zu zittern, daß die genagelten Absätze laut auf den Dielen trommelten.

Mit verweintem Gesicht kam die Horneggerin aus der Kammer geschlichen und legte den Arm um den Hals ihres Buben. „Sei gscheit, Franzl, ich bitt dich um Gottswillen! So lang eins noch am Leben is, darf man b' Hoffnung net verlieren!"

Franzl umklammerte die Mutter. „Das Madl is mir mein Alles! Mein Glück und mein Leben! Mutter, wenn unser Herrgott dem Madl nimmer helfen mag ... da wär mir's lieber, dem Bruckner seine Kugel hätt net den andern troffen, sondern m i ch!"

„Jesus! Bub!" stotterte die Försterin und preßte die zitternde Hand auf Franzls Lippen. „Wie kannst dich denn so versündigen!"

„Ja, Mutter, recht hast! Ich hab an dich vergessen ... und an' Vater! Gott verzeih mir mein unguts Wort!" Franzl hob das bleiche Gesicht; seine Augen brannten. „Mutter! Jetzt hat der Vater b' Ruh im Grab! Der ihm die Kugel durchs Herz gjagt hat am blutigen Johannistag ... jetzt liegt er

droben in die Latschen, mit der Kugel am gleichen Fleck . . .
in aller Mitten auf der Brust!"

Jähe Blässe rann über das Furchengesicht der Witwe.
„Franzl! . . . Der Bruckner?"

Der Jäger schüttelte den Kopf. Er zog die Mutter an seine
Seite und begann mit jagenden Worten zu erzählen, während
seine verstörten Augen immer wieder die Kammertüre suchten.
Die ganze Leidensgeschichte seines Herzens sprudelte ihm über
die bleichen Lippen, von der ersten Begegnung mit Mali bis
zu ihrem mahnenden Wort vor der Dippelhütte: ‚Nimm dich
vorm Schipper in acht!' Er schilderte jedes Erlebnis mit Bruckner
und jede Szene mit Schipper bis zum letzten Morgen, an dem
der graue Kamerad ihn vor der Hütte abgefaßt hatte: ‚Franzl,
ich hab zwei Lumpen im Revier!' Und jedes Wort wiederholte
er, das sie unter der Hangenden Wand gesprochen.

„Gleich von Anfang hat mir die Gschicht net taugt . . .
aber mit demselbigen Wort von dem Schwarzbartigen, der mein
Vater am Gwissen hätt, hat er mir Feuer ins Blut gossen. Und
wie ich unterm Schneelahner gstanden bin, hab ich 's Kreuz
gmacht und hab mir gsagt: ‚Jetzt wird grechnet, Vater!' Kein
Laut net haben meine Füß geben, derweil ich gstiegen bin . . .
und kaum schau ich eini übern Schneelahner, sitzt er schon
da vor mir . . . der Schwarzbartig, mit'm Gsicht voll Ruß!
's Blut schießt mir siedheiß in Kopf, und ich fahr auf mit der
Büchs. Allweil sitzt er noch und rührt sich net. Der Spielhahn is ihm vor die Füß glegen, 's Gwehr hat er zwischen die
Kuie ghabt . . . und allweil schaut er in Boden eini. Und
gählings schlagt er b' Händ vors Gsicht und fangt zum weinen
an wie 's wehleidige Kind! Das hat mich packt . . . ich weiß
net wie! Die Büchs hab ich aus'm Anschlag gnommen, bin
auf ihn zu in aller Ruh und sag: ‚Gib dich, Lump!' Da
schaut er auf und schaut mich an. Nacher schnauft er und sagt:
‚Da hast mich!' Eiskalt geht's mir übern Buckel. Beim ersten
Wort hab ich seine Stimm schon kennt, und gleich fallt mir
b' Schwester ein. ‚Jesus Maria! Bruckner! Du!' Mehr hab
ich net rausbracht. ‚Ja,' sagt er, ‚ich!' Und steht auf und
will mir 's Gwehr hinbieten und sagt: ‚Gegen dich gibt's für
mich kein Wehren net! Ich hab guug an die roten Feiertäg
und will weißen Sonntag machen!' Da kracht's übern Lahner
her. Und jetzt erst fallt mir der zweite ein, von dem der

Schipper verzählt hat. Ich mach ein Sprung auf b' Seiten . . .
brüben fliegt 's Pulverwölkl auf . . . und zwischen die Latschen
blitzt der Lauf und fahrt gegen mich, kerzengrad . . ."

„Jesus!" schrie die Horneggerin und bedeckte die Augen.

„Aber ich war mit der Büchs noch net im Gsicht, da fallt
neben meiner der zweite Schuß . . . in die Latschen drin
überschlagt sich einer, und seine Büchs kugelt aussi über b' Wand,
und neben meiner sagt der Bruckner: ‚Für dein Vater, Franzl!
Heut is Zahltag gwesen!' Und da greift er mit der Hand an
b' Seiten, 's Blut rinnt ihm übern Schenkel . . . seine Büchs,
die noch graucht hat, fallt ihm aus der Faust . . . und wie
der Baum im letzten Hieb, so schlagt er auf b' Steiner nieder!
Ich spring ihm z' Hilf und heb sein Kopf. ‚Fehlt's weit?'
frag ich. ‚Ja,' sagt er, ‚wird wohl Zeit sein, daß ich beicht.
Der Pfarr is weit . . . so hör halt du, was ich z' beichten
hab . . . 's Heutige druckt mich net, aber 's Alte möcht ich
mir vom Gwissen laden!' . . . Mutter, Mutter, was hab ich
hören müssen!"

Mit stockenden Worten wiederholte Franzl, was ihm der
Sterbende gebeichtet hatte.

„Schier hat er nimmer reden können. ‚Verzeihst mir,
Franzl?' hat er noch gfragt. ‚Ja,' sag ich, ‚berbarmen tust
mich!' Da schaut er mich an und hat sich gstreckt . . . und
‚Netterl! mein Netterl!' . . . und aus und gar is gwesen.
Und beten hab ich müssen für die arme Seel . . . und hab
net glauben können, daß er der Schuldig is! Zwei Kugeln
sind gflogen am Johannistag, und eine bloß hat troffen!
Mutter, da leg ich b' Hand ins Feuer: es war dem Schipper
die seinig! Allweil die ganzen Jahr her hab ich's gspürt in
mir und hab's net verstanden . . . es war sein Gwissen, das
sich gwehrt hat gegen mich! Und die letzte Lug am gestrigen
Weg? Und wie er mich ghetzt hat, daß ihn meine Kugel vom
andern erlösen sollt! Und wie sich der Bruckner gutwillig geben
will, schießt er ihm heimtückisch die Kugel nauf! Warum denn?
Weil er gforchten hat, der Bruckner könnt reden! Und die
ander Kugel hätt er m i r durch'n Schädel gjagt, daß ich kein
Zeugen mach! Gott sei Dank . . . er hat sich verrechnet. Der
Bruckner hat zahlt für mich! Schau, Mutter, wie ich eini-
gstiegen bin in b' Latschen, und der Schipper is daglegen,
mit die Fäust in der Luft und im käsigen Gsicht noch allweil

sein giftigs Lachen . . . schau, Mutter, da hat's bei mir keine Frag nimmer braucht. Da leg ich b' Hand ins Feuer: der Schipper war's!"

Von Grauen geschüttelt bekreuzte sich die Försterin. „Unser Herrgott soll ihm gnädig sein . . . ich hab verziehen!" Sie umklammerte den Sohn. „Sei christlich, Bub! Vergib! Vergib!"

Franzl schüttelte den Kopf, und seine Stimme war hart. „Ich bin ein guter Christ, Mutter . . . aber da drin liegt b' Mali! Ich hab in der jetzigen Stuub nur ein einzigs Denken: daß mich unser Herrgott die Stund soll erleben lassen, in der ich dem armen Mahl sagen kann: Tu dich trösten, Mali, der Schipper war's . . : und beim armen Bruder hab ich mein Leben z' danken!"

Der Doktor trat aus der Kammer. „Die Sache wird sich wieder machen, hoff ich! Kopf hoch, lieber Hornegger!" Er winkte der Försterin und trat mit ihr vor das Haus. „Ihnen gegenüber muß ich offen sein. Die Sache steht sehr schlimm. Nervenfieber und schwere Lungenentzündung . . . das kann Bäume werfen."

Die Horneggerin mußte sich erst in der Küche ausweinen, ehe sie die Kammer wieder betreten konnte.

Franzl saß zu Füßen des Bettes und hielt die glühenden Hände der Kranken umschlungen, die regungslos in den geblumten Kissen lag, mit dunklen Rosen auf den Wangen.

„Mutter?" Das klang wie ein Hauch. „Meinst net, sie schaut schon viel besser aus?"

„Aber ja! Gwiß! B i e l besser!"

Franzl atmete auf und erhob sich. „Es kommt mich hart an . . . aber ich muß zum gnädigen Herrn und muß Rapport machen. Bleibst bei ihr?"

„Tag und Nacht!"

„Und tust alles, was der Dokter gsagt hat?"

„Alles! Berlaß dich auf mich! Aber gelt, Bub, zieh dich um, tropfst ja am ganzen Leib!"

„Das kühlt mich grad." Scheu streifte er die Fingerspitzen über Malis glühende Wange; dann schlich er zur Tür. „Was ich sagen will . . . am Heimweg könnt ich 's Brucknerhaus absperren und 's Netterl mit heimbringen? Is bir's recht?"

Die Horneggerin zögerte mit der Antwort.

„Mutter! ‚Netterl!‘ hat er gsagt und hat mich angschaut im letzten Schnaufer.“

„Aber Franzl! Ich hab ja nix dagegen gredt! Das arme Hascherl! Freilich! Freilich! Aber wenn ich nur wüßt . . . b’ Mali wird mich brauchen, Franzl . . . g a n z!“

„Ganz und doppelt! Freilich! Da mußt jetzt eh ein tüchtigs Weibsbild zur Hilf haben! Und die könnt ja mit’m Netterl in mein Stüberl naufziehen . . . ich leg mich auf’n Heuboden, ’s Heu bin ich gwohnt.“

Er wartete die Antwort nicht mehr ab. Als er den Hof betrat, läutete man zur Messe. Ein blauer Streif des Himmels schimmerte durch die Wolken nieder. Noch war die Sonne nicht zu sehen, doch fern im See zog sich ein funkelnder Reflex über den grünen Spiegel.

———

Betroffen hatte Franzl in der Ulmenallee den leeren Käfig angestarrt. Vor der Veranda wurde er von Moser abgefaßt und hörte die Nachricht von Graf Egges Erblindung. Er stand wie versteinert, und das Unglück seines Herrn ließ ihn für eine Minute des eigenen Leides vergessen. Moser zog ihn mit sich fort: „Komm zu mir, daß wir ’s Herz voreinander ausschütten können. Ins Schloß dürfst ja net eini . . . der arme Graf soll nix erfahren, daß er sich net aufregen tut! Und vor der Konteß möchten wir’s auch gheim halten, so lang’s geht! Wie uns die erbarmt! Das liebe, gute Fräulen! Ein einzigs Stündl hat s’ gschlafen in der Nacht, und seit aller Fruh hat s’ kein Schritt mehr aus der Kruckenstuben gmacht. Wär nur der Graf Tassilo schon da . . . in der Nacht noch hab ich auf b’ Station fahren müssen und telegraphieren! Heimlich, ohne daß der gnädig Herr was weiß! Hoffentlich kommt er, wir alle haben den Kopf verloren! Und da muß jetzt noch das Unglück droben passieren! Elend über Elend! Ja sag nur, Franzl . . .“

Moser verstummte, denn er hatte bemerkt, daß an der Kruckenstube die Fenster offen standen; wispernd zog er den Jäger vom Kies auf den Rasen, der die Schritte dämpfte.

Ueber der Fensterbrüstung sahen sie die Knäufe des Lehnstuhls und einen grauen Haarbüschel des Blinden. Franzl atmete beklommen, und das Wasser schoß ihm in die Augen.

Aus der Stube klang die Stimme Kittys, eintönig und müde.

Sie saß dem Lehnstuhl zur Seite und las ihrem Vater aus seinem Lieblingsbuche vor — aus Kobells Wildanger:

‚In der Falzzeit ist der Auerhahn zuweilen sehr zerstreut, welches einige auch verrückt nennen, und manchmal kann man sich ihm am hellen Tag nähern und ihn mit aller Bequemlichkeit vom Baum schießen; ob aber die Zerstreutheit so weit geht, daß er, wie Fälle erzählt werden, auch ohne zu salzen, nach einem Fehlschusse aushalte und gleichsam auch sich ‚fleckeln‘ lasse, darüber kann ich nicht urteilen; bei den bayerischen Auerhähnen ist dergleichen meines Wissens nicht gebräuchlich.‘

Graf Egge lachte mit verzerrten Lippen. „Recht hat er! Solchen Unsinn haben die Sonntagsjäger aufgebracht, die man hinauskarwatschen sollte aus Wald und Bergen.“ Er scheuerte die rechte Hand an der Kante der Armlehne und spannte die Finger auseinander. Die ganze Zeit über, seit Kitty zu lesen begonnen, hatte ihr Vater immer mit dieser Hand zu schaffen; bald befühlte er mit der Linken das Gelenk und kratzte; bald schüttelte er die Hand, als wäre sie von Fliegen belästigt; bald schob er sie unter die Wildschur, um sie gleich wieder hervorzuziehen, als wäre ihm die Wärme unbehaglich.

„Was hast du, Papa? Fühlst du Schmerzen an deiner Hand?“

„Schmerzen? Ach, Unsinn! Nur so ein komisches Jucken. Lies weiter!“

Kitty nahm das Buch wieder auf. Immer matter klang ihre Stimme, und die Buchstaben schwammen ihr vor den Augen, so daß sie häufig stockte.

„Bist du müde, Geißlein?“ fragte Graf Egge endlich.

„Nein, Papa!“

„Doch! Ich hör es! Lege das Buch weg und geh ein bißchen in die Luft hinaus.“

„Laß mich bei dir bleiben!“

Graf Egge fühlte ihr Haupt an seiner Schulter, und wie ein Schimmer von Behagen ging es über seine zerfallenen Züge. „So bleibe! Es ist mir auch lieber, ich hab dich bei

mir! Aber das Buch leg weg! Erzähl mir ein bißchen von
deiner Reise. Habt ihr Bekannte getroffen?"

Heiße Röte flog über Kittys bleiche Wangen. Durfte sie
lügen? Ihre Stimme zitterte. „In Ravello trafen wir mit
Professor Werner zusammen."

„Wer ist das?"

„Ein Jugendfreund Tante Gundis."

„Was soll mich d e r interessieren? Sonst habt ihr niemand gesehen?"

„Ja, Papa ... in Professor Werners Begleitung war
ein junger Künstler, der heuer in Berlin die goldene Medaille
bekam ... Hans Forbeck ..." Den Atem verhaltend, blickte
Kitty zu ihrem Vater auf.

„Forbeck? Forbeck?" Graf Egge runzelte die Stirne, als
hätte er Mühe, sich zu besinnen. „Den Namen muß ich doch
schon gehört haben?"

„Du kennst ihn auch!" stammelte Kitty. „Im vergangenen
Sommer trafst du ihn auf der Hochalm ... er hat dich gezeichnet ..."

„Ach so? Der? Ein schlanker, netter Kerl mit gescheiten
Augen ... den kenn ich freilich!" Graf Egge nickte lächelnd
vor sich hin. „Die Geschichte macht mir heute noch Vergnügen!
Weiß er jetzt schon, wen er zeichnete? Damals hielt er mich
für einen richtigen Jäger ... und hat den Nagel auf den
Kopf getroffen ... der Name ist Nebensache. Ja, Geiß, in
dem steckt was ... der hat einen Blick für das Echte. Und
jetzt hat er die goldene Medaille bekommen? Das bedeutet ja
wohl für einen Künstler so viel, wie für einen Jäger der Blatt-
schuß auf den Tiger? Was? Na, das gönn ich ihm! Und begreif es! Er war ja damals Feuer und Flamme für meine
Joppe, für mein ganzes Gestell und für meinen ‚wuchtigen
Raßkopf', wie er sagte!" Graf Egge lachte. „Er ließ mir keine
Ruhe mehr, ich mußte ihm sitzen ... und ich hab's auch
gerne getan! Und ich sage dir, Geiß, er hat meinen Kopf
auf das Blatt geschmissen, daß ich mir dachte: Herrgott, der
zeichnet ja, wie ich schieße. Und denke dir: nach der Sitzung
hat er mir einen Taler gegeben ... für so echt hat er mich
genommen. Den Taler hab ich heute noch ... da drin liegt er
im Kasten ... und er freut mich doppelt: weil er das einzige
Geld ist, das ich verdiente in meinem Leben, und weil er mich

an diesen prächtigen Jungen erinnert. Ja, Geißlein, dem hab ich gefallen . . . und er mir auch!"

Kittys Atem flog, und Tränen stürzten aus ihren leuchtenden Augen. Wie ein Rausch beseligender Hoffnung hatte es ihr Herz befallen. Das war die Stunde, in der sie sprechen durfte, sprechen mußte! „Vater . . . Vater . . ."

Betroffen von diesem stammelnden Ton, hob Graf Egge das Gesicht und machte eine Wendung im Lehnstuhl; dabei stieß er mit der rechten Hand an den Knauf der Lehne. Unter stöhnendem Laut zog er den Arm zurück. „Herrgott! Das ist mir durch die Schulter bis ins Herz gegangen! Was ist denn nur das mit dieser verwünschten Pranke?" Er rieb die Hand. „Sieh doch einmal her, Geißlein . . . hier am Gelenk muß es sein! Gestern hat mich dieses halbverendete Biest noch gekratzt . . : die Klaue muß doch tiefer gegangen sein, als ich dachte!"

Verstört, und jählings aus allem Taumel ihrer seligen Hoffnung gerissen, beugte Kitty das erblaßte Gesicht über die Hand des Vaters.

Alle Gelenke waren geschwollen, und auf der von der Spannung schimmernden Haut zeigten sich ein paar kleine, blasige Flecke. Zwischen dem Knöchel und der Pulsader sickerte ein dunkler Tropfen, und als ihn Kitty mit ihrem Tuche sacht entfernt hatte, gewahrte sie eine winzige, schwärzlich geränderte Wunde, wie vom Stich einer tintigen Feder.

Kitty war über das Aussehen der Hand erschrocken; doch die Entdeckung dieser unscheinbaren Verletzung beruhigte sie ein wenig. Das sagte sie dem Vater und erhob sich. „Ich will zu Doktor Eisler schicken."

Als sie in den Flur hinaustrat, hatte sie einen Anfall von Schwindel und mußte sich an die Mauer stützen. Fritz brachte ihr frisches Wasser, und sie leerte mit dürstenden Zügen das Glas. Dann schickte sie den Diener ins Dorf: er sollte sich eilen und dem Arzte sagen, daß es sich um eine Rißwunde handle — Doktor Eisler möchte mitbringen, was zum Verbande nötig wäre.

Schon wollte sie wieder zum Vater zurückkehren, als der Postbote eine Depesche brachte. Mit zitternden Händen öffnete Kitty das Blatt. ‚Komme elf Uhr zwanzig — Tas‘.

Eine Viertelstunde später betrat Doktor Eisler die Kruckenstube. Graf Egge hob sich ein wenig aus den Polstern und versuchte einen scherzenden Ton anzuschlagen: „Na, also, Doktor, da hätten wir ja wieder miteinander zu schaffen . . . die kleine, ängstliche Geiß da will's nicht anders. Aber diesmal wird's o h n e Konsilium gehen. Also los! Sehen Sie meine Hand an, und dann sagen Sie vor allem der armen Geiß da, daß sie sich beruhigen soll . . . und schicken Sie mir das Mädel in die frische Luft."

Mit besorgtem Blick musterte der Doktor Kittys erschöpfte Züge. „Ja, Konteß, Ihr Herr Vater hat recht. Soweit mir Fritz die Verletzung schildern konnte, scheint die Sache ja wirklich ganz unbedeutend. Sie aber scheinen dringend einer Erholung bedürftig. Machen Sie eine kleine Spazierfahrt . . ."

„Eine ausgiebige!" fiel Graf Egge ein. „Komme mir unter drei Stunden nicht nach Hause!"

Kitty zögerte; es widerstrebte ihr, den Kranken zu verlassen; aber bei dem Gedanken an Tassilo war es ihr doch willkommen, daß der Vater auf seinem Willen bestand — zwei Stunden schon genügten ihr, um den Bruder von der Bahn zu holen, um ihn auf alles vorzubereiten, was seiner in Hubertus wartete. Zärtlich küßte sie den Vater auf die Stirne und streichelte ihm das graue Haar; ihre Augen schwammen, als sie die Stube verließ.

Der Doktor atmete auf; schon der erste, flüchtige Blick, den er auf die verletzte Hand geworfen, hatte ihn wünschen lassen, mit Graf Egge allein zu sein. Nun sollte ihm Moser helfen, den Oberkörper des Kranken zu entblößen.

„Wozu das?" murrte Graf Egge.

„Es ist nötig, Erlaucht."

Der rechte Aermel der Joppe umspannte die Schwellung des Ellbogens so fest, daß er sich nicht mehr abstreifen ließ; man mußte ihn der Länge nach entzwei schneiden.

Vor dem Fenster rollte der Wagen vorüber und fuhr in jagendem Trab durch die Ulmenallee. Kitty saß in ihren Mantel gewickelt und trieb zuweilen mit einem stammelnden Wort den Kutscher zur Eile an. Was ihr Herz erfüllte mit bangen Gedanken und zehrender Sorge, redete aus ihren verstörten und erschöpften Zügen. Doch wie die strahlende Frühlingssonne immer wieder durch die grau ziehenden Wolken brach, wie in den klatschenden Tropfenfall der Bäume sich das süße Gezwitscher der Vögel mischte, so klang in allen Sorgensturm ihrer Seele immer wieder das Wort des Vaters: „Geißlein! Dem hab ich gefallen ... und er mir auch!"

Der frische würzige Lufthauch, der bei der raschen Fahrt ihre Wangen umfächelte, linderte ihre Erschöpfung und betäubte sie zugleich; das Gerüttel und Gerassel des Wagens lullte ihre Sinne ein; die warme Sonne, die immer seltener hinter den sich zerteilenden Nebeln verschwand, umkoste sie und legte sich wie mit linder Hand auf ihre müden Lider ...

Als Kitty aus dem Schlummer aufschreckte, der sie wider Willen befallen hatte, hielt der Wagen vor der Station. Da fuhr auch der Zug schon in den Bahnhof ein. Ein paar Dutzend Leute stiegen aus. Mit angstvollen Blicken überflog Kitty die Menschen, die an ihr vorübergingen — doch den einen, den sie suchte, wollten ihre Augen nicht finden. Schon standen alle Wagen leer, und die Lokomotive dampfte in die Remise.

Tassilo war nicht gekommen. Hatte er den Zug versäumt, oder ...? Neuer Schreck umklammerte Kittys Herz. Und was sollte sie tun? Den nächsten Zug erwarten? Drei volle Stunden? Die Sorge um den Bruder hielt sie fest, die Sorge um den Vater trieb sie nach Hause. Im Bureau des Stationsvorstandes warf sie mit zitternder Hand einige Zeilen nieder und bat den Beamten, das Blatt ihrem Bruder zu übergeben, wenn er mit dem nächsten Zuge käme. Den Wagen ließ Kitty warten und fuhr mit einem gemieteten Einspänner nach Hubertus zurück.

Der Beamte konnte sich seines Auftrages entledigen: Graf Tassilo traf um zwei Uhr nachmittags ein. Seine bleichen, ernsten Züge wurden, als er Kittys Zeilen las, noch um einen Schatten blässer. Er reichte dem Beamten die Hand, und seine Stimme schwankte: „Ich danke Ihnen!" Dann eilte er zum Wagen und rief dem Kutscher zu: „Treiben Sie die Pferde!"

Immer wieder während der Fahrt preßte er die Fäuste auf seine Brust, als möchte er gewaltsam die kummervolle Unruh beschwichtigen, die ihn mit geteilter Sorge erfüllte. Während er an das Unglück des Vaters dachte, an die Begegnung mit ihm, an den Jammer der Schwester und an ihre Zukunft, stand vor seinen Augen noch immer diese Szene der verwichenen Nacht, die ihn den Frühzug hatte versäumen lassen ...

Um vier Uhr morgens hatte er Kittys Depesche erhalten.

Es legte sich, als er diese halbe, in ihrer hilflosen Fassung doch
so deutlich redende Nachricht las, wie mit eisiger Hand um sein
Herz. Und neben all der erschütternden Sorge quälte ihn die
Frage: wußte der Vater um diese Mitteilung? Um diesen
verzweifelten Hilfeschrei, mit dem die Schwester den Bruder
rief? Aber durfte er hier noch überlegen? Er mußte reisen —
auch auf die Gefahr hin, daß er vor dem Parktor von Hubertus abermals einen wehrenden Arm finden und eine sein
heiligstes Empfinden treffende Beleidigung erfahren würde, wie
damals an jenem schwarzen Morgen! Der Vater in seinem
Unglück und die Schwester in ihrem Kummer bedurften seiner —
er mußte reisen! Wann ging der erste Zug? In einer Stunde.
Noch genügende Zeit! Und Anna? Durfte er sie mit dieser
aufregenden Sorge belasten? Mußte in ihr — deren stiller,
schlummerloser Wunsch die Aussöhnung ihres Gatten mit dem
Vater war — durch diese Reise neben aller Sorge nicht auch eine
Hoffnung erweckt werden, die mit bitterer Enttäuschung enden
konnte? Nein, Anna durfte den wahren Grund dieser Reise
nicht erfahren, ehe nicht alles geklärt und jeder Schatten zerstreut
wäre. Ein Telegramm hätte ihn in dienstlicher Angelegenheit
unerwartet abgerufen — so instruierte er den Diener und traf
in Haft die Vorbereitungen für die Reise.

Der Morgen graute, als er auf die stille, öde Straße trat;
dünner Regen rieselte, und fahl brannten die Laternenflammen
in der trüben Dämmerung. Schon wollte Tassilo in den Wagen
steigen; da hörte er das Klirren eines Schleppsäbels, und mit
hastigen Schritten kam ein Offizier auf ihn zugegangen.

„Graf Egge?"

„Baron Dörrwall?"

„Ich wollte Sie soeben in Ihrer Morgenruhe stören. Eine
mehr als peinliche Affäre . . ."

„Verzeihen Sie, Baron . . . eine Reise, die keinen Aufschub
duldet . . . ich bitte Sie herzlich, zu entschuldigen . . ."

„So muß ich Ihnen hier auf der Straße sagen, um was es
sich handelt . . . um Ehre und Leben Ihres Bruders."

Tassilo erbleichte. „Ich bitte . . ." Er ging zur Türe und
ließ Baron Dörrwall eintreten.

Schweigend stiegen sie die Treppe hinauf. In Tassilos
Zimmer brannte noch die Lampe, und ihre rötliche Helle kämpfte
mit dem grauen Frühlicht, das durch die Fenster quoll.

Baron Dörrwall warf den naſſen Mantel ab, ſetzte ſich und legte die Mütze über den Säbelkorb. „Da Ihre Minuten koſtbar ſind . . . und Umſchweife können die Sache nicht mildern . . . ſo will ich nicht überflüſſige Worte machen.“

„Darum bitte ich.“

„Ihr Bruder hat heute nacht geſpielt . . . mit zäherem Unglück als je. Die Sache machte ihn nervös, er wollte eine günſtige Chance erzwingen und ſteigerte die Einſätze in einer Weiſe, daß ſeine Kameraden ſich vom Spiel zurückzogen. Sein einziger Gegner blieb Marcheſe d’Alanto, der die Bank hielt und jeden Einſatz annahm. Robert doublierte Karte um Karte, aber die Blätter ſprachen mit einer Hartnäckigkeit gegen den armen Jungen, daß er ſich ſchließlich in ſeiner Erregung zu einer mehr als unvorſichtigen Aeußerung hinreißen ließ. Marcheſe d’Alanto warf ihm die Karten ins Geſicht. Und jetzt . . .“ Baron Dörrwall zuckte die Achſeln und verſtummte; er ſchien auf ein entgegenkommendes Wort zu hoffen.

Doch Taſſilo ſchwieg.

„Die Affäre iſt leider von einer Art, daß ihre Ordnung keinen Aufſchub duldet. Und vor jedem anderen Schritt muß dieſe Spielſchuld aus der Welt geſchafft werden. Der arme Junge iſt da in böſer Klemme. Wir können ihm nicht helfen, die Summe geht über unſere Kräfte. Das Arrangement der Sache durch ein Geſchäft würde Zeit verlangen. So bleiben ihm nur zwei Wege: eine offene Depeſche an ſeinen Vater . . .“

„Dieſer Weg iſt unmöglich!“ Taſſilos Stimme bebte. „Mein Vater iſt leidend, und ich möchte ihm eine derartige Erregung um jeden Preis erſpart wiſſen!“

„Alſo der andere Weg: Ihre Hilfe!“

Taſſilo erhob ſich. „Mein Bruder weiß um Ihren Beſuch?“

Dörrwall wurde verlegen. „Ich vermute. Dieſer Weg war mein Vorſchlag . . . Ihr Bruder wies ihn allerdings energiſch zurück, aber . . . er hinderte mich nicht zu gehen.“

Es zuckte bitter um Taſſilos Lippen. „Und die nötige Summe?“

Baron Dörrwall zögerte. „Vierhundertzwanzigtauſend.“

Taſſilo ging zum Schreibtiſch und nahm das Checkbuch aus einer Lade. Mit ruhiger Hand füllte er das Blatt aus und unterſchrieb. Er verfügte mit dieſem Federſtrich faſt über alles, was er beſaß, über ſein mütterliches Erbe und über die Hälfte dessen, was er im Lauf der vergangenen Jahre durch Arbeit erworben hatte.

Als Tassilo die Feder niederlegte, sagte Dörrwall: „Ich danke Ihnen, Graf . . . im Namen Ihres Bruders."

„Ich kann auf Dank keinen Anspruch erheben, um so weniger, da ich an meine Hilfe eine Bedingung knüpfen muß. Ich ermächtige Sie, Baron, diesen Check meinem Bruder auszufolgen . . . gegen einen Revers, in dem sich Robert verpflichtet, sofort nach Ordnung dieser Affäre um seinen Abschied einzukommen."

„Graf Egge! Diese Bedingung ist hart!"

„Diese Bedingung stelle nicht ich . . . sie ist geboten durch die Rücksicht auf meinen Vater, und ist eine Forderung des Degens, den Robert bisher getragen. Oder wollen S i e, Baron Dörrwall, die Garantie übernehmen, daß mein Bruder mit dem heutigen Tag von seiner unglückseligen Leidenschaft geheilt ist? Und daß er sich für die Zukunft von Konflikten fern zu halten weiß, die unverträglich sind mit der keinen Makel duldenden Ehre eines Offiziers?"

Dörrwall schwieg.

„So bedaure ich, in Würdigung des Rockes, den auch Sie tragen, Baron, diese Bedingung aufrecht erhalten zu müssen."

„Er ist gezwungen, sie anzunehmen. Und ehrlich gesprochen, ich muß Ihnen recht geben. Und nun verzeihen Sie mir diese unbehagliche Stunde . . ."

„Sie war nicht unbehaglich, nur ernst."

Mit einem Händedruck schieden sie, und Baron Dörrwall warf den Mantel um die Schultern.

„Baron . . ." Tassilos Stimme verlor ihren ruhigen Klang. „Ich darf Sie wohl bitten, mir über . . . über den Verlauf dieses Tages Nachricht zu geben?"

„Gewiß, Graf. Wohin?"

„Nach Hubertus."

„Hoffentlich kann ich Ihnen Gutes melden, die Sache wird ja wohl glimpflich verlaufen."

„Das gebe der Himmel! Und wenn alles erledigt ist . . . n i c h t früher . . . bitte ich, Robert mitzuteilen, daß sein Vater schwer leidend ist."

Als Tassilo allein war, schlug er die Hände vor die Augen. Dann zog er die Uhr. „Noch zwölf Minuten . . . es wäre noch möglich!" Sein Blick haftete an dem Bild seiner Frau, das auf dem Schreibtisch stand. „Anna, ich habe dich arm gemacht, aber ich weiß, du wirst lächeln dazu! Diese Stunde hat das häßliche Wort ausgelöscht, das er gegen dich gesprochen . . . d u hast ihm geholfen!"

Durch die Fenster brach der helle Tag — das Frühlicht hatte roten Schein.

Tassilos Pferde jagten zum Bahnhof; doch der Zug hatte die Halle schon verlassen. Drei volle Stunden bis zum nächsten Zug.

Um die Zeit zu verbringen und mit sich allein zu sein, war Tassilo mit dem Wagen bis zur zweiten Station gefahren und hatte hier den Zug bestiegen.

Und da lag nun das Ziel vor ihm! Was sollte ihn in Hubertus erwarten? Welche Nachricht sollte der Abend aus München bringen? Drei Uhr schon! Vielleicht waren in jenem häßlichen Spiel die bleiernen Würfel bereits gefallen? Wie hatten sie entschieden? Eine dumpfe Angst schnürte ihm das Herz zusammen — sie galt dem Vater und galt dem Bruder.

In der Tiefe der Waldstraße tauchte die Parkmauer von Hubertus auf, und eine gellende Stimme klang: „Tas! Tas!" Umflattert von den Falten des schwarzen Kleides, eilte Kitty dem Bruder entgegen. Ehe die Pferde noch halten konnten, hatte sie sich in den Wagen geschwungen und lag an Tassilos Brust, schluchzend, aufgelöst in Tränen. Sie fand nicht lange Worte, um ihn vorzubereiten — ihr Schmerz hatte kurze und deutliche Sprache. Mit zitternden Armen hielt Tassilo die Weinende umschlungen, während der Wagen durch die Ulmenallee und am leeren Käfig vorüberrollte. Als zwischen den Bäumen das Schloß erschien, fragte er mit bebender Stimme: „Weiß er um meine Ankunft?"

„Nein! Ich habe wohl versucht, die Rede auf dich zu bringen, doch er ließ mich nicht weiter sprechen. Und dann wurde er unruhig . . . ich glaube, er fürchtet, daß ich dir Nachricht schickte."

Der Wagen hielt, Doktor Eisler erwartete ihn.

„Ihr Vater verlangt nach Ihnen," sagte der Arzt zu Kitty. „Aber ich bitte, beherrschen Sie sich, jede Aeußerung Ihres Schmerzes bedrückt ihn . . . seine Augen sehen nicht, aber sein Gehör empfindet doppelt scharf."

Kitty trocknete die Wangen. „Er soll keinen Laut von mir hören." Sie blickte zu ihrem Bruder auf. „Und du?"

„Ich komme."

Während Kitty zum Vater eilte, wanderte Tassilo mit Doktor Eisler in den Park hinaus. Er las es schon aus dem Blick des Arztes, daß er Schweres hören sollte.

„Was sagte Ihnen Ihre Schwester?" fragte der Doktor.

„Daß das Leben meines Vaters in Gefahr steht."

„Das mußte ich ihr sagen. Aber verschwiegen habe ich ihr, wie nah diese Gefahr ist. Ihnen gegenüber, und wenn ich Ihnen auch Kummer verursache, muß ich wahr sein. Machen Sie sich auf das Schlimmste gefaßt! Ihr Vater ist verloren. Blutvergiftung ... das Wort ist unerbittlich."

Totenbleich fiel Tassilo auf eine Gartenbank und bedeckte das Gesicht. Es währte lange, bis er aufzublicken vermochte.

„Blind? Und jetzt der Tod? Und unerbittlich?"

„Der Prozeß nimmt einen rapiden Verlauf. Bei der ersten Untersuchung, vormittags zehn Uhr, hoffte ich, daß eine Ablösung der Hand noch Rettung bringen könnte. Ich eilte nach Hause, um alles vorzubereiten; doch als ich kam, um Ihrem Vater die Wahrheit zu sagen und seine Einwilligung zu erwirken ... da sah ich, daß auch eine Wegnahme des ganzen Armes nicht mehr gefruchtet hätte. Nun schwieg ich! Hätte ich den Kranken nutzlos quälen sollen? Ich linderte seine Schmerzen, nun ist sein Zustand doch ein erträglicher."

„Und ahnt mein Vater ...?"

„Das vermag ich nicht sicher zu beantworten. Er beherrscht sich, seiner Tochter zuliebe ... aber er macht sich wohl seine Gedanken ... wenigstens hat er selbst die Frage gefunden: Gift im Blut ... die ich natürlich verneinte."

„Und wie lange ..." Tassilos Stimme versagte, „wie lange geben Sie ihm noch Frist?"

„Bis morgen. Mit dem Abend, fürchte ich, werden die stillen Delirien und die Schlafsucht beginnen ... das ist der Vorbote des Aeußersten."

Tassilo schwieg, lange, und starrte vor sich nieder.

Doktor Eisler richtete ihn auf. „Es ist mir schwer geworden, Ihnen das zu sagen. Aber es geht mir selbst auch tief zu Herzen. Gerade jetzt! Ich habe böse Zeiten. Der Tod schlägt um sich, wie zur Faschingszeit der Hanswurst mit seiner Pritsche.

Und überall versagt mein Bröselchen Wissen. Ihr Vater ist
ein Greis, dessen Zeit gemessen war ... und ihm kommt die
letzte Stunde wie eine Erlösung aus dunkler Qual! Aber andere!
Liebe Kinder und blühende Jugend! ... Ich habe harte Zeiten!"
Die Augen des alten Mannes wurden feucht. „Darf ich gehen,
Herr Graf? Auf mich wartet ein gutes, liebes Mädchen, das
mit dem Tode ringt ... ein freundliches Menschenglück droht
mit diesem Leben zu versinken. Dort bin ich nötig ... hier
kann ich nichts mehr helfen. Darf ich gehen? In einer Stunde
könnte ich wieder kommen ..."

„Gehen Sie! Gehen Sie!" stammelte Tassilo und drückte die
Hand des Arztes. Sie schieden, und während Doktor Eisler sich
hastig entfernte, trat Tassilo in das Schloß. Im Flur schrieb
er eine Depesche an Forbeck: ‚Kommen Sie morgen mit dem ersten
Zug. Kitty bedarf eines Trostes. Mein Vater der Auflösung
nahe. Bitte Sie, Anna schonend vorzubereiten ...'

Und nun kam für ihn das Schwere — dieses Wiedersehen mit dem Vater!

Moser trug eine Flasche mit frischem Wasser in die Kruckenstube, aus welcher Kittys eintönige Stimme klang — und hinter
dem alten Jäger trat Tassilo über die Schwelle.

Kitty saß neben dem Bett in einem niederen Fauteuil,
Kobells ‚Wildanger' auf dem Schoß; als sie den Bruder eintreten sah, stockte ihre Stimme für einen Augenblick; dann las sie
weiter: „Wer den lustigen Spielhahn in seiner hochzeitlichen
Freude kennen lernen will, muß ihn auf dem Platz belauschen,
wo er am frühen Tag seinen Tanz beginnt. Das ist ein
Springen und Laufen im Reigen und ein Blasen und Grugeln
in munterem Wechsel. Während der Auerhahn nur der ver-
schwiegenen Nacht seine Klagen vertrauen will und zeitweise
in überschwenglicher Liebesphantasie den Kopf verliert, zeigt sich
der Spielhahn aufgeweckt, fröhlich und herausfordernd. Kommt
ihm ein anderer Hahn zu nahe, so geht es gerne an ein heftiges,
erbostes Raufen; sie schreiten mit halbgehobenen Flügeln und
gesträubten Federn aufeinander los, wobei sie sich oft beim An-
griff gegenseitig umwerfen und auf dem Rücken liegen, daß
man über dem komischen Anblick das Schießen vergißt ..."

Ein mattes Lachen brach von Graf Egges bläulichen Lippen.

Erschüttert bis in den innersten Nerv seines Lebens, stand
Tassilo an den Pfosten der Türe gelehnt. Was war aus

diesem Riesen an wilder Kraft und eiserner Gesundheit geworden, wie er seit jener letzten Szene vor der Dippelhütte in
Tassilos Erinnerung lebte: starr und unbeugsam, mit dem zorn-
flammenden Gesicht und den blitzenden Falkenaugen! Was hatte
sein Dämon aus ihm gemacht! War das noch der gleiche
Mensch — dieser welke, gebrochene Greis, der in den zer-
wühlten Kissen des Bettes lag, die Züge entstellt, die Augen
glanzlos und erblindet, die Glieder matt und abgezehrt, den
Arm, in dessen Adern der Tod schon nach dem Sitz des Lebens
rollte, von dicken Leinwandbändern umschlungen? Und das
sein V a t e r ? Sein Vater, an dem das Herz des Sohnes, obwohl es den Stoß dieser knöchernen Faust empfunden, mit
allen Fibern hing! Das hatte Tassilo in keiner Stunde seines
Lebens tiefer empfunden, als in dieser Stunde des Wieder-
sehens, die das Scheiden für immer brachte.

Eine Schwäche fiel ihm in die Knie, und während Moser
die Stube verließ, ging Tassilo auf den Lehnstuhl zu und ließ
sich niedersinken.

Hastig erhob Graf Egge den Kopf, und seine Züge spannten
sich. Er machte mit der Linken eine Bewegung gegen Kitty,
daß sie schweigen sollte.

„Wer ist hier gegangen?"

Keine Antwort kam.

„Wer ist hier gegangen, frag ich?"

„Moser..." stammelte Kitty. „Moser war hier... er brachte
Wasser und hat in diesem Augenblick das Zimmer verlassen."

„Moser? ... So? ... Moser? ... Wirklich?" Graf
Egge ließ den Kopf zurücksinken. „Mir war, als hätt ich noch
einen anderen gehört ... einen anderen ..." Seine Stimme
versank.

„Was meinst du, Papa?"

„Schon gut ... ich will mich geirrt haben."

Kitty tauschte einen bekümmerten Blick mit dem Bruder
und fragte lispelnd: „Soll ich weiterlesen, Papa?"

„Nein, Geißlein ... ruh dich aus ... ich danke dir!
Bist ein guter Kerl!"

Tiefes Schweigen war im Zimmer; die Tränen rollten
über Kittys Wangen, während Tassilos Augen am Vater hingen,
der regungslos in den Kissen lag und zuweilen den Atem an-
hielt, als lauschte er.

So verging eine Stunde.

„Geißlein?"

„Ja, Papa?"

„Lies mir wieder, ich bitte dich . . . deine Stimme tut mir wohl. Willst du?"

„Gerne, Papa."

Während Kitty las, wurde Graf Egge unruhig; dann plötzlich griff er mit der Linken unter stöhnendem Laut nach seiner kranken Schulter. „Herrrr, da fängt es schon wieder an! Das ist ja nicht mehr auszuhalten! Den Doktor! Er soll mir wieder eine Ration verabreichen, wie vorhin . . . das hat geholfen!"

Erschrocken eilte Kitty aus der Stube, und Tassilo war aufgesprungen.

Als Graf Egge hörte, daß die Türe geschlossen wurde, hob er sich aus den Kissen und tastete mit der Linken an sich umher. Dann saß er regungslos, das zitternde Kinn auf der Brust, und starrte mit den toten Augen vor sich nieder. Und raunte: „Pfui! . . . Pfui! . . . In mir fliegen die Raben auf . . . scheint mir! . . . Raben?" Seine Lippen verzerrten sich. „Unsinn! Raben? Ich bin Adlerfraß! Zuerst die Augen, und dann alles andere . . . das ist so ihre Art, ich kenne sie!"

Tassilo griff nach der Lehne des Sessels, und das alte Möbel ächzte.

Lauschend hob Graf Egge das Gesicht. „Ist jemand da?"

Kitty erschien in der Türe. „Doktor Eisler ist hier, Papa. Da kommt er schon . . ."

Der Arzt trat in die Stube und zum Bett. „Guten Abend, Erlaucht! Wie fühlen Sie sich?"

Graf Egge schwieg eine Weile; dann sagte er mit umflorter Stimme: „Geißlein, laß mich allein mit ihm!"

„Ja, Papa." Sie ging aus der Stube.

„Doktor? S i n d wir jetzt allein?"

Ein flehender Blick Tassilos traf den Arzt.

„Ja, Erlaucht."

„Dann wollen wir offen sein . . . unter uns. Doktor! Ich spür's . . . zu mir will einer kommen, der Mangel an Fleisch und Ueberfluß an Knochen hat. Rücken Sie nur ehrlich heraus mit der Sprache. Diese drei Buchstaben werde ich auch noch verbeißen können! Tod! Es hört sich übel an . . . aber

einmal muß es kommen hinter allem Leben, wie hinter jedem
Schuß der Brand. Und besser noch die g r o ß e Nacht, als diese
kleine vor meinen Lichtern. Ehrlich heraus, Doktor . . . das
Biest mit seiner Aasklaue hat mir den Rest gegeben? Auch
ein Jägertod . . . aber kein schöner! . . . So reden Sie doch!"

„Aber liebe Erlaucht . . ." stammelte der Arzt.

„Ach so, Sie werden zärtlich? Na, dann weiß ich, daß es
um die letzte Patrone geht. Dann bestellen Sie mir den Pfarrer.
Ich will rechtzeitig mit dem Himmel auf gleich kommen,
oder ich gerate in schlechtes Revier da drüben. Und sagen Sie . . ."
Graf Egge unterbrach sich, und seine Stimme bekam anderen
Klang. „Wer atmet hier? Ich hör ihn! Ganz deutlich! Und
der hat ein schweres Herz!" Graf Egge lauschte; er hörte
die Schritte des Doktors, der die Stube verließ. Als die Tür
geschlossen war, tastete Graf Egge mit der Linken ins Leere
und murmelte: „Komm her, Tas . . . ich weiß, du bist es!"

„Vater!"

Tassilo stürzte vor dem Bett auf die Knie und bedeckte die
welke Hand mit Küssen. Graf Egge hob ihn auf und rückte
an die Wand. „Zu mir! Komm! Setz dich zu mir! Und wir
wollen kurze Rechnung machen! Einen Strich unter alles! Sag
mir eines: bist du glücklich?"

„Ja, Vater . . . und was mir noch fehlte, halt ich jetzt
in meiner Hand."

„Hast du deine Frau bei dir? Nicht? So laß sie kommen,
oder nein! Lieber nicht! Ich hörte, sie ist eine Dame von
Geschmack . . . ich würde ihr übel gefallen." Graf Egge sank
in die Kissen zurück, und seine Stimme wurde matt. „Bös hat
sie mich zugerichtet . . . die Jagd! Es kam, wie du sagtest, Tas!
Meine Kinder hat sie mir genommen, meine Kraft, meine Augen,
meine Hand, und jetzt frißt sie mich auf mit Haut und Haaren.
Aber schadet nichts . . . ich liebe sie doch. Und glaube mir,
Tas, sie ist eine edle Freude . . . es gab eine Zeit, in der
ich sie so genossen habe . . . aber ich war ein Nimmersatt und
habe ihr schönes Bild zum Scheusal gemacht. Laß dich nicht
abschrecken durch mein Beispiel. Du bist wohl ein Jäger, daß
Gott erbarm . . . aber du bist auch ein Mann, der kann, was
er will! Wenn du dir Mühe geben möchtest, könnte aus dir
noch ein prächtiger Jäger werden. Tu es m i r zuliebe, Tas.
Ich könnte mich nicht ruhig zum letzten Schnaufer niederlegen,

wenn ich denken müßte, daß mein schönes Revier zerfällt und
verwüstet wird. Versprich mir, Tas, daß du meine Jagd in
gutem Staub erhalten willst."

„Ja, Vater!"

„Dein Wort?"

„Mein adeliges Wort!"

„Jetzt verlang, was du willst, jetzt kannst du alles von
mir haben!" Die Worte klangen schleppend, kaum noch verständlich. „Was . . . willst . . du?"

„Nichts für mich. Daß ich Friede habe mit dir, ist alles,
alles, was ich mir wünsche. Aber eine weiß ich, Vater, die
hätte eine große Bitte an dich auf dem Herzen . . . die Bitte
um das Glück ihres Lebens!"

„Meinst du . . . unser Geißlein?" Graf Egge nickte mühsam. „Was . . . will sie?"

Mit stammelnder Hast, tief und schmerzvoll bewegt, redete
Tassilo dem Glück seiner Schwester das Wort. Während er
schilderte, wie Kitty und Forbeck sich kennen lernten, während
er von dem redlichen Charakter des jungen Künstlers sprach,
von seiner reichen Begabung und seiner schönen Zukunft, hatten
Graf Egges Züge einen Ausdruck, der verriet, daß er lauschte
und verstand. Allmählich aber fühlte Tassilo, wie der Druck
der dürren, heißen Finger, die er mit beiden Händen umschlossen hielt, sich linderte und löste. Erschrocken verstummte
er und spähte in das Gesicht des Vaters. Graf Egge lag ruhig,
mit schweren Atemzügen; die geröteten Lider waren halb über
die starren Augen gesunken, und wie ein versteinertes Lächeln
lag es um den wellen Mund.

„Vater . . .?"

Keine Miene zuckte in dem müden Antlitz — Graf Egge schlief.

Es rieselte kalt durch Tassilos Herz — er wußte, was dieser
Schlaf bedeutete. Er wußte, daß das Ende begann, und in dem
Schmerz, der ihn um den Vater erfüllte, mischte sich die be-
drückende Erkenntnis, daß keine Stunde mehr kommen würde,
in der Graf Egge mit klaren Sinnen über die Zukunft seiner
Tochter entscheiden könnte! Tassilo preßte die zitternden Hände
an seine Stirne. Sollte über den zu warmer Sonne sich wen-
denden Lebensweg seiner Schwester der Schatten des Gedankens
fallen, daß sie ein Glück genoß, das die Zustimmung des Vaters
nicht gefunden?

'Tassilo erhob sich. Er fand die Schwester im Flur. Leise weinend saß sie neben der Tür. Moser stand bei ihr und tröstete sie mit stotternden Worten. Als sie den Bruder sah, taumelte sie in seine Arme. „Taz? Ich habe deine Stimme gehört ... und die seine?"

Er umschlang sie und flüsterte ihr ins Ohr: „Wir sind versöhnt. Und ich habe mit ihm gesprochen ... von dir und deinem Hans! Der Vater nickte und lächelte ... sprechen konnte er nicht mehr!"

Aufschluchzend streckte Kitty die Arme nach der Türe. Tassilo hielt sie zurück. „Er schläft. Weck ihn nicht! Der Schlummer lindert ihm die Schmerzen!"

Lautlos traten sie ein. Unter Tränen, mit zärtlicher Scheu, drückte Kitty ihre Lippen auf die regungslose, glühende Hand des Vaters. Tassilo zog die Schwester auf seinen Schoß. So saßen sie zu Füßen des Lagers.

Schweigende Stunden verrannen. Manchmal murmelte Graf Egge im Schlaf. Das Licht des Abends leuchtete rot in die Stube und wurde grau. Moser brachte die Lampe, und Fräulein von Kleesberg kam, mit dem nassen Bund um die Stirn; vor Migräne vermochte sie kaum die Augen zu öffnen, aber sie ließ sich nicht wieder fortschicken.

Immer lauter klangen die Worte, die Graf Egge im Schlummer lallte. Er redete wirr — immer von Jagd und Jagd. Aergerlich zankte er mit einem Jäger, staunte über das abnorme Gehörn eines Bockes, wähnte unter dem Adlerhorst zu stehen und befahl die Leiter aufzuziehen. Dann wollte er unter mattem Stöhnen mit beiden Händen nach seinen Augen greifen, doch der kranke Arm versagte. Ein schmerzliches Zucken fuhr durch seinen Körper — Graf Egge richtete sich auf. „Taz? Was wollte ich nur gerade sagen? ... Richtig, ja, daß du heuer den Abschuß beschränken mußt! Ich habe im letzten Jahr toll gewirtschaftet ... das mußt du wieder einholen, oder die Jagd leidet! ... Wer kommt?"

Moser hatte die Stube betreten, deutete mit dem Daumen hinter sich und machte ein Kreuz in die Luft.

„Vater! Der hochwürdige Herr ist hier," sagte Tassilo, „bist du bereit, ihn zu empfangen?"

„Ja!" Graf Egges Stimme klang ruhig und klar. „Aber nicht so, wie ich hier liege. Moser! Rufe Fritz, er soll dir

helfen, mich anzukleiden. Und bringe mir von meinem Jagdzeug das allerbeste: die gute Sommerjoppe ... sie hat weite
Aermel ... meine neue Lederhose und die grüne Weste mit
den schwarzen Hirschgranen! Den lieben Herrgott muß man
in Gala empfangen ... und man darf ihn nicht warten lassen!
Flink!"

„Vater!" stammelte Tassilo. „Ich bitte dich, deine Kräfte
zu schonen! Dein frommer Wille hat Feiertagsgewand ..."

„Widersprich nicht, Tas ... ich will es!" Das war ein
Ton, der an vergangene Zeiten erinnerte. „Gundi? Sind Sie
hier? Führen Sie die kleine Geiß hinüber ... oder ich steige
vor euch beiden aus dem Bett! Flink, Moser!"

Sie mußten ihm den Willen tun.

Als der Geistliche die Truckenstube betrat, im Chorhemd
und mit dem Ciborium, saß Graf Egge völlig angekleidet und
mit starrer Haltung im Lehnstuhl und bekreuzte sich mit der
Linken.

Kitty und Fräulein von Kleesberg knieten vor der Türe
im Flur.

Tassilo war abgerufen worden. Die gerichtliche Kommission,
die im ‚Fall Bruckner-Schipper' amtierte und den Tatort in
Augenschein genommen hatte, war in Hubertus erschienen, um
den Jagdherrn einzuvernehmen. Erschrocken hörte Tassilo von
der blutigen Tragödie, die sich auf den Bergen abgespielt hatte.
Als die Beamten erfuhren, in welchem Zustand Graf Egge sich
befände, entschuldigten sie die Störung, die sie wider Wissen
und Willen verursacht hatten, und entfernten sich. Am Ausgang
der Ulmenallee begegnete ihnen der Postbote und grüßte: „Recht
guten Abend!"

Tassilo, der in das Schloß zurückkehren wollte, hörte die
Stimme. Mit bebenden Worten rief er in das sinkende Dunkel
hinaus: „Bringen Sie eine Depesche?"

„Ja, Herr Graf!"

Tassilos Hände zitterten, als er auf der Veranda im Schein
der Laterne das Blatt öffnete. Er las — und Blässe rann ihm
über das Gesicht. Nach einer Säule tastend, starrte er vor
sich hin. „Sie spielen ... und beschimpfen sich ... und der
eine streicht den Gewinn ein und jagt dem anderen das Blei
durchs Herz ... und das heißt ‚Ehre' bei ihnen!" Da tönten
hastige Schritte aus dem Flur, wirres Geräusch und ein

schluchzender Schrei. Die Depesche verbergend stürzte Tassilo ins Haus.

Graf Egge war ohnmächtig geworden, kaum daß er die heilige Wegzehrung empfangen hatte. Mühsam entkleidete man den Bewußtlosen und brachte ihn zu Bett. Seine Ohnmacht ging in Schlummer über, in stille Delirien. Das währte die ganze Nacht. Gegen Morgen kam er zur Besinnung und wischte sich mit der Linken den Schweiß vom Gesicht.

„Wer ist bei mir?"

Tassilo faßte seine Hand. „Ich, Vater, deine Kitty und die Gundi Kleesberg."

„Einer fehlt ... und ich weiß, er kommt auch nimmer! Tas! Nimm du dich seiner an ... aber ich fürchte, daß ihm nicht mehr zu helfen ist." Ein schwerer Seufzer löste sich aus der Brust des Kranken. „Das ist deine Hand, Tas, die ich halte?"

„Ja, Vater!" Tassilos Stimme war tonlos.

„Und du, Geißlein ... leg auch deine Hand dazu! Tas wird dir den Vater ersetzen, und die Kleesberg wird dir eine Mutter sein ... freilich eine etwas rapplige ... nichts für ungut, liebe Kleesberg! Die beiden, Geißlein, die beiden werden sorgen für dein Glück ..."

„Vater, mein guter, guter Vater!" Schluchzend schmiegte Kitty ihre Wange an die Schulter des Vaters.

„Was machst du da für Geschichten, kleine Geiß! Nimm dich zusammen! Sei meine Tochter! Stark! ... Gundi! So nehmen Sie doch das Kind! ... Und du, Tas, laß unsere Leute kommen! Und meine Jäger! Meinen braven Franzl! Der hat fest zu mir gehalten! Jetzt soll er mir auch Weidmannsheil wünschen zur Pirsch über alle Berge. Den halte dir warm, Tas ... das ist ein treuer Bursch! Sei auch den anderen ein guter Jagdherr! Sie verdienen es ... nur einer nicht! Schipper!" Graf Egges Stimme klang heiser, und zwischen den verzerrten Lippen blinkten die Zähne. „Tas! Ich warne dich vor ihm! Der Kerl hat Aasgeruch an sich, wie der Horst in der Hangenden Wand ... und hat Fänge wie mein letzter Adler! Das zuckt nur ein wenig ... und du merkst es nicht ... und bist vergiftet! Setz ihn hinter Schloß und Riegel! In den Käfig! Nein, Tas ... den Käfig ... reiß den verfluchten Käfig nieder ... er stinkt! Ich hab den Geruch

in der Nase ... zum Henker auch, so macht doch das Fenster
zu! Der Käfig stinkt! Das Fenster zu! Das Fenster zu!"

„Aber es ist ja geschlossen!" stammelte Fräulein von
Kleesberg.

Graf Egge schien nicht zu hören; immer wirrer wurden
seine Reden, und seine Stimme versank in neubeginnendem
Taumel. Eine Stunde lag er still, in dumpfem Schlaf. Als
die Dämmerung des erwachenden Tages durch die Fenster
graute, wurde er unruhig, und wieder begann das Raunen
und Gemurmel: Jagd, Jagd, und immer Jagd ... und Willys
Name. Während die Kirchenglocke mit schwebendem Hall ihren
Morgensegen in die wachsende Helle sang, hob sich Graf Egge
ächzend auf und griff mit der Linken unter die Kissen. Er zog
einen Schlüssel hervor und drückte ihn in Tassilos Hand.
„Nimm, mein guter Junge, nimm ... sperr den Schrank
auf ... d e i n e Hand ist sicher ... sperr auf und bring mir
die Rubinen ... links in der Lade liegen sie obenauf ... so
tu es doch! Hörst du nicht, was ich sage! Die Rubinen bring
mir!"

Tassilo erfüllte den Willen des Vaters, obwohl er sah,
daß das Fieber aus ihm redete.

Graf Egge tastete, als die Tablette mit den blutrot funkelnden Kleinoden auf seinem Schoße lag, mit zuckenden Fingern von
Stein zu Stein und raunte: „Stimmt! Stimmt! Alle ... nur
einer fehlt! Den hab ich d i r geschenkt! Komm, mein guter
Junge, komm ... nimm den da auch noch ... es ist mein
schönster ... ich schenk ihn dir! Aber zeig mir nicht dieses
weiße, wächserne Gesicht! Oder willst du jagen? Komm ...
ich weiß dir einen Kapitalhirsch ... meinen besten! Komm,
ich führe dich ... und meine Büchse laß ich zu Hause ... ich
kenne mich! Du sollst ihn haben! Du! Zeig mir die Patrone!
Gut! Alles gut! Aber dreh den blauen Rock um ... die goldenen Knöpfe blinken ... und wirf diese dummen Blumen
weg ... sie verpesten mir den Wald! Leiser! Leiser! Nimm
deine Schuhe in acht ..." Graf Egges Züge verschärften
sich, seine Nase wurde spitz und veränderte die Farbe; sein
Oberkörper schrumpfte in sich zusammen, und die starren Augäpfel quollen aus den Lidern. „Siehst du ihn ... dort im
Lager ... flink, er verhofft schon ..." Keuchend ging der
Atem des Sterbenden. „Her mit der Büchse! Du fehlst ihn ja

doch!" Eine zuckende Bewegung des Armes, ein Laut wie ein Jauchzer, der in mattem Stöhnen erlosch — und Graf Egge fiel schwer zurück. „Die Kugel sitzt ... da liegt er ..." Seine Glieder streckten sich.

Die Tablette mit den Rubinen glitt zu Boden und kollernd hüpften die funkelnden Steine nach allen Seiten über die Dielen.

Verstört, von Jammer und Grauen erfüllt und den Ernst des Augenblickes ahnend, starrte Kitty zu ihrem Bruder auf. Als er die Arme nach ihr streckte, verstand sie, daß sie den Vater verloren hatte.

Jetzt, in diesem fassungslosen Schmerz der ersten Trauerstunde, konnte sie leichter hören, was ihr Tassilo nicht länger verschweigen durfte: daß der Tod mit diesem Tage zwiefach in Schloß Hubertus eingezogen war.

Die Lampe, die noch im Zimmer brannte, warf ihren trüben Schein über den Toten und über die Geschwister, die sich umschlungen hielten.

Und draußen erwachte der erste Maienmorgen mit reinem Blau, mit Duft und leuchtenden Farben. Strahlend stieg die Sonne über die Berge, alle Zinnen in Feuer tauchend.

Immer schöner wuchs der Tag, während vom Kirchturm das Zügenglöcklein mit seinen dünnen, abgehackten Klängen über alle Dächer rief: „Betet, Leut ... betet, Leut ... betet, Leut ..."

Einer der ersten, den die im Dorf umlaufende Kunde von Graf Egges Ableben erreichte, war Franzl. Bleich und atemlos kam er ins Schloß gerannt und stand erschüttert vor seinem still gewordenen Herrn. Als er hörte, mit welchen Worten Graf Egge in der letzten Stunde seiner noch gedacht hatte, schluchzte er wie ein Kind. „Moser, Moser, ich sag dir's ... schau, er hat seine Mucken und Marotten ghabt ... aber 's Herz, ganz einwendig, 's Herz is gut gwesen! Und ein Jager! Moser, so ein Jager kommt nimmer! Das is noch einer gwesen aus der alten, guten Zeit! Oft hat er über b' Schnur ghaut ... 's Jagerblut hat halt seine gachen Hitzen ... aber wenn's golten hat, is er gstanden wie der Baum! Und kein Unrecht hat er leiden können, gar keins ... das weiß ich, das hab ich erlebt! Moser, Moser, so einer kommt so bald nimmer! Weinen könnt ich um ihn, weinen!" Franzl sagte das in der Bedingungsform — er schien nicht zu wissen, daß ihm der Bart von Zähren tropfte.

Die Veranda begann sich mit Leuten zu füllen. Das halbe Dorf kam gelaufen — die einen aus Pflicht oder Teilnahme, die anderen aus Neugier.

Zu Mittag kehrte der Wagen von der Bahn zurück. Gräfin Anna kam mit Hans Forbeck und Professor Werner. In wortloser Bewegung zog Tassilo die geliebte Frau in seine Arme, während Kitty sich schluchzend an ihren Verlobten klammerte: „Hans, Hans! Wir dürfen glücklich werden! Das hat ihm alles gesagt . . . und er hat genickt und gelächelt . . . sprechen konnte er nimmer! Er war dir gut, Hans! Du hast ihm gefallen . . . das hat er mir selbst gesagt . . . und daß er deinen Taler noch immer hätte . . . als Erinnerung an dich!"

Als die beiden Paare im Sterbezimmer vor dem schlummernden Vater standen, fiel die Sonne breit durch das offene Fenster. Draußen im lichten Maienlaub der Bäume, pisperten die kleinen Sänger und flogen eifrig ab und zu, die Halme zu ihrem Nestbau tragend.

Am Abend läuteten die Glocken. Zwei Schläfer wurden in e i n e m Grabe zur Ruhe bestattet, der Jäger neben dem Wildschützen — Jochl Schipper neben dem Bruckner-Lenzi — der Pirschgang an jenem Morgen des Johannistages hatte sie zu Kameraden für die Ewigkeit gemacht. Nach dieser stillen Feier im Kirchhof gab es keinen ‚Gsturitrunk‘ beim Seewirt — die Leute, die der Bestattung beigewohnt hatten, zechten wohl bis spät in die Nacht, aber auf eigene Kosten. Die Ereignisse der letzten Tage wurden auf der Bierbank unter endlosem Disput erörtert, dabei erinnerte man sich der ‚Grafenleich‘ vom vergangenen Herbst und sah der Wiederholung dieses Schauspiels mit gespanntem Interesse entgegen. Doch diese Neugier blieb ungestillt.

In der folgenden Nacht verließ ein schlichter Kondukt den Park von Hubertus und nahm den Weg zur Bahn. Der Sarg wurde nach München überführt, um in der Familiengruft der Egge zu ruhen, Seite an Seite mit einem anderen.

Ein stiller Tag kam über Schloß Hubertus. Gräfin Anna, Kitty und Fräulein von Kleesberg waren mit Hans und Werner schon am Morgen nach München abgereist. Tassilo blieb noch bis zum Abend, um alle Anordnungen zu treffen, die sich als nötig erwiesen. Für den Nachmittag waren die Jäger bestellt, um sich mit Handschlag ihrem neuen Jagdherrn zu verpflichten;

es stand auf ihren gebräunten, wetterharten Gesichtern zu lesen, daß sie unter dem neuen Herrn sich gute Zeiten versprachen; ein ausgiebiges Teil ihrer Hoffnungen erfüllte sich schon bei diesem ersten Rapport; Tassilo erhöhte ihre Bezüge, und um den strengen Dienst zu erleichtern, den sie bisher zu leisten hatten, sollten zwei neue Jäger aufgenommen werden.

„Der eine wird in den nächsten Tagen aus München kommen. Er ist ein abgestrafter Wildbieb, aber ich weiß, er wird ein braver Mensch und verläßlicher Jäger werden. Und ich erwarte, daß ihm keiner von euch aus seiner Vergangenheit einen Vorwurf machen wird. Nehmt ihn als guten Kameraden auf, er hat aus Leidenschaft gefehlt, und das ist verzeihlich. In diesem milderen Sinne will ich in meinen Revieren auch den Schutz geführt wissen. Tretet jedem ungesetzlichen Eingriff mit Strenge entgegen, aber erspart euch und mir die Folgen jähzorniger Uebereilung. Ich will edles Weidwerk pflegen und in meinen Revieren den Boden g r ü n erhalten. Und was den zweiten Jäger betrifft . . . Hornegger? Glauben Sie, daß mit Patscheider zu reden wäre? Der Mann war tüchtig, ich möchte ihn gerne wieder gewinnen."

„Mar' und Josef, Herr Graf," stotterte Franzl in freudiger Erregung, „ein einzigs Wörtl, und der Michl springt wie narrisch. Ich weiß, er hat Heimweh!"

„Gut, sprechen Sie mit ihm, Sie haben freie Hand, Hornegger . . . und nicht nur in d i e s e r Frage. Sie sind von heute an mein Förster, der Leiter meiner Jagd. Es war der letzte Wille meines Vaters, seine Jagd im besten Stand zu erhalten . . . und für die streng weidmännische Erfüllung dieses Wunsches weiß ich mir keinen Besseren, als Sie, lieber Hornegger! Sie haben mein volles Vertrauen, und Ihr Wort hat den Jägern zu gelten, wie das meine! Und nun auf Wiedersehen im nächsten Jahr!"

Tassilo empfing den markigen Druck dieser braunen Fäuste; dann gingen die Jäger; nur Franzl blieb noch — er stand wie angewurzelt, drehte den Hut in zitternden Händen und rang nach Worten. „Herr Graf . . . Herr Graf . . ." Mehr brachte er nicht über die Lippen.

„Schon gut, Franzl!" Tassilo legte ihm die Hand auf die Schulter. „Und wie steht's zu Hause?"

In Franzls Augen wurde die Freude zu Wasser. „Allweil

im gleichen . . . noch allweil net beſſer. Der Herr Doktor macht ſchieche Augen an das arme Madl hin!"

„Jetzt n i c h t mehr!" klang eine Stimme von der Türe. Doktor Eisler war eingetreten. „Ich komme gerade zu gutem Troſt, wie es ſcheint! Munter, lieber Hornegger! Das Mädel hat die Kriſe überſtanden, das Fieber ſinkt!" Er fügte bei, daß es wohl noch ein paar Tage dauern könnte, bis die Kranke aus der Bewußtloſigkeit erwachen würde — aber das hörte Franzl nicht mehr. Mit ſtammelndem Laut hatte er einen Sprung nach der Türe getan; den Abſchied von ſeinem Herrn und den ſchicklichen Dank für die gute Botſchaft des Doktors vergeſſend, ſtürzte er in den Flur hinaus, warf ein Tiſchchen mit kupferner Schale um, ſtieß mit der Schulter an eine Säule der Veranda, daß er taumelte, ſprang über die Stufen hinunter und rannte — und rannte — —

Doktor Eisler blieb, bis Taſſilo ſich zur Abfahrt rüſtete. Was ſie miteinander zu reden hatten, betraf den ‚guten Jungen', der nicht einſam und getrennt vom Vater im Friedhof des Dorfes ſchlummern ſollte — auch e r ſollte noch die Heimkehr finden in die Erbgruft ſeines Geſchlechtes.

Der Abend war lau, und ſanftes Geflüſter ging durch das Laub der Ulmen, als Taſſilo mit feſtem Händedruck von Doktor Eisler ſich verabſchiedete und in den Wagen ſtieg. Seine Augen glitten über die ſtillen Fenſter des Schloſſes, über den weiten Park und zu den Bergen hinauf, deren Höhen vom Goldglanz des Abends ſo klar beleuchtet waren, daß man jeden Baum und jeden einzelnen Felsblock unterſcheiden konnte. Mit reiner Schönheit zeichneten ſich die ſchimmernden Grate vom tiefen Blau des Himmels ab, und all ihre Schatten verſchwammen und milderten ſich im Duft der farbigen Lüfte.

* * *

Zwei Tage ſpäter wurde im Friedhof ein grün überwachſenes Grab geöffnet. Und während hier die Tragödie des Schloſſes ihre letzte Szene fand, nahm an anderer Stelle ein Satyrſpiel der Bauernſtube ſeinen Anfang.

Im Steinbruch ſtand der Pointner-Andres vor dem mit Quadern beladenen Wagen; er wollte mit der Ladung zur Bahn fahren, hatte die Pferde zur Deichſel geführt und entwirrte gerade den ledernen Leitſtrang, um den Riemen in die

Zäume einzuschnallen. Da ging eine junge Diru vorüber; sie
lächelte ganz merkwürdig, als sie den Pointner gewahrte, der
mit verdrossenem Gesicht an den Schlingen des Riemens nestelte;
ein paarmal guckte sie kichernd über die Schulter, und an der
Waldecke blieb sie stehen und rief dem Pointner lachend zu:
„Du, Andresl, mir scheint, du hast was Schöns mit der Post
kriegt, ja, grad hab ich ein Biamtn bei dir daheim einkehren
sehen ... der hat ein blaus Röckerl an!" Kichernd verschwand sie.

Eine Weile stand der Pointner regungslos, den Kopf mit
dem Stiernacken vorgestreckt, die Augen funkelnd; dann plötzlich drehte er dem Gespann den Rücken, und mit dem verschlungenen Riemen in der zitternden Faust ging er langen
Schrittes dem Dorfe zu. Als er sich seinem Gehöfte durch die
Gärten näherte, gewahrte er, daß eine Magd sein Kommen
bemerkt hatte und erschrocken in das Haus eilte; er änderte
die Richtung seines Weges, und statt die Haustür zu suchen,
lief er um den Stall herum zu dem Hintertürlein, das aus der
Küche ins Freie führte. Da hörte er schon das Gewisper einer
Stimme und das Klirren des Riegels. Die Tür wurde aufgerissen, und einer im ‚blauen Röckerl' wollte das Weite suchen;
aber der Pointner hatte schon die Faust geschwungen, die Riemen
pfiffen, und auf dem Gesicht des Herrn Postpraktikanten, der
halb bewußtlos gegen den Düngerhau en taumelte, brannten drei
dunkelrote Striemen. Was weiter mit dem Gezeichneten geschah,
schien den Pointner-Andres nicht zu kümmern; er hatte in
der dunklen Küche einen kreischenden Laut gehört und war
mit einem Sprung über der Schwelle.

Zwei Türen krachten ins Schloß, ein Gepolter und Geklirr
ließ sich vernehmen, als wäre ein Tisch umgefallen und ein
Haufen Geschirr zu Boden gestürzt, und trotz der geschlossenen
Fenster klangen aus der Stube des Pointnerhofes zeternde
Schmerzensschreie so laut in den Hofraum und auf die Straße,
daß die Dienstboten zusammenliefen und die Nachbarsleute aus
den Häusern eilten. Nach einer Weile wurde es in der Stube
des Pointners still, ganz stille. Mit rotem Gesicht trat der
Bauer aus der Haustür; er schien die Dienstboten nicht zu
sehen, die sich in Stall und Scheune verzogen; er hob die Faust,
betrachtete den Riemen und atmete erleichtert auf: „Mein lieber
Herrgott, ich dank' dir, daß ich bloß den Riem in der Hand

ghabt hab . . . und net die Brechstang! Jetzt hätt ich nimmer
gfragt, mit was ich zuschlag!" Er blies die Backen auf und
ging zur Straße.

Vor dem Zaun des Försterhauses stand die Horneggerin,
mit dem Netterl auf den Armen. „Aber Andres! Andres!" rief
sie den Bauer stotternd an. „Du wirst doch um Gottswillen
dein Weib net gschlagen haben!"

„Und ghörig auch noch!" lautete die ruhige Antwort. „Sie
hat's verdient! Und gsunde Schläg, das is noch 's einzig, was
ihr Mores lernt! Ihr Vater hat's versäumt . . . aber jetzt
hab ich's wieder eingholt! Jetzt hat s' Respekt vor mir! Jetzt
hat s' betteln können: verzeih mir's, Andres, verzeih mir's,
lieber Andres! Ja, ‚lieber' hat s' gsagt! Paß auf, Nachbarin, aus der mach ich noch die Brävst . . . jetzt weiß ich,
was hilft bei ihr . . . paß auf, die kriegt mich noch gern!"

Der Pointner ging seiner Wege und lachte. Dieses Lachen
kam ihm freilich nicht ganz von Herzen — aber es war doch
ein Lachen, aus dem es wie Hoffnung klang.

Kopfschüttelnd sah die Horneggerin dem Bauer nach und
kehrte zur Haustür zurück, das kraushaarige Köpfchen des Kindes streichelnd, das im Halbschlaf an ihrer Schulter lag, mit
roten Pausbacken und rund gepolsterten Händchen. Noch hatte
die Försterin die Türe nicht erreicht, als Franzl mit brennendem Gesicht aus dem Flur geschossen kam.

„Mutter! Mutter! Gib mir 's Kindl her! D' Mali wacht
auf . . . sie hat schon so ein gspaßigen Schnaufer gmacht.
Gib 's Kindl her! D' Mali wacht auf . . . sie soll uns alle
gleich im ersten Augenblick sehen . . . uns alle miteinander!
So komm doch! Komm!"

Er hatte der Mutter das Netterl vom Arm gerissen und
stürzte ins Haus zurück. Vor der Kammertüre blieb er stehen und
atmete tief auf. Lautlos trat er ein, und das Kind mit zitterndem Arm umschlungen haltend, ließ er sich auf den Sessel
nieder, der zu Füßen des Bettes stand.

Ruhig schlummernd lag Mali in den geblümten Kissen;
die schmal gewordenen Wangen waren überhaucht von einer
matten Röte — noch die letzte Glut des weichenden
Fiebers und schon der erste Schimmer der wiederkehrenden
Gesundheit! Fast glich das Gesicht der Kranken einem schmächtigen Knabengesicht, umrahmt von kurzgeschnittenen Haaren —

auf das Gebot des Arztes waren die dicken, schweren Flechten der Schere zum Opfer gefallen. Man mußte diese stillen, vom Schlummer sanft gelösten Züge, aus denen noch das überstandene Leiden redete, nicht gerade wie Franzl mit dürstenden Augen eines heiß Verliebten betrachten, um von ihrem Anblick gerührt zu werden.

Manchmal regten sich die weißen Finger auf der roten Decke, und unter einem tieferen Atemzug bewegte die Schlummernde den Kopf.

Jetzt schlug sie die Augen auf.

Es war ein trautes Bild, das ihr erster Blick umfaßte: Franzl mit lachendem Gesicht, mit schwimmendem Blick und nassen Wangen, auf seinen Armen das Netterl, das sich aus dem Mittagsschläfchen ermunterte und große Augen machte, und hinter den beiden die Försterin mit vergnügtem Schmunzeln.

Ein Lächeln huschte über Malis Lippen, und tief seufzend schloß sie die Augen wieder.

„'s Madl meint, sie träumt!" zischelte die Horneggerin ihrem Buben zu.

So flüsternd das gesprochen war — es hatte doch den Weg zum Ohr der Erwachenden gefunden.

Ihre Lider hoben sich, die Augen schienen zu wachsen, und ein heftiges Zittern rann durch ihre Arme.

Mit zärtlicher Scheu legte Franzl seine braune Hand auf diese weißen Finger; da fuhr die Erwachte aus den Kissen auf, ein schluchzender Laut erschütterte ihre Brust, und wie in Bangen, daß zu Luft zerrinnen könnte, was ihre Blicke schauten, umklammerte sie die Hand des Jägers.

Und auf leisen Sohlen ging der Engel eines großen Glückes durch den kleinen Raum.

Lightning Source UK Ltd.
Milton Keynes UK
UKHW022147261118
333019UK00011B/633/P